U0115189

第十、十一屆中國經學
國際學術研討會論文選集

林慶彰　主編
陳逢源　編輯

目次

第十一屆

林序

　　中國經學研究會成立於民國八十五年十二月，是由內政部同意成立的民間團體，每兩年召開一次學術討論會，我擔任理事長的時段是民國一〇五年至今，即第十屆和第十一屆，根據前人的作法，由誰來主辦研討會，必須要廣徵國內各學術機構的意見。第十屆中國經學國際學術研討會於民國一〇六年十月二十、二十一日於東吳大學國際會議廳舉行，計有六十多位國內外學者參加，國外學者包括香港學者盧鳴東、陳亦伶、宗靜航，韓國學者李昤昊，共發表論文十六篇，其中周易三篇、尚書三篇、詩經一篇、三傳三篇、經學史三篇、域外經學三篇，由於發表後論文作者要求先投稿到國內外各個期刊學報，待要編輯論文集時，能夠刊登的也僅有七篇而已，這是相當不得已的事情。

　　第十一屆國際學術研討會於民國一〇八年十月二十六、二十七日在中國文化大學大新館 B1 會議室舉行，一百多位國內外學者參加，發表論文的國外學者有中國大陸學者方勇、孫廣、陳戰峰、吳瑞荻、和溪五人，香港學者有盧鳴東、陳亦伶、宗靜航三人，韓國學者有姜允玉，日本學者有內山直樹，國內學者有趙中偉、車行健、陳恆嵩、施順生、黃智明、林協成、許端容、林淑貞、張文朝、馮曉庭、金培懿、邱惠芬、楊晉龍、王俊彥、張曉生十五人，合計二十五人。

　　收入本論文集的有十八篇，如按照經書的類別來計算的話，經學總論三篇、周易三篇、尚書兩篇、詩經兩篇、三禮四篇、三傳一篇、四書一篇、東亞儒學兩篇。綜觀這兩屆的發表論文的趨勢，傳統研究方法去做研究的持續在成長，另外新開拓出來的研究議題，有東亞的儒學、香港的經學、民國時期的經學，這都是很容易看得出來的一些新的發展。

　　經學的研究因為是中國特有的學問，西方並沒有一種相對應的研究方法

可參考，只能從既有的研究方法再參酌文獻資料去歸納出較新的研究方法，這個問題國內已經有學者在做了，但是還看不出成果，這種事情一點也急不得，就好像要研究新的疫苗，從開始收集相關的資料到可以施打在人體上預防病毒，要經過很多年的努力，經學研究也是如此，所以我們對於經學研究還缺乏創新的方法，我們也不敢苛責。這幾年我身體不太好，沒能像在中央研究院中國文哲所的時段，和大家一起到大陸去推廣經學，把大陸恐懼經學的心態調整過來，造就了現在經學研究欣欣向榮的局面。我四年理事長的任期僅完成了《全球研究經學學者名錄》一書，即將完稿的有《臺灣經學人物研究文獻目錄》、《香港經學人物研究文獻目錄》，《臺灣經學人物辭典》，另外在進行中的有《臺灣經學家選集》，希望不久的將來都能看到這些研究成果的出版，也稍稍可以彌補這幾年來研究成果不多的缺失。

兩次國際學術研討會都由經學研究會的秘書長陳逢源教授和副秘書長馮曉庭、邱惠芬教授，負責來跟東吳大學中文系鍾正道主任，還有中國文化大學中文系王俊彥主任聯絡、交涉，雙方合作愉快，尤其中國文化大學的陳惠美教授把全部的精神都灌注在會議的籌備上，使每一個環節都非常的緊湊，客人有賓至如歸的感受。她的努力得到很多學者的肯定，也結交了很多學術界的新朋友，這是辦這個會議另一方面的大收穫。再度感謝所有為這兩次大會付出心血的學界先進和朋友。

二○二○年四月二十四日林慶彰序於士林天母磺溪街知魚軒

第十屆

大觀在上，中正以觀天下
——朱熹對〈觀卦〉的視域解析

趙中偉

輔仁大學中國文學系教授

提要

德伽達默爾（Hans-Georg Gadamer 1900-2002）說：「文本的意義超越它的作者，這並不是暫時的，而是永遠如此的。」

南宋朱熹（1130-1200）在理解與解釋《周易・觀卦》上，賡續前賢的《易》注成就，形成了新的視角和視域，對我們具有極大的啟發意義與價值。

針對〈觀卦〉卦旨，三國魏王弼（226-249）指出：「王道之可觀者，莫盛乎宗廟。宗廟之可觀者，莫盛於盥也。至薦，簡略不足復觀，故觀盥而不觀薦也。」強調王朝盛治，重在對君王的觀仰。

朱熹主張：「觀者，有以示人而為人所仰也。」即是從向外的觀仰，反回自身的覺悟，重在自己的修持，以身作則，達到一定水準，以為「人觀」，成為天下人表率。

朱熹的見解，既不是完全抹煞前賢的立論，也不是自己完全的獨創意見，而是根據自身的「前理解」，加上「效果歷史」，形成「視界融合」，產生「一種新質的理解」，致使其理解和解釋的詮釋，達到了提昇與發展。

如何能夠達到朱熹所謂「觀者，有以示人而為人所仰也」？

這包括核心理念的建立，內聖的實踐，包括中正不偏、柔順而巽、誠信有孚等，再由體成用，核心理念的完成；進而「己欲立而立人，己欲達而達人」，將此理念向外推展，觀民設教，外王成化，臻於盡善盡美之域。

　　從王、朱二人對〈觀卦〉的不同詮釋，所開顯出來的意義與價值為：其一是理解與解釋是一致的，詮釋且是創造發展的。其二是個人的前理解，效果歷史的變化，形成新的視域融合。其三是從君王盛德瞻仰，到自觀修身，為人觀仰，意義內容益形深化。其四大觀在上，中正以觀天下，內聖結合外王，天下太平。

關鍵詞：觀卦　朱熹　視域融合　前理解　中正以觀

德伽達默爾（Hans-Georg Gadamer 1900-2002）說：「當某個文本對解釋者產生興趣時，該文本的真實意義並不依賴於作者及其最初的讀者所表現的偶然性。至於這種意義不是完全從這裡得到的。因為這種意義總是同時由解釋者的歷史處境所規定的，因而也就是由整個客觀的歷史進程所規定的……文本的意義超越它的作者，這並不是暫時的，而是永遠如此的。」[1]

這就是說，一位理解者或解釋者，由於具有「前理解」，致對文本解讀時，發生了詮釋生產及創造性的積極因素，而形成了特殊的「視域」[2]；並與文本形成「視域融合」。並且，不斷變化，不停創新，使文本的意義愈發豐盈。

洪漢鼎（1938-）指出：「誰不能把自身置於這種歷史性的視域中，誰就不能真正理解傳承物的意義。這種視域包括傳統的觀念與當代的境遇。我們是具有傳統觀念，並立足於當代某個特殊境遇裡。」[3]

南宋朱熹（1130-1200）是易學大家，在理解與解釋《周易‧觀卦》上，賡續前賢的《易》注成就，形成了新的視角和視域，對我們具有極大的啟發意義與價值。

一　「視域融合」，形成特殊「視域」，是詮釋的生產與創造

朱熹究竟如何在〈觀卦〉上，形成特殊「視域」，展現生產與創造的詮釋？

〈觀卦〉為《周易》第20卦，其原文為：

---

[1] 參見氏著《真理與方法》，第1卷，頁301。引見洪漢鼎（1938-）《當代哲學詮釋學導論》，第4章，（臺北市：五南圖書出版公司，2014年），頁144-5。

[2] 「視域（Horizont）」，就是看視的區域，它包括了從某個立足點出發所能看到的一切。參見洪漢鼎《當代哲學詮釋學導論》，第4章，同上，頁144。

[3] 參見氏著《當代哲學詮釋學導論》，第4章，同上，頁144-5。

☰ 觀　巽上坤下

觀，盥而不薦，有孚顒若。

彖曰：大觀在上，順而巽，中正以觀天下。觀，盥而不薦，有孚顒
若，下

觀而化也。觀天之神道，而四時不忒；聖人以神道設教，而天下服
矣。

象曰：風行地上，觀；先王以省方觀民設教。

初六，童觀，小人无咎，君子吝。

象曰：初六童觀，小人道也。

六二，闚觀，利女貞。

象曰：闚觀女貞，亦可醜也。

六三，觀我生，進退。

象曰：觀我生，進退，未失道也。

六四，觀國之光，利用賓于王。

象曰：觀國之光，尚賓也。

九五，觀我生，君子无咎。

象曰：觀我生，觀民也。

上九，觀其生，君子无咎。

象曰：觀其生，志未平也[4]。

　　在解析朱子的〈觀卦〉「視域」之前，先對「觀」字的意義作一釐清。

　　「觀」字，已見甲骨文，包括羅振玉（1866-1940）　《殷虛書契前編》
「一期四、三九四」、　《殷虛書契前編》「五期四、四三、四」、郭沫若
（1892-1978）　《殷契粹編》「三期四五二」、商承祚（1902-1991）　《殷
契佚存》「四期二二九」等，具有祭名（疑即「灌祭」）；地名；人名；讀如

4　本文引用《周易》原典，是根據朱熹《周易本義》，（臺北市：老古文化事業公司，
　　1985年）。後文引證仿此，不注出處。

觀，視也；同舊等意義[5]。

　　金文，「觀」字僅見▨〈中山王▨方壺〉[6]，其意義同東漢許慎（約58-約147）《說文解字》，表示：「觀，諦視也。从見雚聲。」[7]諦，指仔細。「觀」的意義，即是仔細觀看。張舜徽（1911-1992）《說文解字約注》進一步解釋說：「取闓明視物審諦意。」[8]闓，指開啟。此即是說，「觀」的意義，具有開啟明白事物，予以仔細審查。

　　從目前看到「觀」的意義來看，具有觀看，而且是仔細觀看；並能開啟明白事物的本質內容。

　　〈觀卦〉，以「觀」字為名，其寓意又是如何？

　　「觀」字，在〈觀卦〉中，除了借用了本義外，尚創造了新的意義在其中，即是「觀」字表示觀看，且有仰瞻的涵意，即是作為觀仰的意思。而《周易》的詮釋者，則從對君王和自身的觀仰切入，形成了不同的「視域」。三國魏王弼（226-249）與朱熹，在個人的「前理解」導引之下，代表此兩種理解與解釋方向，前者重在君王盛德顯於宗廟，為天下人所觀仰；後者則強調自身修德，風吹草偃，為大眾所觀仰。

　　現今最早最完備的王弼《周易注》指出：「王道之可觀者，莫盛乎宗廟。宗廟之可觀者，莫盛於盥也。至薦，簡略不足復觀，故觀盥而不觀薦也。孔子曰：『禘自既灌而往者，吾不欲觀之矣。』盡夫觀盛，則下觀而化

5　參見徐中舒（1898-1991）主編《甲骨文字典》，〈凡例〉指出：「第一期為武丁（？-前1192）時期（包括𠂤組、子組、午組卜辭等）；第二期祖庚（？-前1198）、祖甲（？）時期；第三期廩辛（？）、康丁（庚丁的別名，？）時期；第四期武乙（？-前1113）、文丁（？）時期（包括歷組卜辭）；第五期帝乙（？-前1078）、帝辛（約前1105-前1046）時期。」（成都市：四川辭書出版社，1988年），凡例頁1。「觀」的甲骨文字形，引見是書卷8，頁979。甲骨文字義，引見是書卷4，頁408-9。

6　參見戴家祥（1906-1998）編《金文大字典》，3冊，（上海市：學林出版社，1999年），3:4319。

7　參見〔清〕段玉裁（1735-1815）《說文解字注》，8篇下，（臺北市：藝文印書館，1970年），頁412。

8　引見湯可敬（1941-）《說文解字今釋》，第3冊，（長沙市：岳麓書社，2000年），中:1175。

矣。故觀至盥則有孚顒若也。」[9]

盥，指古代祭祀宗廟時，將酒澆灌地上，以迎接神明[10]。薦，獻也，指向神獻上祭品。禘，指王者五年大祭的名稱。灌，同盥，指用酒灑地，以迎接神。孚，指誠信。顒，指恭敬。

此說明君王之道最可觀仰的，在於宗廟的祭祀[11]。然而宗廟祭祀當中，最可觀仰的，就是「盥祭」。到了「薦祭」，則過於細節簡略，則不需再觀仰，故其曰「觀盥而不觀薦」。同時，並引用孔子（前551-前479）在《論語・八佾》的話：「禘自既灌而往者，吾不欲觀之矣」。在在說明「盥祭」的重要性，能使心靈油然生起誠信恭敬之意。此寓含的意義，即是重在對君王盛德的觀仰；而其盛德的具體表現，則在宗廟「盥祭」。

唐孔穎達（574-648）賡續王弼之意，亦重在對君王盛德的觀仰。他說：「『觀』者，王者道德之美而可觀也，故謂之觀。『觀盥而不薦』者，可觀之事，莫過宗廟之祭。盥，其禮盛也。薦者，謂既灌之後，陳薦籩豆之事，故云『觀盥而不薦』也。」[12]

孔氏表示，「觀」的意義，主要在於觀仰君王盛德的「道德之美」。然而，君王盛德「道德之美」的具體展現，就在於「宗廟之祭」；尤其是「盥祭」，其顯示的禮儀，特別隆重。觀仰其「盥祭」，就能中心充滿誠信恭敬，自然體會君王的「道德之美」，亦格外突出了「盥祭」的意義與價值。

本於此，徐子宏（？）就析論說：「本卦下卦為〈坤〉，坤為地；上卦為〈巽〉，巽為風，吹拂萬物，喻君王巡視邦國，觀察民情施行德教，風化社

9　參見孔穎達《周易正義》，第3卷，引見《十三經注疏》整理委員會《十三經注疏》，21冊，（北京市：北京大學出版社，1999年），1:97。

10　〔東漢〕馬融（79-166）說：「盥者，進爵灌地，以降神也。」引見〔唐〕李鼎祚（？）《周易集解》，卷5，參見楊家駱（1912-1991）主編《十三經注疏補正・周易注疏及補正》，（臺北市：世界書局，1897年），頁112。

11　「國之大事在祀與戎」，參見《左傳・成公（？）13（前578）年》，引見孔穎達《春秋左傳正義》，卷27，引見《十三經注疏》整理委員會《十三經注疏》，同注9，7中:755。

12　參見氏著《周易正義》，卷第3，同注9，1:97。

會，所以卦名曰觀。」[13]徐氏本於王弼、孔穎達的說法，主要是從〈觀卦〉的卦象〈坤（地）〉及〈巽（風）〉來說明。〈觀卦〉之取名「觀」，即在於「巽為風，吹拂萬物，喻君王巡視邦國，觀察民情施行德教，風化社會」。

二　朱熹「觀」義，從君王盛德到以身作則，形成新「視域」

朱熹對〈觀卦〉的理解與解釋，就與王弼和孔穎達重在君王盛德的瞻仰，重在從外瞻仰君王，效法君王，有了不少的差異。他說：「觀者，有以示人而為人所仰也。」[14]即是從向外的觀仰，反回自身的覺悟，重在自己的修持，以身作則，達到一定水準，作為「人觀」，成為天下人表率。所謂「君子之德風，小人之德草，草上之風，必偃」[15]。偃，指仆倒。即是說明，為人表率者如同風，觀仰者如同草，風加在草上，必然仆倒，如同表率者自身明德昭著，為觀仰者學習，必然德博而化。南宋尹焞（1071-1142）說：「以身教者從，以言教者訟。」[16]可見「君子德風」的「身教」之意義和價值，是高於「君王盛德」的「言教」的。

朱氏雖沒有承繼王、孔之說，卻發揮了北宋程頤（1033-1107）的說法，而有了深刻的體證與了悟，予以創造性的詮釋。

程頤說：「〈序卦〉：臨者大也，物大然後可觀，故受之以觀，觀所以次臨也。凡觀視於物則為觀。為觀於下則為觀，如樓觀謂之觀者，為觀於下也。人君上觀天道，下觀民俗，則為觀。修德行政為民瞻仰，則為觀。風行地上，徧觸萬類，周觀之象也。二陽在上，四陰在下，陽剛居尊，為群下所

13　參見氏著《周易》，〈上經〉，（臺北市：臺灣古籍出版社有限公司，1997年），頁131。

14　參見氏著《周易本義》，卷之1，同注4，頁137。

15　參見《論語·顏淵》，引見朱熹《四書章句集注·論語集注》，卷6，（臺北市：大安出版社，1996年），頁190。

16　同上。

觀，仰觀之義也。在諸爻則惟取觀見隨時為義也。」[17]

〈觀卦〉在傳世本六十四卦排序上，是緊接〈臨卦〉，是以〈序卦〉要說〈臨卦〉意義為監臨治事，而功業盛大，足以供人觀仰，因而接續為〈觀卦〉。程氏提出4個觀仰角度：一是觀仰萬物；二是從上觀看於下；三是君王上觀天理，下觀民俗，作為施政參考；四是君王自身「修德行政」，足為表率，為萬民觀仰。

其中，程氏特別以〈觀卦〉卦象〈巽卦〉及〈坤卦〉，如同「風行地上，徧觸萬類，周觀之象」。進言之，〈觀卦〉其卦象是二陽在上，下為四陰，正像九五陽剛居尊，為天下百姓觀仰，故而〈觀卦〉具有君王盛德觀仰的深義。

但是，程頤並不以此義為滿足，再深論說明指出：「予聞之胡翼之先生曰：『君子居上為天下之【一无之字】表儀，必極其莊敬，則下觀仰而化也。』故為天下之觀，當如宗廟之祭始盥之時，不可如既薦之後，則下民盡其至誠，顒然瞻仰之矣。盥，謂祭祀之始。盥手酌鬱鬯於地，求神之時也。薦，謂獻腥獻熟之時也。盥者事之始，人心方盡其精誠嚴肅之至也。至既薦之後，禮數繁縟，則人心散而精一不若始盥之時矣。居上者，正其表儀以為下民之觀，當【一作常】莊嚴【一作敬】如始盥之初，勿使誠意少散如既薦之後，則天下之人莫不盡孚誠，顒然若瞻仰之矣。」[18]

胡翼之，指北宋胡瑗（993-1059）、與北宋石介（1005-1045）、孫復（992-1057），稱為宋朝初三先生，為理學的先驅。

此段說明程氏對「觀」字的意義，已接受胡瑗的觀點，從「君王」轉移到「君子」，距離我們更接近了。同時，除了重視觀仰之外，且更加強調修德；有了良好的德性修養，才能為天下人所觀仰。所謂「必極其莊敬，則下觀仰而化也」。良有以也。

當然，朱子對「觀」字的理解，其意義與內涵，則較程頤尤進一層，特

---

17 參見黃忠天（1958-）《周易程傳註評》，卷3，（高雄市：高雄復文圖書出版社，2004年），頁180。

18 同上。

別重視一己的修行，反躬自省，以明其德，中正以觀，方能為天下之大觀。

朱子為何有此看法與轉變？

按照伽達默爾的看法，理解者和解釋者的視域不是封閉的和孤立的，它是理解在時間中進行交流的場所。理解者和解釋者在與文本接觸中，不斷擴大自己的視域，使它與其他視域相交融，成為「視域融合」[19]。析言之，朱子在解讀〈觀卦〉時，一方面根據前賢的「視域」，參照他們的觀點；並加上自身的理解，相互交融，形成一個新的「視域」。「觀」字意義，從對「君王盛德」的觀仰，轉化為要求自身修德完善的觀仰，就是最佳的「視域融合」。

誠如伽達默爾所說：「理解其實總是這樣一些被誤認為是獨自存在的視域的融合過程。」[20]「視域融合」不僅是歷時性（此指縱觀性）的[21]，而且也是共時性（此指橫觀性）的[22]。在「視域融合」中，已經沒有時間的距離，內外的分別，上下的差異；而是「歷史與現在，客體與主體，自我與他者，陌生性與熟悉性構成了一個無限的統一整體」[23]。

我們再進一步分析，「視界融合」時，主體的理解視野不能隨意地解釋歷史對象；而被解釋對象的理解視野，也不能因其特定的歷史內容而使主體的能力受到不應有的妨礙，甚至消融主體，使主體墮入無法求得的歷史真實性的徒勞追求中。解釋的主體和對象的關係應該達到一種「視界融合」。因

---

19 參見洪漢鼎《當代哲學詮釋學導論》，第4章，同注1，頁145。

20 參見氏著《真理與方法》，第1卷，頁311。引見同上。

21 瑞士語言學家F・索緒爾（Ferdinand de Saussure，1857-1913）所創用的概念。指語言中不為同一集體的意識所能感覺到的，連續的成分間的關係。即語言在較長的歷史時期中所經的變化。參見楊蔭隆（1936-）主編《西方文學理論大辭典》，「歷時性」條，（長春市：吉林文史出版社，19941年），頁104。

22 瑞士語言學家F・索緒爾（Ferdinand de Saussure，1857-1913）所創用的概念。與歷時性相對。此指能為特定歷史階段的集體的意識，所能感覺到的同時存在，並構成系統的語言成分之間的聯繫。即語言在一定的歷史階段的橫斷面的靜態存在。參見同上，「共時性」條，頁349。

23 參見洪漢鼎《當代哲學詮釋學導論》，第4章，同注1，頁145。

此，在此基礎上，使理解產生出新的意義，即既不是主體意義的實現，也非對象客體意義的還原的一種新質的理解，具有歷史有效性的理解。這將給歷史的解釋活動帶來前進[24]。

所謂「歷史的效果性」，即是伽達默爾所強調的「效果歷史」。所謂「效果歷史」，是指解釋學理論和解釋活動所應具有的一種歷史意識。它明確地意識到解釋的歷史性，即認識到解釋活動中同時存在著兩種真實：歷史的真實和歷史理解的真實。前者是一種永遠達不到的解釋目標，而後者則告訴我們要在解釋活動中努力做到歷史的有效性[25]。即是說明歷史的真實，是永遠無法瞭解；我們所認知的歷史，已是有個人的「前理解」加入的歷史。誠如朱熹對〈觀卦〉的理解和解釋，之所以成為「效果歷史」，就是已加入朱子個人「前理解」的歷史，而非真實的歷史。

析言之，「效果歷史」的歷史理解之真實境況是，解釋是一種歷史的循環過程，每一時代的理解都建築在前人和傳統的理解之上，並融入自己時代的特殊理解。因此，任何解釋都受制於歷史和傳統，每個解釋頭腦中，都存有一個「前理解」的「先在」，它們都只在解釋循環中占有某種受局限的地位，都只在某種特定的歷史階段和歷史環境中起一定的效果作用，而永遠不能將解釋對象完整地一勞永逸地解釋盡。解釋首先是一種歷史行為，其次才是個人理解與歷史理解的融滙統一[26]。

伽達默爾認為「效果歷史意識（wirkungsgeschichte lichesbewusstsein）」應該成為解釋活動的主導意識，它恰當地指出了解釋的本質特徵。因此，「效果歷史意識」又譯「解釋學意識」[27]。

換言之，在詮釋時，詮釋者不能無限上綱的隨意解釋對象文本，造成對象文本之意義與本義之間的完全割裂。而對象文本也不能因其特定的內容，以拘限解釋者的思考與詮釋，甚而「消融主體」，使解釋者完全受限於對象

---

24 參見楊蔭隆主編《西方文學理論大辭典》，「視界融合」條，同注21，頁837-8。

25 同上，「效果歷史意識」條，頁1109。

26 同上。

27 同上。

文本的約束。因此，在此情形下的詮釋內涵，既不是解釋者的主體意識，也非對象文本意義的還原，而是產生「一種新質的理解」，形成「視界融合」，致使詮釋達到了提昇與發展。即是我們對於作品的認識，是經由作者、文本及讀者（包含前理解）三者融合的綜合意義。

朱熹就是在此種情形上，形成了他對「觀」字，由向外觀仰的仿效，到自我觀仰的修持，就是既不是完全抹煞前賢的立論，也不是自己完全的獨創意見，而是產生「一種新質的理解」，形成「視界融合」，致使其理解和解釋的詮釋，達到了提昇與發展。

三　受人「觀仰」，必須以「觀我生」、「觀其生」為主

如何能夠達到朱熹所謂「觀者，有以示人而為人所仰也」？

這包括核心理念的建立，內聖的實踐，以及由體成用，核心理念的完成；再進而，「己欲立而立人，己欲達而達人」[28]，將此理念向外推展，觀民設教，外王成化，臻於盡善盡美之域。

析言之，「觀者，有以示人」，在於以「觀其生」及「觀我生」為主；而「觀其生」及「觀我生」的核心理念則為「道」為核心理念。如何達成「道」，且展示「道」？就在於道德的實踐，包括中正不偏、柔順而巽、誠信有孚等。

「道」的實踐，除了「觀其生」及「觀我生」外，並必須由己身向外開拓，向前推動的「神道設教，而天下服」之「觀國之光」、「觀民設教」；如此，則為「為人所仰」，外王之道成矣。

就「觀其生」及「觀我生」來分析：〈觀卦〉在六爻爻辭中，提到3次，包括

　　六三，觀我生，進退。

　　象曰：觀我生，進退，未失道也。

28　參見《論語‧雍也》，引見朱熹《四書章句集注‧論語集注》，卷3，同注15，頁123。

　　九五，觀我生，君子无咎。

　　象曰：觀我生，觀民也。

　　上九，觀其生，君子无咎。

　　象曰：觀其生，志未平也

朱熹解釋說：「我生，我之所行。」[29]此指考察自身的行為。其更深入說明：
「『觀我』是自觀，如『視履考祥』底語勢。『觀其』亦是自觀，卻從別人
說。易中『其』字不說別人，只是自家，如『乘其墉』之類。」[30]「視履考
祥」，出於〈履卦‧上九爻辭〉，表示考察其人踐履行為，藉以斷定其禍福得
失。「乘其墉」，出於〈同人卦‧九四爻辭〉，是指象徵登上了城牆，強爭與
人和同。朱氏在此亦說明「觀我」及「觀其」，皆指自己。即是想要「有以
示人而為人所仰」，必須從自身做起；也由於「其身正，不令而行；其身不
正，雖令不從」[31]。自己做得好，一則可以「示人」，二則才能為人「所仰」。

　　針對〈觀卦‧九五爻辭〉「觀我生，君子无咎」，朱熹不厭其煩的強調考
察自身行為的重要。他說：「九五，陽剛中正，以居尊位，其下四陰，仰而
觀之，君子之象也。故戒居此位、得此占者，當觀己所行，必其陽剛中正亦
如是焉，則得无咎也。」[32]

　　關於此爻提到「君子无咎」的原因，朱子特別強調「自觀」，即是「當
觀己所行，必其陽剛中正亦如是焉，則得无咎也」。充分說明「自觀」的主
要條件之一，就是必須俱備「陽剛中正」的德性，方能無災無咎；且「為人
所仰」——「九五，陽剛中正，以居尊位，其下四陰，仰而觀之」。

　　從上可知，「觀者，有以示人而為人所仰」，在於以「觀其生」及「觀我
生」為主，即是「自觀」，以自身的修行為首要。

---

29 參見氏著《周易本義》，卷之1，同註4，頁139。

30 參見〔南宋〕黎靖德（？）《朱子語類》，4冊，卷70，（長沙市：岳麓書社，1997年），
　　3:1597。

31 參見《論語‧子路》，引見朱熹《四書章句集注‧論語集注》，卷7，同註15，頁198。

32 參見氏著《周易本義》，卷之1，同註4，頁140。

為了使自身修行完美無缺，盡善盡美，就必須建立核心思想，作為生命的意義與價值。此核心思想的表徵，即是一個「道」字。

〈觀卦〉提到「道」字，主要在本卦〈彖辭〉：「觀天之神道，而四時不忒；聖人以神道設教」。其中「神道」之「神」，為形容詞，指微妙不測，是形容「道」的偉大，微妙莫測[33]。

何謂「道」？「道」，可分為兩種意義，一就本體言，指宇宙萬有的本根存在，且存在每一物當中，任何一物皆不能缺少它。另一就宇宙化生言，指宇宙萬化的源頭，從一到多，由簡至繁。

「道」是什麼？就是「理」，亦即是「天理」。

朱熹在解釋「一陰一陽之謂道（〈繫辭上傳・第4章〉）」時說：「陰陽迭運者，氣也；其理則所謂道。」[34]此說明了「道」即是「理」，為化生之源；而氣化的過程，則為「陰陽」，為化生變化的對立之氣。有「道」或「理」，結合「陰陽」，則形成宇宙大化森羅萬象，生生不息。

這裡的「一陰一陽」之「一」字，不是指數字的一，一個陰一個陽；而是指變化，為動詞，是指陰陽之氣的對立、變化及相合的情形。「一陰一陽之謂道」是說，「道」是陰陽之氣的對立、變化及相合的本根；而並非是一個陰一個陽，僅只是陰陽正反對立的氣。

根於此，朱氏再進一步說：「『一陰一陽之謂道』。陰陽是氣，不是道，所以為陰陽者，乃道也。若只言『陰陽之謂道』，則陰陽是道。今曰『一陰一陽』，則是所以循環者乃道也。」[35]其特別提醒，要將「陰陽之謂道」與「一陰一陽之謂道」分辨清楚。「陰陽之謂道」，是指「陰陽」為「道」，則是本為化之「氣」代表「體」，是不符合形上化生的順序的。必須以「一陰一陽之謂道」，這樣才能展現「道」代表體，即是「是所以循環者乃道」。

在朱氏的形上學體系中，第一因就是「理」或「天理」，作為最高的本

---

33 程頤說：「天道至神，故曰神道。」此「神」，即指微妙莫測。引見黃忠天《周易程傳註評》，卷3，同注17，頁182。

34 參見氏著《周易本義》，卷之3，同注4，頁287。

35 參見黎靖德《朱子語類》，卷74，同注30，3:1702。

體，且為最高範疇。而「氣」或「陰陽二氣」，則為第二層次的化生過程。他說:「天地之間，有理有氣。理也者，形而上之道也，生物之本也。氣也者，形而下之器也，生物之具也。是以人物之生，必稟此理，然後有性;必稟此氣，然後有形。」[36] 其將宇宙形成分成兩部份，「理」是生物之本，是無形象的精神層次，為形而上者;而「氣」是生物之具，屬於有形象者，為形而下者。人物之生，必須兼具形上之「理」，才能有「性」，成為人類的本質;形下之「氣」，才能有「形」，成為人類的軀殼。兩者相合，成為一個完整的人。由此看出，「理」不僅為本體，且寓含在宇宙萬物之中，並可見其在化生萬物過程中的重要性。

「未有天地之先，畢竟也只是理。有此理，便有此天地;若無此理，便亦無天地，無人無物，都無該載了!有理，便有氣流行，發育萬物」[37]。「理」是本體，具有絕對性、至上性、終極性，是以在未有天地之前，「理」便存在。有了此「理」，便有天地;沒有此「理」，便沒有天地，亦沒有人及物，可說一切都沒有了。同時，「理」是化生之源，產生了陰陽二氣，化生萬物。所謂「有是理後生是氣，自一陰一陽之謂道推來，此性自有仁義」[38]。「理」生氣，人秉此「理」而有性，性中自寓含一切道德，所謂「仁義禮智信」。

此外，「理」又具有普遍性，所以「宇宙之間，一理而已。天得之而為天，地得之而為地，而凡生於天地之間者，又各得之以為性」[39]。「理」寓於萬化之中，天地得之以為天地，萬物得之則以為本性。天下無一物不含「理」，無一物無法自外於「理」。

根於此，朱氏再次分析指出:「《易》說『一陰一陽之謂道』，這便兼理與氣而言。陰陽，氣也;『一陰一陽』，則是理矣。……蓋陰陽非道，所以陰

---

36 參見陳俊民（1939- ）編《朱子文集·答黃道夫一》，10冊，卷58，（臺北市：允晨文化實業公司，2000年），6:2798。

37 參見黎靖德編《朱子語類》，卷1，同注30，1:1。

38 同上。

39 參見陳俊民編《朱子文集·讀大紀》，卷70，同注36，7:3500。

陽者道也。」⁴⁰明白說明，「一陰一陽之謂道」，雖是一句話，卻包含了「道」與「器」。「道」即是「所以陰陽者道」，「器」即是「陰陽」變化而成。所謂

　　　形而上者謂之道，形而下者謂之器（〈繫辭上傳‧第12章〉）。

朱熹理解與解釋說：「形是這形質，以上便為道，以下便為器，這箇分別得最親切，故明道云：『惟此語截得上下最分明。』又曰：『形以上底虛，渾是道理；形以下底實，便是器。』」⁴¹

　　形，即指形質，也就是形體。「形而上」，指精神面。明道，即是指北宋程顥（1032-1085）。此說明精神以上的，為無形無象，無限廣大，無法拘限，無可測量，即如本體般，為最高的形上本根，所以稱為「道」。即如程顥所言，「形以上底虛，渾是道理」。而「形而下」，指形體，為具象可感，經驗所能探知，有形有象，有限有界，所以稱之為「器」，為具體物質性之物。亦即如程顥所表示的，「形以下底實，便是器」。

　　「卦爻陰陽，皆形而下者。其理則道也」⁴²。朱子根據《周易》內涵，將「道」與「器」作了分別。其中「卦爻陰陽」，具體的「卦爻」，和物質性的「氣」之「陰陽」，皆屬於「形而下」，為「器」；而抽象無形，無盡無邊的「理」，則歸為「理」，為「形而上」者。

　　關於「形而上者謂之道，形而下者謂之器」的意義，學生請教朱子說：問：「『形而上下』，如何以形言？」⁴³即是「形而上」與「形而下」，為何以「形」做為區隔？

　　朱子回答說：「此言最的當。設若以『有形、無形』言之，便是物與理相間斷了。所以謂『截得分明』者，只是上下之間，分別得一箇界止分明。

40 參見黎靖德《朱子語類》，卷74，同注30，3:1702。
41 同上，卷75，頁1737。
42 參見氏著《周易本義》，卷之3，同注4，頁309。
43 參見黎靖德《朱子語類》，卷75，同注30，3:1737。

器亦道,道亦器,有分別而不相離也。」[44]「形」,是做為上下之間的一個界限,表明「道」與「器」,是可以互相交流,而不是截然不可分的。若以「有形」、「無形」做為分界,易造成「截得分明」。所以,以「形」做為「形而上」與「形而下」的區分,是其來有自的。

又有學生接著問:「如何分形、器?」[45]

朱子耐心剖析說:「『形而上者』是理;才有作用,便是『形而下者』。」[46]這裡朱子以「作用」,即是化生的作用來區隔「形上」與「形下」。

學生不明,因而繼續追問說:問:「陰陽如何是『形而下者』?」[47]「陰陽」二氣,是從「道」而生,為什麼是「形而下」?

朱子不厭其煩的解釋說:「一物便有陰陽。寒暖生殺皆見得,是『形而下者』。事物雖大,皆『形而下者』,堯舜之事業是也。理雖小,皆『形而上者』。」[48]「形而上」與「形而下」的差異,不在於大小,而在於其內在的延伸性及廣闊性。像陰陽寄寓萬物之中,有形事物,看起來很大;但是,只要是有形有象的,無論多大,都是有限,是以屬於「形而下」,就像堯(?)與舜(?)經天緯地的事業,亦是有形有象。反過來說,無形無象,我們無法感知,可是它無邊無涯,無量無盡,展現的是「天理」的昭明性與無限性,符合「道」的內在意義與價值,自然是「形而上者謂之道」。朱子的解釋是極為鞭辟入裡的。

「『形而上者謂之道』一段,只是這一箇道理。但即形器之本體而離乎形器,則謂之道;就形器而言,則謂之器」[49]。朱子深中肯綮的指出。「道」,是一切萬有的本體,超越在萬有之上,故說「形器之本體而離乎形器,則謂之道」。然而,單就有形跡可言之形器,則「謂之器」。

---

44 同上。

45 同上,3:1738。

46 同上。

47 同上。

48 同上。

49 同上。

　　朱子再細心說明：「『形而上者謂之道，形而下者謂之器。』道是道理，事事物物皆有箇道理；器是形跡，事事物物亦皆有箇形跡。有道須有器，有器須有道。物必有則。」[50]「道」與「器」，最大的分別，「道」指道理，即是規律，無任何跡象。而「器」則為事物，有形跡可尋。此即所謂「有物有則」[51]：「則」是「道」，「物」是「器」。

　　由上可知，「『形而上者』指理而言，『形而下者』指事物而言。事事物物，皆有其理；事物可見，而其理難知。即事即物，便要見得此理，只是如此看」[52]。朱子將「形而上」與「形而下」的意義與價值，區分得更為清晰與完整。

　　總結「形而上者謂之道，形而下者謂之器」，朱子概括說：「『形而上者』是理，『形而下者』是物。如此開說，方見分明。如此了，方說得道不離乎器，器不遺乎道處。」[53]「道」「器」之分，「理」「物」之別，粲然大明。

四　神「道」之方：中正不偏，柔順而巽，誠信有孚，諸德並重

　　抓住了「道」核心，接著要問的是，如何使「道」彰明博大，「觀天之神道」、「聖人以神道設教」？

　　《四庫全書總目提要》指出：「《易》之為書，推天道以明人事者也。」[54] 即是說明形上本體「天道」的具象顯現，必須從人生日常行為著手；而人生日常行為的直接表現，即是道德修身。

---

50 同上，3:1737。

51 出於《詩經大雅·烝民》「天生烝民，有物有則。民之秉彝，好是懿德」。參見孔穎達《毛詩正義》，卷第18，引見《十三經注疏》整理委員會《十三經注疏》，同注9，3下:1218。

52 參見黎靖德《朱子語類》，卷75，同注30，3:1737。

53 同上，3:1738。

54 參見〔清〕永瑢（1744-1790）編撰，5冊，〈經部〉卷1，（臺北市：臺灣商務印書館，2013年8月），1:1。

在〈觀卦〉中的道德修身，主要立足於中正不偏、柔順而巽、誠信有孚。先就中正不偏言：

　　　大觀在上，順而巽，中正以觀天下（〈觀卦·彖辭〉）。

順而巽，是指〈觀卦〉卦象為下〈坤〉上〈巽〉，〈坤〉的卦德為柔順[55]，〈巽〉的意義為謙遜[56]。中正，就卦象言，〈九五爻〉及〈六二爻〉，皆居上下卦之中，陽居陽位，陰居陰位，皆得正位。就卦德言，〈九五爻〉及〈六二爻〉，皆具有中正不偏之德。

　　程頤說：「五居尊位，以剛陽中正之德，為下所觀，其德甚大，故曰大觀在上。」[57]程氏認為〈觀卦〉所以有中正不偏之德的原因，主要在於〈九五爻〉陽居陽位，據有中正之德，以身為表率，為下民所仰觀，予以學習仿傚，所以稱其為其「大觀在上」。一則君王在上，遍觀萬民；另一則是君王美好的德範，為萬民所仰觀；如同宏大的景觀，總是顯現在崇高之處。

　　中正不偏之德，在《易傳》的內涵中，發揮得淋漓盡致。例如

　　　大哉乾元，剛健中正，純粹精也（〈乾卦·文言〉）。

朱熹詮釋說：「中者，其行无過不及。正者，其立不偏。」[58]表明既中且正的道德,具有不偏不倚，中正不阿的特性。

　　同時，中正不偏之德，就是個人在道德行為上的正當性、規範性及普遍性。即是內心公正，無偏無陂，無有作好，無有作惡，直道而行，豈非做事一切正當！自身中正，誠於中而形於外，風吹草偃，天下從風，豈非為大眾之典範！中正之道，不僅從自身做起，亦可推行天下，使人人自覺反省，力

55　〈說卦·第7章〉說：「〈坤〉，順也。」參見朱熹《周易本義》，卷之4，同注4，頁340。

56　《尚書·堯典》說：「汝能庸命，巽朕位。」〔西漢〕孔安國（？）傳曰：「巽，順也。」參見孔穎達《尚書正義》，卷第2，引見《十三經注疏》整理委員會《十三經注疏》，同注9，2:45。巽，又通遜，指辭讓。

57　參見黃忠天《周易程傳註評》，卷3，同注17，頁181。

58　參見氏著《周易本義》，卷之1，同注4，頁68。

行不怠，豈非非個別之事，而為普遍之德，

　　另外，凡是爻居中正二五之位，表現中正之德，則是該卦所以吉利亨通的重要原因。例如：

> 利見大人，尚中正也（〈訟卦・彖辭〉）。
>
> 剛中正，履帝位而不疚，光明也（〈履卦・彖辭〉）。
>
> 文明以健，中正而應，君子正也（〈同人卦・彖辭〉）。
>
> 柔麗乎中正，故亨（〈離卦・彖辭〉）。
>
> 中正有慶，利涉大川（〈益卦・彖辭〉）。
>
> 剛遇中正，天下大行也（〈姤卦・彖辭〉）。
>
> 剛巽乎中正而志行，柔皆順乎剛，是以小亨（〈巽卦・彖辭〉）。
>
> 當位以節，中正以通（〈節卦・彖辭〉）。

這些卦皆是陰居二，陽爻居五，陰陽當位；且居中正，有中正之德，是故能渡過險難，達到吉祥如意。就以〈訟卦〉為例，孔穎達就分析說：「於訟之時，利見此大人者，以時方鬥爭，貴尚居中得正之主而聽斷之。」[59]此說明在訟爭不已的時候，能夠安然渡過，不受牽連，主要在於能遇到中正不偏之君，能夠公正聽斷的原因。「居中得正」，除了居其位之外，尤其重要的是有其德。總之，中正不偏之德，在易學體系中的重要性於此可見。

　　次就柔順而巽而言，此德的突出，主要在於卦象所彰顯的卦德。即如程頤析論的，「下〈坤〉而上〈巽〉，是能順而巽也。五居中正，以巽順中正之德，為觀於天下」[60]。也就是順巽之德，主要在於〈觀卦〉卦象為下〈坤〉上〈巽〉，其德為順巽，即是柔順謙遜，藉以強調此德的重要性。

　　柔順謙遜之德，在《周易》中論述最為詳瞻的，就是〈坤卦〉。我們從此卦中可以充分明瞭此德的意義與價值。

　　〈坤卦・文言〉說：

59　參見氏著《周易正義》，卷第2，同注9，1:46

60　參見黃忠天《周易程傳註評》，卷3，同注17，頁181。

坤至柔而動也剛，至靜而德方。後得主而有常，含萬物而化光。坤道
其順乎！承天而時行。

後得主而有常，此指「坤」位居「乾」道之後，展現柔順之道，以「乾」道
為主，隨從其後，就能長久保持順德。此段是說明「坤」德具有最柔順的品
德，但是變動之時，則顯示剛強之性。本質極為寧靜，且是方正不阿。柔順
的「坤」德，隨從「乾」道後，以「乾」為主，就能長久保持順德。包容一
切，育載萬物，煥發無限光芒。「坤」德的規律就是柔順，順承「乾」道的
意志，依從四時的變化而運行不已，「坤」德真是偉大！

　　程頤就精闢分析說：「坤道至柔，而其動則剛；坤體至靜，而其德則
方。動剛，故應乾不違；德方，故生物有常。陰之道，不唱而和，故居後為
得，而主利成萬物，坤之常也。含容萬物，其功光大也。坤道其順乎，承天
而時行，能承天之施，行不違時，贊天道之順也。」[61]

　　充分說明「坤」德柔順的意義與價值。即是「坤」德雖寓至柔的本質，
可是在變動當中，顯現的是剛健，主要是「應乾不違」，順從「乾」道之
後，不敢為主。同時，「坤」德雖有至靜的特質，可是其德方正，致能「生
物有常」，生生不息。最重要的，「坤」德至柔至靜，不居前搶功，隨順
「乾」道後，長保無疆之休。難怪小程子要大大的稱贊「坤」德，「含容萬
物，其功光大也。坤道其順乎，承天而時行，能承天之施，行不違時，贊天
道之順也」。意義是內含其中，又見乎其外，衷心銘感的。

　　清劉沅（1768-1855）則根據「乾剛坤柔，乾動坤靜」，而深入闡釋說：
「乾剛坤柔，乾動坤靜，定體也。然坤固至柔，承乾之施，而動以生物，其
機不可止遏，則亦至剛矣。坤固至靜，然有乾之化，而德能廣生，形氣各有
所屬，則又至方矣。蓋以乾為主，讓功於乾，常若居後，實則德所主而有
常，故能含育萬物，化生不窮，光輝宣著，順承天道而時行，不敢先時而
起，不敢後時而不應，所以配天於無窮也。」[62]

---

61 同上，卷1，頁34。
62 參見氏著《周易恆解》，引見「周易恒解（二）：〔清〕劉沅撰：Free Download &

　　劉氏指出，雖然「乾剛坤柔，乾動坤靜」，「乾」道剛健變動，「坤」德柔順寧靜；但是，「坤」德仍具有「乾」道的剛健變動。何故？主要是「坤」德固然是柔順，可是能夠「承乾之施，而動以生物，其機不可止遏，則亦至剛矣」。即是「坤」德承繼「乾」道，秉持其化生之能，致能生物不測，永無止息，也突出了至剛的特性。「坤」德雖然寧靜，然而能夠「有乾之化，而德能廣生，形氣各有所屬，則又至方矣」。就是「坤」德本於「乾」道化生，廣生萬有，豈不是方正之德！劉沅將「坤」德寄寓柔剛與動靜的本質，充分展現。

　　「坤」德柔順，是〈坤卦的核心本質，現對此柔順之德，再作進一步分析與論述。

　　就「柔」概念言，見於甲骨文，未見金文。在甲骨文中，見於郭沫若（1892-1978）及胡厚宣（1911-1995）編的《甲骨文合集》八七四[63]，表示方國名。在許慎《說文解字》中釋義說：「柔，木屈曲直也。從木，矛聲。」[64]即是指彎曲使伸直，或直者可屈。

　　柔順的意義，是指「柔順利貞，完成事功」為主。是以柔順之表現為角色選擇或角色扮演；而其目的則在於配合對方，使事情完成。例如「含章可貞，或從王事，无成有終（〈坤卦‧六三爻辭〉）」、「陰雖有美，含之。以從王事，弗敢成也。地道也，妻道也，臣道也。地道无成，而代有終也（〈坤卦‧文言〉）」。含章，指蘊含美德。從，指輔佐。无成有終，指功成不居。代有功，指代天有功。

　　充分指出「坤」德柔順的特點，即是其柔德是「曖曖內含光，久久自芬芳」[65]，不輕易外露的。特別是在輔佐君王時，總是居於二把手的位置，如

Streaming : Internet Archive」網頁，https://archive.org/details/02072354.cn，2016年11月3日。

63　參見劉興隆（1927-）《新編甲骨文字典》，（北京市：國際文化出版社，2005年），頁336。

64　參見段玉裁《說文解字注》，6篇上，同注7，頁254。

65　曖曖，指昏暗不明貌。參見〔東漢〕崔瑗（77-142）〈座右銘〉，引見〔南朝梁〕蕭統

同大地、妻子、臣子般,角色選擇或角色扮演為襄助的地位,助其上天、國君、丈夫成功;而其永遠是「地道无成,而代有終」。配合天道,功成不居。

儒家亦發揮了「坤」德柔順,誠於中而形於外,顯現寬厚待人的柔和性。《說文解字》就解釋「儒,柔也。術士之偁。从人,需聲」[66]。此指出要成為一位儒者,必須具有柔順之德。強調「含弘光大,品物咸亨(〈坤卦·彖辭〉)」之德。即是「柔」具有包容、寬裕、昭明、博厚的特色[67],則萬化亨通,受到滋養。

同時,《禮記·儒行》,更以具體的例證,說明儒者的柔。其曰:「舉賢而容眾,毀方而瓦合。其寬裕有如此者。」[68]即是儒者能推舉賢人並能容納眾人。就像陶瓦般,能夠毀其圓以為方,合其方而復圓。即是毀去棱角,與瓦礫相合。比喻屈己從眾,與世俗相合。這就是儒者的寬容充裕的涵養。總之,儒者的「柔」,是寬厚待人的柔和性,是中心而得之的崇高道德修養之展現。

由於「坤」德柔順,如同大地,是以〈坤卦·象辭〉就以「地勢坤,君子以厚德載物」予以類比。勢,指氣勢。坤,指和順。厚,指增厚。此言大地氣勢和順,君子法地而行,就必須增厚德品,容載萬物。

程頤說:「坤道之大猶乾也,非聖人孰能體之?地厚而其勢順傾,故取其順厚之象,而云地勢坤也。君子觀坤之象,以深厚之德,容載萬物。」[69]「坤道」如同「乾道」,至廣至大,無邊無盡。同時,大地深厚,其形勢順傾,是以取其和順深厚之象。君子觀坤法地,反身自省,即應增厚美德,容載萬物。

(501-531) 編、〔唐〕李善 (630-689) 注《昭明文選》,2冊,卷56,(臺北市:五南圖書出版公司,2000年),下:1369。

66 參見段玉裁《說文解字注》,8篇上,同注7,頁370。

67 程頤說:「含,包容也。弘,寬裕也。光,昭明也。大,博厚也。」參見黃忠天《周易程傳註評》,卷1,同注17,頁26。

68 參見孔穎達《禮記正義》,引見《十三經注疏》整理委員會《十三經注疏》,同注9,6下:1585。

69 參見黃忠天《周易程傳註評》,卷1,同注17,頁28。

　　朱熹亦本程頤之說，而進一步說：「其勢之順，則見其高下相因之无窮，至順極厚而无所不載。」[70]大地的氣勢為何重在「和順」？主要是大地的形勢，是高下相互配合，無窮無盡；並能和順深厚，無不容載，是以稱之「地勢坤，君子以厚德載物」。

　　綜上可知，「地勢坤，君子以厚德載物」，可從三個面向分析：

　　──心靈上：含弘光大，容載萬有，增厚德品，德合无疆　大地寬廣，無邊無際，展現出「无疆」的特質。无疆即是指空間的無涯，時間的無盡。而此概念意涵具體落實在心靈層次，則為「含弘光大」。誠如程頤所說的，「含，包容也。弘，寬裕也。光，昭明也。大，博厚也」[71]。此就是敞開心靈，寬裕弘大，包容一切，昭明天地，博大厚實。這樣，自能心包太虛，容載一切萬物。而在品德上，並能增進自身之德，博厚自身之量，寬廣無限，德合无疆。就像明林希元（1482-1567）所說：「惟其厚，故能無不持載。」[72]說明的非常清楚。再就具體的例證來說，「原來，一個人若能敞開心靈，就能像法蘭可醫師那樣，不但能包容苦難與創傷，也包容恨」[73]。法蘭可（Viktor Emil Frankl，1905-1997）醫師是猶太人[74]，在納粹時期，全家都被關進了奧茲維茲集中營。他的父親、母親、妻子、哥弟等全都死在集中營的毒氣室中，只有他和妹妹殘存。「身為受害人的他，拒絕接受報復式的『集體罪責』的概念，甚至不惜替許多人講話，這是多麼偉大的心胸」[75]！因此，「地勢坤，君子以厚德載物」，在心靈上的作為，就是含弘光大，容載萬有，增厚德品，德合无疆。

---

70 參見氏著《周易本義》，卷第1，同注4，頁74。

71 參見黃忠天《周易程傳註評》，卷1，同注17，頁26。

72 參見《易經存疑》，引見黃壽祺（1912-1990）、張善文（1949-）《周易譯注》，卷1，（上海市：上海古籍出版社，1989年），頁27。

73 參見南方朔（本名王杏慶。1944-）〈在黑暗裡點燃燈火〉，引見維克多‧法蘭可（即是弗蘭克）著，鄭納無（？）譯《意義的呼喚》，（臺北市：心靈工坊文化事業股份有限公司，2010年），頁9。

74 法蘭可，即前翻譯之弗蘭克。

75 參見南方朔〈在黑暗裡點燃燈火〉，引見維克多‧法蘭可（即是弗蘭克）著，鄭納無譯《意義的呼喚》，同注73，頁9。

——態度上：柔順利貞，含章有美，謙沖自牧，功成不居　坤德最核心的內涵，就是柔順。即是柔和溫婉，仁德普被。此即所謂「〈乾〉剛〈坤〉柔」[76]。柔順的特性，析言之，即和煦溫潤，謙順柔美。也因此，其展現的是仁愛、包容、溫柔、和善的風範。然而，此種態度是貞定不阿，方正不偏的；更是含章有美，含藏不露的。此種「柔順利貞，含章有美」特質，必須以正念導引大眾，對天下萬有無不包容，無不覆載。在天下人有難時，是不分畛域，不別人種，無論其為何人，其為何物，其為何事，無不加以拯溺，有難必助。同時，「君子以厚德載物」，在態度上的另一層次的表現，就是「謙德」——謙沖自牧，功成不居。可從〈謙卦・彖辭〉具體完整的說明：「謙，亨。天道下濟而光明，地道卑而上行。天道虧盈而益謙，地道變盈而流謙，鬼神害盈而福謙，人道惡盈而好謙。謙尊而光，卑而不可踰，君子之終也。」流，指充實。福，指施福。尊而光，指尊貴而光明。踰，指超越。終，指保持至終。真確的指出，謙虛者，可得亨通。如同天道是向下，普濟萬物。同時，天道是減損盈滿，增益謙虛。地道雖是位處卑下，而地氣是向上運行，是以地道是改變盈滿，充實謙虛。鬼神對謙虛者，是危害盈滿，施福謙虛。人道對謙虛者，是憎惡盈滿，喜好謙虛。謙虛者，若位居尊位，其德更顯光明；若位居卑下，其德亦不可超越。由此之故，君子必須永恆的保持謙德。即如程頤所說：「君子至誠於謙，恆而不變，有終也，故尊光。」[77]坤道的謙柔之德，必須恆久而不變，貫徹始終；並能「無伐善，無施勞」[78]，有功不誇，功成不居。因此，「地勢坤，君子以厚德載物」，在態度上的作為，就是柔順利貞，含章有美，謙沖自牧，功成不居。

——實踐上：黃中通理，正位居體，敬以直內，義以方外　此分為兩個層次，一為個人的修身部分，一為實際的踐履部分。在個人的修身部分，必須「其身正，不令而行」[79]。若自身行為端正，就能風吹草偃，一言一行，

---

76 參見〈雜卦〉。

77 參見黃忠天《周易程傳註評》，卷2，同注17，頁139。

78 參見〈論語・公冶長〉，引見朱熹《四書章句集注》，卷3，同注15，頁111。

79 參見〈論語・子路〉，同上，卷7，頁198。

為天下法，自然為人典範，為他人取法。此即是坤德所強調的，「黃中通理，正位居體（〈坤卦‧文言〉）」。黃中，指黃色為居於中央的正色。通理，指通達事故，兼具文理。此是說君子品德尊貴，正向中正；並通達事故，兼具文理。同時，身居中正之位，內蘊中正之德。誠如程頤所言，「君子文中而達於理，居正位而不失為下之體」[80]。特別強調君子德品中正，不偏不頗，內有文采，通達事理。此外，並能雖處尊位，而能謙柔待下，真誠待人，如此安能不為天下人雲合景從！坤德的實際踐履上，就必須「敬以直內，義以方外（〈坤卦‧文言〉）」。即是以恭敬的心，端正於內；並以正當的舉措，規範外在的行為。如此，方能使坤德之「厚德載物」，真正實踐。根於此，程頤進一步分析說：「君子主敬以直其內，守義以方其外。敬立而【一作則】內直，義形而【一作則】外方。義形於外，非在外也。」[81]程子強調心存恭敬，內心自然正直；正當合宜的行為顯現於外，外在行為自然方正。然而，外在的方正行為，並非來自於外，而是「誠於中而形於外」的。故其曰「義形於外，非在外也」。因此，「地勢坤，君子以厚德載物」，在實踐上的作為，就是黃中通理，正位居體，敬以直內，義以方外。

五　誠信有孚，觀民設教，觀國之光，天下賓服

最後就誠信有孚言，此道德思想的產生是根於〈觀卦‧卦辭〉「盥而不薦，有孚顒若」。孚，指誠信。顒，指恭敬。此指在舉行酒澆灌地上，迎接神明的「盥」禮時，就不必觀看其後向神獻上祭品的「薦」禮。因為此時心中已充滿了誠信恭敬，肅穆不已。

《說文解字》言：「誠，信也。從言，成聲。」[82]「誠」就是「信」，即是要能真誠守信，真實不欺的意思。

80　參見黃忠天《周易程傳註評》，卷1，同注17，頁37。

81　同上，卷1，頁35。

82　參見段玉裁《說文解字注》，3篇上，同注7，頁93。

　　再進一步分析，所謂「誠」字義有四：一是誠實[83]。二是真實[84]。三是相當於「真正」、「確實」[85]。四是恭敬[86]。歸納可以發現「誠」的兩個面向，一為對己真實無欺，一為對人審慎恭敬。即如《管子・乘馬》所說的，「非誠賈，不得食於賈；非誠工，不得食於工」[87]。其中，「非誠賈」及「非誠工」，皆是對自己一定真實無欺；而「食於賈」及「食於工」，則是對人一定要審慎恭敬。

　　以上就誠信有孚的個人修持體現而言。但是，在儒學的發展當中，誠信有孚不僅僅止於個人修持，而是創造轉化，本體詮釋，經由儒學研究者「前理解」的視域，向上提升，達到了本體層次，成為與天道合一的最高本體。

　　關於「誠」的意義創造化及本體化，主要見於〈中庸〉。〈中庸・第20章〉就說：

> 誠者，天之道也；誠之者，人之道也。誠者不勉而中，不思而得，從容中道，聖人也。誠之者，擇善而固執之者也。

不勉而中，指不經勉力而行，就能自然契合。從容，指安舒。固執，指掌

---

83 此為形容詞。《周易・乾卦文言》：說：「脩辭立其誠，所以居業也。」孔穎達《周易正義》說：「誠，謂誠實也。」卷第1，同注9，頁16。

84 此指形容詞。《增韻・清韻》說：「誠，無偽也，真也，實也。」《管子・乘馬》說：「非誠賈，不得食於賈；非誠工，不得食於工。」《韓非子・顯學》說：「皆自謂真堯舜，堯舜不復生，將誰使定儒、墨之誠乎？」引見漢語大字典編輯委員會編《漢語大字典》，第6卷，言部6畫「誠」字義，（成都市：新華書店，1987年10月第一版），頁3963。

85 此指副詞。相當於「真正」、「確實」。《廣韻・清韻》說：「誠，審也。」楊樹達（1885-1966）《詞詮》，卷5說：「誠，表態副詞。《廣韻》云：『誠，審也，信也。』按：與今語『真』同。」《史記・春申君列傳》說：「相國誠善楚太子乎？」《禮記・經解》說：「衡誠縣，不可欺以輕重。」〔東漢〕鄭玄（127-200）注：「誠，猶審也。」引見同上。

86 此指形容詞。《廣雅・釋詁一》說：「誠，敬也。」引見同上。

87 〔日〕安井衡（1799-1876）《管子纂詁・乘馬》，卷1，（臺北市：河洛圖書出版社，1976年），頁40。

握。就「誠」的本體義，朱熹就直接明白的表明：「誠者，真實無妄之謂，天理之本然也。誠之者，未能真實無妄，而欲其真實無妄之謂，人事之當然也。」[88]朱氏以「理」或「天理」為最高本體[89]，是以「至誠」之道等同於「理」或「天理」，為本體，故曰「真實無妄之謂，天理之本然也」，為「天之道」。勞思光（1927-2012）就特別表示，「誠」指描述實有[90]。而「誠之者」，指實踐言。即未達到真實無妄之「誠」，必須戮力以赴的躬親自省，反身而誠，故曰「未能真實無妄，而欲其真實無妄之謂」，為「人之道」。

杜霞（？）指出：「誠之」的「之」就是「誠本身」，「誠之」即是「誠誠」，就是要使「誠」作為真實無妄而完全顯發[91]。〈中庸〉此段對人主動性的強調，人能否達到「誠」，臻於「天道之誠」的關鍵，在於我們對「誠之者」的追求和把握，也就是人對自身的理解與心性自覺的掌握，所達至最佳道德理性的完美和諧狀態。

陳贇（？）認為：「天道之誠在最為本質的意義上，乃是對人敞開的，自在的世界並沒有誠或不誠的問題。」[92]也就是說，自然天道的「誠」不是脫離人客觀存在的自然規律，而是與人的「誠」之密切相關。主要的要點，就在於我們自身在道德實踐上的「誠之者」，能否自覺而掌握住。

因此，彭宇哲（？）清楚的指出：「『誠』本身才不是一個已經存在或將要抵達的現成化結果或目標，而是一個開放著的過程本身。」[93]「誠」的無

---

88 參見氏著《四書章句集注・中庸章句》，同注15，頁41。

89 朱熹〈答黃道夫一〉說：「天地之間，有理有氣。理也者，形而上之道也，生物之本也；氣也者，形而下之器也，生物之具也。是以人物之生，必稟此理，然後有性；必稟此氣，然後有形。」引見陳俊民（1939-）校訂《朱子文集》，卷59，10冊，（臺北市：允晨文化實業公司，2000年），6:2798。

90 參見氏著《新編中國哲學史》，第1章，4冊，（臺北市：三民書局，2001年），2:65。

91 參見氏著〈誠：儒家心學的奠基性觀念——試論《中庸》「誠」說〉，引見《哈爾濱學報》，2003年，12月。

92 參見氏著〈以人道顯天道：論《中庸》誠的思想〉，引見《齊魯學刊》，2008（2），頁18-23。

93 參見氏著〈試比較對《中庸》的「誠」的不同解讀〉，引見《楚雄師範學院學報》，2009年，第24卷第4期，頁106-108。

限開放，無盡內涵，才能使我們隨時隨地，經由「誠之者」，自反而縮，真誠不欺，力行不懈，真積力久，自然就能完成「誠者，天之道」。因此，「誠」「是一個開放著的過程本身」，我們欲往，則自然得之。

在儒家思想裡，進德必須修業，己立必須立人，成己一定要成物，內聖與外王一定一致。絕不會僅僅求自身的完美，而不向外拓展，使周圍的人，甚而天下之人人完美。

〈觀卦〉的「觀仰」，除了自身以身作則，「盥而不薦，有孚顒若」，立足於中正不偏、柔順而巽、誠信有孚的道德倫理的修養外，還必須「觀者，有以示人而為人所仰也」。即是必然推己及人，兼善天下，達到「中正以觀天下」、「下觀而化」。

由此之故，〈觀卦〉的「觀仰」，內修之外，一定外推，達到大觀天下。

> 大觀在上，順而巽，中正以觀天下。觀，盥而不薦，有孚顒若，下觀
> 而化也。觀天之神道，而四時不忒；聖人以神道設教，而天下服矣
> （〈觀卦·彖辭〉）。

孔穎達釋之曰：「『聖人以神道設教，而天下服矣』者，此明聖人用此天之神道，以觀設教而天下服矣。天既不言而行，不為而成，聖人法則天之神道，唯身自行善，垂化於人，不假言語教戒，不須威刑恐逼，在下自然觀化服從，故云天下服矣。」[94]

要能使天下人人「觀仰」，首在於「聖人法則天之神道，唯身自行善，垂化於人」。即是自身取法昊天大公之德，剛健不怠，自善修行，為民表率。其次，方能「不假言語教戒，不須威刑恐逼，在下自然觀化服從」。即如〈觀卦·象辭〉所說的，

> 風行地上，觀；先王以省方觀民設教。

大地萬物的感化，如同和風吹拂大地，象徵「有以示人而為人所仰」。這樣

---

94 參見氏著《周易正義》，卷第3，同注9，1:98。

就像古代君王，巡行天下萬國，觀察民情，設教施化。

南宋楊萬里（1127-1206）在《誠齋易傳》指出：「風行地上而无不周，故萬物日見。天王省天下而无不至，故天下日見，聖人隨其地觀其俗，因其情設其教，此省方之本意也。」[95]「省方」，就是巡視萬方，一種從上而下的教化。就如同「風行地上而无不周，故萬物日見」，致能如同「天王省天下而无不至，故天下日見」。

近代易學專家黃壽祺（1912-1990）就深入說明：「〈大象傳〉所闡發的『觀民設教』之義，已經把下觀上與上觀下融合為一體，表明居上者先須廣泛省察下情，纔能正確地設教於民，讓天下『觀仰』。」[96]這說明了想要達到「觀仰」的意義與價值，不是單方面就能達成，必須自我的修持與外推的教化，二者合一，才算合格。即是「下觀上與上觀下融合為一體」。基於此，〈觀卦·象辭〉特別提示「觀民設教」的重要性、必須性以及價值性。

王弼針對「觀民設教」的意蘊和內涵，深刻的指出：「居於尊位，為觀之主，宣弘大化，光於四表，觀之極者也。上之化下，猶風之靡草，故觀民之俗，以察己道，百姓有罪，在余一人。君子風著，己乃无咎。上為化主，將欲自觀乃觀民也。」[97]王氏一再提醒上位者，是「觀民設教」的最佳位置，所謂「居於尊位，為觀之主，宣弘大化，光於四表，觀之極者」；同時，並能風吹草偃，教化百姓。百姓有罪，非百姓之罪，乃是君王之罪，主要是君王教化不全，致使百姓犯罪。職此之故，他再三告誡君王，「上為化主，將欲自觀乃觀民也」。君王是教化之主，自身德性完美，才能為百姓所觀仰，天下所觀仰，「下觀上與上觀下融合為一體」。

孔穎達在《周易正義》理解與解釋說：「九五居尊，為觀之主。四海之內，由我而化，我教化善，則天下有君子之風；教化不善，則天下著小人之俗，故觀民以察我道，有君子之風著，則无咎也。」[98]孔氏再次挑明在上者

95 引見黃壽祺、張善文《周易譯注》，卷3，同注72，頁174。
96 同上。
97 參見氏著《周易注·觀卦注》，引見孔穎達《周易正義》，卷第3，同注9，1:99。
98 同上。

在推動教化的顯著地位。主要是在上者,「四海之內,由我而化,我教化善,則天下有君子之風」。反之,在上者教化不善,就會造成「天下著小人之俗」。而經由「觀民以察我道」,則知教化的善與不善,意義可謂深刻。

「觀民設教」的具體舉措為何?程頤提出了他的看法:「風行地上,周及庶物,為由歷周覽之象,故先王體之為省方之禮,以觀民俗而設教也。天子巡省四方,觀視民俗,設為政教,如奢則約之以儉,儉則示之以禮是也。省方,觀民也。設教,為民觀也。」[99]程氏舉出具體的措施為,「則約之以儉,儉則示之以禮」。過於奢侈浪費,則以節儉約束,不使物質過於浪費,傷風害俗。如果過於節儉,則會造成「居簡而行簡,無乃大簡乎」的弊端[100],則宜「示之以禮」。如同孔子所說的,「爾愛其羊,我愛其禮」[101]。

「觀民設教」的具體成就,在〈觀卦・六四卦辭〉說明得極為清晰:

> 觀國之光,利用賓于王。
>
> 象曰:觀國之光,尚賓也。

觀國之光,是指「觀仰、國家盛治光輝。賓,指賓客。此爻是說明,國君「觀民設教」成功,國家政治清明,光輝燦爛,則懷才之士,莫不願意效力王朝,輔相其君。有此盛世王朝,國君自然會對有賢才士,予以重用,視為國賓。

誠如程頤詮釋說:「觀莫明於近。五以剛陽中正居尊位,聖賢之君也,四切近之,觀見其道,故云觀國之光。觀見國之盛德光輝也。不指君之身,而云國者。在人君而言,豈止觀其行一身乎?當觀天下之政化,則人君之道德可見矣。四雖陰柔,而巽體居正,切近於五,觀見而能順從者也。利用賓于王,夫聖明在上,則懷抱才德之人,皆願進於朝廷輔載之,以康濟天下。四既觀見人君之德,國家之治,光華盛美,所宜賓于王朝,效其智力,上輔

---

99 參見忠天《周易程傳註評》,卷3,同注17,頁182。

100 簡,指簡約,易生粗糙而行動草率。參見《論語・雍也》,引見朱熹《四書集注・論語集注》,卷3,同注15,頁112。

101 參見《論語・八佾》,引見同上,卷2,頁87。

於君，以施澤天下，故云利用賓于王也。古者有賢德之人，則人君賓禮之，故仕進於王朝則謂之賓。」[102]

此中寓含兩層意義：一是就國君言，必須自身品行純美，明德沐化；進而由內向外，推己及人，化成天下，國家盛德光輝，百姓安和樂利。即是「不指君之身，而云國者。在人君而言，豈止觀其行一身乎？當觀天下之政化，則人君之道德可見矣」。充分說明「觀仰」之道，不僅只有國君一人的修持，必須再觀察其施政舉措，是否合宜恰當，為民謀福，達到天下大利之目標。二是就人臣而言，必須能遇明君，方能竭盡其能。所謂「夫聖明在上，則懷抱才德之人，皆願進於朝廷輔載之，以康濟天下」。是真正道出了君聖臣賢的政治美景！

關於〈觀卦〉的意義與價值，黃壽祺有一完整的概括說明，是言簡意賅，深中肯綮的。他說：

> 〈觀卦〉大義，正是闡發「觀仰」美盛事物可以感化人心的道理。……卦中六爻，四陰主於自下觀上：初、二離九五陽剛最遠，或如幼童淺見，或如隔戶窺觀，均不能盡獲「大觀」之美；六三接近上卦，能觀仰美德以自省察，未失其道；六四親比九五，猶如親臨觀光於「王朝」的盛治，獲「作賓于五」之利，為盡見「大觀」的象徵。而五、上兩陽，主於自上觀下，既具陽剛美德讓人觀仰，又須自觀其道，修美德行，故兩者均發「君子无咎」的意旨。可見，本卦陰陽上下所寓涵的意義頗有區別[103]。

黃氏將〈觀卦〉卦辭及六爻旨意，細緻理解說明，詳盡完備論證，是極有參考價值的。

黃氏接著論述說：「〈觀卦〉揭示的『觀仰』作用，除了強調『上』者以美德感化於『下』之外，還體現了觀『民風』可以正『君道』的思想，這從

---

102 參見忠天《周易程傳註評》，卷3，同注17，頁185。

103 參見黃壽祺、張善文《周易譯注》，卷3，同注72，頁178-9。

五、上兩爻『觀民』自省，其志『未平』的義理中不難看出。《毛詩‧大序》說道：『上以風化下，下以風刺上，主文而譎諫，言之者無罪，聞之者足以戒，故曰「風」。』此論雖是針對《詩經‧國風》而發，但與〈觀卦〉的象徵意義甚有相通之處。」[104]充分說明為了達到〈觀卦〉「觀仰」的意旨，除了在上者的「觀仰」下民，教化於眾之外，尤須下民隨時展現民風，以正「君道」，警戒在上者不可有所懈怠，造成國家危亡，百姓遭殃。如此上下相互制約，天下豈有動盪之理！

《毛詩‧大序》說道：「上以風化下，下以風刺上，主文而譎諫，言之者無罪，聞之者足以戒，故曰『風』。」與〈觀卦〉的意義是相通的。第一個「風」，是指教化。第二個「風」，是指諷刺。文，是指文采。譎諫，是指微諫。第三個「風」，是指《詩經》中的十五〈國風〉。同樣表示國君與百姓，必須上下制約，才能天下太平。若國君未來能做到，則百姓應以詩歌給予「譎諫」，即是微諫，可見詩教的「溫柔敦厚」[105]。

六　詮釋創造，意義擴增，大觀在上，中正以觀天下！

《周易‧觀卦》的意義，經由歷代易學家的理解與解釋的詮釋，不停的創造與變化，使意義與價值不斷的提升與發展，展現了哲學詮釋學的特色。其中以王弼與朱熹的解釋，給予了我們極大的啟迪意義。

王氏強調君王的盛德，彰顯於宗廟，為天下「觀仰」；朱氏則格外重視自身的修持道德，再向外親民，教化大眾，風吹草偃，為大眾所「觀仰」。二人各有所重，發揮了詮釋學的特色。

本此，從二人對〈觀卦〉的不同詮釋，所開顯出來的意義與價值為：

---

104 同上，頁179。

105 《禮記‧經解》說：「溫柔敦厚，《詩》教也。」參見孔穎達《禮記正義》，引見《十三經注疏》整理委員會《十三經注疏》，同注9，6下:1368。

　　其一是理解與解釋是一致的，詮釋是創造發展的　德·施萊爾馬赫（Friedrich Schleiermacher, 1768-1843）認識理解和解釋不是兩回事，而是一回事[106]。此是說明，我們在理解文本時，個人的理解與作者的解釋，不是分開的，而是一致的。也就對王弼與朱熹對〈觀卦〉的詮釋，我們是從整體性來看二人的卦旨，而不是分開王、朱二人，個別區分作者與讀者，加以理解與解釋。同時，伽達默爾寫道：「理解就不只是一種複製的行為，而始終是一種創造性的行為……如果我們一般有所理解，那麼我們總以不同的方式在理解，這就夠了。」[107]基於這個論證，王弼的理解與解釋，經由朱熹的轉變與創造，這是大勢所趨，必然形成的規律。但是，「前修未備，後學轉精」，朱氏就王氏的理解與解釋，內涵愈加豐富，這也是詮釋學創造發展的規律。

　　其二是個人的前理解，效果歷史的變化，形成新的視域融合　朱熹對〈觀卦〉的理解與解釋為何與王弼不同，且超越王弼？這在於朱熹前理解（Preunderstanding）的突出，即是解釋的理解活動之前存在的理解因素。它們構成解釋者與歷史存在之間的關係。前理解是理解的前提，理解不能從某種精神空白中產生，它在理解之前就被歷史給定了許多的已知東西，形成了先在的理解狀態。這些前理解包括解釋者存在的歷史環境、語言、經驗、記憶、動機、知識等因素，形成了先在的理解狀態。這些因素即便與將來理解的東西發生抵觸，也可以作為一種認識前提在理解活動中得到修正。因此理解不是個人的、全新的、完全主觀的，它是一個歷史過程，是一個從前理解到理解，再到前理解的指向未來的循環過程。它總在歷史性的、先在的「前理解」狀態基礎上，獲得新的理解[108]。朱氏以此為基礎，經由「效果歷史」的制約運用[109]，與王弼的易學觀形成了新的視域融合，致產生了朱氏

---

106 參見洪漢鼎《當代哲學詮釋學導論》，第2章，同注1，頁64。

107 參見氏著《真理與方法》，第1卷，頁301-2。引見同上，第2章，頁63。

108 參見楊蔭隆《西方文學理論大辭典》，「前理解」條，同注21，頁952。

109 效果歷史，是指歷史通過制約我們的歷史理解力而產生效果，並在解釋活動中努力做到歷史的有效性。參見「百度百科」網頁，「效果歷史」條，http://baike.baidu.com/

的易學觀。由於理解與解釋，總是創造發展的，自然而然，朱氏的見解就超越了王氏，成為嶄新亮麗的易學觀。

其三是從君王盛德瞻仰，到自觀修身，為人觀仰，意義內容益形深化〈觀卦〉的意義，在不同人詮釋之下，有不同的見地。王弼主張其卦旨為，「王道之可觀者，莫盛乎宗廟」。即是重在君王盛德的瞻仰。朱熹則在理解與解釋的創新擴大之下，提出「觀者，有以示人而為人所仰也」。即是從自觀修身，才能為人觀仰，意義內容益形深刻。伽達默爾說：「真正的歷史對象，根本就不是對象，而是自己和他者的統一體，或一種關係。在這種關係中，同時存在著歷史的實在以及歷史理解的實在。一種名副其實的詮釋學，必須在理解本身中，顯示歷史的實在性。因此，我就把所要的這樣一種東西，稱之為『效果歷史』。理解按其本性，乃是一種效果歷史事件。」[110]。也由於此，朱熹的解釋，經由「效果歷史」的變動，使〈觀卦〉的意義，包含了內聖及外王思想，符合了儒家思想的一貫主張，這也是朱氏能夠詮釋到位的地方。

其四大觀在上，中正以觀天下，內聖結合外王，天下太平 〈觀卦〉的中心思想，即是「大觀在上，中正以觀天下」。就是將王朝盛治，光輝照耀天下。其中的最核心的重點，在於為君者，必須中正不偏、柔順而巽、誠信有孚等德化其身，方能大觀天下。這是內聖結合外王的一貫修持治平之道。惟有「自天子以至於庶人，壹是皆以脩身為本」[111]，天下自能太平。為何修身格外重要，借用〈大學〉之言，即是「其本亂而末治者否矣，其所厚者薄，而其所薄者厚，未之有也」[112]。本指身。末，指齊家治國平天下。厚，指身。薄，指國家天下。由此可知，重修身是根本，再向外拓展至齊家

---

subview/2905770/2905770.htm，2016年9月3日。以及楊蔭隆主編《西方文學理論大辭典》，「效果歷史意識」條，同上，頁1109。

110 參見《真理與方法》第1卷，頁304-5。引見洪漢鼎《當代哲學詮釋學導論》，第4章，同注1，頁149。

111 參見〈大學・經1章〉，引見朱熹《四書集注・大學章句》，同注15，頁4。

112 同上。

治國平天下。朱子提出的「觀者，有以示人而為人所仰也」，是符合本立而道生之要道的。我們要問是否朱子的解釋，就是〈觀卦〉卦旨的終點？「解經者與經典作者及『文本』之間，永無止境的創造性的對話，賦予經典以萬古常新的生命，使經典穿越時間與空間的阻隔，與異代之解讀者如相與對話於一室，而千年如相會於一堂」[113]。

---

113 參見（黃俊傑（？）《東亞儒學史的新視野·從儒家經典詮釋史觀點論解經的『歷史性』及其相關問題》），（臺北市：財團法人喜瑪拉雅研究發展基金會，2001年），頁61。

明代袁黃編著《四書》在朝鮮
的流傳與意義

陳亦伶

香港浸會大學中國傳統文化研究中心副研究員

提要

本文由韓國首爾大學奎章閣韓國學研究院館藏的兩本海外孤本出發，探究袁黃編著經書流傳至域外的途徑、海外見藏情況、朝鮮文人對其著述的態度，及袁黃編著經書對韓國經學的影響與意義等相關問題。研究結果顯示袁黃之作流傳海外至少具有三點特殊意義。其一、與大部分經由商貿或購求而流傳海外的書籍不同，是作者本人親自攜帶至朝鮮，日後再輾轉流傳至日本，在古代文獻的傳遞上可謂一特殊例子。其二、由王室書庫的庋藏情況與朝鮮文人的談論內容，可知朝鮮後期不再墨守朱注，並時時關注明清新說。其三、朝鮮後期儒者們對於經說註解，已不能滿足於朱熹《四書章句集註》之說，透過沈守正《四書說叢》、陸隴其《四書講義困勉錄》等書，接收《四書五經大全》之後的明清新說，而袁黃之說便是其中一例。

關鍵詞：袁了凡　舉業用書　海外孤本　韓國經學　日藏漢籍

一 前言

　　本文撰作起因於筆者偶然翻閱《奎章閣圖書中國本綜合目錄》[1]，見得兩本明代《尚書》著作：袁黃（1533-1606）《書經啟蒙捷徑選註》、張鼐[2]（?-1630）《書經演》，查閱中國歷代藝文書目、《經義考》、《尚書著述考（一）》等書，皆無相關著錄。或因此二書屬舉業用書，不入藏書家之眼，也就未見著於各藏書目錄。然而進一步查閱古籍聯合目錄、日韓相關漢籍文獻書目與資料庫，乃知此二書現僅見藏於韓國首爾大學奎章閣韓國學研究院，極可能為海外孤本。

　　以此二書為中心，延伸出許多相關問題值得探討。如朱彝尊（1629-1709）《經義考》雖未收上述袁黃、張鼐兩書，但在「江氏旭奇《尚書傳翼》」條中下載有對袁黃、張鼐《尚書》編著讚賞有加之語，謂「不可磨滅」。[3]此可否視為兩人《尚書》編著雖是舉業用書，但仍有其價值與獨特之處?又，袁黃曾以贊畫使身分於一五九二年（1592）出使朝鮮，並利用此次出使機會，將其在明代遭禁之作，親自攜帶至朝鮮並示予朝鮮文人。[4]同時，筆者訪查

---

1 首爾大學校附屬圖書館（編）：《奎章閣圖書中國本綜合目錄》（首爾：首爾大學校附屬圖書館，1972年）。

2 《奎章閣圖書中國本綜合目錄》將張鼐誤植為張鼎，致使日後建置的館藏記錄沿襲訛誤。玉泳晟曾於二〇一〇年撰寫「（奎章閣所藏）中國本調查事業解題」中亦將張鼐誤為張鼎，也導致解題內容的錯誤。（詳參 http://e-kyujanggak.snu.ac.kr/home/index.do?idx=06&siteCd=KYU&topMenuId=206&targetId=379，2017年10月8日檢索）此外，明代有兩位同稱張鼐之人。一為歷城人，字用和，人稱柏川先生的張鼐（?-1510）；一為松江華亭人，字世調、號伺初的張鼐（?-1630）。此《書經演》之作者為後者。

3 〔清〕朱彝尊撰，許維萍、馮曉庭、林慶彰、江永川等點校：《點校補正經義考》（臺北市：中央研究院中國文哲研究所籌備處，1997年），第3冊，頁540：「國家命儒臣收輯《大全》，於以嘉惠來學甚厚。自元以前，諸儒疏說，其不詭於經者，業已收之無遺矣。迄今又兩百餘年，重熙累洽，經教益明，邇者經筵進講，如張江陵、申吳縣二公為最著。他如莫中江氏、呂宇岡氏、黃葵陽氏、袁了凡氏、孫柏潭氏、顧涇陽氏、張伺初氏、周玉繩氏，諸所全說，皆不可磨滅。旭奇研索十年，刪繁補漏，名曰《傳翼》。又五年而始成編。時萬曆戊午歲」。

4 〔朝鮮〕成渾：〈牛溪先生年譜〉，《牛溪集》收入《韓國文集叢刊》（首爾：民族文化

諸多文獻，發現朝鮮時代經學論著中，不乏引用袁黃、張鼐之作，並對其有佳評。此皆為前輩學者未能觸及之處。[5]本文先以袁黃為主要探究對象，梳理袁黃編著經書，尤以《四書》部分為主，探究其流傳至域外的途徑、海外見藏情況、朝鮮文人對其著述的態度，及袁黃《四書》編著對韓國經學的影響與意義等相關問題。

二　袁黃與其著述

袁黃，原名表，字坤儀、儀甫，號了凡。[6]一生著述甚豐，最為人熟知者應為《了凡四訓》。袁黃家族代代行醫，同時深信命理，袁黃亦受家學影響遵行功過格，並刊印不少善書。[7]此外據前賢學者統計，袁黃亦曾編纂不少

推進會，1988年），第43輯，頁272下：「時袁黃以贊畫來定州，與崔興源語曰：『中國昔時皆宗朱元晦，近來漸不宗朱矣。』翌日，示一書于行朝，題曰：『為闡明學術事，自程朱之說行，而孔孟之道，不復明于天下，天下貿貿焉聾瞽久矣。我明興，理學大暢。近日聖天子玄鑑朗悟，契心堯舜，當朝宰輔，皆是大聖大賢，相與揭千古不傳之祕，盡掃宋儒支離之習。惜汝國僻在一隅，未得流布，乃親傳奧旨。』云云」。

5　李敀鎬曾撰有〈奎章閣所藏　中國本　書類와　그　가치（奎章閣所藏中國本《書》類及其價值）〉一文，廣泛介紹奎章閣所藏中國本《書經》類著作的書誌情況，尤側重於清代著述之介紹。對張鼐《書經演》、袁黃《書經啟蒙捷徑選註》則僅述兩人生平、此二書未見藏於臺灣國家圖書館中文古籍聯合目錄，因而將之判斷為稀貴本，此外便無更進一步之論述。另一方面，林志鵬曾撰有〈袁黃《四書刪正》及其對朱熹的批駁〉、〈試論袁黃《四書刪正》之傳布與禁毀〉、〈袁黃《四書刪正》考述〉、〈袁黃《四書刪正》的思想特色及思想史意蘊〉四文，主要以《四書刪正》內文為主體，探究此書內容思想及因批駁朱熹被禁毀的過程。

6　關於袁黃的詳細生平可參見〔日本〕酒井中夫撰，伊建華譯：〈袁了凡的生平及著作〉，《宗教學研究》1998年第2期，頁78-82；章宏偉：〈袁了凡生卒年考〉，《中國道教》2007年第6期，頁50-52。

7　有關袁黃家族的醫學與命理學可參祝平一："Family instructions and the moral economy of medicine in late imperial China", *Chinese Historical Review*, 24:1(2017), pp.77-92. 一文有很詳細的論述。另外，朱湘鈺：〈德福合一──袁黃功過格德行與舉業的關係〉，《當代儒學研究》第6期（2009年7月），頁175-204，則論述袁黃奉行功過格的心理與撰寫舉業用書間的相互關係。

科舉用書，如《荊川疑難題解》、《新刻經世文衡》、《舉業轂率》、《增訂二三場全書備考》、《遊藝塾文規》、《遊藝塾續文規》、《談文錄》、《四書刪正》、《書經刪正》、《心鵠》、《新刻八代文宗評注》、《史漢定本》、《新鐫了凡家傳利用舉業史記方潤五卷》、《訓兒俗說》等數種。[8]

廣編刊印科舉用書之舉，固然與袁黃個人的家學信仰有關，認為藉由刊印善書（包含幫助學子應考之書）可助扭轉命運。但其身處印刷業發達的晚明，編纂之作符合當時士人因應科舉考試之需，也促使其編著廣為流傳。在袁黃編纂的經學著作中，較為特殊者為《四書刪正》與《書經刪正》。

> 嘉興人袁黃妄批削四書、書經《集註》，名曰《刪正》，刊行於時。幼學駁正其書，抗疏論列。疏雖留中，鏤板盡毀。[9]

由《明史》列傳百三十九卷〈循使〉的這筆紀錄可知，袁黃《四書刪正》、《書經刪正》因對朱熹《四書章句集註》、蔡沈《書經集傳》予以刪削，僭越冒犯朱熹的註釋，而被陳幼學（1541-1624）上疏要求列為禁書。同時代的蔡獻臣（1563-1641）等人也為了捍衛朱註攻擊袁黃，要求各提學官將「原板盡行燒毀，其刊刻鬻賣書賈一併治罪，乃嚴諭生童不得為其所惑，藏留傳誦」。[10]查繼佐（1601-1676）更將袁黃視為與李贄（1527-1602）同類之異端。[11]或因如此，此二書現已不存於中國，皆見藏於日本。其中日

8　參〔日本〕酒井忠夫：《增補中国善書の研究》（東京都：株式會社國書刊行會，1999年），頁380-386；張獻忠：〈袁黃與科舉考試用書的編纂——兼談明代科舉考試的兩個問題〉，《西南大學學報（社會科學版）》第36卷第3期（2010年5月），頁195；林志鵬：〈袁黃《四書刪正》及其對朱熹的批駁〉，《鵝湖月刊》第41卷第3期（2015年9月），頁36。但《荊川疑難題解》在張獻忠文中作為《荊川疑難題意》。

9　〔清〕張廷玉等撰：《明史》（北京市：中華書局，1974年），卷281，列傳第169，〈循使〉，頁2943。

10　〔明〕蔡獻臣：〈燒毀四書書經刪正等書札各提學（癸卯）〉，《清白堂稿》（廈門市：廈門大學出版社，2012年），上冊，頁75。

11　〔明〕查繼佐：《罪惟錄》（四部叢刊三編本），卷18，〈文史諸臣列傳〉：「有史論及《四書》，極抵程朱至盡，竄注解更以己意」。

本國立公文書館已將《四書刪正》數位化,於網上供讀者自由下載閱覽,而《書經刪正》則僅存於日本前田育德會。

袁黃的《四書》、《尚書》類編著刊行頗為複雜,除《四書刪正》外,另有《新刻了凡袁先生四書訓兒俗說》、《四書便蒙書》、《四書疏意》等。而《尚書》類著述除了前面提到的《書經啟蒙捷徑選註》、《書經刪正》外,另有《書經詳節》、《尚書大旨》等書。前面提到袁黃曾以贊畫使身分於一五九二年(1592)出使朝鮮,並親自將其著作示予朝鮮文人,因而下面先從韓國文集史料來看袁黃在朝鮮文人眼中的形象,推敲當時其示予朝鮮文人之作為何書。

三 韓國文獻中的袁黃形象

除《明史紀事本末》卷六十二中對袁黃的記載外,《朝鮮王朝實錄》與韓國文集的諸多記錄裡,也對袁黃於壬辰倭亂[12]期間以贊畫使身分,出兵援助朝鮮一事,有生動的記載。下各舉一例:

> 皇朝兵部員外郎劉黃裳、兵部主事袁黃皆以贊畫軍務出來。……黃好佛,持身如僧,故館待便易。<u>以所著書,傳於我國,皆詆排朱子語也。</u>[13]

今人因袁黃曾編纂善書《了凡四訓》,而對其有佛教居士印象。同樣地,袁黃信佛如僧的形象,也在當時被朝鮮文人所觀察並記載。此外,袁黃的父親袁仁(1479-1546)與王守仁(1472-1529)、王畿(1498-1583)、王艮(1483-1541)等人都有很深的交誼,袁黃也受父親影響接觸陽明之說。袁

---

12 一五九二年至一五九八年日本與明朝、朝鮮間的戰爭,於韓國稱為壬辰倭亂、中國稱為萬曆朝鮮之役,於日本則稱為文祿慶長之役。

13 〔朝鮮〕《宣祖實錄》二十六年一月一日丙辰條(本文所引實錄來源皆為《朝鮮王朝實錄》(首爾:國史編纂委員會,1968年7月)之電子版 http://sillok.history.go.kr/main/main.jsp,2017年10月8日檢索,下省略僅標明該實錄朝代名稱)。

黃趁著出兵援朝之際，將其著作示與朝鮮文人，但偏向陽明學的色彩，讓朝鮮文人覺得其書詆侮朱子，大為不敬。又如《牛溪先生文集》中的記載：

> 時袁黃以贊畫來定州，與崔興源語曰：「中國昔時皆宗朱元晦，近來漸不宗朱矣。」翌日，<u>示一書于行朝</u>，題曰為闡明學術事，自程朱之說行，而孔孟之道，不復明于天下，天下貿貿焉、聾瞽久矣。我明興，理學大暢。近日聖天子玄鑑朗悟，契心堯舜，當朝宰輔，皆是大聖大賢，相與揭千古不傳之祕，盡掃宋儒支離之習。惜汝國僻在一隅，未得流布，乃親傳奧旨」云云。因摘示朱子《四書集註》十餘條，其末曰：「吾輩今日工夫，只學簡無求無著便是聖人，至簡至易。較之朱說，孰非孰是」。行朝諸公議所以酬答，而難其措辭。其推先生，先生乃草答辭以報之。略曰：「小邦僻在遐遠，伏蒙皇朝頒賜《五經四書大全》，表章先儒之說，列於學官頒行天下。小邦之人，無不誦習而服行，以為此說之外，無他道理也。今者邦國垂亡，上下皇皇。講學之事，請俟他日。」袁見之默然。未幾，袁以學術邪僻，左道惑眾，逢科彈而去。後先生書袁黃著書卷後曰：「袁黃之才，長於論兵論稱，可為令長，或可為參謀戎幕，而謾以知道自詫，安有口誦南無，手畫真言，而有知道者乎?世衰妖興，一至於此哉。」[14]

　　袁黃向崔興源（1529-1603）表示中國以前也崇尚朱子學，但現已改變，可惜朝鮮位於僻隅，未能得知學術風氣已變，因而「親傳奧旨」，假以設身處地之姿來傳達理念。成渾（1535-1598）面對要求朝鮮改變遵奉朱子學立場的明代官員，不敢斷然否決，只能用朝鮮宗朱實源自「皇朝頒賜《五經四書大全》」之故，婉轉地要袁黃銘記援朝抗倭使命，勿再言學術之事。之後成渾在袁黃贈與的著作後方寫上對其評價，認為袁黃一介口誦佛號之僧，不足以談論經義。

14　〔朝鮮〕成渾：〈牛溪先生年譜〉，《牛溪集》收入《韓國文集叢刊》（首爾：民族文化推進會，1988年），第43輯，頁272下。

　　朝鮮文人排佛源自朝鮮開國之初，以佛教為國教的高麗時代，僧侶可直接參與政事，過度頻繁舉行各種法式佛會，使得國庫耗損嚴重。更有甚者，僧侶霸佔土地、訛詐百姓，衍生許多弊端。因而太祖李成桂（1335-1408）建立朝鮮王朝時，便採用儒教（朱子學）作為國家圭臬。一方面是為了清除原高麗禑王（1365-1389）勢力，另一方面亦為革除前朝過於重視佛教帶來之弊端。因而朝鮮時代初期，李穡（1328-1396）、鄭夢周（1337-1392）、鄭道傳（1342-1398）、趙仁沃（1347-1396）、金子粹（生卒未詳，1374年甲寅榜乙科壯元）[15]等人發表崇儒排佛之言論。輕視佛僧觀念深植人心[16]，使得朝鮮官員見到好佛如僧的袁黃時，本不太理會，況且其目的是要朝鮮文人改變尊崇朱子學的立場，更是駭人。至於成瓘所說的「未幾，袁以學術邪僻，左道惑眾，逢科彈而去」應是偏見之詞。事實上，袁黃遭解職的真正原因是得罪李如松（1549-1598），與之不合遭陷。[17]然而，由上述引文可知，袁黃確實在一五九三年（1593）[18]藉著援朝抗倭來到朝鮮半島時，將己之作贈與朝鮮文人，且應與《四書》有關。

---

15 編著者不詳：《登科錄前編》（首爾大學校奎章閣韓國學研究院藏本），索書號古4650-10。

16 《純祖實錄》，純祖八年四月二十五日辛卯：「僧徒之出入城闉，一切禁止」。

17 此於〔明〕方孔炤輯：《全邊略記》卷9、〔清〕彭紹升〈袁了凡居士傳〉中有詳細的記載。此外，張崑將：〈十六世紀末中韓使節關於陽明學的論辯及其意義—以許筈與袁黃為中心〉文中亦有詳細的論述，《臺大文史哲學報》第70期（2009年5月），頁55-84。

18 由《朝鮮王朝實錄》（首爾：國史編纂委員會，1968年7月）的記載可知袁黃是一五九二年底出發，一五九三年抵達朝鮮半島：《宣祖實錄》卷34，宣祖二十六年（1593）一月六日辛酉條：「是日，兵部主事袁黃渡江（即鴨綠江）。上出迎于龍灣館，又邀劉員外」。

四　袁黃編著《四書》相關問題

（一）袁黃編著《四書》類著作

袁黃曾在《遊藝塾續文規》〈與鄭長洲〉裡提到：

> 從此而讀五經四書，見孔孟之言，句句皆是家常實話，而宋儒訓詁，
> 如舉火焚空，一毫不著。憫正學之榛蕪，閱久迷之眼目，《四書》作
> 《便蒙書》、《書經》作《詳節》。大刪朱注而略存其可通者，於嘉靖
> 乙卯年刻行，五十年來遍傳天下。當時並不書弟之名，故家家傳習，
> 並無議論。近有友人改作《刪正》，而列弟名上。夫不書名，則意在
> 指迷，而可以相忘於物議；一書名則跡涉賈譽，而遂來眾口之呶呶。
> 蓋世間所忌者，正在名，而今適犯其所忌也。[19]

由上述引文可知《四書刪正》原名《四書便蒙書》，於「嘉靖乙卯」即
嘉靖三十四年（1555）年刻行，當時袁黃二十三歲。五十年之後袁黃友人改
作，時袁黃七十二歲，即一六零四年（1604）。此外袁黃從朝鮮解職歸家
後，專心編纂科舉用書，其曾於〈與薛青雷書〉中言：

> 舊作《四書疏意》、《尚書大旨》皆未脫稿，而坊已災木。[20]

表示袁黃的四書類著述，除了《四書便蒙書》、《四書刪正》外，另有《四書
疏意》。《四書疏意》根據劉勇的考證，應在萬曆十八年，即一五九零年
（1590）前便已刊行。[21]而日本內閣文庫另有《新刻了凡袁先生四書訓兒俗
說》，此與北京線裝書局出版之《袁了凡文集》中收錄的《訓兒俗說》不

---

19 〔明〕袁黃：《遊藝塾文規》正續編，黃強、徐珊珊校訂：（武漢市：武漢大學出版
　社，2009年），頁451。
20 〔明〕袁黃：《袁了凡文集》（北京市：線裝書局，2006年），頁9。
21 劉勇：《變動不居的經典：明代《大學》改本研究》（北京市：生活・讀書・新知三聯
　書店，2016年），頁295。

同。《訓兒俗說》是教導幼童待人處事之道，而《新刻了凡袁先生四書訓兒俗說》則可說是童蒙學習《四書》的淺易讀本。《新刻了凡袁先生四書訓兒俗說》書前序文有「萬曆丁未歲仲夏之吉」，因而可知此書刊刻於一六零七年（1607）。故袁黃的四書類著述刊刻次序應為《四書便蒙書》（1555）→《四書疏意》（1590以前）→《四書刪正》（1604）→《新刻了凡袁先生四書訓兒俗說》（1607）。

　　如前所述，由《朝鮮王朝實錄》的記載可知袁黃是一五九二年底出發，一五九三年抵達朝鮮半島，故當時袁黃示予朝鮮官員之著，其書名應非《四書刪正》，可能是《四書便蒙書》或《四書疏意》。筆者認為後者可能性較大，其因有三。首先，「便蒙書」一名具有啟蒙之意，向他國文人官員介紹己作，示予童蒙之書，不免貽笑大方。《四書便蒙書》一五五五年（1555）刊出之後，至袁黃出使朝鮮已過三十餘載，袁黃應有持續修訂，並改為《四書疏意》。再且上述引文言「舊作《四書疏意》」是袁黃從朝鮮解職歸家後之語，因而當時在朝鮮示予朝鮮文人者，便是《四書疏意》可能性極大。最後，目前見藏於日本的二冊本《四書刪正》表紙上有正題「了凡袁先生<u>四書刪正兼疏意</u>」，亦有原本書名為《四書疏意》之可能。

　　《四書刪正》現見藏於日本，檢索「日本所藏中文古籍數據庫」可獲得四筆資料，分別存藏於國立公文書館、一橋大學、前田育德會三處。其中國立公文書館內閣文庫藏有二冊、四冊兩種版本，而一橋大學與前田育德會所藏者皆為四冊本。二冊本與四冊本略有不同。首先是在表紙上的差異，二冊本表紙上有正題「了凡袁先生四書刪正兼疏意」，上署「袁衙藏板」外，另有小字：「國家舉業宗朱傳，卑卑墨守，超軼而上，勢實艱之。故稍為刪正，以便兒曹習讀。不意四方君子傳慕而爭錄之，因付諸梓。《中庸》及上《論》、《疏意》久刊行，餘尚未梓，今悉附之簡端，一目而書意瞭然矣」。而四冊本表紙僅有正題「鐫袁了凡先生四書刪正參新」中間另書有「三台館拾劉增補」字樣，兩者皆為明刊本。

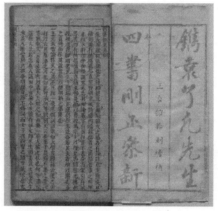

圖 1、2：日本公文書館藏《四書刪正》書影，左為二冊本、右為四冊本

　　除此之外，內容上也有些許差異，例如二冊本多以簡字書寫。如儀作儀、懷作怀、處作处、實作实、與作与等。且版面較四冊本漫漶不清，以及內容上也有些微遺漏。舉《論語刪正》為例，〈堯曰〉二十末尾「子曰：不知命，無以為君子也。不知禮，無以立也。不知言，無以知人也」部分，二冊本佚失，但四冊本俱在。此外，二冊本也都刪去四冊本中標注讀音部分。[22]在篇題下二冊本署有「明了凡袁黃刪正男袁儼校閱」但四冊本則為「宋朱熹集註明袁黃刪正」。

　　前面提到學界目前有四篇關於《四書刪正》之研究成果，皆為林志鵬所撰。由日本公文書館的古籍數位掃描公告可知，該館於平成二十五年（2013）先將館藏編號277-0190的《四書刪正》（即二冊本）數位化，兩年後於平成二十七年（2015）才將館藏編號277-0179的《四書刪正》（即四冊本）數位化。由於林志鵬所撰四文皆未述及四冊本相關內容，參照日本公文書館的數位掃描公告，可知林志鵬是依據二冊本撰寫其文，故而當時未能述及兩種版本的差異。

---

22 如「子曰放於利而行多怨」一句，四冊本有袁黃標記的「放上聲」，但二冊本無。

（二）朝鮮後期經學論著徵引袁黃編著探析

　　袁黃之書即便因刪削朱注而被陳幼學、蔡獻臣等人撻伐，上召朝廷要求禁絕，然卻也能「家家傳習」、「五十年來遍傳天下」。除了明代學術風氣的轉變，也由於袁黃身處印刷業發達的晚明，其所編纂之作符合當時士人因應科舉考試所需，而廣為刊印流傳。同樣地，從高麗末便仿唐制實施科舉的古代韓國[23]，也有科舉用書的需求。再者人們或多或少都有反抗心理，通常越是禁絕之事物，越加容易引起好奇心。故而袁黃門人楊士范（生卒不詳）於〈刻袁黃雜著序〉稱：

> 先梓四書、書經《刪正》已被指摘，然禁之越嚴，而四方學者趨之愈眾。[24]

　　或因科舉需求、或因好奇心驅使，促使袁黃《四書刪正（四書疏意）》也在朝鮮時代流通。此可由朝鮮後期文人柳長源（1724-1796）、崔左海（1738-1799）、丁若鏞（1762-1836）、崔濟泰（1850-1907）等人的著作中，直接引用或批駁袁黃著作內容得到驗證。下依時代先後，一一析探朝鮮後期經學論著中引用袁黃之語內容。

1 柳長源《四書纂註增補》

　　《四書纂註增補》是增補大全本《四書集注》性質之作。柳長源認為朱熹在《四書章句集注》裡引用、介紹北宋以來先賢學者之說，但朱熹本人的見解相對較為簡略，加之引用前賢之說互相矛盾，以致不易理解。故柳長源廣採《四書通》、《四書通考》、《四書蒙引》、《四書集說》、《增訂四書大全》、《四書存疑》、《四書輯釋》、《四書說統》、《四書講義困勉錄》、《四書淺

23　〔朝鮮〕鄭麟趾：《高麗史》（首爾：亞細亞文化社，1972年），卷2，世家第二，〈光宗世家〉，頁61，戊午九（959）年五月條：「始置科舉，命翰林學士雙翼，取進士」。
24　〔明〕袁黃：《袁了凡文集》（北京市：線裝書局，2006年），頁2。

說》、《四書翼注》、《四書集編》、《四書說叢》、《大學衍義》、《大學衍義補》眾書，編成《四書纂註增補》。柳長源《四書纂註增補》徵引袁黃之語有兩處，分述如下。

① 〈顏淵〉第五章「敬而無失」節

■《四書纂註增補》

> 《困勉錄》曰，了凡亦主李說，謂到此田地，四海之內將改暴易亂，而為我之兄弟矣，況其親者乎。使魑而能遷善也，是我能立命也，我能格天也。固無患乎，無兄弟也。使其怙終不悛，是我立命有虧也。事天未至也，亦何患乎，無兄弟也。子夏非為不得已之詞，亦非意圖語滯。

■《四書刪正》

> 四海皆兄弟，不是教牛聯踈為戚，而置自家兄弟于不足慮也。謂到此田地，四海之內將改暴易亂，而為我之兄弟矣，況其親者乎。使魑而能遷善也，是我能立命也，我能格天也。君子固無患乎，無兄弟也。使其怙終不悛，則是吾立命有虧也。事天未至也，亦何患乎。無兄弟也，子夏非為不得已之詞，亦非意圖語滯，讀著詳之。

■《四書講義困勉錄》

> 了凡亦主李說，謂到此田地，四海之內將改暴易亂，而為我之兄弟矣，況其親者乎。使魑而能遷善也，是我能立命也，我能格天也，固無患乎，無兄弟也。使其怙終不悛，則是我立命有虧也。事天未至也，亦何患乎無兄弟也，子夏非為不得已之詞，亦非意圖語滯。

將柳長源書中的這段引文與《四書刪正》、《四書講義困勉錄》對照，與《四書講義困勉錄》幾乎一致。尤其「君子固無患乎」與「則是吾立命有虧也」句，《四書講義困勉錄》少了「君子」二字，並將「吾」改為「我」，柳

長源者同。因而可知其引用袁黃之語，來自清人陸隴其（1630-1692）、陸公鏐（1628-?）之《四書講義困勉錄》。此外，柳長源除引用袁黃之說增補〈顏淵〉第五章註解，另徵引《增訂四書大全》之說，並在末尾表達自己的看法：「按此二條似終非（缺字）解，然其議論絕高，故並錄之」。表示柳長源相當肯定袁黃之說，而錄以參照。

② 〈萬章下〉第一章

> 袁了凡曰，敘述三聖語無低昂。至論孔子處，末獨以「孔子也」三字煞之，便舍三聖不可語此意。

如同①般，柳長源書中的這段引文與《四書講義困勉錄》對照完全一致，然而卻未見於《四書刪正》。依據彭定求（1645-1719）序文「康熙歲次己卯八月朔旦」，可知《四書講義困勉錄》成於一六九九年（1699），此時《四書刪正》已刊刻。由此便可知悉袁黃《四書刪正》雖在明代被禁絕，但至少在清初仍有流傳，才使陸隴其得以見得，並錄於《四書講義困勉錄》。之後柳長源經由陸隴其《四書講義困勉錄》，間接見得袁黃之說。

2 崔左海《五書古今註疏講義合纂》

五書古今註疏講義合纂》是崔左海晚年憂慮經義上的分歧而撰之作。此書廣泛參照《論語定義》、《論語集注大全》、《論語或問》、《論語精義》、《論語解》、《四書蒙引》、《論語講義困勉錄》、《讀論語箚記》等明清之著。可以發現崔左海與柳長源皆參閱過《論語講義困勉錄》。崔左海《五書古今註疏講義合纂》書中引袁黃之語共有六處。

③ 〈八佾〉第七章「子曰，君子無所爭，必也射乎」節

■《五書古今註疏講義合纂》

> 袁了凡曰：「所字指我字而，言君子常見萬物一體。此身雖隔皮膜，此心原無間隔。誰得誰失，誰勝誰負，爭從何生」。汪武曹曰：「此老

莊之見，非君子之學。本文所字，只是助語辭。」

退錄曰：「袁說固非，汪亦未為是。所字固是語助辭，而亦不當虛還，蓋所者所指的之辭，言無所爭競之事。」

■《四書刪正》

　　未見。

■《四書講義困勉錄》

　　袁了凡以君子常見萬物一體講無爭，此是老莊之論，即楚人亡弓之意，許魯齊辯之詳矣。

　　崔左海在這裡所引袁黃之語，雖與《四書講義困勉錄》相異，但意思相近。同時未見於《四書刪正》或《新刻了凡袁先生四書訓兒俗說》。驗證袁黃《四書》類著作，從《四書便蒙書》到《四書刪正》應歷經多種版本，不斷刪改。而《五書古今註疏講義合纂》中「退錄曰」，是崔左海門人記載其講學《五書古今注疏講義合纂》的〈聽講錄〉。書中常見的退錄、佐錄、胤錄、極錄、弘錄、性錄、寅錄等，根據許捲洙的考察皆為其門人於〈聽講錄〉中的簡稱，惜其門人資料今已無可考。[25]從「退錄曰，袁說固非，汪亦未為是」可知，崔左海並非贊同袁黃之說。

④〈里仁〉第一章「擇不處仁」節

■《五書古今註疏講義合纂》

　　袁了凡、張侗初皆謂，既擇而不處，是既知而不處，似深實非。

■《四書刪正》

---

25 許捲洙：《五書古今注疏講義合纂——論語》解題，收入《韓國經學資料集成》（서울：成均館大學校出版部，1998年），論語，第16冊。

里仁當作居仁，與處仁正相應，恐不便作文故依註，知所擇矣。而猶不處焉，則雖洞澈本直皆成虛見，豈得為智乎?人都以能擇為智，而夫子獨以能處為智，此仁智合一之學。

■《四書講義困勉錄》

了凡、侗初諸公重看擇字，專主既知而不處一邊，則又偏矣。

崔左海根據朱子之註批判袁了凡，因朱註為「里有仁厚之俗為美，擇里而不居於是焉，則失其是非之本心，而不得為知矣。」[26]意旨「未擇之際」就要「處仁」，並非了凡所指「既擇而不處」，故崔左海評為「似深實非」。

⑤〈雍也〉第二章「哀公問弟子孰為好學」節

■《五書古今註疏講義合纂》

袁了凡曰，獨舉怒者，七情惟怒為難制，舉一而該餘也，其實七情皆然。

■《四書刪正》

未見。

■《四書講義困勉錄》

獨舉怒者，七情惟怒為難制，舉一以該餘也。其實七情皆然，方其用工時，不止在怒上，用工及其成效時，亦不止在不遷怒上見效。

崔左海在「哀公問弟子孰為好學」節裡徵引的袁黃之說，未見於《四書刪正》。同時《四書講義困勉錄》裡並沒有指明是袁黃之說，恐為崔左海之誤。

---

26 朱熹：《四書章句集註》（臺北市：大安書局，2006年），頁92。

⑥〈述而〉第三章「德之不脩」節

■《五書古今註疏講義合纂》

> 袁了凡曰,憂即曾子三省之省,非是不能而始憂。竊按,憂字比省字
> 更是有力,見己不得的逼切情懷,憂之所以終無不能也。了凡不能始
> 憂分疏,誠有發明而還可不必。

■《四書刪正》

> 庚子山東出此題,主司批解元卷云,吾憂句從為紫陽註腳,障礙不知
> 憂字即曾子三省之省字,非是不能而始憂。總之四者是吾切己工夫,
> 吾所當時時兢惕者耳。

■《四書講義困勉錄》

> 袁了凡曰,憂即曾子三省之省字,非是不能而始憂。脩者治而去之之
> 謂,凡脩德只用減,不用增,日用中淨除現業流識,即是脩也。按了
> 凡說不是。若論生初,不用增,亦不用減。若論有生,以後則有所當
> 減,亦有所當增。

　　一般將此章「德之不脩,學之不講,聞義不能徙,不善不能改,是吾憂
也」,解為孔子憂慮不能達到四種品德。而袁黃引用科考官員的話,認為憂
字應解為曾子吾日三省吾身之省,是「反省」自己不能達到四種品德,而不
是憂慮。《四書講義困勉錄》反駁袁黃,稱不是。而崔左海卻與之相反,認
為省字比憂字更為恰當。從字句看來崔左海所引袁黃之語,應是來自《四書
講義困勉錄》,然而卻與《四書講義困勉錄》持不同評價。此外,筆者另於
《游藝塾文規》卷九〈正講〉中,發現與此條相關之內容,照錄於下:

> 山東「德之不脩」一節……主試批云:「吾憂句只為紫陽註腳,障礙
> 不知憂字,即曾子三省之省字,非是不能而始憂,摁以四者是吾切己
> 功夫,吾當時時兢惕者,耳余只蓄此說,恨未有相證者。」讀此大為

惕然!觀此批,則主司所取自在後半篇,然以文論則此起甚卓,可式
也。[27]

由於筆者於韓國文集與史料中未見《游藝塾文規》傳入朝鮮時代的紀錄,加
之《游藝塾文規》是收錄嘉靖與萬曆年間科考文章的編著,刊刻於萬曆三十
年(1603),隔年一六零四年(1604)《四書刪正》刻印出版。故,兩書應該
在編纂過程中相互參考著錄。同時,由上文可知憂字解為曾子這段,非袁黃
本人見解,而是主試官之語,但陸隴其遺錄為袁黃之語,致使崔左海沿襲
誤說。

⑦〈述而〉第八章「舉一隅不以三隅反,則不復」節

■《五書古今註疏講義合纂》

　了凡謂是婆心不是鐵面,妙。

■《四書刪正》

　未見。

■《四書講義困勉錄》

　要看不啟不發,所以使之憤悱一段精神。了凡謂是婆心,不是鐵面,
妙。

崔左海顯然跟從《四書講義困勉錄》之語,然未見《四書刪正》有此
說法。

⑧〈顏淵〉第五章「四海之內皆兄弟也,君子何患乎無兄弟也」節

■《五書古今註疏講義合纂》

---

27 〔明〕袁黃:《游藝塾文規》,卷9,〈正講〉,收入《續修四庫全書》(上海市:上海古
　籍出版社),詩文評類1718冊,頁127。

竊按此說最得經旨，陸稼書、袁了凡、李都梁諸家皆從其說，必有所
見。當俟後子夏論正耳。了凡之言曰：到此田地，四海之人將為兄
弟，況其親者乎。若能魋而遷善，則是我能立命也，我能格天也，固
無患乎，無兄弟也。使其怙縱不悛，則是我立命有虧也，事天未至
也，亦非兄弟之患也，可謂其善之為說矣。

■《四書刪正》

參照①。

■《四書講義困勉錄》

參照①。

3 丁若鏞《論語古今註》

《論語古今註》四十卷是茶山丁若鏞流放康津時之作，也是其經學論著
中投注最多心力者。此書廣蒐漢魏以來各家學說，甚至包含日本古學派學者
之說，對《論語》二十篇條分縷析，並以「補曰」、「駁曰」、「質疑」等形式
進行論辯。韓國學者金彥鍾《丁茶山論語古今註原義總括考微》是第一本針
對《論語古今註》進行全面析論之專著。[28]茶山《論語古今註》裡引用袁黃
之語有數處，略舉六例析論如下。

⑨〈為政〉第十六章「攻乎異端，斯害也已」節

■《四書刪正》

蔡虛齋謂孔子時無楊墨與佛，異端不應指楊墨及佛說，極是。況端字
極重，若指定楊墨，則是異類，非異端矣。

---

28 金彥鍾：《丁茶山論語古今註原義總括考微》（臺北市：學海出版社，1987年），頁
508。

■《論語古今註》

〔質疑〕攻之為專治，其在〈考工記〉原有確據。楊、墨之無父無君，老、佛之慢天侮聖，罪大惡極神人所憤，豈待專治而後有害？異端之非今之異端，明矣。袁了凡曰：「蔡虛齋謂孔子時無楊墨，異端不該指楊墨佛老，極是」。

〈為政〉子曰：「攻乎異端，斯害也已！」此章，依據攻字解釋的差異，而有不同詮釋。朱子在《論語集註》中引用范祖禹（1041-1098）「攻，專治也」之說，將此句解為「治理（走入）異端邪說中，是有害的」。然而宋人蔡節（生卒不詳）於《論語集說》裡解為「攻者，攻擊之攻也」，使得此句意思轉變為「攻擊異端邪說，有害」。即，不攻擊其他說法，廣納各種意見。但茶山認為〈考工記〉裡，已有明確的證據說明攻字應解為專治，問題在於「異端」二字之解，而非攻字。茶山認為楊朱、墨翟、老子、佛說皆是罪大惡極為神人所憤，怎可待潛心研讀之後才感不妥？認為此處之異端，非指現今（當時）所理解之異端邪說，同時引用袁黃之語來輔證己說。此章之解歷來聚訟紛爭，韓國重要的陽明學者鄭齊斗（1649-1736）便曾言異端當指方技小術，如醫、巫、卜筮之類。如果為了學習這些而誤了正事，其便是異端。[29]

⑩〈為政〉第二十一章「或謂孔子曰：『子奚不為政？』子曰：『《書》云‘孝乎惟孝，友于兄弟，施於有政。’是亦為政，奚其為為政？』」

■《四書刪正》

《書》云而曰，孝乎者，重孝也。友于兄弟亦孝中事，然則逐其兄而立其弟者，其罪不言自見矣。

---

29 〔朝鮮〕鄭齊斗：〈論語說〉，《霞谷集》收入《韓國文集叢刊》（首爾：民族文化推進會，1995年），第160輯，頁384：「異端者，謂方技小術，如醫巫卜筮之倫是也。以其別端而非正常之事，故謂之異端。如欲學而治之，則斯害矣」。

■《論語古今註》

> 〔引證〕……袁了凡云：昭公是兄、定公是弟，季孫晏然逐其兄而立
> 其弟，孝友之道泯，故夫子云然。

孝友與為政同，故茶山引證袁黃之說作輔。

⑪〈雍也〉第一章「子曰雍也可使南面」節

■《四書刪正》

> 古者臨民之位皆南面，今各處衙門皆然，不必言人君之位，豈有夫子
> 而許其弟子可為人君之理。下文以臨其民，正與此南面相應。

■《論語古今註》

> 袁了凡云，古者臨民之位皆南面，今各衙門皆然，豈有夫子而許其弟
> 子可以為君之理。駁曰三說皆非也。……南面、北面者，君臣之定
> 名，袁說大謬。包氏專屬諸侯，劉氏專屬天子，亦非也。《禮》曰聖
> 人南面而立，天下大治。

朱子將南面，解為人君聽治之位。即，孔子認為冉雍的才德足以讓其執
掌國政之意。然而袁黃認為，從明代衙門居處之位，便可理解南面指的是面
對百姓、人民之意。並非專指君王之位，老師直許弟子為君，不合常理。加
之此段經文下有「臨其民」三字，便可前後呼應。茶山否定袁黃之說。茶山
指《易經》、《禮》經文裡皆明確指出南面、北面各為君臣之稱，實有明證，
以此反駁袁黃之說。同時茶山認為包咸將南面解為諸侯，劉向解為天子，皆
為錯誤說法。

其實劉向之說並無誤。《說苑》言：「當孔子之時，上無明天子也。故言
雍也可使南面，南面者天子也。」因孔子所處時代無明君，劉向認為孔子讓

才德兼備的冉雍居天子之位，這樣的詮釋方式在春秋戰國時代並無不妥。[30]
然而在專制王朝時代，朱子「人君聽治之位」之解則有些危險，容易流為目
無國君之罪。因而歷來古注，多將之解為諸侯，例如包咸。但茶山以
「《禮》曰聖人南面而立，天下大治」為朱子開脫，認為南面即君位無誤，
而此君為聖人之意。

⑫〈子罕〉第六章「太宰知我乎」節

■《四書刪正》

> 知我乎，言太宰其知我所以多能之故乎。成以為知我，或以為不知
> 我，俱勿從言，多能非所以率人，則脩己豈責多哉，非夫子本意。

■《論語古今註》

> 袁了凡云，太宰知我乎，有謂之知我者，有謂之不知我者，俱非語
> 意。當時太宰知我多能之故乎以起下。案，此說亦好。

太宰問子貢，孔夫子是聖人嗎?何以如此多才多藝?孔子於一旁聽聞便言
「太宰知我乎」。孔子不敢以聖人自居，因而說太宰了解我，聖人是不可能
會這麼多粗鄙的技能。然而孔子想要傳達的訊息，是擔心人們誤以為只要會
多種技能便能成聖。茶山同意袁黃之解。

⑬〈先進〉第四章「子曰，孝哉閔子騫，人不間於其父母昆弟之言」節

■《四書刪正》

> 孔門弟子無稱孝者，此獨云孝哉，閔子騫非夫子自稱之也，乃內外素
> 有是稱也。下句言字，正與上句相應，友字贅，故刪之。

---

30 參黃俊傑：《東亞儒學史的新視野》（臺北市：國立臺灣大學出版中心，2006年），頁
46-48。

■《論語古今註》

> 案，夫子於門人，未嘗稱字，首一句乃時人之言。袁了凡云：「孝哉
> 閔子騫，乃內外素有是稱者也。」下句言字，正與上相應。

孔子稱呼其弟子直呼其名，而不稱字，因而這一句應不是孔子之語。茶
山否定首一句的「孝哉閔子騫」，引袁黃之解補證己說。

⑭〈陽貨〉第七章「吾豈匏瓜也哉，焉能繫而不食」節

■《四書刪正》

> 《註》以匏為瓠，非也。按，《詩》：「匏有苦葉」。山陰陸氏謂，長而
> 瘦上曰瓠，短頭大腹曰匏，匏苦瓠甘，復有長短之殊，非一物也。然
> 則繫而不食以苦，故耳。嚴氏釋詩謂，匏經霜葉落，取繫之腰以渡
> 水。蓋匏瓜蠢然無用之物，但可繫之腰以渡水，而不可食，故曰繫而
> 不食。《國語》叔向云，苦匏不材於人，供濟而已。其理明甚，若謂
> 其繫于一處而不能飲食，豈有殖物而責其能飲食哉。

■《論語古今註》

> 袁了凡曰：「匏但可繫而渡水，而不可食」。案，袁說，非經旨也。
> 《國語》：「叔向曰：『苦匏不材于人，供濟而已』」。而〈衛詩〉：「匏
> 有苦葉，濟有深涉」，則又以匏小，不能供濟為言。

佛肸請孔子，孔子欲往，子路不悅，因而孔子以「吾豈匏瓜也哉，焉能
繫而不食」暗喻回應。茶山認為袁黃不解經旨原意，誤將重點置於匏與瓠的
分辨，指出「匏但可繫而渡水，而不可食」。然而，君子之學貴適於用，化
物而不為物化。

4 崔濟泰《松窩集》〈大學序問答〉

崔濟泰引用袁黃之語，出現在其〈大學序問答〉一文裡，而此篇載錄於

其個人文集《松窩集》卷三中。

⑮〈大學序〉

> 了凡曰：「道曰理、曰性，曷嘗有離形體者，聖賢卻不言耳。至於分
> 開處，聖人始說出而上而下，而皆就一形字以明之。則非若後世把道
> 器作對看之說也。」老栢

崔濟泰的〈大學序問答〉主要是對朱子〈大學章句序〉進行解說之文，
但除了崔濟泰自己的解釋之外也附上明湖、老栢兩人的見解。引用袁黃之語
者實為老栢，老栢為崔命喜（1851-1921）之號。然此處引文未見於《四書
刪正》，亦未見於袁黃其他文集著作，因而再次顯示從《四書便蒙書》到
《四書刪正》歷經多種版本。

由上述所舉十五條例子可知，縱使柳長源、崔左海或因《四書講義困勉
錄》而間接接觸袁黃之說，然從丁若鏞所引之語，可明確知悉來自《四書刪
正》（或《四書疏意》），尤其是十三、十四條例子中底部畫線的部分，更可
清楚了解。而由崔左海、丁若鏞、崔濟泰等人所引之文，未見於《四書刪
正》，可知從《四書便蒙書》到《四書刪正》歷經多種版本。從袁黃自言
「坊已災木」、「四方君子傳慕爭錄」、「友人改作《刪正》」便知，在不經袁
黃之手已不斷傳抄，或因此出現遺漏、刪簡而有各種版本差異，更遑論袁黃
本人自行修訂增補產生之差異。

五　結語：袁黃編著流傳朝鮮之意義

眾所周知，古代典籍在東亞各國傳播的路徑是先由中國傳到朝鮮半島，
再傳至日本。嚴紹璗於〈漢籍東傳日本的軌跡與形式〉一文中有詳細的論
述，並再再提及：「漢籍從中國本土傳至日本列島，少則數十年，多至二、
三百年，其間常有要經朝鮮半島作為中介。」[31] 日本除了透過朝鮮購求中國

---

31 嚴紹璗：〈漢籍東傳日本的軌跡與形式〉，收入黃俊傑（編）《中華文化與域外文化的互

書籍外，在多次的侵韓戰爭，如壬辰倭亂、丁酉再亂，乃至後來強佔殖民時期，皆掠奪不少書籍文物。經由上文的分析，可推測袁黃的經學編著——尤其是《四書刪正（疏意）》——應是先從中國傳到朝鮮，之後再輾轉傳到日本。

發掘佚失古籍、探究海外孤本具有一定學術意義。縱使舉業用書在當時未受重視，但今日透過此類書籍，可使吾人了解當時讀書人研讀經書應試時的準備方向與內容。事實上舉業用書亦非全然不好，四庫館臣便對蔡清（1453-1508）《四書蒙引》評以：「雖為科舉而作，特以明代崇尚時文，不得不爾。至其體認真切，闡發深至，猶有宋人講經講學之遺，未可以體近講章，遂視為揣摩弋獲之書也」。[32]

同時袁黃之作雖然在當時遭受撻伐，然而沈守正（1572-1623）《四書說叢》與陸隴其《四書講義困勉錄》書中大量引用袁黃之作，之後更傳到朝鮮。從柳長源與崔左海之作可知，兩人便是透過沈守正《四書說叢》、陸隴其《四書講義困勉錄》接受《四書五經大全》之後的明清新說。但有趣的是陸隴其以宗朱排王著稱，但其書竟錄有不少相反學術立場的袁黃之語。而由〈四書說叢引用書目〉可知，沈守正彙萃諸家之說，同時亦包含釋道家之著，如《傳燈錄》、《宗鏡錄》、《弘明集》、《法苑珠林》、《雲笈七籤》等。這顯示朝鮮後期的經學注釋已逐漸開放，不再墨守朱注。由崔左海與丁若鏞對袁黃之說，除了贊同更有佳評，如六、七、九、十、十二、十三例中的「極是、極好、妙、有發明」等可知。

故而，經由上文的剖析，可知袁黃編著流傳朝鮮至少具有三點意義：

其一、與大部分經由商貿或購求而流傳海外的書籍不同，是作者本人親自攜帶自海外，在古代文獻的傳遞上可謂一特殊例子。

其二、由王室書庫的庋藏與朝鮮文人的談論，可知朝鮮後期不再墨守朱

動與融合（一）》（臺北市：喜瑪拉雅研究發展基金會，2006年），頁413-460。

[32] 〔清〕永瑢等（編）：《四庫全書總目提要》（北京市：中華書局，1995年），卷37、四書類二，頁302。

注，並時時關注明清新說。又或者可以說，正因為袁黃批駁朱註，而在眾多明清經書著作中，獲得關注，如同毛奇齡之作。

其三、朝鮮後期儒者對於經說註解，已不能滿足於朱熹《四書章句集註》，透過沈守正《四書說叢》、陸隴其《四書講義困勉錄》、接受《四書五經大全》之後的明清新說，袁黃之說便是其一。

高麗晚年儒臣集團的形成
——朝鮮王朝儒學政治的濫觴

盧鳴東

香港浸會大學中文系教授

提要

　　高麗晚期儒臣集團的形成，除了是長久以來，儒家經典已經成為國家教育的主要內容外，也是由於科舉制度趨向成熟，培育具有相同治國理念的知識分子，出謀獻策，共同制定以儒學為中心的治國政策。自統一新羅辦國學，以博士分科教授儒家經典，確立「讀書三品科」；高麗設「明經科」，立「七齋」和「四書五經齋」，教授經學人才，及後成均館的建成，地方私學「十二徒」的出現，促使儒家教育變得專門化，而通過科舉晉身官宦的士人，都能夠精通儒家經典。根據《國朝榜目》的記載，在朝鮮太祖李成桂的立國功臣中，不少是來自高麗晚期科舉出身的儒臣。他們志同道合，深受國君器重，主張推行儒學政治，奠立朝鮮王朝五百餘年的治國根基。

關鍵詞：儒臣集團　文科　成均館　鄭道傳　趙浚

一　引言

　　不同時空的儒學發展皆有軸心人物，推動儒學經典知識在其身處的年代中持續播遷。出身自高麗晚年科場的朝鮮建國儒臣，深受儒家文獻薰陶，對中國禮治文化具有一定造詣，兼且獲得朝鮮太祖器重，得以在高麗、朝鮮兩代交替之中延續其政治生命。憑藉他們在政治上的深厚影響力，為朝鮮王朝五百餘年的統治，奠立以儒學為重心的治國之道。科舉制度的產生與儒臣集團的形成，關係密切；科舉制度帶動了社會階層流動，開啟了知識份子參與國家政治的契機。士人通過科業取仕，躋身國家管治行列，出謀獻策，輔助國君治理政事。自統一新羅開始，掌管朝鮮半島命脈的政權為了鞏固中央集權的力量，加強地方管治，採用了科舉方法選拔人才，建立以士人為中心的幕僚機關。受到漢唐科舉制度的影響，新羅科舉制度的考核內容以儒家經典為主；若然士人立志科場及第，馳騁官場，必須熟習儒家經典。基於這個原因，科場出身的官吏皆精通儒學，從而在國家管治層面上形成了規模龐大的儒臣集團。

二　新羅國學與士人幕僚

　　新羅聯合唐朝軍力，在文武王8年（668）結束了三國時代，國家政權歸於一統。由於唐朝在百濟和高句麗的原有土地上設置都督府，盤踞勢力，監控朝鮮半島舉動，加上舊有貴族和地方豪族潛在的威脅，新政權的穩定性面臨嚴峻挑戰。統一後的新羅，設立國學提倡儒家思想，重視君臣名分，分別人倫尊卑，組織以士人為主的政府幕僚架構，藉此增強中央管治力量，樹立國君威信。神文王二年（682）6月，「立國學，國卿一人以掌之。」新羅國學仿照漢唐學制建置，規定國學生誦習儒家典籍，遵行釋奠禮。聖德王十六年（717），「太監守忠回自唐，上文宣王十哲、七十二弟子畫像，命置太

學。」[1]至景德王六年（747），國學置「諸業博士、助教」，分業教授。《三國史記》〈職官志〉記載：

> 惠恭王元年，加二人教授之法，以《周易》、《尚書》、《毛詩》、《禮記》、《春秋左氏傳》、《文選》分而為之業，博士若助教一人，或以《禮記》、《周易》、《論語》、《孝經》，或以《春秋左傳》、《毛詩》、《論語》、《孝經》，或以《尚書》、《論語》、《孝經》、《文選》，教授之。[2]

惠恭王元年（765），新羅國學把儒家文獻劃分為三個專科，提供國學生選讀，其中以《五經》為主，兼讀《孝經》、《論語》和《文選》，每科設博士和助教各一人。

國學是傳播儒家知識的官方教育機構，也是新羅政府培訓官僚人員的場所。元聖王四年（788），新羅設置「讀書三品科」，它是在分科設教的基礎上，把儒家文獻分成三種，通過上、中、下「讀三品」的評審制度，考核國學生表現，決定授予官階與否。就操作上而言，朝鮮半島當時已發展出科舉制度的雛型。《新羅本紀》〈元聖王〉記載：

> 四年春，始定讀書以三品出身，讀《春秋左氏傳》、若《禮記》、若《文選》而能通其義，兼明《論語》、《孝經》者為上；讀《曲禮》、《論語》、《孝經》者為中，讀《曲禮》、《孝經》者為下，若傳通五經、三史、諸子百家書者，起擢用之。[3]
>
> 凡學生位自大舍已下至無位，年自十五至三十皆充之，限九年。若朴魯不化者，罷之；若才器可成而執者，雖踰九年，許在學，位至大奈麻、奈麻而後出學。[4]

1　〔韓〕洪鳳漢編：《學校考一》，《東國文獻備考》（漢城：明文堂，1981年），下冊，頁353。

2　〔韓〕金富軾著，李丙燾校勘：《三國史記》（漢城：乙酉文化社，1984年），頁408。

3　〔韓〕金富軾著，李丙燾校勘：《三國史記》（漢城：乙酉文化社，1984年），頁124。

4　〔韓〕金富軾著，李丙燾校勘：《三國史記》（漢城：乙酉文化社，1984年），頁408。

自儒理王九年（32）以後，新羅職官品階劃分十七等：「一伊伐湌，二伊尺湌，三迊湌。四波珍湌，五大阿湌，六阿湌，七一吉湌，八沙湌，九級伐湌，十大奈麻，十一奈麻，十二大舍，十三小舍，十四吉士，十五大烏，十六小烏，十七曰造位。」[5]「讀書三品科」規定取錄第十二等「大舍」至以下沒有品階的貴族，因此，合資格者主要是已在官職的貴族，而由於出身「四頭品」的貴族最高官位限至第十五等，「五頭品」限至第十三等，因此，「這些大學生大部分是六頭品」。[6]他們的年齡界於十五至三十歲間，在學年期最多九年，如有愚笨沒法受教者，國學命令退學。有望成才者，便不受在學時間限制，畢業後，可出任第十等「大奈麻」和第十一等「奈麻」。雖然，「讀書三品科」的施行對象不包括地方鄉生，而且評審標準不及完備，與後來的科舉制度不能相提並論；但是，國學生必須博通儒家經典，才有望獲得出仕資格。在當時佛教盛行的情況下，這有助爭取新羅貴族加深對儒家經典的認識，並予以認同。

李丙燾在《韓國史大觀》中評論曰：「如將三國以前，認為韓國民族的部落割據時代；則此時代，可稱為民族小統一時代。故新羅的統一半島，非僅在韓國歷史上，有其重大意義，即在民族文化上也具有區劃時代之性質。」[7]新羅遵照華夏學制，國學推行儒家教育，不但拓展民族文化的開端，極具深刻的時代意義，也成為儒家思想播遷的一個重要轉捩點。始由新羅首倡風氣，儒家典籍在朝鮮半島中逐步取得執政者的接受和實踐，而隨著知識份子數量日益增加，儒臣集團亦因此醞釀形成。

高麗繼新羅立國，光宗時首創科舉制度，儒家教育發展漸趨隱定。《高麗史》〈選舉志〉記載：「三國以前未有科舉之法，高麗太祖首建學校而科舉

5　〔韓〕金富軾著，李丙燾校勘：《三國史記》（漢城：乙酉文化社，1984年），頁39。

6　〔韓〕李成茂指出：「新羅時代以血統定社會身分的種姓制度。平民以上社會成員分為三等八品，最高貴的一等為王族，分聖骨和真骨二品；二等為貴族，分三品，即六頭品、五頭品、四頭品；三等為平民，亦分三品，即三頭品、二頭品、一頭品。」《高麗朝鮮兩朝的科舉制度》（北京市：北京大學出版社，1993年），頁2-3。

7　〔韓〕李丙燾著，許宇成譯：《韓國史大觀》（臺北市：正中書局，1961年），頁115。

取士未遑焉,光宗用雙冀言以科舉選士,自此文風始興,大抵其法頗用唐制。」[8]自高麗太祖王建在西京設置國學,至光宗九年(958)採納歸化唐人雙冀的建議,創立科舉制,分設「制述科」、「明經科」和「雜科」三種。「制述科」分設三場,「初場考經義,中場考詩、賦,末場考時務策」[9],而「明經科」考核內容以《五經》為主。光宗首行科舉制是有長遠的政治目標,李成茂指出:

> 光宗之所以能排除武將出身的豪族,開科取士,是因為統一新羅以後具有儒學素養的知識分子已經很多,已經可以取代威脅王權的武將,把對國王忠順的文臣吸收到官僚機構中來。科舉制實際上就是為此目的而採取的措施。[10]

科舉制度之所以在光宗年間出現,是出於高麗國君的政治考慮,試圖以士人為中心的官僚機關,取代武將統治,避免王權受到威脅。同時,由新羅時代培養出來的儒家知識份子,數量不斷增加,士人階層在社會中成為了新興勢力,並為科舉制度的持續施行提供必要條件。

三 高麗科舉與儒臣集團

新羅國學專設博士,分科教授儒家經籍,發展至高麗睿宗、仁宗兩朝,儒家科目講授趨向嚴密,國學漸具規模。自高麗成宗十一年(992)創立國子監,國學體制日見革新;到高麗睿宗四年(1109)設立「七齋」,專門講授《周易》、《尚書》、《毛詩》、《周禮》、《禮記》、《春秋》等科目,分別是「《易》曰麗澤,《書》曰待聘,《詩》曰經德,《周禮》曰求仁,《戴禮》曰

---

8 〔朝鮮〕鄭麟趾編:《高麗史》(臺南市:莊嚴文化事業有限公司,1996年,《四庫全書存目叢書》),卷27,第161冊,頁1。

9 〔朝鮮〕鄭麟趾編:《高麗史》(臺南市:莊嚴文化事業有限公司,1996年,《四庫全書存目叢書》),卷27,第161冊,頁1。

10 《高麗朝鮮兩朝的科舉制度》(北京市:北京大學出版社,1993年),頁15。

服膺,《春秋》曰養正,武學曰講藝。」[11]七齋各有命名,第一至第六齋是儒家齋,第七齋是武學齋。在收生標準上,仁宗五年（1127）依據國學生的身分高下,分立三門,包括「國子學」、「太學」和「四門學」,皆隸屬國子監。考生通過「進士試」進入屬於自己的一門,之後經由升補試考入「七齋」。同時,配合分科教授的情況,仁宗時高麗制定了儒家典籍的講讀方式。《東國文獻通考》〈學校考一〉記載:

> 凡經,《周易》、《尚書》、《周禮》、《禮記》、《毛詩》、《春秋左氏傳》、《公羊傳》、《穀梁傳》各為一經,《孝經》、《論語》必令兼讀。諸學生科業,《孝經》、《論語》共限一年,《尚書》、《公羊》、《穀梁傳》各限一年半,《周易》、《毛詩》、《周禮》、《儀禮》各二年,《禮記》、《左傳》各三年,皆先讀《孝經》、《論語》,次讀諸經,并五年三月,詔諸州立學,以廣教導。[12]

國學生先讀《孝經》、《論語》,限期一年,然後在「九經」組成的三組科目內,選讀一組科目,需要在指定時間內完成,而時限不能超過九年。仁宗時由京師制定的講讀方式,亦推廣至地方學校。

相對新羅時代,高麗時代儒家教育發展已延伸至全國各地,幅員廣闊。高麗成宗時「令諸州、郡、縣選子弟,詣京習業」[13],並於六年（982）八月在京師挑選經學博士遠赴十二牧,專門教授儒家經籍,包括廣州、楊州、忠州、清州、公州、晉州、尚州、全州、羅州、昇州、黃州和海州等地方諸生。《東國文獻通考》〈學校考一〉記載:「今選通經閱籍之儒,溫古知新之輩於十二牧,各差遣經學博士一員,勤行善誘,好教諸生」,而地方諸生

11　《學校考一》,《增補文獻備考》,卷202,頁356。

12　〔韓〕洪鳳漢編:《學校考一》,《東國文獻備考》（漢城:明文堂,1981年）,下冊,卷202,頁357。

13　〔韓〕洪鳳漢編:《學校考一》,《東國文獻備考》（漢城:明文堂,1981年）,下冊,卷202,頁354。

「若有勵志明經足用者,令牧宰依漢故事,具錄薦貢京師,以為恒式。」[14]
仿照漢武帝訂立的察舉制,十二牧長官選拔地方人才,薦予京師,之後通過
考核試用再任命官職。高麗私校的創立也有助地方儒學普及。文宗朝九年
(1055),當時被士林稱道為「海東夫子」的崔冲,設立「九齋學堂」,教授
儒家經學、史學和文藝等科目。《增補文獻通考》〈學校考一〉記載:「收召
後進,教悔不倦,諸生填溢門巷,遂分九齋」[15],其後各地仿傚「九齋學
堂」規模,開辦私塾,合共十一所,與崔冲原來的私塾並稱為私學「十二
徒」。在高麗官私教育規模成熟下,鴻儒相繼輩出,有利高麗晚年儒臣集團
的形成。

高麗晚年,科業分為三種:一、「制述科」,又稱「進士科」,包含「乙
科」、「丙科」和「同進士」;二、「明經二科」;三、「恩賜」。《麗朝科舉事
蹟》[16]記載忠烈王十六年(1290)「庚寅五月榜」,說明了當時科業的內容。
茲據此整理下表:

忠烈王十六年(1290)「庚寅五月榜」

	榜目	出身		及第者
制述科	乙科三人	國子監	國子學	崔咸一　趙仁秀　尹莘傑
	丙科七人	國子監	七齋	求仁齋:朴贇求
			國子學	徐楚援　金文鼎　金桂來(典廄署丞)*
			太學	禹倬
		在職官吏		李承庚(成陵宜令問正)韓守延(奉先庫判官)

14　〔韓〕洪鳳漢編:《學校考一》,《東國文獻備考》(漢城:明文堂,1981年),下冊,卷
　　202,頁354。

15　〔韓〕洪鳳漢編:《學校考一》,《東國文獻備考》(漢城:明文堂,1981年),下冊,卷
　　202,頁355。

16　《麗朝科舉事蹟》,記載在《國朝榜目》篇末,此書是出現在朝鮮仁祖年間(1623-
　　1649)的筆寫本。韓國國立圖書館藏,刊寫者未詳。

榜目	出身		及第者
同進士 二十一人	國子監	七齋	養正齋：柳寧　沈劼　求仁齋：鄭公秀 麗澤齋：鄭陳　服膺齋：權奕　朴允和 待聘齋：鄭應喬　辛夢釰
		國子學	鄭天祚　金伯龍　金于正　李瑑　李樛 金承印
		太學	尹評
	在職官吏		印承光（世子府右行首）金承用（天和寺 真殿直令同正）崔洳（良醞令同正）金叔 盃（近侍令同正）崔斯立（近侍判官令同 正）河淳（都評議錄事別將）
明經二科一人	鄉貢		安甸
恩賜二人	鄉貢		柳伯　安成桂

* 及第考生兼具兩重身分，國子學進士及在職官吏。

上表記錄了忠烈王十六年「庚寅五月榜」及第人數共三十三人。由於高麗的「制述科」比起「明經科」受到士人重視，因此，及第人數也占多數；及第考生主要來自國子監、在職官吏和經地方推薦的鄉生。至於「恩賜」是專門提供多次應試而未能科中的考生，應試考生年齡不限。

　　自此以後，國子監進行了一些重要改革，成為日後朝鮮京城學制的濫觴。首先是忠烈王三十四年（1308），國子監改名為「成均館」，後來被朝鮮王朝沿用。恭愍王十六年（1367），成均祭酒林樸建議改造成均館體制，於館內增置「生員」一百人，並分別設立「四書五經齋」，規定齋生在學習《五經》之餘，也要誦讀《四書》。[17]由「七齋」演變為「四書五經齋」，是因為元、明兩朝使用朱熹「四書集註」考核士人，導致《四書》地位大幅提高。隨著朱子學東來，成均館內已冒起不少碩儒，他們倡導《四書》，致力傳授程朱理學。同年十一月，恭愍王建立成均館於京師崇文館舊址，當時

---

17 〔韓〕洪鳳漢編：《學校考一》，《東國文獻備考》（漢城：明文堂，1981年），下冊，卷202，頁359。

「以李穡為兼大司成，鄭夢周為博士兼大司成」，編制錄取制度，選擇「經術之士」，充當教官，包括鄭夢周、金九容、朴尚衷、朴宜中、李崇仁等得令當時的大儒。李穡與鄭夢周等「更定學式，每日坐明倫堂，分經授業，於是學者坌集，相與觀感，程朱性理之學始興焉」[18]，奠定朝鮮王朝成均館的授學模式。

　　成均館「生員」學制的產生，導致士人以「生員」身分應試科舉成為常態。《麗朝科舉事蹟》記載禑王六年（1380）「庚申榜」，反映當時應試考生的出身。

禑王六年（1380）「庚申榜」

	榜目	及第者出身	姓名
制述科	乙科三人	在職官吏	李文化（郎將）李之直（典廐署丞）韓尚質（佐郎）
	丙科七人	國子監試進士	李鷺
		成均館生員	吳蒙乙
		在職官吏	成守恒（典法佐郎）崔寧（別將）李靖（通禮門判官） 金益達（典禮寺丞）權執經（部將）
	同進士二十三人	國子監試進士	朴豎基　李汝良　閔汝翼　金常　柳譓　張至和　李陽實
		成均館生員	尹相　朴希賢　安省　金雅　王章
		散員	宋子郊　金鈆
		在職官吏	李作（別將）高安勝（慶順主簿）鄭恂（郎將）權湛（糾正）崔溎（別將）崔云嗣（郎將）徐坐（郎將）金子孟（郎將）洪寶（糾正）

---

18 〔韓〕洪鳳漢編：《學校考一》，《東國文獻備考》（漢城：明文堂，1981年），下冊，卷202，頁355-360。

禑王六年「庚申榜」及第考生全部來自「制述科」，他們的出身主要是國子
監進士、成均館生員、散員及在職官吏。上表記載及弟者有國子監進士，也
有成均館生員。這是由於忠烈王時國子監雖已改名為「成均館」，恭愍王時又
增置「生員」、「四書五經齋」，取代「七齋」，但禑王二年（1376）一度恢復
國子監試舊制，若考生應試合格，便可以取得「進士」資格，與成均館生員
一起應試「制述科」和「明經科」。直至朝鮮初年太祖把國子監試改為「進
士試」，兼且獨立於「文科」外，這種新舊學制的過渡情況才告一段落。此
外，文宗時雖曾設立武學齋，但因為遭受朝臣反對而無疾而終，故高麗時科
舉不設武科，考生須要通過文科才能考取武官職位，以上榜目及第者有「郎
將」、「別將」和「部將」等武職出身，便反映了這種情況。至於散員，是指
考生沒有固定職事的官吏。《隋書》〈百官志下〉：「居曹有職務者為執事官，
無職務者為散官。」[19] 散員是高麗仿照唐代官制而來，分設文武散階。

　　朝鮮科舉制度實施文武兩科，確立東西兩班官職制度，比較高麗科舉來
說，增設武科一門。不過，由於朝鮮王朝採取重文抑武的儒教政策，文科出
身的儒臣，地位遠高於武臣。「文科」是朝鮮儒生入仕的主要途徑，它結合
高麗時「製述」和「明經」兩科的考核內容，並沿襲高麗的三場考核法，分
立鄉試、會試和殿試三場。朝鮮太祖即位紹書記載：「今後內而成均正錄
所，外而各道按廉使，擇其在學經明行修者，開具年貫三代及所通經書，登
于成均館長貳所，試講所通經書。自四書五經、《通鑑》已上通者，以其通
經多少，見理精粗，第其高下為第一場；入格者，送于禮曹，禮曹試表、
章、古賦為中場；試策問為終場，通三場相考入格者三十三人，送于吏曹，
量才擢用，監試革去。」[20] 科舉三場考核法於高麗恭愍王十八年（1369）創
置，於禑王二年廢除，後在昌王元年（1388）復行，而在朝鮮立國後沿
用。

---

19 〔唐〕魏徵：《隋書》，《百官志下》（北京市：中華書局，1973年），卷28，第2冊，頁
　　781。
20 國史編纂委員會編：《朝鮮王朝實錄》（漢城：國史編纂委員會，1968年），1392年7月
　　28日，第1冊，頁22。

根據朝鮮《經國大典》規定，合資格考生通過成均館「館試」、京城「漢城試」和各地「鄉試」的文科初試考核程序，可以進入由禮曹主持的文科覆試。《經國大典・式年文科初試》記載文科考試三年一期，考生分配額數為「館試」五十人，「漢城試」四十人，各道「鄉試」包括京畿道二十人，忠清道、全羅道各二十五人，慶尚道三十人，江原道、平安道各十五人，黃海道、咸鏡道各十人，京內外諸生共兩百四十人應試文科覆試。[21]京內外諸生亦可以先應試「生員」，考入成均館後由館員教導，然後才赴試文科。《經國大典》〈式年生員初試〉記載「漢城試」錄取二百人，而「鄉試」包括京畿道試取六十人，忠清道、全羅道各九十人，慶尚道一百人，江原道、平安道各四十五人，黃海道、咸鏡道各三十五人，由「觀察使定差使員，錄名試取」，進入禮曹負責的覆試，在各地七百名應試考生中錄取一百人進入成均館接受教育。[22]

不論考生應試「生員」抑或「文科」，「四書五經」都是他們主要應考的科業內容。「生員」分為初試和覆試兩個考試程序，兩個程序考核內容相同，必須應試「製述：五經義，四書疑二篇」。「製述」是考生按照經義撰寫文章，考核內容與高麗「制述科」相同；「五經義」是考官在《禮記》、《春秋》、《詩》、《書》、《易》中各擬一度考題，令考生選答一題，而「四書疑」是在《大學》、《論語》、《孟子》和《中庸》四書經義之中擬定一度題目，使考生作答。至於「文科」分為初試、覆試和殿試三個考試程序，初試和覆試各分為初場、中場和終場。初試應考「製述：五經四書疑、義或論中二篇；中場，賦、頌、銘、箋、記中一篇，表、箋中一篇；終場，對策一篇」；覆試的「中場、終場同初試生員」，但覆試初場與初試初場應試內容便有分別，覆試初場須要臨文考講「四書三經」，即是背誦經文，口述講解經文意義，考核內容與高麗「明經科」相同；「三經」是指《易》、《詩》、《書》，不

---

21 朝鮮總督府中樞院編：《禮典》〈諸科〉，《校註大典會通》（漢城：保景文化社，1939年），頁6-7。

22 朝鮮總督府中樞院編：《禮典》〈諸科〉，《校註大典會通》（漢城：保景文化社，1939年），卷3，頁7-8。

包括初試初場的《春秋》和《禮記》。最終是殿試，應考「製述：對策、表、箋、箴、頌、制、詔中一篇書」。[23]朝鮮開國四年（1395），太祖接納鄭道傳上奏，「始以講經書為初場，罷進士為生員試」，建議罷免「進士試」，由「生員」初場取代，目的是規定所有考生必須應試「四書五經」，後來在群臣反對下，「進士試」雖然復行，但其重要性已遠遠不及「生員」。這說明自朝鮮立國初年，應試「四書五經」成為了朝鮮知識分子躋身儒臣集團的階梯，而科舉考制的變革遂開出儒學政治之途。

四　太祖朝建國儒臣與儒學政治倡導

朝鮮太祖李成桂在一三九二年廢去高麗恭讓王，並在同年七月十七日宣布即位，建立統一新政權。這場政變自一三八八年李成桂從威化島策劃撤軍開始，回京流放禑王至江華島，然後剷除異己，擊退政敵，廢立昌王和恭讓王，最終移交政權，改朝換代。李成桂所以成功謀奪政權，與高麗晚年儒臣主動籌劃，積極參與其中，不無關係。根據《國朝人物志》記載：「闔密與吏曹判書趙仁沃及道傳、浚、璞等五十二人協謀推載我太祖入本朝。」[24]擁立李成桂奪權的五十二位功臣中，不少是高麗晚年科場出身的儒臣[25]。根據《國朝人物志》，例如裴克廉在「高麗恭愍朝，文科累官至門下左侍中」；趙璞在「高麗禑朝，文科累官王禮曹典事」；尹紹宗「受業于李穡之門，高麗

---

23 朝鮮總督府中樞院編：《禮典》〈諸科〉，《校註大典會通》（漢城：保景文化社，1939年），卷3，頁6-7。

24 〔韓〕安鍾和：《國朝人物志》（經濟文庫古圖書藏本），〈太祖朝〉，頁1、頁5-6。

25 朝鮮開國的五十二位功臣，包括裴克廉、趙浚、金士衡、鄭道傳、李濟、李和、鄭熙啟、李之蘭、南誾、張思吉、鄭摠、趙仁沃、南在、趙璞、吳蒙乙、鄭擢、尹虎、李敏道、朴苞、趙英圭、趙胖、趙溫、趙琦、洪吉旼、劉敬、鄭龍壽、張湛、鄭地、安景恭、金稇、柳爰廷、李稷、李懃、吳思忠、李舒、趙英茂、李伯由、李敷、金輅、孫興宗、沈孝生、高呂、張至和、咸傅霖、趙狷、韓尚敬、任彥忠、黃居正、張思靖、韓忠、閔汝翼、黃希碩。《朝鮮王朝實錄》（漢城：國史編纂委員會，1968年），太祖元年7月17日，第1冊，頁19。

恭愍朝，文科屢言事」；安景恭為「高麗文科禮儀判書，恭讓王壬申，入密
直司為左副代，言我太祖應運革命，景恭知曆數有歸，與諸將相推戴」。[26]
他們除了輔助李成桂建立新朝外，也在朝鮮開國初年，包括太祖、定宗、太
宗和世宗各朝中充當要職，制定朝鮮王朝的治國綱領。詳見下表：

朝鮮開國初年高麗文科出身的儒臣

朝鮮朝代	高麗文科出身士人#	登科朝代
太祖朝大臣 （1392-1398）	李茂芳	忠穆王朝
	裵克廉*鄭道傳* 趙浚* 南在*南誾* 金士衡* 成石璘　權仲和　尹紹宗　權近　李詹　金爾 音　全伯英　鄭以吾	恭愍朝
	趙璞* 咸傅霖* 鄭摠* 鄭擢* 安景恭* 沈孝生* 安省　卞季良　權遇　安純　李文和　姜淮伯 趙涓	禑王朝
	劉敞	恭讓王朝
	趙庸　安宗源　元庠　韓復　金南得　閔開 盧嵩　閔安仁　安瑗　許周　金先致　安從約 安天保	高麗晚年， 未能確定及 第朝代。
定宗朝大臣 （1397-1400）	李舒* 閔霽	恭愍朝
太宗朝大臣 （1400-1418）	李茂　柳亮　柳廷顯　河崙	恭愍朝
	李稷* 韓尚敬* 朴信　金自知　李敢　洪汝方 鄭易　李種善　李膺　沈溫　朴訔	禑王朝
世宗朝大臣 （1418-1450）	李宜洽　鄭悛　孟思誠　權軫　李孟畇	禑王朝
	許稠	恭讓王

1.# 「文科」即高麗科舉的「制述科」和「明經科」，朝鮮王朝結合兩者，統稱「文
科」，《國朝人物志》沿用。

2.*輔助太祖李成建國的功臣。

---

26 〔韓〕安鍾和：《國朝人物志》（經濟文庫古圖書藏本），〈裵克廉〉，頁1、頁8、頁7、
　　頁17。

根據《國朝人物志》〈沈德符〉記載,「太祖倡義旋師,與鄭夢周、池湧奇、偰長壽、成石璘、朴葳、趙浚、鄭道傳等決策,率宗親、耆老、文武臣僚,啟奉定妃之命,廢禑昌父子,冊立恭讓王。」[27]禑王十四年,明室擊敗蒙元殘餘勢力,把鐵嶺以北一帶土地劃歸遼東管轄範圍,此舉引來高麗君臣極度不滿,遂命李成桂為右軍都統使,曹敏修為左軍都統使,結集八道大軍攻打遼東。當時李成桂駐軍鴨綠江中的威化島,拒絕出兵,並以「清除君側」為理由,折返京師,放逐禑王,改立昌王。參與這次軍事行動的儒臣多出身於高麗晚年科場,例如鄭夢周在恭愍王九年庚子榜「乙科」及第;鄭道傳在恭愍王十一年壬寅十月榜「同進士」及第;趙浚在恭愍王二十三年甲寅年榜「同進士」及第。除了鄭夢周因堅持扶正高麗正統,被李成桂第五子李芳遠擊殺外,在眾多高麗晚年儒臣中,鄭道傳和趙浚是最得到李成桂的信任和重用。

鄭道傳和趙浚曾經輔助太祖廢立高麗禑王、昌王和恭讓王,並親自到李成桂府中傳達聖旨,奉上國寶,擁立即位。《國朝人物志》〈裵克廉〉記載「恭讓王壬申六月十六日,克廉與趙浚、鄭道傳等大臣僚及閑良耆舊,奉傳國寶詣太祖邸,合辭勸進入。」[28]二人在朝鮮立國後,皆賜封李朝開國功臣一等。鄭道傳另封奉化伯,為判三司事兼三軍府事,掌管司憲府、司諫院和弘文館;趙浚則封為平壤伯,拜都統使,統領五道兵馬,兼門下侍中,侍奉太祖左右。太祖對二人寵信有加,亦君亦友。《國朝人物志》〈鄭道傳〉記載太祖即位後與鄭道傳的對話:

> 上謂道傳曰:「寡人得至此卿等之力,相與敬慎,期至子孫萬世可也。」道傳對曰:「昔齊桓公問鮑叔曰:何以治國?叔曰:願公無忘在莒時,願仲父無忘在檻車時。」[29]

一三七五年鄭道傳因倡議反元論調,觸怒高麗宰相李仁任,被流放到南方長

---

27 〔韓〕安鍾和:《國朝人物志》(經濟文庫古圖書藏本),〈沈德符〉,頁5。

28 〔韓〕安鍾和:《國朝人物志》(經濟文庫古圖書藏本),〈裵克廉〉,頁1。

29 〔韓〕安鍾和:《國朝人物志》(經濟文庫古圖書藏本),〈鄭道傳〉,頁3。

達十年。之後他得到李成桂招為幕僚，才獲返回京城，此事他銘記在心，莫忘恩情。故藉以桓公任用管仲為相而免其囚牢之苦，感謝太祖的知遇之恩，並援引《左傳》鮑叔輔助齊桓公出奔莒國一事，期望太祖惦記昔日擁立之功。至於趙浚，同樣得到太祖信任。《國朝人物志》〈趙浚〉記載：

> 太祖即位之夕，召浚入臥內，曰：「卿知漢文帝入自代邸，夜拜宋昌為衛將軍鎮撫南北軍之意乎？因賜都統使銀印彤弓。曰：『五道兵馬皆委卿摠之，遂拜門下侍中，封平壤伯策勳一等。』」[30]

李成桂效法漢文帝夜拜宋昌賜予衛將軍舊事，在自己臥室中賜封趙浚，突顯其地位昭然。鄭道傳和趙浚的政治地位，有別於一般君臣的關係。在朝鮮王朝建國初年，鄭趙二人在制定治國政策上付出很大努力。太祖三年鄭道傳「倣成周六官之名，建朝鮮一代之典。」[31]《朝鮮經國典》的頒定，便表明朝鮮君臣以儒學治國的決心。

事實上，早在李成桂擔任高麗武將時，已親自招攬朝中儒臣到其官邸研習經史，議論古今政事，其中趙浚被視為心腹大臣，二人交情甚篤。《國朝人物志》〈趙浚〉記載：「太祖在臥邸，聞浚名，召與論事，擢大司憲，事無大小，皆以咨之。浚感激思效，知無不言。」[32]趙浚是太祖親自招攬的儒臣，充當大司憲一職，有評論國家政策、人事，進諫糾彈君臣的權力。藉此良機，趙浚深明李成桂懷有成大業的志向，故致力向他灌輸「儒學立國」的治道。《朝鮮王朝實錄》記載趙浚曾在府中給李成桂送上《大學衍義》，「上在潛邸，嘗過浚家，浚迎之中堂，置酒甚謹。因獻《大學衍義》曰：『讀此，可以為國。』上解其意受之。」[33]自此李成桂對《大學衍義》高度重

---

30 〔韓〕安鍾和：《國朝人物志》（經濟文庫古圖書藏本），〈趙浚〉，頁2。

31 〔朝鮮〕鄭道傳：〈撰進朝鮮經國典箋〉，《三峰集》，韓國文集叢刊委員會編：《影印標點韓國文集叢刊》（漢城：民族文化推進會，2003年），第5冊，頁328。

32 〔韓〕安鍾和：《國朝人物志》（經濟文庫古圖書藏本），〈趙浚〉，頁2。

33 《朝鮮王朝實錄》（漢城：國史編纂委員會，1968年），1405年6月27日，第1冊，頁329。

視。《朝鮮王朝實錄》記錄太祖一朝，太祖親召大臣進講《大學衍義》有七次之多，四次發生在他即位後的短短數月內。[34]一直以來，南宋真德秀的《大學衍義》備受宋、元、明等國君愛載，南宋理宗「朝夕觀覽」，認為此書「有補治道」。[35]元朝君主對此書推崇備致，仁宗曰：「治天下此一書足矣」[36]；英宗曰：「修身治國，無踰此書。」[37]至明朝太祖朱元璋經由宋濂推薦，稱此書為帝王之學，評之為「甚有益于治道」，命官員書於殿內兩廡壁上。[38]趙浚看懂治國者喜好，故給李成桂推薦《大學衍義》。在朝鮮建國後，儒臣宣揚《大學衍義》是「人君所當知之理、所當為之事」，勸勉太祖「進講《大學》，以極格致誠正之學，以致修齊治平之効」[39]，致力落實執行儒學政治措施。

自太祖以後，《大學衍義》成為朝鮮國君必讀的儒家典籍，次子定宗李芳果在位兩年 （1398-1400），僅能召開一次經筵，亦選擇了《大學》作為進講書目。之後，太宗（1400-1418）李芳遠繼位第三代朝鮮君主，把《大學衍義》視為終身之學。太宗即位之前，已「在東宮，開書筵，講《大學衍義》」[40]，及後在位期間，先後十次進講《大學衍義》[41]，至一四○一年十二

---

34 《朝鮮王朝實錄》（漢城：國史編纂委員會，1968年）記載太祖李成桂在1392年9月21日、9月27日、10月2日和10月5日，曾先後四次命召成均館大司成劉敬進講《大學衍義》。第1冊，頁30、32。

35 〔清〕陸心源：《皕宋樓藏書志》，《續修四庫全書》（上海市：上海古籍出版社，1995年），卷40，第928冊，頁441。

36 〔明〕宋濂：《元史》（北京市：中華書局，1976年），〈仁宗紀一〉，卷24，第2冊，頁536。

37 〔明〕宋濂：《元史》（北京市：中華書局，1976年），〈英宗紀一〉，卷27，頁608。

38 〔清〕張廷玉：《明史》（北京市：中華書局，1974年），卷128，〈宋濂列傳〉，頁3786。

39 《朝鮮王朝實錄》（漢城：國史編纂委員會，1968年），1392年11月14日，第1冊，頁35。

40 《朝鮮王朝實錄》記載定宗"坐經筵，令知經筵事趙璞，始講「《大學》」，1398年11月11日。《朝鮮王朝實錄》（漢城：國史編纂委員會，1968年），1400年11月13日。第1冊，頁140、186。

41 根據《朝鮮王朝實錄》記錄，自一四○○年十一月至十二月期間，太宗經筵曾進講

月二十二日，經筵官以太宗讀畢《大學衍義》為理由，送上祝賀，卻遭到辭
退。太宗曰：「待予熟讀能行，然後乃賀，不可以畢讀，為足賀也」。太宗為
了溫故知新，諳熟《大學衍義》，曾「命尚瑞司，書《大學衍義序》及進
表，作而觀之」，又命大臣篩選、抄錄《大學衍義》，「類編以進」，及下令鑄
字印刷《大學衍義》，提供世子、中宮及世子淑嬪以下誦習。太宗謂：「讀了
此書，乃知學問之功。」[42]朝鮮國君對於《大學衍義》的推崇程度，可媲美
中原諸君。

　　高麗晚年儒臣所以能夠成為新朝的執政大臣，亦源於太祖個人「事大」
的治國理念。李成桂決定從威化島撤軍，原因是「以小事大，保國之道。我
國家統三以來，事大以勤」，故下令諸將曰：「若犯上國之境，獲罪天子，宗
社生民之禍，立至矣。」[43]與中原政權保持宗主藩屬的穩定關係，是李成桂
的一貫外交政策，而對於應該採用甚麼方式登上寶座，也效法中原古代聖賢
的禪讓方式。其實，李成桂在返回京後，已掌握高麗朝中軍政大權，身兼三
司事及三軍都總史等要職，單憑他的軍事力量足以發動兵變，擁兵自立。但
他選擇以高麗儒臣策動禪讓，先由侍中裴克廉奏請定妃，曰：「今王昏暗，
君道已失，人心已去，不可為社稷生靈主，請廢之」，使恭讓王自責失德，

《大學衍義》七次，包括「御經筵，知事權近進講《大學衍義》」（1400年11月13日）；
「御經筵，讀《大學衍義》」（1400年12月1日）；「御經筵，……進講《大學衍義》」
（1400年12月18日）；「御經筵，講《大學衍義》」（1401年3月23日）；「御經筵，同知事
李詹講《大學衍義》」（1401年5月8日）；「御經筵，知經筵事權近、侍讀官金瞻等，進
講《大學衍義》罷，賜酒果」（1401年11月20日）；「上講《大學衍義》畢，經筵官李詹
等詣闕欲陳賀」（1401年12月22日）。第1冊，頁187-188、頁201、頁203、頁217、頁
221。另外，有三次是太宗召侍讀進講《大學衍義》，見「上在幕次，與金科讀《大學
衍義》二卷」（1401年3月26日）；「令侍讀金科，齋於闕內，進講《大學衍義》」（1401
年4月16日）；「召藝文館大提學柳觀，……又出《大學衍義》、《春秋》講之。」（1411
年10月12日）。第1冊，頁201-202、頁605。

42　《朝鮮王朝實錄》（漢城：國史編纂委員會，1968年），第1冊，1401年12月22日，頁
　　221；1403年5月3日，頁265；1412年10月1日，1409年9月4日，頁506。

43　《朝鮮王朝實錄》（漢城：國史編纂委員會，1968年），第1冊，1401年12月22日，頁
　　221；1403年5月3日，頁265；1412年10月1日，1409年9月4日，頁506。

自願流放至原州。之後百官稱許功德，奉上國寶勸進，曰：「定昌君自知君道已失，民心已去，不可以為社稷生靈主，退就私第。惟軍國之務，至煩至重，不可一日而無統，宜即王位，以副神人之望。」李成桂最初以「自古王者之興，非有天命不可」為由，堅持不立，最後以天命所向，人心所歸，在壽昌宮接受國寶，「乃教前朝中外大小臣僚，仍舊視事。」[44]李成桂採用禪讓的方式，篡改高麗政權，其中的一個重要意義，是他成功地得到高麗晚年執政儒臣的支持。

李成桂自撤軍及至稱王，高麗晚期儒臣都發揮了重要影響力，這個籌組經營已久的政治班底，在朝鮮建國後奠立儒學治國基礎。當時，不少高麗晚期儒臣都能夠身體力行，嚴守儒家禮儀，特別是朱熹《家禮》。例如河崙（1347-1416）「具誠以喪葬，一依《朱子家禮》，無作佛事」[45]，認為以佛教儀式舉行祭祀，僅置紙錢奉祭，不能顯示人子孝心。恭讓王二年（1390），鄭夢周重申趙浚奏議，「請令士庶倣《朱子家禮》，立廟作主，以奉先祀。」[46]翌年，高麗朝頒令施行家廟禮制，並接納儒臣的建議，把它規定為律法內容。《高麗史》記載：「恭讓王二年二月，判大夫以上祭三世、六品以上祭二世，七品以下至於庶人止祭父母，並立家廟，……行禮儀式一依《文公家禮》，隨宜損益，三年六月己巳命申行家廟之制。」[47]高麗晚年儒臣付出的努力，延續至朝鮮建國初年的國家法典中。鄭道傳指出：

> 恭惟我殿下，自在潛邸時，好與儒士讀經、史、諸子，講明義理，論古今成敗之事甚悉甚熟。文章雖其餘事，而學問之至，蓋有自得多者

---

44 《朝鮮王朝實錄》（漢城：國史編纂委員會，1968年），1392年7月19日，第1冊，頁19。

45 〔朝鮮〕河崙：《浩亭集》，韓國文集叢刊委員會編：《影印標點韓國文集叢刊》（漢城：民族文化推進會，2003年），第6冊，《墓碣銘》，頁488。此墓銘由大提學尹淮（1380-1436）撰寫。

46 〔高麗〕鄭夢周：《圃隱集》〈年譜考異〉，韓國文集叢刊委員會編：《影印標點韓國文集叢刊》（漢城：民族文化推進會，2003年），第5冊，頁610。

47 〔朝鮮〕鄭麟趾編：〈禮志五〉，《高麗史》（臺南市：莊嚴文化事業有限公司，1996年，《四庫全書存目叢書》），「大夫士庶人祭禮」條，卷63，第160冊，頁566。

　　矣。今當維新之日，立經陳紀，與民更始，屢降德音，以教中外。其
　　書雖出於文臣之製進，其命意則一本於宸衷之斷，而討論潤色，得義
　　理之當，又非秉筆者所能髣髴，是宜列著于篇，以備一代之典。[48]

太祖即位不久，下詔宣讀《教書》，與民約法。《教書》曰：「予俯循輿情，
勉即王位，國號仍舊為高麗，儀章法制，一依前朝故事。」[49]《教書》出自
鄭道傳手筆，被視為朝鮮「一代之典」，包含禮治的政治措施。例如，《教
書》規定儒家冠、婚、喪、祭等禮儀制度納入國家法律條文。《教書》記
載：「冠婚喪祭，國之大法，仰禮曹詳究經典，參酌古今，定為著令，以厚
人倫，以正風俗。」[50]《教書》是朝鮮開國的臨時法典，內容簡約，僅有若
干條文綱領。然而，儒臣藉此彰顯儒學治國的政治立場，以及禮治的主導方
向，草創了朝鮮王朝的第一部儒學法典——《朝鮮經國典》的藍圖。

六　結語

　　朝鮮王朝確立「儒學立國」的治國政策，除了是太祖採取「親明」的外
交政策，兼且抱持「事大」的政治心態，以「小中華」身份自居外，自統一
新羅開始，科舉制度日趨完備，儒臣數量日增，也是一個重要因素。高麗晚
年，自科舉及第出身的儒臣在朝中擔當要職，形成了規模龐大的政治集團，
他們在朝中制定儒學政策，並能身體力行，奉行儒家禮儀。在高麗、朝鮮的
政權交替中，不少高麗晚年儒臣躋身為朝鮮建國儒臣，深得朝鮮太祖、太宗
兩朝信任。鄭道傳、趙浚、河崙、權近、李詹等，對朝鮮五百餘年採用儒學
治國政策，貢獻良多。

　　鄭道傳和趙浚是朝鮮王朝的開國功臣，與太祖李成桂關係密切，二人倡

48　〔朝鮮〕鄭道傳：〈教書〉，《三峰集》，韓國文集叢刊委員會編：《影印標點韓國文集叢
　　刊》（漢城：民族文化推進會，2003年），第5冊，頁415-416。

49　《朝鮮王朝實錄》（漢城：國史編纂委員會，1968年），1392年7月28日，第1冊，頁43。

50　《朝鮮王朝實錄》（漢城：國史編纂委員會，1968年），1392年7月28日，第1冊，頁22。

導儒學治國，輔助太祖編制《教書》，作為朝鮮開國後臨時法典。後來鄭道傳在《朝鮮經國典》中，仿照《周禮》確立「以禮入法」和「禮主刑輔」的禮治精神，從建構禮、法、刑三者的關係中，賦予禮治的法律效力和刑罰約束力。「以禮入法」是把禮儀條文納入國家律法中，成為臣民必須遵守的法令。「禮主刑輔」主張先禮後刑，予以刑罰的嚇阻作用，確保與禮治相關的政治措施順利實行。禮是人們日常生活的行為規範，實行與否，取決於人們的道德自覺。朝鮮儒臣為了達到「儒學立國」的治國目的，在立法層面上重新闡釋禮的性質和實踐，不但使中國古禮在域外傳播上發揮政治功能，也實現朝鮮王朝儒學政治的具體實效。

李卓吾《論語》學與明代新經學的登場

李昤昊

成均館大學東亞學術院副教授

提要

儒家思想史上有新思潮出現時，便會出現相應的新經學。如，與明代登場的陽明學相對應的新經學，起到中心作用的人物就是李卓吾。

李卓吾在《論語評》這一經典注釋書中揭開聖人與神聖經典的神秘面紗、使其脫聖，反映出李卓吾認為儒教理念與佛教理念相通的見解。並且，他還使用簡短的評語表述出這些見解，對經文的文體也表現出特別的關注。

李卓吾的《論語》學所體現出的脫神聖化、儒佛的匯通、簡短的評語、對文體的特別關注等特點都是以往的經學中並未出現的新面貌。可以認為，具有此種特征的李卓吾式《論語》學是將陽明學的思想特徵反應於經學的結果，由此發揮了此後展現出類似形態的明末經學的先驅者作用。

關鍵詞：李卓吾、論語評、明末經學、儒佛會通、脫聖化

一　緒論

　　張學智曾於其《明代哲學史》中指出：「明代學術的主流是理學。明代理學的一個特點是理氣論的退色，心性論成為思想家的學說重心。……特別是在佛教道教與儒學經過長期的互相吸收、衝突、融合，已經水乳交融地結合在一起之後，心性問題更有它獨特的重要性和深刻性。另一方面，明代經學極敝，經學與理學分途，經學在新的方法、新的社會需要確立之前，已經很難再有發展」[1]。一言以蔽之，張學智對明代思想與經學的評價為：明代的儒學（理學）在儒、佛、道融合過程中，心性論方面取得高度發展，經學在新社會環境下開發新的方法論並試圖重振威風，但終告失敗。

　　張學智對明代思想與經學的評價，在東亞儒學史的展開過程中實屬罕見。縱觀東亞儒學史，在建立新儒學、新知識體系時，幾乎都不會缺少新經學的登場。作為其反證，韓、中、日的新儒學思潮朱子學、陽明學、考證學、實學、古學等，總會因新經學的登場而得以延續。儒學史與經學史之所以能建立如此緊密的聯繫，原因有二：第一，大部分東亞文人從儒學中獲得滋養，並將其視為自身思想的根本，認為即便是創建新儒學，其理念基礎仍舊源於儒家經典。因此，在確立新儒學時，從其反面觀之，都是探索經典的結晶，並直接延續為新經學的登場。第二，在新儒學、新知識體系出現過程中，不可少的是針對舊知識體系的強烈批判。中國與朝鮮對禁書與異端的論爭便是具代表性之例。新儒學登場時，主導勢力為安撫反對勢力的反駁，主張其思想根基源於儒家，其依據便是儒家經典。此即為近代以前東亞人的「托古傳統」。

　　總之，新儒學思想和新經學的登場總會銜接在一起，中國的朱子學與考證學、朝鮮的實學、日本的古學都延續成為朱子學的經學、考證學的經學、實學的經學、古學的經學。由上述張學智的言論可知，其認為明代並未出現此種情況。韓、中、日三國的儒學與經學猶如兩個車輪，可以同時體現出相

---

[1]　張學智：《明代哲學史》（北京市：北京大學出版社，2000年），頁1。

同的發展狀態。然而，為何唯獨明代在儒學與經學相互分離的情況下，儒學
得以發展，經學卻逐漸走向衰退呢？在此可以提出兩個問題。第一，此種評
論出自何時、何人，又以何為據，儒學史（經學史）上是否認同此一評價？
第二，即便這種評論已成為主流，從明代儒學與經學的實際情況進行考察
時，是否就不存在與此評論相悖的經學現象？即明代儒學的發展過程中，不
存在與之並論的明代經學現象嗎？

　　首先，為探求第一個問題的答案，本文以《四庫全書總目提要》〈經部
總敘〉為主進行論述。《四庫全書》將中國經學史整理如下：

> 自漢京以後，垂二千年，儒者沿波，學凡六變。……自宋末以逮明
> 初，其學見異不遷，及其弊也黨。主持太過，勢有所偏。材辨聰明，
> 激而橫決。自明正德嘉靖以後，其學各抒心得，及其弊也肆。空談臆
> 斷，考證必疎。於是博雅之儒，引古義以抵其隙。國初諸家，其學徵
> 實不誣，及其弊也瑣。要其歸宿，則不過漢學，宋學兩家互為勝負。
> （《四庫全書總目提要》，〈經部總敘〉）

《四庫全書》以宋學的義理與清學的考證相互抗衡來概括中國經學史，
認為明代經學重視心靈上的收穫，弊端在於恣意放肆。即，雖然〈經部總
敘〉認可明代經學的存在，但其地位相對較低。翻看後代中國、日本所撰中
國經學史的明代經學一項便可知其一二，舉例如下：

　　皮錫瑞（1850-1908）曾於《經學歷史》中指出「宋代是經學變古時
代，明代是經學積衰時代，清代是經學復盛時代」。還提出明代經學衰退是
因為《四書五經大全》。[2]此為編撰教科書性質的注釋本時，創造性經典注釋
著述逐漸消失之理論。後日，馬宗霍編撰的《中國經學史》也採納了皮錫瑞
的觀點，認為《四書五經大全》出，則中國經學亡。[3]日本編著的中國經學
史裡有關明代的著述也大同小異。本田成之在《支那經學史論》中指出明代

2　皮錫瑞：《經學歷史》（臺北市：藝文印書館，1974年），頁317。
3　馬宗霍：《中國經學史》（上海市：上海書店，1972年），頁133。

經學就是《四書五經大全》，安井小太郎與諸橋轍次的《經學史》則認為明代是中國經學積衰不振的時代。[4]

此外，縱觀現代出版經學史亦可知悉此種記述傾向逐漸強化。吳雁南於《中國經學史》中用陽明心學來說明明代經學，但並未說明這一時期的主要經典注釋。甚而許道勛《中國經學史》完全未提明代經學。[5]

綜上所述，從清代官學開始到二〇〇〇年代成書的經學史著述可知，明代經學沒有能與明代儒學相匹敵的新經學現象。然而在此情況下也有學者提出將明代經學的意義與清代考證學作聯結，進行整理的主張。代表人物為臺灣學者林慶彰，他認為以「好奇炫博」為特徵的明代考據學兼通經學、小學、天文、地理、典制、動植物、醫學等方面，清朝學風繼承了具有此一特徵的明代考據學。因為明代並無考據學，從清朝開始出現考據學的主張並不是「窮本溯源」的論議。就其結論來講，他認為如果沒有明代學者們的功勞，清代學者們也不會走上康莊大道，明代考據學引領了清代學問的發展變化。[6]林慶彰主張，雖然重新究明明代經學的意義具有一定意義，但在與清代的連結上實屬相對消極之意義。

故此，便須重新回顧第一個問題。東亞思想史上可與朱子學相提並論的陽明學出現於明代，如上述經學史著述所言，為何唯獨明代沒有出現其他時期都會出現可與新思想相呼應的經學現象？或是雖曾出現過，但上述各種經學史著述對其視而不見？假若曾經存在，那麼此種經學的特徵與意義又為何？抱持此種疑問探索明代經學時，首先映入筆者眼簾者為日本學者佐野公治的《四書學史の研究》（東京：創文社，1988），以及因真偽論爭使其存在意義逐漸淡化的李卓吾（1527-1602）《四書評》。佐野公治在《四書學史の

4　本田成之著：《中國經學史》，（原題:支那經學史論），徐坰遙譯，（首爾：文史哲，2011年），頁373；安井小太郎、諸橋轍次著；林慶彰,連清吉 譯：《經學史》，（臺北市：萬卷樓圖書公司，1933年），頁183。

5　吳雁南：《中國經學史》（福州市：福建人民出版社，2000年），頁448-468；許道勛：《中國經學史》（中國：人民出版社，2006年）。

6　林慶彰：《明代考據學研究》（臺北市：學生書局，1986年），頁589-560。

研究》中列舉以李卓吾為代表的明代經學著作，並分析與評價其意義。而李卓吾在《四書評》裡以明顯區別於以往漢、宋、清經學著述內容，重釋四書意義。

對此，本文試圖以《四書評》中針對《論語評》的分析為中心，分析李卓吾的經學特徵，並在此基礎上審視李卓吾的經學是否能成為新的經學體系。要成為新經學體系必須具備兩項特點。第一、具有其主體性，且與以往經學具有明顯的差異性。第二、此經學內容並非李卓吾個人便可形成，而是具有集團性、學派性的特徵。故而，下文先論述《論語評》之經學特徵。

二　《論語評》的經學特徵

《論語評》的經學特徵可分為注釋內容與形式兩方面。從結論來看，《論語評》的內容與形式可以充分地被評價為「嶄新」，與其他時期的經典注釋具有顯著差異。後文將會述及《論語評》不僅具有以往經典注釋中少見的內容與形式，達到任何時代都未見此種經學現象的程度，具有相當程度的辨別性。現將《論語評》中所見新的注釋內容整理如下。

（一）新注釋內容

1 聖經與聖人的脫聖化

漢代之後，儒家思想成為國家理念，五經取得經典的神聖地位，宋代以後更擴充為十三經。儒家經典因政治因素，提升至非常特殊的地位。加以撰著經典的聖人們被賦予俗世的名譽，使其最終站在儒家道統的巔峰。特別是明代之後，不僅是經典，連帶注釋經典的部分注釋書也備受尊崇，儒家經典的聖經化達到頂峰。眾多解釋經典的注釋書雖在內容上有所差異，但皆是在將儒家經典視為經典的前提下進行解釋，因此可以反映出相同的情況。反之，李卓吾以不同於以往的視角，理解儒家經典。如就《論語》〈微子〉，孔

子例舉周國八名上士，記述如下：

> 周有八士，伯達，伯适，仲突，仲忽，叔夜，叔夏，季隨，季騧。

李卓吾在《論語評》中對此段經文作出如下評論：

> 總批：讀此一篇，如讀稗官小說、野史、國乘，令人不寐。其亦經中
> 之史乎！[7]

漢代之後儒家經典位居有別其他書籍的神聖地位，如同前述實際上已被聖化。被聖化的儒家經典傳到清代，在全面整理中國書籍進行分類時，將儒家經典分為一個獨立項目，並位居其他分類之前。即，經史子集之經部。然而從上述李卓吾的評語可知，其將經文與稗官小說、野史等一視同仁地看待。其於注解經書時，經常使用旁批或眉批的方式，將嚴肅的經文以文藝性的角度來闡釋並進行感性批評。[8]像這樣將經典與史書、文學書一視同仁的對待，或將經文漫畫化的做法，是除去套在經典上的「聖化網罩」。同時，使得針對經典的主人公—聖人—的評價也有所改變。

司馬遷將孔子編入記述諸侯傳記的世家，編述《孔子世家》，而使孔子獲得如諸侯般的待遇。西元七三九年唐玄宗追封孔子，謚號為「文宣王」。自此，孔子在政治上幾已上升至王的地位。[9]宋代的朱熹，被評價為是使孔子登上道統巔峰的人物。[10]即，時至宋代，無論是政治層面抑是思想史方面上，孔子已經成為巔峰人物。基於唐宋的此種情況，此一時期的孔子形象本身即是「神聖」。然而李卓吾在《論語評》中脫下了披在孔子身上的神聖形

7　張建業主編：《李贄文集（五）》（《四書評》《論語卷之九》〈微子第十八〉）（北京市：社會科學文獻出版社，2000年），頁98。

8　如《論語》〈陽貨〉：「子曰：『予欲無言』（旁批：又說）。子貢曰：「子如不言，則小子何述焉？」（旁批：鈍漢）。子曰：『天何言哉？ 四時行焉，百物生焉。天何言哉？』」。

9　淺野裕一：《孔子神話》，（東京：岩波書店，1997年），231頁。

10　朱熹於〈中庸章句序〉中指出：「自是以來，聖聖相承，若成湯文武之為君，皋陶伊傳周召之為臣，既皆以此而接夫道統之傳。若吾夫子，則雖不得其位，而所以繼往聖開來學，其功，反有賢於堯舜者」，認為在儒家的道統史上，孔子的業績超越古代聖王。

象，試圖找回凡人孔子的意志。舉例如下：

　　《論語》〈子罕〉：「子曰：『吾自衛反魯，然後樂正，雅頌各得其所。』」，吾人可將此經文理解為是孔子從傳統上糾正魯國音樂的政績。然，李卓吾卻將此經文與孔子的處境相聯繫作出下列說明：

　　　　《雅》、《頌》得其所，仲尼不得其所，極矣。[11]

　　由此可知，李卓吾關注的並不是孔子糾正魯國音樂的政績，而是將焦點集中在即便有了這樣的政績，仍舊像旁觀者一樣徘徊在周圍的孔子身上。以往的眾多注釋家們將孔子評價為素王，雖然孔子生前未能實現其理想，但其繼承聖人之學，教育後學，奠定儒學的不朽功勞，都使其不枉此生。然而，於李卓吾而言，孔子並不是不枉此生的賢人。雖然曾致力於參與現實政治，試圖實現自身的理想，無論是機會甚微，亦是有機會也以失敗告終，都使得他因惋惜而焦躁操心。這就是李卓吾眼中的孔子。因此，在李卓吾看來孔子並不是已經完成的聖人，而是反覆經歷失敗，並時而焦躁的凡人。

　　子貢曾問孔子：「有美玉於斯，韞匵而藏諸？求善賈而沽諸？」，孔子答曰：「沽之哉！沽之哉！我待賈者也」。朱子將這一問答注釋為孔子冷靜地等待為政者給自己實現政治理想的機會，並未焦躁地急於尋求。[12]而李卓吾則從這一對話聽到在現實中無法實現自身理想，焦慮操心的凡人孔子的心聲。因此，李卓吾認為這經文正是反映出孔子活在當下的急迫心情。[13]即，歲月漸漸流逝，由於無法實現自身理想而心力交瘁的孔子。李卓吾感受到的孔子與以往理解《論語》時所反映出的孔子的面貌截然不同。李卓吾眼中的孔子並不是神化的孔子，而是與大眾一樣，人間的悲歡離合皆使其或哭或笑的凡

---

11 張建業主編：《李贄文集（五）》（《四書評》《論語卷之五》〈子罕第九〉），頁51。

12 朱熹：《四書章句集注》《論語集注》卷五〈子罕〉，第12章的朱子注，（北京市：中華書局，1995年），頁113：「子貢以孔子有道不仕，故設此二端以問也。孔子言固當賣之，但當待賈，而不當求之耳。」

13 張建業主編：《李贄文集（五）》（《四書評》《論語卷之五》〈子罕第九〉），頁51：「此見聖賢都急于渡世，非子貢求而孔子待也。但玩沽之哉！ 沽之哉，口角自見。」

人孔子。[14]因此,在李卓吾眼中,時而與弟子們談笑風生的孔子,也會因世間諸事而焦慮操心。[15]此外,李卓吾認為孔子也是無法不看重權勢與利益的凡人。[16]

從脫聖化的立場上看李卓吾的這種解讀經書與孔子的視角,在儒家思想史上是非常罕見的。在李卓吾之前,幾乎未曾出現此種解經觀點。經典與聖人的脫聖化,必然出現的是與以往不同的注釋內容與形式,而感性批評注釋便是其中一個特徵。

2 感性批評

經典的注釋都指向訓詁,或是以義理為中心,並且將這兩種情況適當地組合之方式居於支配地位。但從注釋的內容上來看,大部分情況是將考證資料的收集,或是自身理念融入經文的邏輯主張。將此種經典內容作為探索學問的對象,或是鑒證自身思想的態度,使得堅持這種態度的經,與此經的注釋者之間必然存在客觀上的距離。經的注釋者在保持與經之間的客觀距離時,才能確保其探索學問和自身主張的嚴正性。李卓吾擺脫以往這種釋經方式,消除自身與經之間的距離,以感性的視角解說經書。此可視為前述將經與聖人脫聖化的認識。因其將經看作是本書,將聖人看作是凡夫俗子,才能通過自身的感性切身地理解到經的主體,同時可將這種通過感性得出的理解自由地表述出來,列舉如下:

---

14 張建業主編:《李贄文集(五)》(《四書評》《論語卷之五》〈鄉黨第十〉),頁56:「與大衆亦只一樣,所以為聖人。」

15 張建業主編:《李贄文集(五)》(《四書評》《論語卷之六》〈先進第十一〉),頁62-63:「四子侍坐,英才濟濟,孔子勃然動當世之想。子路言之鑿鑿,夫子色喜,所以連問三子,其急于用世,可知矣。……夫子雖不直言所以,玩其答語,自是了然。何從來說此書者之瞶瞶也。特為拈出,想夫子亦含笑于杏檀之上矣。」

16 張建業主編:《李贄文集(七)》(《道古錄》卷上,第10章),頁358,「大聖人亦人耳,既不能高飛遠舉,棄人間世,則自不能不衣不食,絕粒衣草而自逃荒野也。故雖聖人,不能無勢利之心」。

曾子曰:「慎終追遠,民德歸厚矣。」(《論語》〈學而〉)

『歸』字妙,可見『厚』是故鄉。今之刻薄小人,俱是流落他鄉之人。可憐,可痛!(《論語評》)[17]

　　朱子在《論語集注》裡對上面這段經文分別依照「慎終」、「追遠」、「民德歸厚」的順序對經文進行闡釋。[18]即,注重準確解釋意義和轉達,主觀感想完全排除在外。然而由李卓吾的評語來看,卻絲毫沒有對經文的意義進行注解,取而代之的是個人主觀的感性說解。以往被釋為百姓日趨忠厚老實的「歸」,李卓吾則從完全不同的視角進行解釋。就李卓吾的心性而言,他切身體會到此段經文中的「歸」字意義是回歸至人性根本的故鄉,即仁厚道德之心。猶如鮭魚回歸產卵的河川,無論何人皆懷有想回到故里之思鄉心,經文中的「歸」字代表人們這種原始的回歸之心。李卓吾將已經遺失回歸意識的人稱為「小人」,看作是永遠的「失鄉人」,是可憐又悲傷的存在。他將對《論語》的感性理解直接文字化:「心性刻薄的小人,都是漂泊在他鄉的人。這是多麼可憐和令人心疼的事啊!」。

　　又如在談到當代社會秩序混亂,鎮壓百姓的魯國大夫時講到:「季氏要哭!」[19]、「言外有要殺先從子始意。」[20],《論語評》的字裡行間裡直接反映出他的激動情緒。無論是悲傷或是感歎的心情皆直接地表現出來。[21]像李卓吾這種對《論語》的感性批評,無論是前期或是後期,皆難以找到類似的感性評價。實際上,這種傾向僅出現於李卓吾與受其影響的部分學人。此種

---

17 張建業主編:《李贄文集(五)》(《四書評》《論語卷之一》〈學而第一〉),頁20。

18 朱熹:《四書章句集注》《論語集注》〈學而〉,第9章的朱子注,頁50:「慎終者,喪盡其禮,追遠者,祭盡其誠,民德歸厚,謂下民化之,其德亦歸於厚。蓋終者,人之所易忽也,而能謹之。遠者,人之所易忘也,而能追之,厚之道也。故以此自為,則己之德厚,下民化之,則其德亦歸於厚也。」

19 張建業主編:《李贄文集(五)》(《四書評》《論語卷之二》〈八佾第三〉),頁25。

20 張建業主編:《李贄文集(五)》(《四書評》《論語卷之六》〈顏淵第十二〉),頁66。

21 張建業主編:《李贄文集(五)》(《四書評》《論語卷之二》〈八佾第三〉),頁25:「淒然!」;(《四書評》《論語卷之一》〈為政第二〉),頁22:「今之孝者,拜能養,亦無之矣,豈不可嘆!」

脫聖化與感性解讀《論語》的觀點為李卓吾《論語》學的重要標誌,貫通《論語評》的理念指向是以佛教的方式解釋儒教的現象,更進一步在儒教和佛教被視為真理的大前提下,從手段方式來看其影響是相同的。

3 儒佛會通

> 凡為學皆為窮究自己生死根因,探討自家性命下落。是故有棄官不顧者,有棄家不顧者,又有視其身若無有,至一麻一麥,鵲巢其頂而不知者,無他故焉,愛性命之極也。⋯⋯唯三教大聖人知之,故竭平生之力以窮之。⋯⋯唯真實為己性命者默默自知之,此三教聖人所以同為性命之所宗也。[22]

上述引文是萬曆二十九(1601)年,李卓吾往生前所作。當時李卓吾因「惑世」、「宣淫」等流言蜚語遭受朝廷鎮壓。特別是作為儒學者出家成僧,其著述又褻瀆先聖,皆成為被鎮壓的把柄。這封信是李卓吾寫給支持自己的馬經綸父親馬時敘,也屬於一種反對當時評價的辯論書。從這封書信可以直接反映出李卓吾晚年的精神指向,如信中所言,李卓吾沒有絕對服從儒、佛、仙三大教的教誨。對李卓吾來講,比起文字化的理念,更重要的是發現自身的認同性,並以此來洞察生死的根源。縱觀三教的理念可知,三教的理念僅僅是體會由自己設定的真理的工具,過分鮮明的目的性導致人們不去關注這一道具的尊嚴性,甚至是差別性。無論是儒家理念,或是佛教理念,其機能都只是走向真理的手段。因此李卓吾認為如果是儒學者,那麼在解釋人人尊敬的《論語》內容時,使用佛教用語或是理念來進行解讀的行為並無大礙。下文將通過分析相關事例來考察其意義。

首先,李卓吾在《論語評》中使用佛教用語,特別是使用禪宗用語解釋《論語》經文。《論語》曰:「子貢方人。子曰:『賜也賢乎哉?夫我則不暇。』」朱子的前輩謝良佐將這句話解釋為「聖人責人,辭不迫切而意已獨至

---

22 張建業主編:《李贄文集(一)》(《續焚書》卷1,《答馬歷山》),頁1。

如此。」[23]，描寫出孔子穩健地指責弟子的導師之貌。反之，李卓吾對此經文的評價卻頗有不同。李卓吾認為，此經文反映的是導師孔子高聲一喝，其教誨猶如霹靂般擊碎弟子不通的部分。因此其評價是「好棒喝」[24]。眾所周知，「棒喝」是在禪宗中高僧教誨弟子時常用的方式。李卓吾對經文的理解不僅與以往的注釋相悖，在表述對經文的己見時，還毫無忌諱地借用禪宗用語。除此以外，在表述有關《論語》經文的感受時，還使用過「水月鏡花[25]、大慈大悲[26]」等佛教用語。

李卓吾不僅借用佛教用語解說《論語》，甚至使用禪語來理解《論語》問答的全部內容。事實上孔子曾向子貢提出「女與回也孰愈？」的問題，子貢回答道：「賜也何敢望回？回也聞一以知十，賜也聞一以知二。」孔子又道：「弗如也！吾與女，弗如也。」[27]雖然此經文大體上是稱讚顏回的高深境地，也可以將焦點放在孔子肯定子貢上來理解。[28]然而李卓吾擺脫傳統的理解方式，將孔子的最後一句話理解為偉大的禪語。[29]就如禪師們為弟子們消除業障時，用雷鳴般大聲一喝使弟子於當下開悟，孔子的一句「弗如也！」讓李卓吾從內心覺得這如雷鳴一般。因此李卓吾評價此經文中包含有禪意。李卓吾解讀《論語》的這種視角無論是以前還是之後，都是極其少見

---

23 朱熹：《四書章句集注》《論語集注》卷七〈憲問〉，第31章的朱子注，頁156：「謝氏曰：『聖人責人，辭不迫切而意已獨至如此。』」

24 張建業主編：《李贄文集（五）》（《四書評》《論語卷之七》〈憲問第十四〉），頁77。

25 張建業主編：《李贄文集（五）》（《四書評》《論語卷之九》〈陽貨第十七〉），頁93：「意在言外。水月鏡花，是絕妙文字。」

26 張建業主編：《李贄文集（五）》（《四書評》《論語卷之八》〈衛靈公第十五〉），頁85：「放條寬路，大慈大悲。」

27 《論語》〈公冶長〉：「子謂子貢曰：『女與回也孰愈？』 對曰：『賜也何敢望回？ 回也聞一以知十，賜也聞一以知二。』子曰：『弗如也！ 吾與女，弗如也。』」

28 朱熹，《四書章句集注》《論語集注》卷三〈公冶長〉，第8章的朱子注頁77。：「子貢平日，以己方回，見其不可企及。故喻之如此，夫子以其自知之明，而又不難於自屈。故既然之，又重許之。」

29 張建業主編：《李贄文集（五）》（《四書評》《論語卷之三》〈公冶長第五〉），頁85：「夫子造就子貢處，大有禪機。」

的，獨特性較強。甚至他還用禪語評價《論語》中一部分經文全部內容，並對一些經學者評價道：「分明一則禪語。若認作實事，便是呆子。」[30]李卓吾之所以將《論語》的部分內容看作是禪語，目的在於將孔子的形象或是心相與禪師相聯繫使其一致。例如，孔子睡覺時不像尸體一樣伸開四肢，平時起居時也不裝扮自己，[31]李卓吾將孔子的這種形象與坐禪看作是一致的。[32]又如《論語》〈子罕〉：「子曰：『吾有知乎哉？無知也。有鄙夫問於我，空空如也。我叩其兩端而竭焉』」，傳統的解釋是「我有知識嗎，我什麼都不知道。曾經有個鄉下人向我提問，我對他的問題無以應答，即便他再無知，我還是向他說明了所問內容的兩端」。據這一解釋可知，「空空如也」形容的是頭腦空虛的提問者。然而，李卓吾的看法卻完全不同。首先，他認為這是孔子用此經文真率地表述自身的處境，如實地表現出他的心境。李卓吾通過「空空如也」找到這一解釋線索，忽略以往學者將「空空如也」解釋為表現提問者無知形象的意見，將這看作是孔子表述其內心達到空虛狀態的言語。[33]如此看來，此句經文可被解釋為：「我有固著化的知識嗎？我沒有這樣的知識。有個不出眾的人向我提問，由於我的心裡空蕩，我只能原封不動地接受這一提問，經過完全理解之後，認真回復他的提問。」這就如同讀了類似表述禪師心境的一段禪書。除此以外，還可看出在不斷流淌的溪流中，為頓悟生死而不斷努力的姿態等內容，[34]《論語評》中隨處可見儒教與佛教的「相遇」。

　　明代陽明學派的部分學人發展儒佛會通的思潮，通過自身的行動和著述

---

30 張建業主編：《李贄文集（五）》（《四書評》《論語卷之五》〈鄉黨第十〉），頁57：「分明一則禪語。若認作實事，便是呆子。」

31 《論語》〈鄉黨〉：「寢不尸，居不容。」

32 張建業主編：《李贄文集（五）》（《四書評》《論語卷之五》〈鄉黨第十〉），頁56：「旁批：打坐。」

33 張建業主編：《李贄文集（五）》（《四書評》《論語卷之五》〈子罕第九〉），頁50：「這是孔子真話，亦把自家心體和盤托出矣。○空空如也，正說自家心體。」

34 張建業主編，《李贄文集（五）》（《四書評》《論語卷之五》〈子罕第九〉），頁52：「亦勸人不舍也。與道家流水不腐之語同。○舍晝夜，便了不得生死。」

來實踐這一思想的代表性人物便是李卓吾。李卓吾還曾出家為僧，也發表過名為《因果錄》的佛教著述。通過收錄於《焚書》的幾篇文章可知，都毫無遺憾地表現出儒佛會通的精神。但《論語評》一書，就李卓吾的這種思潮通過解釋儒教經典被實證性地表述出來看，意義非凡。因為在李卓吾之前幾乎沒有用解釋經典的方式來表述儒佛會通這一思維的情況。李卓吾根據脫聖化、感性批評，以及儒佛會通而進行的解釋經典，以過往沒有的新內容為中心，撰作《論語評》，為使順暢地表述這些內容，在注釋的形式上也創新出新注釋形式。

（二）新注釋形式

如前所述，將中國經學史稱作是宋學與清學的兩大山脈，在清代已經是非常普遍的論述。艾爾曼曾在《由性理學到考證學》[35]中將宋學視為對話體、清學視為箚記體。[36]這也許是在考慮到宋代逐漸發達的語錄體與清學的考證的練筆情況下來命名的。然而，將朱子為中心的宋代經學著述特徵視為對話體，實具有可待商榷之處。宋學的一個顯著特徵是語錄的發達而使對話體論著產出，但他們的經學著述是主張論理地闡述新義，若以此點來看反而使用議論體更為恰當。

然而李卓吾《論語評》無法歸屬於這兩者的任一方。對於經文的內容李卓吾既沒有闡發論理性的主張，也沒有使用考證性的文獻事實進行梳理。反而是對客觀且論理性地解說經文之宋學進行批判。[37]李卓吾認為面對經文只

---

35 此為韓文版書名，中文版書名為《從理學到樸學——中華帝國晚期思想與社會變化面面觀》，原書名為《From Philosophy to Philogogy: Intellectual and Social Aspects of Change in Late Imperial China》。

36 Elman，Benjamin A.著，梁輝雄譯：《性理學에서 考證學으로》，（首爾：藝文書院，2004年），頁353。

37 張建業主編：《李贄文集（五）》（《四書評》《論語卷之六》〈顏淵第十二〉），頁65：「就在此處，有何不好。引來證其意耳，何必字字明白？ 宋儒解書，病在太明白。」

需隨性地闡發自己的感性理解即可,對經文與經書中出現的人物,自然會產生豐富的情感,並對之發抒具有批判性的論調,尤其是在眉批與旁批的文字出現時,更是強烈地顯現此項特徵。故此,筆者認為這種以感性的批評構成的注釋形式可視為批評體。

1 批評體注釋

李卓吾在《論語評》裡為展現其對經文的直接感性表現,所有對經文的解說皆省略,使用簡明又直接的評語來進行注解。以其批評的形式來看,有一字評、二字評、三字評、四字評、五字評等,或是在句子之間置入旁批與眉批。例如〈述而〉篇之例:「子疾病,子路請禱。子曰:『有諸?』子路對曰:『有之。誄曰:禱爾于上下神祇。』子曰:『丘之禱久矣。』」[38] 歷來對這段經文的解釋,多是論述子路對神明祈求的動作為何不合事理?孔子平時已經祈禱之意義為何?等疑問進行解說以闡明經文大義。然而李卓吾對這段經文的注解卻僅使用「妙」字來闡明自己對所有情況的理解。並且,此種一字評的評語和二字評,[39] 三字評,[40] 四字評,[41] 五字評,[42] 在經文裡使用的旁批與眉批也都是一針見血式地體現自己的感懷。這種批評體的注解形式可說是有別與宋學的議論體、清代的箚記體之注經體例。李卓吾與其後學們使用的這種經典注解方式,其特徵與他們的文藝意識具有相當緊密的關係。

---

38 《論語》〈述而〉:「子疾病,子路請禱。子曰:『有諸?』子路對曰:『有之。誄曰:禱爾于上下神祇。』子曰:『丘之禱久矣。』」

39 張建業主編:《李贄文集(五)》(《四書評》《論語卷之四》〈述而第七〉),頁25:「受用。」

40 張建業主編:《李贄文集(五)》(《四書評》《論語卷之四》〈述而第八〉),頁47:「眞難知。」

41 張建業主編:《李贄文集(五)》(《四書評》《論語卷之四》〈述而第七〉),頁43:「遍地先生。」

42 張建業主編:《李贄文集(五)》(《四書評》《論語卷之四》〈述而第八〉),頁47:「傳舜禹之神。」

2 文藝學與經典注釋學的結合

　　學界對於李卓吾在明代思想史中的地位已有相當詳盡的論述，特別是從思想史的觀點上來論議李卓吾的位相時，對於其為大思想家這一點論及較多。然而陳平原在《從文人之文到學者之文》中指出，李卓吾在身為一個大思想家之前是一個偉大的文人。[43]而事實上李卓吾在明末公安派學者中，也是數一數二具有相當重要地位者[44]，故陳平原對李卓吾的評價可說是相當公允。李卓吾的文藝性特徵可由其留下的詩文與批評文了解一二。尤其是李卓吾在經書、諸子書、史書、文集、小說、戲曲等多樣化文體書籍中，使用簡短文字展現自己的獨特見解，並產出大量的批評文。尤其以文藝批評與其他文體結合的內容來看，李卓吾在對經書進行注釋時，也確實反映出其文藝批評的特徵。

　　另外，《四書評》的經書注釋中也可以看到李卓吾對文體的關注，如〈陽貨〉篇中的這則例子：

> 子曰：「惡紫之奪朱也，惡鄭聲之亂雅樂也，惡利口之覆邦家者。」
> 文格甚妙！只用二『也』字叫一『者』字，主客了然。後人如何有此隨筆？[45]

　　縱觀以往對這一經文的注釋，大體上都著重在說明經文內容，並未出現有關文體的注釋。然而，李卓吾在《論語評》中，只針對性地討論文體。《論語評》通過「也」字與「者」的使用，明確地表現出主、客，這是孔子言語的比重落在三個段落之中的最後一段的意義所在。特別的是幾乎大部分的注釋家都通過邏輯說明來支持這一主張。反之，李卓吾卻從文字的使用或是文體來支持這一主張。他還指出這種形式的章句是當今文豪都無所能及的

---

43 陳平原：《從文人之文到學者之文》，（上海市：三聯書店，2004年），頁26。

44 詳細內容參看姜明官：《公安派와 朝鮮後期 漢文學》，（首爾：昭明出版，2007年），第2章。

45 張建業主編：《李贄文集（五）》（《四書評》《論語卷之九》〈陽貨第十七〉），頁94。

聖人的行文手法才能達到的崇高境地。[46]李卓吾對聖人的文筆賦予極大的肯定與讚美,但像這樣將文藝學與經典注釋學的結合,同時也是去除聖人色彩的「脫聖化」一環。李卓吾既沒有將孔子神聖化,也沒有將經文絕對化,而是將經文單純地視為優秀的文體典範。因而其文藝批評性的觀點可適用於所有的書籍,當然於經書也不例外。在東亞經學史中,雖有學者對零星的經文文章產生關注,但像李卓吾這般將經文全體的內容視為文體典範,並集中對經文文體進行探究的經學家可說是前所未有。此亦為李卓吾經學世界中非常獨特之一面。

三 《論語評》的思想史地位

前文討論的《論語評》作為經學史上具有特殊意義的著述,具有獨特的地位,討論此種獨特位相可以更加鮮明地檢視《論語評》前後的《論語》學史。

中國經學史可大別為考證性的漢學與義理性的宋學,鄭玄《論語鄭氏注》便是經由對文字訓詁的梳理來注解經書。因此,此書日後成為以訓詁為志的經學家之榜樣。[47]然而鄭玄之後到李卓吾為止,這段期間出版的重要《論語》注釋書幾乎都偏向以義理學為重心。鄭玄以後出現的重要《論語》注釋書是何晏(西元193-249)的《論語集解》與皇侃(西元488-545)的《論語集解義疏》。將新註解朱子《論語集註》稱為「古注」的《論語集解》之特徵是在解說儒家經典時,引用老莊思想主要概念的玄學化經學。[48]

---

46 張建業主編:《李贄文集(五)》(《四書評》《論語卷之七》〈憲問第十四〉),頁74:「愛子,故曰『愛之』。自忠,故曰『忠焉』。一字之異,便有無限變化。非聖筆安得有此!」

47 嚴正:〈鄭玄經學思想述評〉,《經學今詮續編》,(瀋陽市:遼寧教育出版社,2001年),頁428。

48 張文修:〈正時時期經學的玄學化〉,《經學今詮初編》,(瀋陽市:遼寧教育出版社,2000年),頁452-454。

《論語集解義疏》的經學特徵為比何晏的《論語集解》更凸顯出其玄學傾向。[49]這些鄭玄以後成書的論語注釋書，都試圖用老莊或是佛學來解釋儒家經典的義理學觀點非常明顯。

唐代韓愈與其弟子李翱共同撰作的《論語筆解》也是以義理解釋為主，性理學的形而上學的理念本性與主張天道的一理內容登場，並對宋儒的《論語》注釋書起了一定的影響作用。[50]進入宋代之後，邢昺《論語注疏》與陳祥道《論語全解》具有相當的影響力。此兩種注釋書都具有在解釋《論語》時依據道家學說的玄學傾向。[51]之後在《論語》注釋書中具有權威性地位並影響深遠的便是朱熹的《論語集注》。[52]朱熹《論語集注》訓詁縝密，作為可以投影作者性理學理念的注釋書，其價值獲得高度肯定評價。基於這一點，朱子學在東亞地區確立政治、學問等方面的權威性時，此書受到極大的尊重。

上文對漢代鄭玄到南宋朱熹時期的《論語》注釋書進行了簡單探討。從結論來看，除鄭玄的注以外，大部分的《論語》注釋書都是依據道家或是性理學進行解說的。即，義理學上的經學是《論語》注釋書的主流。朱熹的《論語集注》出現以後，以往的《論語》注釋書的影響顯著減弱，亦是其特徵之一。此外，宋代以後元明時期朱熹的《論語集注》成為聖經般的存在備受尊崇。因此，此後朱子學派的《論語》注釋書比起提出新見解，更注重對《論語集注》意義的附加說明，也就是朱熹注釋的解說集。即，重視著述《論語集注》的疏。此種傾向到明代達到巔峰，其產物便是永樂帝時期編撰

---

49 孫述圻：〈論皇侃的《論語義疏》〉，《中國經學史論文選集（上冊）》，（臺北市：文史哲出版社，1993年），頁612。

50 李紀玧：《《論語筆解》의 解釋學的理解》，成均館大學校東洋哲學科碩士論文，1996年。

51 特別是陳祥道《論語全解》根據《老子》來解說《論語》之處多達二十幾項，根據《莊子》解釋論語的地方有三十多處。

52 在這之間以禪學的觀點來理解《論語》的重要主題，並將此寫成詩的有張九成《論語百篇詩》，以及用道家與佛家理論證明《論語》內容的謝良佐《論語解》，但這些著作的影響力都微之甚微。

的《論語集注大全》。如前所述,元明經學史的此種趨勢是過分強調朱熹注釋,為「一尊主義」的特徵,致使經學朝向非正常發展。因而後代經學史家將這一時期評價為「衰退的時代」。

　　《論語評》正是在經學衰退的明代出產的著作。那麼李卓吾的著作在經學史的潮流中具有什麼樣的位相?綜上可知,李卓吾的《論語》學最重要的特徵是儒佛會通,比起考證學更接近義理學,但其對文體的關注、批評式注解等內容,又是之前《論語》注釋書中所未曾出現者。考慮到這一點,與其思索該將其《論語》學置放於義理體或考證體,不如說其《論語》學體系為批評體。即,李卓吾的《論語》學雖延續前代的義理性經學脈絡,但又擁有其創新面貌。然而,就具有創新面貌的李卓吾的《論語》學的位相而言,並不是平地凸起,而是要在流向中逐漸定位。李卓吾將儒佛會通視為主要內容的批評體《論語》學是否具有能創造引導潮流的影響力,同時是否具有經學史上的影響力?

　　李卓吾之後,在其影響下大量具有相同傾向的《論語》注釋書陸續問世。具有代表性的著述如下。[53]

> 李卓吾《論語評》(《四書評》)
> ①姚舜牧(1543-1623)《論語疑問》(《四書疑問》)
> ②鹿善繼(1575-1636)《論語說約》(《四書說約》)
> ③周宗建(1582-1626)《論語商》
> ④馮夢龍(1574-1645)《論語指月》(《四書指月》)
> ⑤張岱(1597-1865)《論語遇》(《四書遇》)
> ⑥蕅益智旭(1599-1655)《論語點睛》
> ⑦來斯行《論語頌》、《論語小參》(《四書小參》)
> ⑧萬尚烈《論語測》(《四書測》)

---

[53] 此目錄參考陳昇輝:《晚明論語學之儒佛會通思想研究》之附錄,淡江大學碩士論文,2002年。

⑨寇慎《論語酌言》(《四書酌言》)

⑩汪漸磐《論語宗印》(《四書宗印》)

⑪張明憲《論語參》(《四書參》)

⑫黃獻臣《論語闡旦》(《四書闡旦》)

直至明末時期的《論語》注釋書的共同特徵是以儒佛會通的思維方式理解《論語》。這些注釋書中特別重要的著述是張岱的《論語遇》和蕅益智旭的《論語點睛》。其中張岱《論語遇》、蕅益智旭《論語點睛》無論是在儒家或佛教思想中,皆間接或直接地繼承李卓吾《論語評》,並明確體現於解經內容中。此二書的共同特徵為:第一、批判體形式;第二、對經文文體的關注;第三、儒佛會通;第四、書中引用李卓吾《論語評》并對其進行衍義。其中儒佛會通的部分,這兩本著作比《論語評》裡所見的儒佛會通形式,更加緊密地將儒家理念轉換成佛家理念。尤其蕅益智旭積極地採納李卓吾的見解於《論語點睛》中,並將之闡釋為具有佛教性意義說解,幾乎可說是李卓吾《論語》學之「疏」。之後到了明末清初受《論語評》影響的注釋書更是如雨後春筍般大量出現。下面首先要討論的是張岱。

張岱繼承被評價為具有強烈禪宗風氣的王畿(1498-1583)陽明學,明亡之後便隱居深山,成為將著述看作是生平事業的學者和志士。張岱撰作的《論語遇》繼承了李卓吾的批評體經學,有評價說其寸鐵殺人。[54]並且極度信奉儒佛會通的思潮,對儒、佛理念一視同仁。例如,《論語》〈子章〉中講到,叔孫武叔對朝廷大夫講「子貢賢於仲尼。」聽聞此言的子貢無視叔孫武叔短見的段落。[55]張岱對這一經文評價道:「孔子是佛,子貢是菩薩,佛有清淨無為,而菩薩則神通廣大。外道見其龍象光明,未免認是菩薩勝佛。叔

---

54 詳細內容請參看朱宏達:〈張岱《四書遇》的發及其價值〉,《中國經學史論文選集(下冊)》,(臺北市:文史哲出版社,1992年),358-359頁。

55 《論語》〈子章〉:「叔孫武叔語大夫於朝曰:『子貢賢於仲尼。』子服景伯以告子貢。子貢曰:『譬之宮牆,賜之牆也及肩,窺見室家之好。夫子之牆數仞,不得其門而入,不見宗廟之美,百官之富。得其門者或寡矣。夫子之云,不亦宜乎!』」

孫之見亦是如此。」[56]將孔子看作是清淨無為的佛，將子貢看作是神通廣大的菩薩。又將反映孔子人格的四毋（毋意、毋必、毋固、毋我）[57]理解為佛的「無我相」、「無人相」、「無眾生相」、「無壽者相」。[58]至此，孔子與佛幾乎毫無界限區別。另外，此種傾向也反映於明末四大高僧之一蕅益智旭所著《論語點睛》。蕅益智旭在《論語點睛》中指出，孔子心性猶如佛陀和菩薩的心性，[59]將孔子人格的成長階段即志學到從心比擬為佛教的頓悟。[60]尤其是蕅益智旭積極採納李卓吾的見解，將其反映在《論語點睛》中，並將之闡釋為具有佛教性意義的說解[61]，幾乎可以認為這是李卓吾《論語》學之「疏」。

此外，明末最具聲望的文章家兼出版家馮夢龍曾說：「不是先生的話就不說，不是先生讀的書就不讀。」[62]上述事例中，貫通明末清初，受到《論語評》影響的注釋書猶如雨後春筍紛紛破土而出，為當時學術界氛圍增添了力量。特別是《論語遇》與《論語點睛》中所示，儒佛會通理念被視為主要特徵的這一時期的《論語》注釋書都受到李卓吾《論語》學的影響，且頗為顯著。故此，將之視為一個新經學思潮並無大礙，其內容與形式與前一世代呈現顯著差異。內部蘊含的对心性與感性的重視、文藝學的興起、儒佛會通的追求等當時思想史與文學史的重要趨勢，都準確地反映於以李卓吾為巔峰

---

56 《論語遇》〈子章〉。

57 《論語》〈子罕〉：「子絕四，毋意，毋必，毋固，毋我。」

58 《論語遇》〈子罕〉：「劉元城曰：『孔子佛氏之言，相為表裏。孔子言毋意，毋必，毋固，毋我，而佛言無我，無人，無眾生，無壽者，其言若出一人。』」

59 《論語點睛》〈衛靈公〉：「佛菩薩之心也。若使有類，便無教矣。」

60 《論語點睛》〈為政〉：「只一學字到底，學者，覺也。念念背塵合覺，謂之志，覺不被迷情所動，謂之立，覺能破微細疑網，謂之不惑，覺能透真妄關頭，謂之知天命，覺六根皆如來藏，謂之耳順，覺六識皆如來藏，謂之從心所欲不踰矩，此是得心自在。」

61 琴章泰：〈智旭의《論語點睛》과佛教的《論語》解釋〉，《佛教의儒教經典解釋》，（首爾：首爾大學校出版部，2006年）。

62 大木康著、盧敬姬譯：《明末 江南의 出版文化》，（首爾：昭明出版，2004年），頁146、頁196-197。

的學者們的經學著述中。特別是用佛家（禪宗）的理論理解儒學的嘗試越發明顯，已經到了「明人說經，大似禪家舉公案。」[63]的程度，開創出獨特的一面。

四　結論

以上討論李卓吾《論語》學，無論是其差別性特徵，抑是對後代的影響，將之稱為「新經學」當之無愧。事實上所謂議論體（宋學、義理）與箚記體（漢學、清學、考證）的兩個方面加之批評體（明學），使得中國經學史更加具有其意義，也變得更加豐富多彩。更進一步地說，從思想史的觀點來看，準確地反映和主導以儒佛會通為根基的晚明新知識形態時，其貢獻相當巨大。

明末新經學為什麼會讓人如此忽視，以至於讓人覺得從經學史中逐漸消失？議論體的宋學與箚記體的清學在很長的一段時期內發揮了其影響力，與此相比，明末清初時期批評體的經學異常活躍，隨後便消失不見。意義非凡的此種經學現象之所以在短期之內消失殆盡，都源於批評體經學所處的內憂外患的處境。陽明學擱置泰州學派，積極受用佛家學說，因此陽明學揚名於世。從泰州學派到李卓吾時期，過度以禪釋經招致思想界的批判，甚至被標榜為陽明左派或是狂禪派。[64]黃宗羲在《明儒學案》中指出，陽明學因為這些人廣傳天下，又因為這些人走向衰敗之路。[65]對此，晚明的部分文人拋棄

---

63 馬浮：《四書遇題記》、《四書遇》，（杭州市：浙江古籍出版社，1985年），頁1：「明人說經，大似禪家舉公案。」

64 嵇文甫：《晚明思想史論》，（臺北市：東方出版社，1996年），頁58：「明代思想解放的潮流，從白沙發端，及陽明而大盛，到狂禪派而發展到極端。於是乎引起各方面的反對，有的專攻擊狂禪派或陽明左派。」

65 黃宗羲：《明儒學案》，（臺北市：里仁書局，1987年），頁703：「陽明先生之學，有泰州，龍溪而風行天下，亦因泰州，龍溪而漸失其傳。泰州，龍溪時時不滿其師說，益啓瞿曇之秘而歸之師，蓋躋陽明而爲禪矣。」

心性學,將自身的文學領域轉型為文獻學。[66]另外,很多人批判指出,明末流行的這一思潮的學問招致道德敗壞和思想混沌,甚至滿族加速了王朝的崩潰和衰落,[67]以及清後朝廷積極支援文獻學,都成為致使新經學衰落的原因。

　　如上所述,明代的新經學因無法適應內憂(內部批判)外患的環境而逐漸消失。其餘脈如絲,被朝鮮的許筠(1569-1618)、丁若鏞(1762-1836)等人所接受、繼承下來。[68]好比巨人倒下般,明代的新經學在短時間裡消失,但卻於另一個時空——朝鮮重新復活。

---

66 錢穆:《中國學術思想史論叢(7)》,(臺北市:蘭臺出版社,2000年),頁324-325:「我們若稱宋明儒心性學,則晚明儒實已自心性學轉向到文獻學。⋯⋯若照近代習用語說之,則可謂宋明是主觀者,而晚明以下則轉向客觀。」

67 Elman,Benjamin A.著,《From Philosophy to Philogogy: Intellectual and Social Aspects of Change in Late Imperial China》梁輝雄譯,《性理學에서 考證學으로》,(首爾:藝文書院,2004年),頁174。

68 李玲昊:〈李卓吾の朝鮮儒學〉,《東アジアの陽明學》,(東京,東方書店,2011年),頁195-215。

趙鵬飛《春秋經筌》研究
——以對齊桓公的評論為核心

劉德明

國立中央大學中文系教授

提要

趙鵬飛為南宋晚期儒者，現雖僅有《春秋經筌》傳世。此書內容不但被同時期的黃震及家鉉翁等人大量引述，並且在元、明兩代，亦有頗多《春秋》學者援引趙氏之說用以詮解經文。本文以《春秋經筌》中對齊桓公相關經文的說解為核心，探究趙鵬飛以書例解經的核心主張，並透過實際上的解經運用為例，說明此種方式所面對的困難以及趙鵬飛獨特的說解方式。本文並進而以其對齊桓公的評價為例，說明趙鵬飛雖然保留了宋儒常見的「王／霸」區分，但他對「霸」並不完全貶斥，反而在許多地方申述「霸」的正面價值與意義。也因此，趙鵬飛對於要如何成就「霸」有了更多內容上的發揮。其不但以「權」來重定「霸」的價值，並且詳論「智」對齊桓公稱霸的重要性。在這樣的架構下，「王／霸」不再是兩個性質截然不同的極端，反而近於「大忠」與「次忠」的分別，僅就是程度上的不同評價。更耐人尋味的是，趙鵬飛又引入了「內／外」的概念來說明「王／霸」的區別，加以論述何以王道可以維持長久，而霸道通常只能短暫存在的原因，這些看法都讓儒家的「王霸之辨」有了更豐富的內涵。

關鍵詞：趙鵬飛　春秋　解經方法　王霸之辨　齊桓公

一　導言

　　趙鵬飛，南宋晚期儒者，現今關於趙鵬飛生平可據的資料極少，僅知其字企明，號木訥，四川左綿人，在《宋史》中無傳。除著有《春秋經筌》十六卷外，亦著有《詩故》一書，但此書在宋元之際即已失傳。[1] 青陽夢炎在《春秋經筌》的〈序〉中言：

> 麟經在蜀，尤有傳授。蓋濂溪先生仕於合，伊川先生謫於涪，金堂謝持正先生親受教於伊川，以發明筆削之旨，老師宿儒持其平素之所討論，傳諸其徒，雖前有斷爛朝報之毀，後有偽學之禁，而守之不變……吾鄉木訥趙先生，獨抱遺經，窮探冥索，實為之倡，所著《詩故》、《經筌》二書，有功於聖經甚大。《詩故》湮沒不傳，惟《經筌》獨存。其為說不外乎濂、洛之學，而善於原情，不為傳注所拘。[2]

青陽夢炎一方面認為趙氏之說承自濂、洛，具有理學家說《春秋》的風格，另一方面又言其「原情善於原情，不為傳注所拘。」趙鵬飛在其自〈序〉中，亦言要「學者當以無《傳》明《春秋》，不可以有《傳》求《春秋》」[3]似乎想要完全擺落三傳，故四庫館臣亦由此將之視為「舍傳言經」者，言：

> 然則舍傳言經，談何容易？啖助、趙匡攻駁三《傳》，已開異說之萌。至孫復而全棄舊文，遂貽《春秋》家無窮之弊。……鵬飛此書亦

1　據青陽夢炎〈春秋經筌序〉文所述，而至清代的黃虞稷亦不見《詩故》一書。分見青陽夢炎〈春秋經筌序〉，收入〔宋〕趙鵬飛：《春秋經筌》（臺北市：大通書局影印清聖祖康熙十九年（1680）刊通志堂經解本，1970年），頁3-4。〔清〕黃虞稷：《千頃堂書目》（上海市：上海古籍出版社，2001年），卷2，頁69。本文所引《春秋經筌》原文，均據通志堂經解本，惟原文中因避諱而改動的字，如將「桓公」刻印為「威公」，則在引文中直接改回原字，不另注出。

2　青陽夢炎：〈春秋經筌序〉，頁3。

3　〔宋〕趙鵬飛：〈序〉，《春秋經筌》，頁2。

復之流派。[4]

其間並引清儒張尚瑗之說，用以批評趙鵬飛之謬。對此筆者已完成一篇小文，說明四庫館臣對趙鵬飛的批評未必公允。[5]本文則擬就趙鵬飛《春秋經筌》一書之解經方法與其內容加以探究。為求能集中焦點，故以其詮解《春秋》中關於齊桓公的部份為主。因為大致來說，宋代《春秋》學均以「尊王攘夷」為其關懷核心，而齊桓公則是「尊王攘夷」之說的最佳代表人物。故透過趙氏詮解《春秋》中與齊桓公有關的經文，當能對《春秋經筌》有更好的了解。

二 《春秋經筌》的解經方法

趙鵬飛對於歷來解釋《春秋》的情況有一批評，其言：

> 故五經鮮異論，而《春秋》多異說。麟筆一絕而三家鼎峙，董之《繁露》、劉之《調人》，紛然雜出，幾成訟矣，後學何所依從邪？及何休、杜預之註興，則又各護所師而不知經……各懷私意，以護私學，交持矛盾，以角單言片論之勝，於聖經何有哉？[6]

在五經之中，諸儒對於《春秋》的解釋最為分歧，從董仲舒、劉兆、何休、杜預以下各自獨抒己見，再加上維護門派、師說等私意摻雜其間，使得《春秋》之意更加不顯。趙鵬飛認為這是因為《春秋》一開始即有三傳不同的緣故，所以他主張：

4　〔清〕永瑢、紀昀等：〈春秋經筌提要〉，《欽定四庫全書總目》（臺北市：藝文印書館，1976年），卷27，頁32-33。

5　劉德明：〈趙鵬飛《春秋經筌》初論——以其評價升降與四庫館臣的批評為核心〉，收入何修仁、劉德明、孫致文主編：《明誠贊化——岑溢成教授榮退論文集》（新北市：鵝湖月刊社，2017年），頁123-144。

6　〔宋〕趙鵬飛：〈序〉，《春秋經筌》，頁1。

世之說者，例以為非傳則經不可曉。嗚呼！聖人作經之初，豈意後世
有三家者為之《傳》邪？若三傳不作，則經遂不可明邪？聖人寓王道
以示萬世，豈故為是不可曉之義以罔後世哉？顧學者不沈潛其意而務
於速得，得其一家之學，已為有餘，而經之明不明不問也。[7]

趙鵬飛反對必須依靠三傳才能解《春秋》的主張，認為孔子在作《春秋》
時，並無法預見日後有三傳的存在。若是主張一定要有三傳才能理解《春
秋》，那麼豈不是說孔子寫了一本令後人無法明曉之《春秋》？趙鵬飛認為
諸多說《春秋》者之所以要偏主一傳，主要是因為這樣最為方便。但這會使
得說《春秋》者都各主一家之說而批評不同家派，反而會陷入不問「經之明
不明」的困境。由《春秋》學史來看，趙鵬飛之說並非無的放矢，尤其對何
休批評「先師觀聽不決，多隨二創」，而僅依胡毋生《條例》「隱括使就繩
墨」的作法深為不滿，[8]認為何休這種態度是「癖護其學」。趙氏認為要能真
正了解《春秋》必須：

善學《春秋》者，當先平吾心，以經明經，而無惑乎異端，則褒貶自
見……愚嘗謂學者當以無《傳》明《春秋》，不可以有《傳》求《春
秋》。謂《春秋》無傳之前，其旨安在？當默與心會矣。三《傳》固
無足據，然公吾心而評之，亦時有得聖意者……愚學《春秋》，每尚
宵之志，固願視經為的，以身為弓，而心為矢，平心而射之，期必中
於的。鷹鷟翔於前，不眴也，三《傳》紛紜之論，庸能亂吾心哉！庶
有得於經，而無負聖人之志！蓋《春秋》，公天下之書，學者當以公
天下之心求之，作《經筌》。[9]

所謂的「三《傳》固無足據」指的並非完全棄三傳於不顧，而是指不以三傳

7　〔宋〕趙鵬飛：〈序〉，《春秋經筌》，頁2。
8　何休：〈漢書司掾任城樊何休序〉，《春秋公羊傳注疏》（北京市：北京大學出版社，
　　2000年），頁7-8。
9　〔宋〕趙鵬飛：〈序〉，《春秋經筌》，頁2-3。

之經說為唯一標準，而是要「以經明經」。趙鵬飛認為孔子作《春秋》時，此書應已自足，所以若能平心讀經，自然可以了解《春秋》經中所蘊涵的「大義」。

趙鵬飛雖提出「平心」、「以經明經」之說，但這只是原則性的說法，我們尚必須透過其實際解經的內容，方才可以真正了解其持以解經的方法。趙鵬飛認為《春秋》雖是孔子所作，但其內容則可分為兩部份：

> 《春秋》之作，有因舊史之文者，有出於聖人新意者。因史文所以全一經之體，出新意所以示褒貶之法。書元、書春，因舊史也。《書》稱太甲元年、太甲元祀，則謂一為元，已見於〈太甲〉。「日中，星鳥，以殷仲春」，則四時之別，蓋始於堯。則書元、書春在《春秋》為無義例，魯史記之體當然矣。惟書王不書王、書正不書正，則聖人之新意也。於春之正月，月上必書王，蓋以王法而正天下也……十二公之中，惟桓公有月而不書王。有月而不書王，桓無王也。[10]

《春秋》依舊魯史修訂而成，所以在閱讀《春秋》時必須區辨出兩者。趙氏以「元年春王正月」為例，認為「元」、「春」是史籍舊例，所以並沒有特別的意思。但有沒有書「王」或書「正」，則是孔子的「新意」，可由此可見褒貶之意。趙鵬飛特別指出，在《春秋》十二公中，只有魯桓公「有月而不書王」的書例，這是因為孔子用以貶斥魯桓公「無王」。透過這個例子可以看出，歸納《春秋》「書例」，是趙鵬飛據以解經的重要方法。如其對莊公九年「夏公伐齊，納子糾。齊小白入于齊。」的說解為：

> 子糾、小白皆僖之子而襄之弟也。以世統論之，則均不當立。而子糾出於魯，小白出於衛。子糾倚魯而謀入，故書「納」。小白脅彊而自入，故書「入」。納與入，均不正也。[11]

---

10 〔宋〕趙鵬飛：《春秋經筌》，卷1，頁2-3。
11 〔宋〕趙鵬飛：《春秋經筌》，卷3，頁18-19

齊襄公死後，公子糾與小白兄弟爭國，何者當立是宋代《春秋》學家常討論的問題。[12]趙鵬飛認為兩人都是襄公之弟，所以兩人都應不當立。[13]而趙氏之所以如此斷定的原因在於《春秋》分別以「內弗受」的「納」字及「以兵直造其國都」的「入」字來記錄此事。[14]由此可知，趙鵬飛之所以能說「三《傳》固無足據」而可「以經明經」的重要理據，在於他認為孔子作《春秋》時，在其中有許多的「書例」，透過這些「書例」即可以解讀出《春秋》的褒貶大義。又如其對同年「九月，齊人取子糾殺之。」的解釋為：

> 聖人於齊書「人」，則知其為小白。於糾復書「子」，則見其不宜殺也。《左氏》謬以為魯殺之。《論語》：「恒公殺子糾，召忽死之。」孔子之言，與《春秋》所書，炳若日月，學者安得信傳而戾經也？[15]

趙氏此說可分為兩個層次：一是史實的層次：依《左傳》所記，在莊公九年秋，魯與齊戰於乾時，魯軍大敗，魯莊公甚至差點被俘，而後鮑叔牙帥師來言：「子糾，親也，請君討之。管、召，讎也，請受而甘心焉。」於是魯人「乃殺子糾于生竇」。[16]但趙鵬飛認為《春秋》經明書殺子糾的是「齊人」而非魯人，加上《論語》中子貢言：「桓公殺公子糾」的旁證，[17]故《左傳》所記之事明顯與《春秋》不同，是「戾經」。二則是就評價來看，趙鵬飛認為《春秋》將齊桓公書為「齊人」而非「齊侯」，又在「糾」上加「子」，所以《春秋》是在批評齊桓公不應在即位之後還對其弟痛下殺手。

---

12 如招祺麒在其書中列舉了漢代之後的杜預、孫覺、高閌、程端學等人的看法，認為實是「糾長桓幼」，並進一步討論了齊桓公之位的正當性問題。見氏著：招祥麒：《王夫之春秋稗疏研究》（上海市：古籍出版社，2010年），頁125。

13 趙鵬飛言：「小白兄，子糾弟也。《公》、《穀》經文皆書『糾』，而不書『子』，明糾不當納也。」小白雖為兄，但因非襄公之子，所以也不當立。更依《公羊傳》、《穀梁傳》的經文僅書「納糾」而非「納子糾」（《左傳》經文），而言糾亦不當立。見《春秋經筌》，卷3，頁20。

14 關於「納」與「入」的用法，分見〔宋〕趙鵬飛：《春秋經筌》，卷2，頁8、卷1，頁9。

15 〔宋〕趙鵬飛：《春秋經筌》，卷3，21。

16 楊伯峻：《春秋左傳注》（北京市：中華書局，1990年），頁179-180。

17 〔宋〕朱熹：《四書章句集注·論語集注》（北京市：中華書局，1983年），卷7，頁153。

　　由以上的例子可見，趙鵬飛一方面以《春秋》經文為據，批評三傳之說不可盡信，另一方面又以《春秋》中的書例做為其解釋的依據。趙氏的這種方法，自唐代的陸淳、啖助等人開始，即十分常見。但這種方法亦常有其侷限，因為《春秋》中的「書例」並非那麼一致。以書記齊桓公諸事為例，其有時書為「齊侯」有時則書為「齊人」。若依上文的說解來看，書「齊侯」為正例，有褒揚之意；書「齊人」則為變例，含為貶斥之意。但趙鵬飛也發現，若完全依此原則來解釋《春秋》，有時會與一般認為《春秋》中的「大義」有所齟齬，如其在閔公元年「齊人救邢」的解釋中言：

> 桓公之霸，惟盟會書爵，征伐無稱爵者，如滅遂、伐郳之類，人之可也。而荊伐鄭，齊人救鄭；狄伐邢，齊人救邢。宜書爵矣，而亦人之，何哉？蓋滅遂、伐郳，惡其陵虐小邦；救鄭、救邢，責其緩於除患。夫以楚之彊未可俄而勝，圖之可也，而蕞爾之狄，何足謀哉？以齊之半合諸侯之兵，可犁其庭也。桓公以為中國無狄患，則吾無以施吾功，故存狄以市功於諸侯，此眾人之謀，眾人之見也，故《春秋》以眾人待之，安得書爵？[18]

趙氏的意思有兩個重點：一、齊桓公九合諸侯以尊王攘夷，所以「會盟書爵」用以表彰其功。相反的，若齊桓公滅遂、伐郳行不義之戰，《春秋》則在書記時去其爵位而「人之可也」。由此可見，《春秋》在書記齊桓公時，或書「齊侯」或書「齊人」，各有其分際，亦各有其義。二、若書「齊人」為貶，則莊公二十八年，《春秋》記：「秋，荊伐鄭，公會齊人、宋人救鄭。」及本年記「齊人救邢」兩事，都是齊桓公攘夷救諸夏的義舉，使鄭、邢兩國不受楚、狄的侵伐，那麼《春秋》似乎不應將齊桓公記為「齊人」，實應記為「齊侯」才是。對於這種情況，趙鵬飛應有兩種選擇：一是放棄「書爵」與「書人」的褒貶區分，二則是要另行說明為何在此應褒處卻以「書人」示貶。趙鵬飛因在方法上無法放棄以書例解《春秋》，所以他僅能採取第二個

18　〔宋〕趙鵬飛：《春秋經筌》，卷5，頁1。

立場，堅持此兩次「書人」確實是表示對齊桓公的批評，但他認為《春秋》之所以批評齊桓公的理由並非是不應救鄭、救邢，而是「責其緩於除患」。趙鵬飛這個說法與滅遂、伐邾而「稱人」不同，因為滅遂、伐邾當貶，可由當條經文之事即可見其意。而「緩於除患」之貶，則必須透過聯合前後數條經文方可得見。趙氏此意在莊公二十八年救鄭一事說解中更為明晰：

> 齊自北杏之會，於今十有五年。其間兩鄄之會、兩幽之盟，諸侯不為不從，中國不為不振矣。而鄭逼於楚，倚齊尤重，故兩鄄、兩幽之盟，無敢不從，所以望齊者甚切。然桓公不能少加威於楚，使鄭被楚兵而後救之……荊楚鄰於鄭，伐楚則鄭受其福。利己者在所急，而利鄭者在所緩，桓公之情蓋可責矣。故救鄭善事也，而聖人不與其爵，以為被伐而後救，不若先攝之而使鄭不被其毒也……桓公之伯至此不為不久，而惟盟會書爵，用兵無善惡悉貶稱人，皆以其急於利己而緩於安人也。[19]

莊公十三年，齊桓公與宋、陳、蔡、邾於北杏會盟，《春秋》僅對齊桓公記「齊侯」，而宋、陳等諸侯則記為「人」，趙鵬飛認為這是因為「桓公圖伯之初也。圖伯之初而首以爵予之，許其伯也。」[20]這可做為《春秋》稱侯、稱人之別的證據。但自北杏之會起，至此歷時已十五年。其間齊桓公已與各諸侯國多次會盟，而鄭亦因受迫於楚而每會必與。趙鵬飛認為莊公二十八年《春秋》之所以書「齊人」，是因齊桓公在利益的考量下，不先主動遏楚以護鄭，而是在鄭被攻後救之，更能凸顯出齊桓公在諸侯間的地位及重要性。這種解釋方式，一方面維持了「書侯」、「書人」的褒貶書例的區別，另一方面則是結合了《春秋》前後事態的關聯，用以說明及評論齊桓公行事的考慮。這種解釋方式無疑是擴大了以書例解《春秋》的運用，讀者對書例評價的理解不一定僅限於單一事件，有時也必須聯合數條經文才能得以理解。類

---

19 〔宋〕趙鵬飛：《春秋經筌》，卷4，頁23。
20 〔宋〕趙鵬飛：《春秋經筌》，卷3，頁38。

似的例子尚有其對莊公二十年「冬，齊人伐戎」的解釋：

> 戎介於中國，在曹、衛、魯之間……此其為患尤近，伯討所當先
> 也……戎患近在鄰國，齊桓可不討乎？桓公即位蓋十年內，則伐叛討
> 二以立己桓而已，戎蓋未嘗問也。至是始伐之，亦足以見其緩於除患
> 矣。伐戎、伯討也，而聖人書人責其緩可知。[21]

趙氏認為齊桓公伐戎為「伯討」，本應足以書爵以褒之，但在齊桓公即位十
年之內，僅專就其自身利益而有滅遂伐宋等事，而未思及去討伐近於魯、衛
間的戎狄。也因此之故，《春秋》將此次齊桓公伐戎記為「齊人」，用以表示
對於齊桓公的貶責。

　　由以上的例子可見，趙鵬飛在解釋《春秋》時基本上是以其固定的「書
例」做為其解讀的主要線索，若是不能直接以單一情事說明這種評價，則將
其擴大至前後史事，從中找出可以滿足其對《春秋》說解的原因，用以支持
其由書例而來的評價。

　　但是這樣的處理亦還有不足以完全說明《春秋》中的情況。在《春秋》
莊公十年記有：「冬十月，齊師滅譚，譚子奔莒。」在莊公十三年又記有：
「夏六月，齊人滅遂。」依前文趙鵬飛對於「齊人」的說解，《春秋》記「齊
人滅遂」應是表達貶斥之意，責備齊桓公不應滅人之國。但若如此，則不易
說明「齊師滅譚」為何不記為「齊人滅譚」？因為以書例而言，兩者都應書
為「齊人」才是。趙鵬飛對《春秋》這兩則事跡相類但書法不同的說明為：

> 前日滅譚，聖人書「師」，今日滅遂，聖人書「人」。譚、遂均不宜
> 滅，而《春秋》一予一奪，何也？前日書「師」，非予之也，權也；
> 今日書「人」，非苟奪之，責其正也。前年楚人滅蔡、凌轢中夏，聖
> 人將許其示威以圖伯，故以權予之。今既為北杏之會伯業萌矣，而齊
> 桓不能安靖小國、和協大邦，宣禁令以安王室，合兵力以帖荊楚，乃
> 以諸侯小不順，則遂舉而滅之，是怙其彊也，非安輯諸夏之意也，故

---

21 〔宋〕趙鵬飛：《春秋經筌》，卷4，頁6。

聖人復貶而書人。前予之，今奪之，非私也，跡其善惡而已。故譚子書奔，而遂君不書奔。奔者，不能保其國之稱也；譚子有不能保其國之罪，以啟齊之滅，故書奔；遂無罪而齊滅之，故不書奔。觀乎此，又足以見滅遂之無名也。[22]

趙氏首先承認「譚、遂均不宜滅」及書師、書人是「一予一奪」兩個基本立場。同樣是滅國，但《春秋》為何有完全不同的評價？因滅遂而「書人」自無庸多言，但為何滅譚卻「書師」？趙鵬飛試著把《春秋》記莊公九年齊桓公即位、十年秋楚打敗蔡並將蔡哀侯虜走，十年冬齊滅譚、十三年春北杏之盟及十三年夏齊滅遂，這幾項事連繫起來說解：認為齊桓公即位之初，楚即凌虐華夏，這時齊桓公急欲樹立其權威，所以才利用滅譚來顯示其力量。但在北杏之會時，宋、陳、蔡、邾等國，基本上已承認齊桓公共主的地位，這時並沒有必要透過滅遂以展現其威勢，並藉以聚攏諸國。因此，趙鵬飛說《春秋》對滅遂書「齊人」是「經」，用以貶斥齊桓公之罪；而滅譚時書「齊師」是「權」，因為這是齊桓公用以為之抗楚的手段。趙氏又言：

滅人之國，勦人之祀，固重也，而世有所不免。君子蓋視其罪何如爾。夏啟之誓曰：「威侮五行，怠棄三正，天用勦絕其命。」周公之典曰：「內外亂，鳥獸行，則滅之。」罪非是二者，則亦不至於絕與滅也。然成湯之興，仲虺作誥曰：「兼弱攻昧，取亂侮亡。推亡固存，邦乃其昌。」則兼弱、取亂、侮亡，未必皆威侮五行、怠棄三正與夫內外亂、鳥獸行者也。蓋弱不能自存則兼之亂，不足治則取之，有亡形則侮之，有亡道則推而亡之。何〈甘誓〉、周典以絕滅為重，而仲虺以取亡為輕也？蓋成湯之興，仗義以正天下所存者大，則所亡者輕矣。今譚之惡，不見於經傳。齊侯以一舉而滅之，君子蓋疑焉。然聖人於齊書師不書人，無所貶。於譚子書奔不書名，若無罪也。蓋譚之罪固不至於滅，而齊師滅之，所以示威於楚。九月荊敗蔡師而虜

22 〔宋〕趙鵬飛：《春秋經筌》，卷3，頁30-31。

蔡侯，其鋒不可戢視，中國若入無人之墟也。齊桓圖伯之謀，固不得
不示威以懾之。齊桓之志則然矣。而譚之罪不至於滅，故聖人書
「子」。予其示威於楚，則書「師」。責其滅人之罪，故不名譚子。其
褒貶異文，而各有義也。不二年而會於北杏，聖人又顯而爵之，蓋予
其圖伯之謀也，雖非成湯取亂侮亡之心而跡近之，聖人豈以成湯望齊
威哉？予其跡而已。[23]

趙鵬飛認為儒家亦同意在必要時亦能滅人之國，所以其舉《尚書・甘誓》、
《周禮・夏官司馬》及《尚書・仲虺之誥》等說，用以支持在特定情況下，
聖王也會滅人之國。雖然趙氏也承認《春秋》中未記譚國之罪為何，但應尚
不至於要絕滅其國的地步。但因齊桓公有要「示威於楚」的戰略需要，必須
滅一小國以達成此一目的，而譚的國力則正好在此當口而成為齊桓公最適合
的對象，故而被齊所滅。趙鵬飛認為齊桓公之行雖有可貶之處，但《春秋》
知其遏楚之志而以許以「權」，故改「齊人」為「齊師」，透過書「師」、書
「譚子」且不書其名，用以表達這些微妙的評價與看法。

　　由以上的例子來看，趙鵬飛在解釋《春秋》時，其相信《春秋》中有某
些固定的「書例」，趙鵬飛認為這些「書例」確實表達出基本的價值判斷。
所以在解釋時，若所書之事能直接符合書例者，即用以證明其書例之說可
信。若無法其事無法符合書例的所呈顯的價值，趙氏則擴大其論述範圍，鉤
連其他相關事件做為證據，說明為何不以侷限於單一事件做出評述，而必須
以前後相關史事綜合考慮。甚至會採取「經／權」的理由，用以說明由書例
而來的評價的真確性。這樣的做法，一方面可以保持「書例」做為評價標記
的一致性，但卻也不免讓人覺得其在說解時，往往標準不一甚至曲為之說。
因為趙氏並沒有提出一定的標準說明何時該採用什麼方式來說明。不論如
何，這些做法都共同指向對齊桓公評價的問題。

---

23 〔宋〕趙鵬飛：《春秋經筌》，卷3，頁26-27

三 趙鵬飛對齊桓公的評價

宋代理學家因深受孟子「義／利」、「王／霸」之辨,絕對的二分影響,所以普遍對《春秋》中所記齊桓公諸事都有所批評,其中僅對僖公五年的首止之盟普遍予以好評。[24]相較之下,趙鵬飛對於齊桓公的評價則較為不同,這可由其對齊桓公不同時期給予不同評價開始說起。

趙鵬飛對於《春秋》中所記齊桓公之事的評說,在基本立場上即不將之視為一位前後完全一致的人物來評述,而是有著「前／中／晚」期各種不同的變化。如趙鵬飛對於莊公九年,齊桓公殺其弟公子糾之事,即言:

> 小白之惡,於是甚矣已!既先入以得齊,齊人安之,小白何虞哉?糾
> 糊口於外,已不能和協,則縱之可也。小白必殺之而後已。曰:吾所
> 以絕人望而杜後患也,小白其亦有天倫之性哉?……則小白之姦,蓋
> 加鄭莊一等……小白之意,蓋見夫鄭突不殺忽,卒出入歸奔如傳舍,
> 故於此必取而殺之,則齊安焉。蓋不知其惡直出於鄭突之上,而萬世
> 不磨也。[25]

十分嚴厲批評齊桓公殺弟之事,認為鄭莊公尚且讓公叔段流亡於外,並沒有痛下殺手。而齊桓公大約是鑑於鄭厲公(公子突)由宋回鄭即位時,未能及時處理掉鄭昭公(公子忽),以致日後祭仲可以逼迫鄭厲公出亡而迎回鄭昭公一事。所以齊桓公乾脆殺掉公子糾以免後患。趙鵬飛認為齊桓公之惡甚於鄭莊公與鄭厲公,根本沒有「天倫之性」。但是在隔年(莊公十年)對「夏六月,齊師、宋師次于郎,公敗宋師于乘丘」的評述時,則言:

> 師次于郎有待也,待魯之服也。前日公敗齊侵宋,齊、宋均有憾於
> 魯,則其伐我,蓋有詞矣,尚何待?曰:惟有詞而不忍鬭其兵故待

---

24 劉德明:〈程頤學脈對齊桓公的評價---以程頤、謝湜與胡安國為核心〉,《成大中文學報》第56期,2017年3月,頁1-36。

25 〔宋〕趙鵬飛:《春秋經筌》,卷3,頁21-22。

焉。……魯之納糾、侵宋，皆無名之師，而待於近郊，魯固可求成
矣。反乘二國之無戰心，詭謀而敗之，莊公尚為知義乎？……今非
侵、非伐、非戰而師次于郎，本問罪之舉焉，故聖人亦跡實而書
「次」，不誣人以過也。齊、宋同次于郎，而宋師獨敗，又以見齊桓
不忍鬪其民，全師而反，宋則不忍其忿鬪之，故獨敗也。不然齊、宋
同敵魯，宋敗，齊兵安得獨無傷乎？嗚呼！齊威於是，蓋有伯心，非
前日之小白也。聖人亦因其功過而書之，昔為桀跖，今為顏閔，聖人
無私也。跡其實以寓賞罰而已。[26]

莊公十年正月，魯因介入小白與公子糾爭位而敗齊於長勺。二月，魯國侵
宋。六月時，齊、宋兩國聯軍伐魯，駐軍於郎地。關於此戰的是非，三傳均
沒有論評，僅《左傳》記魯公子偃觀察到：「宋師不整，可敗也。宋敗，齊
必還。」於是魯國針對宋軍出擊，大敗宋師於乘丘。齊軍見事不可為，也就
班師回朝。[27]但在趙鵬飛的詮解中，齊、宋兩國的聯軍之所以「次于郎」，
是因不忍戰爭而傷害魯國之民，所以在郎地靜待魯國自願服罪以求和。但魯
莊公以詭詐之兵偷襲宋國後，齊桓公又「不忍鬪其民，全師而反」，所以
《春秋》才會單記宋師之敗。在趙氏如此的描述中，此時齊桓公「蓋有伯
心，非前日之小白也」，與前一年殘忍殺掉自己弟弟的形象完全不同。趙鵬
飛甚至以「昔為桀跖，今為顏閔」用以形容齊桓公這巨大的轉變。

在此之後，趙鵬飛依《春秋》的諸多記錄，詳細的評述齊桓公的功過。
其中若將齊桓公書為「齊人」者，絕大多數趙氏依前述所說的方法，一一找
出理由說明為何《春秋》要貶斥齊桓公。但相對的，若在經文脈絡中，能有
對齊桓公有所贊揚的機會，趙鵬飛也不吝表彰齊桓公之功。如莊公十六年
「冬十有二月，會齊侯、宋公、陳侯、衛侯、鄭伯、許男、滑伯、滕子同盟
于幽。」趙氏即言：

---

26 〔宋〕趙鵬飛：《春秋經筌》，卷3，頁23-24。
27 楊伯峻：《春秋左傳注》，頁183-184。

> 齊始伯也。前乎此，未有同盟者，而此同盟焉。此齊桓由之而伯也。
> 盟之禮重矣……周衰，巡狩之禮不行，方岳之會無之久矣。威公於
> 此，蓋假是禮以臨。諸侯各國其國、各家其家，宋殤不王，鄭莊拒
> 伐，魯桓輸朝宿之邑，衛朔抗子突之師，來聘而魯不報，錫命而魯不
> 朝，問於他邦，知其皆無王也。威公於是慨然有尊周之志，合諸侯而
> 示之以方明之禮，臨之以眾同之盟，雖王不在是，而其志有足尚者，
> 聖人不與，尚誰與哉？故八國之君，皆貴而書爵，其予之也至矣。[28]

趙鵬飛透過《春秋》書齊、宋等諸侯爵位，說明自周衰後，已久未有行同盟
之禮，其間各國諸侯各自發展勢力，置天王於不顧。而齊桓公則奮然有尊周
之志，所以主動的召集諸侯會盟。雖然此次在幽的盟會並未共朝周王，但已
是前所未有的盛事。趙氏認為《春秋》如此書記，當然是加以贊揚的意思。
趙鵬飛不僅在《春秋》明確記「齊侯」處贊揚齊桓公，有時，在《春秋》不
記「齊侯」處亦表彰齊桓公之功。如同在此年，在諸國會盟之幽之前，《春
秋》記「秋，荊伐鄭。」趙鵬飛言：

> 楚將憑陵中國，蔡、鄭實當其衝，東諸侯未知有楚，而蔡、鄭首蒙其
> 害，其為國亦難矣。十四年入蔡、十六年伐鄭，齊桓雖患之，然力未
> 能制也。鄭於此，不依伯主，其能立乎？一從幽之盟，而楚不敢窺鄭
> 者十有餘年，則謂威公之伯無益於中國，誠有不信也。[29]

歷來對此則的說解多著重在楚為何要伐鄭，如《左傳》言：「鄭伯自櫟入，
緩告于楚。秋，楚伐鄭，及櫟，為不禮故也。」[30]認為鄭厲公被祭仲所逐
後，於莊公十四年自櫟回鄭復位。而至莊公十六年鄭國方才赴告於楚，但楚
國以為鄭國不敬，所以伐鄭。但趙鵬飛的說明則不僅止於此，他進一步由此
闡揚，認為在此之前，楚接連伐蔡。但自幽之會盟後，直至莊公二十八年才

28　〔宋〕趙鵬飛：《春秋經筌》，卷3，頁36。
29　〔宋〕趙鵬飛：《春秋經筌》，卷3，頁35-36。
30　楊伯峻：《春秋左傳注》，頁202。

又有「荊伐鄭」之事，由此看來，這豈非齊桓公對華夏諸侯的功勞？其後如莊公十三年「齊侯、宋人、陳人、蔡人、邾人會於北杏。」《春秋》經文獨舉齊桓公之爵「齊侯」，趙鵬飛言：「北杏之會書爵列於諸侯之上，豈非許其圖伯之始也哉！」[31] 僖公四年「遂伐楚，次于陘」，則推許齊桓公「其為謀緩而不怠，有王者之舉焉。」[32] 甚至在同年對「楚屈完來盟于師，盟于召陵」經文的解釋中言：

> 一鏃不遺，寸刃不頓，而服方張之楚於牲血之間，桓公之績大矣！八國之師橐橐而反，大禹之班師不過如是也。[33]

認為齊桓公此次伐楚雖並未實際與楚有交戰，但因前後策畫得宜，所以逼得楚國不得不與其結盟。趙鵬飛對齊桓公此功極度推許，甚至認為可上比大禹之行軍。由此可見趙氏對於齊桓公霸業的極為推重。

但隨著齊桓公的聲望登上頂點，趙鵬飛亦透過經文的記載，指明齊桓公霸業有日漸衰微之勢。如僖公十年記「狄滅溫，溫子奔衛。」趙氏言：

> 溫在河陽，其先蓋蘇忿生之邑，計忿生之別封矣，近王城。……齊桓於此，吾見其有不克終之漸矣。[34]

認為溫在中原之地，狄人不但可輕易滅之，而且齊桓公在事後也沒有任何動作，這不符合以攘夷為要事的霸主所為，由此可見齊桓公已日漸不在乎其霸業。而在僖公十二年《春秋》記：「夏，楚人滅黃。」趙鵬飛亦言：

> 冬伐而夏始滅，黃守以待救也。三時而齊救不至，黃尚何以存之？桓之伯業於是乎不克終矣！初黃之至，吾賴以制楚。及楚伐黃，望齊以自全。伐楚之謀未濟，而黃濟之。今楚將滅黃，望救而齊救不至，是

31　〔宋〕趙鵬飛：《春秋經筌》，卷3，頁30。
32　〔宋〕趙鵬飛：《春秋經筌》，卷6，頁13。
33　〔宋〕趙鵬飛：《春秋經筌》，卷6，頁15。
34　〔宋〕趙鵬飛：《春秋經筌》，卷6，頁34。

黃始有德于齊，而齊報之以禍也。以禍報德，尚何名為伯哉！[35]

依《左傳》所記，莊公十九年，楚文王伐巴失敗後，因鬻拳拒絕楚文王入城，於是楚文王轉而攻黃，黃雖被打敗，但楚文王也在回程時生病，隨即死亡。[36]黃因此自僖公二年始，開始與齊桓公等諸侯會盟。自此之後，黃即參與合圍楚國的計畫，也才能使齊桓公在僖公四年時，逼楚國盟于召陵。但於僖公十一年冬時，「楚人伐黃」。到了十二年夏，黃即被楚所滅。趙鵬飛認為由黃被伐至被滅，其間超過了半年，在這期間，黃國必然期望同盟的霸主齊桓公能出兵援救，但齊桓公卻沒有任何想救黃的意思與行動。趙氏認為這是「桓之伯業於是乎不克終矣」的表徵，因為齊桓公如此不顧念黃國之前的貢獻，致使黃被楚國所滅，這也是齊桓公不能再被稱為霸主的關鍵。

由以上的論述，我們可以看到趙鵬飛對於齊桓公的評價是隨著其行事及時期而有所不同，這種評述的方式本來並不值得驚訝。但若將其與宋代理學家所習以「義／利」、「王／霸」之辨的模式相互對比，則顯得十分特別。因為依理學家所言，行為若非出於「義」，則定出於「利」。善行出於「義」則為王道，若出於「利」則為霸道。王道才是值得追求的，而五霸則是「三王之罪人」。並依孟子所言：「管仲得君，如彼其專也；行乎國政，如彼其久也；功烈，如彼其卑也。」[37]所以對於《春秋》中記齊桓公、管仲之行，常常吝於給予佳評，總著眼在其不足處而挑出許多缺失。但趙鵬飛則不同，其對於《春秋》中記齊桓公事雖有許多批評，但整體而言，他十分推崇齊桓公的霸業。如前所言，趙氏對齊桓公攘夷之功給予十分高度的評價，甚至將之與大禹相比。其間雖有批評齊桓公之處，但其主要原因並非批評齊桓公要成為霸主，而是批評齊桓公無法持續成為一位真正的霸主。也就是說，趙鵬飛對於「霸」，有其獨特的觀點與評價。

眾所周知齊桓公為春秋五霸之首，但這個說法是怎麼來的？趙鵬飛在莊

35 〔宋〕趙鵬飛：《春秋經筌》，卷6，頁38。
36 楊伯峻：《春秋左傳注》，頁209-211。
37 〔宋〕朱熹：《四書章句集注‧孟子集注》，卷3，頁227。

公十三年「齊侯、宋人、陳人、蔡人、邾人會於北杏。」中提出了一個很特別的說法：

> 北杏之會，桓公圖伯之初也。圖伯之初而首以爵予之，許其伯也。古
> 者二百一十國為州，州有伯，八州、八伯各以其屬，屬於天子之老二
> 人，分天下以為左右，曰二伯。所謂上公九命者，則伯之名，蓋起於
> 是。今威公之立，不受命於天子，則所謂伯者，分州之伯歟？抑九州
> 伯之伯也。古之所謂伯，天子命之也。今桓公之伯，《春秋》命之
> 也。曰：《春秋》空文也，安得有命？蓋聖人代賞罰而作《春秋》，則
> 《春秋》之所予，若天子之命也。周衰，方伯之職不修，諸侯不知尊
> 天子而攘夷狄，周替於上，楚僭於外，聖人蓋憂之。今齊桓之興，哆
> 然有圖伯之心，而齊實方伯之後也。於是聖人以權許之，豈苟許之
> 哉！許之於初，所以責之於後也。……而桓公果能不負聖人之責，成
> 九合之功，伐楚於召陵，而折其彊暴之鋒，中國恃以不為夷狄者，桓
> 公之力也。聖人於《春秋》詳桓公之始終，以答群弟子。揚管仲之丕
> 烈，公予其君而私稱其臣，所以露《春秋》之旨，使後世知吾《春
> 秋》實予齊桓也。[38]

趙氏這段話有四個重點：一、「霸」或「伯」是自古即有的稱謂，並非定然
是負面的評價，而是輔助天子以治天下的職稱。二、齊桓公之所以為「霸」
或為「伯」，並非當時的周天子所封，而是《春秋》所許，也就是孔子代天
子所許。三、孔子既許齊桓公為「霸」（「伯」），那麼在其後對齊桓公的評述
中，就會以「霸」應「尊天子而攘外裔」的標準來要求、責備齊桓公。而其
批評齊桓公之處，是在於齊桓公不能完全滿足「霸」的要求。四、北杏之會
是齊桓公欲為「霸」的開始，同時也是孔子「許其伯」的開始。依趙氏的說
法，在孔子對政治人物的評價中，「霸」實有很強的正面積極意義，並非僅
有負面的意義。

---

38 〔宋〕趙鵬飛：《春秋經筌》，卷3，頁29-30。

　　正因為趙鵬飛認為「霸」（或「伯」）有很高的正面價值，所以正如前文
所言，其對齊桓公行事能符合「霸」者的標準處，自然給予很高的評價。如
在僖公四年，齊桓公糾合宋、陳等諸侯先攻蔡國，等蔡潰敗後「遂伐楚，次
于陘。」一事，趙鵬飛即言：

> 進次于陘，待楚服也。嗚呼！齊桓之斯舉，蓋有三王之遺風焉。王者
> 之兵有征無戰，期於服，不期於勝也。一問而楚詞屈，使屈完來盟，
> 兵不血刃，堂堂之楚懾如鳥鼠，而中國不為左衽者，齊桓之力也。孔
> 子喟然稱「一匡天下」之功，遂以仁許之。然所以匡天下者，次陘之
> 役也。聖人露予齊之意於門弟子，所以使後世知吾於《春秋》實予威
> 公也。[39]

前文已提及趙氏高度評價齊桓公迫楚與諸侯舉行召陵之盟之事，甚至將其與
大禹相比。此處則是在贊揚齊桓公帶領宋、陳等諸侯聯軍，以迅雷不及掩耳
之姿，快速打敗蔡國後，並不直接與楚交戰，而是將諸侯聯軍駐紮在陘地以
候楚軍。趙氏認為齊桓公此舉實是仁人君子所為，因為戰必有傷亡，若能不
戰而屈人之兵，而又能達致遏楚的目的，才是真正的成功。就此而言，趙氏
認為齊桓公此行，以結果而論，既有攘夷之功又無爭戰之傷亡，故孔子許之
以仁。又從過程而言，則「有三王之遺風」。趙鵬飛給齊桓公這種極為高度
的評價，幾乎在宋代其他理學家中不曾見到。
　　趙鵬飛之所以會給為霸的齊桓公如此高的評價，實與其政治倫理觀有密
切的關係。趙鵬飛在僖公九年「夏，公會宰周公、齊侯、宋子、衛侯、鄭
伯、許男、曹伯於葵丘。」有一段頗長的評述，很能表達出他的觀點：

> 忠一也，而曰大忠復君，君子蓋有取乎次；信一也，而曰「大信不
> 約」，君子蓋有取乎小。大忠、大信，所以望聖賢；次忠、小信，所
> 以待君子。此聖人之心也。太甲踐祚，伊尹奉嗣王見厥祖，侯、甸群
> 后咸在，百官總己以聽冢宰，制三風十愆以戒卿士邦君。康王繼統，

---

39 〔宋〕趙鵬飛：《春秋經荃》，卷6，頁13。

太保率諸侯入應門左，畢公率諸侯入應門右，以聽王命，此大忠、大信也，是三代治平之典也。周德之衰，平王東駕，桓、莊、僖、惠雖嗣正統，而伊尹、太保、畢公之事，不復夢見於龍飛之初。今襄王即位，適丁齊桓之方伯，桓公於是率東諸侯會宰周公于葵丘，脩舊典也。以周公攝冢宰故曰「宰周公」。桓公以侯甸群后總己以聽之，是亦太保、畢公之遺意也。然是禮也，曠世不講，諸侯視之，蓋已駭愕，桓公懼其不信，於是率諸侯盟於宰周公之前，以固其尊王之心。束牲載書而不歃血，宣天子五禁以令諸侯，則雖伊尹之三風十愆，康王之報誥庶邦者何以異？蓋所以奉襄王之誥而代宰周公之言也。桓公之舉，亦可謂忠之次而信之小者矣。故聖人書之於《春秋》，孟子筆之於書。孔、孟稱之，異世同辭。而說者妄訾是盟，豈孔孟之心哉！均之，聖則聖矣，而孟子曰亞聖，是君子蓋許其次也。聖且許其次者，而況於忠乎？具體即具體矣，而顏淵具體而微，是君子蓋許其小也。道且與其小者，而況於信乎？顏子、孟軻是聖道之次而小者也，桓公是忠信之次而小者也。孔子之道不可名，尚許其似伊尹。太保、畢公之事，蓋近乎跡，豈不容君子則而象之哉？則是會也，實為春秋之冠，而王室賴之為多矣。方是時叔帶尚有睥睨之心，雖首止之盟定世子之位而已，世子蓋未立也。今世子立，是為襄王。襄之元年，桓公首為是舉以尊之，則子帶尚何敢窺其鼎之重輕也哉！此葵丘之盟有功於周室，不為不大矣。三傳及諸儒無一言及此。吾竊哂其學《春秋》而曾未考乎事實也。事實不知，何問褒貶？[40]

周襄王雖是周惠王的太子，但惠王晚年偏愛王子帶，所以齊桓公先於僖公五年與諸侯會於首止以確保周襄王的地位。僖公七底年周惠王死後，襄王懼王子帶的勢力，祕不發喪，而求援於齊。僖公八年，齊桓公又率諸侯盟於洮以支持周襄王。僖公九年，齊桓公又舉行葵丘之盟，襄王派宰孔賜齊侯胙，並

---

40 〔宋〕趙鵬飛：《春秋經筌》，卷6，頁32-33。

言：「天子有事于文、武，使孔賜伯舅胙。」[41]著實感謝齊桓公的一路支持。趙鵬飛除了贊揚葵丘之會有大功於周室外，他還提出了「大忠／次忠」、「大信／小信」的區分。趙氏認為伊尹、畢公等人是大忠、大信，而齊桓公則是次忠、小信。齊桓公之行，雖比不上伊尹、畢公，但在春秋禮樂崩壞之際，齊桓公再次復行尊王之禮，則是承續了伊尹、畢公的遺意。若是如此，則不應批評齊桓公，反而應加以贊許才是。趙鵬飛認為若「聖」有至聖、亞聖及具體而微等各種層次區分，若不論是孔子、孟子、顏淵均值得模仿學習，那麼為何不允許「忠」及「信」存在著各種程度上的區別？「次忠」、「小信」確實不及「大忠」、「大信」，但不代表「次忠」、「小信」不可貴，更不代表就要嚴厲批評「次忠」、「小信」。趙鵬飛此說，相較於將「義／利」、「王／霸」絕對二分，堅持非此即彼的嚴正區隔，兩者主張確實有所不同。趙鵬飛認為「義／利」、「王／霸」確有不同，但這個不同並非代表利或霸完全不可取，只能說「利、霸」不及「義、王」，但其仍可以有很高的價值。也因此，趙鵬飛認為「首止之會」即是如此，其言：

> 惟義故能正天下之不正，惟信故能一天下之不一。經解曰：義與信，伯王之器也。首止之會、首止之盟，齊桓實假義與信以定王室，聖人亦以權與之。必將責其信、其義於天下，則非湯武無以當之。而久假不歸者，春秋之世亦桓文而已矣。聖人固知其假而許之者，蓋亦失船得壺也。……尊世子而不與諸侯同會，是桓公之善假其義也。……苟諸侯或從王之邪而附媿之黨，則吾之會有所不固，於是復率諸侯登壇歃血而盟之，以定王世子位焉，……彼不一者，神當殛之。曰「諸侯盟于首止」，諸侯盟而世子臨之，是桓公之能假信也。[42]

趙鵬飛當然肯定「義」與「信」的價值與功用，但他也承認：「必將責其信、其義於天下，則非湯、武無以當之。」歷史的現實是：在湯、武之後再

---

41 楊伯峻：《春秋左傳注》，頁326。

42 （宋）趙鵬飛：《春秋經筌》，卷6，頁20。

無湯、武，所以若僅以湯、武責人，則所有人都在可責之境。趙氏認為觀齊桓公以推尊世子而不使其與會是「善假其義」，而透過盟會、誓諸鬼神以約束諸侯是「能假信」，雖然不是真正的義與信，但因其善假，也才安定了周室。而孔子也因「知其假而許之」，所以並沒有加以批評，反而是在《春秋》中多加贊揚。

趙鵬飛在《春秋經筌》中，多次論及齊桓公「善假」的特質，這個特質就正面來說是慮事周詳、善於應世，但就負面而言，則是孜孜求利、無利不為。趙鵬飛多次言及齊桓公對伐楚一事有十分周詳細密的計畫。如其言：

> 然觀桓公所以伐楚者，蓋亦靖重有謀，優游而不迫者也。自北杏之會合諸侯，於是二十五年其間，兩鄄之會、兩幽之盟，諸侯非不協而謀不及楚。蓋以楚之彊，非一日未易以偏師勝也。故先治內而後及外，雖緩何傷？亦宣王內脩外攘之意乎。及諸侯和輯，中國安靖，然後會于檉以議之，盟江、黃以離其黨，取舒庸以奪其援，及會江、黃而授其犄角之筭，盟公子友以必其伐楚之期。謀既集矣，內外虛實之勢慮之已熟，前後犄角之援籌之已定成筭無餘，可必服楚矣。又謂蔡本中國，屈而從楚，其罪為輕，故侵之而已。楚之罪固重，而王伯之略，貴服不貴勝，次以待之而已。其為謀緩而不急，有王者之舉焉。[43]

依趙氏所言，僖公四年的伐楚之舉，並非臨時起意，而是從齊桓公即位隔年有圖霸之意後的一個長遠計畫，從糾集諸侯會盟開始，進而一再的舉行盟會以結固諸侯之心，再次依瓦解楚人的盟友，阻斷其援國，最後兵不刃血的逼楚國與其和會，達成最終目標。這長達二十五年的計畫，若非有長遠的謀略，又如何能達致此功？

雖然，趙鵬飛也認為在這期間，齊桓公的所做所為，亦並非事事合義，其間對諸侯或脅之以力或誘之以利之處亦時時可見，這確實是齊桓公的缺點。如前文所提及莊公十年「齊滅譚」之事即是如此，但孔子尚以「權」許

---

43 （宋）趙鵬飛：《春秋經筌》，卷6，頁13。

之。此外,趙鵬飛對於僖公元年「齊師、宋師、曹師次于聶北,救邢。夏,
六月,邢遷于陳儀。齊師、宋師、曹師城邢」之事有很特殊的分析,其言:

> 狄入衛,齊不救衛。狄不伐邢,而齊救邢。聖人於是蓋昭見其隱,而
> 知桓公之不足為賢方伯也。……齊庇於衛者二,而衛負于齊者三,此
> 齊所以坐觀狄之滅衛而不救也。然不救衛固也,而邢未被兵乃反救
> 之,何也?衛與邢為鄰,狄不伐衛則伐邢,邢、衛常有狄患。齊惡於
> 衛,故雖滅而弗救;邢無惡於齊,未被兵而先救之。救邢所以激衛
> 也,若曰:順己者,雖患未至而吾救之;違己者,雖已被兵而吾不
> 救。……所貴乎霸主者,以其能急人之災、救人之患,以安靖小國
> 也。而以私憾廢之其志,不廣矣。[44]

又言:

> 邢未有以効於齊也,而齊厚之為己甚。前年狄伐邢,齊即救之不留
> 也。今狄未至邢,桓公率三國之師次于聶北,所以張邢之勢以卻狄
> 兵,且謀遷之,以期於久安。城之以設其重險,夫無事而遷之,無寇
> 而城之,其為役亦勞矣。……其為人也甚周,而於己甚勞。桓公豈徒
> 興此無益之役哉?此蓋所以激衛也。……姑以要城國之名,以示恩于
> 衛。而衛人觀此,得無下齊之心乎?俟其乞憐而後城楚丘以封之,則
> 德齊尤重矣。使齊桓直道而行,狄入衛而救衛,邢無患而勿遷,則無
> 封二國之功,而二國德齊不如是之深且久也。[45]

前一年,閔公二年時「狄入衛」,但齊桓公沒有及時加以救援,直至衛懿公
敗死,衛僅有留有「遺民男女七百三十人」被宋桓公所救。齊桓公則派公子
無虧「帥車三百乘、甲士三千人以戍曹」,去保護衛國遺民。[46]趙鵬飛認為
齊、衛的關係素來密切,相較之下,邢則未曾為齊效力,那麼為何齊緩於救

---

44 〔宋〕趙鵬飛:《春秋經筌》,卷6,頁1-2。
45 〔宋〕趙鵬飛:《春秋經筌》,卷6,頁2-3。
46 楊伯峻:《春秋左傳注》,頁265-268。

衛而速於救邢？齊桓公為何要等到衛國國都被狄所破、懿公戰死後才加以扶
傷救弱？相較之下，在狄尚未侵邢之前即已聯合諸國救邢、將其遷于陳儀並
助其築城。趙鵬飛分析了齊桓公在這其間十分深刻的利益計算：齊、衛互動
雖多，但衛一直在佔齊的便宜，故言：「齊庇於衛者二，而衛負于齊者
三。」所以齊桓公認為救衛並不能帶給齊好處。但若讓衛被狄所破後，此時
只要供以少量的救助，即可博得諸侯的好感，而衛再也無力反抗齊，反而會
對齊感恩戴德。相對的，齊雖與邢素少往來，但透過此次大力援助邢，則可
博取美名，讓諸侯間了解，齊是如何幫助小國以抵禦狄人。趙氏認為「救邢
所以激衛」，透過這樣一推一助，讓諸侯國深刻體會到：若順齊桓公之志，
則「患未至而吾救之」，但若一再違反齊桓公的意志，則「雖已被兵而吾不
救。」這種做法雖然不符合道德原則，但在現實上卻可以讓「二國德齊」既
深且久。趙鵬飛認為齊桓公這種計算利益的特質，正是其行事的重要風格。
又如以前文所提僖公十年「狄滅溫，溫子奔衛」一事，趙氏除了言此可見齊
桓公霸業將衰外，也提出了齊桓公之所以坐視溫被滅的另一層考慮：

> 溫在河陽，河陽晉地。計溫必附于晉，晉辭而不能救，則齊救之可
> 也。視其滅而不救，蓋以其無損于齊也，豈為伯主之公心乎？[47]

認為溫近於晉而遠於齊，應為晉的附庸國。而晉國在齊桓公所提倡的諸多次
會盟中均不參加，可見晉對於齊要稱霸早已有戒心。若是如此，則狄滅溫
時，其宗主國晉都不派兵救援，齊桓公又何必要出兵？而且就算救了溫，齊
又有什麼實質的好處？趙鵬飛雖批評這不是「伯主之公心」，但卻認為齊桓
公就是如此思考，也因此才會說齊桓公「桓公智有餘而量不足」。

總的來說，趙鵬飛在《春秋經筌》中並非一味的批評齊桓公，其在許多
地方都盛讚齊桓公有功於當世，而且認為孔子亦十分推許這種型態的政治人
物。雖說齊桓公並不是儒家最高等級的聖王，但亦不可隨意忽視批評。在政
治類型上，霸主雖不及王者，但霸者在現實上亦具有很高的價值。趙鵬飛在

---

47 〔宋〕趙鵬飛：《春秋經筌》，卷6，頁34。

僖公十七年「冬，十有二月，乙亥，齊侯小白卒。」下完整的說明了其看法：

> 修內者王，修外者霸。何謂內？根諸心之謂內；何謂外？徇於物之謂
> 外。王霸之道，均依仁仗義也、均伐叛討逆也、均安中國、攘夷狄
> 也。而王以王，霸以霸，何哉？內外之異也。王者之治在正心誠意，
> 初以修身，不期於齊家而家正，不期於治國而國定，不期於平天下而
> 天下安。非不期也，修於內而應於外，非有心以期之也。故仁本諸
> 心，不期愛人而人懷其仁；義本諸心，不期服人而人服其義。叛者伐
> 之，逆者討之，非苟利其叛逆而為己功也，心於除患而已。中國未安
> 吾安之，夷狄未攘吾攘之，非取安中國之效而必攘夷狄之名也，心於
> 濟世而已。霸者則不然，有其跡而無其真，豐於外而慊於內，曰：吾
> 不愛人，人且以我為不仁，姑愛之。吾不正己，人且以我為不義，姑
> 正之。叛者固於己無損，而逆者固於己無傷，然置而不問，則吾無伐
> 叛討逆之功。中國未安，必有安之者；夷狄未攘，必有攘之者。然使
> 人安之、使人攘之，則名在人。己安之而己攘之，則利在己，曷攘而
> 安之乎？故凡王者之所修皆在內也，霸者之所修皆在外也。修內者
> 逸，修外者勞。故王者之修無勤怠，而霸者之修有勤怠。修內者本於
> 心，遇機之來則應之，機靜則止，何勤何怠；修外者本諸物，物來無
> 窮而智力有限，運吾智而智日深，養吾力而力日贍，則物至能應之而
> 無虞。吾之智一昏而力一挫，則事至有所不能籌，物至有所不能支。
> 日勤而無怠可也，一日少懈，則智力有窮矣。[48]

趙鵬飛將「王／霸」的區分歸於「內／外」，認為王、霸在行事上都「依仁
仗義」，在政治上都能「安中國尊王室」。但其間的差別在於王者主要著重在
內心的修養，所以其行仁義是自然而然而行。本不期於安天下，但當天下需
要人來安定時，王者自然會順這著個機運而出來安定天下。但霸者則不同，
其智亦能行仁義而安天下，但其所以會如此並非出自於內心的自然要求，而

48　〔宋〕趙鵬飛：《春秋經筌》，卷7，頁2-3。

是因其能察覺外在有此客觀需求。如果他不表現出愛惜他人的樣子，則會被批評為不仁之人，因此他才表現出愛人的仁者之姿。同樣的，在客觀環境中，中國未安、寇亂未平，則大家自然會希望有人能出來安中國、攘寇亂。霸者可以很敏銳的察覺到這個需求，他同時亦能透過本身的智計與思慮，順利完成大眾這樣的期待，因而得到眾人之心。所以就部份的客觀成果來看，王與霸可以沒有分別。但趙鵬飛同時也指出，雖然王、霸均可行仁義、安中國，但因出發點內、外有別，所以在整體成就上，仍有所不同。其間最重要的差別點在於王者由內而發，其所行所為都是自然的應物而起，無須特意提醒自己要動心起念，故而能不勤不怠。但霸者之所為則是以智察覺、掌控外物，所以必須時時刻刻都保持清明的智覺行。此智覺雖會越經磨練而越趨成熟完整，但它也可能會因人的精神日漸衰退而退轉，若是如此，霸者的智覺對於外界的控制力亦會越趨越弱，而這也是為何齊桓公在其晚年霸業日消，而終至有五子爭國的慘事發生的原因。趙鵬飛言：

> 一桓公耳，而前日之桓公，非今日之桓公，何也？勤怠之殊也。勤怠之意何從生？修外而不修內也。[49]

即是透過齊桓公二十餘年稱霸歷程而總結出的觀察心得，亦是給日後讀經者的教誡。

四　結語

趙鵬飛因無師承，又沒有與宋代的大儒、文士相互結交，故其聲名不顯。但其《春秋經筌》著成後卻受到不少學者注意，如黃震的《黃氏日抄》及家鉉翁的《春秋集傳詳說》中，即頻繁引述趙鵬飛之說。本文初步對《春秋經筌》以「書例」解經方式進行觀察，發現其做法是先對《春秋》中的「書例」做出一定的褒貶方向論斷，之後再依此方向去評述《春秋》所記諸

---

49 〔宋〕趙鵬飛：《春秋經筌》，卷7，頁4。

事。若遇到其事與《春秋》中之「大義」方向不同時，趙鵬飛則透過擴大解釋範圍，引進其他標準，用以說明其所認定潛藏在《春秋》中更為幽微的道理。這種做法，與其他宋代《春秋》學家相較而言並不特別，因為這幾乎是不願僅依一家之說的共同趨向，其所產生以己意說經的缺點亦為眾家所共有。

　　較為特別的是趙鵬飛對於齊桓公的評價。趙鵬飛雖沿用「王／霸」、「義／利」的區別來評述齊桓公，但他不認為霸或利在根本上即不可取。趙鵬飛多次提及《論語》中對齊桓公及管仲的讚語，又在其釋《春秋》時將齊桓公與大禹、三王、伊尹等人相提並論，推崇齊桓公在當時歷史中的地位及貢獻。趙鵬飛的這種評論方式，一方面不以絕對道德與否做為歷史評斷的唯一標準，另一方面同時也為智與功保有了一定的存在價值。

從《史記》述《尚書》探討今本《孔傳》的成書問題
—— 以《高宗肜日》為例

宗靜航

香港浸會大學中文系

提要

今傳題為西漢孔安國所作之《尚書孔傳》，歷代學者對其作者及成書時代多有懷疑。太史公司馬遷曾向孔安國問故，《史記》中保存了很多與《尚書》有關之材料，[1]學者指出「《史記》虞夏商三代紀傳，多采《尚書》」，「撰《五帝紀》，主據《尚書・堯典》以下多篇」，可見「史公重視《尚書》」。所以，學者認為《史記》「多存漢初經文原貌」，「為今存最古之《尚書》經說」，故《史記》「在《尚書》學中，自有其獨特之地位。」因此，比較見於《史記》與《孔傳》之相同《尚書》材料，對研究相關問題，應有幫助。《尚書・高宗肜日》經文八十二字，《史記・殷本紀》皆引述之，故本文以《殷本紀》所述《高宗肜日》與《孔傳》作比較，主要探討「格王」、「非天夭民民中絕命」、「其如台」三個問題，希望能為學界提供有用之資料。

關鍵詞：「格王」　「非天夭民民中絕命」　「其如台」　《高宗肜日》
　　　　《尚書孔傳》　《殷本紀》

1　古國順：《史記述尚書研究》，文史哲出版社，1985年，頁1。

　　今本《尚書孔傳》之成書年代，歷代學者多有懷疑。雖然，誠如學者所說，「如果我們把真偽問題置之一旁，把《孔傳》視為是古文《尚書》流傳到西晉傳本，其傳的內容為西晉以來學者注釋的總結，那麼《孔傳》之功不可沒。漢代的今文、古文《尚書》均已失傳，要研究兩漢的《尚書》經文，惟賴《孔傳》；要研究隋唐以前的《尚書》傳注，非賴《孔傳》不可。《孔傳》經文未必全為真，其傳文卻不失為真。」[2]然而，既有所懷疑，即使是西晉以來之總結，如果能以漢人《尚書》經說與之相互比較，對於研究《孔傳》之相關問題，應有裨益。太史公司馬遷曾向孔「安國問故」[3]，《史記》中保存了很多與《尚書》有關之材料，[4]學者指出「《史記》虞夏商三代紀傳，多采《尚書》」，「撰《五帝紀》，主據《尚書‧堯典》以下多篇」，可見「史公重視《尚書》」。[5]所以，學者認為《史記》「多存漢初經文原貌」，「為今存最古之《尚書》經說」，故《史記》「在《尚書》學中，自有其獨特之地位。」[6]因此，比較見於《史記》與《孔傳》之相同《尚書》材料，對研究相關問題，應有幫助。本文以《史記‧殷本紀》所述《尚書‧高宗肜日》之材料，與《孔傳》作一比較，希望能為學界提供有用之資料。為方便論述，先把《高宗肜日》、[7]《殷本紀》、[8]《孔傳》抄錄如下。

《高宗》	高宗祭成湯		有飛雉升鼎耳		而	雊	
《史記》	帝武丁祭成湯明日	有飛雉登鼎耳		而	呴	武丁懼	
《孔傳》				耳不聰之	異雉鳴		

2　周國林、史振卿：《漢唐之際孔氏家學與〈尚書〉流變》，《孔子學刊》，第1輯，2010年，頁222。

3　《漢書》（中華書局，1964年），第11冊，頁3607。

4　古國順：《史記述尚書研究》（臺北市：文史哲出版社，1985年），頁1。

5　程元敏：《尚書學史》（上海市：華東師範大學出版社，2013年），上冊，頁675。

6　古國順：《史記述尚書研究》（臺北市：文史哲出版社，1985年），頁25-26。

7　本文所據之《尚書》經文和《孔傳》為阮元：《尚書注疏》（南昌府學版），台灣藝文印書館，頁142-144。

8　本文所據之《史記》為中華書局1959年，第1冊，頁103。

《高宗》祖己　　訓　　諸王作高宗肜日高宗之訓　高宗肜日
《史記》
《孔傳》賢臣也以訓道諫　王　　　所以訓也亡

《高宗》高宗肜日
《史記》
《孔傳》祭之明日又祭殷曰肜周曰繹

《高宗》　高宗肜日越有雊雉祖己曰　　惟先格　王　　正厥事
《史記》　　　　　　　　　　祖己曰王勿憂　先修　　　　政　事
《孔傳》於　肜日　有雉異　言　　　　　至道之王遭變異正其事而異自消

《高宗》　　　乃　訓　于王曰惟天監下民　典厥義
《史記》祖己　乃　訓　王曰唯天監下　典厥義
《孔傳》祖己既言遂以道訓諫　王言　天視下民以　義為常言天之下年與民

《高宗》　　降年有永　　有不永非天　夭民民　　　　中絕　命
《史記》　　降年有永　　有不永非天　夭民　　　　　中絕其命
《孔傳》有義者　長無義者　不長非天欲夭民民自不修義以致　絕　命

《高宗》民有不若德　　　不聽罪　　天既孚命正厥德
《史記》民有不若德　　　不聽罪　　天既附命正厥德
《孔傳》　不順德言無義不服罪不改修天已信命正其德謂有永有不永祖己恐王

《高宗》　　　乃　曰　其如台嗚呼
《史記》　　　乃　曰　其奈何　　　　　　　嗚呼
《孔傳》未受其言故乃復曰天道其如我所言胤嗣昵近也　歎以感王入其言

《高宗》王　　司　　敬民　　　罔非天　胤典　　祀
《史記》王　　嗣　　敬民　　　罔非天　繼常　　祀
《孔傳》王者主　民當敬民事民事無非天所嗣常也祭祀有常

《高宗》無　　豐于昵
《史記》毋　　禮于弃道　武丁　　　　　修政行德天下咸驩殷道復興
《孔傳》不當特豐於近廟欲王　因異服罪改修之

　　從上引資料可見，《高宗肜日》「經文八十二字，《殷本紀》皆引述之，除以訓詁字改經外，亦頗有增損及改寫者」。[9] 所以，本文選取《高宗肜日》為例，作為比較《史記》與《孔傳》之篇目，主要探討「格王」、「非天夭民民中絕命」、「其如台」三個問題。

一　「格王」

　　關於《高宗肜日》「惟先格王正厥事」句中之「格王」，學者之解釋甚多，主要有：

(1) 西漢今文家以「格王」作「假王」。《史記》譯敘此語作「王勿憂」。孫星衍《注疏》云：「王勿憂者，疑釋『假王』為寬暇王心。《詩·長發》云：『昭假遲遲。』《箋》云：『假，暇。』又以為『寬暇』。王粲《登樓賦》云：『聊暇日以逍憂。』《文選》王元長（融）《曲水詩序》引《孫子兵法》曰：『優游暇譽。』是假與暇通也。」俞樾《群經平議》以為「史公增勿憂一語，乃善於說經者」。又云：「非史公勿憂二字，則篇中之義不顯，故知西漢經師之說為可寶。」

(2) 西漢今文家大夏侯氏學之孔光《日蝕對》云：「上天聰明，苟無其事，變不虛生。《書》曰：『惟先假王正厥事。』言異變之來，起事

9　古國順：《史記述尚書研究》，頁254。

有不正也。臣聞師曰：『天右與王者，故灾異數見，以譴告之，欲其更改。』」此於「假」字似作「譴告」之義。

（3）晉以來古文家說又不同。偽《孔傳》釋「格王」為「至道之王」，釋此語為「至道之王遭變異，正其事而異自消」。當係根據《爾雅·釋詁》「格，至」得出此解釋。《孔疏》補充之為「先世至道之王。」顏師古《漢書·孔光傳》注亦云：「言先代至道之王，必正其事。」[10]

從上引資料可見，漢代所見《高宗肜日》「惟先格王正厥事」句，或作「惟先假王正厥事」。學者認為太史公譯敍此語作「王勿憂」，疑釋「假王」為寬暇王心，是合理的。反觀《孔傳》所釋，其所據經文作「惟先格王正厥事」，釋「格」為「至」，都與《殷本紀》不同。為方便論述，以下把今本《尚書》中「格」、「假」、「暇」三字之資料抄錄如下。

今本《尚書》「格」字共二十七見，[11]

1《堯典》　　　　　　　　　　　允恭克讓　　　光被四表格于上下
《孔傳》允信克能光充格至也。既有四德又信恭能讓故其名聞充溢四外至于天地[12]

2《堯典》　　　　克諧以孝　　　　　烝烝　　乂不格　姦
《孔傳》諧和烝進也。言能以至孝和諧頑嚚昏傲使進進以善自治不至於姦惡[13]

3《舜典》　　　　　　　　　帝　曰格汝舜　詢事　考　言乃言底

---

10 對於「格王」之解釋，顧頡剛：《尚書校釋譯論》共列有五種，惟其餘兩種與本文所討論之《殷本紀》與《孔傳》無關，所以不加引述。參顧頡剛：《尚書校釋譯論》（中華書局，2005年），第二冊，頁1001-1002。

11 劉殿爵教授、陳方正：《尚書逐字索引》（香港：香港商務印書館，1995年），頁110。

12 阮元：《尚書注疏》（南昌府學版）（臺北市：臺灣藝文印書館），頁19。

13 阮元：《尚書注疏》（南昌府學版），頁28。

《孔傳》格來詢謀乃汝底致陟升也。堯呼舜曰來汝　　所謀事我考汝言汝言致

《舜典》可　　績三載　　　　　　汝　陟帝位
《孔傳》可以立功三年矣三載考績故命　　使升帝位將禪之[14]

4《舜典》　　　　　　　歸　格于藝祖　　　　　　　　　　用特
《孔傳》巡守四岳然後歸告至　文祖之廟藝文也言祖則考著　特一牛[15]

5《舜典》月正　　　元日　　　　　　　　　　　　舜　格于文祖
　《孔傳》月正正月元日上日也舜服堯喪三年畢將即政故　復至　文祖廟告[16]

6《大禹謨》帝曰格汝禹朕宅帝位三十有三載
　《孔傳》

《大禹謨》　　　　耄　　　期　　　　　　倦于勤
《孔傳》八十九十曰耄百年曰期頤言已年老厭倦　　萬機

《大禹謨》汝惟不　怠　　　揔朕師
《孔傳》　汝　不懈怠於位稱揔我眾，欲使攝[17]

7《大禹謨》　　七旬有苗格
《孔傳》討而不服不討自來。明御之者必有道三苗之國左洞庭右彭蠡在荒服
之例去京師二千五百里也[18]

8《益稷》　　　　格　　則承之庸之　　　否　　則　　威之
《孔傳》天下人能至于道則承　用之任以官不從教則以刑威之[19]

---

14 阮元：《尚書注疏》（南昌府學版），頁34。
15 阮元：《尚書注疏》（南昌府學版），頁38。
16 阮元：《尚書注疏》（南昌府學版），頁43。
17 阮元：《尚書注疏》（南昌府學版），頁54。
18 阮元：《尚書注疏》（南昌府學版），頁58。
19 阮元：《尚書注疏》（南昌府學版），頁68。

9《益稷》夔曰戞擊　　　　　　鳴球搏拊

　《孔傳》　　戞擊柷敔所以作止樂　搏拊以韋為之實之以糠所以節樂球玉磬

《益稷》琴瑟以詠
《孔傳》　　　此舜廟堂之樂民悅其化神歆其祀禮備樂和

《益稷》　祖考來格
《孔傳》故以祖考來至明之[20]

10《湯誓》　　　　　　　　　　王曰格爾眾庶悉聽朕言
　《孔傳》契始封商湯遂以為天下號湯稱王　　　　　　　則比桀於一夫[21]

11《盤庚上》王若曰格汝眾予告汝　　訓
　《孔傳》　　　　　告汝以法教[22]

12《說命下》　　　佑我烈祖　格于皇天
　《孔傳》言以此道左右　成湯功至　大天無能及者[23]

13《高宗肜日》祖已曰惟先格　王　　正厥事
《孔傳》　　言　至道之王遭變異正其事而異自消[24]

14《西伯戡黎》格人　　元龜　　　罔敢知吉
　《孔傳》　至人以人事觀殷大龜以神靈考之皆無　知吉[25]

---

20 阮元:《尚書注疏》(南昌府學版),頁72。
21 阮元:《尚書注疏》(南昌府學版),頁108。
22 阮元:《尚書注疏》(南昌府學版),頁127-128。
23 阮元:《尚書注疏》(南昌府學版),頁142。
24 阮元:《尚書注疏》(南昌府學版),頁143。
25 阮元:《尚書注疏》(南昌府學版),頁144。

15《旅獒》不　　　寶遠物則遠人格
　　《孔傳》不侵奪其利　　則　　來服矣[26]

16《大誥》　　　　　　矧曰其有能格知天命
　　《孔傳》安人且猶不能況　其有能至知天命者乎[27]

17《召誥》　天迪　格　保　面　稽天　若
　　《孔傳》言天道所以至於保安湯者　　　亦如禹[28]

18《洛誥》王賓　　　殺　禋　　　　咸格　　　　　王入太室祼
　　《孔傳》王賓異周公殺牲精意以享文武皆至其廟親告也

　　《洛誥》王入太室　　　祼
　　《孔傳》　太室清廟祼鬯告神[29]

19《多士》我聞曰上帝　引　　逸　有夏　　　不適逸
《孔傳》　　言　上天欲　民長逸樂有夏桀為政不之逸樂故

《多士》則惟帝降格
《孔傳》　　天下至戒以譴告之[30]

20《君奭》時則有若伊尹　　　　　格于皇天
　　《孔傳》　　　　　　尹摯佐湯功至　大天謂致太平[31]

21《君奭》時則有若伊陟臣扈
　　《孔傳》　　　　　　伊陟臣扈率伊尹之職使其君不隕祖業

26 阮元：《尚書注疏》（南昌府學版），頁184。
27 阮元：《尚書注疏》（南昌府學版），頁190。
28 阮元：《尚書注疏》（南昌府學版），頁221。
29 阮元：《尚書注疏》（南昌府學版），頁231。
30 阮元：《尚書注疏》（南昌府學版），頁237。
31 阮元：《尚書注疏》（南昌府學版），頁245。

《君奭》　格于上帝　　　　巫咸乂王家
《孔傳》故至　　天之功不隕巫咸治王家言不及二臣[32]

22 《君奭》公曰　君奭天壽　平格　　　　保乂有殷有殷嗣天滅威
《孔傳》　　　信　　天壽有平至之君故安治有殷

《君奭》有殷嗣　　　　　天滅　　　威
《孔傳》有殷嗣子紂不能平至天滅亡加之有威[33]

23 《君奭》矧曰其有能格
《孔傳》況曰其有能格于皇天乎[34]

24 《多方》洪惟　　天之命弗永寅念于　祀　　　惟帝降格　于夏
《孔傳》大惟為王謀天之命不長敬念于祭祀謂夏桀惟天下至戒於夏以譴告之謂災異[35]

25 《冏命》　　　　　繩愆糾謬格其非　　心俾克紹先烈
《孔傳》言侍左右之臣彈正過誤檢其非妄之心使能繼先王之功業[36]

26 《呂刑》　　　　　乃命重黎
《孔傳》重即羲黎即和堯命　　羲和世掌天地四時之官使人神不擾

《呂刑》　　　　　絕地天通　　岡有降　　　格
《孔傳》各得其序是謂絕地天通言天神無有降地地祇不至於天明不相干[37]

27 《呂刑》　　　　　　　　伯父伯兄仲叔季弟幼子童孫
《孔傳》皆石同姓有父兄弟子孫列者伯　　　仲叔季順少長也

32 阮元：《尚書注疏》（南昌府學版），頁245。
33 阮元：《尚書注疏》（南昌府學版），頁246。
34 阮元：《尚書注疏》（南昌府學版），頁248。
35 阮元：《尚書注疏》（南昌府學版），頁255。
36 阮元：《尚書注疏》（南昌府學版），頁294。
37 阮元：《尚書注疏》（南昌府學版），頁297。

《呂刑》　　　　　　　　　皆聽　朕言庶　有格命

《孔傳》舉同姓包異姓言不殊也　聽從我言庶幾有至命[38]

今本《尚書》「假」字共兩見，[39]

1《大禹謨》　　　　　　　　　克勤于邦　　　克儉于　家

《孔傳》滿謂盈實假大也。言禹　　　　惡衣薄食　卑　其宮室

《大禹謨》　　　　　　　　不自滿假惟汝賢

《孔傳》　而盡力為民執心謙沖不自盈大[40]

2《伊訓》于其子孫弗率　　　皇天降　災假手于我有命

《孔傳》言　　桀　不循其祖道故　天下禍災借手於我有命商王誅討之[41]

今本《尚書》「暇」字共五見[42]

1《酒誥》惟　御　事厥棐　　　　　　　有恭　　不敢自　暇自逸

《孔傳》　惟殷御治事之臣其輔佐畏相之君有恭敬之德不敢自寬暇自逸豫[43]

2《酒誥》　　　　　罔敢　湎于酒不惟不敢　　　　　　亦不自暇

《孔傳》自外服至里居皆無敢沈湎於酒非徒不敢志在助君敬法亦不　暇飲酒[44]

3《洛誥》　　　　　　　乃惟孺子　頒　朕　不暇

38　阮元：《尚書注疏》（南昌府學版），頁299。

39　《尚書逐字索引》列「假」字共三見，惟一次見於《漢書‧王莽傳》所載《尚書‧嘉禾》佚文，所以本文只算兩次。參劉殿爵教授、陳方正：《尚書逐字索引》（香港：香港商務印書館，1995年），頁130、頁58。

40　阮元：《尚書注疏》（南昌府學版），頁55。

41　阮元：《尚書注疏》（南昌府學版），頁114。

42　參劉殿爵教授、陳方正：《尚書逐字索引》（香港：香港商務印書館，1995年），頁234。

43　阮元：《尚書注疏》（南昌府學版），頁209。

44　阮元：《尚書注疏》（南昌府學版），頁209。

《孔傳》我為政常若不暇汝為小子當分取我之不暇而行之[45]

4《無逸》自朝至于日中昃不遑暇食　　　　用咸和萬民

　《孔傳》　從朝至　日　昃不　暇食思慮政事用皆和萬民[46]

5《多方》天惟　　　五年須暇　之子孫

　《孔傳》天　以湯故五年須暇湯之子孫[47]

從上引資料可見，今本《尚書》所見之「格」字，《孔傳》都差不多據《爾雅》釋作「至」或「來」；[48]而「假」、「暇」二字，雖見於今本《尚書》，但並無作「假王」或「暇王」。

二　「非天夭民民中絶命」

　　今本《高宗肜日》「非天夭民民中絶命」句，《史記》所引並不相同。學者指出「《史記》引作『非天夭民，中絶其命』。皮氏《考證》以為今文本如此。唐寫本 P2516本、P2643本和岩崎本則作『非天夭民，中絶命』。也只有一民字。按《漢石經》殘石《高宗肜日》篇只保存『民中絶命民有不若德不聽罪天既付』十五字，不知『中』前『民』字是否只此一字。既唐寫各本只一民字與《史記》所引合，故應刪去其一。」[49]

　　學者認為應據《史記》與唐寫本刪去第二個民字，惟據筆者所見，今傳各種抄本《高宗肜日》「非天夭民」句「民」字下有重文符號者，有日本《內野本》、[50]日本《上圖本（元亨本）》、[51]日本《足利本》、[52]日本《上圖

---

45 阮元：《尚書注疏》（南昌府學版），頁227。

46 阮元：《尚書注疏》（南昌府學版），頁242。

47 阮元：《尚書注疏》（南昌府學版），頁257。

48 阮元：《爾雅注疏》（南昌府學版），頁7、頁37。

49 顧頡剛：《尚書校釋譯論》，中華書局，年，第二冊，頁1006。

50 顧頡剛、顧廷龍：《尚書文字合編》第2冊（上海市：上海古籍出版社，1996年），頁1191。

本》〔影天正本〕、[53]日本《上圖本（八行本）》，[54]而《唐石經》此句正作「非天夭民民中絕」。[55]從抄寫角度看，偶脫重文符號，也不是不可能的。又據《孔疏》「非是天欲夭民民不自修義使中道絕其性命」，[56]可見孔穎達所見經文或也作兩民字，似不應輕易刪一民字。

三　「其如台」

「其如台」此詞語，學者認為是《尚書》「奇特的用語，共出現四次」，[57]見於《湯誓》、《盤庚》、《高宗肜日》、《西伯戡黎》，除《盤庚》句外，太史公於《殷本紀》均釋為「其奈何」，[58]而《孔傳》所釋全與太史公不同，把「台」字均釋作「我」。其實，《尚書》中「台」字共十二見，[59]《孔傳》都釋作「我」。為方便論述，現把有關資料抄錄如下。

1《禹貢》　　　　　　　　　錫土姓
　《孔傳》台我也天子建德因生以賜　姓謂有德之人生此地以此地名賜之姓

《禹貢》　　　　　　　　祗台德　先　　　不距　朕行
　《孔傳》以顯之王者常自以敬我德為先則天下無距違我行者[60]

---

51 顧頡剛、顧廷龍：《尚書文字合編》第2冊，頁1194。

52 顧頡剛、顧廷龍：《尚書文字合編》第2冊，頁1196。

53 顧頡剛、顧廷龍：《尚書文字合編》第2冊，頁1198。

54 顧頡剛、顧廷龍：《尚書文字合編》第2冊，頁1200。

55 顧頡剛、顧廷龍：《尚書文字合編》第2冊，頁1205。

56 阮元：《尚書注疏》（南昌府學版），頁143。

57 雷晉豪：《〈尚書・商書〉「其如台」新探》，《史原》復刊第二期（總第二十三期），2011年，頁171。

58 分別見於《史記》（中華書局，1959年），第1冊，頁95、頁103、頁107。

59 參劉殿爵教授、陳方正：《尚書逐字索引》（香港：香港商務印書館，1995年），頁205-206。

60 阮元：《尚書注疏》（南昌府學版），頁91。

2《湯誓》　　　　非台小子敢行稱亂

　《孔傳》稱舉也　　　　　　舉亂以諸侯伐天子非我小子敢行此事

　《湯誓》有夏　多罪天命殛之

　《孔傳》　桀有昏德天命誅之今順天[61]

3《湯誓》今汝其　曰夏罪其　如台

　　《孔傳》今汝其復言桀惡其亦如我所聞之言[62]

4《仲虺之誥》曰予恐來世　　以台　　　　　　為口實

　　　《孔傳》　恐來世論道　我放天子常不去　口[63]

5《湯誥》肆台小子將　天命明威　　　不敢赦

　　《孔傳》　　　行天　威謂誅之[64]

6《盤庚上》　　不能胥匡以生　卜稽　　　曰其如台

　　《孔傳》言民不能相匡以生則當卜稽於龜以從曰其如我所行[65]

7《說命上》王庸　　　　　作書以誥曰　　　以台正于四方

　　《孔傳》　用臣下怪之故作　誥　類善也　我正　四方

　《說命上》惟恐德弗類茲故弗言

　《孔傳》　　恐德不善此故不言[66]

9《說命上》命之曰　朝夕納　誨　　以輔台德

　　《孔傳》　　言常　納諫誨直辭以輔我德[67]

---

61 阮元：《尚書注疏》（南昌府學版），頁108。

62 阮元：《尚書注疏》（南昌府學版），頁108。

63 阮元：《尚書注疏》（南昌府學版），頁110。

64 阮元：《尚書注疏》（南昌府學版），頁112。

65 阮元：《尚書注疏》（南昌府學版），頁126。

66 阮元：《尚書注疏》（南昌府學版），頁139。

10《說命下》王曰來汝說台小子舊學于　　　　甘盤

　　《孔傳》　　　　　　　　學　先王之道甘盤殷賢臣有道德者[68]

11《高宗肜日》　　　　　　　乃　曰　　其如台

　　《孔傳》祖已恐王未受其言故乃復曰天道其如我所言[69]

12《西伯戡黎》　　　今我民罔弗欲　　喪曰天曷不降　威

　　《孔傳》摯至也　　民無不欲王之亡言天何不下罪誅之

《西伯戡黎》　大命　　　　　不摯今王　　　其如台

　　《孔傳》有大命宜王者何以不至　王之凶害其如我所言[70]

從上引資料可見，就如「格」字，《孔傳》也是據《爾雅》把「台」字釋作「我」。[71]

　　對於《尚書》「其如台」一語，學者有專文研究，並以王引之遍舉《法言・問道》、《漢書・序傳》與《文選・典引》中的「如台」，均訓為「奈何」之意，認為「蓋漢時說《尚書》者，皆以如台為奈何，故馬、班、子雲並師其訓。」「司馬遷之學承孔安國，班固學承劉歆，而揚雄與劉歆也有密切關係，大抵將『如台』讀為『奈何』，是漢代古文家的說法。」[72]今本《孔傳》對「其如台」之解說與漢儒說不同，其成書年代為學者所疑，是有道理的。

　　對於上述「格王」等三個問題，可有以下簡單之小結：

一、誠如學者所言，《史記》保存了較早的《尚書》材料，在研究上有其重要之地位。

---

67 阮元：《尚書注疏》（南昌府學版），頁139。

68 阮元：《尚書注疏》（南昌府學版），頁141。

69 阮元：《尚書注疏》（南昌府學版），頁143。

70 阮元：《尚書注疏》（南昌府學版），頁145。

71 阮元：《爾雅注疏》（南昌府學版），頁20。

72 雷晉豪：《〈尚書・商書〉「其如台」新探》，《史原》復刊第二期（總第二十三期），2011年，頁172。

二、《史記》雖然保存了比較早之材料，但如果沒有確實無誤之證據支
　　持，不應輕易刪改傳世之文獻。

三、從上引資料可見，《孔傳》常據《爾雅》解釋《尚書》字詞，段玉裁
　　對此曾有論述。段氏指出「漢唐諸儒，凡於字義，出《爾雅》者則信
　　守之篤，雖《孔傳》出魏晉人手」，如「據依《爾雅》，又密合古人屬
　　辭之法，非魏晉間人所能，必襲取師師相傳舊解，見其奇古有據，遂
　　不敢易爾。」[73]

四、從上引《孔傳》與《尚書》之對抄，可見《孔傳》對《尚書》經文之
　　訓釋，差不多是無字不釋，與現代之白話翻譯無異。這種「盡釋經
　　文」做法，引起學者之懷疑。皮錫瑞引《朱子語錄》云：「某嘗疑孔
　　安國書是假書，比毛公《詩》如此高簡，大段省事。漢儒訓釋文字多
　　是如此，有疑則闕。今此卻盡釋之，豈有千百年前人說底話，收拾于
　　灰燼屋壁中與口傳之餘，更無一字訛舛？理會不得如此，可疑也。」
　　皮氏說：「朱子之說，具有特見。漢初說《易》者舉大誼，如丁將軍
　　者是；說《詩》者無傳疑，如魯申公者是。毛公之《傳》，未知真出
　　漢初如否，而其文亦簡略，未嘗字字解經。惟偽孔于經盡釋之，此偽
　　孔《傳》所以可疑。」[74]

五、據古籍所記，太史公曾向孔安國問故，惟今本《孔傳》對《尚書》之
　　訓釋，有與《史記》絕異之處，例如上引之「其如台」。如以今本
　　《孔傳》實出西漢孔安國之手，並保存其原貌，這種說法是難以使人
　　信服的。

六、如果只以上文討論之問題為依據，對判斷今本《孔傳》之成書年代，
　　當然幫助不大。惟如結合學者之研究，[75]則對探討今本《孔傳》非西
　　漢孔安國所作，或可作為輔證。

---

73 段玉裁：《古文尚書撰異》，《續修四庫全書·經部·書類·堯典》，頁6。

74 皮錫瑞著，吳仰湘點校：《經學通論》（中華書局，2017年），頁129。

75 錢宗武教授曾以《孔傳》對《尚書》所用副詞「咸」均釋為「皆」，指出《孔傳》之訓
　　釋接近《鄭箋》而與《毛傳》相似度小，認為《孔傳》或成書於漢末晉初。參錢宗
　　武：《孔傳或成於漢末晉初》，《南京師範大學文學院學報》，2011年，第1期，頁37。

從漢代經學講論覆覈《白虎通義》書名與表現形式[1]

鄭雯馨

政治大學中文系

提要

　　東漢章帝建初四年（西元79），仿漢宣帝石渠閣議，集合群臣召開白虎觀會議共正經義。會後，由班固匯整編寫君臣討論內容，今傳世者為《白虎通義》。由於《後漢書》記載白虎觀會議「如孝宣甘露石渠故事」，而傳世的《白虎通義》寫作模式與石渠閣議紀錄或有異同，加之以會後集結的書名紛歧，自清末以來頗受爭議。漢代講論經學風氣盛行，官方、民間皆有之，白虎觀會議為講論《五經》異同而召開，因而本文擬從漢代講論經學的背景，探討《白虎通義》的書名與表現形式。首先，白虎觀會議屬於東漢官方講論經學，採取群臣議奏而天子裁決的集議模式。是以本文根據《後漢書》的史料，從官方集議的角度討論與白虎觀會議有關的著作名稱義涵，檢覈清儒之說。接著，東漢學者個人講論經義之說著於竹帛，部分著作流傳至今，可與官方的《白虎通義》相參，以彰後者的表現形式。這部分別為二層剖析：其一，比對同時代且辨別經義的《五經異義》，探討《白虎通義》的論述形

---

[1] 本文為科技部專題研究計畫 MOST 105-2410-H-004-185之部分成果，曾宣讀於中國經學研究會、東吳大學、香港浸會大學共同主辦第十屆「中國經學國際學術研討會」（106.10.20-21），會中承許朝陽教授悉心講評，投稿本刊，其後，刊登於《臺大中文學報》第62期，蒙諸位匿名審查者提供許多寶貴建議，謹此一併致謝。

式。其二，對照同名為「通義」的《風俗通義》，觀察二者的共同表現，及官方、個人著作可能存在的差異。本文的討論或可為東漢經學發展、經學詮釋的體式演變提供參考。

關鍵詞：講論　白虎通義　五經異義　風俗通義　通義

一 前言

　　東漢章帝時，楊終上奏說：「宣帝博徵群儒，論定《五經》於石渠閣。方今天下少事，學者得成其業，而章句之徒，破壞大體，宜如石渠故事，永為後世則。」[2]章帝遂於建初四年（西元79）冬十一月，於白虎觀召開會議「使諸儒共正經義」，《後漢書・章帝紀》載：

> 於是下太常，將、大夫、博士、議郎、郎官及諸生、諸儒會白虎觀，講議《五經》同異，使五官中郎將魏應承制問，侍中淳于恭奏，帝親稱制臨決，如孝宣甘露石渠故事，作《白虎議奏》。（《後漢書》，卷3，頁138）

會中「講議五經同異」的論述集結為《白虎議奏》，唐李賢等注：「今《白虎通》」似以二者為同。然與白虎觀會議有關的著作還有下列數種：

> 天子會諸儒講論《五經》，作《白虎通德論》，令固撰集其事。
> 李賢等注：「章帝建初四年，詔諸王、諸儒會白虎觀講議《五經》同異。」（《後漢書》，卷40下，頁1373-1374）

> 建初中，大會諸儒於白虎觀，考詳同異，連月乃罷。肅宗親臨稱制，如石渠故事，顧命史臣，著為《通義》。
> 李賢等注：「即《白虎通〔義〕》是。」（《後漢書》，卷79上，頁2546）

《後漢書》所記載的《白虎議奏》、《通義》、《白虎通德論》，加上唐代章懷太子李賢等人注解的「《白虎通〔義〕》」，共有四種名稱。這些異名也反映在歷代諸史藝文志、諸家藏書目錄及坊間刊本上。[3]參酌李賢等人的注解，似

2　〔劉宋〕范曄：《後漢書・楊終列傳》（北京市：中華書局，2001年），卷48，頁1599。
　　按：下文引《後漢書》皆據此本，在獨立引文結束後，標明卷頁，不另出注。
3　林麗雪：〈有關白虎通的著錄及校勘諸問題〉，《孔孟月刊》25卷4期總號292（1986年12月），頁33-35。

以為《白虎通》與《白虎議奏》、《通義》、《白虎通德論》無別，清朝學者卻
多方探究題名及其義涵。

清乾隆年間的四庫館臣認為：

> 蓋諸儒可考者有十餘人，其議奏統名《白虎通德論》，猶不名《通
> 義》。《後漢書·儒林傳》序言……是足證固撰集後，乃名其書曰《通
> 義》。……《隋志》刪去「義」字，蓋流俗省略，有此一名。故唐劉
> 知幾《史通》序引《白虎通》、《風俗通》為說，實則遞相祖襲，忘其
> 本始者也。[4]

《白虎通德論》為與會諸儒議奏的統稱，迨班固編撰後，方名為《白虎通
義》，省稱為《白虎通》。

根據蔡邕〈巴郡太守謝表〉「詔書前後賜石鏡匲、《禮經》素字、《尚
書》章句、《白虎議奏》，合成二百一十卷」，清人莊述祖說：

> 案《禮》古《經》五十六卷，今《禮》十七卷，《尚書章句》歐陽、
> 大、小夏侯三家，多者不過三十一卷，二書卷不盈百，則奏議無慮百
> 餘篇，非今之《通義》明矣。[5]

莊氏認為《儀禮》古經、《儀禮》傳世十七篇、《尚書》三家章句，合計「卷
不盈百」，而與《白虎議奏》共為二百一十卷，故蔡邕所受之《白虎議奏》
當有百餘篇，與今本四十餘篇的《白虎通義》非同一書。

清人周廣業（1730-1798）說：

> 竊疑通德二字本不連讀，乃是《白虎通》之外別有《德論》，非一書
> 也。李善《文選注》引班固〈功德論〉曰：「朱軒之使，鳳舉於龍堆

4　〔清〕紀昀等：〈白虎通義提要〉，《景印文淵閣四庫全書》（臺北市：臺灣商務印書
　　館，1983年），第850冊，頁2。
5　〔清〕莊述祖：〈白虎通義攷〉，收入〔清〕陳立：《白虎通義疏證》（北京市：中華書
　　局，1997年），下冊，附錄二，頁605。

之表。」是論不見全文，豈范氏所指即此，而脫「功」字歟？其言不
類說經，或亦四子講德之流，而史誤為連及歟？且古人講解經義，並
謂之通，是書列之《隋·經籍志》，亦曰《白虎通》。[6]

據李善《文選注》，周氏以為「通德」二字不連讀，「白虎通德論」當為《白
虎通》、〈功德論〉二種作品，因史書脫「功」字誤為連及成一書。

　　針對周廣業之說，孫詒讓（1848-1908）認為〈功德論〉與白虎觀會議
無關，《後漢書》「雖有疏舛，必不至牽合如是」，從而指出「通德論」之名
為後人所增改，係依《石渠禮議》改為《石渠禮論》之法，先改「通義」為
「通論」，然後復增一「德」字，范曄所見已如此，故寫入〈班固傳〉中。[7]
孫氏說：

> 白虎講論既依石渠故事，則其議奏必亦有專論與雜論《五經》之別。
> 今所傳《通議》，蓋《白虎議奏》內之《五經雜議》也。[8]

依石渠故事，孫氏以為白虎議奏當別為專論、雜論五經二類，傳世本的《白
虎通義》為雜論《五經》之屬。

　　相較之下，劉師培（1884-1919）則承周廣業說，以為「建初講義，漢
為殊典，既備稱制臨決之盛，宜有令德記功之書，故《通義》著其說，〈功
德論〉誌其事」[9]，明確區分二者性質。另一方面，劉師培也根據石渠禮論
的體制，以為「議奏」是淳于恭上奏、章帝決斷之詞，必條列眾說，兼及辨
詞，「通義」則就帝制所釐之說而纂為一編，故「通義」所有之文，均「議
奏」所已著錄。[10]

6　周廣業之言，見錄於〔清〕盧文弨：《白虎通·白虎通序》，收入氏著：《抱經堂叢書》
　　（臺北市：藝文印書館，1968年），頁2-3。

7　〔清〕孫詒讓：〈白虎通義考下〉，《國粹學報》第55期（臺北市：臺灣商務印書館，
　　1974年），頁7392-7393。按：本文原刊於宣統元年（1909）5月。

8　〔清〕孫詒讓：〈白虎通義考上〉，《國粹學報》第55期，頁7389-7390。

9　劉師培：〈白虎通義源流考〉，收入〔清〕陳立：《白虎通疏證》，下冊，附錄七，頁785。

10　劉師培：〈白虎通義源流考〉，頁783-784。

　　綜上所述，關於《白虎通義》的外部問題為：以白虎觀會議「如孝宣甘露石渠故事」為前提，衡量白虎觀會議與石渠閣議的關係，進而剖析白虎議奏、《白虎通德論》與《白虎通義》諸名稱的關係。近代學者因其研究關懷不同，或取捨於清人諸說而較少具體論證；[11]或據行文方式、未標發言者姓名等標準，而另出新說以《白虎通義》為漢末三國的作品[12]。

　　惟最根本的關鍵在於「如孝宣甘露石渠故事」一語，當如何解讀？「如」字，有完全等同、部分類似等意思。[13]以前者而言，則白虎觀會議完全倣照石渠故事；以後者而言，則具有部分調整空間。事實上，章帝令班固撰集其事、「顧命史臣，著為《通義》」[14]的作法，已為石渠故事所無。邢義田考察漢代行政中的「如故事」具有實質遵守、形式套語兩種情形，此乃基於習慣性的尊重，違背不必然受罰，且「因循故事，並不是依樣畫胡蘆。」[15]因而將「西漢」石渠閣議作為評量的唯一基準，不盡然能呈現「東漢」白虎觀會議所具有的意義。

　　日人井之口哲也認為單純地將特定的大規模的會議聯繫起來描述思想史

---

11 鍾肇鵬：〈白虎通義的哲學和神學思想〉，《中國史研究》1990年第4期。章權才：《兩漢經學史》（臺北市：萬卷樓圖書有限公司，1995年），頁245-246。向晉衛：《《白虎通義》思想的歷史研究》（北京市：人民出版社，2007年），頁47。郜積意：〈宣、章二帝與兩漢章句學的興衰〉，《漢學研究》第25卷第1期（2007年6月），頁66-67。肖航：《王道之綱紀——《白虎通義》政治思想研究》（北京市：商務印書館，2017年），頁69。

12 洪業：〈《白虎通》引得序〉，《洪業論學集》（北京市：中華書局，2005年），頁31。按：據文末云：「民國二十年五月八日洪業序於燕南園」，該文最晚作於1931年。雷戈：〈今本《白虎通義》真偽考〉，《古籍整理研究學刊》1996年第2期，頁41。雷戈：〈白虎觀會議和《白虎議奏》、《白虎通義》之關係考〉，《通化師院學報（社會科學）》1997年第3期（社科總第34期），頁34-39。周德良：《白虎通暨漢禮研究》（臺北市：臺灣學生書局，2007年），頁414。按：于首奎：〈《白虎通》評述〉，《兩漢哲學新探》（成都市：四川人民出版社，1988年），頁227；林麗雪：〈有關白虎通的著錄及校勘諸問題〉，頁35，注18，二氏針對洪業之說，提出部分反駁。

13 陸宗達、王寧：《訓詁與訓詁學》（太原市：山西教育出版社，2005年二版），頁211。

14 〔劉宋〕范曄：《後漢書》，卷79上，頁2546。

15 邢義田：〈從「如故事」和「便宜從事」看漢代行政中的經常與權變〉，《秦漢史論稿》（臺北市：東大圖書公司，1987年），頁333-409。

的方法，必需慎重考慮，於是考察《後漢書》〈章帝紀〉、〈陳元傳〉、〈翟酺傳〉、〈蔡邕傳〉對於漢代石渠閣、白虎觀等學術會議的看法，進而說「『從石渠閣會議到白虎觀會議』這種將類似的會議按照時間順序進行排列，試圖對白虎觀會議進行動態定位的觀點，似乎在追溯類似會議的開展時很有意義，實際上只不過利用了論述白虎觀會議時所用的『如石渠故事』這句話。楊終的『如石渠故事』，不過是提出舉行與石渠閣會議類似的會議，而白虎觀會議也的確如其所言『如石渠故事』，因此所謂的『如石渠故事』只要按照字面意思來理解就可以了，不應該再試圖從中挖掘更深刻的含意。」[16]井之口氏質疑「石渠閣會議→白虎觀會議‧《白虎通義》→熹平石經」的解釋框架，對漢人而言是否具有意義？抑或是被後人刻意突顯、營造的關鍵定點？並說：

> 但是對於原始資料在思想史上的定位，筆者認為不應該將還原到以其
> 為指標描繪出來的思想史中加以定位，只有將其還原到當時的時代背
> 景中加以定位才能得出正確的結論。對於把流傳到後世的原始資料作
> 為標識，單純地將它們聯繫起來描述思想史的方法，筆者認為應該持
> 一定的保留態度。[17]

於是根據史料，井之口氏爬梳東漢各類學術會議，呈現當時講論經學的豐富度。無獨有偶地，徐興無也在「石渠閣會議→白虎觀會議‧《白虎通義》」的脈絡中，增添東漢經學辯難的社會背景，使白虎觀會議更富有時代性。[18]當視角從「石渠閣會議→白虎觀會議」轉換至東漢本身時，白虎觀會議可以具有不同的切入點。

---

16 〔日〕井之口哲也：〈試論白虎觀會議的意義〉，收於蔡方鹿主編：《經學與中國哲學》（上海市：華東師範大學出版社，2009年），頁213。按：該文日文名為〈經義‧經文の正定〉，《後漢經學研究序說》（東京：勉誠出版株氏會社，2015年）。

17 〔日〕井之口哲也：〈試論白虎觀會議的意義〉，頁220。

18 詳見徐興無：〈東漢古學與許慎《五經異義》〉，《經緯成文：漢代經學的思想與制度》（南京市：鳳凰出版社，2015年），頁336-338。

　　東漢時期講論經學的風氣相當盛行，甚至雙方意見不同而彼此論難，官方、學者個人皆有之。[19]就官方而言，如光武帝召戴憑上殿，「令與諸儒難說，憑多所解釋。帝善之，拜為侍中，數進見問得失。」「正旦朝賀，百僚畢會，帝令群臣能說經者更相難詰，義有不通，輒奪其席以益通者，憑遂重坐五十餘席。故京師為之語曰：『解經不窮戴侍中。』」[20]明帝時，「饗射禮畢，帝正坐自講，諸儒執經問難於前，冠帶縉紳之人，圜橋門而觀聽者蓋億萬計。」張酺「以論難當意，除為郎」。[21]章帝元和二年（西元85）春，東巡狩過魯，「大會孔氏男子二十以上者六十三人，命儒者講論」，魏應經明行修，為章帝所重，「數進見，論難於前，特受賞賜。」[22]另一方面，學者個人亦常講論經學，如王莽敗，天下大亂，桓榮與弟子逃匿山谷「雖常飢困而講論不輟」。東漢安帝時，周磐不應辟，「建光元年，年七十三，歲朝會集諸生，講論終日」。庾乘「能講論」，後徵辟並不起，號曰「徵君」。[23]

　　由此觀之，白虎觀會議是東漢官方較為隆重地討論經義，參與者眾、議題豐富。魏應「專掌難問，侍中淳于恭奏之，帝親臨稱制」，屬於朝堂集議的模式（詳下文）。就材料而言，學者或據東漢講論之風闡述白虎觀會議，然因關懷不同，罕從《後漢書》所載官方集議過程具體討論諸異名之義，仍有值得深入之處。因而下文擬就目前漢代集議的研究成果與《後漢書》等材料，論述與白虎觀會議有關的著作義涵。另一方面，東漢學者講論內容常著之於竹帛，比對相關著作，當有助於突顯《白虎通義》的表現形式。漢章帝時人許慎亦因「《五經》傳說臧否不同」[24]，撰寫《五經異義》，探究經義，

19　劉季高：〈東漢三國時期的談論〉，《劉季高文存》（上海市：上海古籍出版社，2009年），頁7。李春青：〈漢代「論」體的演變及其文化意味〉，《清華大學學報（哲學社會科學版）》2014年第2期（第29卷），頁42。

20　〔劉宋〕范曄：《後漢書・儒林傳上》，卷79上，頁2553、2554。

21　〔劉宋〕范曄：《後漢書・儒林傳上》，卷79上，頁2545。

22　〔劉宋〕范曄：《後漢書・儒林傳下》，卷79下，頁2571。

23　上述詳參〔劉宋〕范曄：《後漢書》〈桓榮列傳〉，卷37，頁1249；〈周磐列傳〉，卷39，頁1311；〈郭符許列傳〉，卷68，頁2229。

24　〔劉宋〕范曄：《後漢書・儒林傳下》，卷79下，頁2588。

屬於《五經》總義類著作[25]。又如同名為「通義」的《風俗通義》，作者應劭說：

> 漢興，儒者競復比誼會意，為之章句，家有五六，皆析文便辭，彌以馳遠，綴文之士，雜襲龍麟，訓註說難，轉相陵高，積如丘山，可謂繁富者矣。……私懼後進，益以迷昧，聊以不才，舉爾所知，方以類聚，凡一十卷，謂之《風俗通義》。[26]

同樣針對章句之弊，分門別類論述人事，撰寫通義之作，指引後學，乃云「為政之要，辯風正俗，最其上也」[27]，以為施政參考。

職是在東漢社會講論風氣的背景下，本文擬先從官方集議的角度，論述白虎議奏、《白虎通德論》、《白虎通義》及《白虎通》之名的義涵。其次，比對官方的《白虎通義》與個人的《五經異義》、《風俗通義》之作，揭示《白虎通義》的表現形式，並觀察官私著作可能具有的異同。漢章帝召開白虎觀會議，君臣「講議《五經》同異」，誠為探討東漢官方經說的寶貴資料，釐清該書的定位與表現形式，將有助於進一步研討東漢經學。

二 《白虎通義》相關題名辨覈

集議本為古制，藉由眾臣的討論，以借重經驗、集思廣益。集議可細分為天子例不出席而由臣子主持並上奏結論的廷議、天子臨朝舉行的朝議、由天子近臣的中朝官在省中諸殿舉行的中朝議、由特定或少數人員議論專門問題的專門性會議。[28]那麼就內容而言，白虎觀會議討論經說，屬於專門性會

---

25 《隋書‧經籍志》將《白虎通義》、《五經異義》列於經部《爾雅》之後，並說：「《爾雅》諸書，解古今之意，并五經總義，附於此篇。」〔唐〕魏徵：《隋書》（臺北市：鼎文書局，1980年），卷32，頁939。

26 〔漢〕應劭著，王利器校注：《風俗通義校注‧序》（北京市：中華書局，2010年），頁4。

27 〔漢〕應劭：《風俗通義‧序》，頁8。

28 陳文豪：《漢代九卿研究》（臺北市：中國文化大學博士論文，1993年），頁452-461。

議;就形式而言,章帝「親稱制臨決」較似朝議。因此宋人徐天麟《西漢會要》從集議的形式,將石渠論五經同異,歸入「集議」之項下的「議典禮」之目;並將討論的議奏分置於「學校」下的「講論經義」。[29]而《東漢會要》則從內容的角度,將白虎觀會議於「文學」下列入「講論經義」之目。[30]由於天子可因事詔公卿廷議,[31]朝議與專門性會議不易得到明確劃分,[32]故本文從較為寬泛的官方「集議」過程,依序討論與白虎觀會議有關的著作名稱,包含白虎議奏、《白虎通德論》、《白虎通義》及《白虎通》。

(一)白虎議奏

「議」為群臣之間針對特定事件,提出不同看法供天子參酌裁量,既是口頭論述,也是漢代官方文書的一種。[33]集議時,天子有所疑而令臣子議,群臣「議」有所得乃上「奏」天子,請求裁量,「議奏」為一事的不同階段,後世於是融合議、奏二者[34]。

---

29 〔宋〕徐天麟:《西漢會要》(北京市:中華書局,1998年),卷40,頁413-414、231-233。

30 〔宋〕徐天麟:《東漢會要》(上海市:上海古籍出版社,1978年),卷13,頁187-188。

31 如〔劉宋〕范曄《後漢書·南匈奴列傳》:「二十七年,北單于遂遣使詣武威求和親,天子召公卿廷議,不決。」卷89,頁2945。

32 日本渡邊信一郎按照官府階層與人數分為大議、公卿議、有司議、三府議等四種。惟以人數區分,漢平帝論王莽九錫時,群臣九百二人的上書(文書連署)與會議舉行(親自出席會議),不同性質易合併為一。且有司議為事件直接相關的官僚會議,若公卿為實際負責者,則有司議、公卿議將形成重複。見氏著:《天空の玉座——中国古代帝国の朝政と儀礼》(東京:柏書房株式會社,1996年),頁30-34。廖伯源同樣指出秦漢官方論議分類上的困難,遂摒棄類型名稱而轉用文字描述各種論議,以皇帝親臨與否為標準。見氏著:〈秦漢朝廷之論議制度〉,《秦漢史論叢》(臺北市:五南圖書出版公司,2003年),頁157-200。

33 汪桂海:《漢代官文書制度》(南寧市:廣西教育出版社,1999年),頁43-44。

34 〔南朝梁〕劉勰《文心雕龍·奏啟》說:「秦漢之輔,上書稱奏,陳政事,獻典儀,上急變,劾愆謬,總謂之奏。」奏為臣子上書天子的公文之一,漢以後,「奏事或稱上疏」。見氏著,詹鍈義證:《文心雕龍義證》(上海市:上海古籍出版社,1999年),中

　　就議奏程序而言，臣子「議」而上「奏」，由天子裁量最終的結果。東漢明帝永平年間，竇固出擊匈奴，秦彭為副，在別屯以法斬人。竇固奏秦彭專擅，請誅之。《後漢書》說：

> 顯宗乃引公卿朝臣平其罪科。躬以明法律，召入議。議者皆然固奏，躬獨曰：「於法，彭得斬之。」帝曰：「軍征，校尉一統於督。彭既無斧鉞，可得專殺人乎？」躬對曰：「一統於督者，謂在部曲也。今彭專軍別將，有異於此。兵事呼吸，不容先關督帥。且漢制棨戟即為斧鉞，於法不合罪。」帝從躬議。（《後漢書‧郭躬傳》，卷46，頁1543-1544）

明帝令朝臣商議其事，皆以竇固之奏為是。郭躬卻力排眾議，認為秦彭當時是「專軍別將」，得不稟奏主將而行事。明帝復問「秦彭當聽從都督竇固之令，且又無斧鉞，可專權殺人嗎？」郭躬遂分析情勢指出當時秦彭專軍在別屯，不與竇固同在部曲，且秦彭持有棨戟，權力與斧鉞相同，得專令行事，依法不得入罪。明帝遂從郭躬之議。除了議奏往返外，有二點特別值得留意：

　　其一，議奏記載發言者姓名與發言內容。針對秦彭一事，明帝根據實際需求「選擇」大臣入議，臣子討論後歸結共識而以竇固之奏為是，「躬獨曰」以為不當斬，明帝疑而問的「帝曰」，郭躬答覆明帝的「躬對曰」，最後「帝從躬議」。議奏過程中，明確地記載發言者、發言內容。

　　其二，臣子議奏、天子裁決須有理據。當時的主流意見認為秦彭當誅，郭躬根據實際情形與漢制而獨持異議，明帝遂因郭說判定秦彭不合入罪。可知臣子的議奏內容宜信而有徵、論點明晰，天子的判決也須有理據，不得任意斷言。《文心雕龍》說：

冊，頁851-854。後代融合二者，如《古文辭類纂‧序》：「漢以來有表、奏、疏、議、上書、封事之異名，其實一類。」見清‧姚鼐輯，王文濡校註：《評註古文辭類纂》（臺北市：華正書局，1984年），上冊，頁7。該書不別奏、議二類，近人因之，如周振甫：《文心雕龍注釋‧奏啟》（臺北市：里仁書局，1984年），頁451-452。

> 夫動先擬議，明用稽疑，所以敬慎群務，弛張治術。故其大體所資，
> 必樞紐經典，採故實於前代，觀通變於當今。[35]

議論是為了考察疑難，表示敬慎於社會事務、調整治術寬嚴，因而借鑑經典、古事，觀察當下情勢，使時事的判斷更為周密。所議有據，方能說服人心、切合實用。

以上述東漢議奏過程為基礎，進而對照石渠議奏，[36]如：

> 宣帝甘露三年三月，黃門侍郎臨奏：「《經》曰鄉射合樂，大射不，何
> 也？」戴聖曰：「鄉射至而合樂者，質也。大射，人君之禮，儀多，
> 故不合樂也。」聞人通漢曰：「鄉射合樂者，人禮也，所以合和百姓
> 也。大射不合樂者，諸侯之禮也」。韋玄成曰：「鄉射禮所以合樂者，
> 鄉人本無樂，故合樂歲時，所以合和百姓以同其意也。至諸侯，當有
> 樂，《傳》曰『諸侯不釋懸』，明用無時也。君臣朝廷固當有之矣，必
> 須合樂而後合，故不云合樂也。」時公卿以玄成議是。[37]

以先後順序而言，黃門侍郎首先代君王向群臣提出問題，令其討論，猶如〈郭躬傳〉的明帝「乃引公卿朝臣平其罪科」。其次，針對天子之問，大臣得各申己見。石渠閣議中，戴聖、聞人通漢、韋玄成等大臣各自提出對鄉射合樂的看法，猶如〈郭躬傳〉「議者皆然固奏，躬獨曰⋯」。其三，判決結果或從天子，或從臣子之言。石渠閣議中，群臣共同認可韋玄成之說，〈郭躬傳〉則載明帝從郭氏議而判秦彭無罪。值得留意的是，天子固當按照理裁量，但群臣意見亦不容小覷，《後漢書・祭祀志上》記載臣子委婉駁回光武

---

35 〔南朝梁〕劉勰著：《文心雕龍・議對》，中冊，頁898。

36 關於石渠議奏的形式分梳，詳參夏長樸師：〈論漢代學術會議與漢代學術發展的關係〉，《第三屆漢代文學與思想學術研討會論文集》（臺北市：政治大學中文學系，2000年），頁99。周德良：《白虎通暨漢禮研究》，頁347-348。

37 〔唐〕杜佑撰，王文錦等點校：《通典》（北京市：中華書局，1998年），卷77，禮三十三，〈天子諸侯大射鄉射〉，頁2015。

帝「郊堯」之說[38]。

　　據上述,《白虎議奏》一名反映東漢章帝君臣在白虎觀會議事的「過程」與「內容」。以過程來說,針對天子的提問,臣子得依古訓或經義各持己見、多方「議」論,歸結出幾種看法之後上「奏」,由天子裁決,並加以記載。就內容而言,以經書義理與漢代學說為主,其中包含發言臣子的姓名、各種觀點,及反覆討論的情形。因而前後《漢書》中,議奏是君臣之間討論政事的方式,也可因其內容而為解釋經義的文獻之名。[39]目前《白虎通義》保留二條「問曰」,顯示集議的問答情形:

> 問曰:「異說並行,則弟子疑焉。」孔子有言:「吾聞擇其善者而從之,多見而志之,知之次也。」……聖人之道,猶有文質,所以擬其說,述所聞者,亦各傳其所受而已。(《白虎通義・禮樂》,卷3,頁128)

> 夫妻相為隱乎?《傳》曰:「曾子去妻,黎蒸不熟。」問曰:婦有七出,不蒸亦預乎?曰:吾聞之也,絕交令可友,棄妻令可嫁也。黎蒸不熟而已。何問其故?此為隱之也。(《白虎通義・諫諍》,卷5,頁242)

此或為《白虎議奏》之殘留,亦即《白虎通義》未成書之前身,匯整時未及刪去。[40]以此觀之,劉師培以議奏為《白虎通義》前身之說,誠是。

---

38 〔劉宋〕范曄:《後漢書・祭祀志上》,頁3160。

39 以「議奏」為解經文獻,如《漢書・藝文志》載石渠閣議的《書》類議奏、《禮》類議奏、《春秋議奏》、《論語》類議奏。詳見〔漢〕班固:《漢書・藝文志》(北京市:中華書局 1996年)卷30,頁1705、1710、1714、1716。《後漢書》如〈魯恭傳〉,卷25,頁881;〈陳元傳〉,卷36,頁1231;〈楊秉傳〉,卷54,頁1771;〈律曆志中〉,頁3042。

40 邱秀春:《《白虎通義》與東漢經學的發展》(新北市:輔仁大學中國文學系博士論文,林慶彰教授指導,2000年),頁63-64。

（二）白虎通德論

　　《後漢書・班固傳》說：「天子會諸儒講論五經，作《白虎通德論》，令固撰集其事。」[41] 宋代《崇文總目》、清代《四部叢刊》影印元大德重刊之宋監本，及《郡齋讀書志》皆著錄此書名，可知宋、元、清等朝曾沿續《白虎通德論》之名。根據李善《文選注》引班固《功德論》，清人周廣業以為「通德」二字不連讀，《白虎通德論》當為《白虎通義》、《功德論》二部作品。[42] 事實上，漢人時用「通德」一詞，「通德論」作為題名，或非無端。

　　「通德」為漢人經常使用的詞彙，如劉邦封傅寬為「通德侯」[43]、王莽改定襄郡的都武縣為「通德縣」[44]、漢人稱鄭玄閭門為「通德門」[45]，或單用通德一詞[46]。六朝時期仍沿用之[47]。觀《史記・平津侯主父列傳》說：

> 臣聞天下之通道五，所以行之者三。曰君臣，父子，兄弟，夫婦，長幼之序，此五者天下之通道也。智，仁，勇，此三者天下之通德，所以行之者也。[48]

「通德」一詞當指普遍遵循的道德準則和規範，與「通道」[49]意思相近。

41　〔劉宋〕范曄：《後漢書・班固列傳》，卷40下，頁1373。

42　周廣業之言見錄於〔清〕盧文弨：《白虎通・白虎通序》，頁2-3。

43　〔漢〕司馬遷著，〔劉宋〕裴駰集解，〔唐〕張守節正義，司馬貞索隱：《新校史記三家注・傅寬列傳》（臺北市：世界書局，1993年），卷98，頁2707。

44　〔漢〕班固：《漢書・地理志》，卷28下，頁1620。

45　〔劉宋〕范曄：《後漢書・鄭玄傳》，卷35，頁1208。

46　〔漢〕嚴遵：「故能蒸山流澤，以為通德。」見氏著：《道德指歸論》（臺北市：新文豐出版公司，1984年叢書集選111），卷1，頁5。

47　〔唐〕房玄齡：《晉書・樂志》（臺北市：鼎文書局，1980年），卷22，頁688。〔隋〕姚察等：《梁書・諸葛璩列傳》（臺北市：鼎文書局，1980年），卷51，頁744。

48　〔漢〕司馬遷：《史記・平津侯主父列傳》，卷112，頁2952。

49　《東觀漢記・杜林傳》：「見惡如農夫之務去草焉，芟夷蘊崇之，絕其本根，勿使能殖，畏其易也。古今通道，傳法於有根。」見〔漢〕劉珍：《東觀漢記》（京都：中文出版社，1969年），卷13，頁107。

「論」指以言談或文字分析事理、辨別異同，從而選擇允當者，「以評議臧否，以當為宗」[50]，如《文心雕龍・論說》云：「論也者，彌綸群言而精研一理者也。」[51]前引《後漢書》提及白虎觀會議為「講議《五經》同異」、「講論《五經》」、「考詳同異」，講議、講論二者意思相近，為談論商討、講談論議之意。而「考詳同異」，詳細地考查比較經書中的同異，則為「講論」的具體面向。是以「論」的方式或內容，實為白虎觀會議的核心。從「論」與經義的關係來看，王充《論衡・對作》說：

> 或曰：「聖人作，賢者述，以賢而作者，非也。《論衡》、《政務》，可謂作者。」曰：非曰作也，亦非述也，論也。論者，述之次也。《五經》之興，可謂作矣。《太史公書》、劉子政序、班叔皮傳，可謂述矣。桓山君《新論》，鄒伯奇《檢論》，可謂論矣。……今《論衡》就世俗之書，訂其真偽，辯其實虛，非造始更為，無本於前也。[52]

聖人之經、前所未有者為「作」，繼經書之後而闡發深義者為「述」，有所本而辯難、考核謂之「論」，明確地分出作、述、論三種不同位階。是而東漢「講議《五經》同異」、「講論聖道」、「講論《五經》異同」[53]，本於經書或傳說而分辨《五經》之義理、裁量是非真偽，於經學體系中，次於作、述。

從集議的過程觀之，以此辨析是非、彰明事理的文章進呈君王，則為奏議。[54]白虎觀會議時，在章帝面前，由魏應發問、淳于恭奏對。每次問答

---

50 〔秦〕呂不韋等著，許維遹集釋：《呂氏春秋集釋・應言》：「不可不熟論也」，高誘注：「辯也。」（北京市：中華書局，2009年），下冊，卷18，頁505。〔南朝梁〕蕭統編，〔唐〕李善注：《增補六臣註文選・文賦》：「論精微而朗暢」，李善等注：「論以評議臧否，以當為宗」（臺北市：華正書局，2005年），卷17，頁766。

51 〔南朝梁〕劉勰：《文心雕龍・論說》，中冊，頁674。

52 〔漢〕王充：《論衡・對作》（北京市：中華書局，1996年），第4冊，卷29，頁1180-1181。按：〔魏〕桓範之說同，惟特別指出「論」使世人可行、可修的典範義。見氏著：《世要論・序作》（北京市：中華書局，1991年），卷37，頁1263。

53 〔劉宋〕范曄：《後漢書》〈章帝紀〉，卷3，頁138；〈陳元傳〉，卷36，頁1230；〈儒林列傳下〉，卷79下，頁2588。

54 劉師培：〈白虎通義源流考〉，頁784。

前，群臣當事先條列眾說與辯詞而為奏，如此方能順利進行會議。目前《白虎通義》中保留「或曰」二十餘條，「一說」十餘條，如：

> 大夫、士射兩物何？大夫、士俱人臣，示為君親視事，身勞苦也。或曰：臣陰，故數偶也。(《白虎通義・鄉射》，卷5，頁344)

> 天子、諸侯一娶九女者何？重國廣繼嗣也。適九者何？法地有九州，承天之施，無所不生也。……或曰：天子娶十二女，法天有十二月，萬物必生也。(《白虎通義・嫁娶》，卷10，頁469)

> 祭五祀，天子、諸侯以牛，卿、大夫以羊，因四時祭牲也。一說：戶以羊，竈以雞，中霤以豚，門以犬，井以豕。或曰：中霤用牛，不得用牛者用豚，井以魚。(《白虎通義・五祀》，卷2，頁81-82)

「或曰」、「一說」相當程度地保留當時群臣講論《五經》異同的各種觀點。於是《白虎通德論》的「論」，得指群臣條列眾說與辨詞而進呈的文書（書面），亦指以奏議為基礎在會議中進行的討論（口頭言談），因而《文心雕龍・論說》讚譽說：「至石渠論藝，白虎『講』聚，述聖通經，『論』家之正體也」[55]，講論的口述與書面，可以是一體兩面的關係。

　　綜上所述，在不更動《後漢書》的情況下，《白虎通德論》可指白虎觀中辨析經書的普遍原則或道理之允當者。該名不僅相當符合前言所述的「考詳同異」、「共『正』經義」，同時也契合群臣各申己見（周遍群言）、天子裁斷的議奏過程。因而上引四庫館臣認為《白虎議奏》統名為《白虎通德論》，雖未受近人重視，卻可謂有見。

（三）白虎通義與白虎通

　　《白虎通義》與《白虎通》，著重於「通」字。「通」字有「達也」[56]，

55　〔南朝梁〕劉勰：《文心雕龍・論說》，中冊，頁674。

56　〔清〕胡承珙：《小爾雅義證・廣詁》(合肥市：黃山書社，2012年)，卷1，頁14。《呂

暢達不滯而有貫通意。義者，宜也，由合宜而引申有正道、法則的意思，如
《禮記・表記》：「義者，天下之制也。」《呂氏春秋・貴公》：「遵王之義」，
注：「義者，法也」[57]。「通義」的意思是暢達貫通的道理，可為人仿效。就
漢人應用詞彙的情形觀之，可分為二類：

其一，通義因其暢達貫通，遂為時間、空間上可長久而普遍信奉、施行
的義理，[58] 如宣帝下詔說：「夫襃有德，賞有功，古今之通義也。」順帝詔
書云：「夫表功錄善，古今之通義也。」[59]《孟子・滕文公上》：「治於人者
食人，治人者食於人，天下之通義也。」東漢趙岐注：「天下通義，所常行
者也。」[60]

其二，因通義之暢達貫通，應用於經學詮釋，指理解通曉經書之義。如
《漢書・王莽傳上》：「謹以六藝通義，經文所見，《周官》、《禮記》宜於今
者，為九命之錫。」《後漢書・曹襃傳》：「作《通義》十二篇。」[61]

進言之，白虎觀會議因欲「令學者得以自助」、「永為後世則」[62]而召
開，使會議結果《白虎通義》具有規範性質；復經章帝裁斷是非，被認可為
正確的經傳義理而帶有「正義」性質。前此，相傳西漢劉向曾著《五經通

氏春秋集釋》〈季春紀・論人〉：「通則觀其所禮」注，卷3，頁77；〈簡選〉：「此不通乎
兵者之論」注，卷8，頁183。

57 〔漢〕鄭玄注，〔唐〕孔穎達正義：《禮記・表記》（臺北市：藝文印書館，1955年初版
影印清嘉慶二十年江西南昌府學開雕本），卷54，頁909。按：本文所引《十三經》，皆
據此本，為使版面簡潔，下文不另注出版項。〔秦〕呂不韋等著：《呂氏春秋・貴公》，
卷1，頁24。

58 《史記》〈微子世家〉，卷38，頁1622；〈趙世家〉，卷43，頁1807；〈三王世家〉，卷
60，頁2118。《漢書》〈蕭望之傳〉，卷78，頁3276；〈史丹傳〉，卷82，頁3378；〈外戚
傳下〉，卷97下，頁3998。《後漢書》〈宦者列傳〉，卷78，頁2516。荀悅：《漢紀》〈孝
武皇帝紀二〉，卷11，頁4；〈孝元皇帝紀中〉，卷22，頁3。

59 〔漢〕班固：《漢書・張湯傳》，卷59，頁2647-2648。〔劉宋〕范曄：《後漢書・宦者列
傳》，卷78，頁2516。

60 〔周〕孟子，〔漢〕趙岐章句：《孟子章句》，卷5下，頁97。

61 〔漢〕班固：《漢書・王莽傳上》，卷99上，頁4072。〔劉宋〕范曄：《後漢書・曹襃
傳》，卷35，頁1205。

62 〔劉宋〕范曄：《後漢書》〈章帝紀〉，卷3，頁138；〈楊終列傳〉，卷48，頁1599。

義》，王應麟據輯本指出該書繼承孟子通《五經》、統紀斯文的理念，「以一多士之趨向以純，非徒綴訓故誦佔畢而已。」[63]可見「通義」落實於具體著作時，將以解釋的「一」與「純」作為目標，規範性質益形鮮明。

從議奏的過程觀之，群臣議奏後，經天子裁決正式下詔，詔書將以天子的口吻書寫，不須提及發言的大臣姓名。如光武帝時，五官中郎將張純與太僕朱浮奏議「願下有司議先帝四廟當代親廟者及皇考廟事」，於是「下公卿、博士、議郎」討論此事，光武帝以大司徒戴涉等人意見為可，下詔說：

> 以宗廟處所未定，且祫祭高廟。其成、哀、平且祠祭長安故高廟。其南陽春陵歲時各且因故園廟祭祀。園廟去太守治所遠者，在所令長行太守事侍祠。惟孝宣帝有功德，其上尊號曰中宗。(《後漢書・祭祀志下》，頁3193-3194)

光武帝雖從大司徒等說，下詔則直書政令措施，未言臣子姓名。又，章帝建初年間，有司告阜陵王劉延與子男劉魴謀逆，有司奏請檻車徵詣廷尉詔獄，章帝下詔說：

> 王前犯大逆，罪惡尤深，有同周之管、蔡，漢之淮南。經有正義，律有明刑。先帝不忍親親之恩，枉屈大法，為王受愆，群下莫不惑焉。今王曾莫悔悟，悖心不移，逆謀內潰，自子魴發，誠非本朝之所樂聞。朕惻然傷心，不忍致王于理，今貶爵為阜陵侯，食一縣。獲斯辜者，侯自取焉。於戲誠哉！(《後漢書・光武十王列傳》，卷42，頁1444-1445)

阜陵王劉延等謀逆，雖為臣子舉發、有司奏請詔獄，然章帝詔書僅言其事與刑罰，不提臣子姓名。[64]於是《白虎通義》缺少臣子姓名及其發言內容（具

63 〔清〕朱彝尊撰，林慶彰等主編：《經義考新校》(上海市：上海古籍出版社，2010年)，第9冊，卷239，頁4300。

64 臣子議奏，天子下詔未提及臣子姓名的情形，可另參《後漢書》〈曹充列傳〉，卷35，頁1201；〈劉愷列傳〉，卷39，頁1306；〈孝明八王列傳〉，卷50，頁1673；〈董卓列

體例證，詳參下文），乃因該書表達君王稱制臨決的結論，相當於天子詔令，不須提出言說者姓名，而有別於議奏。這也是《舊唐書‧經籍志》著錄該書作者為「漢章帝」的原因。[65]

至於《白虎通》之名，目前學界多從《四庫全書總目提要》[66]說，以為《白虎通》乃《白虎通義》之省稱，猶如《風俗通》為《風俗通義》之省，其說有據而允當，是以從之。

（四）小結

據上引《後漢書》與《白虎通義》殘存的「問曰」，針對天子的提問，臣子依經義或典制多方議論後上奏，由天子判斷是非，並加以記錄。由於議奏收錄君臣討論的過程與結果，屬於原始的會議資料，因而《白虎議奏》之名反映會議過程與內容。復據《後漢書》集議過程與天子詔令的書寫，集議的正式結果以天子裁斷為主，不特別描述群臣姓名及其意見。因而班固奉詔改寫的《白虎通義》，乃章帝稱制臨決的結果，毋庸保留「臣」、「臣某」等字。以此對照石渠議奏與《白虎通義》的內容，如前者云：

> 漢石渠議：「大宗無後，族無庶子，已有一嫡子，當絕父祀以後大宗不？戴聖云：『大宗不可絕。言嫡子不為後者，不得先庶耳。族無庶子，則當絕父以後大宗。』聞人通漢云：『大宗有絕，子不絕其父。』宣帝制曰：『聖議是也。』」（卷九十六，禮五十六，〈總論為人後議〉，頁2581）

傳〉，卷72，頁2334-2335；〈逸民列傳〉，卷83，頁2762；〈南匈奴列傳〉，卷89，頁2950-2951。

65 〔後晉〕劉昫撰：《舊唐書‧經籍志》（臺北市：鼎文書局，1981年），卷46，頁1982。林麗雪：〈有關白虎通的著錄及校勘諸問題〉，頁34。

66 〔清〕紀昀等：〈白虎通義提要〉，《景印文淵閣四庫全書總目提要》，第850冊，頁2。按：劉師培以六朝的馬昭、張融為證，說同，見氏著：〈白虎通義源流考〉，頁784。林麗雪則舉出袁宏《後漢紀》、邱悅《三國典略》為證，而從之，見氏著：〈有關白虎通的著錄及校勘諸問題〉，頁34。

本條論大宗不可絕後，若族長無庶子，小宗當絕父以後大宗。形式上，省略提問者，直陳問題內容，繼言戴聖、聞人通漢之說，及宣帝的裁斷。《白虎通義》載：

> 《禮服傳》曰：「大宗不可絕。」同宗則可以為後、為人作子何？明小宗可以絕，大宗不可絕。故舍己之後，往為後於大宗，所以尊祖，重不絕大宗也。《春秋傳》曰：「為人後者，為人子者。」（《白虎通義·封公侯》，卷4，頁151）

主旨與石渠閣議奏相似，《白虎通義》則省略人名和議論過程，呈現決議結果。從《後漢書》所見集議過程與天子詔書觀之，可知班固整理會議紀錄當先錄章帝的問題，保留章帝認可的答案（可能是多數意見，也可能是章帝認可的少數意見，或者是章帝一人之見），刪除發言者姓名與未認可的答案，以呈現章帝裁斷的結論為主。如以前引石渠議奏關於鄉射合樂、大宗不可絕二條為例，保留問題與認可的答案、刪除發言者姓名與其他未認可的答案後，當為：

> 《經》曰鄉射合樂，大射不，何也？鄉射禮所以合樂者，鄉人本無樂，故合樂歲時，所以合和百姓以同其意也。至諸侯，當有樂，《傳》曰「諸侯不釋懸」，明用無時也。君臣朝廷固當有之矣，必須合樂而後合，故不云合樂也。

> 大宗無後，族無庶子，己有一嫡子，當絕父祀以後大宗不？大宗不可絕。言嫡子不為後者，不得先庶耳。族無庶子，則當絕父以後大宗。

形式與《白虎通義》無異。

關於《白虎通德論》與《白虎通義》的關係，《後漢書》說：

> 天子會諸儒講論五經，作《白虎通德論》，令固撰集其事。（《後漢書·班固傳》，卷40下，頁1373）

依前後語序,《白虎通德論》似早於班固撰集的《白虎通義》。然此乃見仁見智,不必然如此。《白虎通德論》一名指白虎觀中對普遍道德規範的論析及其允當者,《白虎通義》則指白虎觀中所論的普遍常則。因文獻不足徵,無法具體討論《白虎通德論》、《白虎通義》二書的關係。清人周廣業認為《白虎通德論》為史書記載《白虎通》、〈功德論〉時,脫一「功」字。由於該說缺乏具體論證,因而孫詒讓、劉師培等學者或從或違。今觀通德、通義皆為漢人常用詞,且共同反映常則的訴求,是以「通德」不必然是脫字的結果。由於通德論、通義之部分義項相同,復有《後漢書》為據,故後代圖書著錄時或互用二名。[67]

三 《白虎通義》的表現形式

東漢講論之風盛行,學者口頭言說之外,亦將辨析經義或經說優劣高下的觀點,著於竹帛。從而產生許多比較、研議經書異同的著作,如賈逵「著經傳義詁及論難百餘萬言」、《尚書古文同異》、《詩異同》、《毛詩雜義難》;曹褒〈章句辯難〉;許慎《五經異義》;程曾《五經通難》。[68] 在辨析異同

---

67 詳參林麗雪:〈有關白虎通的著錄及校勘諸問題〉,頁33。按:值得注意的是,東晉袁宏《後漢紀‧序》曾批評「嘗讀後漢書繁穢雜亂」,可知諸家後漢書未足以稱善。而今本《後漢書》刪裁諸本「繁穢雜亂」的後漢書,且范曄卒時其書未成,未經校定統整等步驟,不能無失,是以清代顧炎武《日知錄》舉其傳文多有矛盾之處。近人陳啟雲也提及《後漢書》記載黨錮事件有很多錯誤和混亂之處。若然,現存《後漢書》出現《白虎通義》種種異稱,或與其成書過程有關。上述詳參〔南朝梁〕沈約:《宋書‧范曄傳》(臺北市:鼎文書局,1975年),卷69,頁1820。《後漢書‧皇后紀附皇女》,李賢注,卷10下,頁457-458。〔晉〕袁宏:《後漢紀集校》(臺北市:華正書局,1974年),頁1。〔清〕顧炎武:《原抄本日知錄》,(臺北市:臺灣明倫書局,1979年),頁744-745。陳啟雲:《儒學與漢代歷史文化》(桂林市:廣西師範大學出版社,2007年),頁146-147。

68 〔劉宋〕范曄:《後漢書》〈曹褒列傳〉,卷35,頁1201;〈賈逵列傳〉,卷36,頁1240。〔清〕姚振宗:《後漢藝文志》,收入王承略等主編:《二十五史藝文經籍志考補萃編》(北京市:清華大學出版社,2011年),第7卷,頁19、30、91。

後，得出一個相對普遍或肯定的觀點，形成「通」或「通義」之作，如杜撫《詩題約義通》、曹褒《通義》、沛獻王輔《五經通論》、張遐《五經通義》。[69] 宋代洪邁曾指出漢代經典詮釋題名為「通」的現象，包含洼丹《易通論》、班固《白虎通》、應劭《風俗通》。[70] 清代章學誠遂從學術發展，分析「通」體的產生與演變。章氏認為西漢時異論紛起，使人無法瞭解經義的整體內涵，「無由彙其指歸」，並說：

> 於是總《五經》之要，辨六藝之文，石渠《雜議》之屬，始離經而別自為書，則通之為義所由倣也。劉向總校《五經》，編錄三《禮》，其於戴氏諸記，標分品目，以類相從而義非專一，若〈檀弓〉、〈禮運〉諸篇，俱題通論，則通之定名所由著也。[71]

章氏認為漢宣帝時的石渠《雜議》總會《五經》要旨、分辨六藝經文，且離經而別自為書，非隨文注釋，故石渠《雜議》當為通義的濫觴；至劉向整理群經，將小戴《禮記》諸篇分成通論、制度、喪服、吉禮等類。其中〈檀弓〉、〈禮運〉被歸為「通論」，益知「通」之定名由此彰顯。簡言之，西漢本有通義之實，至劉向定《禮記》類別之一為「通論」時，則標舉「通」之名。今觀上引東漢題名為通、通義、異同、異義等著作，當承此追求通義的學術思潮而來。易言之，當西漢朝廷博士以章句取才而產生師法、家法的同時，仍有一股講究諸經通義的伏流存在。漢代通說諸經的文獻，《隋書·經籍志》名之為「五經總義」，由於經籍散佚，目前所見與《白虎通義》時代、性質相同的著作，為許慎《五經異義》；現存名為「通義」的東漢著作，以《風俗通義》較為完整，且於寫作動機、著作內容與《白虎通義》相似（詳下文），綜合上述，下文擬據《五經異義》、《風俗通義》對照《白虎通義》，以彰後者的表現形式及其可能的意蘊。

69　〔清〕姚振宗：《後漢藝文志》，第7卷，頁27、48、90、94。

70　〔宋〕洪邁：《容齋五筆》（北京市：北京古籍出版社，2002年），卷6，頁1113-1114。

71　〔清〕章學誠著，葉瑛校注：《文史通義校注·釋通》（北京市：中華書局，2000年），頁372。

（一）《白虎通義》與《五經異義》的表現形式

　　東漢的經學講論風氣盛行，朝廷與學者個人探討經義異同，促進通義、異義類著作的出現。章帝時，博學經籍的許慎因「《五經》傳說臧否不同」[72]，遂撰《五經異義》。清人陳壽祺取眾本參訂，以類相從，采相關著述相互發明，附以己意「蒙按」，疏通證明，並說：

> 但去聖遠久，枝葉日蕃，不有折衷，奚由遵軌？此石渠、白虎所以論同異於前，而叔重所以正臧否於後也。[73]

以經說繁富為背景，陳氏勾勒出石渠閣議、白虎觀會議、《五經異義》的脈絡與「遵軌」的規範性質。因而就寫作背景與動機、內容及目的，該書皆得與白虎觀會議相應，可作為比較對象。同時許慎「正」《五經》傳說之「臧否」，亦欲探究正確之義理，因而下文以「正義」一詞進行討論。正義的表現可以有多重面向，包括正義的形成過程、正義本身的解釋、正義的應用等，本文將以此為基礎，觀察二書對同一主題的論述，以呈現《白虎通義》書寫形式的特色。

　　關於諸侯面臨親喪與奔天子喪的掙扎，《白虎通義》說：

> 諸侯有親喪，聞天子崩，奔喪者何？屈己。親親猶尊尊之義也。《春秋傳》曰：「天子記崩不葬者，必其時葬也。諸侯記葬，不必有時。」諸侯為有天子喪尚奔，不得必以其時葬也。（《白虎通義・喪服》，卷11，頁527）

當諸侯遭父母之喪時，聽聞天子駕崩，遂往奔喪，以君喪為先，甚至可能因此變動下葬親人的日期。《五經異義》說：

72　〔劉宋〕范曄：《後漢書・儒林傳下》，卷79下，頁2588。
73　〔清〕陳壽祺：〈自序〉，收入〔漢〕許慎著，〔清〕陳壽祺疏證：《五經異義疏證》（上海市：上海古籍出版社，2012年），頁2。

　　大鴻臚眭生說：「諸侯逾年即位，乃奔天子喪。《春秋》之義，未逾
年，君死，不成以人君禮。言王者未加其禮，故諸侯亦不得供其禮於
王者，相報也。」謹案：禮，不得以私廢公，卑廢尊。如禮得奔喪，
今以私喪廢奔天子之喪，非也。又人臣之義，不得校計天子未加禮於
我，亦執之不加禮也。眭生之設非也。[74]

據《春秋》之義，眭生認為諸侯嗣子遭親喪時，尚未即位，與天子未確立君
臣關係，故逾年即位時，乃奔天子喪。依當時的禮說，許慎認為臣子不得以
私廢公、以卑廢尊，當即奔天子喪。《白虎通義》與《五經異義》皆肯定諸
侯當以天子之喪為先，惟前者引《春秋傳》說明葬親時日的變動，後者則引
眭生、《春秋》、禮說分辨是非，二書根據不同。就表現形式而言，《白虎通
義》以「諸侯有親喪，聞天子崩，奔喪」為準則，而質問簡中義涵，屬於正
義的解釋。《五經異義》面對眭生之說，考量公私、尊卑等層面，指出眭說
誤，諸侯未逾年亦當奔天子喪，屬於正義的確立與形成。

　　關於諸侯是否純臣，《白虎通義》說：

　　王者不純臣諸侯何？尊重之，以其列土傳子孫，世世稱君，南面而
治。凡不臣者，異於眾臣也。朝則迎之于著，覲則待之于阼階，升階
自西階，為庭燎，設九賓，享禮而後歸。是異于眾臣也。（《白虎通
義‧王者不臣》，卷7，頁320-321）

諸侯傳子孫，「世世稱君，南面而治」，積威既久，當諸侯覲見時，天子敬重
以待，有別於王朝之臣。白虎觀會議為「講議五經同異」，本條的討論當有
其依據，只是未見記載。[75]《五經異義》說：

　　《公羊》說，諸侯不純臣。《左氏》說，諸侯者，天子藩衛，純臣。
謹案：禮，王者所不純臣者，謂彼人為臣，皆非己德所及。《易》

74　〔漢〕許慎：《五經異義》，卷下，頁199。
75　清人陳立爬梳典籍，以為「此今文《春秋》說也。」見《白虎通義疏證》，卷7，頁320。

曰：「利建侯。」侯者，王所親建，純臣也。[76]

在羅列《公羊》、《左氏》的說法後，許慎認為「不純臣」者只有王者之德所不及者，並參照《易經》，以為諸侯係天子賜封，當為臣子。言下之意，從權力的授受關係，肯定《左氏》純臣之說。對照二書，可知《白虎通義》基於「王者不純臣諸侯」，進而從禮儀異同解釋義涵，屬於正義的解釋。《五經異義》臚列諸說，闡明「不純臣」、「純臣」的標準，而以《左氏》為是，屬於正義形成的表現。

關於天子親迎與否，《白虎通義》說：

> 天子下至士，必親迎授綏者何？以陽下陰也。欲得其歡心，示親之心也。必親迎，御輪三周，下車曲顧者，防淫佚也。《詩》云：「文定厥祥，親迎于渭。造舟為梁，不顯其光。」《禮昏經》曰：「賓升，北面奠雁，再拜稽首，降出。婦從房中降自西階。婿御婦車，授綏。」
>（《白虎通義‧嫁娶》，卷10，頁459-461）

《白虎通義》認為從天子至士皆當親迎授綏，使妻子歡悅，並表示親近之意。繼而說明親迎的儀節與意義，引《詩經‧大明》、《儀禮‧士昏禮》證明不同階級的親迎之禮。《五經異義》說：

> 《禮》戴說，天子親迎。《春秋公羊》說，自天子至庶人娶皆親迎。《左氏》說，天子至尊無敵，故無親迎之禮……。許氏謹案：高祖時皇大子納妃，叔孫通制禮，以為天子無親迎，從《左氏》義也。[77]

《禮》戴說、《春秋公羊》說肯定天子親迎，而《左氏》說則以為天子至尊，無親迎之禮。面對二說歧異，許慎根據叔孫通制定的禮制，以經說實踐的角度，從《左氏》，此屬於正義的形成表現。相較之下，《白虎通義》在「天子至士必親迎授綏」的基礎上，說明箇中義涵與儀節，屬於正義的解釋。

---

76 〔漢〕許慎著，〔清〕陳壽祺疏證：《五經異義疏證》，卷下，頁185。
77 〔漢〕許慎，〔清〕陳壽祺疏證：《五經異義疏證》，卷中，頁146。

關於刑不上大夫，《白虎通義》說：

> 刑不上大夫何？尊大夫。禮不下庶人，欲勉民使至於士。故禮為有知
> 制，刑為無知設也。庶人雖有千金之幣，不得服。刑不上大夫者，據
> 禮無大夫刑。或曰：撻笞之刑也。禮不下庶人者，謂酬酢之禮也。
> （《白虎通義・五刑》，卷9，頁441-443）

刑不上大夫，是尊重大夫「有知」與身分。禮不下庶人，乃因庶人「無
知」，亦期勉庶人努力至於士。《白虎通義》兼載「或曰」，以為「刑不上大
夫」特指撻笞之刑，而「禮不下庶人」專指酬酢之禮。《五經異義》云：

> 《戴》說：刑不上大夫。古《周禮》說：士尸肆諸市，大夫尸肆諸
> 朝，是大夫有刑。謹案：《易》曰：「鼎折足，覆公餗，其刑渥，
> 凶。」無刑不上大夫之事，從《周禮》之說。[78]

面對戴氏禮說和《周禮》說的矛盾，許慎參照《易經》「其刑渥」，以《周
禮》說為是。目前未見許氏「禮不下庶人」解，暫時闕如弗論。對照《白虎
通義》和《五經異義》，前者說明「刑不上大夫，禮不下庶人」的作用或實
質的刑罰、禮儀為何，屬於正義的解釋。後者裁量戴氏禮說和《周禮》說，
屬於正義的確立。

綜上所述，《白虎通義》與《五經異義》的表現形式較為鮮明的差異在
於闡揚正義的面向、標識經典或出處與否。《白虎通義》以議題為首，直接
詮釋經文或闡述相關議題，鮮明地呈現解釋正義的傾向，不盡然逐一羅列經
文或經說。《五經異義》則先逐一羅列經文或經說，說明考量的標準、評價
是非，具體地呈現正義的形成。進言之，《五經異義》雖名為「異義」，但折
衷諸說之是非以闡發義理，所追求者仍為「正義」，此與《白虎通義》「共正
經義」的動機相似。

---

[78] 〔漢〕許慎著，〔清〕陳壽祺疏證：《五經異義疏證》，卷下，頁159。

　　另一方面,《白虎通義》或未臚列經文或經說的作法,頗受批評。清人陳壽祺說:「《白虎通義》經班固刪集,深沒眾家姓名,殊為疏失,不如《異義》所援古今百家,皆舉《五經》先師遺說,其體仿石渠論而詳贍過之。」[79]陳氏認為二書體裁皆源自石渠論,但《白虎通義》沒去諸家姓名「殊為疏失」。黃彰健則指出《白虎通義》未廣錄五經家說、標明出處,乃「憑臆立說」,故許慎遂撰《五經異義》,根據經典明文或參據事理而決定取捨。[80]

　　論述形式的差異,須回歸寫作背景探討。《五經異義》標明諸說、講究證據,相當於集議群臣提出各種說法;許慎裁量是非,猶如天子臨決。在個人著作中,作者就是經說是非的衡量者。因而《五經異義》陳列諸說、裁量是非的形式,相當於上文所說石渠閣議、白虎議奏的階段。《白虎通義》為官方集議的正式結果,保留認可的學說,毋須羅列眾議與根據,相當於前引《後漢書》中的詔令書寫。是而《白虎通義》未廣錄諸家、標明出處,乃因其非初步的會議記錄,或未可等同視之。

(二)《白虎通義》與《風俗通義》的表現形式

　　如上文所述,《白虎通義》、《風俗通義》俱因章句訓詁等時俗之失,起而救之,追求常則、正道。應劭說:

> 風者,天氣有寒煖,地形有險易,水泉有美惡,草木有剛柔也。俗者,含血之類,像之而生。故言語歌謳異聲,鼓舞動作殊形,或直或邪,或善或淫也。聖人作而均齊之,咸歸於正;聖人廢,則還其本俗。[81]

應氏希望重新齊一各種混淆的價值觀,以回復正道,顯示「通義」所蘊涵的

79　〔清〕陳壽祺:〈自序〉,《五經異義疏證》,頁2。
80　黃彰健:《經今古文學問題新論》(臺北:中央研究院歷史語言研究所,1982年),頁215-217、220、772。
81　〔漢〕應劭著:《風俗通義·序》,頁8。

規範與正義性質。就解釋經義的面向而言，二者皆著眼於名號。近代學者指出《白虎通義》藉由探討名號將道德價值貫穿到禮制的各種領域中，以貞定人倫關係。[82]是以該書卷首即為〈號〉篇，討論各種名號的意義。而應劭的《風俗通義》「以辯物類名號，釋時俗嫌疑」[83]，也關注名號層面。可知二書在寫作動機、著作內容等具有共同點，歷代學者遂常相提並論。[84]下文將比對二書主題相同的敘述，以彰《白虎通義》的表現。

關於三皇之稱，《白虎通義》說：

> 三皇者，何謂也？謂伏羲、神農、燧人也。或曰伏羲、神農、祝融也。《禮》曰：「伏羲、神農、祝融，三皇也。」……於是伏羲……因夫婦正五行，始定人道，畫八卦以治下。下伏而化之，故謂之伏羲也。謂之神農何？古之人民，皆食禽獸肉，……於是神農因天之時，分地之利，制耒耜，教民農作。神而化之，使民宜之，故謂之神農也。謂之燧人何？鑽木燧取火，教民熟食，養人利性，避臭去毒，謂之燧人也。謂之祝融何？祝者，屬也；融者，續也。言能屬續三皇之道而行之，故謂祝融也。（《白虎通義・號》，卷2，頁49-52）

《白虎通義》先指出三皇有二說：其一，伏羲、神農、燧人。其二，伏羲、神農、祝融。接著比較其貢獻度：伏羲定人道、畫八卦治百姓，使社會和諧；神農因天時地利，教民農作，使經濟生產較為穩定；燧人鑽木取火，使

---

82 蔡錦昌：〈配論名義與標明法度——《白虎通》的經義解讀法〉，高雄師範大學經學研究所：《經學研究集刊》特刊（2009年12月），頁168。王四達：〈「深察名號」與漢儒對禮學秩序的價值探索——以《春秋繁露》和《白虎通義》為中心的考察〉，《學術研究》2011年第3期，頁32-37。

83 〔劉宋〕范曄：《後漢書・應劭傳》，卷48，頁1614。

84 元朝李暉與謝居仁、明人朱君復亦將《白虎通義》與《風俗通》相提並論。《四庫全書簡明目錄》更直譽《白虎通義》、《風俗通義》、蔡邕《獨斷》「皆考論舊制，綜述遺文」之書、「俱為講漢學者之資糧」。詳見〔漢〕應劭：《風俗通義》，下冊「附錄」，頁632-634。〔清〕紀昀：《四庫全書簡明目錄・子部・雜家類》（浙江大學圖書館藏本），卷13，頁6。http://ctext.org/library.pl?if=gb&res=5968（查詢日期106年8月29日）

人能生養減少疾病；而祝融則是能持續貫徹三皇之道。故該書以伏羲、神農、燧人為三皇。《風俗通義・皇霸》說：

> 《春秋運斗樞》說：「伏羲、女媧、神農，是三皇也。」……《禮號謐記》說：「伏羲、祝融、神農。」《含文嘉》記：「慮戲、燧人、神農……。」《尚書大傳》說：「遂人為遂皇，伏羲為戲皇，神農為農皇也。遂人以火紀，火，太陽也，陽尊，故託遂皇於天。伏羲以人事紀，故託戲皇於人。……神農以地紀，悉地力，種榮疏，故託農皇於地……。」

> 謹按：《易》稱：「古者，伏羲氏之王天下也，仰則觀象於天，俯則觀法於地，始作八卦，以通神明之德，以類萬物之情。結繩為網罟，以田以漁。伏羲氏沒，神農氏作，斲木為耜，揉木為耒，耒耜之利，以教天下。日中為市，致天下之民，通其變，使民不倦，神而化之，使民宜之。」唯獨敘二皇，不及遂人。遂人功重於祝融、女媧，文明大見。《大傳》之義斯近之矣。[85]

《風俗通》首先臚列《春秋運斗樞》、《禮號謐記》、《含文嘉》、《尚書大傳》等說，從而按照《周易》，將伏羲、神農納入三皇中。遂人雖未見載於《周易》，但從人類社會進步的貢獻度考量，亦當為三皇之一。比較《白虎通義》與《風俗通義》的敘述，前者先列二說，敘述直舖而下，暢言三皇的功業，最後點出祝融乃從三皇之業，婉轉地表示祝融並非三皇。《風俗通義》則先臚列眾說，進行判斷，揭示贊成的說法。二書皆採先陳列諸說、後進行決斷的方式，屬於正義形成過程的表現。

關於夫妻之倫，《白虎通義》說：

> 妻妾者，何謂也？妻者，齊也，與夫齊體。（《白虎通義・嫁娶》，卷10，頁490）

---

85 〔漢〕應劭：《風俗通義》，上冊，卷1，頁3-7。

妻子與丈夫相互匹配，猶如一體。《風俗通義‧愆禮》說：

> 山陽太守汝南薛恭祖，喪其妻，不哭，臨殯，於棺上大言：「自同恩
> 好，四十餘年，服食祿賜，男女成人，幸不為夭，夫復何恨哉！今相
> 及也。」

> 謹按：《禮》為適妻杖，重於宗也。妻者，既齊於己，澄漢酒醴，以
> 養姑舅，契闊中饋，經理蠶織，垂統傳重，其為恩篤勤至矣。且鳥獸
> 之微，尚有回翔之思，喞噍之痛。何有死喪之感，終始永絕，而曾無
> 惻容？當內崩傷，外自矜飭。此為矯情，偽之至也。俚語：「婦死腹
> 悲，唯身知之。」又言「妻非禮所與」，此何禮也？豈不悖哉！太尉
> 山陽王龔與諸子並杖，太傅汝南陳蕃、袁隗皆制衰絰，列在服位，躬
> 入隧，哀以送之，近得禮中，王公諸子魏〔猥〕杖，亦過矣。[86]

《白虎通義》僅言「齊體」之經義，《風俗通義》則在「齊於己」的經義基
礎上，申說妻子操持家務「其為恩篤勤至矣」，妻子過世後，夫者當以杖服
回報，進而評判漢代薛恭祖、王龔等服喪之是非。比較二者，《白虎通義》
著重於正義的陳述與解釋，《風俗通義》則以正義為基礎，進而裁量是非，
屬於正義的應用。

至於君臣之倫，《白虎通義》說：

> 大夫使，受命而出，聞父母之喪，非君命不反者，蓋重君也。故《春
> 秋傳》曰：「大夫以君命出，聞喪，徐行不反。」（《白虎通義‧喪
> 服》，卷11，頁528）

大夫受君命出使，途中聞父母之喪，心情悲悽而減緩行進速度，未受君王召
而不得返。《風俗通義‧愆禮》說：

> 弘農太守河內吳匡伯康，少服職事，號為敏達。為侍御史，與長樂少

---

86 〔漢〕應劭：《風俗通義》，上冊，卷3，頁142。

府黃瓊共佐清河王事，文書印成，甚嘉異之。後匡去濟南相，瓊為司空，比比援舉，起家，拜尚書，遷弘農。班詔勸耕，道於澠池，間〔聞〕瓊薨，即發喪制服，上病，載輦車還府。

謹按：《春秋》：「大夫出使，聞父母之喪，徐行而不反，君追還之，禮也。」匡雖為瓊所援舉，由郡縣功曹、州治中、兵曹位朝廷尚書也，凡所按選，豈得復為君臣者耶？今匡與瓊其是矣，剖符守境，勸民耕桑，肆省冤疑，和解仇怨，國之大事，所當勤恤。而顧私恩，傲狠自遂，若宮車晏駕，何以過茲？論者不深察，而歸之厚，多有是言，及其人患失，而亦曰其然。[87]

應劭認為吳匡雖受黃瓊所援舉，但二人並非君臣關係，故吳匡奉天子之命出使，途中聽聞黃瓊過世，隨即發喪制服，乃公私不分，遂以《春秋》之義責之。比較二書，《白虎通義》指出臣子奉詔出使非君命不得返的規則，及其蘊涵的「重君」之義，並舉《春秋傳》為證，屬於正義的陳述與解釋。《風俗通義》則以臣子出使非君命不得返的規則，衡量吳匡的作為，指出其非，屬於正義的應用。

關於臣子勸諫君上之法，《白虎通義》說：

諫者何？諫者，間也，更也。是非相間，革更其行也。人懷五常，故知諫有五。其一曰諷諫，二曰順諫，三曰闚諫，四曰指諫，五曰陷諫。諷諫者，智也。知禍之萌，深睹其事，未彰而諷告焉，此智之性也。順諫者，仁也。出詞遜順，不逆君心，此仁之性也。……孔子曰：「諫有五，吾從諷之諫。」事君，進思盡忠，退思補過，去而不訕，諫而不露。故〈曲禮〉曰：「為人臣，不顯諫者。」纖微未見於外，如《詩》所刺也。（《白虎通義・諫諍》，卷5，頁234-237）

該書說明勸諫的本義，並指出因應人的五常之性而有諷諫、順諫、闚諫、指

---

87 〔漢〕應劭：《風俗通義》，上冊，卷3，頁145、147。

諫、陷諫等五種勸諫方式及其表現。文末引孔子之語、《禮記·曲禮》，論證「諷諫」為上與具體作法。《風俗通義·過譽》載長沙太守歐陽歙參與冬饗，禮訖，下令諸儒共論西部督郵繇延之功，「顯之于朝」。郡功曹鄭惲前跪曰：「明府有言而誤，不可覆掩。按延資性貪邪，外方內圓，朋黨構姦，罔上害民，……而明府以惡為善，股肱莫爭。此既無君，又復無臣。君臣俱喪，孰與偏有。君雖傾危，臣子扶持，不至於亡，惲敢再拜奉觥。」太守歐陽歙為此羞愧萬分。應劭針對此事說：

> 《禮》諫有五，風為上，狷為下。故入則造膝，出則詭辭，善則稱君，過則稱己。暴諫露言，罪之大者。……今惲久見授任，職在昭德塞違，為官擇人，知延貪邪，罔上害民，所在荒亂，怨懟並作，此為惡積怨，非一旦一夕之漸也。……至延姦釁彰著，無與比崇。臧文仲有言：「見無禮於君者，若鷹鸇之逐鳥雀。」「農夫之務去草也。」何敢宿留？不即彈黜姦佞，而須於萬人之中，乃暴引之，是為陷君。君子不臨深以為高，不因少以為多，況創病君父，以為己功者哉！而論者苟眩虛聲，以為美談。[88]

以五諫為原則，應劭從鄭惲「職在昭德塞違，為官擇人」，論述其未能立即彈黜姦佞，而在萬人之前揚君之短，實為陷君，「暴諫露言，罪之大者」。比較二書，《白虎通義》屬於正義的解釋，《風俗通義》則是以正義評論人事的應用。

根據上述比對，約有下列數端值得留意：

其一，通義具有規範性質，然其表現面向不同。二書皆針對特定議題，表達各自認為正確的見解。除了三皇條外，《白虎通義》以正義的「解釋」為主，《風俗通義》以正義的「應用」為主，二者面向不同。表現形式或有異同，對於正義的確立與重視卻是一致的。

隨著表現面向的不同，進而產生與社會連結的差異性。《白虎通義》僅

---

88 〔漢〕應劭著：《風俗通義》，上冊，卷4，頁168-174。

探討諸經之正義，罕言具體人事。《風俗通義》則以正義評判人事，「其所刺譏，徧及鉅公名臣，無所曲撓。然一據典禮，不雜申、商之說，平允純正，斯為罕見」，[89] 充分表現正義的「應用」功能，如上引君臣、夫妻之倫等條。在漢代通經致用的背景下，經義確實能作用於政治與社會。

惟《白虎通義》缺乏評論具體人事的部分，仍當從該書的官方性質著眼。就過程而言，先確立正義作為標準，方能評論人事。《風俗通義》為應劭個人著作，判定通義、評論人事，得一氣呵成。《白虎通義》具官方性質，先由章帝與群臣連月會議乃定，復經班固改寫而成。於是《白虎通義》當屬確立評判標準的階段，即建立「永為後世則」的「則」。此從章帝先於建初四年（西元79）審定諸經通義，後於章和元年（西元87）命曹褒制「漢禮」，規劃專屬漢人的禮制「使可施行」[90] 之先後步驟，可得知一二。《白虎通義》探討的是根源性的經義統一的問題，作為漢帝國指導思想的經義整合成功，才能有效論證整個體制的合理性。[91] 這是從經義理論到實踐的先後過程。[92] 簡言之，《白虎通義》雖罕言漢代的具體人事，但在通經致用與「導人」[93] 的背景下，經說將影響日後政策的判定與執行，是以統一經說本身即蘊涵著社會與政治關懷。

其次，二書的講論形式不同。《白虎通義》為章帝君臣集議的問答記錄，經班固改寫後，仍保留天子提問、臣子答覆的口頭講論形式，如上引三皇、論妻條；或直陳正義的義蘊，如前引論為人後、論大夫以君命出遭喪等。後者為該書的少數情形。《風俗通義》屬個人著作，得直陳認可的正義、評判時事，罕見問答形式。然各卷多以「時事或俗說」對照應劭的「謹按」，體式上猶如應劭面對時事俗說，提出個人見解，與二者相對而談的講

---

89 劉咸炘：《舊書別錄・風俗通義》，收入《風俗通義校注》，下冊「附錄」，頁650。

90 〔劉宋〕范曄：《後漢書・曹褒傳》，卷35，頁1203。

91 林聰舜：《漢代儒學別裁——帝國意識形態的形成與發展》（臺北市：國立臺灣大學出版中心，2013年），頁218。

92 此王四達亦有說，見氏著：〈是「經學」、「法典」還是「禮典」？——關於《白虎通義》性質的辨析〉，《孔子研究》2001年第6期，頁60。

93 〔劉宋〕范曄：《後漢書・章帝紀》，卷3，頁137。

論相似，充分顯示應用正義評斷人事的表現。此外，該書亦不乏直陳其義者，如卷六〈聲音〉據《詩經》、《尚書》、《世本》、劉歆《鐘律書》、《易經》、《周禮》、《論語》、《漢書》、《禮記》等逐一闡述各種樂器形制與作用，以「條暢」漢世之樂，使之歸於「雅正」。[94] 凡此皆顯示講論的影響（以書面形式為之）與追求正義的宗旨。

（三）小結

據上文的比對，得知《白虎通義》著重於正義的「陳述與解釋」；《五經異義》臚列諸說進而裁量是非，屬於正義的「形成過程」；《風俗通義》以常則衡量經說或人事，傾向於正義的「應用」。三書因應章句繁富、「破壞大體」而起，不約而同地救之以正義，呈現當時學術的潛在訴求。近代學者因應章句訓詁、家法師法的背景，指出白虎觀會議的重要性，為官方學術內部嘗試破除壁壘的表現[95]、「調停其內部門戶的紛爭」[96]，誠是。然經過上述考察，《白虎通義》因應章句訓詁、家法師法的方式，可進一步補充說明如下：

其一，相對於章句的專守與瑣碎，《白虎通義》以議題為首，貫通相關的經書或經說闡述義理[97]，重視義理的貫通與整體性，使「學者得以自

---

94 〔漢〕應劭：《風俗通義》，下冊，卷6，頁267-313。按：例如論塤章，「謹按：《世本》：『暴辛公作塤。』《詩》云：『天之誘民，如塤如篪。』塤，燒土為之也，圍五寸半，長三寸半，有四孔，其二通，凡為六孔。」（頁280）論笙章，「謹按：《世本》：『隨作笙。』長四寸，十二簧，像鳳之身，正月之音也，物生故謂之笙。《詩》云：『我有嘉賓，鼓瑟吹笙。』大笙謂之巢，小者謂之和。」（頁281）

95 狩野直喜認為白虎觀會議是今文學術內部的討論，誠是。然此今文學術的議論定位，目前所持看法不同，狩野氏從今古文對立的背景視之，而井之口哲也則由漢代正定經說的脈絡視之。詳見狩野直喜：《兩漢學術考》（東京：筑摩書房，1988年），頁103-113。井之口哲也：〈試論白虎觀會議的意義〉，頁208-220。

96 楊九詮：〈東漢熹平石經平議〉，《文史哲》2000年第1期，頁67。

97 章權才說：「內容上，通過『考詳同異』，使在各類經籍和有關書籍中，找到了共同點，這就是所謂『通義』或『通德』。」見氏著：《兩漢經學史》，頁246。

助」[98]。如上引天子親迎與否的議題,《白虎通義》引用《詩經‧大明》的文王之禮、《儀禮‧士昏禮》的士禮,論述天子至士皆當親迎。又,臣子勸諫君王之議,該書引用《禮記‧曲禮》指出「諷諫」為上,以《詩經》之刺說明「幸其覺悟也」。以議題為宗,方能有效連結諸經、傳、說,達到貫通義理的目標。《五經異義》論諸侯純臣,採《左氏》說與《周易》;論刑不上大夫,從《周易》與《周禮》,作法亦同。

其二,章句訓詁拘泥於經書字句,「說五字之文,至於二三萬言」,乃至一經說至百萬言,「幼童而守一藝,白首而後能言」[99];《白虎通義》闡述義理,形式簡明,[100]甚至出現未言其據的論述,如上引論諸侯是否純臣、論妻妾之義。缺乏根據的論述,相當不符合白虎觀會議「講議《五經》同異」、「講論《五經》」的宗旨,引發關注,實屬當然。[101]參考上引《五經異義》論諸侯奔天子喪,未載論據;論天子無親迎,乃以漢人叔孫通所制之禮,而評定《左氏》為是。又,石渠閣議論大宗不可絕後,亦未言其據。以此觀之,漢代經學講論允許學者就其學養或漢制,闡述個人觀點,是以王充《論衡》在聖人之「作」、賢人之「述」後,方序列「論」。若上述不誤,當章帝於白虎觀會議提出質疑,群臣就自身的學養提出己見,供天子斟酌裁量。會後,由班固整理會議結果時,將如前引《後漢書》所見的詔書一般,刪除發言臣子的姓名,於是在《白虎通義》一書中形成論《五經》而無據的

98　〔劉宋〕范曄:《後漢書‧章帝紀》,卷3,頁138。按:近代名為通義之作,仍著重通貫與整體義者,如任中敏《詞曲通義》說:「研究學問,雖以分析細密為貴,但學問有時乃整個的,若經不適當之分析,每每流為破碎,不能作鳥瞰,不能得概觀,根本意義固易於遺忘,部分主張又易於偏頗。⋯⋯故『詞曲通論』之要,實有過於『詞曲專論』者矣。」見氏著:《詞曲通義》(上海市:商務印書館,1933年),頁1。

99　〔漢〕班固:《漢書》〈藝文志〉,卷30,頁1723;〈儒林傳〉,卷88,頁3605。

100 後世名為「通義」之作,仍延續此精神,如喬一凡《大學通義》凡例之三,說:「本篇講註,經義與經術並重,務求簡單,明白,實用,凡為理障、餖飣、煩瑣,而無關宏旨者,概不申述。」喬氏《中庸通義》凡例之四,內容相同。見氏著:《小三經》(臺北:三軍聯合參謀大學,1966年),頁56、94。

101 黃樸民:《董仲舒與新儒學》(臺北市:文津出版社,1992年),頁171。邱秀春:《白虎通義與東漢經學的發展》,頁62-64。周德良:《白虎通暨漢禮研究》,頁354。

現象。易言之,《白虎通義》中未載論據者,可視為漢人經說。就「通義」之名而言,此指義理本身的「曉暢明白」之通,而非「貫通群經」之通。

　　此外,《白虎通義》等諸作期望通貫諸經義涵,規範(固定)經說,並作為現實人生的指導。魏晉南北朝承續此風,復因魏朝以後兼試五經,[102]學者趨之,遂使《五經》通義之作日興,也豐富原有的表現形式。清人章學誠說:

> 班固承建初之詔,作《白虎通義》。應劭愍時流之失,作《風俗通義》。蓋章句訓詁,末流浸失,而經解論議家言,起而救之。二子為書,是後世標通之權輿也。自是依經起義,則有集解、集註、異同、然否諸名;離經為書,則有六藝、聖證、匡謬、兼明諸目。其書雖不標通,而體實存通之義,經部流別,不可不辨也。[103]

二書名為「通」,「是後世標通之權輿也」,具體指出在經部流別上的重要性。今觀「依經起義」視經書字句為論題,收集諸經說加以辨析,以得正確說法。「離經為書」則自定論題,收集眾說,衡量是非,體式與上文討論的《白虎通義》、《風俗通義》、《五經異義》相似。職是,書名稱呼雖異,其源自講論,比較眾說異同進而裁量是非的「作法」、追求正義的「理念」則同。[104]因而申明《白虎通義》的表現形式,有助於增進經學詮釋體式的認識。

---

102 因記載不同,課試《五經》之始有東漢桓帝、魏文帝二說,王國維考察《後漢書》、《三國志》、《通典》、《太平御覽》後,以魏文帝說為是。詳見氏著:《觀堂集林‧漢魏博士考》(北京市:中華書局,2006年),上冊,卷4,頁197。

103 〔清〕章學誠:《文史通義校注‧釋通》,頁372-373。近人劉百閔從此說而著書,見氏著:《周易事理通義‧自序》(臺北市:學不倦齋出版,世界書局發行,1966年),頁3。

104 劉勰說:「詳觀論體,條流多品:陳政,則與議說合契;釋經,則與傳注參體;辨史,則與贊評齊行;銓文,則與敘引共紀。」「原夫論之為體,所以辨正然否;窮於有數,究於無形,跡堅求通,鉤深取極;乃百慮之荃蹄,萬事之權衡也。」劉氏指出論體可視應用場合為政、史、經、文而具有議說、傳注、贊評、敘引等豐富的形式變化;其作法本於「辨正然否」,窮究事物以鉤取出深刻的結論。見氏著:《文心雕龍‧論說》,頁669、696。

四　結語

　　由於《後漢書》「如孝宣甘露石渠故事」、「如石渠故事」等語，使得學界長期以石渠閣議作為評量白虎觀會議的重要基準，甚至是唯一標準。然「如孝宣甘露石渠故事」、「如石渠故事」的「如」字，可有全同、類似等義。參《後漢書》「顧命史臣，著為《通義》」的作法已異於石渠閣議，且漢人「如故事」並非依樣畫葫蘆、完全遵照既有的作法。近代學者也逐漸從講論經學的背景，豐盈或轉移「石渠閣議→白虎觀會議」的解釋框架，使白虎觀會議富有時代性。

　　承前賢啟發，本文從漢代講論的角度探討《白虎議奏》、《白虎通德論》、《白虎通義》、《白虎通》等名稱義涵。

　　東漢講論風氣盛行，章帝建初四年（西元79）召群臣講論經義，屬於朝堂集議。根據《後漢書》所載的官方集議過程，天子提問，群臣議論而後上奏答覆，由天子裁決。因而「議奏」既是口頭論政方式，也可以是文字寫定的具體文書。章帝君臣所論為經學，故議奏亦得為解經的文獻名稱。因此《白虎議奏》當屬原始討論經義的會議記錄。

　　按照漢人對「通德」一詞的應用，《白虎通德論》係指根據眾多的經義與經說，探討普遍的原則或允當的道理。「通德論」之名不僅符合漢代辭彙的使用情形，也契合講論經學的目的，因而該書不必然如周廣業所言為《白虎通》、〈功德論〉牽合的結果，反而近於四庫館臣所言為議奏之統稱。

　　依照漢代「通義」一詞的義涵，《白虎通義》係指在白虎觀中所論之暢達貫通的道理，其義與《白虎通德論》相似。白虎觀會議由天子裁決是非，因而擇定後的經義具有規範、正義等性質。會後，班固奉詔編寫會議結果，故書寫有別於一般議奏。據《後漢書》，天子正式下詔僅說明決議結果，未記載臣子的姓名與建言內容，可印證《白虎通義》未載臣子姓名及其意見，乃因其為章帝裁定後的答案。同時以石渠閣會議資料為例，若只保留問題與認可的經說，刪除發言者姓名、不受認可的經說，其形式將與《白虎通義》無異。經此討論，印證劉師培《白虎議奏》為《白虎通義》前身之說為是。

而《白虎通》則如四庫館臣所言為《白虎通義》的簡稱。

在論述諸名稱義涵後,進而比對《五經異義》、《風俗通義》等個人講論經學與追求通義之作,以彰顯官方《白虎通義》的表現形式。

東漢官方與民間講論經學風氣盛行,除了口頭言說的攻防外,亦筆之於竹帛,促進五經總義類著作蓬勃發展。章帝時,許慎因「《五經》傳說臧否不同」撰寫《五經異義》,為個人辨別經書異同之作,異於《白虎通義》的官方性質。《五經異義》標舉各家之說而後裁量是非的過程,相當於議奏階段。該書最終評判一理以為是,顯示追求「正義」的態度,此與《白虎通義》相同。而正義的表現可以有多種向度,如正義的形成過程、正義本身的解釋、正義的應用等。據此觀察二書表現形式的差異,主要有二:其一,《五經異義》逐一羅列經文或經說,《白虎通義》則未標明眾家姓名,頗受臆說之評。惟據《後漢書》所載天子詔書觀之,此乃班固改寫的會議記錄,以呈現天子的決斷為主,本冊需陳列群臣姓名與觀點,是不足為失。其二,二書皆立足於正義,呈現不同的面向。《五經異義》多標示諸說而後裁斷,屬於正義的形成過程;《白虎通義》一問一答之間,多屬正義的詮解。二書共同反映章帝時官方與學者個人面對章句異說,皆採別同異、正臧否之法,以期獲知正確義涵的學術風氣。

《白虎通義》追求暢達貫通的道理,可上溯至西漢石渠閣會議、舊傳劉向著《五經通義》,呼應於時代相近的王充《論衡》通人說,下應於東漢末《風俗通義》,是知漢代以章句取才,講究家法、師法的同時,對諸經通義的重視始終存在。對照《白虎通義》與《風俗通義》的表現形式,所得有二:其一,正義的表現面向不同,進而影響與現實社會的連結。前者以正義的解釋為主,後者以正義評判經說或時俗,屬於正義的應用。就官方集議過程觀之,《白虎通義》缺乏漢代時事的記載,乃因該書屬於確立與詮釋規範的階段,為漢章帝後續規劃漢禮的前置作業。而《風俗通義》為個人之作,故能直書正義,用以評判時事。著作性質,當為比較內容的基準點之一。其次,講論的形式不同。《白虎通義》以保留講論形式的問答體為主,《風俗通義》以「時事或俗說」對照應劭個人觀點的「謹按」為主要形式,體式上雖

非問答體，卻與相對而談的講論相仿，講論的影響力可見一斑。繼二書之後，通義之作日興，「其書雖不標通，而體實存通之義」，如依經起義、離經為書等經學詮釋體式，二者於經部流別具有重要地位。

《白虎通義》起於章句訓詁繁瑣，因而觀察該書破除章句詁訓、家法師法的方式。相對於章句的專守與瑣碎，該書以議題為首，連結諸經、傳、說，達到貫通義理的目標。相對於章句的數十萬至百萬言，《白虎通義》論述形式簡明，乃至出現條陳義理、未言論據者。按《後漢書》所載天子詔書刪除提議的臣子姓名及其觀點，班固奉詔編寫《白虎通義》時，因而刪除發言者姓名，是以該書未載根據之言論，當為漢人經說。此之為「通義」，係指義理本身的曉暢明白，而非貫通群經之「通」。若上述不誤，將有助於日後考察漢代官方與學者個人的經說。另一方面，通義敘述簡明，若進一步精鍊文字，保留正義本身，將有類條例著作，[105]如上引《白虎通義》論天子親迎章「天子下至士，必親迎授綏」、「王者不純臣諸侯」；《風俗通義》「《禮》為適妻杖，重於宗」、「《禮》諫有五，風為上，狷為下」，及直陳其義者。以此觀之，後代通義的發展，是否與條例著作有關？二者的關係在經學史上具有何種意義，將為日後進一步研議的課題。

---

105 後世名為「通義」的著作，時將條例作為內容之一，可見通義的發展或與條例有關。如清朝蘇秉國《周易通義》於卷首〈揭要〉闡發《周易》要領十五條；黃瓚《周易漢學通義》全書分為「略例」、「鄭氏上下經傳次第」兩部分，「略例」包括旁通、兩象、清併圖、初上相反例等諸條例；王葆心《古文辭通義》：「先博舉較高之範圍與前人已經驗之門庭、跡象，以推測其『內律』，文之體也」，該書卷十九、卷二十為〈義例篇一〉、〈義例篇二〉，更顯示尋求規則的傾向。上述詳參清·蘇秉國：《周易通義》，《四庫未收書輯刊.第三輯》（北京市：北京出版社，1997年據清嘉慶二十一年（1816）刻本影印），第2冊。清·黃瓚：《周易漢學通義》，《續修四庫全書》（上海市：上海古籍出版社，1995年），第31冊。王葆心編撰：《古文辭通義》（武漢市：武漢大學，2008年），頁1。

第十屆中國經學國際學術研討會議程表

第十屆中國經學國際學術研討會　第一天會議議程表				
日　期：民國 106 年 10 月 20 日（星期五）		地　點：東吳大學		
報　到：9：50 － 10：10				
開　幕　式		10：10－10：30	東吳大學中文系主任　鍾正道教授◎ 中國經學研究會理事長 林慶彰教授◎	
場次	時間	主持人	發表人	論文題目	特約討論人

場次	時間	主持人	發表人	論文題目	特約討論人
一	10：30 12：00	蔡信發教授	趙中偉教授（輔仁大學中文系）	〈大觀在上，中正以觀天下——朱熹對〈觀卦〉的視域解析〉	黃忠天教授
			陳亦伶研究員（香港浸會大學中國傳統文化研究中心）	〈明代袁黃經學著作在東亞的流傳〉	莊雅州教授
			盧鳴東主任（香港浸會大學中國傳統文化研究中心）	〈高麗晚年儒臣集團及朝鮮古禮播遷〉	趙中偉教授
午　餐　12：00－13：00					
			車行健教授（政治大學中文系）	〈朱熹《詩》說與《詩序》異同研究的檢討〉	陳恆嵩教授

二	13：00 15：00	羅宗濤教授	楊晉龍教授（中研院文哲所）	〈惡評與實際：陳澔《禮記集說》與清代《禮記義疏》關係研究〉	蔣秋華教授
			陳睿宏教授（政治大學中文系）	〈章潢《圖書編》先後天相關《易》學圖說之探述〉	孫劍秋教授
			陳韋哲兼任講師（東吳大學中文系）	〈《虞夏書》禪讓思想析論——從〈甘誓序〉的「與有扈戰」談起〉	林宏明教授
茶　敘　15:00-15:40					
三	15：40 16：40	李威熊教授	張素卿教授（臺灣大學中文系）	〈京都大學藏惠士奇《易說》抄本初探〉	陳睿宏教授
			陳恆嵩副教授（東吳大學中文系）	〈明代《尚書》類科舉用書〉	葉國良教授
晚　宴					

■　說明

1. 每場次主持人 5 分鐘，發表人各 12 分鐘，特約討論人各 10 分鐘，發表人回應各 3 分鐘，其餘為綜合討論時間。
2. 綜合討論時間於該場次發表人回應完後進行之，每人每次發言以 2 分鐘為限。

| | | | | | 第十屆中國經學國際學術研討會　第二天會議議程表 | |

<table>
<tr><td colspan="6" align="center">第十屆中國經學國際學術研討會　第二天會議議程表</td></tr>
<tr><td colspan="3">日　　期：民國106年10月21日(星期六)</td><td colspan="3">地　　點：東吳大學</td></tr>
<tr><td colspan="6">　報　到：08：30-09：00</td></tr>
<tr><td>場次</td><td>時間</td><td>主持人</td><td>發表人</td><td>論文題目</td><td>特約討論人</td></tr>
<tr>
<td rowspan="3">四</td>
<td rowspan="3">9：00
│
10：30</td>
<td rowspan="3">陳麗桂教授</td>
<td>謝成豪助理教授(東吳大學中文系)</td>
<td>〈陳柱《孝經要義》之解經方式〉</td>
<td>車行健教授</td>
</tr>
<tr>
<td>李昤昊(韓國成均館大學東亞學術院教授)</td>
<td>〈由李卓吾《論語》學論陽明學派經學於經學史上之意義〉</td>
<td>盧鳴東教授</td>
</tr>
<tr>
<td>吳智雄教授(海洋大學共同教育中心)</td>
<td>〈盛朝下的細水伏流：唐代穀梁學發展述論〉</td>
<td>陳逢源教授</td>
</tr>
<tr>
<td rowspan="1">主題演講</td>
<td></td>
<td></td>
<td>10：30
│
12：00</td>
<td>（美）普林斯頓東亞研究所與歷史系艾爾曼(Benjamin A. Elman)教授

題目：Philology and Exegesis in East Asia: The Delayed "Triumph" of Yan Ruoqu's Evidential Studies During the Qianlong Era, Yan Ruoju's 閻若璩 (1636 - 1704) 尚書古文疏證 Vs. Zhu Xi's 朱熹 (1130 - 1200) 中庸章句序</td>
<td></td>
</tr>
<tr><td colspan="6" align="center">午　　餐　12：00－13：30</td></tr>
<tr>
<td rowspan="2">五</td>
<td rowspan="2">13：30
│
14：30</td>
<td rowspan="2">賴明德教授</td>
<td>劉德明副教授(中央大學中文系)</td>
<td>〈趙鵬飛《春秋經筌》研究〉──以對齊桓公的評論為核心</td>
<td>張素卿教授</td>
</tr>
<tr>
<td>宗靜航助理教授(香港浸會大學中文</td>
<td>〈從《史記》述《尚書》探討今本《孔傳》的成書問題──以《高宗肜日》為例〉</td>
<td>董金裕教授</td>
</tr>
</table>

			系）		
六	15：10 16：40	董金裕教授	宋惠如副教授(金門大學華語文學系）	〈試探日本古文辭學者龜井昭陽論《春秋》文相變〉	張崑將教授
			張曉生副教授(臺北市立大學中文系）	〈凌稚隆《左傳》評點著作探論〉	賴明德教授
			鄭雯馨助理教授(政治大學中文系）	〈《白虎通義》書名與體裁覆覈——兼論通義體的承續〉	許朝陽教授

閉幕式及經學會會員大會	17：00—17：30	東吳大學中文系任 鍾正道教授 第九屆中國經學研究會理事長 林慶彰教授

茶 敘 14：30—15：10

晚 宴

第十一屆

《周易》〈賁〉卦與儒家禮容

李威熊
逢甲大學榮譽教授兼特約講座

　　儒家重視禮樂，形成傳統人文文化的主要內涵。《周易》〈賁〉彖傳說：「觀乎天文以察時變；觀乎人文，以化成天下。」[1]〈賁〉卦是在談如何用禮來裝飾自己，讓自己的態度容貌得體合宜，便是最佳的打扮。四書、五經以及荀子等古代經典論及禮的內容豐富，如稍加歸類，重要有下列幾項：一為禮義，如禮有理、體、履等義。二為論禮的重要，如《左傳》〈隱公十一年〉：「禮，經國家，定社稷，序人民，利後嗣者也。」[2]三論禮制，如《周禮》六官。四論禮儀，如《儀禮》吉、凶、軍、嘉、賓之禮制。五論理器，如《禮記》〈禮器〉、《周官》〈考工記〉所提行禮所使用之器具。六論禮服，如《儀禮》之〈喪服〉，《禮記》之〈緇衣〉等。七為禮俗，如民間宗教信仰、慶典習俗等。這些「禮」都以「禮容」為根本，但在傳統六經中卻沒出現「禮容」這一詞彙，只有在《史記》〈孔子世家〉提到：「孔子為兒嬉戲，常陳俎豆，設禮容。」[3]禮容意思是指禮制儀容，後人有稱為「容禮」；經典雖不提「禮容」，但涉及「禮容」的卻是無所不在，如《論語》〈季氏〉：「不學禮，無以立。」又〈顏淵篇〉：「子曰：非禮勿視，非禮勿聽，非禮勿言，非禮勿動。」[4]都是屬禮容的問題，本文試著從《周易》〈賁〉卦來論述儒家禮容。

1　孔穎達：《周易正義》（臺北市：藝文印書館，1960年），頁62。

2　孔穎達：《春秋左傳正義》（臺北市：藝文印書館，1960年），頁70。

3　司馬遷：〈孔子世家〉，《史記》（臺北市：鼎文書局，1979年），頁1906。

4　朱子：《四書集注》（臺北市：世界書局，1960年），頁118、頁78。

一 《論語》「繪事後素」與「禮後乎」之詮釋

《論語》〈八佾〉：

> 子夏問曰：「『巧笑倩兮，美目盼兮，素以為絢兮。』何謂也？」子曰：「繪事後素。」曰：「禮後乎？」子曰：「起予者商也，始可以言詩矣。」[5]

「巧笑倩兮，美目盼兮。」是《詩經》〈衛風〉〈碩人〉的句子，今本並沒「素以為絢兮」一句。這一章完全是在討論「禮」的問題。後人對「繪事後素」一詞有不同的詮解，重要有下列幾家：

（一）鄭玄《論語注》。鄭玄曰：「繪畫文也，凡繪畫先布眾采，然後以素分布其間，以成其文，喻美女雖有倩盼美質，亦須禮以成也。」[6]

（二）皇侃《論語義疏》：「言此上三句（巧笑倩兮，美目盼兮，素以為絢兮）是明美人先有其質，後須其禮以自約束，如畫者先雖布眾采蔭映，然後必用白色以分間之，則畫文分明，故繪事後素也。」[7]

（三）朱熹《論語集注》：「繪事，繪畫之事也。後素，後以素也。《考工記》曰：『繪畫之事後素功。』謂先以粉地為質而後施五采，猶人有美質，然後可加文飾後素。」[8]

（四）蕅益大師《四書蕅益解》：「素以為絢，謂倩盼是天成之美，不假脂粉，自稱絕色也。人巧終遜天工，故曰繪事後素。後者落在第二義之謂，非素質後加五采之解。禮後乎者，直斥後進之禮為不足貴，亦非先後之後。卓吾云：與言詩，非許可子夏也，正是救禮苦心處。」[9]

「繪事後素」是孔子用繪畫來比擬人的裝飾與禮的關係，「繪事」指人

5　朱子：《四書集注》（臺北市：世界書局，1960年），頁14-15。

6　鄭玄：《論語注》，《論語義疏》引鄭曰，見《四庫全書》，頁153。

7　皇侃：《論語義疏》（《文津閣四庫全書》），頁153。

8　朱子：《四書集注》（臺北市：世界書局，1960年），頁14。

9　智旭：《四書蕅益解》（高雄市：淨宗學會，1993年），頁251。

的儀態打扮，素，指本質、行為，必須以「禮」成之。皇侃的說法與鄭玄類似，指「美人先有其質，後須其禮以自約束。」朱熹則說人要有美的質地再加以粉飾。蕅益大師的說法較為特殊，他認為天生的美質，不假脂粉，「後」非指素質之後，他以「後人」稱之，即後進以過度之「禮飾」不足貴，把「繪事後素」解為「裝飾是後人的行為」。到底哪一家的說法才合乎孔子的本意，《易經》〈賁〉卦上九：「白賁，無咎」，對禮容的討論，可作為解「繪事後素」、「禮後乎」，或孔子論禮容思想之參考。

二　賁卦的文飾禮容

《周易》六十四卦經傳中提到禮的有不少卦。如〈序卦傳〉：「物畜，然後有禮，故受之以〈履〉。」[10]強調禮重在踐行，社會才能走向文明。又如〈大壯〉象曰：「君子以非禮弗履。」[11]再如〈節〉象曰：「君子以制數度，議德行。」[12]「以制數度」指的便是禮制。而六十四卦中純粹在講禮容的便是〈賁〉卦。〈序卦傳〉：「賁者，飾也，致飾然後亨則盡矣。」[13]〈賁〉卦之卦爻辭：

> 賁䷕，亨，小利有攸往。
> 初九：賁其趾。舍車而徒。
> 六二：賁其須。
> 九三：賁如，濡如，永貞吉。
> 六四：賁如皤如，白馬翰如，匪寇婚媾。
> 六五：賁于丘園，束帛戔戔。吝，終吉。

10　孔穎達：《周易正義》（臺北市：藝文印書館，1960年），頁187。

11　孔穎達：《周易正義》（臺北市：藝文印書館，1960年），頁86。

12　孔穎達：《周易正義》：「數度謂尊卑禮命之多少，德行謂人才堪任之優劣。」（見同上），頁132。

13　孔穎達：《周易正義》（臺北市：藝文印書館，1960年），頁187。

上九：白賁，無咎。[14]

就卦辭來說，指只要適度修飾自己，便是亨通，小有利於往前發展。象曰：「賁，亨。柔來而文剛，故亨。分剛上而文柔，故小利有攸往，天文也。文明以止，人文也。觀乎天文，以察時變；觀乎人文，以化成天下。」[15]〈賁〉是由〈泰〉䷊卦的二、六爻變而來，所以〈彖傳〉說：「柔來文剛。」〈賁〉卦內卦離（火），外卦艮（止），所以〈彖〉傳說：「文明的社會是要使人人知道止於分際，這是人間的文飾。」文飾就是禮容，但文飾不能過猶不及，要與本質相稱，〈雜卦傳〉說：「賁，白也。」與《論語》〈八佾〉：「繪事後素」，鄭注、朱熹將素解為「粉地為質」，意義相近。

人如何裝飾自己的容儀，初九說要打扮自己的腳趾，不坐車多步行，指出容儀要從最基本的腳趾開始，而且要確實踐行。上述「繪事後素」有人把「素」當動詞「素描」解釋[16]，《周易》是可以找到根據。六二：「賁其須」，指打理鬍鬚，鬍鬚長在臉上的下顎處，會影響人的面子，給人印象深刻，所以修飾鬍鬚極為重要，必須取法乎上，所以象曰：「與上興也。」六二與九三是陰柔中正與陽剛接比相應，表示裝飾要取法乎上。九三：「賁如，濡如」，指打扮要光采潤澤，顯得有生氣，當然會永遠純正吉祥。六四：「賁如皤如，白馬翰如，匪寇婚媾。」指裝飾要象純正素白的本質一樣，充滿原始生命的活力，就像白馬飛奔一般，給人家感覺它不是強暴，而是來求婚配。說明禮容盛大的威力。六五：「賁如丘園，束帛戔戔。吝，終吉。」指最高的打扮，容飾雖然盛大，但要像田園一樣自然樸素，雖然稍嫌儉嗇，卻生意盎然，終究是吉祥。強調容飾應以本質為重。上九：「白賁，無咎」，指打扮要回到本質的樸質無華，才是容飾的最高境界，也是「飾之終」[17]，與六

---

14 孔穎達：《周易正義》（臺北市：藝文印書館，1960年），頁62-63。

15 孔穎達：《周易正義》（臺北市：藝文印書館，1960年），頁62。

16 康義勇：《論語釋義》。（臺北市：麗文文化事業有限股份公司，1993年），頁151上，解「素」為白描、素描。

17 孔穎達：《周易正義》（臺北市：藝文印書館，1960年），頁63注云：「處飾之終，飾終反素，故其質素，不勞文飾而无咎也。」

五、六四爻辭的意義一以貫之。返璞歸真的裝飾，當然不會有災禍，象傳才說：「上得志也。」要人以回歸純真為打扮最高尚的志向。

〈賁〉卦的卦象上山下火，山為止，仁者樂山，代表人應止於仁的本質；下卦火，代表光明，是文飾，要如何使文質相稱，應從腳趾打扮和行為實踐開始；然後要注意給人第一印象的面子和鬍鬚的打理。而這些打扮的原則，必須使它充滿潤澤的生氣，合乎純正的本質，以展現生命活力，就像原野田園的自然純樸，這是容飾的最高理想。也是儒家禮容的主要原則和依據。

三 儒家的禮容

孔子小時候嬉戲，就學成人各種禮儀，「設禮容」。一般人常說適度的裝扮自己，是一種禮貌。指言行舉止、視聽言動都要有一定的規矩，這是廣義的禮容。祭祀、進行各種禮儀時，內心的誠敬，儀式嚴謹，服飾端莊得體，這是狹義的禮容，其實廣義、狹義二者合一不可分，這是儒家禮治人文社會主要的內容和特色。

三禮（周官、儀禮、禮記）都以禮容為先。《小戴禮記》四十九篇，單獨論禮儀之容貌態度，比較明顯的有：〈內則〉、〈玉藻〉、〈少儀〉、〈學記〉、〈樂記〉、〈經解〉、〈仲尼燕居〉、〈孔子閑居〉、〈坊記〉、〈中庸〉、〈表記〉、〈緇衣〉、〈深衣〉、〈儒行〉、〈大學〉等篇，其他各篇涉及禮容的也不少。而禮容、儀禮範圍廣泛，在《論語》〈學而〉子貢曾稱讚孔子具有溫、良、恭、儉、讓五種美德[18]，其實這五德也是最根本的禮容。溫是溫和，良是善良，恭是恭敬，儉是儉樸，讓是謙退禮讓，這些都從根本的真性情出發，所展現的風度與修養。這種儀容，在平時居家處世，都應該如此。《禮記》〈仲尼燕居〉一開頭便說：「仲尼燕居。子張、子貢，言游侍，縱言至於禮。子

---

18 《論語》〈學而〉：「子禽問於子貢曰：『夫子至於是邦也，必聞其政，求之與？抑與之與？』子貢曰：『夫子溫、良、恭、儉、讓以得之。夫子之求之也，其諸異乎人之求之與？』」（朱子：《四書集注》，臺北市：世界書局，1960年，卷1，頁5）

曰：居！女三人者，吾語女禮，使女以禮周流無不徧也。」[19]禮容是周流普徧，無時不在的習慣，存乎人的本質，與「仁」息息相關，《禮記》〈儒行〉說：「溫良者，仁之本也；敬慎者，仁之地也；寬裕者，仁之作也；孫接者，仁之能也；禮節者，仁之貌也；言談者，仁之文也；歌樂者，仁之和也；分散者，仁之施也；儒皆兼此而有之。猶且不敢言仁也，其尊讓有如此者。」[20]溫良、敬慎、寬裕、孫接、禮節、言談、歌樂、分散等修為與仁互為表裡，一位儒者，必須具備這些的儀容，既是「仁心」也「仁行」。而禮容最具體的表現就是要做到「讓」，《禮記》〈坊記〉：「子云：君子貴人而賤己，先人而後己，則民作讓。」[21]所以「禮讓」是儒家極高度的容儀。

《禮記・仲尼燕居》孔子說：「制度在禮，文為在禮，行之其在人乎。」[22]制度、禮儀、容飾貴在踐行，與《易》〈賁卦〉上九「賁其足」，從根本的行為表現開始，立意相彷彿。視、聽、言、動，言行舉止都是「賁其足」的發展，即《易》〈賁〉六二：「賁其須」之義。「讓」可以寧息紛爭，使社會祥和，生命充滿活力，即〈賁〉九三：「賁如、濡如」的生命氣象。一切容飾都要歸本於溫、良、恭、儉生生之仁，毫無矯作。就如〈賁〉所說一樣，雖有裝飾但就像沒裝飾一般的素樸自然，文質彬彬。孔子所說的「繪事後素」，「繪事」就是禮容裝扮，即〈賁〉卦所說文飾，「素」是生生之仁或「仁義行」的本質。孟子謂人性有四善端。[23]依此善端展現於外一定合乎禮容。不過人也存有動物生理獸性的本能慾望，依此發展，難免會有爭亂[24]，所以「禮」變成了行為打扮的規範，也是子夏「禮後乎？」問話的原

---

19 孫希旦：《禮記集解》（臺北市：文史哲出版社，1976年），頁1160。

20 孫希旦：《禮記集解》（臺北市：文史哲出版社，1976年），頁1287。

21 孫希旦：《禮記集解》（臺北市：文史哲出版社，1976年），頁1175。

22 孫希旦：《禮記集解》（臺北市：文史哲出版社，1976年），頁1165。

23 《孟子》〈告子上〉：「惻隱之心，人皆有之；羞惡之心，人皆有之；恭敬之心，人皆有之；是非之心，人皆有之。惻隱之心，仁也；羞惡之心，義也；恭敬之心，禮也；是非之心，智也。仁義禮智，非由外鑠我也，我固有之也。」見朱子：《四書集注》（臺北市：世界書局，1960年），頁161。

24 梁啟雄：〈禮論〉，《荀子柬釋》（臺北市：河洛圖書出版社，1974年），頁253：「人生而

委;但孔子並沒作肯定的答覆,其實禮容是依本質的裝飾,但裝飾後要合乎本質的自然。即繪即素,禮容與仁質互為體用,亦先亦後,孔子稱子夏可以言詩,耐人尋味。

有欲,欲而不得,則不能無求,求而無度量分界,則不能不爭,爭則亂,亂則窮。」

四論「新子學」

——《漢書》〈藝文志〉經子觀問題

方　勇

華東師範大學先秦諸子研究中心教授

提要

今天理解諸子時代學術，需要擺脫《漢志》舊說，反思其「尊經卑子」及「諸子出於王官」的論點，「新子學」將回到一種多元框架中來通觀諸子時代思想。諸子時代的根本問題在於文明重建的依據與路向之爭，涉及如何評價周文、文明建構的路徑、對精英群體的定位等等內容。儒家希望繼承周文，墨家與法家則選擇革新周文，道家則在思考有別於周文的另外一種文明形態。中國文明是一個追求人文化成的世俗化文明，在這種文明中，是將差序作為根基還是將齊同作為根基，這是個關鍵問題，儒道兩家在這點上呈現了不同的思路。另外，「新子學」在面對現代性時，重點是要對接中國文明內在的張力，如等級制、德性政治等等問題。總之，「新子學」要從多元文明的視角溯源諸子學，從中國文明的現代發展推進諸子學，追求對時代挑戰做出有效回應。

關鍵詞：新子學　諸子學　中國文明　《漢志》

　　關於「新子學」的討論歷時數年，學術界對於「新子學」的概念界定、學科內涵、文化立場等已有了深入而系統的思考[1]，在「新子學」與儒學研究的對話及其在東亞語境中的普適性研究也取得了一定成績。[2]在此基礎之上，有必要切入到諸子學內部，做一個整體性的分析。本文主要辨析傳統諸子學的諸種舊說，分析諸子時代的思想主題，並且以軸心時代的文明形態研究為參照，進一步探索「新子學」的發展方向。

一　辨《漢志》諸說

　　關於諸子學的傳統看法是由漢儒塑造的，保留在《漢書・藝文志》中。劉向、劉歆父子及班固於此各有貢獻。劉向著《別錄》，劉歆裁之為《七略》，班固則采《七略》有所損益而成《漢志》。三人中劉歆是關鍵人物，他總《別錄》二十卷為《七略》七卷，以《輯略》總述宗旨，敘定古今，可謂「辨章學術、考鏡源流」[3]（章學誠語），實為漢人所作之中國思想文化史論。其以先王之道統六藝，尊經卑子，重儒而斥百家，可謂漢代正統儒者之通見。我們這裏集中討論經子關係論和子學源起論。

　　劉歆的諸子學體系是對三代及秦漢學術的一次總結，其關鍵是以六藝該先王之道，此即尊經；而以諸子該戰國學術，以子學為六藝之「支與流裔」[4]，此即卑子，這是劉氏的經子關係說。劉氏以六藝為先王之道，而以孔門專之，此說並非歷史事實。戰國諸子為創一家之說，皆稱先王之道，各

1　詳見刁生虎：〈「新子學」研究的回顧與反思〉，《管子學刊》2018年第3期，頁46-62，以及方勇、張耀：〈「新子學」五年回顧〉，收入方勇主編《諸子學刊》第十八輯（上海市：上海古籍出版社，2018年），頁312-376。

2　詳見劉思禾：〈對話「新子學」──兩岸「新子學」系列學術對話紀實〉，《光明日報》第11版，2018年1月13日。

3　〔清〕章學誠撰，葉長青注：〈校讎通義敘〉，《文史通義注》（上海市：華東師範大學出版社，2012年），附錄《校讎通義注》，卷1，頁1011。

4　〔漢〕班固撰，〔唐〕顏師古注：〈藝文志・諸子略〉，《漢書》（北京市：中華書局，1962年），卷30，頁1746。

家無不如此。孔子稱堯舜禹，墨子贊大禹，道家稱上古帝王。此外，經非儒家一家所專，早期經學發展有多條線索，各家皆有經典化的努力，六藝之外，最典型的就是《墨經》《黃帝四經》，《老子》也有經的地位，解釋經典的記傳體在戰國也漸趨成熟。漢儒崛起，要重新解說歷史，至劉向、劉歆父子，六藝成為壟斷性的先王之道，其他各家不過是道下之「術」。其曰：「王道既微，諸侯力政，時君世主，好惡殊方，是以九家之術，蜂出並作。」[5]由是抬高「六經」，以之為唯一的先王之道，而判諸家為子學，遂成經尊子卑之分。劉歆又進而離析六藝與儒家之別、儒家與諸家之別，以貶低諸子時代的思想傳統。於是，就有了一個黃金時代在前，戰國陷入黑暗，漢代重歸光明的宏大敘事。劉歆以當代眼光重構歷史，離析經學、儒學及子學，這一扭轉奠定了後世的一般看法，掩蓋了歷史事實。憑借《漢書》的崇高地位，經尊子卑的看法遂由此世代傳承。

　　除了經子關係，劉歆體系還以王官解釋諸子學的源起，以為諸子學出於王官。所謂王官，即王之守官所執之學，與先王之道相對，是劉歆依據《周禮》想象的周代官學。劉歆在學術史上的重大影響就是今古文經學公案，他力爭古文經學的地位，推崇《周官》。因劉歆認為其是周公致太平之書，故稱之為《周禮》。依當代多數學者看法，《周禮》是戰國後期的著作，並非周初作品。劉歆以《周官》為依據，在史料的真實性上就站不住。然而劉歆此說自采入《漢志》，歷來無人懷疑，《隋書‧經籍志》、鄭樵《校讎略》即據此說而擴充之[6]，晚近章學誠、汪中、龔自珍、章太炎、劉師培亦主此說。直到清末曹耀湘始疑之[7]，而胡適著《諸子不出於王官論》，成為系統反擊劉說的第一人。[8]胡適認為，劉歆以前之論周末諸子學派者皆無此說，九流無

5　〔漢〕班固撰，〔唐〕顏師古注：〈藝文志‧諸子略〉，《漢書》（北京市：中華書局，1962年），卷30，頁1746。

6　詳見〔唐〕魏徵、〔唐〕令狐德棻撰：〈經籍志〉，《隋書》（北京市：中華書局，1973年），卷34，頁997-1012。

7　詳見〔清〕曹耀湘：《墨子箋》（清光緒三十二年湖南官書報局鉛印本），卷15，頁7下。

8　詳見胡適：〈諸子不出于王官論〉，《太平洋》第1卷第7號，1917年10月15日。

出於王官之理，《漢志》所分九流乃漢儒陋說，未得諸家派別之實。胡適此
論引發了當時的一場大討論，不僅涉及學術史，更關乎各人的文化立場。今
天，學者或者完全不相信諸子出於王官之說，或者對其有所修正。實際上，
即使我們能夠證明子學某一派和周代官學有一定的聯繫，也無法證成劉歆所
說的源流關係。其一，諸子學有不同的來源，非周文可概括；其二，周代官
學的性質和諸子學的性質是不同的，二者是兩個時代的不同學術形態，諸子
學更具有超越精神與理論品格。總之，諸子源起的問題需要重新思考。

　　今天理解諸子時代學術，需要擺脫《漢志》舊說。三代——即學界所說
的巫史時代——不是儒家一家獨享的資源，而是諸子共享的，如《莊子·天
下》所論「百家之學時或稱而道之」。[9] 諸家之分派不是官守之遺，而是對王
道或周文重建有不同想象，皆有其理，皆有其據，皆有其歷史之發展。諸子
不同的思潮或流派，及其不同的主張，當然與上古文化有關，卻並非其「支
與流裔」，而是進入了思想發展的新階段。三代思想在實際的政治社會之
中，所謂「君師政教合一」[10]，並沒有真正抽象出來。諸子學則具有根本
性、普遍性，是思想發展的一大進步，謂之軸心時代是合理的。此問題的大
關節在對孔子的定位上，今文家以孔子附上古王者系列，宋儒以孔子為發明
道統之聖人，諸子學則以孔子為諸子之一，既非頂點，也非中樞。依此，我
們應回到一種多元框架之中，在通觀之中理解早期中國。胡適平視諸子，建
立了理解古典學術的現代框架。我們在《三論「新子學」》中提出《周易》、
《春秋》、孔老、諸子並觀，則在經子兼治上更進一步。[11] 後來又提出以諸
子學、早期經學與數術之學為研究對象，就是希望打破《漢志》舊局，以通
觀諸子時代思想。此即所謂「新子學」。

9　〔清〕郭慶藩撰，王孝魚點校：〈天下〉，《莊子集釋》（北京市：中華書局，2012年），
　　卷10下，頁1067。

10　〔清〕章學誠撰，葉長青注：〈校讎通義敘〉，《文史通義注》（上海市：華東師範大學
　　出版社，2012年），附錄《校讎通義注》，卷1，頁1011。

11　詳見方勇：〈三論「新子學」〉，《光明日報》第16版，2017年3月28日。

二　周文重建之爭

　　在德國哲學家雅斯貝爾斯所稱的「軸心時代」，即公元前五百年前後，世界上的各個文明都面臨著挑戰。與猶太、古希臘、古波斯諸文明所面臨的挑戰不同，中國面對的是一個大規模文明體的衰落與重建問題。夏商周三代特別是周文明的衰落，是諸子思想興起的背景。中國文明因為有三代文化的強烈自覺，故而建立一個和以往文明同樣偉大甚至更偉大的文明的意識極為強烈。思想史家史華慈已經看到此點，他認為這是中國文明和軸心期其他文明的重要區別。[12]諸子時代作為文明的轉型期，上承新石器晚期以來的早期文明，下開兩千多年的帝制時代，展開了極具原創性的思想歷程。因而，可以從「周文重建」引發的思想爭論去理解諸子學。其根本問題在於文明重建的依據與路向之爭，涉及如何評價周文、文明建構的基本原則及路徑、對精英群體的定位等等。對這些問題鏈的不同解答，就構成了諸子不同的思想譜系。其他文明所追問的諸如存有的實相、苦難的解脫、上帝意志的實現、善惡的永恆鬥爭等問題，都不是中國哲人最關注的。「周文重建」之爭和《淮南子》「救弊」之學的說法相近[13]，但實際上有所不同。諸子各家並不是救周文之弊而已，而是有著各自獨特的文明建構路徑，這一點只有站在當代視角上才能看清。

　　在關於新的文明形態的思想競賽中，首先有新舊兩條路向，這一點梁啟超在《中國法理學發達史論》中已談到。[14]舊的路向繼承周文，而新的路向則要變革周文。新舊之爭是周文化繼承者的路向之爭，舊的路向代表是儒家，新的路向代表是墨家和法家。孔子思考的是周文的復興，故曰：「吾其

---

12 詳見〔美〕史華慈著，程鋼譯：《古代中國的思想世界》（南京市：江蘇人民出版社，2004年），頁64。

13 詳見〔漢〕劉安編，何寧整理：〈要略〉，《淮南子集釋》（北京市：中華書局，1998年），卷21，頁1457-1463。

14 詳見梁啟超：〈中國法理學發達史論〉，《飲冰室文集》（昆明市：雲南教育出版社，2001年），第1集，頁340-375。

為東周乎？」[15]又云：「齊一變至於魯，魯一變至於道。」[16]對孔子而言，最重要的是恢復傳統，而不是變革傳統。所以，子路譏諷他迂腐，固守名教，他則譏彈子路之不學。孟子和荀子能適應時代，但他們在諸如禪讓的合法性等一些基本問題上也同樣是保守的。真正對周文做出革新的是墨家和法家。墨家發起了第一波攻擊，抨擊周文之禮樂，又以兼愛、尚賢打擊儒家之親親原則。法家則專門修正政治體系的運行法則，以法來代替禮，以加強行政效率。吳起治楚，「明法審令，捐不急之官，廢公族疏遠者，以撫養戰鬥之士」。[17]《商君書》談時勢之變：「上世親親而愛私，中世上賢而說仁，下世貴貴而尊官。」[18]韓非更明言「廢先王之教」。[19]這些都指向周人之禮樂秩序。總之，墨家和法家發起的對周文的攻擊，是中國文明轉型的巨大推動力。正是在這兩股思潮的論證之下，周文的正當性才被削弱，墨家呼喚的賢者居其位的思想對於後來的荀子及今文經學產生了巨大的推動力，法家則論證了中國早期官僚體系的思想模型。漢代之後，墨家無存，然其精義已深入中國文明。法家之精神則長久隱伏在中國歷史中，成為帝國體系的內在依據。

　　圍繞著周文重建，還有更重要的論爭，我們姑且借用郭沫若在《十批判書》中的提法（勞思光也有類似的說法）[20]，稱之為南北之爭。儒家、墨家和法家都是周文化系統內部的流派，可以用中原系統來表示，而道家則代表了南方的邊緣系統，如楚國、徐國、宋國（殷之後裔）、吳越等。那些受到

15 程樹德撰，程俊英、蔣見元點校：〈陽貨上〉，《論語集釋》（北京市：中華書局，1990年），卷34，頁1194。

16 程樹德撰，程俊英、蔣見元點校：〈雍也〉，《論語集釋》（北京市：中華書局，1990年），卷12，頁411。

17 〔漢〕司馬遷撰，〔南朝宋〕裴駰集解，〔唐〕司馬貞索隱，〔唐〕張守節正義：〈孫子吳起列傳第五〉，《史記》（北京市：中華書局，1982年），卷65，頁2168。

18 〔戰國〕商鞅等著，蔣禮鴻整理：〈開塞〉，《商君書錐指》（北京市：中華書局，1986年），卷2，頁52。

19 〔戰國〕韓非著，〔清〕王先慎集解：〈問田〉，《韓非子集解》（北京市：中華書局，1998年），卷17，頁396。

20 詳見勞思光著：《新編中國哲學史（一卷）》（桂林市：廣西師範大學出版社，2005年），頁52-57。

周文化影響的邊緣地帶文化人，由於其地處文明中心之外，對文明形態往往有新的思考。如何理解文明發展的基本問題，是道家思想的關鍵。老子提出的「象帝之先」、「自然」、「無為」、「小國寡民」，莊子之「齊物」、「渾沌」、「不治之治」，黃老學之兼及道法，其基本思路都在思考有別於周文的另外一種文明形態。老子、關尹、列子、莊子、屈原，以及《漢志》中道家類的諸多楚地作者，包括提出大同說的儒家激進派之吳人言偃，以及匯通齊楚百家的稷下學派，西漢時代的淮南學術團體，都有相近的精神氣質，而與周文異質。如果說儒家、墨家、法家追問的是人文的不同形態，那麼道家所質疑的就是人文本身，認為人文是對某種更根本的東西的背離，而這與中原系統是根本衝突的。南北之爭是關於重建周文最重要的論爭，包含著諸子時代最重要的理論思考。這一問題在秦漢之後仍舊是中國思想的重要母題。

　　諸子學的新舊與南北之爭，關乎周文重建的不同方案，這是諸子時代論爭的根本。諸子各家在戰國中後期有一個會通的過程，不過其義理的差異性仍舊存在。儒、道、墨、法諸家推動了三種歷史實踐，分別表現為秦之法治、漢初黃老之無為政治，以及武帝之後的儒學治國。從後世來看，周秦之變最後的總結者是儒家，不過道家和法家等諸家並沒有消亡，各有其發展的歷史，並在後世不斷回響。諸家各有其道路，各有其義理，因而中國文化不是一般所論之中心根幹和枝葉的關係，而是不同的根幹匯融發展的多元關係。這不僅已被上古考古證明，也是諸子時代的事實，在當代更會重煥生機，與世界各大文明之不同源流會通並觀。

三　文明之思想溯源

　　法國歷史學家布羅代爾在《文明史綱》中提及，一個文明的基礎就是為一群人所共同遵守的某種東西。他以西方與伊斯蘭世界婦女地位的差異為例，說明每一文明中的日常現象往往有其深厚的歷史依據。[21]同理，在中國

---

21 詳見〔法〕布羅代爾著，肖昶等譯：《文明史綱》（桂林市：廣西師範大學出版社，2003年），頁48。

社會中，很多我們習焉不察的現象，可以追溯到古典時代，以探明其特殊性的來源。按照西方的標準，中國文明是一個世俗化的文明，實際更準確地說是追求人文化成的文明。肯定人文特性，追求以人文的力量致「天下文明」[22]，這是軸心時代就奠定的基本文明特徵。在諸子時代，人的地位而不是神的地位是軸心期突破的中心。古人講天人，講天地人三才，就是把人作為一極，以人文世界的思考為中心，由此展開天人、性情、政教、華夷的討論。中國文明的這一特點，表現在各個方面。對形上和本體的追問同樣存在，但是並不把這個單獨作為對象，而總是把它和人的關係作為核心問題。天/道是作為文明體的裁決者或者文明體的命運出現的，表現為一種連續的關係，天人關係以及由此展開的心性關係也是這樣。而對德性的推崇是中國文明的顯著特色，德性往往被視作一種達成整體性的素質/能力，既是實存也具有價值。Being a man 和 Becoming a man 是不同的，「知道什麼」和「知道怎麼」也是不同的，根據就在德性上。思想最終落在對人類文明體的追求上，於是有關於「天下」和「大一統」的想象。這意味著，最重要的是知道如何處理天/道與人的關係，從而達成一種整體的文明形態，此即中國文明的基本形態。

我們認為，文明的建立是以差序為根基，還是以齊同為根基，這是深入理解中國文明的關鍵所在。一般所稱道的堯、舜、禹、湯、文、武、周公，象徵著一種偉大的文明傳統。其中所體現的縱向差序的觀念，應為其基石。即，無論神學的、政治的秩序還是社會倫理的秩序，以至於精神的、觀念的秩序，都是等級式的，存有/價值的差序是一切的根基。這一序列是真實客觀的、不可動搖的、不可懷疑的。在古代經典如《詩》《書》中，多以上下來表達此意。《尚書》〈堯典〉曰：「光被四表，格於上下。」[23]《詩經》〈大雅〉：「文王在上，於昭於天。」[24]《大克鼎》銘文：「肆克□於皇天，璵於上

---

22 〔魏〕王弼撰，樓宇烈校釋：〈乾·文言〉，《周易注》（北京市：中華書局，2011年），頁6。

23 顧頡剛、劉起釪撰：〈虞典〉，《尚書校釋譯論》（北京市：中華書局，2005年），頁2。

24 〔宋〕朱熹注，王華寶整理：〈大雅〉〈文王〉，《詩集傳》（南京市：鳳凰出版社，2007年），卷16，頁204。

下。」[25]清華簡《厚父》：「天降下民，設萬邦。」[26]上下就是一種差序，神聖的天在上，是一切的保證者，而人間在下。由天上至人間，天命的下達總是導向聖賢的責任。這一基本思想，在後世不斷發展，形成一整套有關天命、德性、制度的體系性論述，於是三綱五常式的剛性秩序成為文明的基石。這種建構性的文明理解成為後世的主流。與上述文明建構思路不同的是另一種敘述，這種思路是反周文的，但是不能解釋為反對一切文明形態，其所探索的乃是另外的文明道路。思想家們圍繞「道」設想了一種新的文明秩序，就是無序列的序列，無名義的名義，無造作的操作，這是一種最樸素的文明形態，提倡最弱的政治運作與最稀薄的價值體系，指向一種反文明建構的思路。與建構不同，強調「無為」；與教化不同，強調「無言」。無為與無言都是「無」的一種實現，其中心已不在執政者，而在作為文明主體的社會本身。故而，對於一般文明發展的做法，諸如中心化、等級制、嚴格善惡之分、劃分精英與民眾，都抱一種否定態度。相對應的就是，主張遠離人文，去序列化，無中心，齊一萬物，含混主義，尊重事物本來的樣貌，設想一個依其本性自然活動的場域。這是另外一種關於文明的思考。歷史上很多人物和主張都可以歸於此類。通過上面描述的兩種文明路向，我們希望可以揭示中國文明的形態特徵。深入把握這一基本特質，是「新子學」研究的一個方向。

　　「新子學」不僅要理解中國，還要處理文明與現代性的關係。不同文明體的現代化，不僅僅是現代價值的伸張，也是和古典價值相融通的過程。而這一過程所觸及的主題，在多元文明中是不同的。比如，宗教傳統與科學主義的衝突是很多文明現代化的重要課題，而這在中國基本是不存在的。就中國文明而言，現代化有很多獨特的主題需要處理，最主要的就是如何對接其內在的文明張力。比如，等級制在哪個意義上是需要維繫的？需要把德性作為政治的根基嗎？需要建構現代形態的形上學以支撐傳統文化嗎？個人原則

---

25 馬承源主編：〈大克鼎〉，《商周青銅器銘文選》（北京市：文物出版社，1988年），卷3，頁216。

26 李学勤主編：〈厚父〉，《清华大学藏战国竹简》（北京市：中西书局，2015年），第5冊下冊，頁118。

與民權原則能在多大程度上校正原有的中心化原則傾向？顯然，這些是複雜而獨特的問題。現代原則並不是完全取代古典原則，而是和這些原則構成一種新樣態。要理解這些問題，首先要回到中國文明的源頭，把握其基本形態，以比較視域來進行綜合性、還原性的思想研究，形成相對獨立的學術體系，然後一一加以比勘，做出合理的解說。這需要精密而耐心的思考，也將交付於時間來檢驗。

　　構建當代的文明認同，探索中國傳統與現代性的關係，關鍵在於把這一問題放在合理的框架之內。無論是回到宋明時期的心性論與道統論，還是重新回到經學的封閉系統，或者完全無視中國文明自身的獨立性格，恐怕都無法應對當代的挑戰。諸子時代是中國文明轉進的關鍵期，後世的文明特質都可以在此找到原點。從多元文明的視角溯源諸子學，從中國文明的現代發展推進諸子學，有希望對時代挑戰做出有效回應。《詩》云：「溯洄從之，道阻且長。」[27]「新子學」其修遠兮！

27　〔宋〕朱熹注，王華寶整理：〈國風‧蒹葭〉，《詩集傳》（南京市：鳳凰出版社，2007年），卷6，頁88。

《易傳》「創新」視域剖析
——〈晉〉、〈升〉、〈漸〉三卦為例

趙中偉

輔仁大學中國文學系兼任教授

提要

〔英〕懷德〕海（Alfred North Whitehead, 1861-1947）在其形上學思想中，特別將「創新（Creativity）」列於究極範疇，至於其它涉及存在、解釋，與規範之範疇，皆假定了此一究極範疇（此涉及了存有者的存有），並為其釋例。

《易傳》中，視「創新」是一個寓含豐盈內涵，意義深遠的概念。它是生命生生不息，沛然莫之能禦，不容已動能的創生、創進到創新的生命原初性；並落實到道德修持的日新其德，增益其品的「內聖」之道。

〔清〕李光地（1642-1718）《周易折中》指出：「《易》有〈晉〉、〈升〉、〈漸〉三卦，皆同為進義而有別。〈晉〉如日之方出，其義最優；〈升〉如木之方生，其義次之；〈漸〉如木之既生，而以漸高大，其義又次之，觀其〈彖辭〉皆可見矣。」特別提出〈晉〉、〈升〉、〈漸〉三卦，以類比在現象界展現的「創新」能量，立意深遠，值得玩味。

本文以此為題，從三個面向——宇宙論、內聖修德及卦象（即是現象界），來剖析《易傳》的「創新」之道。

《易傳》的「創新」意義與價值，展現了四項特質：

其一是「創新」為《易傳》主要核心內涵之一，從宇宙的化生，自身的明德，卦象的前進，皆寓含其義。其二是「創新」是永不停止，具有無窮性

與永恆性。其三是「創新」理解與解釋的詮釋，意義創新，本體詮釋，是詮釋的視域融合。四是「創新」存於吾心，是推動前進發展與向上提升的重要動力。

關鍵詞：創新　〈晉〉　〈升〉　〈漸〉　視域融合

　　「創新（Creativity）」，即指創造新的事物或創造內在能量。是一個現今常用的普通詞彙。

　　在《易傳》中，則是一個寓含豐盈內涵，意義深遠的概念。它是生命生生不息，沛然莫之能禦，不容已動能的創生、創進到創新的生命原初性；並落實到道德修持的日新其德，增益其品的「內聖」之道。

　　〔清〕李光地（1642-1718）《周易折中》又特別指出：「《易》有〈晉〉、〈升〉、〈漸〉三卦，皆同為進義而有別。〈晉〉如日之方出，其義最優；〈升〉如木之方生，其義次之；〈漸〉如木之既生，而以漸高大，其義又次之，觀其〈彖辭〉皆可見矣。」[1]

　　黃壽祺（1912-1990）、張善文（1949-）進而分析說：「〈晉〉、〈升〉、〈漸〉三卦，分別象徵『晉長』、『上升』、『漸進』，三者在一定程度上都含有『進』的意思，但卦卻不同。」[2]特別提出〈晉〉、〈升〉、〈漸〉三卦，以類比在現象界展現的「創新」能量，立意深遠，值得玩味。

　　本文以此為題，從三個面向──宇宙論、內聖修德及卦象（即是現象界），來剖析《易傳》的「創新」之道。

一　生命的「創新」：宇宙化生，生生不息，沛然莫禦，永不停止

　　〔英〕懷德海（Alfred North Whitehead, 1861-1947）在其形上學思想中，特別將「創新（Creativity）」列於究極範疇，至於其它涉及存在、解釋，與規範之範疇，皆假定了此一究極範疇（此涉及了存有者的存有），並為其釋例[3]。

1　參見氏著《周易折中・下經》，卷5，（臺北市：武陵出版社，1989年1月），頁388。

2　參見黃壽祺、張善文《周易譯注》，卷5，（上海市：上海古籍出版社，1989年5月），頁287。

3　參見沈清松（1949-2018）《物理之後──形上學的發展》，第10章，（臺北市：牛頓出版限公司，1991年11月），頁308。

　　即是懷氏將「創新」概念，提升到本體層次，是「涉及了存有者的存有」，並成為「存在、解釋，與規範之範疇」。其中「存有者的存有」，即是形上學的內涵。即是「對於存有者的存有，以及各主要存有者領域的本性與原理所做的全體性、統一性、基礎性的探討」[4]。

　　基於此，「創新」實為懷氏形上學之冠冕，亦為究極範疇（此涉及了存有者的存有）之頂峰。「創新」實為存有者的存在活動，即存有者的存有。究極範疇（The Category of the Ultimate）可以說是一個三合一之範疇。分而言之，它是由「一」、「多」、「創新」三者構成；合而言之，此三者皆由「創新力」來統攝。蓋「創新」乃由多而一、由一而多之歷程，致使一中有多，多中有一[5]。

　　懷氏的「創新」，不是指本體，而是本體的本質。化生之源——上帝，由一而多，並由多而一；其中化生的關鍵動能是「創新」，方能使「一中有多，多中有一」。並認為「整個宇宙為一創進不已之歷程」[6]。

　　《易傳》的宇宙論，就是將這股生命「創新」的能量充分發揮。

　　在《易傳》中，最著名的一段宇宙論，即是：

> 易有大極，是生兩儀。兩儀生四象，四象生八卦〈繫辭上傳・第10章〉[7]。

易，指陰陽之變[8]，非指最高本體。太極，指理[9]。兩儀，指天地或陰陽。四象，指少陽、老陽、少陰、老陰。八卦，指〈乾〉、〈坤〉、〈震〉〈巽〉、

4　同上，第1章，頁20。

5　同上，第10章，頁308。

6　同上，第9章，頁290。

7　本文引用《周易》原典，根據李學勤（1933-2019）主編《十三經注疏・〔唐〕孔穎達（574-648）周易正義》，（北京市：北京大學出版社，1999年12月）。至於〈繫辭傳〉、〈說卦傳〉的章次，則按照〔南宋〕朱熹（1130-1200）《周易本義》，（臺北市：老古文化事業公司，1987年5月）的編排。本文引用《周易》原典，僅注明篇章，不注明出處。

8　參見朱熹《周易本義》，卷3，同上，頁306。

9　同上。

〈坎〉、〈離〉〈艮〉、〈兌〉。

這是一種「加一倍法」的幾何級數倍數成長之化生方式。所謂「加一倍法」，即指具體為從奇、偶二數出發，分別再加以奇偶二數，逐次加上法，即二為一的倍數，四為二的倍數，八為四的倍數，十六為八的倍數……承認宇宙中個體事物發展是從一到多，從單純到複雜的無窮盡過程，形成一個既對立又互相依存的有機整體[10]。

此宇宙論，最關鍵的是「生」字，表示一種「創新」力道。「生」，〔東漢〕許慎（約58-約147）《說文解字》解釋說：「生，進也。象艸木生出土上。」[11]「生」，就是「進」，即是向前不斷的前進，產生新的生命或事物。

在《易傳》的宇宙論思維，認為生命流，是一股以「二」的倍數，永無止息創新前進的動能，化生萬有，無窮無盡。

「創新」，創是始的意思[12]，所以創造不是後造，而是始造。創造和仿造相對。通常說創造，含有造出了一個前所未有的事物的意味[13]。宇宙萬物的化生，一定是始造，而非仿造或後造，是一個全新的生命產生，前所未有的嶄新生命。

《易傳》為何重視「生」？

「生」，是「創新」之本。有「生」，才有生命，才能建立繽紛多彩的世界；反之，沒有「生」，就沒有生命，沒有世界，「創新」的意義和價值就不存在了。

《易傳》再以形象描述化生的過程：

---

10 參見張其成（1959-）《易學大辭典》，「加一倍法」條，（北京市：華夏出版社，1992年2月），頁472。

11 參見〔清〕段玉裁（1735-1815）《說文解字注》，6篇下，（臺北市：藝文印書館，1970年6月），頁276。

12 參見《廣雅·釋詁一》：「創，始也。」網頁，引見「教育部異體字典」網頁，「創」條，http://dict.variants.moe.edu.tw/variants/rbt/word_attribute.rbt?quote_code=QTAwMzY4，2019年9月8日。

13 參見「MBA 智庫百科」網頁，「創新」條，https://wiki.mbalib.com/zh-tw/%E5%88%9B%E6%96%B0，2019年9月7日。

> 夫乾，其靜也專，其動也直，是以大生焉。夫坤，其靜也翕，其動也
> 闢，是以廣生焉。廣大配天地〈繫辭上傳‧第6章〉。

專，指專一。直，指直遂不撓。翕，指收斂。闢，指開闢。

此說明萬物的化生，如同「乾坤」的變化形成萬物一樣。「乾」為形式
因及動力因，靜止時，是專一不變的；運動時，則是直遂不撓，致產生剛大
的氣勢。「坤」為質料因，靜止時，是收斂含藏的；運動時，則是開闢展
現，致產生寬柔的氣勢。乾剛坤柔其目的因，則是化生萬有。並以剛大寬柔
類比天地，永恆生生。

〔東晉〕韓康伯（？）解釋說：「乾統天首物，為變化之元，通乎形外
者也。坤則順以承陽，功盡於己，用止乎形者也。故乾以專直言乎其材，坤
以翕闢言乎其形。」[14]材，指品性[15]，即指本質。韓氏析論「乾」與「坤」的
差異性。「乾」，為萬物資始，為變化之首要，超越形體之上；並以「專直」
說明其本質。「坤」，則為「萬物資生，乃順承天」[16]，作為「成物」，使其
具有物質性，「止乎形者」；並以「翕闢」說明其形象。

〔三國魏〕宋衷（？）則從另一角度，說明「乾坤」化生萬物的經過。
就「乾」言，他說：「乾靜不用事，則清靜專一，含養萬物矣。動而用事，
則直道而行，導出萬物矣。一專一直，動靜有時，而物無夭瘁，是以大生
焉。」[17]瘁，音翠。指疾病。此說明「乾」在靜時，「清靜專一，含養萬
物」。在動時，則「直道而行，導出萬物」。一動一靜，一專一直，交相作
用，所以稱之為「大生」。

就「坤」言，宋衷指出：「翕，猶閉也。坤靜不用事，閉藏微伏，應育
萬物矣。動而用事，則開闢群蟄，敬導沈滯矣。一翕一闢，動靜不失時，而

---

14 參見〈繫辭上傳‧第6章〉注，引見李學勤主編《十三經注疏‧孔穎達周易正義》，21
   冊，卷第7，同注7，1:273。

15 參見張其成《易學大辭典》，「卦材」條，同注10，頁17。

16 參見〈坤卦‧象辭〉。

17 參見〔唐〕李鼎祚（？）《周易集解》，卷13，引見楊家駱（1912-1991）主編《周易注
   疏及補正》，（臺北市：世界書局，1987年2月），頁323。

物無災害,是以廣生也。」[18]蟄,音擲。指動物入冬藏伏土中,不飲不食稱之。此說明「坤」在靜時,「閉藏微伏,應育萬物」。在動時,「開闢群蟄,敬導沈滯」,使萬物從沈滯中,活出生命。一動一靜,一翕一闢,交相作用,所以稱為「廣生」。

由於《易傳》體證「創新」生命的意義與價值,致在文中一再提示:

天施地生,其益无方〈益卦・象辭〉。

孔穎達說:「天施氣於地,地受氣而化生。」[19]以「天地」類比化生之道。天道下濟施氣於地,地受天道之氣,而化生一切萬有。

〔北宋〕程頤(1033-1107)進一步解析說:「天道資始,地道生物,天施地生,化育萬物,各正性命,其益可謂无方矣。方,所也。有方所則有限量,无方謂廣大无窮極也,天地之益萬物,豈有窮際乎?」[20]

天施地生,天地化生,方能化育萬物;沒有天施地生,何來萬物。同時,天地的化育,是普及天下,無有界限、畛域、方所的分別。此充分說明「天施地生,其益无方」的內在意蘊。

〈序卦傳〉也說:「有天地,然後萬物生焉。盈天地之間者唯萬物。」天地化生,世上有了生命,是以「盈天地之間者唯萬物」。

基於此,天地最大的功能,就是「生」。

天地之大德曰生〈繫辭下傳・第1章〉。

孔穎達析論說:「天地之盛德,在乎常生,故言曰生。若不常生,則德之不大。以其常生萬物,故云大德也。」[21]「生」,就是永不止息的化生,不停的

---

18 同上。

19 參見〈益卦・象辭〉疏,引見李學勤主編《十三經注疏・孔穎達周易正義》,21冊,卷第4,同注7,1:117。

20 參見黃忠天(1958-)《周易程傳註評》,卷5,(高雄市:高雄復文圖書出版社,2004年9月),頁365。

21 參見〈繫辭下傳・第1章〉疏,引見李學勤主編《十三經注疏・孔穎達周易正義》,21冊,卷第8,同注7,1:297。

「生」，不停的「創新」，所以稱為「常生」，即是永恆之生。若能「常生」，則其德為大；反之，若不「常生」，自然「德之不大」。

《易傳》對「生」的內涵，作一總結曰：「生生之謂易〈繫辭下傳‧第5章〉。」

孔氏深入剖析說：「生生，不絕之辭。陰陽變轉，後生次於前生，是萬物恆生，謂之『易』也。前後之生，變化改易。生必有死，《易》主勸戒，獎人為善，故云『生』不云『死』也。」[22]易，指變易。「生生」，連用兩個「生」字，代表生之又生，生生不息，表示永遠不斷絕。就是指前生已亡，後生接續，萬物永恆生生，賡續不絕。孔氏語重心長的表示：「《易》主勸戒，獎人為善，故云『生』不云『死』也。」因之，《易傳》標舉宇宙化生之道為「生生之謂易」，其意義是非常宏深的！

宇宙化生後，生命的本質為何[23]？〈繫辭上傳‧第5章〉說：

> 一陰一陽之謂道，繼之者善也，成之者性也。

朱熹解釋說：「陰陽迭運者，氣也；其理則所謂道。道具於陰而行乎陽。」[24]此從宇宙化生的過程言，本體為「理」，即是「天理」[25]。萬物的變化過程，則是「一陰一陽」。其中，「一」，非指一個，而是說明變化。然而，「陰陽」的本質，則為「氣」。萬物的化生，即是「道具於陰而行乎陽」。也就是「道」經由「陰陽」的變化，而化生一切萬有。

---

22 參見〈繫辭上傳‧第5章〉疏，同上，卷第7，1:271。

23 本質，指事物所固有的普遍的、相對穩定的內部聯繫。與「現象」相對。它決定著事物的性質。參見馮契（1915-1995）主編《哲學大辭典》，「本質」條，（上海市：上海辭書出版社，1992年10月），頁337。

24 參見朱熹《周易本義》，卷3，同注7，頁288。

25 朱熹說：「天地之間，有理有氣。理也者，形而上之道也，生物之本也；氣也者，形而下之器也，生物之具也。」參見〈答黃道夫一〉，引見陳俊民（1939-）校訂《朱子文集》，10冊，卷58，（臺北市：允晨文化實業公司，2000年2月），6:2798。又說：「先有箇天理了，卻有。氣積為質，而性具焉。」參見〔南宋〕黎靖德（?）編《朱子語類》，4冊，卷107，（長沙市：岳麓書社，1997年11月），1:2。由上可知，朱子所語之「理」，等同「天理」。

生命的本質，則為「繼之者善也，成之者性也」。

「繼，言其發也。善，謂化育之功，陽之事也。成，言其具也。性，謂物之所受，言物生則有性，而各具是道也，陰之事也」[26]。朱子解釋說。此說明「繼成」，為生命承接「道」的本質。其「本質」為何？即是「化育之功」的良善；並稟受在萬物之中的「性」。「性」，即是人及物的本質，「道」在其身上的顯現。

此說明了生命化生的本質，除了生命傳承生生不息的「創新」動能外，還有道德倫理性的「性善」傳授。

根於此，《易傳》除了強調「生」的「創新」，也強調「德性」的「創新」，是其來有自的。

二 「創新」根基於形上，詮釋的創造及本體化，嶄新的視域融合

懷德海說：「創新力是超越一切形式的終極事實，不能被形式所說明。」[27]說明「創新」的至上性、超越性以及終極性。因此，他以「創新」為共相之共相，又為究極之真實，可以說道出了宇宙生生不息、創進不已的究極真實[28]。

「創新」，具有化生萬有的動能，無窮無盡，不止不息。然而，它並不是具體的事物。「既對各現實物有決定力，復接受現實物決定，但本身並非一現實物。任何現實物皆有『創新力』」[29]。所以，「創新」，「既是最為普遍之範疇，又是至為具體之事實」[30]。

---

26 參見朱熹《周易本義》，卷3，同注7，頁288-9。

27 A. N. Whitehead, Process and Reality, Corrected Edition, New York: The Free Press, 1978, p.20.引見沈清松《物理之後──形上學的發展》，第10章，同注3，頁311。

28 同上，第10章，頁342。

29 同上，第10章，頁310。

30 同上，第10章，頁309。

著名哲學家沈清松針對懷氏的「創新」思想分析說:「『創新』是共同成長之原理（principle of concrescence）。……共同成長就是產生『新穎』的『集結』,因而綜合了由多到一（集結）和由一到多（新穎）之雙重歷程。」[31]

「新穎」的「集結」,道盡了生命「創新」的特色。一個新生命的產生,就是一個「驚喜」,也是最「新穎」的;它是一己生命的集合體,並集合眾多生命,形成萬有繽紛萬化的「集結」。

綜言之,「所謂『創新』,就是產生新的集合,一方面把多綜合為一,另一方面又以新的一增益原有之多」[32]。道盡了「創新」的內在意義與價值。

在懷氏心目中,為何將「創新」的意義立於形上之巔?

這就是懷氏的研究「視域」。

「視域」,我們可以視見的區域,即「視界（Horizont）」,它標誌著理解的界限。際遇概念的一個基本要素就是視界概念,理解者的視界就是他從自己特殊的、占主導地位的觀點出發所能看到的一切,「詮釋學境遇的作用就意味著獲得了在探究那些由與傳統相遭遇所激發的問題時的正確的視界（〔德〕伽達瑪（Hans-Georg Gadamer 1900-2002）《效果歷史的原則》,載《哲學譯叢》,1986年第三期）」[33]。

進言之,「視域」就是詮釋者對問題理解與解釋的整個視野。

懷氏將「創新」的意義提升到形上層次,即是「突破時間,進入永恆;突破空間,進入無限」[34]。根此,「創新」是一個具有形上層次,超越時空的概念[35]。

---

31 同上,第10章,頁312。

32 同上,第10章,頁320。

33 參見潘德榮（1951-）《詮釋學導論》,第4章,（臺北市:五南圖書出版有限公司,1999年8月）,頁133-4。

34 參見鄔昆如（1933-2015）〈評述康德生平及著作〉,引見《哲學與文化》,第131卷第2期（357期）,（臺北市:哲學與文化月刊雜誌社,2014年2月）,頁12。

35 時間,表示物質運動的持續性和順序性,其特點是一維性（維,指法度。此指單一維度）,是說物質運動的持續性和順序性是不可逆的,時間一去不復返。空間,是指物質存在的廣延性和伸張性;特點是具有長度、寬度和高度。這種現實的空間叫做三維空

從理解與解釋的詮釋學來看，「創新」的意義，從本義到形上意義，經過詮釋轉化的三個程序：創造詮釋、本體詮釋、視域融合。

「創新」兩字，從本義言，「創」，指始[36]。「新」，指取木[37]。〔清〕段玉裁（1735-1815）解釋說：「取木者、新之本義。引申之為凡始基之偁。」[38]後都作為創作新的東西或事物解釋。

倘若「創新」的意義，原於本義，僅止於此，則「那麼這個『原意』終將會因時間的流逝而磨損，最終化為無」。詮釋學者潘德榮（1951-）指出。反之，「如果理解是『生產』意義的，那麼一切語言、文字流傳物將會在這個『生產』過程中，變得越來越豐富、充足」[39]。

由此可知，詮釋是朝向創造性詮釋發展。

創造詮釋：是指在理解與解釋的過程中，不囿於原有概念的本義，產生創發性的思維與意義，對其論證概念的原有本義，予以意義的創新與變化，以達到詮釋的創新稱之。

我國現代美學的開拓者和奠基者之一的朱光潛（1897-1986）就指出：「一首詩的生命，不是作者一個人所能維持住，也要讀者幫忙才行。讀者的想像與情感是生生不息的，一首詩的生命也是生生不息的，它並非是一成不變的。」[40]讀者的想像與情感，就是一種創造性的意義產生。

「理解在本質上是創造的，理解的過程是一個創造真理的過程。也正由於這種主觀因素，使『真理』本身具有某種相對性，它是非確定的，不斷流動著的，同時又是多義的」[41]。這充分指出，意義為何流動變化，且是多義

間。參見周金榜（？）等編《哲學基本手冊》，第2章，（北京市：語文出版社，1990年8月），頁36。

36 參見《廣雅・釋詁一》，同注12。

37 許慎說：「新，取木也。從斤。亲聲。」參見段玉裁《說文解字注》，14篇上，同注11，頁724。

38 同上。

39 參見氏著《詮釋學導論》，第7章，同注33，頁192。

40 參見氏著《談美・序》，（臺北市：寫作天下出版社，2008年10月），頁3。

41 參見潘德榮《詮釋學導論》，第3章，同注33，頁71。

的，就在於意義不停的創造變化。

從此可知，為何「創新」的意義不僅止於本義，而不斷的變化創造的原因所在了。

美國學者帕瑪（Richard E. Palmer, 1933- ）舉例指：相同的主題，在不同的詮釋中，卻有不同的面貌與立場。……詮釋不是赤裸的重現，而是一個新的創造，是理解中的嶄新事件[42]。其透析了創造詮釋的主要原因。

伽達默爾寫道：「事實上，應當被理解的東西，並不是作為某種生命環節的思想，而是作為真理的思想。正是因為這一理由，詮釋學才真有一種實際的作用，保留了研討事物的實際意義（參見氏著《真理與方法》，第1卷，頁189）。」他還進一步分析說，如果我們了解了話語與書寫文字的差別，那麼話語一旦變成了文字，它所包含的作者思想就已不是原先的思想。他說道：「通過文字固定下來的東西，已經同它的起源和原作者關聯相脫離，並向新的關係積極地開放，像作者的意見或原來讀者的理解這樣的規範概念，實際上只代表一種空位，而這空位需不斷地由具體理解場合所填補（同上，第1卷，頁399）。」「因而這使我面臨一個抉擇——就是『在心理上重構過去的思想』，還是『把過去的思想融合在我們自己的思想中』？——我決定反對〔德〕施萊爾馬赫（Friedrich Schleiermacher, 1768-1843）而贊成〔德〕黑格爾（Georg Wilhelm Friedrich Hegel, 1770-1831）（參見氏著《科學時代的理性》，頁40）。」[43]此即充分指出沒有作者的本義，「作者已死」。新的意義，經由我們「把過去的思想融合在我們自己的思想中」，一個嶄新的意義就這樣創造產生了。

創造詮釋代表了思維的創新與提升，意義不停的創新與轉化。即是「詮釋的循環是一個生產性的循環，它的目的是，擴展理論的框架和挖掘新的意

---

42 參見氏著，嚴平（？）譯《詮釋學》，第12章，（臺北市：桂冠圖書股份有限公司，1997年9月），頁249。

43 參見洪漢鼎（1938-）《當代哲學詮釋學導論》，第2章，（臺北市：五南圖書出版公司，2014年3月），頁61-2。「在《真理與方法》一書中，伽達默爾把黑格爾的綜合法，與施萊爾馬赫的重構法相對立」。同上，頁63。

義，深化和豐富人們的原始領悟」⁴⁴。如此的理解與解釋，生命才益發精彩！

總而言之，〔德〕海德格（Martin Heidegger, 1889-1976）喜歡「擦拭」詞語，直到它們原來的光澤又閃亮如前，並處於說出和未來說出的東西之核心。然而，它遠非單純地回到過去，而是揭示的新事件；試圖重新恢復〔德〕康德（Immanuel Kant, 1724-1804）的本來面目，就會成為一種愚蠢的恢復。因此，每一種詮釋都須對原典中的明確闡述加諸暴力。拒絕超越原典的明示性，的確是一種偶像崇拜形式，也是歷史的素樸形式⁴⁵。

「創新」的意義，不停止的變化與發展，於焉可知。

我們不禁要問：意義的創造與生產，可有止境？

意義的創造與生產，達到了第一因，作為「存有者的存有」，就是最高的頂點，此即是本體詮釋。

本體詮釋：就是在創造詮釋的過程中，為達到理解與解釋的最高頂點，就會朝向形上學第一因本體論發展，藉以探求意義的極至，故稱為本體詮釋。

為何詮釋的最高點，一定朝向本體？潘德榮解釋得好：「我們在解釋，從形式上說，是在闡明本文中的『原意』，當人們循著文字發展的線索追溯到原初的圖形，便深信自己已達到了意義的源頭。這是一種深刻的誤解。事實上，理解的真正出發點和歸宿，都是自己這個時代的『世界觀點』。整個上溯到意義源頭的過程，與其說是在追索『原意』，還不如說將自己潛意識中存在的『世界觀念』解釋出來。我們可以說一切傳統，乃至全部的人文現象，都是被『解釋』出來，在解釋中形成和發展的。」⁴⁶

現今詮釋最大的誤解，就是在理解和解釋文本時，拼命在找「本義」或「原意」；但是，「本義」或「原意」是找不到的，「理解永遠是個人的理解，這是理解的個別性之根源，在理解的過程中，它表現為不斷滲入其中的個人獨特的主觀性。由於主觀因素的介入，理解便偏離了理解者的初衷，他追尋著『原意』，而得到總是不同於『原意』的新的意義，或者說，在『原

---

44 同上，頁68。

45 參見〔美〕帕瑪著，嚴平譯《詮釋學》，第10章，同注42，頁170。

46 參見潘德榮《詮釋學導論》，第7章，同注33，頁204。

意』中融入了新的意義，就此而言，意義的世界不是被發現的，而是被創造出來的」[47]。

由於如此，我們在詮釋時，就是一種創造，創造的方向，即是「就某種意義上說，詮釋學就是『整理出一切本體論探索之所以可能的條件』」[48]。

詮釋學集大成的高達美[49]深入解釋說：「理解並非被想像為與一個客體相對立的人的主觀過程，而是被想像為人自身的存在方式；詮釋學並非被定義為普遍地有助於人文科學的規則，而是被定為說明理解做為一種存有學——即內在於人的存有學的過程——的哲學的努力。」[50]

所謂「理解做為一種存有學——即內在於人的存有學的過程」，即是探求生命的源頭，意義的最高點。誰不想使自身的論述，成為終極觀點；此終極點即是本體的追求。「語言並非人的一種表現，而是存在的一種顯現。思維並不表現人，它是讓存在做為語言事件而發生」[51]。

難怪海德格主張，人做為「存在的牧羊人（shepherd of being）」[52]。比喻格外生動貼切。

由此可以明白，懷德海為何將「創新」，從一個對事物的創造改變的形容詞，轉化為最高的形上層次，就是經過詮釋的創造化與詮釋的本體化所產生的。

難怪伽達默爾說：「理解是本體論的。」[53]「（伽達默爾主張）就是不再把理解僅僅當作人的認知方法，而且主要的不在於此；它直接就是此在（此指通過對「存在」的領會而展開的存在方式）的存在的方式[54]，生命的意義

---

47 同上，第3章，頁71。

48 同上，第4章，頁93。

49 高達美，即是伽達默爾，著者翻譯不同。

50 參見帕瑪著，嚴平譯《詮釋學》，第11章，同注42，頁190。

51 同上，第10章，頁178。

52 同上，第10章，頁174。

53 參見伽達默爾《真理和方法》，引見李翔海（1962-）、鄧克武（？）編《成中英文集·本體詮釋學》，（武漢市：湖北人民出版社，2006年5月），頁1。

54 「此在」的意義，乃是「理解的展開狀態的本體論形式構架」。參見潘德榮《詮釋學導

並不抽象地存在於別的某個地方，它就在理解之中，是被理解到的意義。正因如此，理解就具有本體論的性質」[55]。

在經由創造及本體詮釋時，尚需經由「視域融合」的過程。

詮釋者在理解和解釋的詮釋時，並不是以一己「前理解」為主[56]，而是結合對象及時代環境的「效果歷史」[57]，媒合形成新穎的「視域融合」。

論》，第4章，同注33，頁96。又指此有（即指此在）的意義，亦在追問存有的意義中彰明。參見沈清松《物理之後——形上學的發展》，第9章，同注3，頁292。

55 同上，第4章，頁75。

56 「前理解（Preunderstanding）」：即是讀者原本的見解。前理解，由德國哲學家伽達默爾提出。此指解釋的理解活動之前存在的理解因素。它們構成解釋者與歷史存在之間的關係。前理解是理解的前提，理解不能從某種精神空白中產生，它在理解之前就被歷史給定了許多的已知東西，形成了先在的理解狀態。這些前理解，包括解釋者存在的歷史環境、語言、經驗、記憶、動機、知識等因素，形成了先在的理解狀態。這些因素即便與將來理解的東西發生抵觸，也可以作為一種認識前提，在理解活動中得到修正。因此理解不是個人的、全新的、完全主觀的，它是一個歷史過程，是一個從前理解到理解，再到前理解的指向未來的循環過程。它總在歷史性的、先在的「前理解」狀態基礎上，獲得新的理解。參見楊蔭隆（1936-）主編《西方文學理論大辭典》，「前理解」條，（長春市：吉林文史出版社，19941年1月），頁952。這就是說明，由於個人的生長背景、歷史環境不同，是以個人的「前理解」也不同。同時，並指出個人的理解，不是憑空產生，他有先在理解基礎，即是「這些前理解包括解釋者存在的歷史環境、語言、經驗、記憶、動機、知識等因素」。個人新的理解，即是在「前理解」的基礎上，向前發展，創新成長。

57 「效果歷史意識（Wirkungsgeschichtliches Bewusstsein）」的理論，亦由伽達默爾提出。指解釋學理論和解釋活動所應具有的一種歷史意識，它明確意識到解釋的歷史性，即認識到理解活動中同時存在著兩種真實：歷史的真實和歷史理解的真實。前者是一種永遠達不到的解釋目標，而後者則告訴我們要在解釋活動中努力做到歷史有效性。歷史理解的真實情況是，解釋是一種歷史性的循環過程，每一時代的理解都建築在前人和傳統的解釋之上，並融入自己對時代的特殊理解。因此，任何解釋都受制於歷史和傳統，每個解釋頭腦中都存有一個「前理解」的「先在」，它們都只在解釋循環中占有某種受局限的地位，都只在某種特定的歷史階段和歷史環境中起到一定的效果作用，而永遠不能將解釋對象完整地一勞永逸地解釋盡。解釋首先是一種歷史行為，其次才是個人理解與歷史理解的融滙統一。伽達默爾認為，「效果歷史意識」，應該成為解釋活動的主導意識，它恰當地指出了解釋的本質特徵。因此，「效果歷史意識」又譯「解釋學意識」。參見同上，「效果歷史意識」條，頁1109。

「視域融合」，又被稱為「視界融合」論，由伽達默爾提出。指由解釋者的主體理解視野和被解釋對象（如歷史文本、文學作品、文化傳統等）的歷史視野之間的相互作用，所產生的一種融合狀態，是理解活動的最高境界。伽達默爾認為，在理解活動中，解釋者主體被歷史和文化傳統等因素組成的「前理解」、「前結構」所限定，構成一種指向對象的理解視野；而被解釋對象如文學作品、歷史文本等，也具有自己的理解視野，它期待並指向解釋主體的解釋，尋求最大限度地得到歷史性的合理解釋。在這兩種視野的相遇中，主體的理解視野不能隨意地解釋歷史對象；而被解釋對象的理解視野，也不能因其特定的歷史內容，而使主體的能力受到不應有的妨礙，甚至消融主體，使主體墮入無法求得的歷史真實性的徒勞追求中。解釋的主體和對象的關係，應該達到一種「視界融合」。因此，在此基礎上，使理解產生出新的意義，即既不是主體意義的實現，也非對象客體意義的還原的一種新質的理解，具有歷史有效性的理解。這將給歷史的解釋活動帶來前進[58]。

換言之，在詮釋時，詮釋者不能無限上綱的隨意解釋對象文本，造成對象文本的意義與本義之間的完全割裂。而對象文本也不能因其特定的內容，以拘限解釋者的思考與詮釋，甚而「消融主體」，使解釋者完全受限於對象文本的約束。因此，在此情形下的詮釋內涵，既不是解釋者的主體意識，也非對象文本意義的還原，而是產生兩者相合的「一種新質的理解」，形成「視界融合」，致使詮釋達到了提升與發展。

即是我們對於作品的認識，是經由文本、詮釋者（含前理解）及「效果歷史」三者融合的綜合意義。

伽達默爾說：「真正的歷史對象根本就不是對象，而是自己和他者的統一體，或一種關係，在這關係中，存在著歷史的實在以及歷史理解的實在。一種名副其實的詮釋學，必須在理解本身中顯示歷史的實在性。因此，我就把所需要的這樣一種東西，稱之為『效果歷史』。理解按其本性，乃是一種『效果歷史』事件（參見氏著《真理與方法》，第1卷，頁305）。」[59]

---

58 同上，「視界融合」條，頁837-8。
59 引見洪漢鼎《當代哲學詮釋學導論》，第4章，同注43，頁128-9。

　　細言之,「效果歷史」。亦即「詮釋者需要自覺理論與生活的連結關係,梳理舊時義理與當代情境的呼應之處,活化舊時理論於當代之用」[60]。

　　此在在說明了詮釋者與文本之間,不只是主體與客體的關係,而是開放性的對話的,且是互為主體的關係。「詮釋學與經典之間構成『互為主體性』之關係」[61]。「經典並不是靜態不變的,並非存在於純粹的過去,不是與解釋者無關的外在客體」[62]。

三　內聖「創新」：道化陰陽，繼志成性，剛健篤實，日新盛德

　　《易傳》宇宙論的化生系統,其內在本質,即是「繼之者善也,成之者性也」。即是繼志成善,「創新」其德,達到「內聖」的完美,這是我們不容已的生命意義與價值。

　　首先在〈大畜卦・彖辭〉就說：

> 大畜,剛健篤實輝光,日新其德。

大畜,指大為畜積。剛健,指剛勁健強。篤實,指厚重充實。輝光,指光明德性。

　　此即是說明,想要大為畜積其能量,就必須三個條件：包括有剛勁強健的能量,厚重充實的內涵,以及光明潔淨的德性。其中特別要「日新其德」。

　　孔穎達解釋說：「『輝光日新其德』者,以其剛健篤實之故,故能輝耀光榮,日日增新其德。若无剛健,則劣弱也,必既厭而退。若无篤實,則虛薄

60　參見林慈涵(?)《《莊子・內篇》生命的反思與超越——內在理路下的詮釋向度》,(臺北市：國立政治大學中國文學研究所碩士論文,107年7月),頁8。

61　參見黃俊傑(1946-)《東亞儒學：經典與詮釋的辯證》,(臺北市：國立臺灣大學出版中心,2007年10月),頁66。

62　張隆溪(1947-)〈經典在闡釋學上的意義〉,引見黃俊傑編《中國經典詮釋傳統(一)通論篇》,(臺北市：國立臺灣大學出版中心,2004年6月),頁7。

也，必既榮而隕，何能久有輝光，日新其德乎？」[63]厭，指滿足。隕，指墜落。

　　孔氏指出，要想「輝耀光榮」，必要的條件是「剛健篤實」及「日日增新其德」。其中「剛健篤實」是關鍵。為何如此？他特別表示：「若无剛健，則劣弱也，必既厭而退。若无篤實，則虛薄也，必既榮而隕」。即是沒有「剛健」，就會造成劣弱，必會因自我滿足而衰退；而沒有「篤實」，即會產生虛薄，必然滿足於榮耀當中，而自我墜落。如此怎能「久有輝光，日新其德」？

　　尤其在「日新其德」時，「剛健」的因素格外重要。

　　德性的完美「創新」，不能軟趴趴，有氣無力；而是必須以勇猛剛健的精神，該革新就立即革新，該修正就應立刻修正，不可施泥帶水，踟躕不前，這是孔氏再三致意的。

　　由於「創新」德性的重要，是以《大學》開宗明義就要我們「大學之道，在明明德，在親民，在止於至善」[64]。

　　朱熹特別對「明明德」深入分析說：「明，明之也。明德者，人之所得乎天，而虛靈不昧，以具眾理而應萬事者也。」[65]第一個「明」，是動詞，即是「明之」，使之乾淨。「明德」，則為名詞，表示「虛靈不昧」，就是空靈不昏暗的本心，內寓萬理，以因應萬事。

　　「明德」為何要「明」？

　　一是為氣稟限制，人欲所蔽。「但為氣稟所拘，人欲所蔽，則有時而昏；然其本體之明，則有未嘗息者。故學者當因其所發而遂明之，以復其初也」[66]。即是「明德」不明而被蔽，在於受「氣稟」的影響。此「氣稟」為

---

63 參見〈大畜卦‧象辭〉疏，引見李學勤主編《十三經注疏‧孔穎達周易正義》，21冊，卷第3，21冊，同注6，1:119。

64 參見《大學‧經1章》，引見朱熹《四書章句集注‧大學章句》，（臺北市：大安出版社，1996年11月），頁4。

65 同上。

66 同上。

陰氣之濁重，以及「人欲」的誘惑，以致「有時而昏」而不明。但是，不用操心，我們的「本體」是「恆明」的，必須「因其所發而遂明之，以復其初」，即是隨時「明之」，以「復其初」，臻於原有的光明，「明德」必然常新。

另一就精神科學而言，是一次性與否定性，必須時時「創新」。伽達默爾認為：科學的經驗強調經驗的肯定性和可重複性。反之，生命的體驗則強調經驗的否定性和一次性[67]。此即是說我們的「明德」，今日「明之」，而明日「不明」，就會蒙蔽。為什麼？因為精神科學的特點是「否定性和一次性」。自然科學則與精神科學相反，其特色則為「肯定性和可重複性」。

析言之，精神科學所確立的歷史的經驗概念，則著重經驗的不可重複性和一次性，著重一個新經驗對原來的經驗的否定性。也就是說，這種經驗不僅不能被重複，還對我們以前的觀點加以否定，我們通過此種經驗而取得的東西，包含我們觀點的這樣一種徹底的轉變，以致我們不能回到它們去重新經驗它們所否定的經驗[68]。

在在強調，精神科學「不僅不能被重複，還對我們以前的觀點加以否定」。我們每次的作為，都是「創新」的，不能再回到從前，即是不能「回到它們去重新經驗它們所否定的經驗」。

根於此，《大學》極力呼籲我們必須「湯（約前1670-前1587）之盤銘曰：『苟日新，日日新，又日新』」[69]。

朱子釋之曰：「苟，誠也。湯以人之洗濯其心以去惡，如沐浴其身以去垢。故銘其盤，言誠能一日有以滌其舊染之汙而自新，則當因其已新者，而日日新之，又日新之，不可略有間斷也。」[70]

即是以沐浴潔淨其身，除去污垢，以類比「洗濯其心以去惡」。並提醒此種潔淨其心，必須日日更新，不可有絲毫間斷。充分說明修德「創新」的重要性。

---

67 參見洪漢鼎《當代哲學詮釋學導論》，第4章，同注43，頁124。

68 同上。

69 參見《大學·傳2章》，引見朱熹《四書章句集注·大學章句》，同注61，頁6。

70 同上。

　　最後，《易傳》以「日新之謂盛德（〈繫辭上傳・第5章〉）」，作為「創新」其德，「內聖」之道的總結。

　　〔晉〕王凱沖（？）曰：「變化不息，故曰日新。」[71]即強調德性必須不停的創新變化，才能成為「盛德」，最大的美德。

　　「『日新之謂盛德』者，聖人以能變通體化，合變其德，日日增新，是德之盛極，故謂之盛德也」[72]。孔穎達剖析說。要成為「聖人」及「盛德」，主要條件之一，就是「變通體化，合變其德」，在德性上增長，極於至善；且必須「日日增新」，不可一息稍懈。

　　孟子（前372-前289）亦特別針對有德者稱讚說：「充實之謂美，充實而有光輝之謂大，大而化之之謂聖，聖而不可知之謂神。」[73]

　　為何會達到「美」、「大」、「聖」、「神」？關鍵點還是在「德性」的至善。朱子解釋說：「力行其善，至於充滿而積實，則美在其中而無待於外矣。和順積中，而英華發外；美在其中，而暢於四支，發於事業，則德業至盛而不可加矣。大而能化，使其大者泯然無復可見之跡，則不思不勉、從容中道，而非人力之所能為矣。」[74]

　　要具有「美」，必須致力行善，達到德行充實而圓滿。即是「力行其善，至於充滿而積實」。要具有「大」，必須以和順之德，誠中形外。所謂「和順積中，而英華發外；美在其中，而暢於四支，發於事業」。要具有「聖」，就必須修己治人，自覺覺他，覺行圓滿。即所謂「大而能化，使其大者泯然無復可見之跡」。

　　至於「神」的境界，朱子引程頤之言：「聖不可知，謂聖之至妙，人所

---

71 參見李鼎祚《周易集解》，卷13，引見楊家駱主編《周易注疏及補正》，同注17，頁321。

72 參見〈繫辭上傳・第5章〉疏，引見李學勤主編《十三經注疏・孔穎達周易正義》，21冊，卷第7，21冊，同注7，1:271。

73 參見《孟子・盡心下》，引見朱熹《四書章句集注・孟子集注》，卷14，同注60，頁520。

74 同上。

不能測。非聖人之上，又有一等神人也。」[75]即是超凡入聖，神妙莫測。程子並告誡說，所謂「神」，亦為人，只是此人為「聖人」，其德性修到至美至善，圓滿無盡的境界。

由此可瞭解，「美」、「大」、「聖」、「神」的臻於極至，都與德性的完美修行相關，是不可或缺的主要條件。

綜此，「內聖」之道，就是「創新」其德，日日增新，方能臻於「盛德大業至矣哉（〈繫辭上傳・第5章〉）」。

四 晉長上升，漸進發展，不停變化，不斷創新

除了形上的「創新」、德性的「創新」外，《易傳》更以〈晉卦〉、〈升卦〉、〈漸卦〉說明卦象意義的「創新」。卦象意義的「創新」，也就是現象經驗界的「創新」。

首就〈晉卦〉☲☷言，為《周易》六十四卦的第三十五卦，卦畫為〈坤〉下〈離〉上。「晉，進也，日出而萬物進（《說文解字》）」[76]。晉與進同音義，揭示事物「創新」「進長」的途徑，前進以求發展；並表示光明出現地面，應努力使自己本來具有的光明德性，愈加鮮明光大。

〈晉卦・彖辭〉說：

> 晉，進也。明出地上，順而麗乎大明，柔進而上行，是以康侯用錫馬蕃庶，晝日三接也。

順而麗乎大明，即是順而麗，此指卦德[77]，亦即是指八卦的本質。下卦

---

75 同上。

76 參見段玉裁《說文解字注》，7篇上，同注11，頁306。

77 卦德，又稱卦情、卦性，指《易》卦的基本性質、品德與功用。參見張其成《易學大辭典》，「卦德」條，同注10，頁17-8。八卦的卦德為，「〈乾〉，健也；〈坤〉，順也；〈震〉，動也；〈巽〉，入也（又指順也）；〈坎〉，陷也；〈離〉，麗也（指附著，又指明也）；〈艮〉，止也；〈兌〉，說（指喜悅）也（〈說卦・第7章〉）」。

〈坤〉，指順。上卦〈離〉指麗，即附著。此指柔順而又附著於弘大光明的君主。柔進而上行，此指六五，柔順之道向上發展。康侯，康，指安。此指安定國家的公侯。錫，通賜。蕃庶，此指眾多。晝日，本指白天，此指一天。三接，指受到國君三次接見。

此說明「晉」是進長，又是光明出現地上，象徵弘大光明。並秉以柔順之道向上直行，則能像「康侯用錫馬蕃庶，晝日三接」的榮耀。

程頤指出：「晉，進也。明，進而盛也。明出於地，益進而盛，故為晉，所以不謂之進者。進為前進，不能包明盛之義。」[78] 此說明「晉」的意義及價值，不僅是前進，且是前進而益發盛大。再加上，上卦〈離〉，表示附麗之外，又表示光明，在下卦〈坤〉之上，所以說「明出於地」。為何不以「進」而以「晉」為卦名？主要在於「進為前進，不能包明盛之義」；而「晉」的意義，則包有「進而明」的意義及內涵。

綜合〈象傳〉而言，進以「柔」、「順」兩字，點明「進長」的要旨。

居於〈晉卦〉宜如何處之？

　明出地上，晉。君子以自昭明德（〈晉卦‧象辭〉）。

明出地上，指太陽上升，光明出現在大地。昭，指顯明。

此即是說明要掌握〈晉卦〉的核心意義，顯現事物「創新」「進長」，前進以求發展；並使自身本有的光明德性，顯明光大，就必須反省修持，昭明明德。即如程頤所說：「君子觀明出地上，而益明盛之象，而以自昭其明德，去蔽致知，昭明德於己也。」[79]「去蔽致知」，是「自昭明德」的不二良方。一則「去蔽」，不為欲望所蒙蔽。一為「致知」，窮盡事物之理。如此，光明德性自然昭著了。

職此之故，「〈晉〉如日之方出」，「柔順」是求「晉」的手段，「光明」是獲「晉」的基礎；兩者結合，則是〈晉卦〉大義所在。同時，〈大象傳〉稱「君子以自昭明德」，正是強調充實、豐富「光明」德性的本質，增加

---

78 參見黃忠天《周易程傳註評》，卷4，同注20，頁303。

79 同上，卷4，頁304。

「進長」自身的能量。否則，離開這—條件獨言「柔順」，必將導致「明夷」的境況，光明損傷，「進長」受阻。

〈晉卦〉六爻，以「柔」、「順」兩字，點明「進長」的要旨。

初六，晉如摧如，貞吉。罔孚，裕，无咎。

象曰：晉如摧如，獨行正也；裕无咎，未受命也。

六二，晉如愁如，貞吉。受茲介福，于其王母。

象曰：受茲介福，以中正也。

六三，眾允，悔亡。

象曰：眾允之，志上行也。

九四，晉如鼫鼠，貞厲。

象曰：鼫鼠貞厲，位不當也。

六五，悔亡，失得勿恤。往，吉，无不利。

象曰：失得勿恤，往有慶也。

上九，晉其角，維用伐邑。厲，吉，无咎，貞吝。

象曰：維用伐邑，道未光也。

摧，指摧折。罔孚，指無法見信於人。裕，指寬裕緩進以待。獨行正，指獨自堅行正道。介，指大。王母，指祖母，或陰之至尊者。眾，指眾人。允，指信賴。鼫鼠，鼫，音石。此指梧鼠，亦稱「五技鼠」，具有五技而無一專長。恤，指憂慮。角指獸角。

黃壽祺根據〈彖傳〉指出「順而麗乎大明，柔進而上行」，以說明〈晉卦〉六爻的特點；「以『柔』、『順』兩字，點明『進長』的要旨。視卦中諸爻，四陰爻為處『晉』有道之象，初雖受挫折、寬裕待進，二雖有愁緒、守正獲福，三見信於眾『悔亡』，五不憂得失有『吉』。此均由於柔順使『晉』途暢通，尤以六五居尊、最為佳美，與卦辭『康侯』的喻象相應。兩陽爻則為處『晉』不當之象，九四失正不中，『晉』必有危；上九『晉』極剛亢，難免致『吝』：此皆因有失柔順，使『晉』途阻礙。」[80]

---

[80] 參見黃壽祺、張善文《周易譯注》，卷6，同注2，頁292-3。

〈晉卦〉六爻，四陰爻為處「晉」有道之象，寄寓「晉長」深義。惟有兩陽爻，則未免有危。其中〈九四爻〉，失正不中；〈上九爻〉，極為剛亢，是以有「吝」。

總之，〈晉〉如日之方出，逐漸上升，達於日中，照耀四方，臻於「光明」。就自身言，就必須「君子以自昭明德」，戮力充實、方能豐富「光明」的內涵與意義，這是此卦的寓義所在。

次就〈升卦〉☷☴言，為《周易》六十四卦的第四十六卦，卦畫為〈巽〉下〈坤〉上。「升」的意義為「創新」的前進或上升。此卦是闡明事物順勢上升，積小成大的道理。亦是必須順理而行，不斷修養德性，累積小善，才能成為高大之才。

〈升卦·彖辭〉指出：

> 柔以時升，巽而順，剛中而應，是以大亨。用見大人，勿恤，有慶也。南征吉，志行也。

柔，指上卦〈坤〉，為順；下卦〈巽〉，亦為順，皆為陰卦，故稱柔。巽而順，此指卦德。下卦〈巽〉，上卦〈坤〉，致和遜而柔順。剛中而應，指九二爻，陽剛居中，向上應合六五尊者。用，指宜。恤，指憂。志行，指志向得以實行。

此說明想要「創新」上升，必須順著「柔順」之道，配合九二陽剛居中，而能向上應合尊者六五，就會吉祥如意。

程頤立論指出：「凡升之道，必由大人。升於位則由王公，升於道則由聖賢。用巽順剛中之道，以見大人，必遂其升。」[81] 程氏除了強調大人、王公的重要外，極力推崇「聖賢」之功，其能帶領我們進入「道」的境界，具有柔順剛中的德品，方能由此進入「聖賢」之域。

綜合〈象傳〉立意，「創新」上升，「柔」雖為主，「剛」亦不可忽略，即是「剛柔」必須相輔相成，相互扶持。

---

[81] 同上，卷5，頁403。

〈升卦・象傳〉則進而申論說：

地中生木，升。君子以順德，積小以高大。

此是說地中生出樹木，逐日上升。君子觀此而體悟，順從此美德，積累小善以成就大善，進而弘大事業。

程頤深入分析指出：「木生地中，長而上升，為升之象。君子觀生之象，以順修其德，積累微小以至高大也。順則可進，逆乃退也。萬物之進長，皆以順道也。善不積不足以成名，學業之充實，道德之崇高，皆由積累而至。積小所以成高大，升之義也。」[82]

程氏表示，「升」的「創新」，最大特色，在於「以順修其德，積累微小以至高大」。尤其在德性及學業上，益發突顯此項意義及價值。即是「善不積不足以成名，學業之充實，道德之崇高，皆由積累而至。積小所以成高大」。

〈升卦〉六爻，皆從不可方向，展現上升及求升之道。

初六，允升，大吉。

象曰：允升大吉，上合志也。

九二，孚乃利用禴，无咎。

象曰：九二之孚，有喜也。

九三，升虛邑。

象曰：升虛邑，无所疑也。

六四，王用亨于岐山，吉，无咎。

象曰：王用亨于岐山，順事也。

六五，貞吉，升階。

象曰：貞吉升階，大得志也。

上六，冥升，利于不息之貞。

象曰：冥升在上，消不富也。

---

82 同上。

允,指誠信。禴,音越。指薄祭。此指心存誠信,即使薄祭亦能薦(指進獻)享神靈。虛邑,指守持正道而上升,如同進入空虛城邑,暢通無阻。亨,同享。指享祀或祭祀。岐山,指今陝西省岐山縣東北。升階,指沿階而上,步步高升。冥,指昏昧不明。消不富,指上六已居於上位,其上升之勢,必將消滅而不富盛。

黃壽祺解析說:「卦中六爻集中反映順勢求升之道:初六柔順上承二陽,陰陽合志宜升;九二以剛中順應柔中,心存誠信必升;九三陽剛和遜,順升無礙如入無人之邑;六四柔正順從尊者,必將獲升得吉;六五柔中應下,其升如歷階直上;惟上六昏昧猶升、其勢將消,當以守正不妄動為戒。」[83]

〈升卦〉六爻,皆寓含上升之道,其勢不可擋。惟有上六爻,「昏昧猶升、其勢將消,當以守正不妄動為戒」,是「戒」在其中矣。

總之,〈升〉如木之方生,必須以「順性」為主,要遵循「自然規律」,方能積小以高大,累積小善成為大善。切不可「揠苗助長」,急功近利,反受其害。

〔唐〕柳宗元(773-819)著名寓言〈種樹郭橐駝傳〉,用植樹規諷為官、處事之道。文中極稱郭橐駝所自述的植樹要訣,就是「順木之天,以致其性」[84]。與〈升卦〉內涵,極為契合。

三就〈漸卦〉言,為《周易》六十四卦的第五十三卦,卦畫為〈艮〉下〈巽〉上。漸意義為漸進、緩進,順序而進。此卦闡明事物發展過程中「循序漸進」的道理;顯示性急則敗,漸進即利,積少成多之象。並要像嫁女兒般的循禮漸行有序,才能吉祥。

〈漸卦‧彖辭〉指出:

漸之進也,女歸吉也。進得位,往有功也;進以正,可以正邦也;其

---

83 參見黃壽祺、張善文《周易譯注》,卷6,同注2,頁386。

84 參見氏著《柳宗元集‧種樹郭橐駝傳》,2冊,卷17,(臺北市:華正書局,1990年3月),上:473。

位，剛得中也；止而巽，動不窮也。

進得位，指漸進而獲得顯要之位。剛得中，指九五陽剛居中，有中正美德。止而巽，指卦德，即卦之本質。〈艮〉，止也。〈巽〉，指順。即指適可而止，又能謙遜和順。動不窮，指逐漸行動，而又不致困窮。

此說明要漸進成長，「創新」高大，就必須要有德有位。有德，就必須遵循正道，剛健中正；且又謙遜和順，靜止不躁。再加上能夠獲得顯要地位，前行方能有功。

程頤在《易程傳》指出：「以正道而進，可以正邦國至於天下也。凡進於事，進於德，進於位，莫不皆當以正也。上云『進得位，往有功也』，統言陰陽得位，是以進而有功。復云『其位剛得中也』。所謂位者，五以剛陽中正得尊位也。諸爻之得正，亦可謂之得位矣。然未若五之得尊位，故特言之。內艮止，外巽順。止為安靜之象，巽為和順之義。人之進也，若以欲心之動，則躁而不得其漸，固有困窮在漸之義。內止靜，而外巽順，故其進動，不有困窮也。」[85]

程氏格外強調在漸進之時，守持「正道」的重要，所謂「以正道而進，可以正邦國至於天下也。凡進於事，進於德，進於位，莫不皆當以正也」。並大聲疾呼，我們要能不斷的「創新」漸進，「去人欲」是立身的首要工作，即是「若以欲心之動，則躁而不得其漸，固有困窮在漸之義」。反之，若能修身以靜，對外謙遜，何有困窮之有！

總合〈彖辭〉立意，「創新」漸進，必秉念於「正」，寧靜存心，謙沖於外，方能進事得位，無往不順。

〈象辭〉本此義，進一步說明：

山上有木，漸。君子以居賢德善俗。

山上有木，木，指〈巽〉，「巽為木」[86]。此指山上有木，而逐漸成長。居，

---

85 參見黃忠天《周易程傳註評》，卷6，同注20，頁465。
86 參見〈說卦・第11章〉。

指積。善俗,指逐漸改善民情風俗。

〈象辭〉說明木要逐漸成長高大,就象徵君子必須累積賢德,移風易俗,改善民情。

〔唐〕孔穎達（574-648）本此解析說:「君子求賢得使居位,化風俗使清善,皆須文德謙下,漸以進之。若以卒暴威刑,物不從矣。」[87]君子要能「居賢德善俗」,核心條件在於「文德謙下」,逐漸前進。反過來說,若是「卒暴威刑」,何物從之!

「山上有木,其高有因,漸之義也。君子觀漸之象,以居賢善之德,化美於風俗。人之進於賢德,必有其漸習,而後能安,非可陵節而邃至也。在已且然,教化之於人,不以漸其能入乎? 移風易俗,非一朝一夕所能成。故善俗必以漸也」[88]。程頤理解與解釋說,分析得鞭辟入裡。

他特別舉出漸進之道,非一蹴可幾,陵節邃至[89],必須「必有其漸習,而後能安」。自身作為如此,向外推展,像移風易俗,亦必須採取漸進之道。即是其所稱「移風易俗,非一朝一夕所能成。故善俗必以漸」。

就本卦六爻而言,亦展現了「創新」漸進之道。

初六,鴻漸于干,小子厲,有言,无咎。

象曰:小子之厲,義无咎也。

六二,鴻漸于磐,飲食衎衎,吉。

象曰:飲食衎衎,不素飽也。

九三,鴻漸于陸,夫征不復,婦孕不育,凶。利禦寇。

象曰:夫征不復,離群醜也;婦孕不育,失其道也;利用禦寇,順相保也。

六四,鴻漸于木,或得其桷,无咎。

象曰:或得其桷,順以巽也。

---

87 參見〈漸卦・象辭〉疏,引見李學勤主編《十三經注疏・孔穎達周易正義》,21冊,卷第5,21冊,同注7,1:217。

88 參見黃忠天《周易程傳註評》,卷6,同注20,頁466。

89 陵節,指超越制度規定之範圍。

九五，鴻漸于陵，婦三歲不孕，終莫之勝，吉。

象曰：終莫之勝，吉，得所願也。

上九，鴻漸于陸，其羽可用為儀，吉。

象曰：其羽可用為儀，吉，不可亂也。

干，指水涯或河岸。小子，指童子。有言，指言語中傷。磐，指磐石，岸邊之巨石。衎衎，衎，音看。指和樂歡暢。素飽，素，指白或空也。指白享吃飯飽腹。陸，指較平坦之山頂。復，指返回。禦寇，指利於抵禦強寇。群醜，醜，指類。指初六及六二兩陰。此指匹配的群類。桷，音覺。指平穩樹枝。陵，指丘陵。終莫之勝，指外力終究無法阻擾，夫婦終將會合一起。儀，指儀飾。

據易學專家黃壽祺的分析：「六爻以鴻鳥飛行設喻，形象更為生動：沿初爻至上爻，鴻飛所歷，為水涯、磐石、小山陸、山木、山陵、大山陵，由低漸高，由近漸遠，秩然有序。各爻立義，均主於守正漸行，因此多『吉』、『无咎』之占。其中九三雖過剛有『凶』，但也勉其慎行『漸』道，化害為利。可見，本卦自始至終嘉美『漸進』的道理，乃至上九『位』窮而『用』無窮，所謂積漸大成，『儀型萬方』。」[90]

〈漸卦〉六爻，以鴻雁飛行的過程，來類比漸進的程度，「為水涯、磐石、小山陸、山木、山陵、大山陵，由低漸高，由近漸遠，秩然有序」。其中，〈九三爻〉有「凶」，「但也勉其慎行『漸』道，化害為利」。〈上九爻〉，居位至窮極，然而「『用』無窮，所謂積漸大成，『儀型萬方』」。由此可見，「創新」漸進，意義深遠。

總之，「〈漸〉如木之既生，而以漸高大」。充分說明「創新」的過程，必須按部就班，一步一印，一摑一痕的前行，才能漸長以高大。千萬不可陵節而施，躐等躁進，造成急切貪求，前功盡失。

---

90 參見黃壽祺、張善文《周易譯注》，卷7，同注2，頁444。

五 「創新」意義與價值：宇宙創新，生生不息詮釋創新，創造本體；生命創新，日升月恆

就理解解釋的詮釋言，「創新是指人類為了滿足自身需要，不斷拓展對客觀世界及其自身的認知與行為的過程和結果的活動。或具體講，創新是指人為了一定的目的，遵循事物發展的規律，對事物的整體或其中的某些部分進行變革，從而使其得以更新與發展的活動」[91]。就像「〈晉〉如日之方出」，太陽升起，每天都有嶄新的、不同的變化，是一種創造新的事物之「創新」。

再則，「說創新，大致有兩種意味。一種意味是創造了新的東西，這和創造實際是同一個意思。另一種意味是本來存在一個事物，將它更新或者造出一個新事物來代替它。在這種意味下，創新中包含了創造。但創造不可能憑空而起，新的創造一般是建立在原有的事物或其轉化的基礎上，包含了對原有事物的創新，因而創造中又包含了創新」[92]。「〈升〉如木之方生」、「〈漸〉如木之既生，而以漸高大」，則屬於「本來存在一個事物，將它更新或者造出一個新事物來代替它」。

同時，「人類的創造創新可以分解為兩個部分，一是思考，想出新主意。一是行動，根據新主意做出新事物。一般是先有創造創新的主意，然後有創造創新的行動」[93]。可見「創新」在人類思考上的變化發展。

《易傳》的「創新」意義與價值，從上所述，展現了四項特質：

其一是「創新」為《易傳》主要核心內涵之一，從宇宙的化生，自身的明德，卦象的前進，皆寓含其義 《四庫全書總目提要》云：「《易》之為書，推天道以明人事者也。」[94]並從人事以證天道。其中，「創新」是其主要

---

91 參見「MBA 智庫百科」網頁，同注13。

92 同上。

93 同上。

94 參見「四庫全書總目提要——中國哲學書電子化計劃」網頁，https://ctext.org/wiki.pl?if=gb&res=569524，2019年9月19日。

核心內涵之一,這是毋庸置疑的。從宇宙化生萬物,生生不息,源源不絕,就是「創新」的一股生命動能,浩然廣大,無盡無止。而落實自身的修持,則是明德日新,去蔽澄清,在自身道德上不停的「創新」,希望達到明其明德,日新又新。而在卦象上,從〈晉卦〉日之方出,光照大地;〈升卦〉,木之方生,不斷成長;〈漸卦〉,木之既生,日漸高大。在在綻放「創新」的動量,激盪在上至宇宙,下至日用之間。可見「創新」義蘊的厚實,使人能不勉乎哉!

其二是「創新」是永不停止,具有無窮性與永恆性「創新」,是能量的本質,推動所有事物沒有停滯之時,永無止境的前進。萬物生命的化生如此,我們自身明德的澄清亦如此;〈晉〉、〈升〉、〈漸〉三卦的變化成長,亦復如此。倘若「創新」停滯,我們的世界將會如何?一片全黑,陷入萬劫不復之中。職此之故,「創新」,是所有事物的本質能量,具有無窮性與永恆性。懷德海的創新觀,正指陳出每一現實物之本然存在,就在於它各自獨有之創新力,並且能在社群中分享別的現實物創新力[95]。「創新」的能量,是寄寓其身,亦能推廣到他者,綿綿不絕,汩汩不斷,如同長江大河,一直在奔流著!

其三是「創新」理解與解釋的詮釋,意義創新,本體詮釋,是詮釋的視域融合 懷德海將「創新」這一概念,作為其形上學的主軸核心,使「創新」的意義與內涵,達到了無與倫比的高度、廣度與深度,是理解與解釋的詮釋創造化與本體化,更是個人前理解與效果歷史的視域融合。此正是《易傳》宇宙化生,「一陰一陽之謂道」「創新」能量的綻效。同時,在自我內在道德修持中,滌除人欲,秉持正道,是不可或缺的生命動能要素。在卦象的詮釋中,對於事物,亦具有更新,就是對原有的東西進行替換;創造新的,就是創造出原來沒有的東西;以及改變,就是對原有的東西進行發展和改造的作用。據此而言,「創新」,在詮釋學上,發揮了最大的特點及作用。

其四是「創新」存於吾心,是推動前進發展與向上提升的重要動力 伽

---

95 參見沈清松《物理之後——形上學的發展》,第10章,同注3,頁309。

達默爾《真理與方法》指出:「歷史認識的理想其實是,在現象的一次性和歷史性的具體關係中去理解現象本身。」[96]此說明了精神科學與自然科學最大不同,它不是規律性的預測,是歷史性的闡明。自然科學的經驗,具有重複性和肯定性,我們可以通過反複的觀察和實驗去肯定某一科學結論;但精神科學的經驗卻不具有這種重複性和肯定性,它只具有一次性和否定性[97]。基於我們心靈的變動不居,無法長保其性,我們必須將「創新」存於吾心,時時更新,日日創新,方可「日新之謂盛德」,成為心靈及德性完美的人。如果沒有了「創新」,我們的身心將會受到「物至知知,然後好惡形焉。好惡無節於內,知誘於外,不能反躬,天理滅矣」[98]。物至知知,指外物和心知的接觸。此即是說心靈易受外物誘惑,若不能反躬自省,則「天理滅矣」,是非常危險的。因之,我們必須秉持「創新」意念,恢復虛靈不昧的「明德」。因之,「創新」是推動我們前進發展與向上提升的動力。

---

96 參見氏書頁10。引見洪漢鼎《當代哲學詮釋學導論》,第4章,同注43,頁127。

97 參見同上。

98 參見《禮記・樂記》,引見李學勤主編《十三經注疏・孔穎達禮記正義》,21冊,卷第37,21冊,同注7,6中:1083。

從「道事」到「記言」？
──漢代《尚書》觀的一斑

內山 直樹

千葉大學人文科學研究院教授

提要

《漢書》〈藝文志〉〈六藝略〉〈春秋類序〉稱：「左史記言，右史記事，事為《春秋》，言為《尚書》」，認為《尚書》與《春秋》都來源於史官之記錄，一則記「言」，一則記「事」，兩者形成鮮明的對比。其實，漢初以前對此兩部經書的看法並不是固定的，而在多數情況下，《尚書》卻與「事」結合，如《荀子》〈儒效〉云：「《書》言是其事也……《春秋》言是其微也」；《莊子》〈天下〉云：「《書》以道事，……《春秋》以道名分」；《史記》〈滑稽列傳〉〈序〉云：「《書》以道事……《春秋》以義」等。可見《尚書》本來被視為記「事」之經，後來才由《春秋》取而代之。關於對此兩經特點的認定產生如此變化的原因，前賢已指出，隨著西漢晚期發生對《左傳》的顯揚，《春秋》學的側重點從「義」轉移到「事」，與此連動，《尚書》的特點從「事」被趕到「言」。然則，後者只是因前者而引起的消極的變化，還是《尚書》本身上也有促進此種變化的某些理由？本文從如上的觀點出發，以《史記》為中心考察漢代有關《尚書》中之「事」與「言」的諸問題，試圖闡明漢代《尚書》觀的一個側面。

關鍵詞：西漢　尚書　書序　史記　記言

一　緒論：問題之提出

《漢書》〈藝文志〉〈六藝略〉中之〈春秋類序〉曾提出一個廣為人知的說法：

> 古之王者，世有史官，君舉必書，所以慎言行，昭法式也。左史記言，右史記事，事為《春秋》，言為《尚書》。[1]

認為《尚書》與《春秋》都來源於史官之記錄，一則記「言」，一則記「事」，形成鮮明的對比。其實，如前賢已指出，西漢以前對此兩部經書特點的看法並不是固定的，而在多數情況下，《尚書》卻與「事」結合。[2]以下試舉幾個例子：

> 《詩》言是其志也，《書》言是其事也，《禮》言是其行也，《樂》言是其和也，《春秋》言是其微也。(《荀子》〈儒效〉)[3]
>
> 《詩》以道志，《書》以道事，《禮》以道行，《樂》以道和，《易》以道陰陽，《春秋》以道名分。(《莊子》〈天下〉)[4]
>
> 六學皆大，而各有所長。《詩》道志，故長於質；《禮》制節，故長於文；《樂》詠德，故長於風；《書》著功，故長於事；《易》本天地，故長於數；《春秋》正是非，故長於治人。(《春秋繁露》〈玉杯〉)[5]
>
> 孔子曰：「六藝於治一也。《禮》以節人，《樂》以發和，《書》以道事，《詩》以達意，《易》以神化，《春秋》以義。」(《史記》〈滑稽列

1　〔漢〕班固撰，〔唐〕顏師古注：《漢書》(北京市：中華書局，1962年)，頁1715。

2　參見津田左右吉：《左傳の思想史的研究》，收入《津田左右吉全集》(東京都：岩波書店，1964年)，第15卷，頁89；金景芳：〈左史記言右史記事事為春秋言為尚書響言發覆〉，《史學集刊復刊號》1981年10月，頁5-7；岩本憲司：《「義」から「事」へ——春秋學小史》(東京都：汲古書院，2017年)，頁154、頁185-186等。

3　《二十二子》(上海市：上海古籍出版社，1986年)，頁302。

4　《二十二子》(上海市：上海古籍出版社，1986年)，頁84。

5　《二十二子》(上海市：上海古籍出版社，1986年)，頁770。

傳〉〈序〉)[6]

可以看到，《尚書》本來被視為記「事」之經，後來才由《春秋》取而代之。關於對兩經特點的認定產生如此變化的原因，岩本憲司說：

> 《春秋》的特點被認定為以往歸屬於《書》的「事」，與此同時《書》的特點重新被認定為「言」。這就是所謂「從義到事」的變化。自不待言，將《春秋》之特點認定為「事」的這種看法，是從《左氏傳》的立場來提出的。[7]

就是說，隨著西漢晚期發生的對《左氏傳》的顯揚，《春秋》學的側重點從「義」轉移到「事」，與此連動，《尚書》的特點也從「事」被趕到「言」了。[8]

| 《春秋》： | 義 → 事 |
| 《書》　： | 事 → 言 |

6　〔漢〕司馬遷，〔宋〕裴駰集解，〔唐〕司馬貞索隱，〔唐〕張守節正義：《史記》（北京市：中華書局，1982年），頁3197。

7　岩本憲司：《「義」から「事」へ——春秋學小史》（東京都：汲古書院，2017年），頁154、頁185-186。原文為：「つまり《春秋》の特質が、かつては《書》のものであった「事」と規定され，《書》の方は，改めて「言」と規定されているのである。これが，所謂「義から事へ」の變遷ということなのだが，このように，《春秋》の特質を「事」と規定するのが，《左氏傳》の立場からのものであることは，言うまでもなかろう。」

8　金景芳甚至論斷，《漢志》〈春秋類序〉的「事為春秋，言為尚書」之說，與《漢志》〈序〉的「微言絕」、「大義乖」一樣，係劉歆為了對抗《公》、《穀》二《傳》而捏造的。他說：「他（＝劉歆）把自己在經今古文鬥爭中的觀點作為私貨，暗地裡夾雜在《七略》之中，努力向天真的人們推銷。他知道《公羊》、《穀梁》之貴在於它們能闡發《春秋》的微言大義，所以他想出辦法，一則制造『仲尼沒而微言絕，七十子喪而大義乖』的謬說，用以否定《公羊》、《穀梁》；二則說《春秋》是記事的，而不是道義的，並進一步貶低《春秋》。正因為這樣，才捏造出『左史記言，右史記事，事為春秋，言為尚書』的謬言，以蠱惑人心。」見金景芳：〈左史記言右史記事事為春秋言為尚書謬言發覆〉，《史學集刊復刊號》1981年10月，頁6。

　　若是如此，後者只是因前者而引起的消極的變化，還是《尚書》本身上也有促使此種特點認定之變化的某些理由？[9]

　　《尚書》之所以被視為記「言」之經，正如《漢書》〈藝文志〉中之〈書類序〉所云：「《書》者，古之號令」，是由於其具有一種古代王侯之發言集的體例。然則在此之前《尚書》被視為記「事」之經的理由何在？對於這個問題，首先想到的困難就在於當時《尚書》的實際狀況未能詳悉。

　　秦漢以前《尚書》的本來面貌今已無法想見。見存《尚書》五十八篇中，屬於所謂偽古文的二十五篇可疑為東晉時期的偽撰。[10]其餘三十三篇，除篇名、篇之分合、字句等若干異同之外，基本上可以追溯到漢初伏生所傳本，然而先秦文獻所引《書》之文往往出於其範圍之外。此等佚文大多數只是片言隻字，不足以窺見整篇的體例。因此，對於如上所引《荀子》〈儒效〉、《莊子》〈天下〉等書將《書》認定為記「事」之經的這一做法，我們終究無法確知其如此判斷的根據。[11]

　　茲舉《荀子》為例。據《荀子》〈勸學〉稱：「故《書》者，政事之紀也」[12]，可知「事」指政治上的功績。[13]《荀子》〈議兵〉云：「湯武之誅桀

9　先秦時期將《書》與「言」結合的例子也不是絕無。郭店戰國楚簡《性自命出》（簡15-17）云：「《詩》、《書》、禮、樂，其始出皆生於人。《詩》，有為為之也；<u>《書》，有為言之也</u>。禮、樂，有為舉之也。聖人比其類而論會之……。」見荊門市博物館編：《郭店楚墓竹簡》（北京市：文物出版社，1998年），頁62、頁179。

10　關於這個問題，宋代以來有很多研究的積累。近年發現的清華大學藏戰國竹書中包含《尚書》的一些篇目，其中屬於今文的〈金縢〉（簡背題為〈武王有疾周公所自以代王之志〉）基本上與今傳《尚書》相一致，而屬於逸篇的〈咸有一德〉（〈尹誥〉）則不一致。參見清華大學出土文獻研究與保護中心編：《清華大學藏戰國竹簡（壹）》（上海市：中西書局出版社，2010年）。

11　類似的情況也見於清華簡〈尹誥〉。其文中有《禮記》〈緇衣〉所引〈尹吉〉之「惟尹躬及湯，咸有一德」一句。據〈緇衣〉鄭玄《注》：「吉，當為告。告，古文誥字之誤也。〈尹告〉，伊尹之誥也。〈書序〉以為〈咸有壹德〉，今亡」，因而名為〈尹誥〉，係〈咸有一德〉的別名。今傳偽古文〈咸有一德〉也採錄此句，然而整篇的內容與竹簡本有很大的差異。參見清華大學出土文獻研究與保護中心編：《清華大學藏戰國竹簡（壹）》（上海市：中西書局出版社，2010年），頁132-133。

12　《二十二子》（上海市：上海古籍出版社，1986年），頁288。

紂也，拱挹指麾，而彊暴之國莫不趨使，誅桀紂若誅獨夫。故〈泰誓〉曰：『獨夫紂』，此之謂也」[14]，此即引《書》之文來說明「事」的一例。但這裡引自「《泰誓》」的「獨夫紂」一詞，雖然見於今本〈泰誓下〉，但今本〈泰誓〉為偽古文，係將漢初以前群書所引的佚文湊合而作。所以今已無法確認《荀子》所據的〈泰誓〉到底是怎樣的文獻。[15]

儘管如此，過份強調此種困難也不甚合理。縱使當時所謂《書》的全貌難以把握，因而就斷定其性質與今日的《尚書》大有不同，那也是不合實際的。而且，當前重點不在於《書》本身如何，而在於人們如何看待《書》。再舉《荀子》為例。《荀子》一書中徵引《尚書》之處，將重複者也算在內，共有十五條。其中十一條為引自今文諸篇，按篇目分類則有〈康誥〉七條、〈洪範〉及〈呂刑〉各二條[16]，俱係徵引原文中之發言部份。據此而言，《荀子》所用的《書》基本上也是以「言」為中心的。

---

13 上文所引《春秋繁露》〈玉杯〉云：「書著功，故長於事」，也可參考。

14 《二十二子》（上海市：上海古籍出版社，1986年），頁322。

15 據《春秋左傳正義》，所謂「後得〈大誓〉」似乎沒有此句。《左傳》襄公三十一年云：「〈大誓〉云：『民之所欲，天必從之。』」杜預《注》云：「今《尚書》〈大誓〉亦無此文，故諸儒疑之。」孔穎達等《正義》云：「今《尚書·大誓》，謂漢、魏諸儒，馬融、鄭玄、王肅等所注者也。自秦焚《詩》、《書》，漢初求之《尚書》，唯得二十八篇。故大常孔臧與孔安國書云：《尚書》二十八篇，前世以為放二十八宿，都不知《尚書》有百篇也。在後又得偽〈大誓〉一篇，通為二十九篇，漢、魏以來未立於學官。馬融《尚書傳》〈序〉云：〈大誓〉後得。案其文似若淺露，又《春秋》引〈大誓〉曰：民之所欲，天必從之；《國語》引〈大誓〉曰：朕夢協朕卜，襲于休祥，戎商必克；《孟子》引〈大誓〉曰：我武惟揚，侵于之疆，則取于凶殘，我伐用張，于湯有光；孫卿引〈大誓〉曰：獨夫紂；《禮記》引〈大誓〉曰：予克紂，非予武，惟朕文考無罪，紂克予，非朕文考有罪，惟予小子無良；今之〈大誓〉皆無此言。吾見書傳多矣，所引〈大誓〉而不在〈大誓〉者甚眾，大復悉記，畧舉五事以明之，亦可知已。王肅亦云：〈大誓〉近非本經，是諸儒疑之也。杜氏在晉之初，亦未見真本，及江東晉元帝時，其豫章內史梅賾始獻孔安國所注《古文尚書》，其內有〈泰誓〉三篇，記傳所引〈大誓〉，其文悉皆有之。」見〔晉〕杜預注，〔唐〕孔穎達等疏：《春秋左傳正義》，收於《十三經注疏附校勘記》（北京市：中華書局，1980年），頁2013。

16 吳清淋：〈荀子與書經〉，收於《尚書研究論文集》（臺北市：黎明文化事業公司，1981年），頁52-54。

　　於此產生另一個疑惑，這個疑惑在某種意義上更為費解。如上所述，《荀子》一方面引《尚書》中所記的「言」，另一方面稱《尚書》為記「事」之書，試想一下，是極為正常的。一般來說，閱讀《尚書》的目的就是通過《尚書》中所記錄古代王侯或重臣的發言來了解他們的事跡。換言之，「言」為形式，「事」為內容。兩者實則並無差別。比方說，上列《荀子》〈儒效〉等諸例，以《書》配「事」的同時，亦以《詩》配「志」（或「意」）。當然，「志」是不能直接看到的。正如《毛詩》〈大序〉云：「在心為志，發言為詩」，是通過「詩」的形式來表達的。《書》中之「言」與「事」的關係，豈不是與此相同？

　　原來「記言」與「記事」的對立係《漢書》〈藝文志〉的作者採用《禮記》〈玉藻〉之「動則左史書之，言則右史書之」一句來移用於《尚書》與《春秋》的關係而造成的。[17]其認為，左史所記的「言」與右史所記的「事」相輔相成，有助於君主謹慎「言行」。就是說，將「事」與「行」、「動」等同起來，概括為發言 VS 行為的二元對立。不過，在上列《荀子》〈儒效〉等一諸例中，「事」尚未與「言」對舉。[18]正如章學誠說：「《尚書》典謨之篇，記事而言亦具焉；訓誥之篇，記言而事亦見焉。古人事見於言，言以為事，未嘗分事言為二物也」（《文史通義》〈書教上〉）。[19]區別「言」與「事」的意義到底何在？

　　關於《尚書》中「言」與「事」的關係，在《尚書》＝「言」的公式確立之後，也往往成為議論的對象。下面從這一問題開始考察。

---

17 〔漢〕鄭玄注，〔唐〕孔穎達等疏：《禮記正義》，收於《十三經注疏附校勘記》（北京市：中華書局，1980年），頁1473-1474。與《漢志》相較，左史及右史的職掌彼此互換。

18 上列《荀子》〈儒效〉等諸例，在將「事」配當《書》的同時，也將「行」配當《禮》。

19 〔清〕章學誠撰，葉英校注：《文史通義校注》（北京市：中華書局，1994年），頁31。

二 《尚書》體例上之「言」與「事」

關於《尚書》的文體，偽孔安國〈尚書序〉之所謂「典、謨、訓、誥、誓、命之文」蓋為最知名的說法。唐孔穎達等《正義》將其敷衍如下：

> 「典」即〈堯典〉、〈舜典〉；「謨」即〈大禹謨〉、〈皋陶謨〉；「訓」即〈伊訓〉、〈高宗之訓〉；「誥」即〈湯誥〉、〈大誥〉；「誓」即〈甘誓〉、〈湯誓〉；「命」即〈畢命〉、〈顧命〉之等是也。說者以《書》體例有十，此六者之外，尚有征、貢、歌、範四者，并之則十矣。若〈益稷〉、〈盤庚〉單言，附於十事之例。今孔不言者，不但舉其機約，亦自征、貢、歌、範，非君出言之名，六者可以兼之。[20]

針對「典、謨、訓、誥、誓、命」六種文體分別舉出有代表性的篇目，並引述「說者」之論，在六體之外再加「征、貢、歌、範」四例，共為十例。值得注意的是，《正義》解釋偽孔〈序〉為何未涉及六體之外的諸例，認為其理由在於「非君出言之名」。換言之，偽孔〈序〉所舉之「典、謨、訓、誥、誓、命」六體都以君主之「言」為前提，然而實際上有些篇目超出其範圍。

劉知幾也以六體說為基礎，指出《尚書》體例所含有的問題所在：

> 蓋《書》之所主，本於號令，所以宣王道之正義，發話言於臣下。故其所載，皆典、謨、訓、誥、誓、命之文。至如〈堯〉、〈舜〉二〈典〉直序人事，〈禹貢〉一篇唯言地理，〈洪範〉總述災祥，〈顧命〉都陳喪禮，茲亦為例不純者也。（《史通》〈六家〉）[21]

劉知幾認為，從《尚書》體例來看，〈堯典〉等諸篇「為例不純」。其實，正

---

20 〔漢〕孔安國注，〔唐〕孔穎達等疏：《尚書正義》，收於《十三經注疏附校勘記》（北京市：中華書局，1980年），頁115。

21 〔唐〕劉知幾撰，〔清〕浦起龍釋：《史通通釋》（上海市：上海古籍出版社，1978年），頁2。

如章學誠曾批評過：「劉知幾以二〈典〉、〈貢〉、〈範〉諸篇之錯出，轉譏《尚書》義例之不純，毋乃因後世之空言而疑古人之實事乎」（《文史通義》〈書教上〉）[22]，只不過是自己囿於《尚書》記「言」的成見。然而這也從反面說明這一成見的局限性。

近人陳夢家分類《尚書》今文經二十九篇之體例，於「誥命」、「誓禱」兩類之外又立「敘事」一類。其內容如下：

誥命（14篇）　成王時：多士、多方、大誥、康誥、酒誥、梓材、君
　　　　　　　　奭、無逸、立政、召誥、洛誥
　　　　　　　康王時：康王之誥〔包括顧命〕
　　　　　　　其他：　般庚、文侯之命
誓禱（7篇）　　師旅之誓：甘誓、湯誓、（泰誓）、牧誓、費誓、秦誓
　　　　　　　禳疾代禱：金縢
敘事（8篇）　　有關夏的：堯典〔包括舜典〕、皐陶謨〔包括益稷〕、
　　　　　　　禹貢
　　　　　　　有關殷的：高宗肜日、西伯戡黎、微子、洪範
　　　　　　　有關周的：呂刑[23]

這些分類並不能簡單地概括為「誥命」、「誓禱」即「言」，「敘事」即「事」。關於「敘事」一類，陳夢家解釋說：

至於《尚書》第三類，即不屬於命書與誓書的，它們彼此性質不盡相同，暫名之曰「敘事」尚待更作具体的分析，今暫不論。[24]

屬於「敘事」的八篇內容多樣，未必是直敘事實的。[25]儘管如此，陳氏之如

---

22 〔清〕章學誠撰，葉英校注：《文史通義校注》（北京市：中華書局，1994年），頁31。

23 陳夢家：《尚書通論》（北京市：中華書局，1985年，增訂本），頁309-310。

24 陳夢家：《尚書通論》（北京市：中華書局，1985年，增訂本），頁319。

25 其實，分類為「敘事」的八篇中，除〈堯典〉、〈禹貢〉外的六篇在形式上都是發言或對話的記錄。

上分類至少暗示《尚書》諸篇的體例難以一概歸於「記言」。[26]

以上所提諸說，是按《尚書》各篇的體例指出某些篇目偏離「記言」體之範疇。另外，也有討論在某一篇之內的「言」與「事」的關係。就誓誥諸篇（即陳夢家分類於「誥命」、「誓禱」的二十一篇）而說，有幾乎全篇以「言」構成者，也有不然者。例如，〈大誥〉開頭即稱「王若曰」，以下到結尾全是周公代成王宣告的誥命之辭。[27]同類者也有〈酒誥〉、〈梓材〉、〈無逸〉、〈君奭〉、〈多方〉、〈立政〉、〈文侯之命〉、〈湯誓〉、〈費誓〉、〈秦誓〉。與此相對，有些篇目在經文的前後或中間多少插入發言以外的敘事性文辭。例如，〈多士〉於篇首冠以「惟三月，周公初于新邑洛，用告商王士」，接著稱「王若曰」云云；〈甘誓〉於篇首冠以「大戰于甘，乃召六卿」，接著稱「王曰」云云。這些例子篇幅較為短小。至於〈召誥〉，先用一百六十字餘敘述在召公發言之前的一個多月的經過，而〈洛誥〉則開頭即記錄周公與成王的對話，及篇末乃敘述其後事如「戊辰，王在新邑烝祭歲」云云。

關於此種體例的差異，孔穎達等《正義》已有指出。例如，〈湯誓〉篇題下《正義》云：

> 此經皆誓之辭也。〈甘誓〉、〈泰誓〉、〈牧誓〉，發首皆有序引，別言其誓意，記其誓處。此與〈費誓〉惟記誓辭，不言誓處者，史非一人，辭有詳略，序以經文不具，故備言之也。[28]

因為史官記錄誓辭的詳略因人而異，有時只憑誓辭，文義不全，所以於篇首

---

26 關於《尚書》諸篇的分類，也可參程元敏：《尚書學史（上）》（臺北市：五南圖書出版公司，2008年），頁64-89。

27 孔《傳》云：「周公稱成王命。」〈書序〉云：「周公相成王，將黜殷，作〈大誥〉」，與孔《傳》同義。鄭玄則云，「王，周公也。」見〔漢〕孔安國注，〔唐〕孔穎達等疏：《尚書正義》，收於《十三經注疏附校勘記》（北京市：中華書局，1980年），頁197-198。據黃彰健的考證，孔《傳》、〈書序〉為今文家說，鄭玄為古文家說。見黃彰健：《經今古文學問題新論》（臺北市：中央研究院歷史語言研究所，1982年），頁9-10。

28 〔漢〕孔安國注，〔唐〕孔穎達等疏：《尚書正義》，收於《十三經注疏附校勘記》（北京市：中華書局，1980年），頁160。

補記誓盟的目的或地點等。此種文章在上述引文中稱為「序引」(「序」)，在別處也稱為「敘事」或「史辭」、「史官敘事」等，與「王言」(「言語」)對舉。偽古文〈武成〉篇題下《正義》云:「此篇敘事多而王言少，惟辭又首尾不結，體裁異於餘篇」[29];武王誥辭之後的「既戊午……」下《正義》又云:

> 自此以下，皆史辭也。其上闕絕，失其本經，故文無次第。必是王言既終，史乃更敘戰事，於文次當承「自周于征伐商」之下，此句次之，故云「既戊午也」。史官敘事得言「罔有敵于我師」，稱「我」者，猶如自漢至今，文章之士雖民，論國事莫不稱「我」，皆云我大隨以心體國，故稱「我」耳。非要王言乃稱「我」也。[30]

今傳偽古文〈武成〉將史辭分為兩段，分別置於王言之前與後，敘事的次第錯綜，王言也未完成。《正義》之言即由此而發。

〈金縢〉篇題下《正義》亦云:

> 此篇敘事多而言語少。若使周公不遭流言，則請命之事遂無人知。為成王開書，周公得反。史官美大其事，故敘之以為此篇。[31]

〈金縢〉雖在陳夢家的分類上屬於「誓禱」，卻是類似《左傳》、《國語》那種具有故事性的一篇，《正義》所云「敘事多」指的是這種特徵。

此種「史辭」，即「史官敘事」之辭，在與誥命諸篇性質相同的周代冊命金文中也可以看到，由來很久。[32]與佔各篇主要部份的「言」相對，「史

---

29 〔漢〕孔安國注，〔唐〕孔穎達等疏:《尚書正義》，收於《十三經注疏附校勘記》(北京市:中華書局，1980年)，頁183。

30 〔漢〕孔安國注，〔唐〕孔穎達等疏:《尚書正義》，收於《十三經注疏附校勘記》(北京市:中華書局，1980年)，頁184。

31 〔漢〕孔安國注，〔唐〕孔穎達等疏:《尚書正義》，收於《十三經注疏附校勘記》(北京市:中華書局，1980年)，頁196。

32 參見王國維:〈洛誥解〉，收於《觀堂集林》(北京市:中華書局，1959年)，頁38;陳夢家:〈王若曰考〉，收於《尚書通論》(北京市:中華書局，1985年，增訂本)，頁164-170。

辭」提供其背景與原委，似乎在某種程度上承擔敘事性功能。

　　以上為對《尚書》體例上「言」與「事」之區別的一些議論的概觀。此等議論在考察漢代《尚書》觀上有何種程度的有效性？在下一節中，筆者以西漢以前群書中與《尚書》關係尤深的《史記》為例，展開論述。

三　《史記》引述《尚書》的特徵

　　西漢以前引述《尚書》的群書中，《史記》具有突出的重要性。《史記》中涉及《尚書》之處極為多數，據程元敏的考證，其所提及的篇目包括今文諸篇以及其外的所謂逸篇、亡篇，共有七十三篇之多。[33]尤其是今文諸篇全都有所提及。

　　加之，《史記》給「事」這一概念賦予特別的價值，這一點可能影響到其與《尚書》的關係。如上所引，《史記》〈滑稽列傳〉〈序〉述孔子之言而稱「書以道事」。不僅如此，〈太史公自序〉也有如下一段敘述：

> 《易》著天地陰陽四時五行，故長於變；《禮》經紀人倫，故長於行；《書》記先王之事，故長於政；《詩》記山川谿谷禽獸草木牝牡雌雄，故長於風；《樂》樂所以立，故長於和；《春秋》辯是非，故長於治人。是故《禮》以節人，《樂》以發和，《書》以道事，《詩》以達意，《易》以道化，《春秋》以道義。[34]

此種看法可能前有所承，但值得注意的是，《史記》本身也是一部以「事」之傳述為目的的著作。上述一段見於司馬遷對壺遂所問孔子制作《春秋》之意的回應中。在下文壺遂進一步問《史記》的著作意図，司馬遷回答說：

33　程元敏：《尚書學史（上）》（臺北市：五南圖書出版公司，2008年），頁689。本稿所稱「逸篇」指不在今文經而在孔壁古文者，「亡篇」指不在孔壁古文而見於〈書序〉或引於漢初以前群書者。

34　〔漢〕司馬遷，〔宋〕裴駰集解，〔唐〕司馬貞索隱，〔唐〕張守節正義：《史記》（北京市：中華書局，1982年），頁3297。

余所謂述故事，整齊其世傳，非所謂作也。而君比之於《春秋》，謬
矣。[35]

司馬遷著《史記》的目的不在於如《春秋》那樣說「義」，而在於傳述故
事，整理世傳。此雖似是謙詞，卻也可見《史記》對待《尚書》（及《春
秋》）的態度。

今據今文諸篇，試舉《史記》引述《尚書》的方法，有引一篇之全文或
大部份者，也有節錄一部份者，還有僅提篇名者。

徵引全文或大部份者，有〈堯典〉（〈五帝本紀〉）、〈皋陶謨〉、〈禹貢〉、
〈甘誓〉（以上〈夏本紀〉）、〈湯誓〉、〈高宗肜日〉、〈西伯戡黎〉（以上〈殷
本紀〉）、微子（〈宋世家〉）、牧誓（〈周本紀〉）、洪範（〈宋世家〉）、金縢
（〈魯世家〉）。[36]除《禹貢》等體例稍異者以外，於此一類，包括誓辭等相
當於「言」的部份都成為所徵引的對象。茲舉〈牧誓〉篇首為例：

> 時甲子昧爽，王朝至于商郊牧野，乃誓。王左杖黃鉞，右秉白旄以
> 麾，曰：「逖矣，西土之人……」（〈牧誓〉）[37]
> 二月甲子昧爽，武王朝至于商郊牧野，乃誓。武王左杖黃鉞，右秉白
> 旄以麾，曰：「遠矣，西土之人……」（〈周本紀〉）[38]

節錄一部份者，有〈盤庚〉（〈殷本紀〉）、〈康誥〉（〈衛世家〉）、〈召
誥〉、〈多士〉、〈無逸〉（以上〈魯世家〉）、〈君奭〉（〈燕世家〉）、〈呂刑〉

---

35 〔漢〕司馬遷，〔宋〕裴駰集解，〔唐〕司馬貞索隱，〔唐〕張守節正義：《史記》（北京
市：中華書局，1982年），頁3299-3300。

36 古國順：《史記述尚書研究》（臺北市：文史哲出版社，1985年），頁3-4。

37 〔漢〕孔安國注，〔唐〕孔穎達等疏：《尚書正義》，收於《十三經注疏附校勘記》（北
京市：中華書局，1980年），頁182。

38 〔漢〕司馬遷，〔宋〕裴駰集解，〔唐〕司馬貞索隱，〔唐〕張守節正義：《史記》（北京
市：中華書局，1982年），頁122。《史記》涉及〈牧誓〉之處，此外也有〈魯周公世
家〉：「十一年，伐紂，至牧野，周公佐武王，作〈牧誓〉」（頁1515），〈齊太公世家〉：
「十一年正月甲子，誓於牧野，伐商紂」（頁1480）。

(〈周本紀〉)、〈文侯之命〉(〈晉世家〉)、〈費誓〉(〈魯世家〉)、〈秦誓〉(〈秦本紀〉)。[39]其中如〈召誥〉僅引篇首「史辭」的一部份，而作為中軸的命辭未及徵引。〈魯世家〉有載：

> 成王七年<u>二月乙未</u>，<u>王朝步自周</u>，<u>至豐</u>，使<u>太保召公先</u>之<u>雒相土</u>。其<u>三月</u>，周公往營成周雒邑，卜居焉，曰吉，遂國之。[40]

其前半部份應係基於〈召誥〉篇首而作：

> 惟<u>二月</u>既望，越六日<u>乙未</u>，<u>王朝步自周</u>，則<u>至于豐</u>。惟<u>太保先</u>周公<u>相宅</u>。越若來<u>三月</u>……[41]

這可以說是發揮「史辭」所具敘事性的一例。然如此之例除此之外未見，僅為孤例。故不能說《史記》引述《尚書》時特別重視「史辭」。

眾所周知，《史記》對《尚書》不僅引其本經，也豐富地徵引類似於〈書序〉的文章，連其「作某某」或「作某某幾篇」的獨特措辭也在內。[42]如上所引〈魯世家〉之文，其後半部份與〈洛誥〉〈序〉之「<u>召公既相宅，周公往營成周</u>，使來告<u>卜</u>，作〈洛誥〉」相似。[43]關於〈召誥〉、〈洛誥〉，在〈周本紀〉也提及：「成王在豐，使召公復營洛邑，如武王之意。周公復卜申視，卒營築，居九鼎焉。曰：此天下之中，四方入貢道里均。作〈召

---

39 參見古國順：《史記述尚書研究》（臺北市：文史哲出版社，1985年），頁4。

40 〔漢〕司馬遷，〔宋〕裴駰集解，〔唐〕司馬貞索隱，〔唐〕張守節正義：《史記》（北京市：中華書局，1982年），頁1519。

41 〔漢〕孔安國注，〔唐〕孔穎達等疏：《尚書正義》，收於《十三經注疏附校勘記》（北京市：中華書局，1980年），頁211。

42 關於《史記》與〈書序〉的關係，參見黎建寰：《百篇書序探討》（臺北市：文津出版社，1982年），頁74-123；陳夢家：《尚書通論》（北京市：中華書局，1985年，增訂本），頁253-276；古國順：《史記述尚書研究》（臺北市：文史哲出版社，1985年），頁381-410。程元敏：《書序通考》（臺北市：學生書局，1999年），頁69-97。

43 〔漢〕孔安國注，〔唐〕孔穎達等疏：《尚書正義》，收於《十三經注疏附校勘記》（北京市：中華書局，1980年），頁214。

誥〉、〈洛誥〉」[44]，此與〈召誥〉〈序〉:「成王在豐，欲宅洛邑，使召公先相宅，作〈召誥〉」[45]有共通之處。

〈多士〉也在〈周本紀〉及〈魯世家〉兩處有所引述。〈魯世家〉係節錄本經，而〈周本紀〉卻與〈書序〉相似。

> 成王既<u>遷殷遺民</u>，<u>周公以王命告</u>，作〈多士〉、〈無佚〉。(〈周本紀〉)[46]
>
> 惟三月，周公初于新邑洛，用告商王士，王若曰……(〈多士〉篇首)[47]
>
> 成周既成，<u>遷殷頑民</u>，<u>周公以王命誥</u>，作〈多士〉。(〈多士〉〈序〉)[48]

〈周本紀〉引述〈多方〉之處似乎參照了〈君奭〉、〈成王政〉、〈將蒲姑〉以及〈多方〉一連串的小序。

> 召公為保，周公為師，東伐淮夷，殘奄，遷其君薄姑。成王自奄歸，在宗周，作〈多方〉。(〈周本紀〉)[49]
>
> 惟五月丁亥，王來自奄，至于宗周。周公曰:「王若曰……」(〈多方〉篇首)[50]
>
> <u>召公為保、周公為師</u>，相成王為左右，召公不說，周公作〈君奭〉。

44 〔漢〕司馬遷，〔宋〕裴駰集解，〔唐〕司馬貞索隱，〔唐〕張守節正義:《史記》(北京市:中華書局，1982年)，頁133。

45 〔漢〕孔安國注，〔唐〕孔穎達等疏:《尚書正義》，收於《十三經注疏附校勘記》(北京市:中華書局，1980年)，頁211。

46 〔漢〕司馬遷，〔宋〕裴駰集解，〔唐〕司馬貞索隱，〔唐〕張守節正義:《史記》(北京市:中華書局，1982年)，頁133。

47 〔漢〕孔安國注，〔唐〕孔穎達等疏:《尚書正義》，收於《十三經注疏附校勘記》(北京市:中華書局，1980年)，頁219。

48 〔漢〕孔安國注，〔唐〕孔穎達等疏:《尚書正義》，收於《十三經注疏附校勘記》(北京市:中華書局，1980年)，頁219。

49 〔漢〕司馬遷，〔宋〕裴駰集解，〔唐〕司馬貞索隱，〔唐〕張守節正義:《史記》(北京市:中華書局，1982年)，頁133。

50 〔漢〕孔安國注，〔唐〕孔穎達等疏:《尚書正義》，收於《十三經注疏附校勘記》(北京市:中華書局，1980年)，頁227-228。

（〈君奭〉〈序〉）[51]

成王東伐淮夷，遂踐奄，作〈成王政〉。（〈成王政〉〈序〉）[52]

成王既踐奄，將遷其君於蒲姑，周公告召公，作〈將蒲姑〉。（〈將蒲姑〉〈序〉）[53]

成王歸自奄，在宗周，誥庶邦，作〈多方〉。（〈多方〉〈序〉）[54]

今日可見的孔傳本〈書序〉，係按篇割裂而插入於《尚書》各篇之前或後。據《經典釋文》及《尚書正義》的校語，可以認為其內容除若干異同之外大略踏襲漢代的馬鄭本。最顯著的差異在於，如〈稟飫〉〈序〉《釋文》云：「今馬鄭之徒百篇之序總為一卷，孔以各冠其篇首」[55]，馬鄭本將〈書序〉彙總在一起，置於全書之末。[56] 關於上述〈君奭〉、〈成王政〉、〈將蒲姑〉、〈多方〉的篇次，據〈堯典〉篇題下《正義》云：「孔以〈蔡仲之命〉次〈君奭〉後，第八十三；鄭以為在〈費誓〉前，第九十六」[57]，孔傳本於〈君奭〉與〈成王政〉之間插入〈蔡仲之命〉，然鄭玄本與此不同，與〈周本紀〉相符合。司馬遷利用相當於〈書序〉前身的資料，似乎確實。

---

51 〔漢〕孔安國注，〔唐〕孔穎達等疏：《尚書正義》，收於《十三經注疏附校勘記》（北京市：中華書局，1980年），頁223。

52 〔漢〕孔安國注，〔唐〕孔穎達等疏：《尚書正義》，收於《十三經注疏附校勘記》（北京市：中華書局，1980年），頁227。

53 〔漢〕孔安國注，〔唐〕孔穎達等疏：《尚書正義》，收於《十三經注疏附校勘記》（北京市：中華書局，1980年），頁227。

54 〔漢〕孔安國注，〔唐〕孔穎達等疏：《尚書正義》，收於《十三經注疏附校勘記》（北京市：中華書局，1980年），頁227。

55 〔唐〕陸德明：《經典釋文》（北京市：中華書局，1983年），頁38。其體裁與在全書卷後附載眾篇之小序的《史紀》等漢代的幾種文獻頗為類似。

56 另外，偽孔〈序〉亦云：「序所以為作者之意，昭然義見，宜相付近，故引之各冠其篇首。」《正義》云：「但作序者不敢厠於正經，故謙而聚於下。」見〔漢〕孔安國注，〔唐〕孔穎達等疏：《尚書正義》，收於《十三經注疏附校勘記》（北京市：中華書局，1980年），頁118。

57 〔漢〕孔安國注，〔唐〕孔穎達等疏：《尚書正義》，收於《十三經注疏附校勘記》（北京市：中華書局，1980年），頁117。

　　上述〈君奭〉等四篇中，〈成王政〉、〈將蒲姑〉兩篇係亡篇。而《史記》對〈書序〉的引述，於逸篇及亡篇更加顯著。以下舉逸篇〈五子之歌〉及亡篇〈帝告〉為例。

　　太康失邦，昆弟五人，須于洛汭，作〈五子之歌〉。(〈五子之歌〉〈序〉)[58]

　　帝太康失國，昆弟五人，須于洛汭，作〈五子之歌〉。(〈夏本紀〉)[59]

　　自契至于成湯八遷，湯始居亳，從先王居，作〈帝告〉。(〈帝告〉〈序〉)[60]

　　自契至湯八遷，湯始居亳，從先王居，作〈帝誥〉。(〈殷本紀〉)[61]

　　如上所述，《史記》於今文諸篇全引或節錄其本經者有二十二篇之多。然於逸、亡諸篇與此不同，僅〈殷本紀〉所述逸篇〈湯誥〉及亡篇〈湯征〉曾被指出有徵引其本經的可能性。關於〈湯誥〉，〈殷本紀〉載：

　　既絀夏命，還亳，作湯誥。「維三月，王自至於東郊。告諸侯群后⋯⋯」[62]

此似乎係在〈湯誥〉〈序〉：「湯既黜夏命，復帰于亳，作〈湯誥〉」[63]之後加上湯之「言」而作的。閻若璩有言：

58　〔漢〕孔安國注，〔唐〕孔穎達等疏：《尚書正義》，收於《十三經注疏附校勘記》（北京市：中華書局，1980年），頁156。

59　〔漢〕司馬遷，〔宋〕裴駰集解，〔唐〕司馬貞索隱，〔唐〕張守節正義：《史記》（北京市：中華書局，1982年），頁85。

60　〔漢〕孔安國注，〔唐〕孔穎達等疏：《尚書正義》，收於《十三經注疏附校勘記》（北京市：中華書局，1980年），頁158。

61　〔漢〕司馬遷，〔宋〕裴駰集解，〔唐〕司馬貞索隱，〔唐〕張守節正義：《史記》（北京市：中華書局，1982年），頁93。

62　〔漢〕司馬遷，〔宋〕裴駰集解，〔唐〕司馬貞索隱，〔唐〕張守節正義：《史記》（北京市：中華書局，1982年），頁97。

63　〔漢〕孔安國注，〔唐〕孔穎達等疏：《尚書正義》，收於《十三經注疏附校勘記》（北京市：中華書局，1980年），頁162。

> 司馬遷親從安國問古文，故撰〈殷本紀〉曰：「既紐夏命，還亳，作
> 〈湯誥〉」云云，所見必孔子壁中物，其為真古文〈湯誥〉，似可無
> 疑。

認為此「言」係司馬遷所引〈湯誥〉經文。[64]然而小林信明認為，如此引用
方式不見於其餘逸篇，反而類似於亡篇〈湯征〉[65]，而司馬遷見到亡篇的可
能性很低，因而論定其非徵引本經，而必是另有所據；司馬遷蓋不但亡篇，
連逸篇都未及見。[66]此說似較妥當。司馬遷蓋於逸、亡篇不能直接徵引本
經，因而在多數情況下引述相當於〈書序〉前身的文獻作為替代。

關於「史辭」與〈書序〉的關係，黎建寰舉〈甘誓〉為例而說：

> 史官已述其作意，是殆《尚書》之本序；〈書序〉則據此本序，益以
> 己意，合以成之者。若〈甘誓〉，經文僅言：「大戰於甘」，不言何
> 時、何人之戰；〈書序〉則言：「啟與有扈戰于甘之野」。考之先秦典
> 籍，記其事者各有不同：《墨子》〈明鬼下〉、《莊子》〈人間世〉、《呂
> 氏春秋》〈召類篇〉俱言禹伐有扈；《呂氏春秋》〈先己篇〉則以為夏
> 后相與有扈戰：此或傳聞異辭，或伐有扈非只一次，代而有之故也。
> 〈書序〉謂：「啟與有扈戰」，不見於先秦典籍，唯《史記》〈夏本
> 紀〉與之同耳。是殆作〈序〉者以己意度之，或另有所聞，今已不得
> 而知也。[67]

---

64 〔清〕閻若璩：《尚書古文疏證》第19，收於《清經解續編》（上海市：上海書店，
   1988年），第1冊，頁127。

65 〈殷本紀〉云：「湯征諸侯，葛伯不祀，湯始伐之。湯曰：『予有言：人視水見形，視
   民知治不。』伊尹曰：『明哉。言能聽，道乃進。君國子民，為善者皆在王官。勉哉，
   勉哉。』湯曰：『汝不能敬命，予大罰殛之，無有攸赦。』作〈湯征〉。」（〔漢〕司馬
   遷，〔宋〕裴駰集解，〔唐〕司馬貞索隱，〔唐〕張守節正義：《史記》（北京市：中華書
   局，1982年），頁93-94）此似乎在〈湯征〉〈序〉：「湯征諸侯，葛伯不祀，湯始征之，
   作〈湯征〉」之後加上湯與伊尹的對話而作。

66 小林信明：《古文尚書の研究》（東京都：大修館書店，1959年），頁442-443。

67 黎建寰：《百篇書序探討》（臺北市：文津出版社，1982年），頁34。

以下列舉有關資料：

> <u>有扈氏不服，啟伐之，大戰於甘</u>。將戰，<u>作〈甘誓〉</u>，乃召六卿申
> 之。啟曰：「嗟。六事之人，予誓告女，有扈氏威侮五行，怠棄三正
> ……」（〈夏本紀〉）[68]
>
> 大戰于甘，乃召六卿。王曰：「嗟。六事之人，予誓告汝。有扈氏威
> 侮五行，怠棄三正……」（〈甘誓〉）[69]
>
> 啟與有扈戰于甘之野，作〈甘誓〉。（〈甘誓〉〈序〉）[70]
>
> 然則姑嘗上觀乎《夏書》〈禹誓〉曰：「大戰于甘……」（《墨子》〈明
> 鬼下〉）[71]
>
> 禹攻有扈，國為虛厲，身為刑戮……（《莊子》〈人間世〉）[72]
>
> 禹攻曹魏、屈驁、有扈……（《呂氏春秋》〈恃君覽〉〈召類〉）[73]
>
> 夏后伯啟與有扈戰于甘澤而不勝……（畢沅曰：「夏后伯啟舊本作夏
> 后相。」）（《呂氏春秋》〈季春紀〉〈先己〉）[74]

《史記》於〈甘誓〉本經引其全文，但其「史辭」僅言「大戰于甘」，只憑
本經不能理解作戰者為何人。先秦文獻卻以為禹者居多。於是司馬遷根據
〈書序〉判斷作戰者為啟，又將本經的「王曰」改作「啟曰」。[75]

《史記》有時對〈書序〉之說加以補充或改變。例如〈殷本紀〉述〈盤
庚〉云：

68 〔漢〕司馬遷，〔宋〕裴駰集解，〔唐〕司馬貞索隱，〔唐〕張守節正義：《史記》（北京
市：中華書局，1982年），頁84。
69 〔漢〕孔安國注，〔唐〕孔穎達等疏：《尚書正義》，收於《十三經注疏附校勘記》（北
京市：中華書局，1980年），頁155。
70 〔漢〕孔安國注，〔唐〕孔穎達等疏：《尚書正義》，收於《十三經注疏附校勘記》（北
京市：中華書局，1980年），頁155。
71 《二十二子》（上海市：上海古籍出版社，1986年），頁250。
72 《二十二子》（上海市：上海古籍出版社，1986年），頁22。
73 《二十二子》（上海市：上海古籍出版社，1986年），頁705。
74 《二十二子》（上海市：上海古籍出版社，1986年），頁637。
75 古國順：《史記述尚書研究》（臺北市：文史哲出版社，1985年），頁234-236。

盤庚渡河南，復居成湯之故居，迺五遷，無定處。殷民咨胥皆怨，不
欲徙。……帝盤庚崩，弟小辛立，是為帝小辛。帝小辛立，殷復衰，
百姓思盤庚，迺作〈盤庚〉三篇。[76]

司馬貞《索隱》云：

《尚書》：「盤庚將治亳殷，民咨胥怨，作〈盤庚〉。」此以盤庚崩，弟
小辛立，百姓思之，乃作〈盤庚〉，由不見古文也。[77]

司馬貞所引《尚書》實為〈盤庚〉〈序〉的「盤庚五遷，將治亳殷，民咨胥
怨，作〈盤庚〉三篇」一文。他指出《史記》與〈書序〉對〈盤庚〉成文時
期的看法有所分歧。對此，俞樾曾據《呂氏春秋》〈慎大覽〉〈慎大〉之「（武
王）又問眾之所悅、民之所欲。殷之遺老對曰：『欲復盤庚之政』」，謂《史
記》之說「信有徵矣。」[78]可見《史記》利用各種不同的傳承來整理〈書
序〉之說。類似之例除此之外尚多。茲舉逸篇〈太甲〉為例：

太甲既立，不明。伊尹放諸桐。三年，復歸于亳，思庸。伊尹作〈太
甲〉三篇。（〈太甲〉〈序〉）[79]

帝太甲居桐宮三年，<u>悔過自責，反善</u>。於是伊尹乃迎帝太甲而授之
政。帝太甲修德，諸侯咸歸殷，百姓以寧。伊尹嘉之，乃作〈太甲
訓〉三篇，襃帝太甲，稱太宗。（〈殷本紀〉）[80]

---

76 〔漢〕司馬遷，〔宋〕裴駰集解，〔唐〕司馬貞索隱，〔唐〕張守節正義：《史記》（北京
市：中華書局，1982年），頁102。

77 〔漢〕司馬遷，〔宋〕裴駰集解，〔唐〕司馬貞索隱，〔唐〕張守節正義：《史記》（北京
市：中華書局，1982年），頁102。

78 見〔清〕俞樾：《群經平議》，收於《清經解續編》（上海市：上海書店，1988年），第5
冊，頁1042。又參見黃彰健：《經今古文學問題新論》（臺北市：中央研究院歷史語言
研究所，1982年），頁623。

79 〔漢〕孔安國注，〔唐〕孔穎達等疏：《尚書正義》，收於《十三經注疏附校勘記》（北
京市：中華書局，1980年），頁163。

80 〔漢〕司馬遷，〔宋〕裴駰集解，〔唐〕司馬貞索隱，〔唐〕張守節正義：《史記》（北京
市：中華書局，1982年），頁99。

校此兩條,〈殷本紀〉添加了一些不見於〈書序〉的內容。《孟子》〈萬章上〉云:

> 太甲顛覆湯之典刑,伊尹放之於桐。三年,<u>太甲悔過,自怨自艾,於桐處仁遷義</u>。三年,以聽伊尹之訓己也,復歸于亳。[81]

《史記》有可能利用此種別的傳承來補充〈書序〉之說。[82]

據以上概觀而言,《史記》對待《尚書》的特點在於,不但直接引述《尚書》本經,也積極活用〈書序〉一類的文獻,有時依據其說而修正舊解,有時亦採取異聞來改變其說。如此態度不僅止於由「言」而達「事」的階段。脫離其固有背景的發言記錄往往帶來解釋上的困難,這是不可避免的。有時甚至連發言的主體也不能確定。司馬遷將〈書序〉等諸文獻彼此參照,試圖填補「事」之不備,解決其解釋上的分歧。這正是所謂「述故事,整齊世傳」的實踐。

四 《書傳》與〈書序〉

《史記》〈孔子世家〉有如下敘述:

> 孔子之時,周室微而禮、樂廢,《詩》、《書》缺。追述三代之禮,<u>序《書傳》</u>,上紀唐虞之際,下至秦繆,<u>編次其事</u>。曰:「夏禮吾能言之,杞不足徵也;殷禮吾能言之,宋不足徵也。足則吾能徵之矣。」觀殷夏所損益,曰:「後雖百世可知也。以一文一質,周監二代,郁郁乎文哉。吾從周。」故<u>《書傳》、《禮記》自孔氏出</u>。[83]

關於文中所謂「序《書傳》」是何意,以往有所議論。《史記》中尚有一處與

---

81 《孟子注疏》,頁2738。

82 參見小林信明:《古文尚書の研究》(東京都:大修館書店,1959年),頁430-431。

83 〔漢〕司馬遷,〔宋〕裴駰集解,〔唐〕司馬貞索隱,〔唐〕張守節正義:《史記》(北京市:中華書局,1982年),頁1935-1936。

此類似的說法，即〈三代世表〉〈序〉的「序《尚書》」。

> 孔子因史文次《春秋》，紀元年，正時日月，蓋其詳哉。<u>至序《尚書》則略，無年月，或頗有，然多闕，不可錄。</u>[84]

此處「序《尚書》」與「次《春秋》」成對，可知「序」與「次」一樣，俱為編次的意思。同樣，〈孔子世家〉中「序《書傳》」之「序」與下文「編次其事」相照，也肯定是編次的意思。再者，有些學者認為「序《書傳》」完全等同於「序《尚書》」，即編次《尚書》之意。[85]據《荀子》〈君子〉引《呂刑》之文而稱：「《傳》曰：『一人有慶，兆民賴之』」[86]，古時似有將《尚書》稱為《傳》之例，不能否定《書傳》指《尚書》本經的可能性。[87]

　　但值得注意的是，上述〈孔子世家〉文中將「書傳」與「禮記」對舉。關於「禮記」之稱，皮錫瑞曾言：「專主經言則曰《禮經》，合記而言則曰『禮記』」[88]，主張《儀禮》本經及經後之《記》的統稱為「禮記」。不過，漢代的實際用例上並無如此嚴格的區別，徵引《儀禮》本經而稱為「《禮記》曰」的事例也不少。[89]因此有些學者認為〈孔子世家〉所謂《禮記》是《儀禮》本身之稱。例如，洪業在與〈儒林列傳〉比較之下論定：

> 既曰：「《禮記》自孔氏出」，又曰：「於今獨有《士禮》」，是《禮記》即《士禮》也。[90]

84　〔漢〕司馬遷，〔宋〕裴駰集解，〔唐〕司馬貞索隱，〔唐〕張守節正義：《史記》（北京市：中華書局，1982年），頁487。

85　例如馬士遠：《兩漢〈尚書〉學研究》（北京市：中國社會科學出版社，2014年），頁249。

86　《二十二子》（上海市：上海古籍出版社，1986年），頁348。《左傳》襄公十三年及《大戴礼》〈保傳〉引同文而作「《書》曰：一人有慶，兆民賴之。」參見程元敏：《尚書學史（上）》（臺北市：五南圖書出版公司，2008年），頁29。

87　說見程元敏：《書序通考》（臺北市：學生書局，1999年），頁182。

88　〔清〕皮錫瑞：《經學通論》（北京市：中華書局，1982年），〈三禮〉，頁1。

89　洪業：〈儀禮引得序〉，收於《洪業論學集》（北京市：中華書局，1981年），頁44。

90　洪業：〈儀禮引得序〉，收於《洪業論學集》（北京市：中華書局，1981年），頁44。

而〈儒林列傳〉則云：

> 禮固自孔子時而其《經》不具，及至秦焚書，書散亡益多，於今獨有
> 《士禮》，高堂生能言之。而魯徐生善為容。孝文帝時，徐生以容為
> 禮官大夫。傳子至孫徐延、徐襄。襄其天姿善為容，不能通《禮
> 經》。[91]

既然明言「其經」、「禮經」，難以斷定其與〈孔子世家〉所謂「禮記」完全
相同。如仔細檢討上述皮錫瑞之言，《禮記》之稱並不將《儀禮》本經排除
在外，而是包括「禮經」在內的範圍稍廣的文獻。然則，與《禮記》對舉的
《書傳》也可能是以《尚書》本經為中心同時涵蓋其他解釋的呼稱。[92]

另外，值得列入考慮的是《漢志》〈書類序〉之如下敘述：

> 至孔子纂焉，上斷於堯，下訖于秦，凡百篇，而為之〈序〉，言其作
> 意。[93]

此蓋基於〈孔子世家〉之「序《書傳》，上紀唐虞之際，下至秦繆，編次其
事」而加以重寫，但「序」字之義轉換為作序之意，即謂〈書序〉之制作。[94]

引〈書序〉之文而標明〈書序〉之名，以《漢書》〈律曆志下〉所載劉
歆〈世經〉中的三條引文為嚆矢。[95]與劉歆同時代的揚雄《法言》〈問神〉
也有兩條似乎提及〈書序〉之處。

---

91 〔漢〕司馬遷，〔宋〕裴駰集解，〔唐〕司馬貞索隱，〔唐〕張守節正義：《史記》（北京市：中華書局，1982年），頁3126。

92 既云「自孔氏出」，似乎不謂《尚書大傳》等特定的文獻。

93 〔漢〕班固撰，〔唐〕顏師古注：《漢書》（北京市：中華書局，1962年），頁1706。

94 參見程元敏：《書序通考》（臺北市：學生書局，1999年），頁180。此處有另一個值得注意的改變，即〈孔子世家〉的「編次其事」在《漢志》變為「言其作意」。「意」是以「言」為前提的。這也可視為「從事到言」的變化的一種表現。

95 「故書序曰：成湯既沒，太甲元年，使伊尹作〈伊訓〉。」「故書序曰：惟十有一年，武王伐紂，〔作〕〈太誓〉。……故書序曰：武王克殷，以箕子歸，作〈洪範〉。」（〔漢〕班固撰，〔唐〕顏師古注：《漢書》（北京市：中華書局，1962年），頁1014、頁1015）

或曰：「《易》損其一也，雖惷知闕焉。至《書》之不備過半矣，而習者不知，惜乎〈書序〉之不如《易》也。」曰：「彼數也，可數焉故也。如〈書序〉，雖孔子未如之何矣。」[96]

在此之前，相傳成帝時張霸為了偽撰所謂「百兩篇」《尚書》而利用〈書序〉。事見於《論衡》〈佚文〉：「東海張霸通《左氏春秋》，案百篇〈序〉，以《左氏》訓詁，造作百二篇，具成奏上」，又見於《漢書》〈儒林傳〉：「世所傳百兩篇者，出東萊張霸，分析合二十九篇以為數十，又采《左氏傳》、〈書敘〉為首尾，凡百二篇。」不過，這裡或許夾雜著王充、班固等後世知見的反映。[97]

如上節所述，《史記》中顯然可見其利用〈書序〉的痕跡，但奇怪的是，沒有一處提到「書序」之名。對此，陳夢家之說富有啟發性。

史記孔子世家所說《書傳》，可能是司馬遷所見所用〈書序〉一類的資料，它或許不是傳為伏生所作的《尚書大傳》（亦引作《尚書傳》、《伏生書傳》、《書傳》、《書大傳》、《大傳》、或《伏生》）。[98]

據陳氏之說，司馬遷之時〈書序〉或許尚未有確立的名稱，而包括在〈孔子世家〉所謂《書傳》之內。[99]〈書序〉雖然被認為與壁中古文俱出，但未必始終與壁中古文連在一起。[100]司馬遷既引逸篇的〈書序〉卻未及引其本經[101]，

---

96 《二十二子》（上海市：上海古籍出版社，1986年），頁816。

97 但張霸「百兩篇」《尚書》采《左氏傳》、〈書敘〉為首尾，可能暗示這兩種文獻在功能上的關聯，令人注意。

98 陳夢家：《尚書通論》（北京市：中華書局，1985年，增訂本），頁275-276。

99 其實，確知當時名為「序」的文獻幾乎沒有。參見內山直樹著，柳悅譯：〈漢代所見序文體例的研究〉，收於方旭東、曹峰編：《日本學者論中國哲學史》（上海市：華東師範大學出版社，2010年），頁227。

100 《漢石經》所收〈歐陽經〉卷後載〈書序〉，似係從百篇〈書序〉中抽出今文諸篇序而作的，然不知何時所為。參見程元敏：《書序通考》（臺北市：學生書局，1999年），頁63-64。

101 參見上節。

也可為之印證。

　　陳氏又言：

> 自《孟子》以來，引述《尚書》者往往附述作書當時的歷史背境和作
> 書原由，實為〈書序〉的濫觴。秦漢之際和西漢初的《尚書大傳》和
> 〈書序〉，並非憑空製造的，也有所本。[102]

〈書序〉的定位為總結戰國以來對《尚書》解釋其「歷史背境和作書原由」
的傳統。假使〈孔子世家〉所謂《書傳》的內涵為如上所述，其可能對司馬
遷的以「事」為主的《尚書》觀有主導性作用，並且，使得以「述故事」為
務的《史記》本身也居於這個譜系的後尾。

五　餘論：從「言」到「事」？

　　關於《漢志》〈春秋類序〉的「事為《春秋》，言為《尚書》」一句，金
景芳指出，漢初以前的學者總是將《春秋》與《易》對舉，將《書》與
《詩》對舉，「從來沒有把記事作為《春秋》的特點而與《尚書》對舉
的。」[103]其實，《史記》中已可見將《春秋》與《尚書》視為一對的傾向。
上一節所引〈孔子世家〉一段中將「次《春秋》」與「序《尚書》」對舉，即
為其例。司馬遷之所以將其對舉，是因為兩者皆有助於「述故事」這一共同
目的。

　　《春秋》與「事」的結合雖然到了《漢志》才最後確立，不過顯然在此
之前已經為人所知。如《孟子》〈離婁下〉所云：「其事則齊桓、晉文，其文
則史。孔子曰：『其義則丘竊取之矣』」，是其明證。但《春秋》為「事」的
記錄這點是不言自明的，大概因此，較早時期的文獻未必提及這點，反而尋

---

102 陳夢家：《尚書通論》（北京市：中華書局，1985年，增訂本），頁102。

103 金景芳：〈左史記言右史記事事為春秋言為尚書響言發覆〉，《史學集刊復刊號》1981
　　年10月，頁6。

求「義」或「微」、「名分」等特別的內涵。[104]司馬遷則用一種史家的眼光重新發現了「事」的價值。

值得注意的是，對司馬遷來說，「事」並非「言」的對立，而是在某種意義上通過「言」才可到達的。此種看法為西漢時期一些帶有「史學」傾向的學者所共有。例如，劉向所撰〈戰國策書錄〉稱：

> 臣向以為，戰國時游士輔所用之國，為之**策謀**，宜為《戰國策》。其**事**繼《春秋》以後迄楚漢之起，二百五十四年間之事。[105]

劉向一方面承認《戰國策》所記的是「策謀」──即「言」，另一方面將其視為《春秋》之後兩百五十四年間的「事」。其結果，《戰國策》在《漢志》中被歸為〈春秋類〉。[106]大概因為如《春秋》那種純粹的「記事」之書為數不多，所以劉向要取幾部「記言」之書來充填《春秋》之前後的空白。這種態度可以說是繼承司馬遷的。

另外，對於《左傳》也可以指出類似的情況。《漢志》〈春秋類序〉再三強調《左傳》是為了《春秋》述其「本事」的。例如：

> 丘明恐弟子各安其意，以失其真，故論**本事**而作傳，明夫子不以空言說經也。[107]

---

104 《禮記》〈經解〉云：「屬辭比事而不亂，則深於《春秋》者也」（〔漢〕鄭玄注，〔唐〕孔穎達等疏：《禮記正義》，收於《十三經注疏附校勘記》（北京市：中華書局，1980年），頁1609），是為例外。可參岩本憲司：《「義」から「事」へ──春秋學小史》（東京都：汲古書院，2017年），頁143-172。

105 姚振宗：《七略別錄佚文》，收於《師石山房叢書》（上海市：開明書店，1936年），頁7。

106 關於〈春秋類〉的成立，參見內山直樹：〈試探漢代春秋家概念之形成〉，收於《第十一屆漢代文學與思想國際學術研討會論文集》（臺北市：國立政治大學中國文學系，2019年），頁2-17。

107 〔漢〕班固撰，〔唐〕顏師古注：《漢書》（北京市：中華書局，1962年），頁1715。〈司馬遷傳〉〈贊〉亦云：「及孔子因魯史記而作《春秋》，而左丘明論輯其本事以為之《傳》。」（頁2737）

其目的應是為了對抗以「義」（空言）為主的《公羊》、《穀梁》兩傳，強調《左傳》的特點在於「事」，因而主張《左傳》為《春秋》的真正的解釋。

其實，《左傳》并非如《春秋》本經那種純粹的「記事」之書，有些學者甚至認為是「記言」之書。如野間文史主張，與記錄帝王之「言」的《尚書》相比，《左傳》是一部記錄子產、叔向、晏嬰等「賢大夫」之「言」的書，對作為「記事」之書的《春秋》賦予「記言」的性質。[108] 看起來或許有些矛盾，以「事」為主的《漢志》〈春秋家〉，事實上是在吸收此種多少具有「記言」性質的文獻群的基礎上而成立的。或可說，這裡還隱藏著「從言到事」的方向性。

另一方面，本為體現「以言求事」這一思想發端的範本《尚書》，卻背離如上嚮往〈春秋類〉的流向，轉而走向「言」，形成了與之相對的一極。原來《春秋》學的目的在於通過「事」而到達「義」，然則「從義到事」這一變化即意味著看待《春秋》的側重點從內容轉移（或後退）到形式。《尚書》「從事到言」的變化也與此一樣。[109]

```
《春秋》：  義（內容）  →  事（形式）
《書》  ：  事（內容）  →  言（形式）
```

《漢志》〈春秋類序〉所謂「事為《春秋》，言為《尚書》」的公式，看

---

108 野間文史：《春秋左氏傳——その構成と基軸》（東京都：研文出版，2010年），頁348。又參李隆獻：《先秦兩漢歷史敘事隅論》（臺北市：臺灣大學出版中心，2017年），頁14。此種文獻從文體上大概可歸於所謂「事語類」。參見李零：《簡帛古書與學術源流》（北京市：生活・讀書・新知三聯書店，2004年），頁272-278。

109 西漢夏侯勝（所謂大夏侯氏）曾為洩漏宣帝之語而見責時，辯解說：「陛下所言善，臣故揚之。堯言布於天下，至今見誦。臣以為可傳，故傳耳。」（〔漢〕班固撰，〔唐〕顏師古注：《漢書》（北京市：中華書局，1962年），〈夏侯勝傳〉，頁3158）夏侯勝以《尚書》為傳述王言之書，將宣帝之言比擬堯之言。西漢自武帝期以後，詔書或上書中引用《尚書》之例逐漸增加。夏侯勝之言可能與此種歷史背景有關，而且，如此情況也可能與《尚書》觀的變化有關。

起來對比鮮明，然而其形成過程似乎較為錯綜，與西漢經學的展開有密切關係。本文未能深入考察，請乞大方指正，並有待將來研究。

鍾庚陽及其《尚書主意傳心錄》

陳恆嵩

東吳大學中國文學系教授

提要

鍾庚陽（1540-1598）為浙江嘉興府秀水縣（今嘉興）人，字長卿，號西星。明世宗嘉靖四十年（1561）浙江鄉試舉人，隆慶二年（1568）進士。授太平府推官，遷大理左評事轉都水主事，出知鎮江府，謫降廣德知州，最後卒于刑部郎中任內。

明代科舉考試，採取分經取士制度，首場考《四書》義及《五經》義。《四書》人人必考。《五經》屬選考，士子各自《五經》選擇一經為專經參加考試。橋李一邑歷來以專於《書經》為世所稱，鍾庚陽即以《書經》登進士第，為王樵之子王肯堂的《尚書》老師，著有《尚書主意傳心錄》，王樵稱讚其書「約而該，贍而覈，蓋舉業之正途，而明經之指南已。」晚明科考競爭激烈，舉業用書的蓬勃發展，然歷來遭受學者嚴厲批評其為庸俗化的經籍，予以全然否定。本文旨在探討鍾庚陽《尚書主意傳心錄》，「會通聱牙難解之詞」，將《尚書》各篇區分章節段落，以標舉出其要旨宏綱，綜其機要，以講述帝王傳心之要法，幫助士子學習《尚書》，對於晚明科舉與經學發展之得失關係為何。

關鍵詞：明代　鍾庚陽　《尚書》　科舉

一　前言

　　中國的科舉制度肇始於隋唐，發展宋代已成熟，不限制門第，以考試選拔朝廷需要的人才。元代改為以經義取士，明代承襲元代經義取士制度，稍加修改成朝廷科考定式。明代科舉三年舉行一次，大比之年，天下士子紛然騷動，當年八月諸生赴省參加鄉試，中式舉人後隔年二月再赴京參加會試。無論鄉試或會試，皆以初九日為第一場，初場試《四書》義三道，經義四道。十二日為第二場，試論一道，判五道，詔、誥、表內科一道。十五日為第三場，試經史時務策五道。三場考試之法，旨在藉此選拔「經明行修，博古通今，文質得中，名實相稱者」，參加科舉者一躍龍門，榮登金榜，可謂尊榮備至，社會上的身份地位差別懸殊。

　　世間的任何事情，有考試就會有競爭，參加者人數越多，競爭也就愈激烈。由於科舉考試每三年舉行一次，所能錄取的名額極為有限，在僧多粥少的情況下，使得參加應試者勢必想方設法以突破重重競爭，以企求能順利中式。明代科舉考試人數，在中晚期政治社會安定情況下，經濟發展，私人出版業發達，為謀利刊刻大量《四書》類、五經類、八股文選本、古文選本、通史類、類書、二三場試墨與範文彙編等各種科舉參考書籍。參考用書的出版深受參加科舉士子的歡迎，爭相搶購，廣為流傳，對當時社會風氣帶來相當大的影響，連帶也迭遭有識之士嚴厲的抨擊。

　　自清末廢止科舉考試，百餘年以來，時移境遷，世人已較能抱持著持平的心態去看待科舉制度及其衍生的科舉文化現象。然若回頭翻閱清代乾隆年間紀昀（1724-1805）等編撰《四庫全書總目》對歷代典籍的載錄情形，去審視科舉制度發展的軌跡，及其對明代學術文化的影響，馬上就會發現對宋、元以前朝代的圖書，大多持正面肯定的態度，稱揚者多，貶抑者寡，甚少負面的評語。相對來說，《四庫》館臣視明代學術多抱持著批判的態度，稍稍翻閱所著錄的明代文獻典籍，罕所稱許，反而都有貶抑輕蔑的語氣與詞彙。遑論其他為科舉考試而編輯的各類參考用書，更是如此。《四庫全書總目》經常會看到「大旨主於義理，然欲兼為科舉之計，故順講、析講，全如

坊本高頭講章，較（蔡）清《易經蒙引》，可謂每況愈下矣。」[1]、「蓋鄉塾課蒙之本，不足以言詁經也。……近坊肆《五經旁訓》之本實倡始於（朱）升，經學至此而極陋」[2]、「蓋全為時文言之也，經學至是而弊極矣」[3]、「本意為科舉而設，於經義究鮮發明。」[4]「不出講章時文陋習」[5]，批評明代的經學與前代相比較是每每況愈下，經學發展至此，可說鄙陋已極。「不脫時文之習」、「專為舉業而設」的批評不絕於耳，是最常使用的批評詞彙，文辭雖殊，而意思則相似，提要裡可說已經到連篇累牘的地步。

士子從事科舉事業的追求，「上可以取科第，致富貴；次可以開門教師，以受束脩之奉」，對未來的官職地位與前途發展有重要的影響。故自宋代以來，已有許多學者認為準備舉業考試會妨礙求學問道，要從事聖賢哲理之道的探討，就無法從事於功名利祿追求的舉子業。話雖如此，理想與實際現實並不一定完全如人所願。即使以知名學者呂祖謙（1137-1181）為應付眾多讀書學子的要求，從事於科舉考試參考書的編纂，遭到好友朱熹（1130-1200）的責難。朱熹雖不贊同呂祖謙的編纂科舉考試參考書的舉措，對於兒子朱塾平日「懶惰之甚，在家讀書絕不成倫理」，在望子成龍的心理影響之下，考慮兒子未來前途發展，有關於準備科舉考試的教育，只好轉而拜託呂

---

1 〔清〕紀昀等撰：《欽定四庫全書總目》（臺北市：藝文印書館，1979年12月），卷7，「易類存目一・《易經淺說》」提要，頁24下-25上。

2 〔清〕紀昀等撰：《欽定四庫全書總目》（臺北市：臺灣商務印書館，影印武英殿本，1983年10月），卷13，「書類存目一・《尚書旁注》」提要，頁9上-9下。

3 〔清〕紀昀等撰：《欽定四庫全書總目》（臺北市：臺灣商務印書館，影印武英殿本，1983年10月），卷17，「詩類存目一・《詩經正義》」提要，頁13下。

4 〔清〕紀昀撰：《四庫全書總目》（臺北市：臺灣商務印書館，影印武英殿本，1983年10月），卷18，「詩類存目二・詩經彙詁」提要，頁20下。

5 如評論明代沈偉《書經說意》云：「是書分節總論，大旨不出講章之習，所標某句截、某句斷者尤陋。」見《四庫全書總目》（臺北市：臺灣商務印書館，影印武英殿本，1983年10月），卷13，「書類存目一・書經說意」提要，頁20上。又如評論明代李楨辰《尚書解意》云：「是編不甚訓詁名物，亦不甚闡發義理，惟尋繹語意，標舉章旨節旨，務使明白易曉而止，蓋專為初學而設，故名以『解意』。」見《四庫全書總目》，卷13，「書類存目二・尚書解意」提要，頁10上-10下。

祖謙幫忙，顯示科舉考試深深影響著所有讀書人社會發展。[6]

明初王禕（1321-1372）就說：「科舉之文，趨時好以取世資，特干祿營寵之具耳。」[7]科舉文字，所以趨時好以取世資，是因考生經常為迎合主考官的偏好及閱卷標準，常形成固定的寫作格式，歷來常遭到學者的批評。

明代晚期書坊為適應市場的需求，刊刻大量科舉考試用書，幫助大部分讀書人順利登科，這些科舉用書的內容究竟如何？就如同皮錫瑞（1850-1908）所評論：「明時所謂經學，不過《蒙》、《存》、《淺》、《達》之流；即自成一書者，亦如顧炎武云：明人之書，無非盜竊。弘治以後，經解皆隱沒古人名字，將為己說而已。」[8]皮氏對敗壞學風心術的「兔園冊子」，抱持著一慣輕蔑鄙視的態度，不言可喻。然近人龔鵬程就對此頗不以為然，認為「士人治經學，早在漢代就已與祿利之途相結合起來了。當時之章句訓詁、家法師法，跟明代這些舉業用書有何差別？何以談起經學，就尊崇漢儒著述而輕藐明人為科舉所編的書到此種地步？」[9]因此研究明代學術發展，必然無法繞開伴隨著科舉制度所衍生出來的科舉考試用書。

《尚書》自明初以來即為科舉士子選考的熱門經書，民間書坊為謀求利益，也為幫助科考士子順利應試，編纂出版為數不少有關《尚書》的科舉考試用書，然此類圖書被視為毫無學術價值而遭致摒除，歷年來罕有人願意對此類書籍做較為深入的研究。本文選擇以往無人關注的鍾庚陽（1540-1598）編撰《尚書主意傳心錄》為入門，嘗試分析其書的編纂體例、內容，

6　參見近人劉祥光撰：〈印刷與考試：宋代考試用參考書初探〉，《國立政治大學歷史學報》第17期（2000年5月），頁65-68。

7　〔明〕王禕（1321-1372）撰：《文訓》，收入陳廣宏、龔宗傑編校：《稀見明人文話二十種》（上海市：上海古籍出版社，2016年12月），頁14。

8　「《蒙》、《存》、《淺》、《達》」均指當時市面上廣為流傳的《四書》類科舉參考書籍，《蒙》指蔡清（1453-1508）《四書蒙引》，《存》指林希元（1481-1565）《四書存疑》，《淺》指陳琛（1477-1545）《四書淺說》，《達》指蘇濬的《四書達說》，參見〔清〕皮錫瑞（1850-1908）撰，周予同注釋：《經學歷史》（北京市：中華書局，2008年8月），〈經學積衰時代〉，頁278。

9　參見龔鵬程撰：《六經皆文：經學史/文學史》（臺北市：臺灣學生書局，1995年6月），卷16，〈馮夢龍的春秋學〉，頁114。

瞭解明代《尚書》類科舉考試用書的具體內容形式，及其書對明代的《尚書》教育的有何幫助？如何看待《尚書》類科舉用書？希望能對學界瞭解明代科舉與《尚書》關係有些許助益。

二 鍾庚陽生平與明代晚期科舉用書刊刻的風氣

朱元璋（1328-1398）驅逐蒙元，建立大明王朝。初期銳意於改革政府機構，嚴懲貪官污吏，澄清吏治，以使政權能平穩安定。成、宣以後政權穩固，雖然各地依然水旱相仍，災異迭見，長期以來，政治及社會大體上的情況，是相對穩定，經濟繁榮，尤以東南的江浙一帶，為明代經濟命脈所在地區。鍾庚陽即出生當時經濟繁榮的江浙地區。

（一）鍾庚陽之生平

鍾庚陽生平資料，《明史》裡並未被收入，其傳記只在《嘉興府志》裡有極簡單的記載。然幸好有明末學者陳懿典（1554-1638）所撰寫的〈刑部郎中鍾西星公暨配孫宜人合葬墓誌銘〉一篇，對鍾庚陽的傳記有較為詳細記錄，彌補《明史》無傳的缺憾，才讓我們得以清楚他的生平概況。以下即根據陳懿典的〈刑部郎中鍾西星公暨配孫宜人合葬墓誌銘〉，並結合明代科舉考試留存下來的〈嘉靖四十年（1561）浙江鄉試錄〉及〈隆慶二年（1568年）會試錄〉、〈隆慶二年進士登科錄〉等相關資料，對其生平做一簡要的敘述。

鍾庚陽，字長卿，號西星，為浙江嘉興府秀水縣（今嘉興）人。出生於明世宗嘉靖十九年（庚子1540）四月三十日，卒於明神宗萬曆二十六年（戊戌1598）六月十三日，享年五十有九。

鍾庚陽的祖籍本為浙江崇德縣，根據〈隆慶二年進士登科錄〉家族籍貫的記載，他的曾祖是鍾完，祖父是鍾壁，他的父親是鍾天才，人稱學山先生。鍾庚陽天生聰慧穎異，成童後智商異於平常兒童，稍長後，受句讀即能通曉大義。十四歲入學考試時，縣令王心泉出題「風高鵬翼奮」考他，鍾庚

陽立即應聲對以「月冷鶴聲清」，縣令對他出口成章的機敏聰慧大感驚奇。

明代選拔官員的方法，採用科舉考試方式，參加科舉成為天下讀書人必經之路，「中外文臣皆由科舉而進，非科舉者毋得與官。」[10]當時科舉考試，採取分經錄取的方式，首場經義考試，《四書》必考外，五經經義由考生任選一經應試。嘉靖四十年（1561）參加浙江省鄉試，鍾庚陽選擇《書經》應考，最後鍾庚陽中式浙江鄉試第四十六名舉人。[11]鍾庚陽隔年赴京參加春闈卻落榜，迨至明穆宗隆慶二年（1568）會試第四十九名中式[12]，緊接著登榜隆慶二年戊辰科三甲第十四名進士。入仕任職，授太平府推官，其父以「清慎勤，居官三寶」訓勉他，他研精律令，一主律令斷獄，平反甚多冤獄。後遷大理左評事轉都水主事，歷任員外郎、郎中。後出知鎮江府，謫廣德知州，後升刑部員外郎、郎中。最後卒于刑部郎中任內。著有《尚書傳心錄》、《焚餘集》[13]等書行於世。[14]鍾氏生二子，長子鍾明鶴，官光祿寺署丞。次

---

10 〔清〕張廷玉（1672-1755）等奉敕撰：《明史》（臺北市：鼎文書局，1979年12月），卷70，〈選舉志二〉，頁1696。

11 明嘉靖四十年（1561）浙江省鄉試，《書經》義試題為：「一、元首明哉，股肱良哉。二、四海之內，咸仰朕德。三、皇建其有極，斂時五福。四、立政：任人、準夫、牧，作三事。虎賁、綴衣、趣馬、小尹、左右攜僕，百司、庶府，大都、小伯、藝人、表臣、百司、太史、尹伯、庶常吉士。」四道試題分別出自《尚書》的〈益稷〉、〈說命下〉、〈洪範〉、〈立政〉，三篇出自今文《尚書》，一篇古文《尚書》。參見《嘉靖四十年浙江鄉試錄》，收入天一閣博物館編：《天一閣藏明代科舉錄選刊：鄉試錄》（寧波市：寧波出版社，2006年11月），頁7下-8上。

12 明隆慶二年（1568）會試，當年考試官為李春芳、殷士儋。當年《尚書》義試題為：「一、無教逸欲有邦，兢兢業業，一日二日萬幾，無曠庶官，天工人其代之。二、導嶓冢，至于荊山。內方至于大別。岷山之陽，至于衡山，過九江，至于敷淺原。三、是之謂大同，身其康彊，子孫其逢吉。四、昔在文武，聰明齊聖。小大之臣，咸懷忠良。其侍御僕從，罔匪正人。以旦夕承弼厥辟，出入起居，罔有不欽。發號施令，罔有不臧。下民祗若，萬邦咸休。」四道試題分別出自〈皋陶謨〉、〈禹貢〉、〈洪範〉、〈冏命〉，三題出自今文《尚書》，一題出自古文《尚書》，參見《隆慶二年會試錄》，收入屈萬里（1907-1979）、劉兆祐主編：《明代登科錄彙編》（臺北市：臺灣學生書局，1969年12月），頁9149-9150。

13 鍾庚陽的文集《焚餘集》，今未見，應該是已經亡佚，其詩文作品，今僅存鍾庚陽〈真州守風岳水部石帆移酌舟中〉：「同是飄零客，江濆載酒過。潮生秋氣早，樹帶夕陽

子鍾明麟，貢生。

（二）明代中晚期刊刻科舉圖書的風氣

歷經元末明初的動盪紛擾之後，朱明王朝建立，國家重新恢復安定，政治秩序也上軌道，社會經過長期休養生息，明代中葉以後人口逐漸增加，經濟繁榮富庶，參加科舉考試的人數就急劇增加，競爭相對激烈。朝廷選拔人才「文臣皆由科舉而進，非科舉者毋得與官。」[15]「科舉者，以言進者也」[16]，為獲得入仕的機會，如何擠進龍門，是大多數讀書人普遍的渴望。嘉靖朝權相嚴嵩（1480-1567）就說出當時士子的心聲：「祿與位，世所慕以為榮者也。父母以是望其子，子之欲孝者，以謂非是無以慰悅其父母之心，讀書為學，纂言為文，凡以為仕祿之具而已。故雖有賢者，不能以自振者也。」[17]科舉考試的成功，是獲得仕祿與官位的入門階梯，也是知識分子得以施展經國濟世理念的根本途徑。

科舉圖書的刊刻的興盛發展，即係伴隨著科舉考試激烈競爭而產生的，最終目的在協助考生取得應試的勝出，莊昶（1437-1499）在撰寫〈六合縣科第題名碑記〉時就說：

多。鳩掘方棲棘，鴻冥豈受羅。相看此風色，不飲夜如何。」詩資首，被收錄在〔清〕陳田撰：《明詩紀事》（臺北市：明文書局，1991年1月），庚籤，卷9，頁13。

14 有關鍾庚陽的傳記資料，參見〔明〕陳懿典撰：〈刑部郎中鍾西星公暨配孫宜人合葬墓誌銘〉，收入〔明〕鍾庚陽撰：《刻嘉禾鍾先生尚書傳心錄》（北京市：北京出版社，《四庫未收書輯刊》第貳輯影印明萬曆九年劉美刻後印本，2000年1月）第4冊，書附錄，頁1上-3下。又參見〔清〕陳田（1849-1921）撰：《明詩紀事》（臺北市：明文書局，1991年1月），庚籤，卷9，頁13。

15 〔清〕張廷玉（1672-1755）等奉敕撰：《明史》（臺北市：鼎文書局，1979年12月），卷70，〈選舉志二〉，頁1696。

16 〔明〕李濂（1488-1566）撰：《嵩渚文集》（臺灣臺南縣：莊嚴文化事業公司，《四庫全書存目叢書》影印明嘉靖刻本，1997年6月）集部第70冊，卷58，頁5上。

17 〔明〕嚴嵩撰：《鈐山堂集》（上海市：上海古籍出版社，《四庫全書存目叢書》影印明嘉靖二十四年刻增修本，2002年3。月），集部第56冊，卷19，〈贈胡用甫序〉，頁174。

> 國家三年一大比，一省則合諸郡之人才，其多不下數千人，而得與其
> 名者百人而已。禮部合天下之人才，其多不下數千人，而得與其選者
> 不過二三百人而已。[18]

明代科舉會試每三年平均錄取三百人左右，而參加會試應試士子平均四千至
四千五百人，錄取率大約只有6%～7%百分比，而實際的錄取率更低，心理
的迫切感，難怪備考士子會急需科舉用書的幫助。

清人屢屢批評明代科舉用書的出版，破壞士子篤實勤勉讀書的風氣，其
實科舉用書的刊印並非始於明代，早在唐宋時期就已經出現，北宋時蘇軾
（1037-1101）就已經批評當時的科舉參考書，他說：

> 近世士人纂類經史，綴緝時務，謂之策括，待問條目，搜抉略盡，臨
> 時剽竊，竄易首尾，意眩有司，有司莫能辨也。且其為文也，無規矩
> 準繩，故學之易成，無聲病對偶，故考之難精。」[19]

世人所稱的「策括」，是將經、史典籍裡面有關典章制度的資料，分門別
類，蒐羅彙編成書，以方便考生臨試時應付時務策論裡面的各種提問試題。
蘇軾看到當時科考的這種現象，有鑒於考生應試答卷的學識內容，並非依靠
平日勤奮苦讀積累獲得而來，因而撰文予以嚴厲批判。

宋代官府與民間都有編輯刊印科舉用書，當時流傳的科舉用書，種類主
要有「各種括套、類編、時文集、評點本，以及時文作法研究之類，專供攻
舉業者誦習、揣摩甚至剽竊，有如今天『考試書店』所售各類參考資料、題
解集及優秀作文選等等。」[20]

宋代的舉業用書，雖然大多數已經亡佚，然仍有部分留存，《四庫全書

---

18 〔明〕莊昶撰：《定山集》（臺北市：臺灣商務印書館，影印文淵閣《四庫全書》本，
   1986年3月），卷8，〈六合縣科第題名碑記〉，頁6上-6下。

19 〔宋〕蘇軾撰，孔凡禮點校：《蘇軾文集》（北京市：中華書局，1996年2月），卷25，
   〈議學校貢舉狀〉，頁724。

20 有關宋代舉業用書的詳細情況，可參見祝尚書撰：《宋代科舉與文學》（北京市：中華
   書局，2008年12月），第十四章〈宋代的科舉用書〉，頁394。

總目》評論林駧（寧宗嘉定九年領鄉薦）編撰《古今源流至論》，以為：

> 宋自神宗罷詩賦用策論取士，以博綜古今、參考典制相尚，而又苦其
> 浩瀚不可猝窮，於是類事之家往往排比聯貫，薈粹成書，以供場屋採
> 掇之用。其時麻沙書坊刊本最多，大抵出自鄉塾陋儒勦襲陳因，多無
> 足取。惟章俊卿《山堂群書考索》最為精博。是編於經史百家之異
> 同，歷代制度之沿革，條列件繫，亦尚有體要。雖其書亦專為科舉而
> 設，然宋一代之朝章國典，分門別類，序述詳明，多有諸書所不載
> 者，實考證家所取資，未可以體例近俗廢矣。[21]

林駧的《古今源流至論》雖然是「專為科舉而設」，但因對於宋代朝廷的典
章國典及「經史百家之異同，歷代制度之沿革」，「條列件繫」，「分門別類，
序述詳明」，編輯有體有要，獲得《四庫》館臣相當高的評價與讚賞。又館
臣評論王應麟（1223-1296）的《玉海》一書時說：

> 作此書即為詞科應用而設。故臚列條目，率鉅典鴻章，其採錄故實，
> 亦皆吉祥善事，與他類書體例迥殊，然所引自經史子集，百家雜記，
> 無不賅具，而宋一代之掌故，率本諸實錄國史日歷，尤多後來史志所
> 未詳，其貫串奧博，唐宋諸大類書未有能過之者。[22]

《四庫全書總目》對《古今源流至論》、《玉海》的評論，不因作者的編纂動
機係為科舉考試而貶抑該書的價值，足見圖書典籍的價值與否，與是否為科
舉用書無關，關鍵在於編輯者是否專精用心，體例是否詳明，內容有足資世
人取資。

元代施行科舉考試時間雖不長，仍然有人為此編輯科舉參考書。以《尚
書》為例，元代鄒次陳編輯《科場備用書義斷法》，王充耘編輯有《書義矜

---

21 〔清〕紀昀等撰：《欽定四庫全書總目》（臺北市：臺灣商務印書館，影印武英殿本，
　　1983年10月），卷135，「子部·類書類·《源流至論》」提要，頁46下-47上。
22 〔清〕紀昀等撰：《欽定四庫全書總目》（臺北市：臺灣商務印書館，影印武英殿本，
　　1983年10月），卷135，「子部·類書類·《玉海》」提要，頁47下。

式》與《書義主意》，元末明初陳雅言編輯有《新編書義卓躍》，皆是為科舉而編。

　　明代從嘉靖以後出版業開始蓬勃發展，然當時盛行翻刻宋、元詩文典籍，以及當時的各類科舉參考書。根據郎瑛（1487-1566）《七修類稿》的說法：

> 成化以前，世無刻本時文，吾杭通判沈澄刊《京華日抄》一冊，甚獲重利；后閩省效之，漸至各省刊題學考卷也。[23]

又李詡（1506-1593）《戒庵老人漫筆》也記載晚明時民間書坊會刊刻歷屆科舉試卷之事：

> 余少時學舉子業，並無刊本窗稿。有書賈在利考朋友家往來，鈔得燈窗下課數十篇，每篇謄寫二三十紙，到余家塾揀其幾篇，每篇酬錢或二文，或三文。……今滿目皆坊刻矣，亦世風華實之一驗也。[24]

郎瑛、李詡兩人雖然主要生活在明世宗嘉靖（1522-1565）年間，書中卻都述及年輕時親見在成化（1465-1487）、弘治（1488-1505）年間，市面上尚未有大量科舉考試用書的刊刻流通，實際僅有少數時文刻本及科舉參考用書。後來因杭州通判沈澄嘗試刊刻《京華日抄》行世，由於書籍內容蒐羅彙編眾多與考試科目相關的文獻資料，省去考生自己蒐尋資料的時間，對考試有極大的助益，因而深受科舉士子們歡迎，紛紛爭購閱讀。書賈受到書籍熱銷獲利的誘導，開始大量刊刻考試類書籍，以致風氣逐漸盛行至各省。此風一起，紛紛倣效，迅即遍布全國各地。弘治四年（1491）正月，南京國子監祭酒謝鐸（1435-1101）鑒於此惡劣風氣不可讓其延續，於是上疏明孝宗批評士子爭讀科舉用書，容易產生虛浮躁競的惡習，應予以禁止，他說：

23　〔明〕郎瑛撰：《七修類稿》（上海市：上海古籍出版社，《續修四庫全書》影印明刻本，2002年3月），子部雜家類第1123冊，卷24，「辨證類‧時文石刻圖書起」，頁14上。

24　〔明〕李詡撰：《戒庵老人漫筆》（上海市：上海古籍出版社，《續修四庫全書》影印明萬曆刻本，2002年3月），子部雜家類第1173冊，卷8，〈時藝坊刻〉，頁30下-31上。

今之所謂科舉者，雖可以得豪傑非常之士，而虛浮躁競之習，亦莫此
為甚。蓋科舉必本於讀書，今而不讀《京華日鈔》則讀《主意》，不
讀《源流至論》則讀《提綱》，甚者不知經史為何書。……甚者不知
舉業為何物。是雖未必盡然，大率實類於此。[25]

士子終日捧讀《京華日鈔》、《主意》、《提綱》，誇張到程度差者「甚者不知
經史為何書」，以致謝鐸建議朝廷應該要禁燬科舉參考用書，「凡此《日鈔》
等書，其板在書坊者，必聚而焚之，以永絕其根柢。其書在民間者，必禁而
絕之，以悉投於水火。」[26]然而謝鐸的建議雖獲採納，卻並未能徹底根絕士
子熱衷閱讀《京華日鈔》等類參考書。弘治十一年（1498）正月，河南按察
司副使車璽（成化十四年進士）又再次上奏要求焚毀《京華日鈔》之類圖書
在社會上的氾濫，他說：

革去《京華日抄》等書，誠有補於讀書窮理，然令行未久而凤弊滋
甚。《日抄》之書未去，又益之以《定規》、《模範》、《拔萃》、《文
髓》、《文機》、《文衡》；《主意》之書未革，又益之以《青錢》、《錦
囊》、《存錄》、《活套》、《選玉》、《貫義》，紛紛雜出，由禁之未盡得
其要也。[27]

此後陸續有官員上奏要求焚毀時文類的圖書的建議。從謝鐸、車璽的奏疏可
以看出，當時市面上流行的科舉圖書除《京華日鈔》外，尚有《源流至論》、
《提綱》、《主意》、《論範》、《論草》、《策略》、《策海》、《文衡》、《文髓》、
《講章》、《論學繩尺》等多種名目的同類書出版，天下士子翕然宗之，大都

25　〔明〕謝鐸（1435-1101）撰，林家驪點校：《謝鐸集》（杭州市：浙江古籍出版社，
　　2012年12月），卷70，〈論教化六事疏〉，頁601。

26　〔明〕謝鐸撰，林家驪點校：《謝鐸集》（杭州市：浙江古籍出版社，2012年12月），卷
　　70，〈論教化六事疏〉，頁601。

27　參見〔明〕黃佐（1490-1566）撰：《南雍志》（上海市：上海古籍出版社，《續修四庫
　　全書》影印民國二十年江蘇省立國學圖書館影印明嘉靖二十三年刻增修本，2002年3
　　月），史部職官類第749冊，卷4，頁4上-4下。

是南宋科舉考試用書。

從嘉靖到萬曆年間,民間書坊大量編輯各類型科舉考試用書,風氣持續至明末,欲參加科舉的士子們「皆以書坊所刊時文競相傳誦,師弟朋友自為捷徑,經傳注疏不復假目。」徐官《古今印史‧古今書刻》:「比年以來,非程文類書則士不讀而士不鬻,日積月累,動盈箱篋。」[28]嘉靖年間的李濂也說:「比歲以來,書坊非舉業不刊,市肆非舉業不售,士子非舉業不覽。」[29]時文傳播全國各地,「書肆資之以賈利,士子假此以僥幸」[30]透過徐官、李濂等人的描述,可說明代在成化、弘治和正德年間科舉考試用書雖已經流行,然大部分讀書人仍然潛心研讀《四書五經大全》和《性理大全》與歷代正史。到嘉靖、隆慶年間,情況就完全改觀,科舉考試類圖書已經遍及全國,幾乎士子皆捧讀,也難怪顧炎武會感嘆說:「蓋自弘治、正德之際,天下之士厭常喜新,風氣之變,已有所自來。」[31]

三 《尚書主意傳心錄》的體例及其內容分析

明代為配合科舉考試的需求,而應運產生的科舉考試用書,種類在當時大概有「《四書》類、《五經》類、八股文選本、古文選本、二三場試墨與範文彙編、翰林館課、通史類、類書、諸子彙編」[32]幾大類。明代科舉首場考

---

28 〔明〕徐官(正德十二年(1517)進士)撰:《古今印史》,。收入〔清〕顧湘(1829-1880)輯:《篆學瑣著三十種》(上海市:上海古籍出版社,《續修四庫全書》影印清道光二十年海虞顧氏刻本,2002年3月),子部藝術類第1091冊,〈古今書刻〉,頁26下。

29 〔明〕李濂撰:《嵩渚文集》(臺灣臺南縣:莊嚴文化事業公司,《四庫全書存目叢書》影印明嘉靖刻本,1997年6月),集部第70冊,卷43,〈紙說〉,頁7下。

30 參見中央研究院歷史語言研究所編:《明武宗實錄》(臺北市:中央研究院歷史語言研究所,1964年4月),卷132「正德十年十二乙亥」條。

31 〔清〕顧炎武(1613-1682)撰,黃汝成集釋,欒保群、呂宗力校點:《日知錄集釋》(上海市:上海古籍出版社,2006年12月),卷18,「朱子晚年定論」,頁1065。

32 參見沈俊平撰:〈明中晚期坊刻制舉用書的出版及朝野人士的反應〉,《漢學研究》第27卷第1期(2010年3月),頁145-155。

經義，包含《四書》義與《五經》經義，《四書》義為必考科目，民間書坊為它請人編輯刊刻的講章類參考用書也是最多。而《五經》經義係選考科目，考生只需從中選擇一經來應試，因而坊間書肆編刊的參考書籍相對來說較少，然仍為數不少指導寫作方式或詮解《五經》內容義理的科舉用書流通。據筆者初步的歸類，明代《尚書》類科舉書籍，依據其編輯內容加以區分，大約可以分為「刪節類、講章類、擬題類」三種類型的科舉用書。[33]

明代科舉三場考試，首場試《四書》義與《五經》義，無論《四書》或《五經》經義解說，皆專主程、朱學派的闡釋，耿定向（1524-1597）就說：

> 惟我明興，稽古定制，一以經術論士，罷黜百家言，《學》、《庸》、《語》、《孟》、《易》、《詩》，顓主朱氏說，《尚書》主蔡氏說，《春秋》主胡氏說，著為功令，敷天之下，治博士業者不得異學。[34]

清代盧見曾（1690-1768）在〈經義考序〉也說：

> 明制以經義取士，《五經》頒列學宮，《易》宗《本義》及程《傳》，《書》主蔡氏，《詩》主朱子《傳》，《春秋》本胡氏康侯，而《禮記》則宗陳澔《集說》。[35]

明代《尚書》義詮釋主蔡沈《書集傳》承襲自元代，元代為《尚書》義編輯的科舉用書，刪節類的有謝廷讚《便蒙刪補書經翼》、潘叔應《新校尚書減註》，講章體類的有陳悅道《書義斷法》，擬題類的有王充耘的《書義矜式》與陳雅言《書義卓躍》，對明代《尚書》科舉用書有所影響，可見學術風尚的變遷。

---

33 參閱筆者撰：《禹貢、經筵、科舉：宋明尚書學新探》（臺北市：萬卷樓圖書公司，2019年4月），頁232-240。

34 〔明〕耿定向撰，傅秋濤點校：《耿定向集》（上海市：華東師範大學出版社，2015年9月），卷11，〈福建鄉試錄序〉，頁441。

35 盧見曾（1690-1768）〈經義考序〉，見〔清〕朱彝尊（1629-1709）撰，林慶彰等主編：《經義考新校》（上海市：上海古籍出版社，2010年12。月），第1冊，頁1。

　　鍾庚陽《尚書主意傳心錄》十二卷，現今傳世極尠，僅見有明萬曆九年劉美刻後印本。《四庫全書總目》未見著錄，以致《文淵閣四庫全書》、《四庫全書存目叢書》、《續修四庫全書》等大型叢書也均未收錄。幸好《四庫未收書輯刊》第貳輯據明萬曆九年劉美刻後印本影印收入，方能得見原書，今據此本撰文論述。

　　書前有王樵的〈鍾先生尚書傳心錄序〉，書後有王樵之子王肯堂（1549-1638）的跋，王肯堂為明代知名中醫藥大家，著有《證治準繩》等書。全書共分為《虞書》二卷、《夏書》一卷、《商書》二卷、《周書》七卷。全書「分節為說，節又分段分截」[36]，對《尚書》五十八篇全部作詳細講解。講解文字力求平易。本書最早於明萬曆辛已（1581）刊刻。崇禎年間，其孫鍾鍵又重新校訂，並附有陳懿典（1554-1638）所作的〈刑部郎中鍾西星公暨配孫宜人合葬墓誌銘〉。

　　王樵的〈尚書主意傳心錄序〉，稱其書「約而該，贍而覈，蓋舉業之正途，而明經之指南已。」[37]至於鍾庚陽為何將書名取為「主意」？「主意」的書名，前代學者已有類似體裁的書籍，元代王充耘有《書義主意》，明初黃紹烈有《書經主意》[38]，應該是取法自王、黃兩人之書。丘濬（1420-1495）說：

　　　凡其所命之題，專主一說，謂之主意。[39]

36　中國科學院圖書館整理：《續修四庫全書總目提要》（北京市：中華書局，1993年7月），「經部‧書類」，頁218。

37　〔明〕王樵撰：〈鍾先生尚書傳心錄序〉，見〔明〕鍾庚陽撰：《刻嘉禾鍾先生尚書傳心錄》（北京：北京出版社，2000年1月，《四庫未收書輯刊》第貳輯影印明萬曆九年劉美刻後印本），第4冊，卷首，頁2上-2下。

38　黃虞稷（1629-1691）曰：「紹烈，臨川人。洪武二十七年進士，官瑞安知縣。」見〔清〕朱彝尊（1629-1709）撰，林慶彰等主編：《經義考新校》（上海市：上海古籍出版社，2010年12．月），第3冊，卷87，〈書十六〉，頁1634。

39　〔明〕丘濬（1420-1495）撰，林冠群、周濟夫點校：《大學衍義補》（北京市：京華出版社，1999年4月），卷9，〈正百官‧清入仕之路〉，頁80。

明代吳寬（1435-1504）也說：

> 今之世號為時文者，拘之以格律，限之以對偶，率腐爛淺陋可厭之言，甚者指摘一字一句以立說，謂之主意。[40]

據丘濬、吳寬二人的說法，「主意」的取意，應是對於《尚書》經文中「專主一說」或「一字一句以立說」，類似後世文法學家所說「文眼」，為考試命題重點所在，寫作時要特別關注照應。鍾庚陽全書旨在說明全篇章旨所在，分別區劃各段落之大義要旨，使讀者能夠在未讀經文之前，就可以迅速掌握全篇段落，把握住《尚書》篇章內容主旨，幫助讀者快速瞭解全篇內容以加深經傳義理的體會。以下即就書籍內容作簡要分析，以明書籍要旨。

（一）析分章節及段落大意

離章辨句對初學者來說是閱讀古書最基本的要求，漢代詮解古籍即有章句之學，章句是古籍注解的一種方式，它的體例主要是注釋字詞，分章析句，串講詞句意義，說明章旨及文章結構等。清焦循（1763-1820）以為：「既分其章，又依句敷衍而發明之，所謂章句也。」[41]劉師培（1884-1919）在《國學發微》中說：「故、傳二體，乃疏通經文之字句者也；章句之體，乃分析經文之章節者也。」[42]綜合二人說法，章句乃是分析經文章節字句，疏通其義理的學問。

《尚書》為上古時代僅存典籍之一，因時代湮遠隔閡，文獻載體限制，造成「文句古奧，訓釋為艱，故宋、元以前注是經者差少」[43]，閱讀者艱澀

---

40 〔明〕吳寬（1435-1504）撰：《家藏集》（臺北市：臺灣商務印書館，影印文淵閣《四庫全書》本，1986年3月），卷39，〈送周仲瞻應舉詩序〉，頁9下-10上。

41 〔清〕焦循撰，沈文倬（1917-2009）點校：《孟子正義》（北京市：中華書局，1987年10月）卷1，頁27。

42 〔民國〕劉師培撰：《國學發微》（臺北市：廣文書局，1986年1月），頁11上。

43 〔清〕紀昀（1724-1805）撰：《四庫全書總目》（臺北市：藝文印書館，1979年12月），卷14，「書類存目二」，頁34下。

難懂。再則古人之著作，通篇連書，段落不明，初學者往往讀完全篇，依舊難以理解把握文章敘述的旨意所在。明代科舉《五經》經義的《尚書》，文本以宋儒蔡沈《書集傳》注解為依據，鍾庚陽的《尚書主意傳心錄》為幫助當時士子學習《尚書》而編纂，考慮到研讀時未能掌握《尚書》的篇章要旨，為方便他們的理解掌握，就依循《尚書》經文，逐篇解析篇章段落結構，讓學習士子讀後一目瞭然，輕易就能把握要義所在。

〈堯典〉為《尚書》首篇，篇章內容所述為儒家所稱美的堯舜禪讓大義，二千餘年來被歷代儒者奉為中國傳統言治道大經大法的最高典範，千古稱頌，鍾庚陽分析篇章段落時說：

> 按此篇統而觀之，當作三大段看。「曰若」二條是第一段，記其盛德大業之實也。「乃命」六條是第二段，記其敬天勤民之實也。「疇咨若時」四條是第三段，記其為天下得人之實也。[44]

鍾庚陽將全篇經文粗略概分為「記其盛德大業之實」、「記其敬天勤民之實」、「記其為天下得人之實」三大段落，使讀者易於掌握〈堯典〉篇所述內容。緊接著他又進一步再做詳細解析：

> 析而觀之，當作五段看。「曰若」至「時雍」是第一段，言堯德業之盛，千萬世道學治法之統皆起于此。「乃命羲和」至「咸熙」是第二段，言堯之上理天道。「疇咨若時」至「象恭滔天」是三段，言堯之中理人道。「湯湯洪水」至「弗成」是第四段，言堯之下理地道。「朕在位」至末是第五段，言堯禪讓之事也。要而言之，則不外乎「欽」之一字。曰「欽明」、曰「允恭」、曰「欽若」、曰「敬授」、曰「寅賓」、曰「敬致」、曰「寅餞」、曰「往欽」、曰「欽哉」，諄諄以

---

44 〔明〕鍾庚陽（1540-1598）撰：《刻嘉禾鍾先生尚書傳心錄》（北京：北京出版社，《四庫未收書輯刊》第貳輯影印明萬曆九年劉美刻後印本，2000年1月）第4冊，卷1，頁1a-1b。

「欽、恭、敬」為言，信乎敬者，帝王傳心之要法也。[45]

鍾庚陽為王樵之子王肯堂的老師，王樵稱其書「約而該，瞻而覈，蓋舉業之正途，而明經之指南已。」[46]鍾氏將〈堯典〉全篇經文段落予以析分，並說明各段落之大義要旨，使讀者能夠在未讀經文之前，可以在最短時間內迅速掌握全篇內容旨意，條理清析，有助於讀者瞭解《尚書》篇章旨意。

　　〈禹貢〉篇為《尚書》夏書中的一篇，古今學者推尊為我國地理學書之祖，受到歷代學者普遍重視。內容記錄大禹治理水土，敘事「始終本末，綱紀秩然」，簡核有法[47]。鍾庚陽分析〈禹貢〉篇時：

> 按〈禹貢〉一篇當作五段看，「禹敷土」三句是第一段，記禹施治水之功之要，以其成功之所自也。「冀州」至「西戎」是第二段，分記禹逐州治水之成功也。「導岍及岐」至「又東北入于河」是第三段，詳記禹條派治水之成功也。「九州攸同」至「成賦中邦」是第四段，總結禹上文所治之成功也。「錫土姓」至末是第五段，又悉記禹建官弼服使天下迪德，以終其治水之成功者，而復命於帝舜也。[48]

將〈禹貢〉經文大略分為五大段落，並指陳各段落之大意所在，簡潔明瞭，

45　〔明〕鍾庚陽（1540-1598）撰：《刻嘉禾鍾先生尚書傳心錄》（北京：北京出版社，《四庫未收書輯刊》第貳輯影印明萬曆九年劉美刻後印本，2000年1月）第4冊，卷1，頁1a-1b。

46　〔明〕王樵撰：〈鍾先生尚書傳心錄序〉，見〔明〕鍾庚陽撰：《刻嘉禾鍾先生尚書傳心錄》（北京：北京出版社，2000年1月，《四庫未收書輯刊》第貳輯影印明萬曆九年劉美刻後印本），第4冊，卷首，頁2上-2下。

47　明代薛瑄以為「古人敘事之文極有法，如〈禹貢〉篇首以敷土奠高山大川為一書之綱，次冀州，以王畿為九州之首；次八州，次導山，次導水，以見經理之先後。次九州四隩九川九澤四海，以結經理之效。次制貢賦立宗法，祇台德先，分五服以述經理之政事，而終之以聲教，訖於四海執圭以告厥成功，始終本末，綱紀秩然，非聖經其能然乎？」見《欽定書經傳說彙纂》（臺北市：臺灣商務印書館，影印文淵閣《四庫全書》本，1986年3月），卷首下，頁29下-30上。

48　〔明〕鍾庚陽撰：《刻嘉禾鍾先生尚書主意傳心錄》，《四庫未收書輯刊》第貳輯第4冊，卷3，頁1上-1下。

可謂要言不煩，使初學者及成學者都易於學習瞭解。

〈召誥〉篇內容，蔡沈以為「宅洛者武王之志，周公成王成之，召公實先經理之。」洛邑建築成後，召公致書告成王，「其書拳拳於歷年之久近，反復乎夏商之廢興，究其歸，則以誠小民為祈天命之本，以疾敬德為誠小民之本，一篇之中屢致意焉，古之大臣其為國家長遠慮蓋如此。」[49]鍾庚陽講解分析〈召誥〉篇時，他說：

> 按此篇最有條理，當作四段看。「惟二月」七節是第一段，史臣記周召作洛之事也，如冒頭然。「太保乃以」節是第二段，召公托周公以誥王之辭也，如起講然。「嗚呼皇天」十五節是第三段，第以三嗚呼為眼目。「嗚呼皇天」四節，言天命不常欲王敬德誠民以祈天永命。「嗚呼有王」六節，言元子任重欲王敬德誠民以祈天永命。「嗚呼若生」五節，言初服當謹欲王敬德誠民以祈天永命，如大講然。末節總承一篇之意而結之，如繳束然。[50]

鍾庚陽分析〈召誥〉篇章結構時，將〈召誥〉全篇的寫作方式看作八股文的結構，有冒頭，有起講，有大講，有繳束。〈無逸〉篇內容為「周公戒成王治天下勿耽嗜逸豫」，鍾庚陽解析〈無逸〉篇時說：

> 按此篇當作七段看。首三條是第一段，君子小人對言之，欲成王以勤為法、以逸為戒也。「昔在殷王」四條是第二段，舉商世之勤逸者告之，欲成王法商之以勤而興，戒商之以逸而廢者也。「厥亦惟我」四條是第三段，舉文王之無逸告之，欲成王以其耳目之所逮者而知所信從也。「繼自今嗣王」二條是第四段，欲其法文王之戒遊逸也。「古之人」二條是第五段，又抽出聽信忠言一意勉戒之，正為己進言之地也。「自殷王中宗」三條是第六段，又在「知小人之依」上抽出一

---

49 〔宋〕蔡沈撰，王豐先點校：《書集傳》（北京市：中華書局，2018年2月），卷5，〈召誥〉，頁207。

50 〔明〕鍾庚陽撰：《刻嘉禾鍾先生尚書主意傳心錄》，《四庫未收書輯刊》第貳輯第4冊，卷3，〈召誥〉，頁1上-1下。

「迪」字來，欲成王戒忿戾之私而蹈迪其知也。末一條是第七段總括
一篇之意而結之也。[51]

蔡沈《書集傳》將〈無逸〉篇全文分為十六節，首段說明周公勸戒周成王應
以勤政為效法對象而以逸樂為戒。次段舉商朝為例，效法商因勤政而興盛，
因逸樂荒政而廢亡的借鑑。三段舉文王之無逸勤政勉勵成王，其耳目之所逮
者而知所信從也。〈盤庚〉篇在〈盤庚〉上篇時說：

按此篇當作二段看，首四節告民趨利避害之言。「戮于民」至末，則
誥臣黜傲康以倡民遷之意也。[52]

在〈盤庚〉中篇時說：

按此篇作四段看，首節本盤庚告民之由，「古我先后」八節，示之以
古今之利，以曉其遷。「失于政」四節，懼之以神明之責罰，以導其
遷。「今予告汝」三節，則總承中兩意，以果其遷。[53]

在〈盤庚〉下篇時說：

按此篇當作四段看，首節史臣敘事之詞。「無戲怠」二節，是于臣民
既遷之後，戒勉之以作其志，開示之以釋其疑也。「古我先王」四
節，言先王之遷都欲多前功，而在己之遷都，欲復祖德，其用心一
也。「邦伯師長」六節，是望群臣敬君命以安民生，而尤望其仁心之
不替也。[54]

---

51 〔明〕鍾庚陽撰：《刻嘉禾鍾先生尚書主意傳心錄》，《四庫未收書輯刊》第貳輯第4
　　冊，卷4，〈無逸〉，頁8上。
52 〔明〕鍾庚陽撰：《刻嘉禾鍾先生尚書主意傳心錄》，《四庫未收書輯刊》第貳輯第4
　　冊，卷2，〈盤庚上〉，頁1上。
53 〔明〕鍾庚陽撰：《刻嘉禾鍾先生尚書主意傳心錄》，《四庫未收書輯刊》第貳輯第4
　　冊，卷2，〈盤庚中〉，頁7上。
54 〔明〕鍾庚陽撰：《刻嘉禾鍾先生尚書主意傳心錄》，《四庫未收書輯刊》第貳輯第4
　　冊，卷2，〈盤庚中〉，頁7上。

鍾庚陽解析《尚書》內容，基本上以離析篇章段落作為其闡釋經義的基礎。〈盤庚〉篇在今文、古文《尚書》皆有，唯今文合為一篇，而東晉梅賾所獻的偽孔《傳》本的古文《尚書》，將〈盤庚〉篇分為上中下三篇，鍾庚陽分別針對上中下三篇經文進行分析章節段落的工作，讓讀者容易瞭解全篇段落內容要旨，使其層次分明，眉目清晰。

全書針對：〈堯典〉、〈舜典〉、〈大禹謨〉、〈皋陶謨〉、〈益稷〉、〈禹貢〉、〈胤征〉、〈湯誓〉、〈仲虺之誥〉、〈湯誥〉、〈伊訓〉、〈太甲〉上中下、〈咸有一德〉、〈盤庚〉上中下、〈仲虺之誥〉、〈金縢〉、〈召誥〉、〈洛誥〉、〈無逸〉、〈君奭〉、〈多方〉、〈君陳〉、〈呂刑〉等篇做段落的分析，以幫助讀者的閱讀。

鍾庚陽除離析《尚書》全篇章節要旨外，若個別篇章的段落文句過長，使學習者不容易掌握要點所在，鍾氏往往會再做進一步的段落分析，以方便學習。例如他〈盤庚〉上篇「汝不和吉言于百姓，惟汝自生毒，乃敗禍姦宄，以自災于厥身。乃既先惡于民，乃奉其恫，汝悔身何及！相時憸民，猶胥顧于箴言。其發有逸口，矧予制乃短長之命，汝曷弗告朕而胥動以浮言，恐沈于眾？若火之燎于原，不可嚮邇，其猶可撲滅。則惟汝眾自作弗靖，非予有咎。」一節文句時，解說前就先分別章節，他說：

> 此節大分有三截，自「汝不和」至「悔身何及」，是言群臣有召災之道也。自「相時」至「短長之命」，是言民有箴言不可遏，我有威柄不可犯也。自「汝曷」至「非予有咎」，是言我之用罰于群臣皆爾有可罰之道也。[55]

「汝不和吉言」至「非予有咎」一節共十八句，經文句子比較長，鍾庚陽考慮初學士子閱讀時不易掌握整節段落大意，再將全節細分為三節，分別說明「群臣有召災之道」、「民有箴言不可遏，我有威柄不可犯」、「我之用罰于群臣皆爾有可罰之道」，條理清楚，段落分明，讓士子一目瞭然而輕鬆的掌握整節的文章要旨，達到學習的效果。

---

55 〔明〕鍾庚陽撰：《刻嘉禾鍾先生尚書主意傳心錄》，《四庫未收書輯刊》第貳輯第4冊，卷2，〈盤庚上〉，頁4下。

（二）指明文章要旨與寫作方法

　　鍾庚陽的《尚書主意傳心錄》除分別各篇章的段落章旨，以便利初學者掌握學習外，也在書中指明文章要旨與寫作方法。〈皋陶謨〉為《尚書》五十八篇中，是鄉試或會試主考官出題次數最多的篇章，明穆宗隆慶二年會試，《尚書》義第一題即是〈皋陶謨〉：「無教逸欲有邦，兢兢業業，一日二日萬幾，無曠庶官，天工人其代之。」一段文字，鍾庚陽對此段的解說：

> 蓋一日二日萬幾紛至，一或縱焉則逸欲之風成，而萬幾之行于家國天下者皆驕矣。知萬幾之可畏，則夫敬謹以端用人之本，其容已耶？豈可使庶官之曠而不其難其慎以盡用人之道乎？所以然者何也？蓋庶官所治，莫非天事，一或曠焉，則代終之職虛，而天工之見于家國天下者皆廢矣。知天工之所繫，則夫慎擇以盡用人之道，其容已耶？必如此講方得終知人之謨意。[56]

鍾庚陽認為人君掌管家國天下，事務繁雜紛擾，應該秉持恭敬謹慎之心，兢兢業業，以端正用人之根本，慎選人臣，不可使庶官曠職，荒廢其應盡的職責。

　　〈說命下〉：「昔先正保衡，作我先王，乃曰：予弗克俾厥后惟堯舜，其心愧恥，若撻于市。一夫不獲，則曰時予之辜。佑我烈祖，格于皇天。爾尚明保予，罔俾阿衡專美有商。」鍾庚陽撰：

> 此述伊尹輔君作聖之美而勉其匹休之也。「作先王」虛說。「乃曰」至「皇天」，作之之實也。「予弗克」三句是欲致君為堯舜之君。「一夫」二句是欲澤民為堯舜之民。平看。見伊尹自任之重。佑我烈祖，輔其君堯舜，是良臣也。格于皇天，則無一夫不獲堯舜之澤，而君聖矣。「皇天」就化育上言，註中功字泛說。二句雖君民，而辭意俱

---

56 〔明〕鍾庚陽撰：《刻嘉禾鍾先生尚書主意傳心錄》，《四庫未收書輯刊》第貳輯第4冊，卷2，〈皋陶謨〉，頁16上。

串，見伊尹成功之大，此之謂有志者事竟成，而先正之所以著美于有
商也。「明保」句含下「紹辟綏民」意講，美即致君澤民之美也。曰
「爾尚」曰「罔俾」，皆期望之辭。[57]

鍾庚陽說明全段文字旨意在「伊尹輔君作聖之美而勉其匹休之」，「予弗克俾
厥后惟堯舜，其心愧恥，若撻于市」三句，是說明伊尹「欲致君為堯舜之
君」。「一夫不獲，則曰時予之辜」二句則是伊尹「欲澤民為堯舜之民」。鍾
庚陽將伊尹致君澤民的輔君作聖之美德，詳細說解清楚，讓閱讀者一目瞭然
的掌握全段章義所在，順便補充說明「爾尚」、「罔俾」兩辭句含有「期望」
意義。

　　弘治九年及正德十二年會試，《尚書》義第二題均出此段，唯截去「昔
先正保衡，作我先王，乃曰」及後面「佑我烈祖，格于皇天。爾尚明保予，
罔俾阿衡專美有商。」所出的題目：「『予弗克』三句是欲致君為堯舜之君。
『一夫』二句是欲澤民為堯舜之民。」恰好是這節最重要關鍵的辭句。

　　明代科舉考試第一場《四書》《五經》經義，除《春秋》經因經文過簡，
需要合題出題外，其他《四書》、《易經》、《書經》、《詩經》、《禮記》五經，
都是從經文中摘取一句或一段文句作為題目考士子，句子的長短有所變化，
考生若不能把握住經文段落的主要旨意所在，寫出的文章主旨就容易偏離題
目。現存的明代鄉試、會試錄裡，同考官或主考官經常會藉程文的評語，說
明考生試卷答題的缺失，常殷殷提醒經文段落「主意」，可見「主意」的把
握是極重要的關鍵點。如《明成化八年會試錄》《書》義第四題：「五刑之疑
有赦，五罰之疑有赦，其審克之。簡孚有眾，惟貌有稽；無簡不聽，具嚴天
威。」(《尚書・呂刑》)，考生吳寬的試卷，同考試官編修商良臣批語：

　　　學者為文多自立主意，而牽強以就其說，此最時文陋習，如〈呂刑〉
　　　題本平正，率以穿鑿失之，獨此篇不悖本旨，可嘉。

57　〔明〕鍾庚陽撰：《刻嘉禾鍾先生尚書主意傳心錄》，《四庫未收書輯刊》第貳輯第4
　　冊，卷2，〈說命下〉，頁28下。

《明成化二十年會試錄》《書》義第四題：「昔在文武，聰明齊聖，小大之臣，咸懷忠良。」(《尚書‧冏命》)考生汪宗器的試卷，同考試官主事楊（文卿）批：

> 題本平易，作者以難求之，多病於自立主意。求能順題說理，不務冥搜，而氣格自異於尋常者，無如此篇。

鄉試錄或會試錄裡，考官經常批評考生對於題目的主旨未能把握恰當，自立主意，以致於偏篇離主題寫作，造成落榜慘境，難怪鍾庚陽編輯《尚書》別標註「主意」以提醒學子注意。

四　《尚書主意傳心錄》與明代經義的缺失

程元敏先生撰《先秦經學史》時說：

> 經學者，修己治人之學也，旨在經世致用，為政治、社會、經濟、文學、史學、哲學、道德教育之基本教材，是吾中國二千六百年來學術骨幹。孕育於遠古，成學於孔聖。後士依傍經書，予以整理、選擇、詮釋之外，又以一己思想，增益、減省、萃集、發揮之，不必一定盡合乎經意或孔聖意，但亦不外經學範圍，為研究對象。[58]

程先生認為經學是「修己治人之學」，目的最終在「經世致用」，後代學者針對經書進行「整理、選擇、詮釋」工作，或是對經書進行「增益、減省、萃集、發揮」等加工，雖然未必「盡合乎經意或孔聖意」，都屬於經學範圍，值得後人作為為研究對象。

明代的出版業發達，民間書坊為滿足眾多考生魚躍龍門，金榜題名的渴望心裡，也為幫助考生應考的迫切需求，編纂各式各樣的輔助教材。為數眾

---

58 程元敏（1931-）先生撰：《先秦經學史》（臺北市：臺灣商務印書館，2013年11月），〈孔子前之經學〉，頁4。

多的科舉考試用書，水準參差不齊，在當時和後世都受到學者嚴厲的批評，看法是否合理，在廢棄科舉制度百餘年之後，有必要重新予以審視。

馮琦（1558-1604）〈為重經術祛異說以正人心以勵人材疏〉：

> 國家以經術取士，自《五經》、《四書》、性鑑、正史而外，不列於學官，不用以課士，而經書傳註又以宋儒所訂者為準，蓋即古人罷黜百家，獨尊孔氏之旨，此所謂王制也。[59]

明朝訂定科舉成式，以經術取士，考試科目限制在《五經》、《四書》、性鑑、正史，經書註解也以宋儒所注解者為標準，這是蘊涵「罷黜百家，獨尊孔氏」的用意所在，讓一風俗的作用。

科舉考試對明代學術風氣的影響，前人往往批評當時科舉圖書的流行，容易造成士子的剽竊勦襲風氣，這是立基於世人對考生普遍渴望中式投機取巧以圖僥倖的心理所做的推測，宋代以來即有，並非明代才有的現象。明末清初藏書家黃虞稷（1629-1691）在其所編纂的《千頃堂書目》裡即著錄有：「《四書程文》二十九卷、《易經程文》六卷、《書經程文》六卷、《詩經程文》六卷、《春秋經程文》二十二卷、《禮記程文》十卷。」[60]《五經》、《四書》皆有程文。楊慎說：

> 本朝以經學取人，士子自一經之外罕所通貫。近日稍知務博，以嘩名苟進而不究本原，徒事末節。《五經》諸子則割取其碎語，而誦之謂之蠹測。歷代諸史則抄節其碎事而綴之，謂之策套。其割取抄節之人已不通經涉史，而章句血脈皆失其真。[61]

---

59 〔明〕馮琦撰：《宗伯集》（北京：北京出版社，《四庫禁燬書叢刊》影印明萬曆刻本，2000年1月），卷57，〈為重經術祛異說以正人心以勵人材疏〉，頁1上-2下。

60 〔清〕黃虞稷（1629-1691）撰，瞿鳳起（1907-1987）、潘景鄭（1907-2003）整理：《千頃堂書目》（上海市：上海古籍出版社，1990年5。月），卷32，〈制舉類〉，頁784。

61 〔明〕楊慎：《升庵集》（臺北市：臺灣商務印書館，影印文淵閣《四庫全書》本，1986年3月），集部1270冊，卷52，《舉業之陋》，頁447-448。

陸深（1477-1544）曰：

> 今日舉子不必有融會貫通之功，不必有探討講求之力，但誦坊肆所刻
> 軟熟腐爛數千餘言，習為依稀彷彿浮靡對偶之語，自足以應有司之選
> 矣。學術至此，其又可悲也。[62]

清初的顧炎武也有類似的看法，與楊慎、陸深的意見相近，欲避免剽竊勦襲
之風，除禁燬圖書外，尚需要改進考試官閱卷的方法與技巧，一味批評考生
不勤奮刻苦讀書，是毫無效果，也沒有實際的意義。李維楨（1547-1626）
在〈陝西學政〉公移一文云：

> 近來士子不務實學，如《易》之悔吝凶咎，《書》之〈金縢〉、〈顧
> 命〉，《詩》之變風、變雅，《春秋》崩薨卒葬，《禮記》〈奔喪〉、〈問
> 喪〉，以為諱而不談，字分大小，註分內外，亦多略而不省。[63]

李維楨批評陝西學子不務實學，「《易》之悔吝凶咎，《書》之〈金縢〉、〈顧
命〉，《詩》之變風、變雅，《春秋》崩薨卒葬，《禮記》〈奔喪〉、〈問喪〉，以
為諱而不談，」原因之所以如此，主考官考試題目不出，學子自然不會去
讀，若改變出題技巧，讓學子無法猜測到題目範圍，不得已只好閱讀全書，
於經書閱讀才有幫助。

　　鍾庚陽《尚書主意傳心錄》繹解全書五十八篇經文，講述文字簡要明
白，讓學子易於把握《尚書》篇章主旨，幫助讀者快速瞭解全篇內容，體會
經傳義理，有助於參加考試應用，也對《尚書》的學習有提升作用。

---

62 〔明〕陸深（1477-1544）撰：《儼山集》（臺北市：臺灣商務印書館，影印文淵閣《四
　　庫全書》本，1986年3月），卷85，〈策癸亥南監季考〉，頁12上。

63 〔明〕李維楨（1547-1626）撰：《大泌山房集》（北京市：北京出版社，《四庫全書存
　　目叢書》影印明萬曆三十九年刻本，1997年6月），集部第153冊，卷134，〈陝西學
　　政〉，頁4上-4下。

五 結論

綜合上面數節的敘述，可以獲得幾點結論：

其一，鍾庚陽的生平傳記資料，或因其官職不高，或因學術成就不多，在《明史》無傳。如今可見者較詳細載錄其生平資料的僅有明末學者陳懿典（1554-1638）所作的〈刑部郎中鍾西星公暨配孫宜人合葬墓誌銘〉一篇，除此之外，只有《嘉興府志》裡簡單零星的記錄。結合明代〈嘉靖四十年（1561）浙江鄉試錄〉及〈隆慶二年（1568年）會試錄〉、〈隆慶二年進士登科錄〉等相關科舉錄的記載資料，對其生平做一簡要的敘述。嘉靖四十年（1561）浙江鄉試第四十六名舉人。隆慶二年（1568）會試第四十九名中式，隆慶二年戊辰科三甲第十四名進士。入仕任職，授太平府推官，父以「清慎勤」三字訓勉他，他研精律令，一主律令斷獄，平反甚多冤獄。卒于刑部郎中任內。著作今僅有《尚書主意傳心錄》傳世。

其二，明代採用科舉考試選拔官員，「中外文臣皆由科舉而進，非科舉者毋得與官。」科舉考試的成功，是獲得仕祿與官位的入門階梯。伴隨著科舉考試激烈競爭，為滿足考生備考的迫切需要，各類的科舉圖書的刊刻應運流行。《四庫全書總目》對《古今源流至論》、《玉海》的評論，顯示圖書典籍的價值與否，與是否為科舉用書無關，關鍵在於編輯者是否專精用心，體例是否詳明，內容有足資世人取資。明代科舉參考書，在成化、弘治和正德年間大部分讀書人仍然潛心於研讀《四書五經大全》和《性理大全》與歷代正史。到嘉靖、隆慶年間，情況才改觀，書坊大量編輯各種類型科舉用書，欲參加科舉的士子們「皆以書坊所刊時文競相傳誦，師弟朋友自為捷徑，經傳注疏不復假目。」時文傳播全國各地，「書肆資之以賈利，士子假此以僥幸」，全國士子幾乎皆捧讀地步。

其三，鍾庚陽《尚書主意傳心錄》除分別篇章段落，標明章旨，以便利初學者掌握學習外，指明文章要旨與寫作方法。條理清楚，段落分明，讓士子一目瞭然，輕鬆的掌握整節的文章要旨，達到學習的效果。

其四，明代以經義取士，科目限制在《五經》、《四書》、性鑑、正史，

註解以宋儒所解說者為標準，彰顯「罷黜百家，獨尊孔氏」的用意所在，前人批評科舉圖書的盛行，以致造成科舉士子養成剽竊勦襲的風氣，這純屬考生個人投機取巧僥倖的心理所致，改進之法，除官府政令的制約外，尚需要改進主考官閱卷的方法與技巧，若僅是徒然一味苛責考生不刻苦用功，勤奮讀書，則既無效果，更沒有實質的意義。

《論語集解》〈學而〉所見「孔注」釋義問題淺議

宗靜航

香港浸會大學中文系助理教授

提要

今傳題為西漢孔安國所作之《論語》注解，見於何晏之《論語集解》。惟因《史記》、《漢書》均未提及孔安國為《論語》作注，《隋志》及兩《唐志》也沒有著錄，而最早提及此事卻是被視為「偽書」之王肅《孔子家語後序》，所以傳統以來學者多有懷疑。現代學者則認為《論語集解》廣收漢魏諸家對《論語》之訓解，屬西漢時期則只有孔安國一家，反映出何晏等人對古文經學家孔安國之推崇。並且在收入《集解》之所有注家中，又以孔注數量最多。《論語集解》所引《論語》孔注數量雖多，惟如細察《論語集解》各篇每章所引孔注，則發現某些章次沒有引用，甚或連續數章都不加徵引。《學而》是今傳《論語》首篇，注解者應在全書開首部分多作訓釋說明，故本文以《論語集解・學而》所引孔注，對相關問題以作探討。

關鍵詞：《論語》孔注　《論語集解》　孔安國　《學而》

今傳題為西漢孔安國所作之《論語》注解（下文簡稱孔注），見於何晏之《論語集解》。惟「由於《史記》、《漢書》均未提及孔安國為《論語》作注之事，《隋志》及兩《唐志》也沒有著錄，而最早提及此事的是被視為『偽書』的王肅《孔子家語後序》，所以清儒劉台拱、段玉裁、丁晏、沈濤等對《論語孔氏訓解》多有懷疑。」[1]丁晏《論語孔注證偽》〈自序〉說：

> 夫安國古文《論語》見於《漢》〈藝文志〉，然班《志》「《論語》古二十一篇」，自注云：「出孔子壁中。」其下載《齊》、《魯》篇數及《齊》、《魯》之說，而《古論語》獨無說，則知安國祇傳古文，固未嘗有說也。荀悅《漢紀》稱武帝時孔安國家獻古文《論語》，王充《論衡》稱安國以《論語》教魯人扶卿。漢儒具言其傳授，而不言曾作注解。至魏正始中撰《集解》，乃突有孔注廁其間，則此孔注其必非安國所作明矣。及讀王肅《家語後序》，云：「安國撰眾師之義，為《古文論語訓》十一篇，《尚書傳》五十八篇」，始悟《論注》、《書傳》俱一手所依托，特於《家語後序》箸其篇目。……且古經傳皆別行，自馬融欲省學者兩讀，始經注並載。今《孔注》文皆就經句下為之，亦非西京時所有。……若其文字細弱淺易，無西漢質厚之意，其為偽托，又不待智者而知矣。[2]

現代學者則認為「《論語集解》廣收漢魏諸家對《論語》的訓解，但屬於西漢時期的只有孔安國一家。……反映出何晏等人對古文經學家孔安國的推崇。並且在收入《集解》的所有注家中，又以孔注數量最多，達四百七十三條，比其他幾位漢代注家包咸、馬融、鄭玄的訓解總和四百三十久條還多二十四條」[3]，並說「《論語孔氏訓解》是迄今尚存的最古老的《論語》注本，

---

1 唐明貴：《論語學史》（北京市：中國社會科學出版社，2009年），頁127。

2 丁晏：《論語孔注證偽》（上海市：上海科學技術文獻出版社，2016年，合眾圖書館叢書），頁1-2。

3 陳以鳳：《孔安國學術研究》（濟南市：山東人民出版社，2013年），頁105。

也是儒家經典中『行於世』的最早注本。」[4]

　　對於《論語集解》所引《論語》孔注之數量，筆者也曾作了統計，與學者所得次數相同。惟如細察《論語集解》各篇每章所引孔注，則發現某些章次沒有引用，甚或連續數章都不加徵引（詳情請參論文所附「《論語集解》所見『孔注』統計表」）。上引丁晏以《論語》孔注與《尚書孔傳》「俱一手依托」，現代學者則以為同屬「孔氏家學」[5]，可見以今傳與孔安國有關之傳注來探討《論語》孔注，當有幫助。下文以《論語集解》〈學而〉篇所引孔注為中心，因為〈學而〉是今傳《論語》首篇，注解者應在全書開首部分多作訓釋說明（關於《論語集解》〈學而〉篇所引諸家注解詳情，請參所附「《論語集解》〈學而〉所見諸家注解統計表」），並輔以相關資料以作論述，為學界提供參考資料。

1.1
子曰：學而時習之，不亦悅乎？
馬融曰：子者，男子通稱也，謂孔子也。
王肅曰：時者，學者以時誦習也。誦習以時，學無廢業，所以為悅懌也。

有朋自遠方來，不亦樂乎？
苞氏曰：同門曰朋也。

人不知而不慍，不亦君子乎？
何晏：慍，怒也。凡人有所不知，君子不慍之也。[6]

4　唐明貴：《論語學史》（北京市：中國社會科學出版社，2009年），頁135。

5　關於「孔氏家學」之詳情，請參黃懷信等著：《漢晉孔氏家學與「偽書」公案》（廈門市：廈門大學出版社，2011年）；陳以鳳：《孔安國學術研究》（濟南市：山東人民出版社，2013年）。

6　〔梁〕皇侃撰、高尚榘校點：《論語義疏》（北京市：中華書局，2013年），頁1-4。又本文對《論語》各篇之分章，是據楊伯峻：《論語譯注》（北京市：中華書局，1980年）。

　　《學而》是《論語》首篇，而首篇首章之第一個注解，所引用的卻並不是「迄今尚存的最古老的《論語》注本」，而是馬融之注釋。或認為孔安國以「子曰」不需注釋，故何晏無從引用。然而，今傳為孔安國所作之《古文孝經孔傳》卻有類似之注釋，而且共兩見：

　　　　《古文孝經孔傳》：孔子者，男子之**通稱**也。……曾子者，男子之**通稱**也。(《孝經》〈開宗明誼章第一〉：仲尼閒居，曾子侍坐。)[7]

馬注和《古文孝經孔傳》都有「通稱」一詞，此詞語又一見於今傳孔安國所作之《尚書孔傳》：

　　　　誓其群臣，**通稱**士也。(《秦誓》：公曰：嗟！我士，聽無譁。)[8]

「通稱」即「通常的稱呼」、「一般的說法」。[9]此詞語不見於先秦西漢時期之典籍[10]，比較早之用例除見於上引之馬融注和今傳孔安國所作之《古文孝經孔傳》及《尚書孔傳》外，均見於東漢。茲略引錄如下：[11]

　　　　(1) 子者，男子之**通稱**也。(東漢・趙岐【108？-201】《孟子題辭》)[12]
　　　　(2) 樂正，姓也；子，**通稱**。(《孟子》〈梁惠王〉〈下〉「樂正子入見」東漢・趙岐注)[13]

7　《古文孝經孔氏傳》，《文淵閣四庫全書》。

8　〔清〕〔清〕阮元：《尚書注疏》(臺北市：臺灣藝文印書館，景印清嘉慶20年（1815）南昌府學重刊《十三經注疏》本)，頁，頁314。

9　參《漢語大詞典》第10冊，頁943。

10　「太傅孫叔**通・稱**說引古，以死爭太子。」〔西漢〕劉向（前77-前6）：《新序》〈善謀下〉，劉向撰、趙仲邑注：《新序詳注》(北京市：中華書局，1997年)，頁347。這句不是以「通稱」為一詞語。

11　「少遊學京師，以文章博**通・稱**。」〔劉宋〕范曄（398-445）：《後漢書》〈文苑列傳〉〈崔琦〉，《後漢書》第9冊，頁2619。這句不是以「通稱」為一詞語，所以本文不以為例。

12　《孟子注疏》(臺北市：藝文印書館)，頁4。

13　《孟子注疏》(臺北市：藝文印書館)，頁47。

（3）子，男子之*通稱*也。(《孟子》〈告子〉〈上〉東漢・趙岐注)[14]

（4）子，男子之*通稱*也。(《孟子》〈盡心〉〈下〉「萬子曰」東漢・趙岐注)[15]

（5）子者，男子之*通稱*。(《詩經》〈衞〉〈氓〉「送子涉淇」東漢・鄭玄【127-200】《箋》)[16]

（6）鉅，姓；子，*通稱*。(《呂氏春秋》〈去私〉「墨者有鉅子」東漢・高誘【生卒年不詳】注)[17]

（7）謝，姓也；子，*通稱也*。(《淮南子》〈脩務〉「昔者謝子見於秦惠王」東漢・高誘注)[18]

至於「悅」字，《論語集解》所引為王肅說（「所以悅懌也」），今傳《尚書孔傳》也有「悅」字之訓解：

太甲中：先王子惠困窮，　　　　　　　　民　服厥　命，罔有不悅。
　孔傳：言湯子愛困窮之人，使皆得其所，故民心服其教令，無有不忻喜。[19]

1.2
有子曰：
孔安國曰：弟子有若也。

其為人也孝悌，而好犯上者鮮矣。
皇侃：善事父母曰孝，善事兄曰悌也。[20]

14　《孟子注疏》（臺北市：藝文印書館），頁47。
15　《孟子注疏》（臺北市：藝文印書館），頁263。
16　《毛詩注疏》（臺北市：藝文印書館），頁134。
17　《呂氏春秋》（臺北市：藝文印書館，1974年），卷3，總頁39。
18　《淮南子》（臺北市：藝文印書館，1974年），卷19，總頁594。
19　〔清〕〔清〕阮元：《尚書注疏》（臺北市：臺灣藝文印書館，景印清嘉慶20年（1815）南昌府學重刊《十三經注疏》本），頁118。
20　〔梁〕皇侃撰、高尚榘校點：《論語義疏》（北京市：中華書局，2013年），頁5。

> 何晏：鮮，少也。上，謂凡在己上者也。言孝悌之人必有恭順，好欲犯其上者少也。

> 不好犯上，而好作亂者，未之有也。君子務本，本立而道生。
> 何晏：本，基也。基立而後可大成也。

> 孝悌也者，其為仁之本與！
> 苞氏曰：先能事父兄，然後仁可成也。[21]

以有子為孔子弟子有若，見於司馬遷《仲尼弟子列傳》「有若少孔子四十三歲。有若曰：『禮之用，和為貴，……』」[22]，太史公所引正見於《學而》，而今本作「有子曰：『禮之用，和為貴，……』。」[23]

本條「孝」字，《論語集解》雖引了包注，但包注其實沒有解釋「孝」字，故本文補充了皇侃之說解。至於上引《論語》經文中之「鮮」、「孝」二字，今傳《尚書孔傳》也有訓解，並與何晏、皇侃相同：

盤庚中：　　保后　　胥　　戚，　　　　　　　　鮮以不浮于天時。
　孔傳：民亦安君之政，相與猶憂行君令。浮，行也。少以不行於天時者，言皆行天時。[24]

康誥：王曰：封，元惡　　　　大憝，矧惟不孝　　不友？
孔傳：　　　大惡之人猶為人所大惡，況　不善父母，不友兄弟者乎？言人之罪惡，莫大於不孝不友。[25]

---

21 〔梁〕皇侃撰、高尚榘校點：《論語義疏》（北京市：中華書局，2013年），頁5-6。
22 《史記》（北京市：中華書局，1963年，標點本），第7冊，頁2215。
23 〔梁〕皇侃撰、高尚榘校點：《論語義疏》（北京市：中華書局，2013年），頁17。
24 〔清〕〔清〕阮元：《尚書注疏》（臺北市：臺灣藝文印書館，景印清嘉慶20年（1815）南昌府學重刊《十三經注疏》本），頁130。
25 〔清〕〔清〕阮元：《尚書注疏》（臺北市：臺灣藝文印書館，景印清嘉慶20年（1815）南昌府學重刊《十三經注疏》本），頁204。

君陳：王若曰：君陳，惟爾　令德　孝　　　　　　恭。
孔傳：　　言　　其　　有令德，善事父母，行己以恭。

君陳：　　惟孝，　　　友于兄弟，克施有政。
孔傳：言　善父母者必友于兄弟，能施有政令。[26]

1.3
子曰：巧言令色，鮮矣有仁。
苞氏曰：巧言，好其言語。令色，善其顏色。皆欲令人悅之，少能有仁也。[27]

本條「鮮」字，今傳《尚書孔傳》之訓解，已見1.2條所引。

1.4
曾子曰：
馬融曰：弟子曾參也。

吾日三省吾身：為人謀而不忠乎？與朋友交言而不信乎？傳不習乎？
何晏：言凡所傳事，得無素不講習而傳之乎？[28]

本條暫沒有其他相關資料。

1.5
子曰：導千乘之國，
馬融曰：導者謂為之政教也。《司馬法》曰……
苞氏曰：導，治也。……
何晏：馬融依《周禮》，苞氏依《孟子》、《王制》。義疑，故兩存焉。

---

26 〔清〕〔清〕阮元：《尚書注疏》（臺北市：臺灣藝文印書館，景印清嘉慶20年（1815）南昌府學重刊《十三經注疏》本），頁273。

27 〔梁〕皇侃撰、高尚榘校點：《論語義疏》（北京市：中華書局，2013年），頁6-7。

28 〔梁〕皇侃撰、高尚榘校點：《論語義疏》（北京市：中華書局，2013年），頁7-8。

敬事而信，

　　苞氏曰：為國者舉事必敬慎，與民必誠信也。

節用而愛人，使民以時。

　　苞氏曰：作使民必以其時，不妨奪農務也。[29]

　　本條「導」字，今傳《尚書孔傳》也解為「治」：

禹貢：　　　　　導　　　　　　　　岍及岐至于荊山
孔傳：更理說所治山川首尾所在治山通水故以山名之三山皆在雍州[30]

　　1.6

　　子曰：弟子入則孝，出則悌，謹而信，汎愛眾而親仁。行有餘力，則
　　以學文。

　　　　馬融曰：文者，古之遺文也。[31]

　　本條「謹」字，《論語集解》於諸家注解並無徵引，而《尚書孔傳》則
訓「謹」為「慎」：

胤征：　先王克謹天戒臣人克　有常憲
孔傳：言 君 能慎 戒臣 能奉有常法[32]

　　1.7

　　子夏曰：賢賢易色。

---

29 〔梁〕皇侃撰、高尚榘校點：《論語義疏》（北京市：中華書局，2013年），頁8-11。

30 〔清〕〔清〕阮元：《尚書注疏》（臺北市：臺灣藝文印書館，景印清嘉慶20年（1815）
　　南昌府學重刊《十三經注疏》本），頁87。

31 〔梁〕皇侃撰、高尚榘校點：《論語義疏》（北京市：中華書局，2013年），頁11-12。

32 〔清〕〔清〕阮元：《尚書注疏》（臺北市：臺灣藝文印書館，景印清嘉慶20年（1815）
　　南昌府學重刊《十三經注疏》本），頁102。

孔安國曰：子夏，弟子卜商也。言以好色之心好賢，則善。

事父母能竭其力　事君能致其身，
孔安國曰：盡忠節，不愛其身也。

與朋友交，言而有信。雖曰未學，吾必謂之學矣。[33]

本條《論語集解》於諸家訓釋只引用孔注兩次。

1.8
子曰：君子不重則不威，學則不固。
孔安國曰：固，蔽也。一曰：言人不敢重，既無威，學不能堅固，識其義理也。

主忠信，無友不如己者，過則勿憚改。
鄭玄曰：主，親也。憚，難也。[34]

　　對於在編撰《論語集解》時，學者認為「何晏等人對前人之成說，擇善而從，一般只選用一種注釋，不加引申，不作論。」[35]「但在《論語集解》中也有幾處地方兼存兩說」[36]，本條正是其中一例。唐明貴說：「關於這裏的『一曰』，邢疏認為是『何氏自下己言』，我認為此說不確。在我看來，這應該是何晏等人兼存之他說。如《學而》『子曰：君子不重則不威，學則不固』下，《集解》注曰：『孔曰：「固，蔽也。」一曰：「言人不能重，既無威，學又不能堅固，識其義理。」』劉寶楠《論語正義》曰：『「一曰」以下，此《集解》別存一義，非仍前所注之人，下皆仿此。』」[37]
　　學者的見解是合理的，不過，今傳《尚書孔傳》亦訓「固」為「堅固」

---

33 〔梁〕皇侃撰、高尚榘校點：《論語義疏》（北京市：中華書局，2013年），頁12-13。
34 〔梁〕皇侃撰、高尚榘校點：《論語義疏》（北京市：中華書局，2013年），頁13-14。
35 唐明貴：《〈論語〉學史》（北京市：中國社會科學出版社，2009年），頁185。
36 唐明貴：《〈論語〉學史》（北京市：中國社會科學出版社，2009年），頁185。
37 唐明貴：《〈論語〉學史》（北京市：中國社會科學出版社，2009年），頁186原注1。

（共三見），與《集解》所存別說「學又不能堅固」相同。

多士：惟天不畀允罔　固亂　　弼　我我其敢求　位
孔傳：惟天不與言無堅固治者故輔佑我我其敢求天位乎[38]

君奭：今汝永念　　　　　　　　　　則有　固　命厥亂
孔傳：今汝長念平至者安治反是者滅亡以為法戒則有堅固王命其治理足

君奭：　明我新造邦
孔傳：以明我新成國矣[39]

畢命：申畫郊圻　　　　　　　　　慎　固封　　守　以康四海
孔傳：　　郊圻雖舊所規畫當重分明之又當謹慎堅固封疆之守備以安四海京圻安則四海安矣[40]

1.9
曾子曰：慎終追遠，民德歸厚矣。
孔安國曰：慎終者，喪盡其哀也。追遠者，祭盡其敬也。人君能行此二者，民化其德而皆歸於厚也。[41]

本條《論語集解》於諸家訓釋只引用孔注。

1.10
子禽問於子貢曰：夫子至於是邦也，必聞其政。求之與？抑與之與？
鄭玄曰：子禽，弟子陳亢也，字子禽也。子貢，弟子，姓端木，名

---

38 〔清〕阮元：《尚書注疏》（臺北市：臺灣藝文印書館，景印清嘉慶20年（1815）南昌府學重刊《十三經注疏》本），頁236。

39 〔清〕阮元：《尚書注疏》（臺北市：臺灣藝文印書館，景印清嘉慶20年（1815）南昌府學重刊《十三經注疏》本），頁246。

40 〔清〕阮元：《尚書注疏》（臺北市：臺灣藝文印書館，景印清嘉慶20年（1815）南昌府學重刊《十三經注疏》本），頁291。

41 〔梁〕皇侃撰、高尚榘校點：《論語義疏》（北京市：中華書局，2013年），頁14-15。

賜，字子貢也。亢怪孔子所至之邦，必與聞其國政，求而得之耶？抑人君自願與為治耶也？

子貢曰：夫子溫、良、恭、儉、讓以得之。夫子之求之也，其諸異乎人之求之與也。

鄭玄曰：言夫子行此五得而得之，與人求異。明人君自願求與為治之也。[42]

本條暫沒有其他相關資料。

1.11

子曰：父在觀其志，父沒觀其行，

孔安國曰：父在，子不得自專，故觀其志而已也。父沒，乃觀其行也。

三年無改於父之道，可謂孝矣。

孔安國曰：孝子在喪哀慕，猶若父在，無所改於父之道也。[43]

本條「孝」字，今傳《尚書孔傳》有訓解，請參1.2條所引。

1.12

有子曰：禮之用，和為貴。先王之道，斯為美。小大由之，有所不行。知和而和，不以禮節之，亦不可行。

馬融曰：人知禮貴和。而每事從和，不以禮為節，亦不可行也。[44]

皇侃：斯，此也。言聖天子之化行，禮亦以此用和為美也。[45]

本條「斯」字，《論語集解》並沒有引用前人注釋，本文補充了皇侃之說解。今傳《尚書孔傳》亦訓「斯」為「此」，與皇侃相同。

42 〔梁〕皇侃撰、高尚榘校點：《論語義疏》（北京市：中華書局，2013年），頁15-16。
43 〔梁〕皇侃撰、高尚榘校點：《論語義疏》（北京市：中華書局，2013年），頁16-17。
44 〔梁〕皇侃撰、高尚榘校點：《論語義疏》（北京市：中華書局，2013年），頁17。
45 〔梁〕皇侃撰、高尚榘校點：《論語義疏》（北京市：中華書局，2013年），頁17。

洪範：　　　　　　　　　時人斯其惟皇之極

孔傳：不合於中之人汝與之福則是人此其惟大之中言可勉進[46]

洪範：汝弗能使　　　　有好于而　家　時人斯其辜

孔傳：　不能使正直之人有好於　國家則是人斯其詐取罪而去[47]

金縢：周公　　　　　居東　　二年　　　則罪人斯得

孔傳：周公既告二公遂　東征之二年之中　罪人此得[48]

酒誥：　　　　　　　　　　姑惟教之　　有斯明　　享

孔傳：以其漸染惡俗故必三申法令且惟教之則汝有此明訓以享國[49]

君陳：曰斯　謀斯　猷惟我后之德

孔傳：　此善謀此善道惟我君之德善則稱君人臣之義[50]

秦誓：　　　　　責人　斯無難　　　　　惟受　責俾　　如　流

孔傳：人之有非以義責　之此無難也若己有非惟受人責即改之如水流下

秦誓：是惟艱哉

孔傳：是惟艱哉[51]

46　〔清〕阮元：《尚書注疏》（臺北市：臺灣藝文印書館，景印清嘉慶20年（1815）南昌
　　府學重刊《十三經注疏》本），頁172。

47　〔清〕阮元：《尚書注疏》（臺北市：臺灣藝文印書館，景印清嘉慶20年（1815）南昌
　　府學重刊《十三經注疏》本），頁173。

48　〔清〕阮元：《尚書注疏》（臺北市：臺灣藝文印書館，景印清嘉慶20年（1815）南昌
　　府學重刊《十三經注疏》本），頁188。

49　〔清〕阮元：《尚書注疏》（臺北市：臺灣藝文印書館，景印清嘉慶20年（1815）南昌
　　府學重刊《十三經注疏》本），頁211。

50　〔清〕阮元：《尚書注疏》（臺北市：臺灣藝文印書館，景印清嘉慶20年（1815）南昌
　　府學重刊《十三經注疏》本），頁274。

51　〔清〕阮元：《尚書注疏》（臺北市：臺灣藝文印書館，景印清嘉慶20年（1815）南昌
　　府學重刊《十三經注疏》本），頁314。

1.13

有子曰：信近於義，言可復也。

何晏：復，猶覆也。義不必信，信不必義也。以其言可反覆，故曰「近義」也。

恭近於禮，遠恥辱也。

苞氏曰：恭不合禮，非禮也。以其能遠恥辱，故曰「近於禮」也。

因不失其親，亦可宗敬也。

孔安國曰：因，親也。言所親不失其親，亦可宗敬也。[52]

本條暫沒有其他相關資料。

1.14

子曰：君子食無求飽，居無求安。

鄭玄曰：學者之志，有所不暇也。

敏於事而慎於言，就有道而正焉。可謂好學也已矣。

孔安國曰：敏，疾也。有道者，謂有道德者也。正，謂問事是非也。[53]

本條「敏」字，今傳《尚書孔傳》亦訓為「疾」，與孔注相同。

大禹謨：	曰后克艱厥后臣克艱厥臣政乃乂	黎民	敏	德
孔傳：敏疾也		能知	民皆疾修德[54]	

1.15

子貢問曰：貧而無諂，富而無驕，何如？子曰：可也。

孔安國曰：未足多也。

---

52 〔梁〕皇侃撰、高尚榘校點：《論語義疏》（北京市：中華書局，2013年），頁18-19。

53 〔梁〕皇侃撰、高尚榘校點：《論語義疏》（北京市：中華書局，2013年），頁19-20。

54 〔清〕阮元：《尚書注疏》（臺北市：臺灣藝文印書館，景印清嘉慶20年（1815）南昌府學重刊《十三經注疏》本），頁52。

未若貧而樂道，富而好禮者也。

鄭玄曰：樂謂志於道，不以貧賤為憂苦之也。子貢曰：詩云「如切如磋，如琢如磨」，其斯之謂與也？

孔安國曰：能「貧而樂道，富而好禮」者，能自「切磋」「琢磨」者也。

子曰：賜也，始可與言詩已矣，告諸往而知來者也。

孔安國曰：諸，之也。子貢知引時以成孔子義，善取類也，故然之。往告以「貧而樂道」，來答以「切磋」「琢磨」者也。[55]

本條暫沒有其他相關資料。

1.16

子曰：不患人之不己知也，患己不知人也。

王肅曰：但患己無能知也。[56]

本條暫沒有其他相關資料。

通過上引孔注和相關資料，以下情況或可留意：

一、學者統計《論語集解》所引諸家注釋，「以孔注數量最多，達四百七十三條，比其他幾位漢代注家包咸、馬融、鄭玄的訓解總和四百三十九條還多二十四條」。然而，如只看《學而》篇之引用情況，孔注雖共引用十一條，數量也是諸家之冠，但包咸等四家共引用了十八條，如把何晏之七條注解也計算在內，則共有二十五條，總數較孔注多。此外，《學而》共有十六章，其中八章沒有引用孔注，而1.3章至1.6章連續四章都沒有引用。《學而》雖為今傳《論語》首篇，第一條引用之注釋卻不是「迄今尚存的最古老的《論語》注本」孔注，而是馬融注。

二、《論語》首篇《學而》第一條注釋所引是馬融注（「子者，男子通稱也，謂孔子也」）而非西漢孔注，本文所補充之《古文孝經孔傳》「孔子者，

---

55 〔梁〕皇侃撰、高尚榘校點：《論語義疏》（北京市：中華書局，2013年），頁20-21。

56 〔梁〕皇侃撰、高尚榘校點：《論語義疏》（北京市：中華書局，2013年），頁22。

男子之通稱也」與馬融說基本相同。據學者之研究,「何晏做《論語集解》時,面對《論語》的每一條經文,都要同時研讀八個注本,從中選優汰劣。就所選收馬融注而言,何晏當然認為馬融注較其他七家注(包括鄭玄注)為好。即使鄭玄注與馬融注意思相近,因為馬融時代在先,也會選馬融而棄鄭玄。」[57]如果孔注和《古文孝經孔傳》同出於一人之手,則應對《學而》首句「子曰」有所注釋,何晏亦應取孔注而非馬融注。類似之情況還有1.2條之「善事公母曰孝」、「鮮,少也」;1.5條之「導,治也」;1.12條之「斯,此也」。在上文1.1條部分,本文曾指出「男子之通稱也」中「通稱」一詞,其比較早之用例均見於東漢,如孔注真是西漢孔安國所作,則「孔子者,男子之通稱也」此說法不見於孔注,似也不無道理。

三、對於《尚書孔傳》訓釋之依據,段玉裁指出「漢唐諸儒,凡於字義,出《爾雅》者則信守之篤,雖《孔傳》出魏晉人手」,如「據依《爾雅》,又密合古人屬辭之法,非魏晉間人所能,必襲取師師相傳舊解,見其奇古有據,遂不敢易爾。」[58]上文1.2條「孝」字所引,現代學者認為是孔氏家學之《尚書孔傳》訓作「善事父母」,見於《爾雅》〈釋訓〉[59];1.7條「固」字,《尚書孔傳》以「堅固」解之,見於《爾雅》〈釋詁〉和《毛傳》[60],正合段氏見解,反而1.7條孔注原解作「固,蔽也」,卻似不見有所依據。[61]1.2條「鮮」字,《尚書孔傳》訓作「少」也不見於《爾雅》和《毛傳》,據學者之搜集,較早之用例見於陸德明《經典釋文》所引東漢訓釋[62]:

　　《易》〈繫辭上〉:「百姓日用而不知,故君子之道鮮矣。」[63]

---

57 禹菲、姜廣輝:《〈論語〉馬融注與鄭玄注比較》,《原道》,第355輯,頁42。

58 〔清〕段玉裁:《古文尚書撰異》,《續修四庫全書》〈經部〉〈書類〉〈堯典〉,頁6。

59 參《漢語大字典》,頁1011。

60 「堅,固也」見《爾雅》〈釋詁〉,參《漢語大字典》,頁451;「固,堅也」見《毛傳》,參《漢語大字典》,頁716。

61 參宗福邦:《故訓匯纂》(北京市:商務印書館,2003年),頁399。

62 參宗福邦:《故訓匯纂》(北京市:商務印書館,2003年),頁2583。

63 〔清〕阮元:《周易注疏》(臺北市:臺灣藝文印書館,景印清嘉慶20年(1815)南昌府學重刊《十三經注疏》本),頁148。

　　陸德明《經典釋文》:「馬、鄭、王肅云:少也。」[64]

四、丁晏曾從訓釋不確,以孔注非西漢孔安國所作。丁氏在「論孔注之失」時,指出「朱子謂《孔傳》不似西京時文章,此語別具隻眼。余於《論語》孔注亦云然。」[65]丁氏說:

　　失飪不食,孔曰:「失飪,失生熟之節。」案:《說文》:「飪,大熟也。從食壬聲。」小徐《繫傳》引《論語》曰「失飪不食。」《儀禮‧公食大夫禮》「魚腊飪」鄭注:「飪,熟也。」《特牲饋食禮》「請期曰羹飪」鄭注亦云:「飪,熟也。」楊子《方言》云「飪,爛熟也。徐楊之間曰飪,趙魏之間火熟曰爛。」《呂氏春秋‧本味》篇「熟而不爛」高誘注:「爛,失飪也。」《論語》曰:「失飪不食」,《釋常談》云:「飲食過熟謂之失飪,《論語》曰『失飪不食』。」歷考諸說,則失飪為過熟甚明,孔注謂失生熟之節,猶云半生半熟,其誤甚矣。(《爾雅‧釋器》:「米者謂之糪」,《釋文》引李巡云:「米飯半腥半熟曰糪。」是失生熟名糪,不名飪也。)[66]

以「飪」為「生熟之節」,除見於孔注外,似只見於《禮記》〈文王世子〉陸德明《經典釋文》。[67]

　　《文王世子》:命膳宰曰:「末有原。」應曰:「諾。」然後退。鄭玄注:原,再也。勿有所再進,為其失飪,臭味惡也。《釋文》飪,生孰之節。……〔疏〕云「為其失飪,臭味惡也」者,食若再進,必熟爛過節,故為失飪。[68]

64　參宗福邦:《故訓匯纂》(北京市:商務印書館,2003年),頁2583。惟《故訓匯纂》誤作《易》〈繫辭下〉。《經典釋文》〔四部叢刊本〕,頁31。

65　丁晏:《論語孔注證偽》(上海市:上海科學技術文獻出版社,2016年),頁76。

66　丁晏:《論語孔注證偽》(上海市:上海科學技術文獻出版社,2016年)頁84-85。

67　參宗福邦:《故訓匯纂》(北京市:商務印書館,2003年),頁2517。

68　〔清〕阮元:《禮記注疏》(臺北市:臺灣藝文印書館,景印清嘉慶20年(1815)南昌府學重刊《十三經注疏》本),頁391。

據孔穎達《疏》所說，《文王世子》鄭注「失飪」中之「飪」，也應指「爛熟」。

五、現代學者對孔注之訓解，多有推崇，並以與孔氏家學其他書籍，如《尚書孔傳》、《小爾雅》相互比較，以探討孔注與此等書籍之作者問題。學者說：「我們將孔注與《尚書孔傳》，《孔叢子》中的《小爾雅》進行了比較，發現它與後兩者在詞義訓解上多有相通之處。」[69]例如上文1.14條「敏」字，孔注解作「疾」，學者指出《大禹謨》〈孔傳〉也有相同之訓解，[70]至於《小爾雅》，學者說：

> 《小爾雅》作為一部訓詁專書，是為幫助學者閱讀經傳文獻，由編者廣泛收集前人或者時人訓詁成果而成。從其所收詞匯可以看出，它也包括了《論語》語句的訓解。如《論語》〈鄉黨〉孔注云「絺綌，葛也」，而《小爾雅》〈廣服〉作「葛之精者曰絺，粗者曰綌」，不難看出《小爾雅》的注釋本於孔注，卻更加精確。……在各種經傳書籍的相同訓釋中最早見於《小爾雅》一書。孔安國曾傳授《古文論語》於後人，《小爾雅》編者孔鮒為其嫡孫，故書中所含有關《論語》字詞的訓解最可能出自他。所以我們說，《小爾雅》之時應當已有《論語》孔注。由此，從今本孔注與《尚書孔傳》《小爾雅》釋詞的相似性上看，我們可以進一步證明孔注出於孔安國之手。[71]

從上面的對比可以看出，孔注與《孔傳》、《小爾雅》對同一字詞，除增減少數虛詞和訓詁字詞的語言表達方式略有區別外，訓解內容幾乎完全相同。我們認為這種相同也不可能屬於巧合。前文已證實《尚書孔傳》一書中含有孔安國的訓解，《小爾雅》由孔鮒、孔子立所編集，兩者皆成書於孔家學者之手。而孔注與它們釋詞相同又是何原因呢？單承彬認為：「孔注與《古文尚書》孔傳、《孔子家語》、《孔叢

---

69 陳以鳳：《孔安國學術研究》（濟南市：山東人民出版社，2013年），頁101。

70 陳以鳳：《孔安國學術研究》（濟南市：山東人民出版社，2013年），頁101。

71 陳以鳳：《孔安國學術研究》（濟南市：山東人民出版社，2013年），頁104-105。

子》存在許多相似，不僅不能證明孔注為王肅所偽託，反而卻可說明孔注《論語》的成書在時間和撰錄者方面，與它們有著相同點。」此看法深有啟發性。我們認為孔安國既然訓解過《尚書》，……《孔傳》與孔注相同者當都出自孔安國。但是我們也必須指出《論語》孔注與《尚書》孔傳也有解經不合之處。……對於兩者的差異，王志平先生作了很好的解釋：「《論語》孔注與《尚書》孔傳的比勘，既不能證明《尚書》孔傳為偽，也不能證明《論語》孔注為真。這種比勘的結果只能證明《論語》孔注與《尚書》孔傳非出於一人之手。」我們在考辨《孔傳》時，發現其中含有安國身後的地名，由此認為其成書時間較晚，是數代孔家學者集結而成。這或許亦可以解釋《孔傳》與孔注的差異，即《孔傳》一書並非完全出自孔安國，其後學編輯的成份可能更多。而《論語》篇幅短少，孔安國為官之餘為其作全部訓解的可能性更大。雖然都是冠名孔安國，但嚴格意義上的作者並非一人，所以兩書解經有同亦有異。[72]

探討孔注、《尚書孔傳》、《小爾雅》等書之作者問題，當非筆者能力所及。筆者只想指出，從相同訓釋來探討這些書籍之關係，要非常小心，例如上述「敏」、「絺綌」之訓釋，也見於《毛傳》：

《詩》〈小雅〉〈甫田〉：「農夫克敏」，《毛傳》：「敏，疾也」。[73]

《詩》〈周南〉〈葛覃〉：「為絺為綌」，《毛傳》：「精曰絺，麤曰綌」。[74]

不能以為訓釋相同就一定有關，可能只是所據相同。

六、上引丁晏曾以孔注訓釋不似西京文章，本文1.1條指出《尚書孔傳》、《古文孝經孔傳》所見「通稱」一詞，比較早之用例見於東漢，其實，

---

72 陳以鳳：《孔安國學術研究》（濟南市：山東人民出版社，2013年），頁104。

73 〔清〕阮元：《毛詩注疏》（臺北市：臺灣藝文印書館，景印清嘉慶20年（1815）南昌府學重刊《十三經注疏》本），頁470。

74 〔清〕阮元：《毛詩注疏》（臺北市：臺灣藝文印書館，景印清嘉慶20年（1815）南昌府學重刊《十三經注疏》本），頁30。

孔注中也有晚於西漢之詞語——「口才」，此詞語又見於《尚書孔傳》和
《孔子家語》：

　　《論語孔注》：佞，**口才**也。（《論語》〈雍也〉「不有祝鮀之佞」）[75]

　　《尚書孔傳》：非**口才**可以斷獄，惟平良可以斷獄。（《呂刑》：非佞折
　　獄，惟良折獄。）[76]

　　《孔子家語》〈七十二弟子解〉：宰予，字子我。魯人，有**口才**，以言
　　語著名。[77]

　　《孔子家語》〈七十二弟子解〉：端木賜，字子貢。衛人，少孔子三十
　　一歲，有**口才**著名。[78]

上列兩條《孔子家語》之內容亦見於《史記》〈仲尼弟子列傳〉：

　　宰予，字子我，**利口**辯辭。
　　端沐賜，衛人，字子貢。少孔子三十一歲。子貢**利口**巧辭。[79]

《孔子家語》的「口才」，《仲尼弟子列傳》都作「利口」。「利口」一詞，在
《史記》尚見於《張釋之馮唐列傳》：「豈斆此嗇夫諜諜**利口**捷給哉！」[80]
　　「口才」即「說話的才能」，[81] 此詞語不見於先秦西漢時期之典籍，比
較早之用例除上引孔注等書外，只見於魏晉：

　　（1）蕃有**口才**，魏明帝使詐叛如吳。（《三國志》〈吳書〉〈胡綜〉晉·

75　〔梁〕皇侃撰、高尚榘校點：《論語義疏》（北京市：中華書局，2013年），頁139。

76　〔清〕〔清〕阮元：《尚書注疏》（臺北市：臺灣藝文印書館，景印清嘉慶20年（1815）
　　南昌府學重刊《十三經注疏》本），頁303。

77　王肅：《宋蜀本孔子家語》（附札記）（臺北市：中華書局，1985年，卷9，頁1b。

78　王肅：《宋蜀本孔子家語》（附札記）（臺北市：中華書局，1985年，卷9，頁1b-2a。

79　《史記》（北京市：中華書局，1963年，標點本），第7冊，頁2194-5。

80　《史記》（北京市：中華書局，1963年，標點本），第9冊，頁2752。

81　參《漢語大詞典》第3冊，頁2。

裴松之【370-449】注引晉・張勃【生卒年不詳】《吳錄》[82]）[83]

（2）袁悅有**口才**，能短長說，亦有精理。（南宋・劉義慶【403-444】《世說新語》〈讒險第三十二〉）[84]

（3）叡解文義，有**口才**，司徒褚淵甚重之。（蕭梁・蕭子顯【488-537】《南齊書》〈王奐列傳〉）[85]

　　七、從上文所列《孔傳》與《尚書》之對抄，可見《孔傳》對《尚書》經文之訓釋，可謂「盡釋經文」，與現代之白話翻譯無異。皮錫瑞引《朱子語錄》云：「某嘗疑孔安國書是假書，比毛公《詩》如此高簡，大段省事。漢儒訓釋文字多是如此，有疑則闕。今此卻盡釋之，豈有千百年前人說底話，收拾于灰燼屋壁中與口傳之餘，更無一字訛舛？理會不得如此，可疑也。」皮氏說：「朱子之說，具有特見。漢初說《易》者舉大誼，如丁將軍者是；說《詩》者無傳疑，如魯申公者是。毛公之《傳》，未知真出漢初如否，而其文亦簡略，未嘗字字解經。惟偽孔于經盡釋之，此偽孔《傳》所以可疑。」[86]而《尚書孔傳》就經為注之注釋體例，也為學者質疑，即使認為《尚書孔傳》並非偽書之學者，也難作合理解釋。學者說：

> 從現存《孔傳》的體例來看，此書當非安國所作。今本《孔傳》是經傳一書、就經為注。對於這種以傳附經的體例，唐代孔穎達認為啟於馬融……後代學者多認同此說。故而可知西漢時期和東漢前期的釋經的傳、說、訓詁都是獨立成書，不與經書合編，更不與經文相混雜的。或言《孔傳》原是單行，由後人雜以附經，遂成今傳本之貌。但

82　張舜徽說：「《吳錄》，書名。晉張勃撰。《隋書》〈經籍志〉著錄三十卷。紀傳體。記述三國時孫吳史事。已佚。」（張舜徽：《三國志辭典》頁192。）

83　《三國志》第5冊，頁1418。

84　劉義慶著、劉孝標注、余嘉錫箋疏、周祖謨等整理：《世說新語箋疏》（修訂本）（上海市：上海古籍出版社，1993年），頁891。

85　《南齊書》第3冊，頁851。

86　皮錫瑞著，吳仰湘點校：《經學通論》（北京市：中華書局，2017年），頁129。

　　是這種解釋無確鑿的史料證據，頗為牽強，亦無力證明今傳本《孔
傳》是安國所作。[87]

《論語》孔注之注釋體例，也有學者以就經為注而質疑。丁晏指出「古經傳
皆別行，自馬融欲省學者兩讀，始經注並載。今《孔注》文皆就經句下為
之，亦非西京時所有。」學者認為丁晏之質疑「正中要害」。學者說：

> 丁晏考證孔注可謂細緻，就其注疏體例也曾提出疑問……目前學界也
> 普遍認為就經下注體例始於東漢馬融，這一點確實正中要害。[88]
> 但是我們也必須考慮到今所見孔注，是由《論語集解》所引，並非其
> 最原始的形態。其原本早已失傳，故而難以知曉孔注最初的體例如何。
> 並且除孔注外，《論語集解》所引其他七家之注也都是就經句下為之，
> 其中包咸、周氏均早於馬融，依丁氏的邏輯推論，他們的注解也應都
> 是後人偽造？實則不然，何晏於《論語集解·敘》說：今集諸家之
> 善，記其姓名，有不安者，頗為改易。可知《論語集解》所收八家之
> 注都經過了何晏等人的採擇、考審和加工。或許孔注本是經傳分立，
> 而為便於後人閱讀，何晏等人引用後皆屬經文下，這也未嘗不可。[89]

　　從上引學者之意見和所引資料，可知今傳孔注，是經何晏《論語集解》
所選錄而流傳下來，如有原書，也已散佚。何晏等人在選錄前人注釋時，曾
謂「有不安者，頗為改易」。皇侃認為何晏等人之意思是：「若先儒注非何意
所安者，則何偏為改易下己意也」[90]，可見今存於《論語集解》之孔注，或
經何晏等人之改易。所以，以孔注非偽書之學者，也說「流傳下來的《孔
注》屢經後人的口傳筆抄及增刪，已經失去了原來的模樣。」[91]

87 陳以鳳：《孔安國學術研究》（濟南市：山東人民出版社，2013年），頁72。
88 陳以鳳：《孔安國學術研究》（濟南市：山東人民出版社，2013年），頁100。
89 陳以鳳：《孔安國學術研究》（濟南市：山東人民出版社，2013年），頁100。
90 〔梁〕皇侃撰、高尚榘校點：《論語義疏》（北京市：中華書局，2013年），頁13。
91 唐明貴：《論語學史》（北京市：中國社會科學出版社，2009年），頁133。

《論語集解》所見「孔注」統計表

篇/章	學而	為政	八佾	里仁	公冶長	雍也	述而	泰伯	子罕	鄉黨
1	×	×	×	×	70	×	×	×	×	×
2	1	13	×	48-49	×	105	×	×	×	184
3	×	14-15	×	50	71	×	128	152	169	185-186
4	×	16-17	×	51	72	×	×	×	×	187-192
5	×	18	×	52-53	73	106-107	129	×	170-171	×
6	×	×	×	54-57	74	×	×	153-154	172-173	193-199
7	2-3	19	30	58	75	×	130	155	×	200-202
8	4	×	31	×	76-78	108-109	×	156	174	203-207
9	5	20-21	×	×	79	110-113	×	×	175	×
10	×	22	32	×	80-81	114	×	157	×	×
11	6-7	×	33	59-61	82	115-116	131-133	158	176	208
12	×	×	34-35	62-63	83	117	134	159	177-178	×
13	8	23	36-37	×	×	×	135	×	×	209
14	9	24	38	×	84	118	×	160	×	210
15	10-12	×	39-40	64	85-86	119	136	×	×	211
16	×	×	×	65	87	120	137	161-163	×	212
17		25	×	×	×	121	×	×	×	×
18		×	41	×	88	×	138	×	×	213-214
19		×	42	×	89-92	×	139	164	×	×
20		26	43	×	×	×	×	165-166	×	×

篇/章	學而	為政	八佾	里仁	公冶長	雍也	述而	泰伯	子罕	鄉黨
21		×	44	66	93	×	×	167-168	×	×
22		27	×	×	94	122	×		179	215
23		28	×	67	93	123	×		×	216
24		29	45-46	×	96-97	×	×		180	217
25			47	68	98-100	×	×		×	218-220
26			×	69	101-104	124	140		181	×
27					×	×	141		182	×
28					×	125	142		×	
29						×	143		183	
30						126-127	×		×	
31							144-146		×	
32							×			
33							147			
34							148			
35							149-150			
36							151			
37							×			
38							×			

篇／章	先進	顏淵	子路	憲問	衛靈公	季氏	陽貨	微子	子張	堯曰
1	×	252	273-274	293-294	333-332	356-367	383-387	×	446	463-468
2	×	253	×	×	335	368-371	388	423-424	447	469-472
3	×	254-255	275	×	336-337	372	389	425	448	473
4	221	256	276	×	×	×	390-394	426	×	
5	×	×	×	295-298		373-374	395-396	427-431	449	
6	222	×	×	299	338	375-376	397-398	432-435	450	
7	×	257	×	300	339-340	377	399-401	436-438	×	
8	223-224	258	×	301	×	×	402-406	439	451	
9	×	259-260	277-278	302-303	341	378	407-410	440-441	×	
10	225	×	279	×	342	×	×	442-445	×	
11	×	261-262	280	304	343	379	×	×	452-453	
12	×	263	281	305-306	×	380	411-412		454-455	
13	226	×	×	307		381	×		×	
14	×	×	×	308	344	382	×		456	
15	×	×	282-284	×	345		413		×	
16	227	×	×	309-310	346-347		414-415		×	
17	228-229	×	285	×	×		/		×	
18	230	264	286	311-312	×		416-417		×	
19	×	265-266	×	313	×		×		×	
20	231	×	287	×	×		×		457	
21	×	267-268	×	314	×		418-420		458	
22	232-233	269-270	288-289	315	348		×		459-460	
23	234	×	×	×	×		×		×	
24	235-239	271-272	290	316	×		421-422		×	
25	240-241		291-292	317	×		×		461-462	

篇/章	先進	顏淵	子路	憲問	衛靈公	季氏	陽貨	微子	子張	堯曰
26	242-251		×	318	×		×			
27			×	×	349					
28			×	×	×					
29			×	319-320	×					
30				×	×					
31				321	×					
32				×	×					
33				×	×					
34				×	×					
35				322	×					
36				323	350					
37				324-326	351					
38				×	352					
39				×	×					
40				327-328	×					
41				×	353					
42				329-331	354-355					
43				332						
44				×						

《論語集解》〈學而〉所見諸家注解統計表

章次	孔安國	包咸	馬融	鄭玄	王肅	何晏	孔說與諸家總次
1.1	×	1	1	×	1	1	0/4
1.2	1	1	×	×	×	2	1/3
1.3	×	1	×	×	×	×	0/1
1.4	×	×	1	×	×	×	0/1
1.5	×	3	1	×	×	1	0/5
1.6	×	×	1	×	×	×	0/1
1.7	2	×	×	×	×	×	2/0
1.8	1	×	×	1	×	1	1/2
1.9	1	×	×	×	×	×	1/0
1.10	×	×	×	2	×	×	0/2
1.11	2	×	×	×	×	×	2/0
1.12	×	×	1	×	×	×	0/1
1.13	1	×	×	×	×	2	1/2
1.14	1	×	×	1	×	×	1/1
1.15	2	×	×	1	×	×	2/1
1.16	×	×	×	×	1	×	0/1
總計	11	6	5	5	2	7	11/25

臺灣敬字惜紙文化中所展現
的尊孔崇儒現象

施順生

中國文化大學中國文學系副教授

提要

本文從臺灣的敬字亭、文筆亭,及高雄市鳳山區「協善心德堂」(又稱
「五甲關帝廟」)「恭送聖文字蹟」的「送字紙」活動所形成的敬字惜紙文
化,探討其中所展現的尊孔崇儒現象。

關鍵詞:敬字惜紙文化　敬字亭　文筆亭　協善心德堂　五甲關帝廟　恭送
　　　　聖文字蹟　尊孔崇儒

一 前言

明清時期先民從大陸地區渡海來臺,也將典籍和敬字惜紙的敬字亭文化帶到臺灣。典籍所記多是古聖先賢所傳修身、齊家、治國、平天下的大道理。前人不忍寫過字的字紙被隨意丟棄、破損的書頁被拿去擦拭污穢。於是有人到處撿拾字紙、洗淨污穢,並建立敬字亭,將字紙拿到敬字亭焚化。臺灣現存一百三十多座敬字亭,四座文筆亭,敬字亭及文筆亭上常設有神龕或神桌,設置倉頡、孔子,及文昌帝君、魁斗星君、關聖帝君、孚佑帝君、朱衣星君等「五文昌」的神牌位或神像,以供民眾祭拜。

字紙在敬字亭焚化後的灰燼則收集後送至河、海放流,以保潔淨,稱作「送字紙」、「恭送聖蹟」,或「恭送聖文字蹟」。高雄市鳳山區「協善心德堂」,又稱作「五甲關帝廟」,每逢農曆閏年則舉行「恭送聖文字蹟」的盛大「送字紙」活動,恭請至聖先師孔子、倉頡先師、文昌帝君三聖哲出巡遶境,孔門「四配」、「十二哲」則伴隨左右,更有七十二位青年學生身穿儒生衣帽,象徵孔子七十二弟子,肩扛「恭送聖文字蹟」字紙灰箱跟隨在後。之後還有各宮廟乩童、神轎、小學學生社團參與遊行。將尊聖崇儒、敬字惜紙的精神與宗教信仰、廟會活動相結合,使優良傳統文化於現代社會中更加生活化、活潑化,更加發揚光大。

二 敬字亭及其所展現的尊孔崇儒現象

凡有文字的廢棄紙張都能拿到「敬字亭」焚燒。但為何會將有字的廢棄紙張拿到敬字亭燃燒呢?乃是因為不論是自身的格物、致知、誠意、正心、修身、齊家,還是擴大到治國、平天下,絕大多數古聖先賢的知識學問是依靠文字和紙張而流傳下來的。而且,唯有識字讀書,才能考取功名、光宗耀祖,才能治國、平天下。因此,也就對於承載古聖先賢知識學問的文字和紙張產生了崇高的敬意。

所以,凡有文字的紙張是不可以隨意丟棄的,而且逐漸形成了撿拾字紙

到專設的敬字亭裡焚燒的風俗習慣，成了大陸及臺灣地區普遍的鄉土文化——敬字惜紙文化。因此，敬字亭所展現的乃是一種尊古聖賢、敬字惜紙的優良傳統文化。

（一）敬字亭的各種異稱

從敬字亭的各種異稱，可看出先民尊崇「倉頡聖人」、「至聖先師孔子」的情形：

1. 尊崇「倉頡聖人」：因為先民尊稱文字的發明者倉頡為「倉頡至聖」、「倉頡聖人」，所以，倉頡所創造的文字即為「聖蹟」。因此，人們稱呼這些用來焚燒字紙的亭子，多以敬、惜、文、字、紙、聖、聖蹟、焚為範疇來命名。再者，依其建物外觀而有亭、爐、塔、樓、臺等各種稱呼。因此組合成：敬文亭、敬字亭（照片01）、敬字爐、敬字塔、敬字樓、敬字聖塔、敬紙亭、敬紙爐、敬聖亭（照片02）、惜字亭、惜字爐、惜字塔、惜字樓、惜紙亭、惜紙敬字亭、文字亭、文紙亭、字亭、字爐、字塔、字紙亭、字紙爐、紙亭、紙爐、聖亭、聖爐、聖文亭、聖紙亭、聖蹟亭（照片03）、聖跡亭、聖蹟臺、聖人亭、焚紙亭、焚紙爐等稱謂。[1]從敬字聖塔、敬聖亭、聖亭、聖爐、聖文亭、聖紙亭、聖蹟亭、聖跡亭、聖蹟臺、聖人亭等異稱，即

---

[1] 以上不同的稱謂，其中的十九種稱謂：敬文亭、敬字亭、敬聖亭、惜字亭、惜字爐、惜字塔、字亭、字爐、字塔、字紙亭、字紙爐、紙亭、聖亭、聖爐、聖文亭、聖蹟亭、聖蹟臺、毛筆亭、頓水亭，主要題刻在敬字亭爐口的上方門額、或在神龕的上方門額、或在爐口的上一層亭壁、或題刻在亭旁石碑或說明牌上的，以及地方誌上所記載的。詳見施順生：〈台灣敬字惜紙文化之探討〉，漳州師範學院閩台文化研究所主辦《閩台文化交流》2007年第3期，2007年9月，頁30-41。施順生：〈台灣地區敬字亭稱謂之探討〉，《中國文化大學中文學報》第15期（2007年10月），頁117-168。此外，敬字聖塔、孔聖亭等兩種稱謂，詳見施順生：〈臺灣的敬字亭及其所展現的尊古聖賢、敬字惜紙文化〉，收入韓國「世界漢字學會」、慶星大學「韓國漢字研究所」、華東師範大學「中國文字研究與應用中心」共同主辦，《世界漢字學會第四屆年會：「表意文字體系與漢字學科建設」國際學術研討會論文集》（釜山市：慶星大學，2016年6月24-28日），第2冊，頁318。除以上二十一種稱謂外，其餘則是一般通稱。

展現人們對「倉頡聖人」，甚至「聖蹟」的尊崇。

　　2. 尊崇「至聖先師孔子」：新竹縣新豐鄉「新豐扶雲社」所設立的敬字亭，其神龕上方門額即題作「孔聖亭」（照片04），或又稱作「孔聖塔」。神龕內設有孔子的神牌位[2]，神龕兩側對聯題作：「孔書焚不滅，聖德治無為。」又此層兩側對聯題作：「接中天道統，衍泗水文章。」都是稱揚「至聖先師孔子」的聖德道統。並於每年九月二十八日教師節於「孔聖亭」前祭祀至聖先師孔子。

（二）敬字亭的設置地點

　　從敬字亭的設置地點，可看出先民尊聖崇儒的情形：

　　敬字亭主要的設置地點，在書院學校、文廟（孔廟）、武廟（關帝廟）、文昌祠、官署衙門或機關團體、寺廟、書香門第。此外，村落裡或村口的交通要道上也常設置敬字亭。若建於荒郊野外的則極為少數。以下則列舉設於書院學校、文廟（孔廟）、武廟（關帝廟）、文昌祠的敬字亭：

　　1. 書院學校裡的敬字亭：現存者有新北市泰山區明志書院敬文亭、苗栗縣西湖鄉宣王宮（原雲梯書院）聖蹟亭、南投縣南投市藍田書院敬聖亭、南投縣草屯鎮登瀛書院惜字亭、南投縣集集鎮明新書院惜字亭、雲林縣西螺鎮振文書院字紙亭（照片05）、彰化縣員林鎮興賢書院敬聖亭、彰化縣和美鎮道東書院字紙亭、屏東縣里港鄉雪峰書院敬聖亭（雪峰書院已毀，現址為里港國小）、宜蘭市登瀛書院（私塾）惜字亭等。此外，現代的學校體制則有：臺北市士林區東吳大學惜字爐（照片06）、嘉義縣中埔鄉灣潭國小惜字亭。

　　2. 文廟（孔廟）裡的敬字亭：現存者有臺南市歸仁區敦源聖廟敬字亭（照片07）。

2　謝乾桶：《客家敬字亭文化與運作——以新竹縣新豐扶雲社為例》（桃園市：中央大學客家研究碩士在職專班碩士論文，2012年）：「現在這個敬字亭，根本不是當時的樣子。……還記得，最高處，有一個小香爐，那是孔子的神位。」（頁177）舊「孔聖亭」神龕內設有孔子的神牌位，現在的新「孔聖亭」則改成「聖蹟」。

　　3. 武廟（關帝廟）裡的敬字亭：現存者有新竹市關帝廟聖蹟亭、臺南市祀典武廟敬字亭、高雄市美濃區關聖帝廟聖亭、高雄市鳳山區五甲關帝廟（又名協善心德堂）惜紙亭（照片08）。此外，以關聖帝君「關恩主」為主神的鸞堂，也常設置敬字亭，如：高雄市梓官區善化堂惜字塔（已改為金爐）、高雄市美濃區廣善堂聖蹟亭、高雄市美濃區善化堂聖亭、高雄市大社區明毅堂聖蹟亭、高雄市杉林區樂善堂惜字亭、高雄市六龜區勸善堂惜字亭、高雄市旗山區宣化堂字亭、屏東縣萬巒鄉慈雲堂字爐、屏東縣萬巒鄉五溝水廣泉堂敬字亭、屏東縣內埔鄉福泉堂字爐、屏東縣內埔鄉勸化堂字爐、屏東縣內埔鄉福善堂字爐、屏東縣內埔鄉上樹村宣化堂敬字亭。

　　4. 文昌祠裡的敬字亭：現存者有新北市新莊區新莊文昌祠敬字亭（照片09）、苗栗縣苗栗市苗栗文昌祠惜字亭、臺中市大甲區大甲文昌祠聖蹟亭。

　　書院是文人講學及學生讀書的地方，自然會產生大量的廢棄字紙。文廟（孔廟）為祭祀孔子的地方。文昌祠是奉祀文昌帝君的地方，是人們祈求科考及第與文人聚會的場所。武廟（關帝廟）所奉祀的關聖帝君，雖為武聖，但也被尊為「五文昌」之一，亦是人們祈求科考及第的對象；在鸞堂裡，關聖帝君甚至被尊為「恩主公」。且書院、文廟（孔廟）、文昌祠三者雖然功能不同，但卻常設置在一起。如孔廟和書院常以前廟後學、左廟右學、右廟左學等形式設置。書院與文昌祠也常設置在一起，如新北市新莊區新莊文昌祠的左側護龍曾設義塾、苗栗縣苗栗市苗栗文昌祠曾設英才書院於文昌祠內、臺中市大甲區大甲文昌祠曾設義塾於左右兩廂房。

　　從敬字亭主要的設置地點，在書院學校、文廟（孔廟）、武廟（關帝廟）、文昌祠內，也可以看出敬字亭與傳統的尊聖崇儒教育、科舉考試的密切性。

（三）敬字亭上奉祀的神祇

　　敬字亭上所奉祀的神祇主要是創造文字的倉頡、至聖先師孔子，以及並列為「五文昌」的文昌帝君（梓潼文昌帝君）、魁斗星君、關聖帝君（文衡

聖帝）、孚佑帝君、朱衣星君等。只有一座敬字亭祭祀司命真君灶神、一座敬字亭祭祀福德正神土地公、兩座敬字亭祭祀觀世音菩薩，但這些都是極少數和特殊的。從敬字亭上所奉祀的神祇，可看出尊聖崇儒的現象。

如高雄市美濃區瀰濃庄敬字亭、高雄市美濃區下九寮聖蹟臺這兩座敬字亭所供奉的神牌位，都是：制字倉頡聖人、大成至聖孔子、梓童文昌帝君、魁斗星君、朱衣星君（照片10）。屏東縣新埤鄉建功村聖亭供奉了倉頡先師、孔夫聖人、文昌帝君、魁斗星君的神牌位。屏東縣佳冬鄉萬建村聖蹟亭、屏東縣佳冬鄉佳冬村蕭宅聖亭這兩座敬字亭都供奉了蒼頡先師、文昌帝君、文魁星君的神牌位（照片11）。屏東縣佳冬鄉賴家村敬聖亭供奉了文昌帝君、魁斗星君的神牌位。屏東縣佳冬鄉昌隆村聖亭供奉了文昌帝君、關聖帝君的神牌位。臺北市士林區芝山巖惠濟宮敬字亭供奉了倉頡至聖神位；彰化縣竹塘鄉醒靈宮聖蹟亭供奉倉頡聖人神位；高雄市杉林區月美村敬字亭供奉大魁夫子神位。

從敬字亭上所祭祀的神祇，也可看出世人敬重制字倉頡聖人、大成至聖孔子，以及能幫助人們考上功名的「五文昌」。

（四）小結

敬字亭設立的目的乃是焚燒字紙，字紙之所以值得尊敬和珍惜，乃是因為紙上之字所記主要是古聖先賢修身、齊家、治國、平天下的知識學問。因此，敬字亭上奉祀制字倉頡聖人、至聖先師孔子。從「聖蹟亭」、「孔聖亭」等名稱即可看出先人敬重之心。

從敬字亭主要的設置地點，在書院學校、文廟（孔廟）、武廟（關帝廟）、文昌祠，敬字亭上所奉祀的神祇主要是創造文字的倉頡、至聖先師孔子，以及梓潼文昌帝君、魁斗星君、關聖帝君、孚佑帝君、朱衣星君等「五文昌」。也可看出敬字亭的敬字惜紙文化，與尊孔崇儒、科舉考試極為密切。

三　文筆亭及其所展現的尊孔崇文現象

臺灣目前共有四座文筆亭，都位於南臺灣高雄市、屏東縣的客家聚落，且文筆亭常與敬字亭興建在一起，文筆亭樓高三層或五層，亭頂或有毛筆裝飾，筆尖朝天，猶如高聳矗立的筆，故稱作「文筆亭」[3]。

（一）文筆亭的設置地點

四座文筆亭分別是：

1. 高雄市美濃區龍肚文筆亭（照片12），位於高雄市美濃區龍肚街七十八號隔壁，由村人及信徒捐款於民國六十七年（1978年）建成。此亭又自名為「龍亭」，樓高五層，其旁並設有聖蹟亭（照片13）一座。

2. 屏東縣竹田鄉西勢村文筆亭（照片14），位於屏東縣竹田鄉西勢村龍門路與六巷村交界處，由村人及信徒捐款於民國六十九年（1980年）十月建成。樓高三層，其旁並設有一爐，是字爐、金爐合作一爐的特殊敬字亭（照片15），第一層第一面為字爐爐口，第二層第五面為金爐爐口。

3. 屏東縣竹田鄉竹南村文筆亭（照片16），位於屏東縣竹田鄉竹南路二十四號福聖宮對面，由村人及信徒捐款於民國七十五年（1986年）建成。樓高三層，其旁並設有字爐一座（照片17）。

4. 屏東縣竹田鄉履豐村文筆亭（照片18），位於屏東縣竹田鄉履豐村豐興路五十三之二十二號左前方一百二十公尺處，由村人及信徒捐款於民國七十七年（1988年）十月建成。樓高三層，但未設立敬字亭。

3　文筆亭詳細資料可參見：施順生：〈台灣的文筆亭及其所展現的尊古聖賢、敬字惜紙文化〉，肖瑞峰主編：《文瀾同聲集——「傳承與創新：中國語言文學學術研討會」（2013）論文集》（杭州市：浙江大學出版社，2014年），頁15-29。

（二）文筆亭與敬字亭所展現的文房四寶意象

　　四座文筆亭中的「屏東縣竹田鄉西勢村文筆亭」，除了設置敬字亭外，更附有水泥平地和荷花水池（照片19）。村人如此規畫是有特殊意義的：

　　1. 文筆亭的意象：西勢村文筆亭樓高三層，塔剎為毛筆造型，筆尖朝天，整座文筆亭猶如高聳矗立的筆，故象徵文房四寶裡的「筆」。

　　且文筆亭內供奉著至聖先師孔子、關聖帝君、觀世音菩薩三神祇，是讀書人和村人們祭祀和祈求及第登科的場所。

　　2. 敬字亭的意象：字紙放到題作「字爐」的敬字亭內燒成灰燼，灰燼色黑如墨，故敬字亭象徵文房四寶裡的「墨」。

　　3. 水泥地的意象：文筆亭及敬字亭之前鋪設水泥平地，地白如紙，則象徵文房四寶裡的「紙」。

　　4. 荷花池的意象：水泥平地之前更有荷花池，有水有荷，猶如硯上盛水及雕花，此則象徵文房四寶裡的「硯」。

　　筆墨紙硯，四寶具備，除了極具創意和巧思外，更能展現南臺灣的客家聚落、農村家庭，期盼子弟「晴耕雨讀」，崇尚文教、敬字惜紙的文化。

（三）文筆亭上奉祀的神祇

　　四座文筆亭所奉祀的神祇分別如下：

　　1. 高雄市美濃區龍肚文筆亭，此亭樓高五層，於第一層奉祀孔子神像（照片20），神像旁的對聯：「尼山聖教尊千古，魯殿靈光射九重。」此聯盛讚孔子的儒教受到千古尊崇，而此文筆亭的光輝射上九重天。二至五層則無奉祀其他神祇。

　　2. 屏東縣竹田鄉西勢村文筆亭，樓高三層：第一層奉祀關聖帝君、第二層奉祀至聖先師孔子、第三層奉祀魁斗星君。其中第二層門口對聯：「德參造化千秋祀，道冠古今萬世尊。」門額：「孔聖先師」。神像旁的對聯：「聖如日月紀春秋，道若江河成洙泗。」橫批：「至聖先師」。

3. 屏東縣竹田鄉竹南村文筆亭，樓高三層：第一層奉祀關聖帝君、第二層奉祀至聖先師孔子、第三層奉祀觀世音菩薩。其中第二層門口對聯、門額，神像旁的對聯、橫批，都與西勢村文筆亭相同。

4. 屏東縣竹田鄉履豐村文筆亭，樓高三層：第一層奉祀關聖帝君、第二層奉祀至聖先師孔子、第三層奉祀魁斗星君神像。其中第二層門口對聯、門額、神像上的橫批，都與西勢村文筆亭相同。

以上四座文筆亭都奉祀至聖先師孔子神像，此外，奉祀關聖帝君者三座、奉祀魁斗星君者兩座、奉祀觀世音菩薩者一座。

（四）小結

此四座文筆亭及三座敬字亭，每天早晚都有村人來打掃上香。所奉祀的神祇有至聖先師孔子、關聖帝君、魁斗星君、觀世音菩薩，顯示出儒、道、釋三教融合的情況，且以文聖孔子、武聖關公最受尊崇。且文筆亭、敬字亭、水泥地與荷花池四者，不僅展現景觀上的美，所構成的筆、墨、紙、硯文房四寶意象，還極具創意和巧思。客家傳統「晴耕雨讀」的精神，不僅建造了文筆亭、敬字亭，更展現出尊孔崇文、敬字惜紙的客家文化。

四　「恭送聖文字蹟」所展現的尊孔崇儒現象

高雄市鳳山區「協善心德堂」（照片21），是一座主祀關聖帝君，附祀諸恩主（照片22）的鸞堂，所以，又名「五甲關帝廟」。除此之外，並奉祀至聖先師孔子（照片23）、倉頡先師、文昌帝君（照片24）「三聖哲」。堂前設有一座專供焚燒字紙的不鏽鋼圓柱形「惜紙亭」，每逢農曆（陰曆）閏年即舉行一次盛大的「恭送聖文字蹟」活動，即「送字紙」活動，將字紙灰用漁船送至高雄外海放流。據所留存的照片資料顯示，民國五十幾年已經有「恭送聖文字蹟」活動，但最早的年代已無法查考。最近的一次，是民國一百零六年（2017年）十一月十八、十九日舉辦的「恭送聖文字蹟」活動，命名為

「財團法人高雄市五甲關帝廟　協善心德堂，敬惜字紙——承襲傳統文化，儒沐鳳山五甲城　遶境遊行」，因為正逢協善心德堂建堂一百週年，所以又作「五甲協善心德堂關帝廟，創堂百年敬惜字紙——承襲傳統文化，儒沐鳳山五甲城　遶境遊行」。[4]

「恭送聖文字蹟」活動的日期選擇方式，則是以至聖先師孔子、倉頡先師、文昌帝君三聖哲誕辰日前後的星期六、星期日舉行，日期由三聖哲降鸞指示。利用假日舉行則能吸引更多宮廟[5]、信徒、志工、里辦公室[6]、學生社團[7]和民眾參與。

（一）「恭送聖文字蹟」活動程序如下

1 「晉爵加官」將字紙灰打包成箱：

活動開始時，於協善心德堂前放置一排字紙灰箱，由義工手持「至聖先師」、「四配」、「十二哲」名字或畫像的執事牌列於字紙灰箱之後（照片25）。再由協善心德堂董事長、各宮廟主任委員、中國儒教會代表、立法委員、市議員等人，用長柄勺子將字紙灰「爐」「掘」（音同「晉爵」）舀放入紙灰箱（照片26）內，並於紙灰箱上「加」「關」（音同「加官」）封條（照片27），打包成箱。而紙灰箱外都貼有「恭送聖文字蹟」（照片28）。每年都

4　財團法人五甲協善心德堂《財團法人高雄市五甲協善心德堂關帝廟，創堂百年敬惜字紙——承襲傳統文化遶境遊行》（DVD），財團法人五甲協善心德堂發行。YouTube 網站題名作「五甲關帝廟　創堂百年敬惜字紙承襲傳統文化遶境（全紀錄）」，YouTube 網站，下載網址：（https://www.youtube.com/watch?v=6xry6TJGIRc），下載日期：2019年8月7日。

5　參與的寺廟有：協善心德堂（主辦單位）、龍成宮、順南宮、楊厝宗祠宏清宮、郭厝宗祠皇奉堂、吳厝金聖壇、武英壇、鳳山寺、明天宮、東照山關帝廟、聖天宮、五甲媽祖慈善會、林園廣應廟、林園靈帝殿、林園鳳芸宮。

6　參與的里辦公室有：福誠里、福祥里、五福里、福興里、大德里、南成里、富榮里、南和里、天興里、龍成里、鎮南里、善美里、富甲里等十三里里辦公室。

7　參與的學校社團有：福誠國小直排輪社團、五甲國小街舞社團、五福國小扯鈴社團。

準備三十六個紙灰箱，以供七十二位儒生扛行。

此一儀式象徵「敬惜字紙」者必得神佛保祐，得以「晉爵加官」。

2 恭讀〈恭送丁酉科聖文字蹟平安遶境祈降吉祥文疏〉：

恭讀〈協善心德堂五甲關帝廟　恭送丁酉科聖文字蹟平安遶境祈降吉祥倉聖史皇上帝敷文啟教天尊　文疏〉（照片29），〈文疏〉中恭請三教聖賢至聖先師、文昌帝君、關聖帝君、觀世音菩薩、玄天上帝等神佛加持恭送聖文字蹟、采納文疏，並消滅後學弟子無邊罪愆、超苦海殘靈、種性登道岸；保佑合境平安、四海安寧；啟送聖文字蹟典禮圓滿成功；祈求士子登科、文運丕顯、金榜提名、步步高升！[8]恭讀〈文疏〉後，禮成，鳴炮。

3 出巡遶境：

恭請至聖先師孔子、倉頡先師、文昌帝君三聖哲出巡遶境，遊行隊伍有：

（1）鑼鼓車：

由鑼鼓車開道。

（2）旌旗隊伍：

次由手持「協善心德堂」三角龍旗、頭旗、各式旗幟者接續，及手持「敬惜字紙——承襲傳統文化，儒沐鳳山五甲城　遶境遊行」紅布條者（照片30）。

（3）執事牌隊伍：

除了手持肅靜、迴避、風調雨順、國泰民安等執事牌的隊伍外，還有「敬惜字紙」、「恭送聖蹟」兩個執事牌。

---

8 協善心德堂提供〈協善心德堂五甲關帝廟　恭送丁酉科聖文字蹟平安遶境祈降吉祥倉聖史皇上帝敷文啟教天尊　文疏〉。

（4）「三聖哲」、孔門「四配」、「十二哲」等執事牌隊伍：

包括：

A.「三聖哲」尊稱的執事牌、畫像：手持「三聖哲」尊稱的執事牌隊伍，包括：至聖先師、倉頡先師、文昌帝君等執事牌。另有「三聖哲」畫像，則分置於三部吉普車車頂。

B.「四配」尊稱的執事牌：手持「四配」尊稱的執事牌隊伍，包括：復聖顏回、宗聖曾參、述聖孔伋、亞聖孟軻等執事牌。

C.「十二哲」畫像：手持「十二哲」畫像的執事牌隊伍，包括：費公閔損（即閔子騫）、鄆公冉耕（即冉伯牛）、薛公冉雍（即仲弓）、齊公宰予（即宰我）、黎公端木賜（即子貢）、徐公冉求（即冉有）、衛公仲由（即子路、季路）、吳公言偃（即子游）、魏公卜商（即子夏）、陳公顓孫師（即子張）、平陰侯有若（即子有）、先賢朱熹等「十二哲」[9]的畫像（照片31）。

象徵「三聖哲」、孔門「四配」、「十二哲」等聖賢出巡繞境，並讓民眾參拜。

（5）七十二位儒生肩扛「恭送聖文字蹟」字紙灰箱：

由七十二位青年學生身穿儒生長袍和帽子，象徵孔子七十二弟子，肩扛

9　「十二哲」是孔子十位在德行、言語、政事、文學方面優秀的弟子，除顏淵（顏回，字子淵）被尊為「四配」的「復聖」外，再加上弟子子張、子有和宋代的朱熹。《論語》第十一篇〈先進〉：「子曰：『從我於陳蔡者，皆不及門也。』德行：顏淵、閔子騫、冉伯牛、仲弓。言語：宰我、子貢。政事：冉有、季路。文學：子游、子夏。」又「十二哲」追封情況，見唐玄宗〈追諡孔子十哲並升曾子四科詔〉：「顏子既云亞聖，須優其秩，可贈兖公。閔子騫可贈費侯、冉伯牛可贈鄆侯、冉仲弓可贈薛侯、冉子有可贈徐侯、仲子路可贈衛侯、宰子我可贈齊侯、端木子貢可贈黎侯、言子游可贈吳侯、卜子夏可贈魏侯。」收入〔清〕董誥等輯：《欽定全唐文》（北京大學圖書館藏本），卷31，頁八右-八左。〔明〕李之藻：《頖宮禮樂疏》，卷2，〈從祀沿革疏〉：（南宋）「度宗咸淳三年，……定十哲位，改封閔損費公、冉耕鄆公、冉雍薛公、宰予齊公、端木賜黎公、冉求徐公、仲由衛公、言偃吳公、卜商魏公、蹟顓孫思進陳公。」收入《文淵閣四庫全書》（臺北市：臺灣商務印書館，1983年），第651冊，卷2，頁12左。

「恭送聖文字蹟」字紙灰箱（照片32），追隨三聖哲之後。上一次「恭送聖文字蹟」活動已有一位六十五歲黃老先生報名自願擔任儒生，這次更有多位六七十歲的老先生、老太太報名自願擔任儒生。在大熱天中肩扛字紙灰箱遊行市區，精神令人感佩！

（6）學校學生社團隊伍：

為了將傳統優良文化傳承給下一代，並展現社區學校教學成果，及共同參與社區營造，還邀請五甲地區國小社團一起參加遊行。如：福誠國小直排輪社團、五甲國小街舞社團、五福國小扯鈴社團等參與遊行，於四配十二哲香案前、宮廟前或道路定點表演，以展現年輕學子的健康活力。

（7）各宮廟隊伍：

各宮廟聖樂團、鑼鼓隊、大北旗、乩童、輪轎、大型神偶、涼傘、神轎、八家將等出巡繞境。還有醒獅團、電音三太子、車鼓陣、舞蹈藝術團等穿插其中。

（8）各里里民隨香隊伍。

4 繞境路線：

第一天十八日上午七點三十分於協善心德堂報到→龍成宮參拜集合→八點於協善心德堂舉行「晉爵加官儀式」，之後繞境遊行→五甲二路右轉→右轉忠誠路→聖天宮……→「第一站福誠里──閔損聖哲」……→福祥街「第二站福祥里──冉耕聖哲」……→福德路「第三站五福里──冉雍聖哲」……→南進五街「第四站福興里──宰予聖哲」……→天興街「第五站大德里──冉求聖哲」……→順南宮→林森路「第六站南成里──仲由聖哲」……→福安二街「第七站富榮里──言偃聖哲」……→南光街「第八站南和里──卜商聖哲」……→自強一路「第九站天興里──端木賜聖哲」……→五甲國中午餐……→五甲媽祖會……→龍成路「第十站龍成里──顓孫師聖

哲」……→鳳山寺→武音壇……→鎮南街「第十一站鎮南里──四配聖哲」
→郭厝宗祠皇奉堂……→楊厝宗祠宏清宮……→吳厝金聖壇……→善美路公
園「第十二站善美里──有若聖哲」……三商街六十四巷「第十三站富甲里
──朱熹聖哲」……→五甲二路→本堂→恭請各宮壇寺廟神尊在本堂駐蹕→
晚餐。

　　第二天十九日上午七點於協善心德堂集結後出發，步行至福誠高中附
近，所有隊伍上車出發，前往高雄市林園區。於林園區繞境遊行並至各宮廟
參禮，之後在鳳芸宮附近海邊沙灘舉行「恭送聖文字蹟」儀式。午餐後又在
林園區繞境及搭車回鳳山區持續繞境。最後回協善心德堂，恭請三聖哲聖駕
安座。至此完成兩天的活動。

5 設置四配十二哲香案供民眾上香祈福：

　　與五甲地區十三個里辦公室合作，將五甲地區分成十三個點設置四配十
二哲香案（照片33），供學子和民眾上香祈福。

6 十三聖哲「集印卡」：

　　為鼓勵民眾隨香參拜、全程參與，特別印製「聖哲集印卡」（照片34）
供民眾索取，蓋滿十四個聖哲印章，即贈送小禮物。「集印卡」上有孔子和
十二位聖哲的畫像和蓋紀念章的空位，紀念章則分置於十三個里的香案旁，
民眾可全程隨香參拜並於「集印卡」上蓋紀念章。「集印卡」上還有孔子畫
像和「儒」字浮水印。

7 民眾敬備香案祭拜：

　　民眾在門口或路邊敬備香案祭拜者，供品以包子、粽子（「包」、「粽」
音近「包中」）、蔥（音同「聰」）、水果等為主供。

8 恭送聖蹟至外海放流：

　　第二天早晨先至協善心德堂報到，然後步行至五甲三路福誠高中前上

車，所有人員搭乘十七輛遊覽車，神轎則由貨車搭載，到二十七公里外的高雄市林園區王公路下車，於林園區繞境遊行及至各廟宇參禮。這是有史以來「恭送聖文字蹟」活動首次遠到林園區舉行。之後，在鳳芸宮附近海灘（照片35）舉行「恭送聖文字蹟」儀式，由協善心德堂誦經團進行誦經儀式，並念誦「奉佛恭送倉聖史皇上帝聖文字蹟解消劫運祈降吉祥文疏」，之後焚化。並於附近的「中芸漁港」將字紙灰袋送至漁船上，漁船再將字紙灰袋運到海上撒灰放流（照片36），恭送字紙灰燼回歸水府。相傳孔子為水精轉世[10]，所以燒完字紙後要擇時送字紙灰回水府，以示隆重。

9 恭請三聖哲聖駕安座：

字紙灰放流後，先回鳳芸宮午餐，再到林園區、鳳山區繞境遊行，然後回協善心德堂，恭請三聖哲聖駕安座等儀式後，「恭送聖文字蹟」的「送字紙」活動至此圓滿完成。

（二）小結

協善心德堂「恭送聖文字蹟」活動有以下特點：

1. 尊孔崇儒，是全臺唯一恭請至聖先師孔子、倉頡先師、文昌帝君「三聖哲」、孔門「四配」、「十二哲」出巡繞境的「送字紙」活動。除此之外，「恭送聖文字蹟」活動的名稱以「敬惜字紙——承襲傳統文化，儒沐鳳山五甲城」為名，即可看出尊崇「儒」家聖賢的活動宗旨。而日期的選擇方式，以「三聖哲」誕辰日前後的星期六、星期日舉行，日期由「三聖哲」降鸞指

---

10 〔宋〕李昉等：《太平廣記》，卷137，〈仲尼〉，收入《文淵閣四庫全書》（臺北市：臺灣商務印書館，1983年），第1043-1046冊：「周靈王二十一年，孔子生魯襄之代。夜有二神女，擎香露。沐浴徵在。天帝下奏鈞天樂，空中有言曰：『天感生聖子，故降以和樂。』有五老，列徵在之庭中。五老者，蓋五星精也。夫子未生之前，麟吐玉書於闕里人家，文云：『水精子，繼衰周為素王。』徵在以繡紱繫麟之角。相者云：『夫子，殷湯之後，水德而為素王。』……出王子年《拾遺記》。」（第1043冊，卷137，頁1左-頁2右。）

示。遊行繞境當天並恭請「三聖哲」加持保佑、出巡繞境。信眾們手持「三聖哲」、「四配」、「十二哲」名字或畫像的執事牌，且由七十二位青年學生身穿儒生長袍和帽子，象徵孔子七十二弟子，肩扛「恭送聖文字蹟」字紙灰箱，追隨在「三聖哲」之後。並於繞境路線中設置四配十二哲香案供民眾上香祈福。為鼓勵民眾隨香參拜、全程參與，特別印製「聖哲集印卡」供民眾索取，蓋滿十三個聖哲印章，即贈送小禮物。在在顯示臺灣民間敬字惜紙信仰中尊孔崇儒的現象。

2. 送字紙出巡繞境的盛況冠絕全臺，不僅在高雄市鳳山區繞境遊行，這次更擴大到林園區，全程兩天，約一千五百人參與。

3. 結合寺廟、學校、里辦公室，讓優良文化迅速擴大且深植人心。

4. 全臺僅存一處送字紙到海上放流的儀式。

五 結論

教育乃百年大計，協善心德堂的「惜紙亭」與「恭送聖文字蹟」活動，希望使社區民眾瞭解文字是聖人智慧的符號、文化財產。紙和文字不僅是文明的象徵，亦是聖哲遺教的傳承記載。期許將敬字惜紙、尊孔崇儒的優良傳統文化，深植在每個人的生活裡。[11]由此可知，臺灣的敬字亭、文筆亭，及「恭送聖文字蹟」的「送字紙」活動所形成的敬字惜紙文化，是一種從日常生活中教育和實踐尊孔崇儒的最佳典範。

---

11 財團法人五甲協善心德堂：《財團法人高雄五甲關帝廟　甲午科　敬惜字紙——承襲傳統文化，儒沐鳳山五甲城》（DVD），財團法人五甲協善心德堂發行。YouTube 網站題名作「高雄五甲關帝廟（協善心德堂）」，YouTube 網站，下載網址：（https://www.youtube.com/watch?v=LrNPMutuwRY），下載日期：2014年9月24日。

01. 臺北市士林區芝山巖惠濟宮敬字亭，敬字亭第二層爐口上方門額「敬字亭」三字。	02. 苗栗縣中平村敬聖亭，敬聖亭第二層爐口上方門額「敬聖亭」三字。

03. 彰化縣竹塘鄉醒靈宮聖蹟亭，聖蹟亭第二層側面亭壁「聖蹟」二字。	04. 新竹縣新豐鄉孔聖亭，孔聖亭第三層神龕上方門額「孔聖亭」三字。

05. 雲林縣西螺鎮振文書院字紙亭（兩座）。	06. 臺北市士林區東吳大學惜字爐。

07. 臺南市歸仁區敦源聖廟敬字亭。	08. 高雄市鳳山區協善心德堂（又名五甲關帝廟）惜紙亭。

09. 新北市新莊區新莊文昌祠敬字亭。	10. 高雄市美濃區瀰濃庄敬字亭，敬字亭第三層神龕內的神牌位已移至地面。

11. 屏東縣佳冬鄉萬建村聖蹟亭，聖蹟亭第五層神龕內的神牌位。	12. 高雄市美濃區龍肚文筆亭。

13. 高雄市美濃區龍肚文筆亭聖蹟亭。	14. 屏東縣竹田鄉西勢村文筆亭。

15. 屏東縣竹田鄉西勢村文筆亭字爐。	16. 屏東縣竹田鄉竹南村文筆亭。

17. 屏東縣竹田鄉竹南村文筆亭字爐。	18. 屏東縣竹田鄉履豐村文筆亭。

19. 屏東縣竹田鄉西勢村字爐（左起第一座）、文筆亭（左起第二座）、水泥地、荷花池。	20. 高雄市美濃區龍肚文筆亭內的孔子神像。

21. 高雄市鳳山區協善心德堂（又名五甲關帝廟）。	22. 左起：周倉將軍、司命真君、諸葛武侯、關聖帝君、玄天上帝、孚佑帝君、關平太子。

23. 協善心德堂至聖先師孔子神像。	24. 協善心德堂倉頡先師、文昌帝君神像。

25. 協善心德堂前放置一排字紙灰箱，由義工手持「至聖先師」、「四配」、「十二哲」名字或畫像的執事牌列於字紙灰箱之後。	26. 將字紙灰「爐」「掘」（音同「晉爵」）舀入紙灰箱。

27. 在紙灰箱上「加」「關」（音同「加官」）封條。	28. 「爐」「掘」「加」「關」（音同「晉爵加官」）後的「恭送聖文字蹟」紙灰箱。

29. 恭讀〈文疏〉。	30. 手持「敬惜字紙—承襲傳統文化，儒沐鳳山五甲城　遶境遊行」紅布條者。

31. 手持「三聖哲」、孔門「四配」、「十二哲」等執事牌的隊伍。	32. 七十二位青年學生身穿儒生長袍和帽子，象徵孔子七十二弟子，肩扛「恭送聖文字蹟」字紙灰箱。

33.「第八站南和里－卜商聖哲」香案。	34.「聖哲集印卡」正面。

35. 在高雄市林園區鳳芸宮附近海灘舉行「恭送聖文字蹟」儀式（協善心德堂提供錄影畫面）。	36. 漁船將字紙灰袋運到海上撒灰放流（協善心德堂提供錄影畫面）。

周中孚、關文瑛二家《通志堂經解》提要述評
——以「易類」著述為考察中心

黃智明

元智大學中國語文學系助理教授

提要

《通志堂經解》相關提要，最初有納蘭成德所撰序文六十七篇，其後有《摛藻堂四庫全書薈要》提要、《四庫全書總目》提要、周中孚《鄭堂讀書記》、關文瑛《通志堂經解提要》，及惠棟、段玉裁、陳奐、臧庸、黃丕烈、顧廣圻、顧之逵等所撰之書跋。本文的目的，在以「易類」著作為中心，考查周氏、關氏在提要撰述上、《易》學思想上，與《四庫全書總目》之異同，並進一步列舉二家對《四庫全書總目》提要之辨誤，冀能彰顯二家在清代目錄學及經學史上之貢獻。

關鍵詞：通志堂經解　周中孚　鄭堂讀書記　關文瑛　通志堂經解提要

一　前言

　　《通志堂經解》，清康熙年間徐乾學（1631-1694）輯刻，采輯唐、宋、元、明以來的經學著作一百四十種，一千八百六十卷。[1]全書所據底本，大多來自徐氏傳是樓家藏宋、元善本，或採借秀水曹秋嶽（溶，1613-1685）、朱竹垞（彝尊，1629-1709）、無錫秦對巖（1637-1714）、常熟錢遵王（曾，1629-1701）、毛斧季（扆，1630-1713）、溫陵黃俞邰（虞稷，1629-1691）各藏書家流傳祕本，薈萃成編[2]；參與校勘之事者，主要有顧伊人（湄）、張樸村（雲章，1648-1726）、徐秉義（1633-1711）、陸元輔（1617-1691）、黃虞稷、何義門（焯，1661-1722）；參與雕版的刻工團隊更多達四百餘人。[3]因此，《通志堂經解》的刊行，不僅對保存經學文獻及開導清代續編經解叢書具有莫大的啟示與影響，在校勘版本方面，也提供清代學者考訂群經更為豐富的文獻資料。[4]清高宗（1711-1799）諭旨稱其「薈萃諸家，典贍賅博，實

1　除去唐及以前二種（《子夏易傳》、成伯瑜《毛詩指說》），明人三種（朱善《詩解頤》、張以寧《春王正月考》、蔣悌生《五經蠡測》），納蘭成德（1655-1685）自撰二種（《合訂刪補大易集義粹言》、《禮記陳氏集說補正》）外，其餘一百三十三種，皆為宋、元人經解，因此當時或名此書為《宋元經解》。

2　《通志堂經解》各書所用底本，可考知其來源者，計有毛氏汲古閣二十九種，李開先（中麓）家舊藏十種，范氏天一閣七種，錢曾述古堂四種，焦氏家藏兩種，傳是樓兩種，黃虞稷千頃堂一種，朱彝尊曝書亭一種，孫承澤一種，葉奕苞一種，范必英一種，顧湄一種。參見王愛亭：《崑山徐氏所刻通志堂經解板本學研究》（濟南市：山東大學中國古典文獻學博士學位論文，2009年），頁32-35。

3　王愛亭：《崑山徐氏所刻通志堂經解板本學研究》（濟南市：山東大學中國古典文獻學博士學位論文，2009年），頁41-67。

4　據王愛亭統計：有清一代曾批校或題跋過《通志堂經解》的學者，計有惠棟（1697-1758）、段玉裁（1735-1815）、陳奐（1786-1863）、臧庸（1767-1811）、黃丕烈（1763-1825）、顧廣圻（1770-1839）、顧之逵（1753-1797）、江沅（1767-1838）、管慶祺、王筠（1784-1854）、查慎行（1650-1727）、盧文弨（1717-1796）、翁同書（1810-1865）、丁晏（1794-1875）、陸沅、嚴元照（1773-1817）、丁丙（1832-1899）、王國維（1877-1927）等。參見王愛亭：〈通志堂經解的總體特點、貢獻及不足〉，《山東圖書館季刊》2008年第3期，頁84。

足以表彰六經」[5]，洵為的評。

《通志堂經解》的刊行，始於康熙十二年（1673）[6]，康熙十九年（1680）主體部分刻完，此後尚有少量的經解陸續付刻，並進行全書的校勘、修版和刷印。[7]至康熙三十年（1691），《經解》全書方纔告蕆。[8]而徐乾學旋於康熙三十三年（1694）因病逝世。楊國彭據故宮博物院舊藏《經解》內頁所夾侍臣奉旨題寫的紙簽發現，皇長子胤禔最早將《通志堂經解》呈入宮中。康熙四十四年（1705），聖祖南巡，將原藏於徐家的書版收歸江寧織造貯藏，並從徐家帶回一部《經解》。[9]乾隆四十七年（1782），高宗下令將

---

5 見乾隆五十年二月二十九日〈諭內閣通志堂經解係徐乾學裒輯成德出名刊刻〉，載中國第一歷史檔案館編：《纂修四庫全書檔案》（上海市：上海古籍出版社，1997年），頁1872。

6 徐乾學〈通志堂經解序〉云：「皇朝弘闡六經，表微扶絕，海內喁喁向風，皆有脩學好古之思。余雅欲廣搜經解，付諸剞劂，以為聖世右文之一助。……門人納蘭容若尤慫恿是舉，捐金倡始，同志群相助成，次第開雕。經始於康熙癸丑，踰二年訖工。」康熙癸丑，即康熙十二年。徐〈序〉見林慶彰、蔣秋華主編：《通志堂經解研究論集》（臺北市：中央研究院中國文哲研究所，2005年），頁747。

7 王愛亭：《崑山徐氏所刻通志堂經解板本學研究》（濟南市：山東大學中國古典文獻學博士學位論文，2009年），頁74。

8 楊國彭：〈通志堂經解刊刻問題新探〉，《中國典籍與文化》2019年第2期，頁40-49。

9 楊國彭：〈通志堂經解及其書版入藏內府考〉，《故宮博物院院刊》2019年第7期，頁67-72。按《通志堂經解》書版曾經存貯於江寧藩署，實嘉慶間顧修《彙刻書目》最早提出，近人關文瑛承其說，於〈通志堂經解源流考〉中云：「容若歿後，版藏健菴尚書家，世多稱為《徐氏九經解》，並『通志堂』而移之，實相傳之誤。流傳既久，原版或剝蝕不全。乾隆五十年，乃由四庫全書館臣將版片之漫漶斷闕者補刊齊全，訂正譌誤，遂復臻於完善。……嗣後《經解》原版藏於江寧藩署，而印本流傳漸稀。」載《通志堂經解提要》，收入《通志堂經解研究論集》（臺北市：中央研究院中國文哲研究所，2005年），頁399。陳惠美《徐乾學及其藏書刻書》（臺中市：東海大學中國文學研究所碩士論文，1990年）頁325認為：「乾隆五十年既然在北京補刊，那麼應該沒有理由會把版片移至江寧藩署，顧氏所言或有錯誤。」《經解》書版藏於江寧藩署，確有其事，然貯存時間不在乾隆五十年（1785）以後，而是在乾隆四十七年（1782）以前，詳見胡季堂〈刊補徐氏經解序〉、胡元瑞〈重補通志堂經解序〉。

《通志堂經解》書版運送到京[10]，並於五十年（1785）二月起，對殘缺模糊的版片三千五百餘頁進行補刊。[11]在此之前，時任江蘇按察使胡季堂（1729-1800），與學政彭元瑞（1731-1803）、蘇松太道袁鑑論及：「崑山徐氏《經解》，刻於康熙十二年（1673），學古之士用藉津梁，以濟淵海，僂指周星，僅過百臘，而傳是樓中竹素縑緗，蕩然羽化，此板歸織造府，亦復漫漶殘缺，不經刷印有年矣」，於是謀於江寧織造舒文（？-1791），「發藏板，付書院肄業諸生排比校對，缺者補之，蠹者易之」。[12]

在胡季堂校補《通志堂經解》之前，《經解》的印本流傳十分有限，彭元瑞形容說：「自崑山徐相國彙說經家諸書錄為《通志堂經解》，迄今年久，板口朽佚，計闕者百數十篇，廢摹印者二十餘年，坊賈或累數年罕售一帙」[13]，究其原因，不外乎是書帙繁多，售價昂貴使然。[14]最初在康熙年間，方苞（1668-1749）便因「是書卷帙既多，非數十金不可購。遠方寒士，有終其身不得一寓目者矣；有或致之，觀之不能遍也；有或遍之，茫洋而未知所擇也」，於是有刪定《宋元經解》的念頭。[15]即使到了乾隆中後期，

---

10 楊國彭：〈通志堂經解及其書版入藏內府考〉，《故宮博物院院刊》2019年第7期，頁72-73。

11 乾隆五十年二月二十四日〈多羅郡藏永璇等奏繕簽處費振動等請旨分別議敘摺〉云：「又因蘇州織造解到《通志堂經解》版片，內有殘缺模糊，應行補刊、全刊者，共計三千五百餘頁，復經臣等奏明，仍即令繕辦五經九員仿寫刊補，俟辦竣後請旨先行，給予議敘。……茲《經解》版片刊補完全，謹刷印樣本，恭呈御覽。其四分書簽、匣簽，現在亦普行告竣。」載中國第一歷史檔案館編：《纂修四庫全書檔案》（上海市：上海古籍出版社，1997年），頁1872。

12 胡季堂：〈刊補徐氏經解序〉，《培蔭軒文集》（上海市：上海古籍出版社《清代詩文集彙編》影印道光二年胡鏻刻本，2011年），卷1，頁1-2。

13 彭元瑞：〈重補通志堂經解序〉，《恩餘堂輯稿》（上海市：上海古籍出版社《清代詩文集彙編》影印道光七年刻本，2011年），卷1，頁20-21。

14 包苞〈與呂宗華書〉嘗云：「是書卷帙既多，非數十金不可購，遠方寒士，有終其身不得一寓目者。」《望溪先生文集》（上海市：上海古籍出版社《續修四庫全書》影印上海圖書館藏清咸豐元年戴鈞衡刻本，1997年），卷6，頁24-26。

15 方苞：〈與呂宗華書〉，《望溪先生文集》（上海市：上海古籍出版社，1997年《續修四庫全書》影印上海圖書館藏清咸豐元年戴鈞衡刻本），卷6，頁24-26。

《經解》書價仍然居高不下，根據焦循〈修葺通志堂經解後序〉的記載，乾隆五十一年（1786）時，良田數十畝，得價尚且不及是書價格之半。[16]同治年間，陳澧（1810-1882）回覆劉恭冕（1824-1883）的書信裡更顯現有速刻《通志堂經解》以觀厥成的急迫心情。[17]可知此編購求之不易。

同治十二年（1873），粵東鹽政鍾謙鈞（1803-1874）以「是編承《注疏》之後，在《皇清經解》之前，宋、元人之經學略備於此，不可不重刊也，其卷帙繁富，剞劂勞費，在所不惜」[18]，於是據菊坡精舍藏版重新付刻，是為粵東書局本。

《通志堂經解》雖然在文獻保存和經學發展史上，有其承先啟後的重要地位，但自刊行以來，仍招致不少批評，特別是在書籍的甄汰、底本的選用以及校勘的粗疏部分，最為學者所詬病，如何義門、翁方綱（1733-1818）《通志堂經解目錄》[19]，葉德輝（1864-1927）《書林清話》「納蘭成德刻《通志堂經解》」三則、《郎園讀書志》「通志堂彙刻《經解》一千八百卷提要」一則[20]，倫明（1875-1944）〈通志堂經解提要〉[21]，葉啟勳（1872-？）

---

16 焦循〈修葺通志堂經解後序〉云：「乾隆丙午，連歲大飢，余疊遭凶喪，負債日迫於門。有良田數十畝，為鄉猾所勒買，得價銀僅十數金。時米乏，食山薯者二日，持此銀，泣不忍去。適書賈以此書至，問售，需值三十金。所有銀未及半。謀諸婦，婦乃脫金簪易銀，得十二金，合為二十七金。問書賈，賈曰：『可矣！』蓋歎歲寒購書者，而棄書之家，急於得值也。余以田去而獲書，雖受欺於猾，而尚有以對祖父，且喜婦賢，能成余之志。是夕餐麥屑粥，相對殊自懌也。」《雕菰集》（臺北市：鼎文書局，1977年），卷16，頁261-262。

17 陳澧〈復劉叔俛書〉云：「近日刻《通志堂經解》及《四庫總目》內唐以前甲部書，不能精工，然弟亦不願其精工，但願其速成，年老急欲觀厥成。」《東塾集》（臺北市：文海出版社，1970年），卷4，頁20。

18 鍾謙鈞：〈重刻通志堂經解序〉，載同治十二年重刊本《通志堂經解》卷首，收入《通志堂經解研究論集》（臺北市：中央研究院中國文哲研究所，2005年），頁770。

19 〔清〕翁方綱撰，陳惠美點校：《通志堂經解目錄》，收入林慶彰主編：《通志堂經解研究論集》（臺北市：中央研究院中國文哲研究所，2005年），頁343-388。

20 收入林慶彰主編：《通志堂經解研究論集》（臺北市：中央研究院中國文哲研究所，2005年），頁773-780。

21 收入林慶彰主編：《通志堂經解研究論集》（臺北市：中央研究院中國文哲研究所，2005年），頁798。

「何焯《通志堂經解目錄》一卷提要」、「翁方綱《通志堂經解目錄》一卷提要」[22]，莫伯驥（1877-1958）《五十萬卷樓群書跋文》[23]，皆有所指正，有助於瞭解《通志堂經解》在版本方面的疏誤。但是上述篇章，多屬零篇短章，無法反映《通志堂經解》全貌，至於稱「當時海宇鏡清，宋、元舊槧流傳甚夥，乾學、成德同居顯要，徵集較易」、「顧搜羅卷帙，至一千數百卷之多，而精者寥寥，不足供經師治經之用」[24]，則又昧於清初宋元經說流傳日稀、訛謬滋多的學術史實[25]，苛察繳繞，殊失公允。[26]清代以降，能針對《經解》全編所收錄的前人經說，發其幽隱，辨其疑惑，糾其訛謬者，僅有周中孚（1768-1831）《鄭堂讀書記》與關文瑛（1903-？）《通志堂經解提要》。周氏《讀書記》，規仿《四庫全書總目》，關氏《經解提要》，專依沈豫《皇清經解提要》，二者並能分疏諸經源流，撮舉經說大凡，且詳著撰書人之世次爵里。本文的目的，即欲透過對周、關二家提要的分析，尋繹《通志堂經解》所錄《易》類經說之梗概，同時彰明前輩學者學術之旨趣。

---

22 收入林慶彰主編：《通志堂經解研究論集》（臺北市：中央研究院中國文哲研究所，2005年），頁799-802。

23 收入林慶彰主編：《通志堂經解研究論集》（臺北市：中央研究院中國文哲研究所，2005年），頁780-797。

24 葉啟勳：〈翁方綱《通志堂經解目錄》一卷提要〉，載林慶彰主編：《通志堂經解研究論集》（臺北市：中央研究院中國文哲研究所，2005年），頁801。

25 參見林慶彰：〈通志堂經解之編纂及其學術價值〉，《清代經學研究論集》（臺北市：中央研究院中國文哲研究所，2002年），頁179-207。

26 伍崇曜〈通志堂經解目錄跋〉曾批評何義門力詆《通志堂經解》校勘舛誤實為過激，云：「容若鄉試出徐健菴之門，遂受業焉，《經解》其所刻，而健菴延顧伊人湄校定者。伊人以詞學名家，校經不無舛誤，故義門力詆之。經術懸於天壤，偶有差忒，原許他人之糾正，然亦何至若儈父面目也。」《通志堂經解目錄》（臺北市：廣文書局，《書目續編》影印《粵雅堂叢書》本，1991年），頁493-495。

二　《鄭堂讀書記》著書背景及其意義

　　周中孚傳世資料甚少，據戴望（1837-1873）〈外王父周先生述〉[27]，中孚字信之，別字鄭堂，浙江湖州府烏程縣人。嘗見《四庫書提要》，謂為學之塗徑在是，於是遍求諸史藝文志，考自漢迄唐存佚各書，以備搜輯古籍。嘉慶元年（1796）選拔貢生。翌年，阮元（1764-1849）任浙江學政，於杭州孤山南麓構築房舍五十間，召文人學子編修《經籍纂詁》，中孚與焉。其後又與其弟聯奎，列名詁經精舍講學之士。嘉慶二十一年（1816），在蘇松太兵備道龔麗正推薦下，為上海藏書家李筠嘉（1766-1828）整理藏書，成《慈雲樓藏書志》，而《鄭堂讀書記》即以此為基礎，加以抉擇去取，增刪潤色而成。

　　《慈雲樓藏書志》成書年代，嚴佐之《近三百年古籍目錄舉要》據龔自珍〈慈雲樓藏書志序〉定為嘉慶二十五年。[28]大陸學者崔欣指《慈雲樓藏書志》中著錄有道光間刊本，且龔自珍所撰序文，實有二稿，〈慈雲樓藏書志〉作於嘉慶二十五年，而《定庵續集》所載之〈上海李氏藏書志序〉則署「道光六年丙戌六月」，可證《慈雲樓藏書志》成稿，至少應在道光四年（1824）以後。[29]

　　按《慈雲樓藏書志》編寫期間，李筠嘉嘗致書顧千里，請教撰輯體例，顧氏回覆說：

> 承示大著，鋪陳排比，富哉言乎，真可謂藏書、讀書兩臻其善矣，走雖未窺全部，已不勝贊歎欽服。但懸計卷數，未免過於重大，豈獨觀成非易，即將來之刊印，以及日後購藏流行等類，恐皆較難。莫似變而通之，改從易簡，避去自來書目式樣，用趙明誠《金石錄》例，先

27　戴望：〈外王父周先生述〉，《鄭堂讀書記》（北京市：北京圖書館出版社，2007年），頁1。

28　嚴佐之：《近三百年古籍目錄舉要》（上海市：華東師範大學出版社，1994年），頁99。

29　崔欣：〈慈雲樓藏書志小考〉，《圖書館雜志》2006年第11期，頁71-73。

　　將六千部之目，每部下只用細字注時代、撰人及何本一行，分若干卷
　　列於前，復將每書案語，擇其精華，做成跋體，不必部部有跋，亦不
　　必跋跋自始至末，臚陳衍說。其無甚緊要，及讀者自知，則置而勿
　　論，亦分若干卷列於後，通為一書，約在百卷內，似於作者、觀者兩
　　得其便，且又可以徑而寡失也。辱大雅不棄，加以下問，故敢瞽言，
　　尚望高明裁而教之。[30]

這封書函末尾署「乙酉仲春」，乙酉為道光五年（1825），與龔自珍〈上海李
氏藏書志序〉撰寫時間相合。

　　又崔欣通過上海圖書館所藏《慈雲樓藏書志》稿本，與南京圖書館所藏
《古香閣藏書志》稿本進行比對，推測李氏《藏書志》初名《古香閣藏書
志》，「古香閣」亦李筠嘉室名之一，見《春雪集》所錄吳信中〈七夕前二日
訪吾園主人下榻古香閣留連信宿出示春渚曉吟圖賦此題贈兼以志別〉詩。
《古香閣藏書志》仿《四庫全書簡明目錄》，解題頗為簡略，後經大量增刪
調整，擴充解題，完善體例，改訂謄清，最終定名曰《慈雲樓藏書志》。[31]

　　南京圖書館所藏《古香閣藏書志》稿本，卷端署「上海李筠嘉筠香甫編
次」，首有嘉慶二十三年三月伍有庸〈序〉。嘉慶二十三年（1818），去道光
六年（1826），未及十載，為何需要大幅度改易調整，甚至變換書名？根據
崔欣〈慈雲樓藏書志小考〉所述，《古香閣藏書志》於每書版本下，凡為
《四庫提要》所收之書，往往有「文淵閣著錄」字樣，〈經部〉〈易類〉之
《子夏易傳》十一卷，其「文淵閣著錄」下，批以下「此五字俱不必寫」。
至《慈雲樓藏書志》，則將《四庫提要》著錄或存目與否，置於的題正文作
者仕履之下。[32]

　　眾所周知，自乾隆三十八年（1773）二月《四庫全書》正式開館，至乾

30　〔清〕顧廣圻：〈與李筠香論編慈雲樓藏書志書〉，《顧千里集》（北京市：中華書局，
　　2007年），卷7，頁120。

31　崔欣：〈慈雲樓藏書志小考〉，《圖書館雜志》2006年第11期，頁73。

32　崔欣：〈慈雲樓藏書志小考〉，《圖書館雜志》2006年第11期，頁73。

隆六十年（1795）《四庫全書總目》校勘完竣，刊刻畢工，發交京城各書坊領售[33]，前後歷時二十餘載。此二十餘年間，覆校、抽燬工作不斷持續進行，因此各閣本間的書名、作者、卷數、版本，及提要文字、體例、內容、觀點，自不能無所異同。《古香閣藏書志》於《四庫提要》所收之書的版本，特別標示「文淵閣著錄」，解題內容則仿《四庫全書簡明目錄》，必然會遇到兩者歧異的問題。如宋張載（1020-1077）《橫渠易說》，《四庫全書簡明目錄》著錄二卷，云：

> 宋張載撰。文頗簡略，蓋無可發揮新義者，即不橫生枝節，強為敷衍，猶有先儒篤實之遺。間有引用《老》、《莊》語者，蓋借以旁證，非祖其虛無之談。

《文淵閣四庫全書》書前提要則云：

> 臣等謹案：《橫渠易說》三卷，宋張載撰。上經一卷，下經一卷，繫辭以下至雜卦為一卷，末有總論十一則。是書較之程《傳》尤簡，往往經文數十句中，一無所說。卷內遂不復全載經文，載其有說者而已。蓋儒者之言，必真有得而記之，不以多寡計也。其說〈乾〉〈象〉，用「迎之不見其首，隨之不見其後」語；說〈文言〉，用「谷神」語；說「鼓萬物而不與聖人同憂」，用「天地不仁，以萬物為芻狗」語，皆借《老子》之言而實異其義，非如魏晉人合《老》、《易》為一者也。惟其解「后不省方」為繼體守成之主，富庶優暇，不甚省事，則於義似乎未安。此又不得以載之故，而曲為之詞已。

一作「二卷」，一作「三卷」，對於張載援引《老》、《莊》語以解《易》，立場也迥然有別。其他相異之處，如宋朱震《漢上易傳》十一卷，《簡明目錄》作「漢上易集傳十一卷」；元胡一桂《易附錄纂注》十五卷，《簡明目

錄》作「易本義附錄纂疏十五卷」;《周易啟蒙翼傳》四卷,《簡明目錄》作
「易學啟蒙翼傳四卷」;元吳澄《易纂言》十二卷,《簡明目錄》作「十
卷」。或許因為這個緣故,《慈雲樓藏書志》統一將《四庫提要》著錄或存目
與否,置於的題正文作者仕履之下,解題內容也更接近《四庫全書總目》。

就現存《慈雲樓藏書志》稿本內容來看,李筠嘉最終沒有接受顧廣圻的
建議,編為簡目體總目和題跋記的合目,而是採取像《四庫全書總目》敘錄
體的形式進行編寫,便能想像得出《鄭堂讀書記》的收書與編例,基本上也
依循《四庫總目》的體式,「四庫全書總目續編」的稱號,實當之無愧。

中孚《讀書記》,大約在道光八年(1828)已略有小成,朱為弼(1771-
1840)《蕉聲館文集》有〈周鄭堂同年中孚讀書記易類跋〉,云:

> 道光八年戊子仲夏,吳興周鄭堂同年來都門,出所著《易》類二冊見
> 示,蓋其《讀書記》之一種也。[34]

道光十一年(1831),中孚逝世,《讀書記》尚無刊本,其稿本為朱為弼所
得,見戴望〈外王父周先生述〉[35],最後展轉傳入劉承幹嘉業堂,劉氏刊入
《吳興叢書》中。[36]

三 《通志堂經解提要》著書背景及其意義

周中孚《鄭堂讀書記》蜚聲學林,被譽為《四庫全書總目》的續編[37],

---

34 朱為弼:〈周鄭堂同年中孚讀書記易類跋〉,《蕉聲館文集》(上海市:上海古籍出版社
 《清代詩文集彙編》影印民國八年朱景邁刻本,2011年),卷5,頁20。

35 戴氏云:「先生著譔甚侈,有《孝經集解》、《逸周書注補正》、《顧職方年譜》、《子書
 考》、《鄭堂讀書記》、《金石識小錄》、《鄭堂札記》諸書。沒時,教諭君(中孚弟聯
 奎)客山東,其次子不肖,以先生藏書及艸本鬻諸他氏。朱比部為弼得其《讀書記》,
 云:『其體仿《提要》,有百餘冊。』其《札記》未亡,後歸諸望,餘書無可問者。」戴
 望:《鄭堂讀書記》(北京市:北京圖書館出版社,2007年),頁1。

36 白育穎:《周中孚及其鄭堂讀書記研究》(臺北縣:國立臺北大學文獻學研究所碩士論
 文,2010年)。

37 嚴佐之:《近三百年古籍目錄舉要》(上海市:華東師範大學出版社,1994年),頁103。

而周氏生平，僅見於《清史列傳》徐養原附傳；關文瑛《通志堂經解提要》，顧頡剛（1893-1980）讀之稱快，而不識作者尚在否耳。[38]

關文瑛，字童全，吉林人。長於經學、史學、文學理論，著有《通志堂經解提要》、《儒林雜論》、《漢書藝文志摘謬》、《補三國志文苑傳》、《文氣集說》、《漢魏六朝論文彙鈔》、《嗣守齋文選》、《詩選》，其他序言、傳評、祭文、頌贊、墓志銘等，多收錄於《嗣守齋文集初集》。曾任滿州國文教部編審官、九臺縣文教科科長、東北師範大學中文系副教授。[39]

《通志堂經解提要》四卷，卷首詳列「通志堂經解輯刻者納蘭容若本傳」、「容若生卒大事年表」、「通志堂經解源流考」、「通志堂經解提要敘例」、「本編與原書目對照表」。卷一至卷四，依次為「易類提要」、「書類提要」、「詩類提要」、「春秋類提要」、「三禮類提要」、「孝經類提要」、「論語類提要」、「孟子類提要」、「四書類提要」、「總經解類提要」，而以「翁方綱《通志堂經解目錄》」、「本編參考書目一覽表」、「本編勘誤表」殿末為附錄。本書舊有民國二十三年新京東亞印刷局排印本；二○○五年陳惠美據此二本點校，收入《通志堂經解研究論集》。

關氏纂輯《通志堂經解提要》之動機，大略有三：

（一）廣翁氏《經解目錄》。文瑛認為，提要的體式，當如《四庫全書總目》，要能分疏原委，撮舉大凡，並詳著書人之世次、爵里，使未讀其書者，可由之以推知其梗概，已讀其書者，亦可藉之以尋挹其旨趣；再如朱彝尊《經義考》，列舉前代經部著述，注其存佚，錄其序跋。而翁方綱《通志堂經解目錄》僅詳於板本而略於內容，或徒引其端而未竟厥緒，不足以當提要之體書目。

（二）倣沈氏《清經解提要》。《皇清經解》，道光五年（1825）阮元任兩廣總督時，在廣州越秀山學海堂所輯刻。道光九年（1829），全書刊畢，

---

38 顧頡剛著，王煦華整理：〈緩齋藏書題記〉，收入上海圖書館歷史文獻研究所編：《歷史文獻》（上海市：上海社會科學院出版社，1999年），第1輯，頁14。

39 參見宋海峰：〈略談東北師範大學圖書館藏八旗書錄〉，網址：（http://www.guoxue.com/?p=951）。

版藏學海堂側文瀾閣，故又名《學海堂經解》。全書收錄乾嘉學者經說一百八十餘種，凡一千四百卷，「卷帙浩繁，學者苦不能備覽，寒俊艱於購置」[40]，於是蕭山沈豫「暇日將各種略觀大意，並撮掇其一書之精義，或創解特識者，薈而錄之，得提要百數十種」，作為指導後學閱讀《皇清經解》的入門書。[41]為經學叢書撰著提要，以沈氏是書為嚆矢。文瑛嘗取《皇清經解》與《通志堂經解》相較，前者四十帙，而後者倍之；前者售直百數十金，而後者達五六百金；前者別有石印縮本，而後者惟此木雕孤本。是後者之難得，方前無啻數倍。前者既有提要，後者又豈能獨無？於是興發撰輯《通志堂經解提要》的念頭。

（三）發皇鄉邦先正之手澤。清末民初，中華固有學術遭遇激烈的沖擊，文瑛感慨「我邦碩彥之士，咸津津然喜數他家之珍，而鄙視我固有之文化」，甚至認為「我艮維之域，原無著述可言」，因此希望通過《通志堂經解提要》的纂輯，使世人知曉「此既鴻且博之經部叢刊，實為吾鄉先正之手澤」。

至於全書編纂體例，關氏擬定了「三體」與「三例」，做為考鏡各書源流，辨別其良窳，校論其是非的綱領。所謂「三體」，一曰提要，二曰原書目錄，三曰作者小傳。關氏云：

> 是編之作，以書為主，故尚論一書者謂之提要，列之篇首，以昭厥正，其體一也。[42]

簡單的說，《通志堂經解提要》論列一書，首載書名、卷數，其次錄編纂者朝代和姓名，次行即接以提要。

---

40 〔清〕沈豫撰，趙燦鵬校注：〈皇清經解提要識語〉，《皇清經解提要》（北京市：華夏出版社，2014年），頁1。

41 〔清〕沈豫撰，趙燦鵬校注：〈皇清經解提要識語〉，《皇清經解提要》（北京市：華夏出版社，2014年），頁1。

42 關文瑛撰，陳惠美點校：《通志堂經解提要》，收入《通志堂經解研究論集》（臺北市：中央研究院中國文哲研究所，2005年），頁403。

於提要當中臚列原書目錄，是關文瑛的創舉，關氏云：

> 《經解》所刊諸書，約可繩為二類：一則注解經文，一則發揮經義。
> 屬於前者，則篇依原目，無勞贅敘；屬於後者，則師心獨創，語自我
> 出，或為論說之文，或用圖書之體，故必抄厥目錄，斯克知其概似。
> 其體二也。[43]

迻錄全書目錄，一來可以清楚篇卷多寡及全書內容梗概，其次藉由原書目錄
可以釐正《四庫全書總目》的訛誤，如元胡一桂《易學啟蒙翼傳》，其書凡
〈內篇〉三篇，〈外篇〉一篇。〈內篇〉又分上、中、下三篇，上篇明自然之
《易》，與諸聖人之《易》；中篇明《易》學之變遷；下篇明《易》學之要
旨。〈外篇〉則評議漢、魏以來諸儒說《易》之書。[44]原書篇次如下：

〔內篇〕
天地自然之易　伏羲易　文王易　周公易　孔子易以上為上篇。
三代易　古易　古易之變　古易之復　易學傳授　易學傳注以上為中篇。
舉要　筮法　辨疑以上為下篇。
〔外篇〕
周易緯　焦氏易林　京氏易傳　楊氏太玄　魏氏參同　郭氏洞林　關
氏洞極　衛氏元包　司馬氏潛虛　邵子皇極經世　蔡氏皇極內篇

而《四庫全書總目》乃以〈內篇〉之下篇「舉要」、「明筮」（即筮法篇）、
「辨疑」三子目，誤認為〈內篇〉之上、中、下三篇，殊為失考。[45]

43　關文瑛撰，陳惠美點校：《通志堂經解提要》，收入《通志堂經解研究論集》（臺北市：
　　中央研究院中國文哲研究所，2005年），頁403。
44　關文瑛撰，陳惠美點校：《通志堂經解提要》，收入《通志堂經解研究論集》（臺北市：
　　中央研究院中國文哲研究所，2005年），頁454。
45　《四庫全書總目》「易學啟蒙翼傳」提要云：「凡為〈內篇〉者三：一曰舉要，以發明
　　變象占之義；二曰明筮，以考史傳卜筮卦占之法；三曰辨疑，以辨《河圖》、《洛書》
　　之同異。皆發明朱子之說者也。為〈外篇〉者一，則《易》緯候諸書，以及京房《飛
　　候》、焦贛《易林》、楊雄《太玄》、司馬光《潛虛》，以至邵子《皇極經世》諸法，附

　　《通志堂經解提要》以書為主，「尚論一書者謂之提要，列之篇首，以昭厥正」，而「因書存人，因人論世，自古在昔，昭有恆軌」[46]，是以關氏特地將作者小傳自提要中分離出來，列於通篇之末。

　　「三體」之外，又有「三例」，即提要的編寫原則。一曰訂誤，二曰提綱，三曰徵信。《通志堂經解》全編卷帙繁富，不可能沒有謬誤。謬舛的情況，大抵有下列幾項：（1）名稱是非莫辨，如董鼎《書蔡氏傳輯錄纂注》，《經解》誤題「書傳」二字；（2）朝代彼此相違，如俞琰、雷思齊、金履祥本宋人，而《經解》誤以為元人，王申子、熊朋來本元人，而《經解》又誤以為宋人；（3）一書誤分為二，如歐陽修《詩本義》十六卷，《經解》誤以為《詩本義》十五卷，附鄭氏《譜》一卷，是以一書為二書；（4）二書誤合為一，如稅與權《周易啟蒙小傳》，與《周易古經》本是二書，《經解》誤附《古經》於《小傳》之後，是以二書為一書；（5）以依託之作為真，如《六經奧論》為無名氏所撰而依託鄭樵，《經解》竟誤認鄭樵作；（6）以某甲之書歸乙，如《春秋集解》呂本中撰，《經解》以為呂祖謙所作；（7）內容有書而漏列其目，如內容有環中《春秋年表》、趙悳《詩辨說》，《經解》卻失載二書之目；（8）作者可考而注云失名，如《逸齋詩補傳》為范處義撰，《四書辨疑》為陳天祥撰，《經解》一則注云「宋人失名」，一則注云「元人失名」。上述謬誤，皆一一為之辨明，以存真面而袪群疑，是為訂誤。[47]

　　所謂提綱，凡一書之作，雖含義萬殊，而旨趣則一，如《易》惟變化，《詩》主風論，《尚書》記帝王之言，《春秋》寓褒貶之義等。關氏論證群書，詳說權辨，有時多至數千百言，對於書中大旨，往往在提要開頭便加以

　　錄其概，以其皆《易》之支流，故別之曰『外』。」按《摛藻堂四庫全書薈要》提要、《文津閣四庫全書》書前提要不誤，《文淵閣四庫全書》書前提要誤與《總目》同。

46 關文瑛撰，陳惠美點校：《通志堂經解提要》，收入《通志堂經解研究論集》（臺北市：中央研究院中國文哲研究所，2005年），頁403。

47 關文瑛撰，陳惠美點校：《通志堂經解提要》，收入《通志堂經解研究論集》（臺北市：中央研究院中國文哲研究所，2005年），頁403-404。

揭示，少惟斷以一言，多則裁以兩句。[48]以《易》類提要為例：

1. 《子夏易傳》下云「蓋無名氏依託之作也」。

2. 宋劉牧《易數鉤隱圖》下云「蓋以圖書之學而說《易》者也」、牧《遺論九事》下云「蓋推論其圖書之學也」。

3. 宋張載《橫渠易說》下云「蓋以義理說《易》者也」。

4. 宋王湜《易學》下云「蓋亦以圖書言《易》者也」。

5. 宋張浚《紫巖易傳》下云「蓋以義理之學說《易》」。

6. 宋朱震《漢上易傳》下云「蓋宗程子《易傳》而闡明象數之義」、震《周易卦圖》下云「蓋專以圖書言《易》也」、震《周易叢說》下云「蓋雜論《易》義也」。

7. 宋吳沆《易璇璣》下云「蓋綜論《易》卦之理也」。

8. 宋李衡《周易義海撮要》下云「蓋刪房氏之書而為之者也」。

9. 宋沈該《易小傳》下云「蓋專釋爻義以別於《大傳》，故曰《小傳》也」。

10. 宋趙彥肅《復齋易說》下云「蓋專推尋卦畫、即象數，以求義理」。

11. 宋呂祖謙《古周易》下云「蓋考定《古易》之篇次也」。

12. 宋王宗傳《童溪易傳》下云「蓋亦義理之學」。

13. 宋林至《易裨傳》下云「蓋本朱子之學，而發明《大傳》之義也」。

14. 宋吳仁傑《易圖說》下云「蓋以圖明其《古易》也」。

15. 宋胡方平《易學啟蒙通釋》下云「蓋推闡朱子《易》學啟蒙者也」。

16. 宋項安世《周易玩辭》下云「蓋明《周易》之象與辭也」。

17. 宋鄭汝諧《東谷易翼傳》下云「蓋發揮程子《易傳》者也」。

18. 宋朱元昇《三易備遺》下云「蓋本圖書之學而述《三易》也」。

19. 宋李心傳《丙子學易篇》下云「蓋以象占說《易》，且多援引字義之異也」。

---

48 關文瑛撰，陳惠美點校：《通志堂經解提要》，收入《通志堂經解研究論集》（臺北市：中央研究院中國文哲研究所，2005年），頁404。

20. 宋稅與權《易學啟蒙小傳》下云「蓋以《後天圖》補朱子《啟蒙》之未備者也」、與權《周易古經》下云「蓋亦考定《古易》篇次也」。

21. 宋林光世《水村易鏡》下云「蓋就取法〈乾〉象諸卦而為之圖說也」。

22. 宋朱鑑《文公易說》下云「蓋輯朱子《文集》、《語錄》說《易》之言，而為之一編也」。

23. 元王申子《大易緝說》下云「蓋以數學說《易》者也」。

24. 宋趙汝楳《周易輯聞》下云「蓋舍《傳》而專注經文也」、汝楳《易雅》下云「蓋總釋《易》之名義者也」、汝楳《筮宗》下云「蓋雜論筮理也」。

25. 宋董楷《周易傳義附錄》下云「蓋闡發程朱之《易》學也」。

26. 元李簡《學易記》下云「蓋薈萃眾說以言《易》也」。

27. 元許衡《讀易私言》下云「蓋雜論爻義也」。

28. 宋俞琰《周易輯說》下云「蓋集眾說之善，而亦別出己見也」。

29. 元胡一桂《周易本義附錄纂註》下云「蓋推闡朱子《本義》者也」、一桂《易學啟蒙翼傳》下云「蓋亦表章朱子之學也」。

30. 元胡炳文《周易本義通釋》下云「蓋亦闡發朱子《本義》者也」。

31. 元吳澄《易纂言》下云「蓋意義理解《易》，且多改竄字義也」。

32. 元熊良輔《周易本義集成》下云「蓋博採諸家，而發明朱子之學也」。

33. 元董真卿《周易會通》下云「蓋以程、朱為主，而又博採諸家也」。

34. 宋雷思齊《易圖通變》下云「蓋亦圖書之學也」。

35. 元張理《易象圖說》下云「蓋藉圖以明《易》象之無所不通」、理《大易象數鈎深圖》下云「蓋亦圖書之學也」。

36. 元梁寅《周易參義》下云「蓋融會程、朱二家《易》說而為一編也」。清成德《合訂刪補大易集義粹言》下云「蓋取宋陳友文《大易集義》、方聞一《大易粹言》二書而合輯之也」。

關氏批評翁方綱《通志堂經解目錄》「詳於板本而略於內容，或徒引其端而未竟厥緒，不足以當提要之體」，故於每篇提要開頭，以極簡潔的文

字，總括各書大旨，「定義既明，再為申說，務使群言淆亂，有所歸宗，展卷瞭然，無復疑慮」。[49]值得一提的是，每類提要目次之後，關氏倣倣《四庫全書總目》之例，撰有小敘，用以說明經學流派及其特色，如《易》類小敘云：

> 《經解》諸書，惟《易》為多，然自《偽子夏傳》外，皆宋、元兩代之作也。夫宋、元義理之學，以程，朱為最，一時說《易》諸家，蓋皆依以為宗。若朱震、鄭汝諧、項安世之徒，則推衍伊川之學者；若胡方平、稅與權、朱鑑、胡一桂、胡炳文、熊良輔之徒，則推衍晦翁之學者；而董楷、董真卿、梁寅三人，則又兼采程《傳》、朱《義》而冶于一爐。之數人者，雖旨趣不同，得失各異，然皆不失為二家之功臣。至於程、朱之外，而言義理者，則有《橫渠易說》、《紫巖易傳》。而沈該之宗尚古文，趙彥肅之推明卦畫，呂祖謙之考究《古易》，李衡、李簡、俞琰之博采眾說，李心傳、吳澄之多存古字，亦皆卓然有所樹立。凡此諸家之書，皆百世之不廢者也。然王宗傳之雜入心學，旨背儒家，趙汝楳之惟注經文，跡近好異，是則不可為法。且自劉牧《鉤隱圖》以下，實開以圖書言《易》之先聲，降及朱子，且以九圖冠於《本義》篇首，於是宋、元儒者之說《易》，開卷即及《先天》、《後天》、《河圖》、《洛書》，以至朱元昇、林光世、張理之徒，且舍《易》而專治圖書，匪特舍本求末，亦且用鄭代雅，支離怪誕，疑誤後學。當時不惑其說者，惟林至、項安世等數人而已。故宋、元圖書之多，影響於後日者甚大，此實學者之不可不知者也。[50]

執此敘與上述各篇提要開頭文句相互參看，可以清楚釐析宋、元《易》學傳承的脈絡。

---

49 關文瑛撰，陳惠美點校：《通志堂經解提要》，收入《通志堂經解研究論集》（臺北市：中央研究院中國文哲研究所，2005年），頁404。

50 關文瑛撰，陳惠美點校：《通志堂經解提要》，收入《通志堂經解研究論集》（臺北市：中央研究院中國文哲研究所，2005年），頁427。

　　提要編寫原則之三為「徵信」，關氏云：「言貴有徵，無徵不信。先民有作，莫不皆然」，因此書中「凡遇一字之疑，一名之惑，率多方證明，詳其所自，甲部不足，則繼以諸子，正史之外，參以稗官，不敢以一得自矜，未嘗以孤證為足。」[51]《通志堂經解提要》書後附有〈引用書目一覽表〉，援據之經注如黃宗羲《易學象數論》、胡渭《易圖明辨》、張惠言《易圖條辨》、岳珂《九經三傳沿革例》、皮錫瑞《經學歷史》、《經學通論》；史志如《宋史》、《元史》、《明史》、《清史列傳》；簿錄如錢大昕《補元史藝文志》、金門詔《補三史藝文志》、《館閣續錄》、王堯臣《崇文總目》、晁公武《郡齋讀書志》、陳振孫《直齋書錄解題》、焦竑《國史經籍志》、錢曾《述古堂藏書目》、瞿鏞《鐵琴銅劍樓藏書目》、黃虞稷《千頃堂書目》、《徵刻唐宋祕本書目》、朱彝尊《經義考》、翁方綱《通志堂經解目錄》、《四庫提要》、《四庫未收書提要》、趙士煒《中興館閣書目輯考》；類書如王應麟《玉海》、《姓譜》；文集如歐陽修《歐陽文忠公文集》、歸有光《歸震川文集》、徐乾學《憺園集》、納蘭成德《通志堂集》、杭世駿《道古堂集》；語錄如《朱子語錄》；學案如黃宗羲《宋元學案》；政書如《明太祖實錄》、《文獻通考》、《欽定續文獻通考》；雜著如沈括《夢溪筆談》、法式善《清祕述聞》；辭典如《中國人民大辭典》等近七十種。[52]足證關氏涉獵之淵博。

　　「三體」、「三例」是關文瑛《通志堂經解提要》全書架構的基礎，關氏自云「三感具而提要作，三體立而提要備，三例設而提要成」[53]，在〈通志堂經解提要敘例〉最後，又特別將此書與沈豫《皇清經解提要》做對照，云：

　　　是編之名，雖曰仿自沈氏，而內容實未嘗相謀。如「目錄」、「小傳」
　　　二體，彼之所無者，姑無論矣，他如《皇清經解》原書凡百八十餘

---

51 關文瑛撰，陳惠美點校：《通志堂經解提要》，收入《通志堂經解研究論集》（臺北市：中央研究院中國文哲研究所，2005年），頁404。

52 關文瑛撰，陳惠美點校：《通志堂經解提要》，收入《通志堂經解研究論集》（臺北市：中央研究院中國文哲研究所，2005年），頁734-739。

53 關文瑛撰，陳惠美點校：《通志堂經解提要》，收入《通志堂經解研究論集》（臺北市：中央研究院中國文哲研究所，2005年），頁405。

種,而沈氏前後為之提要者,纔百三十餘種,非若余之一書一提要也。又沈書體同札記,例非畫一,或詳為解釋,或略加詮注,故多則千言,少僅數字,如於宋翔鳳《四書釋地補正》曰「於閻書頗多考證」,纔七字耳,又於焦循《論語補疏》曰「援據古訓,多所發明」,纔八字耳,非若余之定例不移,未敢顯示詳略也。又沈氏往往一文之內綜論數書,非若余之雖附見諸作,亦各專篇論述也。故彼此相較,同者其名,而異者其實,天下事固有名同而實異者,是又不必強相攀附矣。[54]

　　無論體例之精審或考證之詳備,沈豫《皇清經解提要》都難以和關氏《通志堂經解提要》相提並論,然而《皇清經解提要》著成於經學昌明時代,即使沈氏經學根柢甚淺[55],學者仍肯定其書「可為初學導師」[56];《通志堂經解提要》刊行於民國二十三年(據關氏〈通志堂經解提要敘例〉,提「甲戌夏六月,瀋陽關文瑛敘於嗣守齋」),而淵博如顧頡剛,卻遲至一九六二年八月九日,方於大連購得[57]。歐陽修所謂「言之不可恃」,信哉!

四　周關二家易類著述提要異同

　　《通志堂經解》自乾隆四十八年(1783)運送至京,乾隆五十年(1785)由費振勛(1741-?)領銜進行補刊。楊國彭指出:在費振勛仿宋岳珂《五經》完成後,高宗在昭仁殿後專闢一室儲之,名曰「五經萃室」,《御製詩五

---

54 關文瑛撰,陳惠美點校:《通志堂經解提要》,收入《通志堂經解研究論集》(臺北市:中央研究院中國文哲研究所,2005年),頁405。

55 張舜徽:〈芙村文鈔二卷提要〉,《清人文集別錄》(臺北市:明文書局,1982年),卷16,頁435。

56 〔清〕譚獻撰,范旭倫等整理:《復堂日記》(石家莊:河北教育出版社,2001年),頁183。

57 顧頡剛著,王煦華整理:〈緩齋藏書題記〉,收入《歷史文獻》(上海市:上海社會科學院出版社,1999年),第1輯,頁14。

集》中，有〈五經萃室聯句〉，云「館編多輯文淵富，徐解重增修內營」，前一句注解：「本朝所纂諸經不下數十部，皆入《四庫全書》，彙插文淵閣架。」後一句注解：「近復命增補徐氏《通志堂經解》。」可知《經解》在高宗心目中的分量之重，值得在《四庫全書》所收本朝諸經之外單獨一提。[58] 其次，從《摛藻堂四庫全書薈要》與《四庫全書》採用《通志堂經解》作為繕錄底本，可以證明《通志堂經解》的價值。據陳惠美《徐乾學及其藏書刻書》統計，《四庫薈要》經部各類一百五十二種，直接標明「依內府所藏通志堂刊本繕錄恭校」的共有九十九種，佔了百分之六十五點一，若除去《通志堂經解》不收的小學類，則比例提高為百分之七十二點三。[59]《四庫全書》採用《通志堂經解》與否的情況較為複雜，崔富章《四庫提要補正》中，大凡《薈要總目》著錄為通志堂刊本的，均認為《四庫全書》底本亦是《通志堂經解》本；王愛亭《崑山徐氏所刻通志堂經解版本學研究》也認為：「《四庫全書》所錄各書，雖未如《薈要總目》明標底本，但《四庫薈要》既為《四庫全書》之精粹，二者又由同一批館臣前後相繼修成，故《四庫全書》不當又另依他本繕寫，二者所據絕大多數應當是相同的。即可以說，《四庫全書》所收各書，凡有《通志堂經解》本的，除個別例外，絕大多數據內府所藏《通志堂經解》本繕錄。」[60] 江慶柏《四庫全書薈要研究》看法略為保留，認為《四庫全書》與《通志堂經解》的關係，應從《總目》提供的信息、從《四庫全書》前冠有納蘭成德序、從所存《四庫》底本、從書前提要、從分纂稿等幾個方面，仔細分析。[61] 以上諸家，均從版本學角度對《通志堂經解》的價值進行探究，至於《四庫全書總目》及各閣本提要對《通志堂經解》所錄經說的評判，則欠缺論述。相對之下，周中孚《鄭堂讀

58　楊國彭：〈通志堂經解及其書版入藏內府考〉，《故宮博物院院刊》2019年第7期，頁73-74。

59　陳惠美：《徐乾學及其藏書刻書》（臺中市：東海大學中國文學研究所碩士論文，1990年），頁365-366。

60　王愛亭：《崑山徐氏所刻通志堂經解板本學研究》（濟南市：山東大學中國古典文獻學博士學位論文，2009年），頁210。

61　江慶柏：《四庫全書薈要研究》（南京市：鳳凰出版社，2018年），頁208-212。

書記》、關文瑛《通志堂經解提要》悉依通志堂本一百四十種專著辨疑發微，較能觀察從乾嘉以降，至於民國初期，對宋、元諸儒經說見解及立場的轉變。

《鄭堂讀書記》正編七十一卷，補逸三十卷，計收書二千六百三十九種，《通志堂經解》一百四十種悉皆錄入。其中《易》類著述三十九篇提要，見載於補逸卷一。補逸輯自上海李氏《慈雲樓藏書志》稿本，一九三七年始由上海商務印書館排印出版。周氏《讀書記》與關氏《經解提要》，俱推崇《四庫全書總目》權論之細，考證之精，《總目》之論證，二家徵引極多，但仍有各自關注的論題與觀點，形成各自不同的特色。茲舉宋朱元昇《三易備遺》為例，說明三者之異同如下：

《四庫全書總目》云：

《三易備遺》十卷，內府藏本，宋朱元昇撰，其子士立補葺。元昇字日華，里貫未詳。惟卷首載咸淳八年兩浙提刑家鉉翁〈進書狀〉，稱「承節郎差處州、龍泉、遂昌、慶元及建寧、松溪、政和巡檢朱元昇」。卷末士立跋，稱「咸淳庚午，《備遺》成帙，則堂家先生用聞於朝。三載，先子歿」云云。疑其即終於是官。庚午為咸淳六年，而狀署八年，殆傳寫誤「六」為「八」歟？其書本〈河圖洛書〉一卷，〈連山〉三卷，〈歸藏〉三卷，〈周易〉三卷，元昇〈自序〉亦兼言「三易」，而鉉翁〈進狀〉特稱其「著《中天歸藏書》數萬言」，未詳其故。豈以先天、後天皆儒者所傳述，而「中天」之說，元昇創之，故標舉見異耶？然干寶《周禮註》稱「伏羲之《易》小成，為先天；神農之《易》中成，為中天；黃帝之《易》大成，為後天」，則「中天」實亦古名，非新義也。元昇學本邵子，其言《河圖》、《洛書》，則祖劉牧。其言《連山》，以卦位配夏時之氣候，其言《歸藏》，以干支之納音配卦爻，其言《周易》，則闡反對、互體之旨，雖未必真合《周官・太卜》之舊，而冥心求索，以求一合，亦可謂好學深思者。

過而存之，或亦足備說《易》者之參考耳。[62]

周中孚《鄭堂讀書記》云：

> 《三易備遺》十卷，《通志堂經解》本，宋朱元昇撰。其子士可、士
> 立補葺。元昇字日華，號水簷，平陽人。中嘉定四年武科，官承節郎，差處
> 州、龍泉、遂昌、慶元縣、建寧府、松溪、政和縣巡檢。士可字起予，中開
> 慶元年武科。士立字起潛。《四庫全書》著錄，焦氏《經籍志》、倪氏
> 《宋志補》、朱氏《經義考》俱載之。是書首為〈河圖洛書〉一卷，
> 凡十三篇；次為先天〈連山易〉三卷，凡十七篇；次為中天〈歸藏
> 易〉三卷，凡十九篇；次為後天〈周易〉三卷，凡二十三篇。各有述
> 意一篇冠其首。大抵以《大傳》「河出圖，洛出書，聖人則之」，為夫
> 子明作《易》之根柢。因以《周禮》太卜掌《三易》之法各列為圖，
> 詳為之說。嘗自謂得聖人之心，於《註疏》解釋之外，有先儒所未發
> 者。水簷本精邵《易》，其以劉長民之說言圖書，以卦位配夏時氣候
> 言《連山》，以干支納音配卦爻言《歸藏》，以反對、互體言《周
> 易》。於古《三易》之旨雖未必盡當，而補葺罅漏，張皇幽眇，以尋
> 其墜緒，誠足備一家之學，視宋人偽撰之《三墳》，不可同日語矣。
> 書成於咸淳庚午。自為之序。越二年，家則堂鉉翁見之，進於朝，故
> 前又有中書省照剳。又明年，葛同叟寅炎為序之，附以五言古詩一
> 章。其書間有所闕，起予、起潛先後補成而刊之，故又有元至元癸巳
> 林能一千之序。末有元貞乙未起潛跋。納蘭容若即從刊本重梓，更為
> 之序。[63]

關文瑛《通志堂經解提要》云：

62　〔清〕紀昀等纂，四庫全書研究所整理：《欽定四庫全書總目》（北京市：中華書局，
　　1997年），〈經部三〉〈易類三〉，頁32-33。
63　〔清〕周中孚：《鄭堂讀書記》（北京市：北京圖書館出版社，2007年），〈補逸〉卷1，
　　頁36-37。

《三易備遺》十卷，宋朱元昇撰。有成德序、林千之序、葛寅炎序、自序各一首。謹案：宋朱元昇《三易備遺》十卷，蓋本圖書之學而述《三易》也。元昇學宗邵子，其圖書則祖劉牧，以為天下有亡書無亡言，乃參酌《鈎隱圖》、《觀物篇》所言，而懸揣《三易》之法，復因世次而冠以先天、中天、後天之名。內容〈河圖洛書〉一卷，所以言《三易》之原也；〈連山〉三卷、〈歸藏〉三卷、〈周易〉三卷，所以分論《三易》之義也。成德序曰：「朱氏精心象數之學，因夏時、坤乾之言，即河、洛、先、後天之圖，推五行生成，以明五十五圖之為《洛書》，述〈連山象數圖〉，以備《夏易》之遺；推五行納音，以明四十五數之為《河圖》，述〈歸藏象數圖〉，以備《商易》之遺；因先天、後天之體用，即象數之合，以證義、文之合，以繫爻象象之辭證互體，演反對互體圖例，以備《周易》之遺，而首之以《河圖》、《洛書》之辯。」是知元昇本後日圖書象數之學，而逆臆古易者也；抑知《三易》之中，惟《周易》有傳本，《連山》、《歸藏》早墜於地，間有傳者，亦屬贗鼎之流，而不值識者一哂。若元昇之書，殆皆以意為之，是非得失，無從論證，謂為朱氏一家之言則可，若真以《周官·太卜》之所掌盡在乎是，則癡人說夢，甚不可也。況先天諸圖，不過道家借《易》理以為修煉之術，邵子以後諸儒，信以為《周易》之真傳，已屬怪妄，今元昇且本之以上溯渺不可知之《連山》、《歸藏》，可謂妄中之妄，故張惠言《易圖條辨》頗斥其異。蓋圖書之荒謬，至元昇真有觀止之歎矣。[64]

由此例可知，《總目》對於據以繕錄的底本與該書序跋等資料不甚措意，關氏《經解提要》對於一書的不同版本也沒有特別留心，但在撰書人名氏之下，則臚列了成德序、作者自序、他人所作序跋行狀等資料，《鄭堂讀書記》不僅關注各書異本，同時在提要開頭詳列史志著錄情況，文末則條列序

---

64 關文瑛撰，陳惠美點校：《通志堂經解提要》，收入《通志堂經解研究論集》（臺北市：中央研究院中國文哲研究所，2005年），頁465-466。

跋等項目，並且進一步能利用序跋之線索，顯現此書從《慈雲樓藏書志》脫化而出的痕跡。

周、關二氏提要的差異，很大一部分根源於學術觀點、學術立場的不同。《四庫全書總目》最終成於紀昀之增刪潤飾，紀昀《易》學，強調「理其自然，數其必然，象其當然」[65]，言理者不能棄象數，言象數者不能棄理，對於宋《易》學派中的圖書一派，則痛加貶斥，云：

> 盈虛消息，理之自然也。理不可見，聖人即數以觀之，而因立象以著之。以〈乾〉一卦而論，積一至六，自下而上者，數也。一「潛」，二「見」，三「惕厲」，四「躍」，五「飛」，六「亢」者，理也，而象以見焉。至於互體、變爻，錯綜貫串，《易》之數無不盡，《易》之理無不通，《易》之象無不該矣。《左氏》所載，即古占法，其條理可覆案也。故象也者，理之當然也，進退存亡所由決也；數也者，理之所以然也，吉凶悔吝所由生也。聖人因卜筮以示教，如是焉止矣。宋人以數言《易》，已不甚近於人事，又務欲究數之所以然，於是由畫卦推奇偶，由奇偶推《河圖》、《洛書》，由《河圖》、《洛書》演為黑白、方圓、縱橫、順逆，至於汗漫而不可紀，曰此作《易》之本也。及其解經，則象義、爻象又絕不本圖書立說，豈畫卦者一數，繫辭者又別一數耶？夫聖人垂訓，實教人用《易》，非教人作《易》。今不談其所以用，而但談其所以作，是《易》之一經，非千萬世遵為法戒之書，而一二人密傳元妙之書矣。經者，常也，曾是而可為當道乎？朱子以康節之學為《易》外別傳，持論至確，其作《易學啟蒙》，蓋以程子《易傳》不及象數，故兼備此義，以補所闕，非專以數立教也。後人棄置《本義》，而專以《啟蒙》為口實，殆倒置其本末矣！[66]

---

65 〔清〕紀昀撰，孫致中等校點：〈黎君易注序〉，《紀曉嵐文集》（石家莊市：河北教育出版社），第1冊，頁155。

66 〔清〕紀昀等纂，四庫全書研究所整理：《欽定四庫全書總目》（北京市：中華書局，1997年），〈經部六〉〈易類六〉，頁72。

《通志堂經解提要》承用紀昀的觀點，而力觝圖書尤力，關氏云：

> 自劉牧《鉤隱圖》以下，實開以圖書言《易》之先聲，降及朱子，且以九圖冠於《本義》篇首，於是宋、元儒者之說《易》，開卷即及《先天》、《後天》、《河圖》、《洛書》，以至朱元昇、林光世、張理之徒，且舍《易》而專治圖書，匪特舍本求末，亦且用鄭代雅，支離怪誕，疑誤後學。[67]

對比之下，周氏《鄭堂讀書記》於陳搏、邵雍、劉牧圖書學派，則鮮少有尖銳的批判。以張浚《紫巖易傳》為例三家見解大為不同：

《四庫全書總目》云：

> 《紫巖易傳》十卷，兩江總督採進本，宋張浚撰。「紫巖」者，浚自號也。其曾孫獻之跋云：「忠獻公潛心於《易》，嘗為之傳，前後兩著稿，親題其第二稿云：『此本改正處極多，紹興戊寅四月六日，某書始為定本矣。』獻之嘗繕錄之，附以《讀易雜說》，通為十卷，藏之於家。」據此，則《雜說》一卷，似獻之所續附。然考獻之是跋，在嘉定庚辰，而朱子作浚〈行狀〉，已稱有《易解》及《雜說》共十卷，則獻之特繕錄而已，未嘗編次也。其書立言醇粹，凡說陰陽動靜，皆適於義理之正。末一卷即所謂《雜說》，胡一桂議其專主劉牧，今觀所論《河圖》，信然。朱子不取牧說，而作浚〈行狀〉，但稱尤深於《易》、《春秋》、《論》、《孟》，不言其《易》出於牧，殆諱之歟？[68]

周中孚《鄭堂讀書記》云：

> 《紫巖易傳》十卷，《通志堂經解》本，宋張浚撰。浚字德遠，號紫

---

67 關文瑛撰，陳惠美點校：《通志堂經解提要》，收入《通志堂經解研究論集》（臺北市：中央研究院中國文哲研究所，2005年），頁427。

68 〔清〕紀昀等纂，四庫全書研究所整理：《欽定四庫全書總目》（北京市：中華書局，1997年），〈經部二〉〈易類二〉，頁13-14。

巖，綿竹人。登進士第，官至右僕射兼知樞密院事，封魏國公，諡忠獻。《四庫全書》著錄，趙氏《讀書附志》及《宋志》俱載之。《宋志》止作《易傳》，蓋省文也。朱氏嘗作紫巖〈行狀〉，有云：「公之學，一本天理，尤深於《易》、《春秋》、《論》、《孟》，有《論語解》四卷，《易解》並《雜說》共十卷，《春秋解》六卷，《中庸解》一卷，《詩書禮解》三卷。」今按諸書俱佚，惟此《易解》存耳。其末卷為《讀易雜說》，雖主劉氏牧《遺論九事》之說，以九數為《河圖》，與邵子及朱、蔡異，然其論君道臣道、乾坤剛柔之說，以醇正明白出之，故朱子謂其學本乎天理也。卷末原有其曾孫獻之跋，此本偶佚之。[69]

關文瑛《通志堂經解提要》云：

《紫巖易傳》十卷，宋張浚撰。謹案：宋張浚《紫巖易傳》十卷，蓋以義理之學說《易》。題曰「紫巖」者，其自號也。其說《易》，不重訓詁、名物，惟多推闡其理。凡《易解》九卷，附以《讀易雜說》，合為十卷。其論《易》數曰：「太極一也，兩儀三之也，分為二，而七八九六之數五十有五，此天地之中數也。」論剛柔之義曰：「君道主剛，而其義也用柔，故乾動則為坤矣。臣道主柔，而其義也用剛，故坤動則為乾矣。」凡此之類，皆精確而合於理。又浚之說《易》，往往好比附史事，如解〈履卦〉則謂：「穆王能不忘蹈虎尾之憂，以戒其臣下。」解〈泰卦〉則謂：「箕子為武王陳〈洪範〉，輔相之道，畢備其中。」解〈否卦〉則謂：「唐明皇在開元時，侈心已萌。」解〈同人〉之六二爻則謂：「周公並用賢才，不牽私黨，道以盛行。」解〈謙卦〉之上六爻則謂：「文王居岐，謙德著聞。」解〈豫卦〉之九四爻則謂：「姬旦總群臣以輔成王，誠信而已矣。」綜觀其書，幾於無卦不引史事，雖難免誣妄穿鑿之失，然亦可以昭善惡而示勸懲，以方徒務空

---

69 〔清〕周中孚：《鄭堂讀書記》（北京市：北京圖書館出版社，2007年），〈補逸〉，卷1，頁23-24。

言者流，猶為此善於彼矣。惟浚又信圖書之學，頗主劉牧之說，則囿於時習而不知其非，且考證太疏，讀者仍須假重他書，則偏激之失，亦不能諱也。[70]

稍有不同的是，對於以禪言《易》、以心學言《易》一派，《四庫提要》、《鄭堂讀書記》指為涉於虛無異學，關文瑛則認為「於義理之中，別開生面者」。《四庫全書總目》「童溪易傳提要」條云：

> 《童溪易傳》三十卷，直隸總督採進本，宋王宗傳撰。……宗傳之說，大概祧梁、孟而宗王弼，故其書惟憑心悟，力斥象數之弊，至譬於誤註《本草》之殺人。焞〈序〉述宗傳之論，有「性本無」說、「聖人本無言」之語，不免涉於異學，與楊簡《慈湖易傳》宗旨相同。蓋弼《易》祖尚玄虛以闡發義理，漢學至是而始變。宋儒掃除古法，實從是萌芽。然胡、程祖其義理而歸諸人事，故似淺近而醇實；宗傳及簡祖其玄虛而索諸性天，故似高深而幻眇。考沈作靜作《寓簡》，第一卷多談《易》理，大抵以佛氏為宗。作靜為紹興五年進士，其作《寓簡》在淳熙元年，正與宗傳同時。然則以禪言《易》，起於南宋之初。特作靜無成書，宗傳及簡則各有成編，顯闡別徑耳。《春秋》之書事，《檀弓》之說禮，必謹其變之所始。錄存是編，俾學者知明萬曆以後，動以心學說《易》，流別於此二人，亦說《周禮》者存俞庭椿、邱葵意也。[71]

周中孚《鄭堂讀書記》云：

> 《童溪易傳》三十卷，《通志堂經解》本，宋王宗傳撰。宗傳字景孟，寧德人。淳熙八年進士，官韶州教授。《四庫全書》著錄，《宋

---

70 關文瑛撰，陳惠美點校：《通志堂經解提要》，收入《通志堂經解研究論集》（臺北市：中央研究院中國文哲研究所，2005年），頁438-439。

71 〔清〕紀昀等纂，四庫全書研究所整理：《欽定四庫全書總目》（北京市：中華書局，1997年），〈經部三〉〈易類三〉，頁26。

志》及國朝倪氏燦《補宋志》均未載。是書與楊慈湖簡所作《易傳》二十卷，同屬排斥象數而主心悟，因之涉於虛無異學，蓋王輔嗣一派末流之弊也。館臣俱錄存之者，以著經學別派之所由也。

關文瑛《通志堂經解提要》云：

《童溪易傳》三十卷，宋王宗傳撰。有自序、林焞序各一首。謹案：宋王宗傳《童溪易傳》三十卷，蓋亦義理之學。名曰「童溪」者，亦自號也。內容多引先儒之言，而以王弼、程子為宗，但雖詮釋義理，而有時流於禪學。《四庫提要》曰：「宗傳之書惟憑心悟，力斥象數之弊，至譬於誤注本草之殺人。焞〈序〉述宗傳之論，有『性本無』說、『聖人本無言』之語，不免涉於異學。」竊就其言而求宗傳之書，誠不免於言心之弊。蓋自南、北朝以後，佛教盛行於中國，儒者之通禪義，亦何可勝數；況兩宋之世，義理盛行，凡所謂正心誠意、敬靜安定之說，實與佛說相出入，故濂、洛諸賢而下，其解經之不流於異學者幾希，不過陽儒陰釋，力避其同而已。至楊簡《慈湖易傳》，乃不復顧忌；宗傳之書，亦祖尚玄虛，索諸性天，故二人之言《易》，又於義理之中，而別開生面者。《提要》以明萬曆後，動以心學說《易》，流別於二人，故錄其書，以識變之所始也。然宗傳之書，亦時援引史事，如於〈坤〉之初六爻，引鄭莊公不用祭仲蔓草以諫之事；於〈比〉之六三爻，引唐七司馬朋比王叔文之事；於〈泰〉之九二爻，引伯禹之宅百揆、傅說之求俊乂、周公之舉百工諸事；於〈觀〉之初六爻，引唐太宗問長孫無忌以求直言之事；於〈无妄〉之九五爻，引漢武帝好大喜功之事；於〈遯〉之上九爻，引范蠡策種之事。凡斯之類，觸目皆是，與張浚《易傳》大體相似，亦足飾其空言義理之失云。[72]

---

72 關文瑛撰，陳惠美點校：《通志堂經解提要》，收入《通志堂經解研究論集》（臺北市：中央研究院中國文哲研究所，2005年），頁453-454。

周、關二氏對於宋、元經解諸書見解之異同，大抵略如上述。關氏嘗謂：

> 《經解》刊入諸書，宋人以前，惟有《子夏易傳》等數種，餘則盡屬
> 宋學範圍。大抵宋儒治經，廢棄訓詁，宗尚議論，而以義理為其歸
> 宿，故言《易》則《先天》、《後天》、《河圖》、《洛書》，言《書》則
> 道德性命、精一執中，言《詩》則不主《小序》，言《禮》則不守康
> 成，言《春秋》則不信《三傳》，約言之，則皆舍漢儒之說，而專尊
> 程、朱之學者。但理雖一致，事有萬殊，其孰得孰失，則詳於各類小
> 序，茲不一一備錄矣。[73]

按葉德輝《書林清話》批評納蘭成德刻《通志堂經解》「門戶之見過深，凡
諸家經解，非程、朱一派，則削而不錄」[74]，林慶彰先生則指出：「《通志
堂經解》最重要的貢獻，是保存了宋、元時代的經說。清乾隆以後，漢學大
盛，宋學受到相當激烈的攻擊，宋、元人經說也罕有人研讀，幸賴有《通志
堂經解》，否則宋、元人經說湮滅的將更多。」[75]紀昀主持纂修《四庫全書總
目》，力主漢學以攻駁宋學，自有其時代背景，無可厚非。周中孚《鄭堂讀
書記》脫化於《慈雲樓藏書志》，既詳於版本，又能糾正《四庫提要》的疏
謬，宜其有《四庫全書總目》續編的美譽。而關文瑛撰《通志堂經解提
要》，欲以表彰其鄉先正之手澤，卻對宋、元人經說多所論難，不知何故。

五　結語

　　從上文各小節的論述，可得以下數點結論：

---

73 關文瑛撰，陳惠美點校：《通志堂經解提要》，收入《通志堂經解研究論集》（臺北市：
中央研究院中國文哲研究所，2005年），頁407。

74 〔清〕葉德輝：〈納蘭成德刻通志堂經解之一〉，《書林清話》（臺北市：文史哲出版社
影印民國九年觀古堂葉氏刊本，1988年），頁9-12。

75 林慶彰：〈通志堂經解之編纂及其學術價值〉，《清代經學研究論集》（臺北市：中央研
究院中國文哲研究所，2002年），頁179-207。

其一,《通志堂經解》總結宋、元間的經學著作,保存了這一時期的經學文獻,有功於經學,自不待言。其後陸續成為《摛藻堂四庫全書薈要》、《四庫全書》、《金華叢書》、《續金華叢書》、《藝海珠塵》、《無求備齋易經集成》等叢書繕錄或翻刻的底本,並影響張金吾(1787-1829)《詒經堂經解》、錢儀吉(1783-1850)《經苑》的輯刻,於是宋、元以來經學源流,可以盡其大概。

二、自康熙三十年(1691)《通志堂經解》刻訖以後,因卷繁價昂,不僅原刻難致,觀之者更循覽難遍。藏書家偶有論及的篇章,但大多為零篇短章,無法反映《通志堂經解》全貌。能針對《經解》全編所收錄的前人經說,發其幽隱,辨其疑惑,糾其訛謬者,僅有周中孚《鄭堂讀書記》與關文瑛《通志堂經解提要》。

三、周中孚《鄭堂讀書記》脫化於《慈雲樓藏書志》,既詳於版本,又能糾正《四庫提要》的疏謬,宜其有《四庫全書總目》續編的美譽。關氏以提要、原書目錄、作者小傳「三體」,做為考鏡各書源流,辨別其良窳,校論其是非的綱領;又立訂誤、提綱、徵信「三例」,做為提要的編寫原則,其去沈豫《皇清經解提要》,不可以道里計。

四、透過各書提要比對之後可知,《總目》對於據以繕錄的底本與該書序跋等資料不甚措意,關氏《經解提要》對於一書的不同版本也未加以留心,但在撰書人名氏之下,則臚列了成德序、作者自序、他人所作序跋行狀等資料,《鄭堂讀書記》不僅關注各書異本,同時在提要開頭詳列史志著錄情況,文末則條列序跋等項目,並且進一步能利用序跋之線索,修正《四庫提要》的謬誤。讀者倘能搜羅《四庫薈要提要》、《四庫全書總目》、《鄭堂讀書記》、《通志堂經解提要》仔細比勘核對,應能對清代中晚期,學者對宋元人經說的態度,有更深入的理解。

《倭名類聚鈔》引雅學文獻考

林協成[*]

中國文化大學中國文學系助理教授

提要

　　日本漢學家源順所編纂之《倭名類聚鈔》為日本第一部類書,《倭名類聚鈔》又名《和名類聚抄》。全書以漢文書寫,是書乃源順應勤子內親王要求所編纂之書籍。該書先蒐羅「日用所觸之事務」進而「類之、聚之」,將性質相仿者列於同部,每條皆有條目,條目下則引各家之說以詮釋之,林忠鵬先生曾統計出其共引三百六十多種典籍,且又以中國典籍居多,約佔八、九成,此外多元之徵引內容,亦為該書之特色,舉凡經、史、子、集,無所不見,更不乏今已失傳於東土者,故該書為中國典籍之輯佚,實有不可抹滅之功。今將《倭名類聚鈔》所徵引之雅學作品逐一摘錄後,則發現《倭名類聚鈔》不僅有傳世之《爾雅》、《廣雅》及郭璞《爾雅注》等,更錄有已亡佚之舍人《爾雅注》、李巡《爾雅注》、孫炎《爾雅注》及沈旋《爾雅集注》等作品。故本文擬就《倭名類聚鈔》所徵引之《爾雅》相關著作為研究對象,一方面藉以了解《倭名類聚鈔》編輯概況,一方面將所徵引之雅學著作,逐一輯錄出,以供確立雅學相關著作之地位及價值。

　　全文擬分三部份:第一部份,將《倭名類聚鈔》引用《爾雅》相關著作部分,逐條加以輯出;再者,持摘錄自《倭名類聚鈔》所引《爾雅》相關著

---

[*] 本文承蒙審查委員許媛婷教授審閱及指正若干錯誤,並提供臺北故宮博物院館藏《倭名類聚抄》版本資訊及源順生平相關資料,謹此致謝。

作之詞條，用以比對今存《爾雅》等相關之著作，最後將歸納、說明《倭名類聚鈔》所引之《爾雅》相關著作之特色及不當、不足之處。

關鍵詞：《倭名類聚鈔》　《爾雅》　《爾雅注》　源順　雅學

一 《倭名類聚鈔》及源順述略

　　源順，字俱瓃，生於醍醐天皇延喜十一年（911），卒於圓融天皇永觀元年（983），其先祖為嵯峨天皇，大納言定曾孫，左馬允舉子[1]，為日本平安時代中期之貴族、詩人、學者，時以博學多聞、能屬詩文、兼達和歌見聞於世，曾與大中臣能宣等四人於天曆五年（951）奉敕選撰《和歌集》而有「梨壺五歌仙」之稱，曾歷任勘解由判官、民部少丞，累遷至能登守，永觀元年卒，年七十三。著有《後撰和歌集》二十卷，《倭名類聚鈔》等，事蹟具見《大日本史》卷二百一十八〈列傳一百四十五・文學五〉。[2]

　　《倭名類聚鈔》乃勤子內親王有鑑於《文館詞林》、《白氏事類》等書，「徒備風月之興，難決世俗之疑」；而《辨色立成》、《楊氏漢語鈔》等辭書，則「俗說兩端，未詳其一，又其所撰錄，音義不見，浮偽相交」，故令源順「集彼數家之善說」，以達「臨文無所疑」之效，因而促使該書之問世。[3]

　　全書以漢文書寫，據〈倭名類聚鈔序〉所載，該書採「《漢語鈔》之文或流俗人之說，先舉本文正說，各附出於其注，若本文未詳，則直舉《辨色立成》、《楊氏漢語鈔》、《日本紀私記》，或舉《類聚國史》、《萬葉集》、《三代式》等所用之假字」的編輯方式，「上舉天地，中次人物，下至草木，勒成二十卷」，內容分類則受《爾雅》影響，按辭義採「卷中分部，部中分門」，將性質相似者列於同部，分得三十二部二百四十九門[4]；每條皆標條

1　見得能良介：〈校刻和名類聚抄箋注序〉，

2　見源順：《倭名類聚鈔一》（東京都：早稻田大学出版部，1987年），收錄於辻村敏樹編：《早稻田大學藏資料影印叢書》，国書篇第1卷，頁20。另本文所用之《倭名類聚鈔》亦以早稻田大學藏那波道圓校注的元和三年（1617年）活字本為據。

3　見〈倭名類聚鈔序〉，頁8-10。

4　案：今本分部分門之數有二：一為十卷本分二十四部一百二十八門；一為二十卷本分三十二部二百四十九門，未見〈倭名類聚鈔序〉所言分「四十部二百六十八門」者。另許媛婷教授指出，故宮所藏抄本雖在時代上較日本元和三年（1617年）活字本晚，然其抄寫用的底本，可能是更早的，而該抄本上有嘉永二年及明治年間抄寫者以硃筆所寫「按：今本有二十卷三十二部二百四十九門」、「今本作四十部二百六十八門」諸語，由此推斷日本元和三年活字本應為當時通行本。

目，條目下則引文以詮釋，「所注緝皆出前經、舊史、倭漢之書」，該書共引三百六十多種典籍[5]，多達八成以上為中國典籍，且徵引內容遍及經、史、子、集，其中不乏失傳於中國之書籍。此外每條下多以直音或反切方式標音，並附有萬葉假名注其日語讀音。該書有二十卷之詳本、及十卷之略本傳世，今台北故宮博物院藏有日本天保十年（1839）抄本二部及僅存卷一、二之日本享和元年（1801）稻葉邦通摹刻古寫殘本二部。

二　《倭名類聚鈔》中所徵引之雅學[6]著作

　　林忠鵬先生曾統計《倭名類聚抄》共徵引圖書有三百六十多部，前十部分別為《唐韻》、《本草》（包括注疏）、《爾雅》（包括注、集注）、《漢語抄》、各種《切韻》、《兼名苑》（包括注）、《說文解字》、《楊氏漢語抄》、《四聲字苑》及《玉篇》。其中關於雅學相關著作共徵引共二百七十四條[7]，而將其作品逐一摘錄後，則可發現《倭名類聚鈔》不僅引仍傳世於今之《爾雅》、《廣雅》及郭璞《爾雅注》等，更錄有已亡佚之舍人《爾雅注》、李巡《爾雅注》、孫炎《爾雅注》及沈琁《爾雅集注》等作品，然卻未見有對《倭名

5　見林忠鵬：〈《倭名類聚抄》與中國典籍〉，《重慶師院學報哲社報》2000年第2期，頁84。

6　「雅學」之定義可分為（1）訓詁書或辭書於體例及釋詞方式上仿《爾雅》者；（2）對《爾雅》和仿《爾雅》著作、注疏研究者。本文「雅學」則包含此二者。詳見竇秀豔：《中國雅學史》（濟南市：齊魯書社，2004年），頁1。

7　林忠鵬先生統計引書次數較多的前十部分別為：《唐韻》（二十卷本418次，十卷本435次）、《本草》（包括注疏等，二十卷本383次，十卷本400次）、《爾雅》（包括注、集注等，二十卷本215次，十卷本224次）、《漢語抄》（二十卷本211次，十卷本194次）、各種《切韻》（二十卷本200次，十卷本200次）、《兼名苑》（包括注，二十卷本178次，十卷本181次）、《說文解字》（二十卷本178次，十卷本183次）、《楊氏漢語抄》（二十卷本167次，十卷本201次）、《回聲字苑》（二十卷本162次，十卷本167次，按：《回聲字苑》應為《四聲字苑》之誤）及《玉篇》（二十卷本148次，十卷本160次），其中《爾雅》之相關著作（包含注、集解）有215次；十卷本則為224次。然筆者檢索後所得之數則為274次。同注4，頁84-85。

類聚鈔》所徵引雅學文獻作全面探討者[8]，故本文擬就《倭名類聚鈔》所徵引之雅學相關著作為研究對象，將其逐一錄出，並於諸書之下，將徵引之原文，依《倭名類聚鈔》中卷次先後，選輯臚列如下，並作相關之探析：

（一）《爾雅》

《爾雅》作者，歷來說法莫衷一是，有周公、孔子、孔子門人及先秦儒生等說法[9]，然因其「訓釋五經，辨章同異」、「多識鳥獸草木之名」的內容，有名物訓詁之用、達廣物博識之資，故自漢以降備受儒者稱譽及注意，而《倭名類聚鈔》中引其書而用者，計徵引九十二條，或直接引錄，或間接引用，或與原文同者，或據己意改寫而為己用，其內容陳列如下：

1 與今本《爾雅》同者

《倭名類聚鈔》引《爾雅》與今本同者，共計有六十四條。其中又有字完全相同者及用異體字的現象。

（1）用字與今本全同者

《倭名類聚鈔》引《爾雅》內容與今本同者，可供與今本做校對之用共計有五十四例，此舉三例為例[10]：

8　目前可見對《倭名類聚鈔》所徵引雅學文獻作探討者，多以單一作品為觀察對象，且僅有二部：一為張小柯：《關于《倭名類聚抄》所引《爾雅》》（長春市：東北師範大學日語語言文學研究所碩士論文，2010年）；一為景德：《關于《類聚名義抄》和《倭名類聚抄》所引《爾雅》》（長春市：東北師範大學日語語言文學研究所碩士論文，2017年）二部作品。

9　詳見竇秀豔：《中國雅學史》（濟南市：齊魯書社，2004年），頁8～21。

10　因篇幅之故，故此僅列三例，其餘則將詞條條目羅列如下，以資參考：洲、高祖父、高祖母、高祖姑、曾祖父、曾祖母、曾祖姑、族父、族昆弟、祖父、祖母、祖姑、外祖父、外祖母、父母、舅、母、從舅、兄、弟、孫、曾孫、玄孫、來孫、昆孫、仍孫、雲孫、婚兄弟、姻兄弟、壻、婦、娣婦、姒婦、嫂婦、叔、女公、女妹、外舅、

（1）卷二・親戚類第七・父母類第二十四・高祖母

　　《爾雅》云：「曾祖王父之妣為高祖王母。」

案：此見於《爾雅・釋親》。[11]

（2）卷十・居處部第十三・居宅具第百卅七・梁

　　《爾雅》云：「㮰𣚰𠂹雷二音[12]謂之梁。」

案：此見於《爾雅・釋宮》。[13]

（3）卷十九・蟲豸部第三十一・蟲豸類第二百四十・虫

　　《爾雅》云：「有足謂之蟲除忠反，無足謂之豸池爾反，上聲之重。」

案：此見於《爾雅・釋蟲》。[14]

（2）條目、引文用異體字

　　因文字會隨時、地而有雅、俗、古、今之別，通稱為異體字。《倭名類聚鈔》中共有九例[15]，此舉四例於下：

（1）卷十・居處部第十三・墻壁類第百卅八・垣墻

　　《爾雅》云：「墻音常謂之墉音庸。」

外姑、姨、棟、梁、樞、橜、烏羅、櫟桳、魚丁、虫、藕、茄、蘧、菡萏、檜、樅等五十五例。

11　見〔晉〕郭璞注，〔宋〕邢昺疏：《爾雅注疏》（臺北市：藝文印書館，1997年），收錄於《十三經注疏》第8冊，卷4，〈釋親〉，頁61。

12　案：《倭名類聚鈔》中每條下多以直音或反切方式標音，並附有萬葉假名注其日語讀音，故若原文中若有注音者，為忠於原貌，此亦將其錄出，並以小字與正文區分，下同。

13　見〔晉〕郭璞注，〔宋〕邢昺疏：《爾雅注疏》（臺北市：藝文印書館，1997年），卷5，〈釋宮〉，頁73。

14　見〔晉〕郭璞注，〔宋〕邢昺疏：《爾雅注疏》（臺北市：藝文印書館，1997年），卷4，〈釋親〉，頁165。

15　條目、內文使用異體者有：1、（1）「昆」條：「昆」《爾雅》作「䖵」。（2）「垣墻」條：「墻」，《爾雅》作「牆」。2、卷十一：（1）「金」條：「美」，《爾雅》作「美」；（2）「銀」條，「美」，《爾雅》作「美」。（3）「錫」條：「錫」，《爾雅》作「鍚」；3、卷十五：（1）「罧」條「罧」，《爾雅》作「槮」。（2）「泥鏝」條：「圬」，《爾雅》作「杇」；「鏝」，《爾雅》作「墁」。卷十七：（1）「蓮子」條，「芙蕖」，《爾雅》作「芙蓮」；（2）「芙蕖」條，芙蕖，《爾雅》作「芙渠」」

案：此見於《爾雅・釋宮》¹⁶，「墙」，《爾雅》作「牆」。「墙」為「牆」異
　　體，《龍龕手鑑・土部》云：「墙，俗全羊反，正作牆。」然《字彙・爿
　　部》曰：「牆；牆本字」、《正字通》亦云：「俗作墙，舊本省作墻，並
　　非」，故《爾雅》及《倭名類聚鈔》二處皆以異體行之，應可改作
　　「牆」。

（2）卷十一・寶貨部第十七・金類第百五十二・金

　　《爾雅》云：「黃金謂之璗_{徒黨反}，其羙者謂之鏐_{力幽反}。」

案：同《爾雅・釋器》之說。「羙」，《爾雅》作「美」¹⁷。「羙」為「美」之
　　異體。然「美」，《說文・羊部》作「甘也，從羊大。」¹⁸；「羙」，今作
　　「羔」，《說文・羊部》云「羊子也。從羊，照省聲」¹⁹，《字鑒》則云
　　「羊子，下從火，亦作羔，與甘美字不同美，美從小大字。」《五經文
　　字・羊部・美》云：「從羊、從大、從犬、從火者，訛。」故「羙」、
　　「美」二者本異，然因形近而訛作「羙」，故此應本《爾雅》改作
　　「美」。

（3）卷十一・寶貨部第十七・金類第百五十二・錫

　　《爾雅》云：「錫謂之釾_{常各反}。」

案：此見於《爾雅・釋器》，然「錫」，《爾雅》作「鐊」。「鐊」，《說文》
　　曰：「馬頭飾也」；錫，《說文》曰「銀鉛之間也」二者本異，而《隸
　　辨》云：「按《說文》易從日，碑變作 易 義，與易字相混，今俗因
　　之。」故「鐊」本為「錫」之訛，後以為異體之用，故此可本《爾雅》
　　改作「錫」。

---

16 見〔晉〕郭璞注，〔宋〕邢昺疏：《爾雅注疏》（臺北市：藝文印書館，1997年），卷5，
　　〈釋宮〉，頁72。

17 見〔晉〕郭璞注，〔宋〕邢昺疏：《爾雅注疏》（臺北市：藝文印書館，1997年），卷5，
　　〈釋器〉，頁79。

18 見〔漢〕許慎撰，〔清〕段玉裁注：《解字注》（臺北市：黎明文化事業股份有限公司，
　　1996年），卷4，〈羊部・美〉，頁148。

19 見〔漢〕許慎撰，〔清〕段玉裁注：《說文解字注》（臺北市：黎明文化事業股份有限公
　　司，1996年），卷4，〈羊部・羔〉，頁147。

（4）卷十五・調度部下第廿二・造作具第百九六・泥鐋

　　《爾雅》云：「鏝音蠻謂之圬音烏字亦作釫。」

案：此見於《爾雅・釋宮》，作「鏝謂之杇」。《字彙》、《五經文字》、《正字通》、《四聲篇海》等[20]皆以為「杇」、「圬」二者同，故「杇」為「圬」之異體。此外，《爾雅》作「鏝」，然本條條目作「鋘」，引文則作「鏝」，《字彙・金部》云「鋘，同鏝。」《正字通・金部》則云「鋘，俗鏝字。」故「鋘」為「鏝」之異體字。

（3）內容相同、條目有誤

　　文本與《爾雅》同，然條目有誤者僅有一例，為卷二十〈草木部第三十二〉〈蓮類第二百四十四・藕〉，

　　《爾雅》云：「其本蔤音密，和名波知須乃波比。」

案：此見於《爾雅・釋草》，作：「荷，芙渠。其莖茄，其葉蕸，其本蔤」[21]故此條目「藕」當作「蔤」。

2 異於今本《爾雅》者

　　異於今本《爾雅》者，可見有刪改、脫衍、訛字、合二條為一等現象，共計有十七條。

20　《五經文字》〈土部〉「𡎿，音烏，作杇同。」《四聲篇海》〈土部〉云「泥鏝也，杇同」，見〔金〕韓孝彥，韓道昭撰；〔明〕釋文儒，思遠，文通刪補：《成化丁亥重刊改併五音類聚四聲篇海》，收錄於《續修四庫全書》（上海市：上海古籍出版社，1995年，據北京大學圖書館藏明成化三年至七年明釋文儒募刻本影印），經部，小學類第229冊，〈透母第六・土部第十五〉，頁230；《字彙・土部》云「𡎿同杇」，見〔明〕梅膺祚撰：《字彙》，收錄於《續修四庫全書》（上海市：上海古籍出版社，1995年，據華東師範大學圖書館藏明萬曆四十三年刻本影印），經部，小學類第232冊，頁488；《正字通・土部》：「圬，杇、釫同」，見〔明〕張自烈撰，〔清〕廖文英續：《正字通》，收錄於《續修四庫全書》（上海市：上海古籍出版社，1995年，據湖北省圖書館藏清康熙二十四年清畏堂刻本影印），經部，小學類第234冊，頁213。

21　見〔晉〕郭璞注，〔宋〕邢昺疏：《爾雅注疏》（臺北市：藝文印書館，1997年），卷8，〈釋草〉，頁138。

（1）刪改

（1）卷一・天部第一・雲雨類第二・霧

　　《爾雅》云：「地氣上天曰霧」亡遇反，與務同。和名岐利

案：此條出於《爾雅・釋天》，作「天氣下，地不應曰雺；地氣發，天不應曰霧，霧謂之晦」[22]，故此條引文源順據己意加以刪改，此外「亡遇反，與務同」諸字為注語誤入正文。

（2）卷一・地部第二・山谷類第四・谿谷

　　《爾雅》云：「水出山入川曰谿，古奚反，又作溪和名太爾，下同，水與谿相屬曰谷。音穀，一音欲，見《唐韻》」

案：此說出於《爾雅・釋水》，作「水注川曰谿，注谿曰谷」[23]故此源順增改文句，另「古奚反，又作溪和名太爾，下同」及「音穀，一音欲，見《唐韻》」二處，為注語誤入正文。

（3）卷二・親戚類第七・姻婚類第廿八・婚姻

　　《爾雅》云：「壻之父為姻因反，婦之父為婚昏反。婦之父母、壻之父母相謂為婚姻。」

案：此見於《爾雅・釋親》，本作「婿之父為姻，……父之黨為宗族，母與妻之黨為兄弟。……相謂為婚姻。」[24]源順刪原文「父之黨為宗族，母與妻之黨為兄弟」諸字，並以「壻」作「婿」，《說文》曰：「壻或从女」[25]故二者同。

（4）卷十・居處部第十三・居宅具第百卅七・梲

---

22 見〔晉〕郭璞注，〔宋〕邢昺疏：《爾雅注疏》（臺北市：藝文印書館，1997年），卷6，〈釋天〉，頁27。

23 見〔晉〕郭璞注，〔宋〕邢昺疏：《爾雅注疏》（臺北市：藝文印書館，1997年），卷7，〈釋水〉，頁120。

24 見〔晉〕郭璞注，〔宋〕邢昺疏：《爾雅注疏》（臺北市：藝文印書館，1997年），卷4，〈釋親〉，頁64。

25 見〔漢〕許慎撰，〔清〕段玉裁注：《說文解字注》（臺北市：黎明文化事業股份有限公司，1996年），卷1，〈士部・壻〉，頁20。

《爾雅》云:「梁上楹謂之梲音拙,和名宇太知。《楊氏漢語抄》云:「蜀柱。」。」

案:《爾雅・釋宮》作「杗廇謂之梁,其上楹謂之梲。」[26]此條源順據已意改作。

(5)卷十六・器皿部第廿三・瓦器類第二百四・盆

《爾雅》云:「瓮謂之缶音不。」

案:此見於《爾雅・釋器》,作「盎謂之缶」郭璞注曰:「盆也」。盆,《廣韻》〈平聲〉〈二十三覃〉〈盆〉曰「瓦器,亦作瓮。」故「瓮」為「盆」之異體,《說文》云「盎也」,故此以同義詞「盎」改作為「瓮」。

(6)卷十七・菓蓏部第二十六・菓具第二百二十二・蔕

《爾雅》云:「棗李之類皆有蔕都計反,和名保曾。今案:蔕、蒂相通。」

案:《爾雅・釋木》作「棗李曰蔕之」[27],與此不符,疑源順據《爾雅》之說而改作。

(7)卷十八・羽族部第二十八・羽族名第二百三十一・鳳凰

《爾雅》云:「雄曰鳳音俸,俗云豐,雌曰凰音皇,羽虫之長也。」

案:《爾雅》未見此說,《爾雅・釋鳥》曰:「鶠,鳳,其雌皇。」[28]「雄曰鳳,雌曰皇」可見於《詩・大雅・卷阿》「鳳皇于飛」鄭玄箋曰「鳳皇,靈鳥仁瑞也。雄曰鳳,雌曰皇。」[29]故此源順自行刪改而成。

(8)卷二十・草木部第三十二・木具第二百四十九草具附出・花

《爾雅》云:「木謂之華戶花反,草謂之榮永兵反,榮而不實謂之英於驚

---

26 見〔晉〕郭璞注,〔宋〕邢昺疏:《爾雅注疏》(臺北市:藝文印書館,1997年),卷5,〈釋宮〉,頁73。

27 見〔晉〕郭璞注,〔宋〕邢昺疏:《爾雅注疏》(臺北市:藝文印書館,1997年),卷9,〈釋木〉,頁161。

28 見〔晉〕郭璞注,〔宋〕邢昺疏:《爾雅注疏》(臺北市:藝文印書館,1997年),卷10,〈釋鳥〉,頁184。

29 見〔漢〕毛亨傳,鄭玄箋;〔唐〕孔穎達等正義:《毛詩正義》(台北市:藝文印書館,1997年),收錄於《十三經注疏》,第2冊,《毛詩正義》,卷17,頁628。

反，訓阿太波奈。」

案：此見於《爾雅・釋草》，作「木謂之華，草謂之榮。不榮而實者謂之
秀，榮而不實者謂之英。」[30]本條刪「不榮而實者謂之秀」諸句，且
「不實」後脫「者」字。

（2）脫衍

（1）卷二・親戚類第七・兄弟類第廿六・姉

《爾雅》云：「女子先生為姉止反」，女兄和名阿禰

案：此見於《爾雅・釋親》，作「謂女子先生為姉」，故此「女」前脫「謂」
字。

（2）卷二・親戚類第七・兄弟類第廿六・妹

《爾雅》云：「女子後生為妹眛反，和名伊毛宇止。」

案：此說出於《爾雅・釋親》，作「謂女子先生為姉，後生為妹」[31]，本條
「後」字前衍「女子」二字。

（3）卷二・親戚類第七・兄弟類第廿六・從母兄弟

《爾雅》云：「從母兄弟男子為從母昆弟，女子為從母姉妹和名與戚
同。」

案：此說見於《爾雅・釋親》，作「從母之男子為從母昆弟，其女子子為從
母姉妹」[32]。此多有脫、衍，如「從母」後脫「之」字，衍「兄弟」二
字；「女」前衍「其」字，「子」後脫「子」。此源順依原文增改為釋。

（4）卷二・親戚類第七・子孫類第廿七・外孫

《爾雅》云：「女子之子為外孫。」

30 見〔晉〕郭璞注，〔宋〕邢昺疏：《爾雅注疏》（臺北市：藝文印書館，1997年），卷8，
〈釋草〉，頁144。

31 見〔晉〕郭璞注，〔宋〕邢昺疏：《爾雅注疏》（臺北市：藝文印書館，1997年），卷4，
〈釋親〉，頁61。

32 見〔晉〕郭璞注，〔宋〕邢昺疏：《爾雅注疏》（臺北市：藝文印書館，1997年），卷4，
〈釋親〉，頁62。

案：此見於《爾雅‧釋親》，作「女子子之子為外孫。」[33]「之」字前脫
「子」。

（3）訛字

（1）卷十九‧鱗介部第三十‧龜貝類第二百三十八‧白貝

　　《爾雅》云：「貝在水曰蛤也」

案：《爾雅‧釋魚》作「貝居陸，贆；在水者，蜬。」[34]此「蛤」應作
「蜬」。

（2）卷二十‧草木部第三十二‧蓮類第二百四十四‧蓮

　　《爾雅》云：「其子蓮音連，其中的。」

案：《爾雅‧釋草》作「其實蓮，其根藕，其中的」[35]，故「子」當作
「實」。

（4）一條分作二條

　　所謂一條分二條者，指於《爾雅》中本置同條，然源順則將其分條而
釋，此見於卷二〈親戚類第七‧夫妻類第廿九〉〈舅〉

　　《爾雅》云：「夫之父曰舅和名之宇止。」一云阿翁；「沒，則曰先舅」。

　　及卷二〈親戚類第七‧夫妻類第廿九‧姑〉

　　《爾雅》云：「夫之母曰姑和名之宇止女。沒，則曰先姑。」

案：此二條見於《爾雅‧釋親》，作「婦稱夫之父曰舅。稱夫之母曰姑。姑
舅在，則曰君舅君姑。沒，則曰先舅先姑。」源順將其分「姑」、「舅」
二條釋。「舅」條部分，「夫」前脫「婦稱」二字，衍「一云阿翁」。因

---

33 見〔晉〕郭璞注，〔宋〕邢昺疏：《爾雅注疏》（臺北市：藝文印書館，1997年），卷4，
　〈釋親〉，頁63。

34 見〔晉〕郭璞注，〔宋〕邢昺疏：《爾雅注疏》（臺北市：藝文印書館，1997年），卷9，
　〈釋魚〉，頁167。

35 見〔晉〕郭璞注，〔宋〕邢昺疏：《爾雅注疏》（臺北市：藝文印書館，1997年），卷8，
　〈釋草〉，頁138。

此針對「舅」，故刪除關於「姑」之說解，作「沒，則曰先舅」。於
「姑」條，「夫」前脫「稱」，並刪除關於「舅」之說解，改作「沒，則
曰先姑」。

3 未見於今本《爾雅》者

引文未見於今本者有二條：

（1）卷二·親戚類第七·兄弟類第廿六·從父兄弟

《爾雅》云：「兄之子、弟之子相謂為從父、昆弟和名伊止古。」但兄之
子，男為從父兄，女為從父姊；弟之子，男為從父弟，女為從父妹也。
案：「兄之子、弟之子相謂為從父、昆弟」見於《爾雅·釋親》。[36] 然「但
兄之子，男為從父兄……，女為從父妹也」等，則未見於今本《爾
雅》。

（2）卷十九·鱗介部第三十·龍魚類第二百三十六·鯉

《爾雅》云：「魚度音度，皆鯉魚也」
案：《爾雅》未見此說，亦未見錄「魚度」此字

4 誤將他書為《爾雅》者

（1）卷二·親戚類第七·姻婚類第廿八·姒娣

《爾雅》云：「關西兄弟之妻相呼為姒娣，逐理二反和名阿比與女。」
案：《爾雅·釋親》「長婦謂稚婦為娣婦，娣婦謂長婦為姒婦」郭璞注云：
「今相呼先後，或云姒娣」[37] 故「關西兄弟之妻相呼為姒娣」一句未見

---

36 見〔晉〕郭璞注，〔宋〕邢昺疏：《爾雅注疏》（臺北市：藝文印書館，1997年），卷4，
〈釋親〉，頁62。
37 見〔晉〕郭璞注，〔宋〕邢昺疏：《爾雅注疏》（臺北市：藝文印書館，1997年），卷4，
〈釋親〉，頁63。

於《爾雅》，而見於《方言》〈第十二〉「娌，耦也」郭璞注：「今關西兄弟婦相呼為築娌」，故此將《方言》郭璞注誤植為《爾雅》。另「逐理二反」應為注語誤入正文。

（2）卷十七・菓蓏部第二十六・菓具第二百二十二・核

《爾雅》云：「桃李之類皆有核偽革反，和名佐禰。今案：一名人，醫家書云：桃人、杏人等是也。」

案：《爾雅・釋木》作「桃李醜核」，郭璞注云「子中有核人」[38]，與此處所言有異，然《太平御覽》引孫炎注曰：「桃李之美，實皆有核。」[39]故疑誤將孫炎之注誤入正文，且「皆」前脫「實」字。

（3）卷十八・羽族部第二十八・羽族類孳尾附出第二百三十・鷇

《爾雅》云：「鳥子生須其母而食謂之鷇，音雛，一音彀。和名與鷽同。鳥子生能噣食謂之雛。音蒿，字亦作鶵。和名比奈噣，音闘，見下文。」

案：《爾雅・釋鳥》「生哺，鷇。生噣，雛」郭璞注：「鳥子須母食之。」疏則曰「鳥子生須母哺而食者，名鷇，謂燕雀之屬也。……鳥子生而能自啄食者名雛，謂雞雉之屬也。」[40]故源順應將注疏改入正文，「《爾雅》云」當改作「《爾雅疏》云」。

（4）卷十八・羽族部第二十八・羽族名第二百三十一・鳥

《爾雅》云：「純黑而反哺者謂之烏哺，薄故反。食在口也。」

---

38 見〔晉〕郭璞注，〔宋〕邢昺疏：《爾雅注疏》（臺北市：藝文印書館，1997年），卷9，〈釋木〉，頁161。

39 《太平御覽》引《爾雅》曰：桃、李醜核，桃曰膽之」引孫炎注曰：「桃李之類，實皆有核。」〔宋〕李昉：《太平御覽》收錄於《景印文淵閣四庫全書》（臺北市：臺灣商務印書館，1983年，據國立故宮博物院藏本影印），子部207，類書類，第901冊，卷967，〈果部四・桃〉，頁551。

40 見〔晉〕郭璞注，〔宋〕邢昺疏：《爾雅注疏》（臺北市：藝文印書館，1997年），卷10，〈釋鳥〉，頁185。

案：此條「純黑而反哺者謂之烏」之說未見於《爾雅》，然見於《小爾雅》
〈廣鳥〉，作「純黑而反哺者，謂之烏。小而腹下白，反哺者，謂之雅
烏」，故此疑為「《小爾雅》」之誤。另條目「鳥」字應作「烏」。

（5）卷二十・草木部第三十二・草類第二百四十二・薄

《爾雅》云：「草聚生曰薄《新撰萬葉集和歌》云：「花薄波奈須々木。」今案即
厚薄之薄字也。見《玉篇》。」

案：「草聚生曰薄」未見於《爾雅》，然《文選》揚雄〈甘泉賦〉「列新雉於
林薄」李善引《廣雅》云「草叢生曰薄」[41]、《廣雅・釋草》亦曰：「草
叢生為薄」。[42] 由是可知本條「《爾雅》」當作「《廣雅》」，「聚」則當作
「叢」。

（6）卷二十・草木部第三十二・木類第二百四十八・楓

《爾雅》云：「有脂而香謂之楓。」

案：《爾雅》未見其說，然《爾雅》「楓，欇欇」郭璞注曰：「楓，樹似白
楊，葉員而岐，有脂而香，今之楓香是。」[43] 故此應為「《爾雅注》」非
「《爾雅》」。

5 間接引用

《倭名類聚鈔》中轉引他書而見《爾雅》之名者，僅有一例。見於卷四
〈音樂部第十・鐘皷類第四十六・大皷枹附〉，《律書樂圖》所引《爾雅・釋

---

41 見〔梁〕蕭統編，〔唐〕李善注：《文選》（臺北市：五南圖書出版有限公司，1991
年），卷7，〈甘泉賦并序〉，頁177。

42 見〔魏〕張揖撰，〔隋〕曹憲音釋：《廣雅》（臺北市：新文豐出版公司，1985年，《叢
書集成新編》），第38冊，卷10，頁126。

43 見〔晉〕郭璞注，〔宋〕邢昺疏：《爾雅注疏》（臺北市：藝文印書館，1997年），卷9，
〈釋木〉，頁158。

樂》⁴⁴，曰：

> 《律書樂圖》云：「《爾雅》大鼗謂之麷音墳，和名於保豆々美，一云四乃豆々美。今案細腰鼓有一二三之名，皆以應節次第取名也。」

（二）舍人《爾雅注》

《爾雅》犍為文學注為最早之《爾雅》注本，該書作者，《經典釋文·敘錄》「犍為文學注三卷」注云「一云犍為郡文學卒史臣舍人，漢武帝時待詔，闕中卷」，然歷來有所爭議，以為舍人姓郭者有之，以為舍人為人名或官名者有之，然莫衷一是，後人則以犍為文學、犍為舍人、舍人稱該書。⁴⁵梁孝緒《七略》、《隋書·經籍志》及《經典釋文·敘錄》皆言三卷⁴⁶，然於該書於中唐已失傳，今僅存輯本。

《倭名類聚鈔》中徵引舍人《爾雅注》者，僅有一例。見於卷二〈親戚類第七〉〈父母類第二十四〉〈父母〉，曰：

> 《集注》：「舍人曰：『生稱父、母，死時稱考妣。』」一云：「惠公者阿，隱之考也；仲子者阿，桓之母也。明非死生之異稱矣。」

案：本條引舍人及郭璞之注。「舍人曰：……死時稱考妣。」此應引自犍為文學《爾雅注》；「一云惠公者阿，隱之考也；仲子者阿，桓之母也。明非死生之異稱矣。」則見於《爾雅·釋親》「母為妣」郭璞注，云：

---

44 見〔晉〕郭璞注，〔宋〕邢昺疏：《爾雅注疏》（臺北市：藝文印書館，1997年），卷5，〈釋樂〉，頁81。

45 詳見竇秀豔：《中國雅學史》（濟南市：齊魯書社，2004年），頁85～87。

46 《隋書》〈經籍志〉曰「《爾雅》三卷，漢中散大夫樊光注。梁有漢劉歆，犍為文學、中黃門李巡《爾雅》各三卷，亡。」見〔唐〕魏徵：《隋書》（臺北市：新文豐出版公司，1975年），卷32，〈志第二十七·經籍一〉，頁482；《經典釋文·序錄》言「犍為文學注，三卷。一云犍為郡文學卒史臣舍人，漢武帝時待詔，闕中卷」見〔唐〕陸德明：《經典釋文》，收錄於《叢書集成新編》（臺北市：新文豐出版公司，1985年），第38冊，卷1，頁57。

「《公羊傳》曰：『惠公者何？隱之考也；仲子者何？桓之母也。』……，明此非死生之異稱矣。」[47]故此應據郭璞之說而有所刪節，且文中「阿」當作「何」。

（三）李巡《爾雅注》

李巡，東漢汝陽人，時以清忠見稱，後有鑑「諸博士試甲乙科，爭弟高下，更相告言，至有行賂定蘭台漆書經字，以合其私文者」[48]，故刻五經於石，以正視聽，即後世熹平石經，官至中黃門，其注《爾雅》三卷[49]，然今已亡佚，僅見輯本，事蹟附見《後漢書》〈呂強傳〉。

《倭名類聚鈔》中徵引李巡《爾雅注》者，計有二例，分別見於卷一及卷十。

1 卷一・水部第三・涯岸類第十一・洲

《爾雅》云：「水中可居者曰洲」李巡曰：「四方皆有水也。音州和名須」

案：此見於《爾雅・釋水》郭璞疏所引[50]，另「音州」為注語誤入正文。

---

47 見〔晉〕郭璞注，〔宋〕邢昺疏：《爾雅注疏》（臺北市：藝文印書館，1997年），卷4，〈釋親〉郭璞注，頁61。

48 《後漢書》〈宦者列傳第六十八・呂強〉曰：「宦者濟陰丁肅、下邳徐衍、南陽郭耽、汝陽李巡、北海趙祐等五人稱為清忠，皆在里巷，不爭威權。巡以為諸博士試甲乙科，爭弟高下，更相告言，至有行賂定蘭台漆書經字，以合其私文者，乃白帝，與諸儒共刻《五經》文於石，於是詔蔡邕等正其文字。」見〔劉宋〕范曄著：《後漢書》（臺北市：新文豐出版公司，1975年），卷78，頁868。

49 《經典釋文》〈敍錄〉曰：「（爾雅）……李巡注三卷，汝南人，後漢中黃門」，見〔唐〕陸德明：《經典釋文》，收錄於《叢書集成新編》（臺北市：新文豐出版公司，1985年），卷1，頁57。《隋書》〈經籍志〉言：「《爾雅》三卷，漢中散大夫樊光注。梁有漢劉歆，犍為文學、中黃門李巡《爾雅》各三卷，亡」，見〔唐〕魏徵：《隋書》（臺北市：新文豐出版公司，1975年），卷32，〈志第二十七・經籍一〉，頁482。

50 邢昺《爾雅》疏李巡語：「云水中，案李巡云：『四方皆有水，中央獨可居，但大小異

2 卷十・居處部第十三・墻壁類第百三十八・垣墻

《爾雅》云:「墻音常謂之墉音庸」李巡曰:「謂垣音園,和名賀岐」

案:此說可見於清・余蕭客《古經解鉤沉》卷二十八「墻謂之墉」條注,云
「謂垣,墻也,李注」,而《黃氏逸書考》「墻謂之墉」條注亦載云「謂
垣,墻也,《詩正義一之四》邢疏」,由是可知此脫「牆」字。

(四)孫炎《爾雅注》

孫炎,字叔然,三國・魏樂安人,有東州大儒之稱,為鄭玄之門人,其
曾為師駁王肅之譏,有《周易注》、《春秋例注》,《毛詩注》、《禮記注》、《春
秋三傳注》、《國語注》、《爾雅音》、《爾雅注》等,一生著書頗豐,然皆失
傳。[51]孫炎所撰《爾雅注》,其卷數有三說:一為七卷,《隋書・經籍志》所
言[52];一為六卷,為《舊唐書・經籍志》、《新唐書・藝文志》所載[53];一為
三卷為《經典釋文・敘錄》[54]所載,然今皆未見,僅存輯本。其事蹟附見

其名耳。」見〔晉〕郭璞注,〔宋〕邢昺疏:《爾雅注疏》(臺北市:藝文印書館,1997
年),卷7,〈釋水〉,頁121。

51 《三國志》〈魏書〉〈王肅傳〉云「時樂安孫叔然,授學鄭玄之門,人稱東州大儒。徵
為秘書監,不就。肅集聖證論以譏短玄,叔然駁而釋之,及作《周易》、《春秋例》,
《毛詩》、《禮記》、《春秋三傳》、《國語》、《爾雅》諸注,又著書十餘篇。」見〔晉〕陳
壽:《三國志》(臺北市:新文豐出版公司,1975年),卷13,〈魏書十三〉〈鍾繇、華
歆、王朗傳第十三〉,頁397。

52 《隋書》〈經籍志〉言「《爾雅》七卷,孫炎注」,見〔唐〕魏徵:《隋書》(臺北市:新
文豐出版公司,1975年),卷32,〈志第二十七・經籍一〉,頁482。

53 《舊唐書》〈經籍志〉言:「《爾雅》六卷,樊光注;又六卷,孫炎注。」見〔五代〕劉
昫等撰:《舊唐書》(臺北市:新文豐出版公司,1975年),卷46,〈志第二十六・經籍
上〉,頁951;《新唐書・藝文志》言「《爾雅》,李巡注,三卷;樊光注,六卷;孫炎注
六卷」,見〔宋〕歐陽修撰:《新唐書》(臺北市:新文豐出版公司,1975年),卷57,
〈志第四十七〉〈藝文一〉,頁625。

54 《經典釋文》〈序錄〉云:「孫炎注三卷,音一卷」,見〔唐〕陸德明:《經典釋文》,收
錄於《叢書集成新編》(臺北市:新文豐出版公司,1985年),卷1,頁57。

《三國志・魏書》〈王肅傳〉。

《倭名類聚鈔》中徵引孫炎《爾雅注》者，共有六例，其中有據孫炎注刪改、誤以他書為孫炎者及未見引他書者：

1 **據孫炎注而刪改者：此僅見一例，卷二〈親戚類第七・姻婚類第廿八・私〉：**

> 《爾雅》云：「女子謂姉妹之夫為私，公私私字也和名與壻同。」孫炎注云：「謂無正親也。」

案：「謂無正親也」諸語，見於《詩經・碩人》「邢侯之姨，譚公維私」孔穎達疏引孫炎注言「私，無正親之言」[55]，故此有刪改。

2 **誤以他書為孫炎注者：僅見一例，卷十七〈菓蓏部第二十六・菓具第二百二十二・櫟梂〉**

> 《爾雅》云：「櫟，其實梂音求，和名以知比乃加佐。」孫炎曰：「菓之自裹者也。」

案：《爾雅・釋木》郭璞疏云：「櫟其實梂。孫炎曰：『櫟實橡也。』郭云：『有梂彙自裹』。」此源順疑據《爾雅疏》然誤將郭璞注作孫炎。

3 **未見引他書者，計有四例：**

（1）卷二・親戚類第七・父母類第二十四・祖母
> 《爾雅》云：「父之姚為王母。」《九族圖》云：「祖母於波。」孫炎曰：「人之尊祖若天王，故王父、王母也。」

（2）卷十・居處部第十三・居宅具第百卅七・梲
> 《爾雅》云：「梁上楹謂之梲音拙，和名宇太知，《楊氏漢語抄》云：「蜀柱」。」

---

55 《詩經》〈碩人〉「邢侯之姨，譚公維私。」孔穎達疏引孫炎注言「《釋親》云：『男子謂女子先生為姉，……孫炎曰：『同出，俱已嫁也。私，無正親之言。』」見〔漢〕毛亨傳，鄭玄箋；〔唐〕孔穎達等正義：《毛詩正義》（台北市：藝文印書館，1997年），卷3，頁129。

孫炎曰：「梁上柱，侏儒也。」

（3）卷十・居處部第十三・門戶具第百四十一・樞

　　《爾雅》云：「樞音朱謂之椳音隈，和名度保曾。俗云：度萬良」孫炎曰：「門戶之樞也。」

（4）卷十・居處部第十三・門戶具第百四十一・橛

　　《爾雅》云：「橛謂之闑音糵。」孫炎曰：「門中央杙也。」

（五）郭璞《爾雅注》

　　郭璞，字景純，晉河東聞喜人，其「好經術，博學有高才，而訥於言論，詞賦為中興之冠。好古文奇字，妙於陰陽算曆」[56]，元帝時曾任著作佐郎、尚書郎等職，又曾任王敦之記室參軍，後遇王敦謀逆，勸諫王敦不成而所殺，撰有《洞林》、《新林》、《卜韻》、《爾雅注》、《爾雅音義》、《爾雅圖譜》、《三蒼注》、《方言注》、《穆天子傳注》、《山海經注》、《楚辭注》等書，事蹟見《晉書》〈郭璞傳〉。[57]

　　郭璞《爾雅注》卷數有二說：一為《隋書・經籍志》言「《爾雅》五卷，郭璞注」[58]，一為《舊唐書》、《新唐書》及《經典釋文》所言三卷之數[59]，今本郭璞《爾雅注》為三卷。《倭名類聚鈔》徵引郭璞著作者，有

---

56 見〔唐〕房玄齡編：《晉書》（臺北市：新文豐出版公司，1975年），卷72，〈列傳第四十二〉〈郭璞葛洪〉，頁1236。

57 見〔唐〕房玄齡編：《晉書》（臺北市：新文豐出版公司，1975年），卷72，〈列傳第四十二〉〈郭璞葛洪〉，頁1236。

58 見〔唐〕魏徵：《隋書》（臺北市：新文豐出版公司，1975年），卷32，〈志第二十七〉〈經籍一〉，頁482。

59 《舊唐書・經籍志》言：「《爾雅》六卷，樊光注；又六卷，孫炎注；又三卷，郭璞注」見〔五代〕劉昫等撰：《舊唐書》（臺北市：新文豐出版公司，1975年），卷46，〈志第二十六〉〈經籍上〉，頁951；《新唐書》〈藝文志〉言「《爾雅》李巡《注》，三卷；樊光《注》，六卷；孫炎《注》，六卷；沈旋《集注》，十卷；郭璞《注》，一卷；又《圖》，一卷；《音義》一卷」見〔宋〕歐陽修撰：《新唐書》（臺北市：新文豐出版公司，1975年），卷57，〈志第四十七・藝文一〉，頁625；《經典釋文》〈敘錄〉則言

《爾雅注》及《爾雅音義》，引《爾雅注》有九例，有與今本《爾雅注》
同、奪衍、暗引及今本未見四類：

1、與今本《爾雅注》同者，有二例：一為卷十〈居處部第十三・墻壁類第
　　百卅八・屏〉作「《爾雅》注云：『屏音餅，小墻當門中也。』」及卷十九
　　〈鱗介部第三十・龍魚體第二百三十七・魚丁〉：「《爾雅》云：『魚枕謂
　　之丁和名以乎乃賀之良乃保禰。』郭璞注云：『枕在魚頭骨中，形似篆書丁字
　　者也。』」前者見於《爾雅・釋宮》「屏謂之樹」郭璞注[60]，後者則見於
　　《爾雅・釋魚》郭璞注之說。[61]

2、奪衍者，計有六例：

（1）卷一・天部第一・風雪類第三・霰

　　　　《爾雅註》云：「霰，冰雪雜下也。七見反，又作霚和名美曾礼。」

案：此見於《爾雅・釋天》「雨霓為霄」郭璞注，云：「霰，冰雪雜下者，謂
　　之霄雪。」[62]故此奪「者」字。而「七見反，又作霚」為注語誤入本
　　文。另《正字通》言「凡以傳釋經曰注，通作註」，段玉裁則以註、注
　　有別，經注用「注」，記物、言用「註」，自明代才改注為註。[63]故《爾
　　雅註》當改作《爾雅注》。

「郭璞注，三卷，字景純，河東人，東晉弘農太守著作郎，《音》一卷，《圖贊》二
卷。」；見〔唐〕陸德明：《經典釋文》，收錄於《叢書集成新編》（臺北市：新文豐出版
公司，1985年），卷1，頁57。

60 見〔晉〕郭璞注，〔宋〕邢昺疏：《爾雅注疏》（臺北市：藝文印書館，1997年），卷6，
　　〈釋天〉，頁73。

61 見〔晉〕郭璞注，〔宋〕邢昺疏：《爾雅注疏》（臺北市：藝文印書館，1997年），卷9，
　　〈釋魚〉，頁168。

62 見〔晉〕郭璞注，〔宋〕邢昺疏：《爾雅注疏》（臺北市：藝文印書館，1997年），卷6，
　　〈釋天〉，頁97。

63 段玉裁注「注」言「漢唐、宋人經注之字無有作註者，明人始改注爲註，大非古義
　　也。古惟註記字从言，如《左傳》敘諸所記註、韓愈文市井貨錢註記之類。《通俗文》
　　云：『記物曰註。』《廣雅》『註、識也。』古起居註用此字，與注釋字別。」見〔漢〕許
　　慎撰，〔清〕段玉裁注：《說文解字注》（臺北市：黎明文化事業股份有限公司，1996
　　年），卷11，〈水部・注〉，頁560。

（2）卷十五‧調度部下第廿二‧漁釣具第百九四‧罧

  《爾雅》云：「罧蘇蔭反，字亦作槮，謂之涔。字廉反，又音岑，和名布之都介。」郭璞曰：「積柴於水中，魚得寒入其裏，因以簿圍捕取之。」

案：《爾雅‧釋器》「罧」作「槮」，郭璞注曰：「積聚柴於水中，魚得寒入其裏隱藏，因以簿圍捕取之。」[64]故「積」前脫「聚」字，「裏」後脫「藏隱」。

（3）卷十五‧調度部下第廿二‧造作具第百九六‧泥鏝

  《爾雅》云：「鏝音蠻謂之杇音烏字，亦作釫。」郭璞曰：「杇，泥鏝也。」

案：《爾雅‧釋宮》郭璞注云「泥鏝也」，故「泥鏝」前衍「杇」字。[65]

（4）卷二十‧草木部第三十二‧蓮類第二百四十四‧芙蕖

  《爾雅》云：「荷，芙蕖符芙音同，蕖音渠」郭璞注云：「芙蓉音容，江東呼為荷也。」

案：《爾雅》郭璞注作「別名芙蓉，江東呼荷」[66]，由是可知「芙蓉」上脫「別名」，「江東」後衍「為」「也」二字。

（5）卷二十‧草木部第三十二‧蓮類第二百四十四‧藕

  《爾雅》云：「其本蔤音密，和名波知須乃波比」郭璞注云：「莖下白蒻音弱，在泥中者也。」

案：《爾雅‧釋草》郭璞注云「莖下白蒻，在泥中者。」[67]故此引文衍「也」字。

（6）卷二十‧草木部第三十二‧蓮類第二百四十四‧蓮

---

64 見〔晉〕郭璞注，〔宋〕邢昺疏：《爾雅注疏》（臺北市：藝文印書館，1997年），卷5，〈釋宮〉，頁76。

65 見〔晉〕郭璞注，〔宋〕邢昺疏：《爾雅注疏》（臺北市：藝文印書館，1997年），卷5，〈釋宮〉，頁72。

66 見〔晉〕郭璞注，〔宋〕邢昺疏：《爾雅注疏》（臺北市：藝文印書館，1997年），卷8，〈釋草〉，頁138。

67 見〔晉〕郭璞注，〔宋〕邢昺疏：《爾雅注疏》（臺北市：藝文印書館，1997年），卷8，〈釋草〉，頁138。

《爾雅》云：「其子蓮音連，其中的。」郭璞云：「蓮謂房也，的謂蓮中子也。」

案：今本《爾雅》作「其實蓮」，此「子」應作「實」。而《爾雅・釋草》「其中的」郭璞注曰「蓮中子也」[68]，故此衍「的謂」二字。

3、暗引

所謂暗引者，係指引用典籍而未註明出處者，此共計有四例：

（1）卷二・親戚類第七・子孫類第廿七・來孫

《爾雅》云：「玄孫之子為來孫」言只有往來親耳。今案：五代之孫也。

案：「只有往來親耳」見於《爾雅・釋親》郭璞注，作「言有往來之親」[69]，此不注出處，且「言」後衍「只」、「親」後衍「耳」，「來」字後則脫「之」。

（2）卷二・親戚類第七・子孫類第廿七・昆孫

《爾雅》云：「來孫之子為昆孫。」昆，後也。六代孫也。

案：「昆，後也」見於《爾雅・釋親》郭璞注[70]，此不注出處。

（3）卷二・親戚類第七・子孫類第廿七・仍孫

《爾雅》云：「昆孫之子為仍孫。」仍，重也。今案：七代之孫也。

案：「仍，重也」見於《爾雅・釋親》郭璞注，作「仍，亦重也」[71]，故「重」前脫「亦」字，此不注出處。

（4）卷二・親戚類第七・子孫類第廿七・雲孫

《爾雅》云：「仍孫之子為雲孫。」言輕遠如浮雲也。今案八代孫也。

---

68 見〔晉〕郭璞注，〔宋〕邢昺疏：《爾雅注疏》（臺北市：藝文印書館，1997年），卷8，〈釋草〉，頁138。

69 見〔晉〕郭璞注，〔宋〕邢昺疏：《爾雅注疏》（臺北市：藝文印書館，1997年），卷4，〈釋親〉，頁62。

70 《爾雅》云：「來孫之子為昆孫」郭璞注「昆，後也」。見〔晉〕郭璞注，〔宋〕邢昺疏：《爾雅注疏》（臺北市：藝文印書館，1997年），卷4，〈釋親〉，頁62。

71 見〔晉〕郭璞注，〔宋〕邢昺疏：《爾雅注疏》（臺北市：藝文印書館，1997年），卷4，〈釋親〉，頁62。

案：「言輕遠如浮雲也」，此見於《爾雅・釋親》郭璞注。[72]此不注出處。

4、未見於今本者，僅有一例，為卷二十〈草木部第三十二・蓮類第二百四
十四・蕸〉，作「《爾雅》云：『其葉蕸胡歌反」郭璞注云「蕸亦荷字
也。」」

（六）郭璞《爾雅音義》

《倭名類聚鈔》引《爾雅音義》者有二例，見於卷十七及二十。

1、卷十七・菓蓏部第二十六・菓類第二百二十一・柚

《音義》柚或作櫾，《山海經》字相通。

案：《爾雅・釋木》曰「柚，條」[73]，陸德明《經典釋文》〈爾雅音義〉引注
曰：「柚，羊又反，或作櫾。」

2、卷二十・草木部第三十二・木類第二百四十八・杉

《爾雅音義》云：「杉音衫，一音纖，和名須木，見《日本紀私記》，今案：俗用榲
字，非也。榲音，於粉反，柱也，見《唐韻》，似松，生江南，可以為船材
矣。」

案：《爾雅・釋木》「柀，煔」郭璞注曰：「煔似松，生江南，可以為船及棺
材作柱，埋之不腐。」[74]陸德明《經典釋文》〈爾雅音義〉則注曰：「柀
音披，又匹彼反；煔字或作杉，所咸反。」故此「似松，生江南，可以
為船材矣。」諸語乃將郭璞注誤作為《爾雅音義》。

---

72 見〔晉〕郭璞注，〔宋〕邢昺疏：《爾雅注疏》（臺北市：藝文印書館，1997年），卷4，
〈釋親〉，頁62。

73 見〔晉〕郭璞注，〔宋〕邢昺疏：《爾雅注疏》（臺北市：藝文印書館，1997年），卷9，
〈釋木〉，頁157。

74 見〔晉〕郭璞注，〔宋〕邢昺疏：《爾雅注疏》（臺北市：藝文印書館，1997年），卷9，
〈釋木〉，頁157。

（七）《爾雅注》

　　《倭名類聚鈔》中源順除以直書著者、書名方式以引用雅學相關著作外，另亦有僅題寫書名「爾雅注」之引文，然因歷代以「爾雅注」為名者甚眾，源順卻未註明注者為誰，故後世無從歸類為何人之作，細查多分別隸屬舍人、郭璞等人之注，亦有誤書他書及不知注者的情形，共計七十一例，茲分列如下：

1 屬舍人注者，計有二例：

1、卷十八・羽族部第二十八・羽族名第二百三十一・恠鶹

　　《爾雅注》云：「恠鶹，《漢語抄》云：『與多加畫』伏夜行鳴，以為恠者也。」

案：唐玄應《一切經音義》中可見「《爾雅》「恠鶹」舍人曰：『一名恠鳥，一名鵂鶹，南陽名鉤鵅。』」諸語[75]，故此引自舍人《爾雅注》。

2、卷十八・毛群部第二十九・毛群名第二百三十四・豺狼獥附

　　《爾雅注》云：「獥音叫，狼子也。」

案：《爾雅》「狼，牡獾，牝狼，其子獥，絕有力迅」邢昺疏引舍人曰：「狼，牡名獾，牝名狼，其子名獥，絕有力者名迅。」[76]故引自舍人《爾雅注》。

---

75 《一切經音義卷第十三》〈輪轉五道罪福報應經・鉤鵅〉，云：「《爾疋》：恠鶹，南陽名鉤鵅，晝伏夜行，鳴為恠也。」；又於《一切經音義》〈卷第五十四・治禪病祕要法・鷗鵂〉載「《爾疋》「恠鶹」舍人曰：『一名恠鳥，一名鵂鶹，南陽名鉤鵅。』，見〔唐〕釋慧琳撰．《一切經音義》（上海市：上海古籍出版社，1995年），收錄於《續修四庫全書》（上海市：上海古籍出版社，1995年，據日本元文三年至延享三年獅谷白蓮社刻本影印），經部小學類，第197冊，頁228。

76 見〔晉〕郭璞注，〔宋〕邢昺疏：《爾雅注疏》（臺北市：藝文印書館，1997年），卷10，〈釋獸〉，頁188。

2 屬李巡注者，計有三例：

1、卷一・天部第一・景宿類第一天河附出・牽牛

《爾雅註》云：「牽牛，一名河鼓和名比古保之，又以奴加比保之」

案：《爾雅・釋天》「何鼓謂之牽牛」邢昺疏引孫炎釋曰：「何鼓之旗，十二星，在牽牛北也，或名為何鼓，亦名牽牛。」而段玉裁以為明代乃改注為註，[77] 故此《爾雅註》可改作《爾雅注》。而此條為據李巡注修改。

2、卷十一・船部第十四・舟具第百四十五・苫

《爾雅注》云：「苫士廉反，和名度萬，編菅茅以覆屋也。」

案：此說同於《經典釋文》及《一切經音義》所引李巡以釋苫之言。[78]

3、卷二十・草木部第三十二・木類第二百四十八・榎

《爾雅注》云：「榎，一名楸上音古雅反，字亦作檟。下音瑉，和名衣。」

案：此見於《爾雅・釋木》「槄，山榎」邢昺疏「李巡云：『山榎，一名槄』[79]，然脫「山」字。

3 屬郭璞注者

屬郭璞注者共計有四十一條，重出一條。其中又有同今本郭璞注、據郭璞注刪改、衍脫、合二條為一及以他書為《爾雅注》者等。

---

77 見（漢）許慎撰、〔清〕段玉裁注：《說文解字注》（臺北市：黎明文化事業股份有限公司，1996年），頁560。

78 《經典釋文・春秋左氏音義》卷六〈昭七第二十六〉「苫也」條云「式占反，李巡云『編菅茅以覆屋曰苫』」見〔唐〕陸德明：《經典釋文》，收錄於《叢書集成新編》（臺北市：新文豐出版公司，1985年），卷20，頁255及《一切經音義・四分律》第十二卷〈覆苫〉曰：「《爾疋》『白蓋謂之苫』李巡『編菅以覆屋曰苫』一音舒焰反，苫而亦覆也」。見〔唐〕釋慧琳撰：《一切經音義》，收錄於《續修四庫全書》（上海市：上海古籍出版社，1995年，據日本元文三年至延享三年獅谷白蓮社刻本影印），經部小學類，第197冊，卷59，頁280。

79 見〔晉〕郭璞注，〔宋〕邢昺疏：《爾雅注疏》（臺北市：藝文印書館，1997年），卷9，〈釋木〉，頁157。

（1）與今本郭璞注同，共計有十一條，此舉四例為例⁸⁰：

（1）卷十・居處部第十三・門戶具第百四十一・棖

  《爾雅注》云：「棖音唐，和名保古多知。《弁色立成》云：「戶類」，門兩旁木也。」

案：此見於《爾雅・釋宮》「棖謂之楔」郭璞注。⁸¹

（2）卷十二・香藥部第十八・香名類第百五十四・麝香

  《爾雅注》云：「麝食夜反，脚似麞而有香。」

案：《爾雅・釋獸》「麝父麔足」郭璞注，云「脚似麞有香」⁸²，故此條引自郭璞之說。另《字彙補》〈鹿部〉云：「麝，同麝」，故「麝」為「麝」之異體。

（3）卷十三・調度部上第二十二・征戰具第百七十五・角弓

  《爾雅注》云：「弭亡爾反，都能由美，今之角弓也。」

案：此見於《爾雅・釋器》「無緣者為之弭」郭璞注，云「今之角弓也。」⁸³

（4）卷二十・草木部第三十二・木類第二百四十八・樱

  《爾雅注》云：「樱音藝，和名太良小木，叢生有刺也。」

案：此見於《爾雅・釋木》「棫，白樱」郭璞注。⁸⁴

---

80 引郭璞《爾雅注》而不著作者，（1）卷一：「霰」條1例；（2）卷十有「楣」條、「棖」條、「闑」條，共3例；（3）卷十二：「麝香」條，共1例；（4）卷十三：「角弓」條1例；（5）卷十六：「鮨」條，共1例；（6）卷十七：「欓枷」條、「覆盆子」條，共2例；（7）卷二十：「笋」條、「樱」條，共2例等。

81 《爾雅》「棖謂之楔」郭璞注「門兩旁木。」見《爾雅注疏》（臺北市：藝文印書館，1997年），卷5，〈釋宮〉，頁72。

82 見〔晉〕郭璞注，〔宋〕邢昺疏：《爾雅注疏》（臺北市：藝文印書館，1997年），卷10，〈釋獸〉，頁189。

83 見〔晉〕郭璞注，〔宋〕邢昺疏：《爾雅注疏》（臺北市：藝文印書館，1997年），卷5，〈釋器〉，頁80。

84 見〔晉〕郭璞注，〔宋〕邢昺疏：《爾雅注疏》（臺北市：藝文印書館，1997年），卷9，〈釋木〉，頁160。

（2）脫、衍者，共計有十五例，

（1）卷十‧居處部第十三‧道路具第百四十三‧橋^{葱台附}

《爾雅注》云：「梁音良，即水橋也。」

案：此見於《爾雅‧釋宮》「隄謂之梁」郭璞注作「即橋也」[85]，此衍「水」字。

（2）卷十四‧調度部中第二十二‧坐臥具第百八十八‧衣架

《爾雅注》云：「箷音移，字亦作椸。和名美曾加介，懸衣架也。」

案：《爾雅‧釋器》「竿謂之箷」郭璞注云：「衣架」[86]，此衍「懸」、「也」字。

（3）卷十六‧飲食部第二十四‧魚鳥類第二百一十二‧醢

《爾雅注》云：「醢乎改反，與海同。和名之々比之保，肉醬也。」

案：此見於《爾雅‧釋器》「肉謂之醢」郭璞注，云：「肉醬」[87]，此衍「也」字。

（4）卷十七‧稻穀部第二十五‧米類第二百一十六‧米

《爾雅注》云：「糠音康，和名沼賀，米皮也。」

案：此見於《爾雅‧釋器》「康謂之蠱」郭璞注，云：「米皮」[88]，此衍「也」字。

（5）卷十七‧稻穀穀部第二十五‧粟類第二百一十八‧秫

《爾雅注》云：「秫音述，黏粟也。」

---

85 見〔晉〕郭璞注，〔宋〕邢昺疏：《爾雅注疏》（臺北市：藝文印書館，1997年），卷5，〈釋宮〉，頁75。

86 見〔晉〕郭璞注，〔宋〕邢昺疏：《爾雅注疏》（臺北市：藝文印書館，1997年），卷5，〈釋器〉，頁81。

87 見〔晉〕郭璞注，〔宋〕邢昺疏：《爾雅注疏》（臺北市：藝文印書館，1997年），卷5，〈釋器〉，頁78。

88 見〔晉〕郭璞注，〔宋〕邢昺疏：《爾雅注疏》（臺北市：藝文印書館，1997年），卷5，〈釋器〉，頁79。

案：此見於《爾雅・釋草》「眾秫」郭璞注「謂黏粟也。」[89]此脫「謂」
　　字。

（6）卷十七・菓蓏部第二十六・菓類第二百二十一・楊梅

　　《爾雅注》云：「楊梅和名夜末毛々，狀如梅，子赤色，味甜酸，可食
　　之。」

案：此見於《爾雅・釋木》「朹，檕梅」郭璞注，云「朹檕，狀如梅，子如
　　指頭，赤色，似小棪，可食。」[90]然此「子」字後脫「如指頭」及「似
　　小棪」諸語，衍「味甜酸」及「之」字。

（7）卷十七・菜蔬部第二十七・水菜類第二百二十七・荇

　　《爾雅注》云：「荇菜上音杏字，亦作莕，和名阿佐々，叢生水中，葉丹在
　　端，長短隨水深淺者也。」

案：此見於《爾雅・釋草》「莕，接余。其葉苻。」郭璞注，云：「叢生水
　　中，葉圓，在莖端，長短隨水深淺，江東食之。亦呼為荇。」[91]而此
　　「葉丹」為「葉圓」之誤，「在」後脫「莖」字。

（8）卷十七・菜蔬部第二十七・野菜類第二百二十九・菌蕈附

　　《爾雅注》云：「菌音窘，具見菜羹類，形似蓋者也。」

案：此見於《爾雅・釋草》「中馗，菌。」郭璞注，云：「地蕈也，似蓋，今
　　江東名為土菌，亦曰馗廚。可啖之。」[92]

（9）卷十七・菜蔬部第二十七・野菜類第二百二十九・薇蕨

　　《爾雅注》云：「薇蕨微厥二音，和名和良比，初生無葉而可食之。」

案：此見於《爾雅・釋草》「蕨，虌」郭璞注，云：「《廣雅》云『紫虌』，非

89 見〔晉〕郭璞注，〔宋〕邢昺疏：《爾雅注疏》（臺北市：藝文印書館，1997年），卷8，
　　〈釋草〉，頁135。

90 見〔晉〕郭璞注，〔宋〕邢昺疏：《爾雅注疏》（臺北市：藝文印書館，1997年），卷9，
　　〈釋木〉，頁158。

91 見〔晉〕郭璞注，〔宋〕邢昺疏：《爾雅注疏》（臺北市：藝文印書館，1997年），卷8，
　　〈釋草〉，頁136。

92 見〔晉〕郭璞注，〔宋〕邢昺疏：《爾雅注疏》（臺北市：藝文印書館，1997年），卷8，
　　〈釋草〉，頁141。

也。初生無葉，可食。江西謂之蘩。」[93]

（10）卷十七・菜蔬部第二十七・野菜類第二百二十九・荼

　　《爾雅注》云：「荼音途，和名於保都知，苦菜之可食也。」

案：此見於《爾雅・釋草》「荼，苦菜」郭璞注，云「苦菜可食。」[94]此
　　「菜」後衍「之」、「也」二字。

（11）卷十八・羽族部第二十八・羽族名第二百三十一・木兔

　　《爾雅注》云：「木兔和名都久，或云美々都久，似鴟而小，兔頭，毛角者
　　也。」

案：此見於《爾雅・釋鳥》「萑，老鵵」郭璞注，云：「木兔也，似鴟鵂而
　　小，兔頭，有角，毛腳，夜飛，好食雞。」[95]而此「鴟」後脫「鵂」
　　「兔頭」後脫「有角」「夜飛，好食雞」諸語，另「毛角」為「毛腳」
　　之誤。

（12）卷十八・羽族部第二十八・羽族名第二百三十一・鸜鷁

　　《爾雅注》云：「鸜鷁，水鳥也。觜頭如鉤，好食魚者也。」

案：此見於《爾雅・釋鳥》「鷁，鶂」郭璞注，云：「即鸜鷁也。觜頭曲如
　　鉤，食魚。」[96]此衍「好」、「者也」諸字。

（13）卷十九・虫豸部第三十一・虫豸類第二百四十・衣魚

　　《爾雅注》云：「一名蛃魚上音柄，衣書中自生虫也。」

案：此見於《爾雅・釋蟲》「蟫，白魚」郭璞注「衣書中蟲，一名蛃魚。」[97]
　　此前後句錯置，並衍「自生」二字。

---

93 見〔晉〕郭璞注，〔宋〕邢昺疏：《爾雅注疏》（臺北市：藝文印書館，1997年），卷8，
　　〈釋草〉，頁142。

94 見〔晉〕郭璞注，〔宋〕邢昺疏：《爾雅注疏》（臺北市：藝文印書館，1997年），卷8，
　　〈釋草〉，頁135。

95 見〔晉〕郭璞注，〔宋〕邢昺疏：《爾雅注疏》（臺北市：藝文印書館，1997年），卷10，
　　〈釋鳥〉，頁186。

96 見〔晉〕郭璞注，〔宋〕邢昺疏：《爾雅注疏》（臺北市：藝文印書館，1997年），卷10，
　　〈釋鳥〉，頁185。

97 見〔晉〕郭璞注，〔宋〕邢昺疏：《爾雅注疏》（臺北市：藝文印書館，1997年），卷8，
　　〈釋蟲〉，頁163。

（14）卷二十・草木部第三十二・草類第二百四十二・术

　　《爾雅注》云：「术儲律反，和名乎介良，似薊生山中。」故亦名山薊也

案：此見於《爾雅・釋草》「术，山薊」郭璞注，云「《本草》云：『术，一
　　名山薊。今术似薊而生山中」[98]，此「薊」後脫「而」字，另薊，《玉
　　篇・艸部・薊》作同薊、《廣韻》〈去聲十二霽〉〈薊〉則云「後漢有薊
　　子俗作薊」，故薊為薊之異體。

（15）卷二十・草木部第三十二・草類第二百四十二・蕍蕪

　　《爾雅注》云：「蕍蕪湌無二音，和名須之，似羊蹄，葉細，味酢者也。」

案：此見於《爾雅・釋草》「須，蕍蕪。」郭璞注「蕍蕪，似羊蹄，葉細，
　　味酢，可食。」[99]此脫「可食」二字。另《類篇》、《集韻》皆言
　　「蕍，…或从湌」，故「蕍」為「蕍」異體。

（3）刪改者

（1）卷十・居處部第十三・道路類第百四十二・濟

　　《爾雅注》云：「濟子礼反，和名和太利，渡處也。」

案：《爾雅・釋水》「濟有深涉」郭璞注云「謂濟渡之處」[100]故據郭璞注刪
　　改。

（2）卷十・居處部第十三・道路具第百四十三・石橋

　　《爾雅注》云：「矼音江，和名以之波之，石橋也。」

案：《爾雅・釋宮》「石杠謂之徛」郭璞注曰「聚石水中以為步渡彴也。《孟
　　子》曰：『歲十月，徒杠成。』或曰今之石橋。」[101]故此據郭璞注刪節。

98　見〔晉〕郭璞注，〔宋〕邢昺疏：《爾雅注疏》（臺北市：藝文印書館，1997年），卷8，
　　〈釋草〉，頁134。
99　見〔晉〕郭璞注，〔宋〕邢昺疏：《爾雅注疏》（臺北市：藝文印書館，1997年），卷8，
　　〈釋草〉，頁139。
100　見〔晉〕郭璞注，〔宋〕邢昺疏：《爾雅注疏》（臺北市：藝文印書館，1997年），卷7，
　　〈釋水〉，頁120。
101　見〔晉〕郭璞注，〔宋〕邢昺疏：《爾雅注疏》（臺北市：藝文印書館，1997年），卷5，
　　〈釋宮〉，頁75。

（3）卷十一・牛馬部第十六・牛馬毛第百四十九・騧馬

　　《爾雅注》云：「騧音花，《漢語抄》云：『騧馬，鹿毛馬也』，淺黃色馬也。」

案：《爾雅・釋畜》「黑喙，騧」郭璞注云「今之淺黃色者為騧馬」[102]故此據郭璞之說而刪改。

（4）卷十一・牛馬部第十六・牛馬毛第百四十九・戴星馬

　　《爾雅注》云：「白顚，一名的顙，俗呼為戴星馬和名宇比太非能無麻。」

案：《玉篇・馬部》云「馰，馰顙，白額，或作的」故「馰顙」即「的顙」。而）《爾雅・釋畜》「馰顙，白顚。」郭璞注曰「戴星馬也」。[103]

（5）卷十一・牛馬部第十六・牛馬體第百五十・迴毛

　　《爾雅注》云：「迴毛，一云旋毛和名都無之。」

案：「迴毛」，《爾雅・釋畜》作「回毛」，《字彙》曰「迴同回」。郭璞注引樊光云：「俗呼之官府馬。伯樂《相馬法》：『旋毛在腹下如乳者千里馬。』」[104]故此或引自郭璞注，亦可能引樊光之說加以刪改。

（6）卷十七・菓蓏部第二十六・菓類第二百二十一・梅

　　《爾雅注》云：「梅莫杯反，和名宇女，似杏而酢者也。」

案：《爾雅・釋木》「梅，柟」郭璞注，云：「似杏實酢者」[105]，故此「而」當作「實」。

（7）卷十七・菓蓏部第二十六・菓類第二百二十一・楊梅

　　《爾雅注》云：「楊梅和名夜末毛々，狀如梅，子赤色，味甜酸，可食之。」

案：此見於《爾雅・釋木》「朹，檕梅」郭璞注，云「朹檕，狀如梅，子如

---

102 見〔晉〕郭璞注，〔宋〕邢昺疏：《爾雅注疏》（臺北市：藝文印書館，1997年），卷10，〈釋畜〉，頁193。

103 見〔晉〕郭璞注，〔宋〕邢昺疏：《爾雅注疏》（臺北市：藝文印書館，1997年），卷10，〈釋畜〉，頁193。

104 見〔晉〕郭璞注，〔宋〕邢昺疏：《爾雅注疏》（臺北市：藝文印書館，1997年），卷10，〈釋畜〉，頁193。

105 見〔晉〕郭璞注，〔宋〕邢昺疏：《爾雅注疏》（臺北市：藝文印書館，1997年），卷9，〈釋木〉，頁157。

指頭，赤色，似小樼，可食。」¹⁰⁶然此「子」字後脫「如指頭」及「似小樼」諸語，而衍「味甜酸」及「之」。

（8）卷十七・菓蓏部第二十六・蓏類第二百二十三・覆盆子

《爾雅注》云：「菈𦸐欠盆二音，覆盆也。」

案：此見《爾雅・釋草》「茥，菈𦸐」郭璞注，云：「覆盆也，實似莓而小」¹⁰⁷奪「實似莓而小」諸語。

（9）卷十七・菜蔬部第二十七・野菜類第二百二十九・菌蕈附

《爾雅注》云：「菌音窘，具見菜羹類，形似蓋者也。」

案：此見於《爾雅・釋草》「中馗，菌。」郭璞注，云：「地蕈也，似蓋，今江東名為土菌，亦曰馗廚。可啖之。」¹⁰⁸此衍「形」、「也」，刪「今江東……可啖之」諸字。

（10）卷十八・毛群部第二十九・毛群名第二百三十四・羬羊

《爾雅注》云：「羬羊力丁反，或作羷。和名加万之々，大於羊而大角者也。」

案：《爾雅・釋獸》「羷，大羊。」郭璞注，云：「羬羊，似羊而大，角圓銳，好在山崖間」，故「大角者」應為斷句之誤，應本原著於「角」後補「角圓銳」二字。

（11）卷十八・毛群部第二十九・毛群名第二百三十四・猪豚附

《爾雅注》云：「猪微居反，一名豯音弟和名井。」

案：此據郭璞注加以刪改，《爾雅・釋獸》「豕子，豬」郭璞注，云「今亦曰豯，江東呼豨，皆通名。」¹⁰⁹

106 見〔晉〕郭璞注，〔宋〕邢昺疏：《爾雅注疏》（臺北市：藝文印書館，1997年），卷9，〈釋木〉，頁158。

107 見〔晉〕郭璞注，〔宋〕邢昺疏：《爾雅注疏》（臺北市：藝文印書館，1997年），卷8，〈釋草〉，頁140。

108 見〔晉〕郭璞注，〔宋〕邢昺疏：《爾雅注疏》（臺北市：藝文印書館，1997年），卷8，〈釋草〉，頁141。

109 見〔晉〕郭璞注，〔宋〕邢昺疏：《爾雅注疏》（臺北市：藝文印書館，1997年），卷10，〈釋獸〉，頁188。

（12）卷十八・毛群部第二十九・毛群體第二百三十五・獲䑕

　　《爾雅注》云：「獲䑕苦䇼反，和名佐留保々，猿頰內藏食處也。」

案：此條據郭璞之說增改[110]，《爾雅・釋獸》「寓鼠曰䑕」郭璞注云「頰裏
　　貯食處，寓；謂獼猴之類寄寓木上。」

（13）卷十九・鱗介部第三十・龍魚類第二百三十六・鮪

　　《爾雅注》云：「大為王鮪，小為叔鮪。」

案：此見於《爾雅・釋魚》「鮥，鮛鮪。」郭璞注：「鮪，鱣屬也。大者名王
　　鮪，小者名鮛鮪。」此據郭璞注刪改；而《正字通・魚部・鮛》曰「鮛
　　鮪，鱣屬，鮥之小者。案鮛，本作叔，俗作鮛。」故「鮛鮪」、「叔鮪」
　　同。

（14）卷十九・虫豸部第三十一・虫豸類第二百四十・蠨蛸

　　《爾雅注》云：「蠨蛸蕭梢二音，一名蟢子上音喜，和名阿之太加乃久毛，小
　　蜘蛛之長脚者也。」

案：此據郭璞注刪改，《爾雅・釋蟲》「蠨蛸，長踦」郭璞注，云「小蜘蛛長
　　腳者，俗呼為喜子」。[111]

（15）卷二十・草木部第三十二・葛類第二百四十五・藤狼跋子附

　　《爾雅注》云：「藟力軌反，字亦作虆，和名布知，藤也，似葛而大。」

案：《類篇》云「虆，……或作藟、蘽、茉」，《玉篇》、《廣韻》則言「蘽、
　　欙同」，故欙、藟同。而本條「藟，藤也，似葛而大」與《爾雅・釋木》
　　「諸慮山欙」郭璞注「今江東呼欙為藤，似葛而麤大」相似，此或據郭
　　璞注刪改。

（16）卷十二・裝束部第二十一・衣服具第百六十四・襲

　　《爾雅注》云：「襲猶重也。」

---

110 見〔晉〕郭璞注，〔宋〕邢昺疏：《爾雅注疏》（臺北市：藝文印書館，1997年），卷
　　10，〈釋獸〉，頁192。

111 見〔晉〕郭璞注，〔宋〕邢昺疏：《爾雅注疏》（臺北市：藝文印書館，1997年），卷8，
　　〈釋蟲〉，頁164。

案：《爾雅・釋山》「山三襲陟」郭璞注曰「襲亦重」。[112]此以同義字「亦」改作「猶」。

（4）合兩條為一例，僅見於卷十一・牛馬部第十六・牛馬類第百四十八・馬駒等附

《爾雅注》云：「牝馬，一名騲馬上音草，和名米萬牝馬，一名駁馬上音父，和名乎萬。」

案：「牝馬，一名騲馬；牡馬，一名駁」本分屬於《爾雅・釋畜》「牡曰騭」及「牝曰騇」二處郭璞注語[113]，然源順將郭璞注二條合為一條同釋而刪改，另郭璞注用「草」，源順作「騲」。「騲」，未見於《說文》，《正字通・馬部》言「騲，本作草」，後因涉後文改作「騲」，故此「騲」應改作「草」。

（5）重出者：

卷十八〈羽族部第二十八・羽族體集附出第二百三十二・毛角〉作「《爾雅注》云：『木兔，似鴟而毛角。今案：毛冠、毛角，和名皆與冠同，但獨立謂之毛冠，双立謂之毛角耳。』」此說與卷十八〈羽族部第二十八・羽族名第二百三十一・木兔〉載「《爾雅注》云：『木兔，似鴟而小，兔頭毛角』」皆以「木兔」為所釋對象，內容亦相似，僅脫「小兔頭」三字，故此屬重出之條。

1 出處不詳者

（1）卷一・天部第一・雲雨類第二・霖

《爾雅註》云：「霖，一名靐，音淫，久雨也。」

---

112 見〔晉〕郭璞注，〔宋〕邢昺疏：《爾雅注疏》（臺北市：藝文印書館，1997年），卷7，〈釋山〉，頁116。
113 《爾雅・釋畜》「牡曰騭」郭璞注曰「今江東呼駁馬為隮」；另「牝曰騇」下郭璞則注曰「草馬名。」見〔晉〕郭璞注，〔宋〕邢昺疏：《爾雅注疏》（臺北市：藝文印書館，1997年），卷10，〈釋畜〉，頁193。

案：《爾雅・釋天》「久雨謂之淫。淫謂之霖。」郭璞注：「雨自三日巳上為霖。」邢昺疏「久雨謂之淫者，淫，過也。久雨過多，害於五稼，故謂之淫。……『淫謂之霖』者，淫雨又名霖也」[114]故此說非引自郭璞注，或出於《爾雅》。另「一名霝，音淫」諸字應為注語，誤入正文。

（2）卷三・形體部第八・鼻口類第三十二・咽喉

《爾雅》云：「喉侯反謂之嚨籠反，和名乃無止。」

案：「喉謂之嚨」之說未見於《爾雅》，而《爾雅・釋鳥》「亢，鳥嚨」下郭璞注有：「嚨謂喉嚨」[115]，故此《爾雅》或為《爾雅注》之誤。而咽、喉、嚨字義皆相似，嚨，《說文》曰：「喉也」；喉，《說文》曰「咽也」，咽，《說文》曰：「嗌也」，《太平御覽》卷三百六十八〈人事部九・喉咽〉引作「《說文》曰：『咽，嗌也』，喉嚨也。」由此可知，古人咽、喉、嚨三者不分，故云「喉謂之嚨」，然此何人之注語則未詳。

（3）卷十・居處部第十三・居宅具第百廿七・㭤

《爾雅注》云：「梁上謂之㭤音而，《文選・師說》：『多々利加太』，欐櫨也。」

案：《爾雅・釋宮》「㭤謂之梲」郭璞注作「即櫨也。」[116]故非引自郭璞注，亦未見於今《爾雅》相關注疏，應屬佚文。

（4）卷十・居處部第十三・居宅具第百三七・桷

---

114 《爾雅注疏》「久雨謂之淫。淫謂之霖」郭璞注：「雨自三日巳上爲霖」邢昺疏云：「久雨謂之淫者，淫，過也。久雨過多，害於五稼，故謂之淫。《月令》：『季春行秋令，則天多沈陰，淫雨早降。』謂久雨也。注云『《左傳》曰：天作淫雨』者，莊十一年傳文也。『淫謂之霖』者，淫雨又名霖也」，見〔晉〕郭璞注，〔宋〕邢昺疏：《爾雅注疏》（臺北市：藝文印書館，1997年），卷6，〈釋天〉，頁97。

115 見〔晉〕郭璞注，〔宋〕邢昺疏：《爾雅注疏》（臺北市：藝文印書館，1997年），卷10，〈釋鳥〉，頁187。

116 見〔晉〕郭璞注，〔宋〕邢昺疏：《爾雅注疏》（臺北市：藝文印書館，1997年），卷6，〈釋天〉，頁73。

《爾雅注》云:「桷音角,和名須美木,屋四阿大榱也。」

案:《爾雅‧釋宮》「桷謂之榱」郭璞注「屋椽」[117],故此非郭璞注語,亦未見於今《爾雅》相關注疏,應屬佚文。

(5)卷十一‧牛馬部第十六‧牛馬類第百四十八‧牛犢附

《爾雅注》云:「犢音讀,和名古宇之,牛子也。」

案:《爾雅‧釋畜》「其子犢」郭璞注曰「今青州呼犢為㹀。」邢昺疏則云「其牛所生之子名犢。郭云:『今青州呼犢為㹀。』」故此屬佚文。

(6)卷十一‧牛馬部第十六‧牛馬毛第百四十九‧騅菼附

《爾雅注》云:「菼騅今案:菼者,蘆初生也。吐敢反,俗云葦毛是,青白如菼色也。」

案:《爾雅‧釋畜》「蒼白雜毛,騅」郭璞注曰「毛有淺青及白兼雜毛者,名騅。」[118]故此非引自郭璞注。

(7)卷十四‧調度部中第二十二‧織機具第百八十五‧麻苧

《爾雅注》云:「枲司里反,和名介無之,麻無子名也。」

案:《爾雅‧釋草》「枲麻」郭璞注「別二名。」[119]由是觀之,此非引自郭注,而其出處未詳。

(8)卷十八‧羽族部第二十八‧羽族名第二百三十一‧鴟

《爾雅注》云:「鳶,一名鴟音狂,《漢語抄》云:『久曾止比』,喜食鼠而大目者也。」

---

117 見〔晉〕郭璞注,〔宋〕邢昺疏:《爾雅注疏》(臺北市:藝文印書館,1997年),卷5,〈釋宮〉,頁73。

118 見〔晉〕郭璞注,〔宋〕邢昺疏:《爾雅注疏》(臺北市:藝文印書館,1997年),卷10,〈釋畜〉,頁193。

119 見〔晉〕郭璞注,〔宋〕邢昺疏:《爾雅注疏》(臺北市:藝文印書館,1997年),卷8,〈釋草〉,頁139。

案：「鵟」，《爾雅》作「狂」，唐‧陸德明《經典釋文‧卷三 ‧爾雅音義
下》：「鵟，今本作狂。」而鵟，見錄於《爾雅‧釋鳥》曰，「狂，䳌
鳥」郭璞則注云「狂鳥，五色，有冠」[120]而「鳶」，《爾雅‧釋鳥》曰
「鳶，烏醜，其飛也翔。」郭璞注曰「布翅翱翔」郭璞疏則曰「鳶，鴟
也。鴟鳥之類，其飛也布翅翱翔」，故未見「鳶，一名鵟」之說法，亦
無「喜食鼠而大目者」之說，故此非引自郭璞注，其出說未詳。

（9）卷十八‧羽族部第二十八‧羽族名第二百三十一‧梟

《爾雅注》云：「鴟、梟者，分別大小之名也。」

案：《爾雅‧釋鳥》「梟鴟」郭璞注云：「土梟也」，與此說不符，故此非引自
郭璞注。

（10）卷十九‧鱗介部第三十‧龜貝類第二百三十八‧貽貝

《爾雅注》云：「貽貝，一名黑貝貽音怡，和名伊加比」

案：《爾雅‧釋魚》「玄貝貽貝」郭璞注「黑色貝也」[121]，此異於郭璞之說。

（11）卷十九‧虫豸部第三十一‧虫豸類第二百四十‧蟏蛸

《爾雅注》云：「一名蠨蛸上才尤反。」

案：郭璞注《爾雅‧釋蟲》時將「蟏蛸」及「蠨蛸」二者以為「雖通名為
蠍，所在異」，邢昺疏則言該蟲有蠨蛸、蟏蛸、蠨蛸、蛣蜣、桑蠹、蠍
等六名。[122]蟏蛸、蠨蛸同實異名，故此言「一名蠨蛸」，此注非引自郭

---

120 見〔晉〕郭璞注，〔宋〕邢昺疏：《爾雅注疏》（臺北市：藝文印書館，1997年），卷
10，〈釋鳥〉，頁186。

121 見〔晉〕郭璞注，〔宋〕邢昺疏：《爾雅注疏》（臺北市：藝文印書館，1997年），卷9，
〈釋魚〉，頁167。

122 《爾雅‧釋蟲》「蠨，蟏蛸」郭璞注云「在冀土中」、「蠨蛸，蠍」郭璞注則云「在木
中。今雖通名為蠍，所在異」邢昺疏曰「釋曰：此辨蠍在土、在木之異名也。其在冀
土中者，名蠨蛸，又名蟏蛸。其在木中者，《方言》云：『關東謂之蠨蛸，梁益之間謂
之蠍。』上文『蠍，蛣蜣』，郭云『木中蠹』。下文『蠍，桑蠹』，郭云『即蛣蜣』。然

璞注。

（12）卷十九・虫豸部第三十一・虫豸類第二百四十・蚚蠖

《爾雅注》云：「一名蝍蛆子六反。」

案：此說與《爾雅・釋蟲》「蠖，蚚蠖」郭璞注「今蝍蛆」[123]之說相似，然應非引自郭璞之注。

（13）卷十九・虫豸部第三十一・虫豸類第二百四十・茅蜩

《爾雅注》云：「茅蜩，一名蠽子列反，和名比久良之，小青蟬也。」

案：《爾雅・釋蟲》「茅蜩」郭璞注云「江東呼為茅蠽，似蟬而小，青」邢昺疏曰「一名茅蜩，似蟬而小，青色者也。」[124]由是觀之，此非引自郭璞之注。

（14）卷十九・虫豸部第三十一・虫豸類第二百四十・蠮螉

《爾雅注》云：「蠮螉悅翁二音，和名佐曾里，似蜂而細腰者也。」

案：《爾雅・釋蟲》「果臝，蒲盧」郭璞注「即細腰蜂也，俗呼為蠮螉。」[125]此郭璞注雖與此說相似，卻不同，故此應非出自郭注，出處不詳。

2 誤以他書為《爾雅注》者

《倭名類聚鈔》中有若干題為《爾雅注》者，然細查則未見於《爾雅

則蠜螽也，蠰螽也，蜙蝑也，蛄蟖也，桑蠹也，蠍也，一蟲而六名也。」見〔晉〕郭璞注，〔宋〕邢昺疏：《爾雅注疏》（臺北市：藝文印書館，1997年），卷9，〈釋蟲〉，頁164。

[123] 見〔晉〕郭璞注，〔宋〕邢昺疏：《爾雅注疏》（臺北市：藝文印書館，1997年），卷9，〈釋蟲〉，頁164。

[124] 見〔晉〕郭璞注，〔宋〕邢昺疏：《爾雅注疏》（臺北市：藝文印書館，1997年），卷9，〈釋蟲〉，頁161。

[125] 見〔晉〕郭璞注，〔宋〕邢昺疏：《爾雅注疏》（臺北市：藝文印書館，1997年），卷9，〈釋蟲〉，頁164。

注》，而為他書之誤書者，共計有十條，茲條列如下：

（1）卷十一・牛馬部第十六・牛馬毛第百四十九・驄馬踏雷馬附

《爾雅注》云：「四骹皆白曰驓音僧，俗云阿之布知骹謂膝以下也。四蹢皆白曰騚音前；蹢，蹄也，俗呼為踏雪馬。」

案：《爾雅・釋畜》「四骹皆白，驓」郭璞注「骹，膝下也。」「四蹢皆白，首」郭璞注曰「俗呼為踏雪馬。」邢昺疏則曰「馬之膝上皆白者惟也。駿，膝下也。四膝下皆白名驓。蹢，蹄也。四蹢皆白名首，俗呼為踏雪馬，言蹢白似踏雪也。」[126]故此疑引自邢昺疏之言。另條目「踏雷馬附」中，「踏雷」應為「踏雪」之誤。

（2）卷十八・毛群部第二十九・毛群類第二百三十三・獸

《爾雅注》云：「四足而毛謂之獸音狩，和名介毛乃。」

案：《爾雅・釋鳥》云「四足而毛謂之獸」，故「爾雅注」應為「爾雅」之誤

（3）卷十八・毛群部第二十九・毛群名第二百三十四・猩猩

《爾雅注》云：「猩猩音星，此間云象掌，能言獸也。」

案：《爾雅・釋獸》「猩猩小兒好啼」，郭璞注云「《山海經》曰：『人面豕身，能言語。』今交趾封谿縣出猩猩，狀如獲狐，聲似小兒啼。」邢昺疏則曰「能言獸也」[127]，故此「爾雅注」應作「爾雅疏」。

（4）卷十九・鱗介部第三十・龍魚類第二百三十六・鱧魚

《爾雅注》云：「鱮似蛇今案：鱮即魟字也。」

---

126 見〔晉〕郭璞注，〔宋〕邢昺疏：《爾雅注疏》（臺北市：藝文印書館，1997年），卷10，〈釋畜〉，頁193。

127 見〔晉〕郭璞注，〔宋〕邢昺疏：《爾雅注疏》（臺北市：藝文印書館，1997年），卷10，〈釋獸〉，頁191。

案：鱓，《爾雅》未見錄，然《爾雅翼》載有「鱓似蛇，無鱗，體有涎沫，
　　夏月於淺水作窟」，故《爾雅注》應為《爾雅翼》之誤。

（5）卷十九·虫豸部第三十一·虫豸類第二百四十·守瓜

　　《爾雅注》云：「蟨，一名守瓜蟨音權，和名宇利波閉，食瓜葉者也。」

案：《爾雅·釋蟲》「蟨，輿父，守瓜」郭璞注云「今瓜中黃甲小蟲，喜食瓜
　　葉，故曰守瓜」，邢昺疏則云「蟨，輿父，一名守瓜。黃甲小蟲，喜食
　　瓜葉，因名守瓜。」故此出自邢昺之說。

（6）卷二十·草木部第三十二·草類第二百四十二·蘆葦菼等附

　　《爾雅注》云：「一名蘆音盧。」

案：《爾雅·釋草》「葭蘆」郭璞注「葦也」邢昺疏則云「葭，一名蘆」[128]
　　故此出於邢昺之說。

（7）卷二十·草木部第三十二·木類第二百四十八·檉

　　《爾雅注》云：「檉，一名河柳檉音勒貞反，和名無呂。」

案：《爾雅·釋木》「檉，河柳」郭璞注「今河旁赤莖小楊。」邢昺疏「檉，
　　一名河柳」[129]故《爾雅注》應作《爾雅疏》。

（8）卷二十·草木部第三十二·木類第二百四十八·楝

　　《爾雅注》云：「楝，一名即楝楝音良，楝音楝，和名牟久。」

案：《爾雅·釋木》「楝，即來」郭璞注「今楝，材中車輞」邢昺疏「楝，一
　　名即來。」[130]故《爾雅注》應作《爾雅疏》。

128 見〔晉〕郭璞注，〔宋〕邢昺疏：《爾雅注疏》（臺北市：藝文印書館，1997年），卷8，
　　〈釋草〉，頁143。

129 見〔晉〕郭璞注，〔宋〕邢昺疏：《爾雅注疏》（臺北市：藝文印書館，1997年），卷9，
　　〈釋木〉，頁158。

130 見〔晉〕郭璞注，〔宋〕邢昺疏：《爾雅注疏》（臺北市：藝文印書館，1997年），卷9，
　　〈釋木〉，頁157。

「棶」，段玉裁注「梾，即來」曰：「〈釋木〉曰：『梾，即棶。』《釋
文》曰：『棶，《埤蒼》、《字林》作來。本《說文》也。案評曰即來。單
評曰來。唐本艸謂之梾子木」、《正字通》〈棶〉則載「《爾雅》本註作
來，俗作棶」，由是觀之，「來」為「棶」之本字。

（9）卷二十‧草木部第三十二‧木類第二百四十八‧木瓜

《爾雅注》云：「木瓜，一名楙音茂，和名本草木瓜毛介，其實如小瓜
也。」

案：《爾雅‧釋木》「楙，木瓜」郭璞注「實如小瓜，酢可食。」邢昺疏「木
瓜，一名楙。郭云：『實如小瓜，酢可食。』」[131] 故《爾雅注》應作
《爾雅疏》。

（10）卷二十‧草木部第三十二‧木類第二百四十八‧榆

《爾雅注》云：「榆之皮色白名枌上音臾，下音汾。和名夜仁禮。」

案：《爾雅‧釋木》「榆，白枌」郭璞注「枌榆先生葉，卻著莢，皮色白」邢
昺疏云「榆之皮色白名白枌」[132]，故此引自邢昺疏，《爾雅注》應作
《爾雅疏》。

（八）沈旋《爾雅集注》

《爾雅》自犍為文學作注後，注疏者甚眾，至梁則有沈約之子沈旋集眾
家之注而成《爾雅集注》。沈旋，南朝梁吳興武康人，字士規，官至司徒右
長史，太子僕。終於南康內史，因為官清廉自持，故諡曰恭侯，事蹟具見
《梁書》卷十三〈列傳第七‧沈約傳〉及《南史》卷五十七〈列傳第四十

---

131 見〔晉〕郭璞注，〔宋〕邢昺疏：《爾雅注疏》（臺北市：藝文印書館，1997年），卷9，
〈釋木〉，頁157。
132 見〔晉〕郭璞注，〔宋〕邢昺疏：《爾雅注疏》（臺北市：藝文印書館，1997年），卷9，
〈釋木〉，頁160。

七〉〈沈約傳〉。

《隋書・經籍志》[133]、《舊唐書・經籍志》[134]、《新唐書・藝文志》[135]皆言沈旋集注《爾雅》十卷,唯《南史・沈旋傳》言「集注《通言》行於世」,吳乘仕則以為「通言二字當為爾雅之誤」[136],然沈旋所撰之《爾雅集注》,今已失傳,僅見輯本,有清黃奭所輯五十三條及馬國翰所輯五十七條。而《倭名類聚鈔》中可見《爾雅集注》之引文共有三十六例,可見其佚文保存之數量頗豐,茲條列如下:

1、卷十六・飲食部第二十四・水漿類第二百七・茶茗

《爾雅集注》云:「茶宅加反,字亦作檟,小樹似支子,其葉可煮為飲,今呼早採為茶晚採為茗音酩。」

案:《爾雅・釋木》「檟,苦茶」,郭璞注曰:「樹小如梔子,冬生葉可煮作羹飲。今呼早采者為茶,晚取者為茗。一名荈,蜀人名之苦茶」[137]由此可知,此「茶」應為「荼」、「小樹」應作「樹小」、「支子」為「梔子」之誤。

2、卷十七・菓蓏部第二十六・菓類第二百二十一・柚

《爾雅集注》云:「柚音由,又以鬼反,一名樤音條,和名由,似橙而酢出江南矣。」

---

133 《隋書・經籍志》載「《集注爾雅》十卷,梁黃門郎沈旋注」,見〔唐〕魏徵:《隋書》(臺北市:新文豐出版公司,1975年),卷32,〈志第二十七・經籍一〉頁482。

134 《舊唐書・經籍志》載「《集注爾雅》,十卷沈旋注」見〔五代〕劉昫等撰:《舊唐書》(臺北市:新文豐出版公司,1975年),卷46,〈志第二十六・經籍上〉,頁951。

135 《新唐書・藝文志》言「沈旋《集注》十卷」,見〔宋〕歐陽修撰:《新唐書》(臺北市:新文豐出版公司,1975年),卷57,〈志第四十七・藝文一〉,頁625。

136 見吳承仕:《經典釋文敘錄疏證》(臺北市:崧高書社,1985年),頁170。

137 見〔晉〕郭璞注,〔宋〕邢昺疏:《爾雅注疏》(臺北市:藝文印書館,1997年),卷9,〈釋木〉,頁160。

案：《爾雅・釋木》「柚，條」郭注曰「似橙，實酢。生江南。」[138]「條」，
《廣韻・平聲・蕭韻》云「樤，柚條。或從木。」《玉篇》則言「樤亦
作條」，故「樤」、「條」相通。

3、卷十七・菓蓏部第二十六・菓類第二百二十一・杼

《爾雅集注》云：「柕音羽，又香羽反，一名杼音杵，又當旅反，與芧同。和名
止知，《莊子》云：「狙公賦杼是。」」
案：《爾雅・釋木》「柕，杼」邢昺疏曰「柕，一名杼」。[139]

4、卷十七・菓蓏部第二十六・蓏類第二百二十三・瓞㼏

《爾雅集注》云：「瓞，㼏姪黿二音，和名多知布宇里，小瓜名也。」
案：《爾雅・釋草》「瓞，㼏。其紹瓞」邢昺疏曰「瓞，一名㼏，小瓜也。」
[140]

5、卷十七・菜蔬部第二十七・園菜類第二百二十八・蒚

《爾雅集注》云：「蒚音福，和名於保祢，俗用大根二字，根正白而可食之」
案：《爾雅・釋草》「蒚，葖」郭璞注「大葉，白華，根如指正白，可啖。」
[141]

6、卷十八・羽族部第二十八・羽族類孳尾附出第二百三十・鳥

《爾雅集注》云：「二足而羽者曰禽和名與鳥同土里」

138 見〔晉〕郭璞注，〔宋〕邢昺疏：《爾雅注疏》（臺北市：藝文印書館，1997年），卷9，
〈釋木〉，頁157。

139 見〔晉〕郭璞注，〔宋〕邢昺疏：《爾雅注疏》（臺北市：藝文印書館，1997年），卷9，
〈釋木〉，頁157。

140 見〔晉〕郭璞注，〔宋〕邢昺疏：《爾雅注疏》（臺北市：藝文印書館，1997年），卷8，
〈釋草〉，頁136。

141 見〔晉〕郭璞注，〔宋〕邢昺疏：《爾雅注疏》（臺北市：藝文印書館，1997年），卷8，
〈釋草〉，頁136。

案：《爾雅・釋鳥》曰「二足而羽謂之禽。」[142] 此疑將《爾雅》誤作為《爾雅集注》。

7、卷十八・羽族部第二十八・羽族名第二百三十一・鶝鳩

《爾雅集注》云：「鶝鳩鶝音七余反，和名美佐古。今按：古語用覺賀鳥三字，云加久加乃土利，見《日本紀私記公望》，案：高橋氏文云：水佐古，鵰屬也，好在江邊、山中，亦食魚者也。」

案：《爾雅・釋鳥》「鶝鳩，王鵙」郭璞注云「雕類，今江東呼之為鶚，好在江渚、山邊食魚。」[143] 故「山中」疑為「山邊」之誤。

8、卷十八・羽族部第二十八・羽族名第二百三十一・鶂

《爾雅集注》云：「鶂，一名鷿音激，一名鶂鷗匹居二音，一名鷿鶂譽斯二音，飛而多群，腹下白者，江東呼為鶂鳥。」

案：鶂，《爾雅・釋鳥》「鷿鷈，鶂鷗」邢昺疏曰「鷿斯，一名鶂鷗」[144]；而「鷿」同「鷈」，如《字彙補》曰「同鷈」。「鷈」，《廣韻》作「鷉」，曰：「鷿鷉，鶂鷈，鳥。亦作鷈」，《爾雅・釋鳥》亦曰「鷿，鷿鷈」，故「鷈」與「鷿」二字不同，此「鷿鷈」應為「鷿鷈」之誤。另「飛而多群，腹下白者，江東呼為鶂鳥」諸語，可見於《爾雅・釋鳥》郭璞注，云「鶂鳥也。小而多群，腹下白，江東亦呼為鶂鳥」。[145] 另《爾雅・釋鳥》「鷿，鶂鷗」郭璞注：「似鳧，蒼白色。」[146] 又《爾雅義疏》載鷿

---

142 見〔晉〕郭璞注，〔宋〕邢昺疏：《爾雅注疏》（臺北市：藝文印書館，1997年），卷10，〈釋鳥〉，頁188。

143 見〔晉〕郭璞注，〔宋〕邢昺疏：《爾雅注疏》（臺北市：藝文印書館，1997年），卷10，〈釋鳥〉，頁183。

144 見〔晉〕郭璞注，〔宋〕邢昺疏：《爾雅注疏》（臺北市：藝文印書館，1997年），卷10，〈釋鳥〉，頁184。

145 見〔晉〕郭璞注，〔宋〕邢昺疏：《爾雅注疏》（臺北市：藝文印書館，1997年），卷10，〈釋鳥〉，頁184。

146 見〔晉〕郭璞注，〔宋〕邢昺疏：《爾雅注疏》（臺北市：藝文印書館，1997年），卷10，〈釋鳥〉，頁186。

亦名白唐、阿濫堆，[147]然未見鵯之說，故「鵯，一名鷩」之說應有誤。

9、卷十八・羽族部第二十八・羽族名第二百三十一・斲木

《爾雅集注》云：「斲木，一名鴷音列，和名天良豆々木，好食樹中蠹者也。」

案：「斲木」，《爾雅・釋鳥》作「䴇木」[148]，《龍龕手鑑・斤部》云「斲或作斳」，故斲、斳為異體。

10、卷十八・羽族部第二十八・羽族名第二百三十一・鵁䴁鳥

《爾雅集注》云：「鳭音紡，一名澤虞，即護田鳥也，常在澤中，見人輒鳴，有似主守官，故以名之。」

案：《廣韻》曰「鵁䴁，即護田也。」《爾雅・釋鳥》「鴽，澤虞」郭璞注云「今婟澤鳥，似水鴞，蒼黑色，常在澤中。見人輒鳴喚不去，有象主守之官，因名云。俗呼為護田鳥。」[149]《說文》無「鴽」而作「鴊」，段玉裁引《釋文》以為鳭同鴊[150]，故鵁䴁鳥即《爾雅・釋鳥》所言之鴽，或作「鳭」，一名澤虞。

---

147 〔清〕郝懿行《爾雅義疏》云：「清・郝懿行・義疏：「《酉陽雜俎》云：『鷩，色黃，一變為青鵯，帶灰色。又曰白唐，唐者，黑色也，謂斑上有黑色。一變為白鵯。』如《雜俎》說，是鷹屬也。或云，即阿濫堆。未知其審。」見〔清〕郝懿行：《爾雅義疏》，收錄於王雲五主編：《國學基本叢書四百種》101，（臺北市：臺灣商務印書館，1968年），卷5，〈釋鳥〉，頁53。

148 見〔晉〕郭璞注，〔宋〕邢昺疏：《爾雅注疏》（臺北市：藝文印書館，1997年），卷10，〈釋鳥〉，頁186。

149 見〔晉〕郭璞注，〔宋〕邢昺疏：《爾雅注疏》（臺北市：藝文印書館，1997年），卷10，〈釋鳥〉，頁185。

150 《說文》〈鴊〉「澤虞」，段玉裁注曰「〈釋鳥〉：『鴽、澤虞。』《釋文》鴽本或作鳭。《說文》作鴊。」見〔漢〕許慎撰，〔清〕段玉裁注：《說文解字注》（臺北市：黎明文化事業股份有限公司，1996年），卷11，〈鳥部・注〉，頁152。

11、卷十八・羽族部第二十八・羽族名第二百三十一・鷰

《爾雅集注》云:「鷰烏見反,和名豆波久良米,白胆小鳥也。」

案:鷰,《爾雅・釋鳥》作「燕」。[151]《正字通・火部》「燕,……玄鳥也,借為飲燕字,今通用宴,俗作鷰」,故鷰為燕異體。

12、卷十八・羽族部第二十八・羽族名第二百三十一・鴨

《爾雅集注》云:「鴨音押,野名曰鳬音扶,家名曰鶩音木。」

案:鴨,《爾雅・釋鳥》「舒鳬,鶩」郭璞注「鴨也」邢昺疏曰:「鶩,鴨也。一名舒鳬。李巡曰:『野曰鳬,家曰鶩。』」[152]

13、卷十八・羽族部第二十八・羽族名第二百三十一・鸍

《爾雅集注》云:「鸍音彌,一音施。《漢語抄》云:「多加閇」,一名沈鳬,貌似鴨而小,背上有文。」

案:《爾雅・釋鳥》「鸍,沈鳬。」郭璞注:「似鴨而小,尾長,背上有文。今江東亦呼為鸍。」《黃氏逸書考》所錄與此不同,僅錄有「鸍,沈鳬〈釋鳥〉」注「鸍,直今反《釋文》。」

14、卷十八・羽族部第二十八・羽族名第二百三十一・鴗

《爾雅集注》云:「鴗音立,和名曾比,《日本紀私記》用此字,文德天皇錄魚、虎、鳥三字。今案魚、虎見《兼名苑》等,小鳥也,色青翠而食魚,江東呼為水狗。」

案:「水狗」,《爾雅・釋鳥》郭璞注作「水狗」[153],而「狗」《韻會》以為

---

151 《爾雅・釋鳥》作「燕,白胆鳥」,見《爾雅注疏》(臺北市:藝文印書館,1997年),卷10,〈釋鳥〉,頁184。

152 見〔晉〕郭璞注,〔宋〕邢昺疏:《爾雅注疏》(臺北市:藝文印書館,1997年),卷10,〈釋鳥〉,頁183。

153 《爾雅・釋鳥》「鴗,天狗」郭璞注曰「小鳥也。青似翠,食魚,江東呼爲水狗。」見《爾雅注疏》(臺北市:藝文印書館,1997年),卷10,〈釋鳥〉,頁183。

「通作狗」。《埤雅》亦以為「狗从苟」[154]，故「水猫」即「水狗」。

15、卷十八・羽族部第二十八・羽族體第二百三十二巢附出・䎑

《爾雅集注》云：「羽本曰䎑下革反，字亦作翱，和名八禰，一云羽根也。」

案：《爾雅・釋器》「羽本，謂之䎑。」郭璞注：「鳥羽根也」。[155]

16、卷十八・羽族部第二十八・羽族體第二百三十二巢附出・蹼

《爾雅集注》云：「蹼音卜，和名美豆加木，㲋雁足指間有幕相連著者也。」

案：《爾雅・釋鳥》「㲋雁醜，其足蹼」邢昺疏曰「踵，腳跟也。㲋雁之類，腳指間有幕蹼屬相著，飛則伸其腳跟企直也。」[156]

17、卷十八・毛群部第二十九・毛群名第二百三十四・犀雌犀附

《爾雅集注》云：「犀音西，此間音在形似水牛。猪頭，大腹，有三角，一在頂上，一在額上，一在鼻上，脚有三蹄，黑色。」

案：《爾雅・釋獸》「犀似豕」郭璞注：「形似水牛，豬頭，大腹，庳脚，脚有三蹄，黑色。三角，一在頂上，一在額上，一在鼻上。鼻上者即食角也。小而不橢，好食棘。亦有一角者。」[157]

18、卷十八・毛群部第二十九・毛群名第二百三十四・羆

《爾雅集注》云：「羆音碑，和名之久萬，似熊而黃白，又猛烈多力，能扒

---

154 見〔宋〕陸佃著，王敏紅校點：《埤雅》（杭州市：浙江大學出版部，2008年），頁43。

155 見〔晉〕郭璞注，〔宋〕邢昺疏：《爾雅注疏》（臺北市：藝文印書館，1997年），卷5，〈釋器〉，頁79。

156 見〔晉〕郭璞注，〔宋〕邢昺疏：《爾雅注疏》（臺北市：藝文印書館，1997年），卷10，〈釋鳥〉，頁187。

157 見〔晉〕郭璞注，〔宋〕邢昺疏：《爾雅注疏》（臺北市：藝文印書館，1997年），卷10，〈釋獸〉，頁190。

樹木者也。」

案：《爾雅‧釋獸》「羆，如熊，黃白文」郭璞疏則云「舍人曰：『羆如熊，色黃白也。』郭云：『似熊而長頭高腳，猛憨多力，能拔樹木。』」

19、卷十八‧毛群部第二十九‧毛群名第二百三十四‧鹿麑附

《爾雅集注》云：「牡鹿曰麚音家，《日本紀私記》云：牡鹿，佐乎之加，牝鹿曰麀音憂，和名米加，其子曰麛音迷，字亦作麑，和名加吳。」

案：麛，《爾雅‧釋獸》作「麕」。[158] 麕，《說文》曰「鹿子也。從鹿弭聲。」段玉裁注云「〈釋獸〉曰『鹿子麕』，字亦作麑。《論語》麑裘即麕裘。《國語》注曰：『鹿子曰麛，麋子曰麆』」故「麛」、「麕」相通。

20、卷十八‧毛群部第二十九‧毛群名第二百三十四‧鼬鼠

《爾雅集注》云：「鼬鼠上音酉，狀如鼠，赤黃而大尾，能食鼠。今江東呼為鼪。」音性，和名以太知。《楊氏漢語抄》云：「鼠狼」

案：《爾雅‧釋獸》「鼬，鼠」郭璞注云：「今鼬似鼦，赤黃色，大尾，啖鼠，江東呼為鼪。」[159]

21、卷十八‧毛群部第二十九‧毛群名第二百三十四‧犬狗附

《爾雅集注》云：「狗音苟，和名惠沼，又與犬同，犬子也」

案：《爾雅‧釋畜》「未成毫，狗」郭璞注曰：「狗子，未生乾毛者。」[160]

22、卷十八‧毛群部第二十九‧毛群體第二百三十五‧齝

《爾雅集注》云：「獸吞芻噬反出而嚼，牛曰齝音台，《唐韻》有答、詩二

---

158 《爾雅》「鹿，牡，麚；牝，麀；其子，麛。」見〔晉〕郭璞注‧〔宋〕邢昺疏《爾雅注疏》（臺北市：藝文印書館，1997年），卷10，〈釋獸〉，頁188。

159 見〔晉〕郭璞注，〔宋〕邢昺疏：《爾雅注疏》（臺北市：藝文印書館，1997年），卷10，〈釋獸〉，頁191。

160 見〔晉〕郭璞注，〔宋〕邢昺疏：《爾雅注疏》（臺北市：藝文印書館，1997年），卷10，〈釋畜〉，頁194。

音，字亦作嗣，羊曰戲音泄，麋鹿曰齸。音益，已上三字皆迀介加無。今按：俗謂麋鹿屎為味氣是」

案：本條中「牛曰齝，羊曰戲音泄，麋鹿曰齸」見於《爾雅・釋獸》[161]，而未見「獸吞艸噬反出而嚼」諸語，《爾雅・釋獸》「牛曰齝」下郭璞注云「食之已久，復出嚼之」，故此疑為佚文或源順據郭注改作而成。

23、卷十九・鱗介部第三十・龍魚類第二百三十六・鯀

《爾雅集注》云：「鯀胡本反，上聲之重字，亦作鯶，和名阿米，似鱒者也。」

案：《爾雅・釋魚》「鯀」郭璞注曰「今鯶魚，似鱒而大。」[162]

24、卷十九・鱗介部第三十・龜貝類第二百三十八・攝龜

《爾雅集注》云：「攝龜，一名陵龜和名古加米，小龜也。」

案：《爾雅・釋魚》「三曰攝龜」郭璞注「小龜也。腹甲曲摺，解能自張閉，好食蛇，江東呼為陵龜」。[163]

25、卷十九・虫豸部第三十一・虫豸類第二百四十・蟬

《爾雅集注》云：「蜋蜩徒貂反、螗蟧偃唐二音、蟪蛄惠姑二音、螗蜩唐啼二音、蜇蜻札請二音、蜺蟣奚祿二音，此蟬類也，五采具謂之蜋蜩，小而有文謂之蜇蜻也。」

案：《爾雅・釋蟲》邢昺疏曰「蜩者，目諸蜩也，蜋蜩五彩具者也。螗蜩俗呼胡蟬，似蟬而小，鳴聲清亮者也。蜇，一名蜻蜻，如蟬而小，有文者

---

161 見〔晉〕郭璞注，〔宋〕邢昺疏：《爾雅注疏》（臺北市：藝文印書館，1997年），卷10，〈釋獸〉，頁192。

162 見〔晉〕郭璞注，〔宋〕邢昺疏：《爾雅注疏》（臺北市：藝文印書館，1997年），卷9，〈釋魚〉，頁165。

163 見〔晉〕郭璞注，〔宋〕邢昺疏：《爾雅注疏》（臺北市：藝文印書館，1997年），卷9，〈釋魚〉，頁168。

也」¹⁶⁴

26、卷十九‧虫豸部第三十一‧虫豸類第二百四十‧土蜂

《爾雅集注》云：「土蜂和名由須留波知，大蜂之在地中作房者也。」

案：「蜂」，《爾雅》作「蠭」，《集韻》曰：「《說文》飛蟲螫人者，古作蠭，或作䗬、蚌，通作蜂」。¹⁶⁵

27、卷十九‧虫豸部第三十一‧虫豸類第二百四十‧木蜂

《爾雅集注》云：「木蜂和名美加波知，似土蜂而小，在樹上作房者也。」

案：《爾雅‧釋蟲》「木蜂。」郭璞注云：「似土蜂而小，在樹上作房，江東亦呼為木蜂，又食其子。」¹⁶⁶

28、卷十九‧虫豸部第三十一‧虫豸類第二百四十‧蝗蝮蜪附

《爾雅集注》云：「蝗古孟反，一音皇，和名於保禰無之，食苗心曰螟音冥，食葉曰蟘音貸，食節曰蟊音賊，食根曰蝥音謀。蝗，揔名也。」

案：《爾雅‧釋蟲》曰「食苗心，螟；食葉，蟘；食節，賊；食根，蟊」。《爾雅》「蟘」作「蟘」、「蟊」作「賊」、「蝥」作「蟊」。¹⁶⁷「蟘」，《說文》曰「蟲食苗葉者。吏乞貸則生蟘。从虫从貸，貸亦聲」。「蟘」亦作「蚮」，《字彙補》曰「蟘與蚮同」。《方言》曰「蠀，宋、魏之閒謂之蚮」。《博雅》則曰「蟖蟖，蟘也。」徐鉉於「蟘」下注曰：「今俗作

164 見〔晉〕郭璞注，〔宋〕邢昺疏：《爾雅注疏》（臺北市：藝文印書館，1997年），卷9，〈釋蟲〉，頁161。

165 見〔宋〕丁度等編：《集韻》（台北市：學海出版社，1986年，據上海圖書館述古堂影宋抄本影印），頁18。

166 見〔晉〕郭璞注，〔宋〕邢昺疏：《爾雅注疏》（臺北市：藝文印書館，1997年），卷9，〈釋蟲〉，頁163。

167 見〔晉〕郭璞注，〔宋〕邢昺疏：《爾雅注疏》（臺北市：藝文印書館，1997年），卷9，〈釋蟲〉，頁164。

蚕，非是。」《六書正譌》則曰「俗作蝅，非」，故「蝅」應作「蠶」。

「賊」，《說文》曰：「敗也」，後引申為害苗之蟲。如《詩·小雅·大田》「去其螟螣，及其蟊賊。」《傳》曰「食節曰賊。」[168]而「蟘」未見於《說文》，《集韻·蟘》則曰「蝗，食禾節蟲」[169]，《古今韻會舉要》則以為蟘通作賊[170]，故蟘作賊。

「蝥」，《說文·虫部·蝥》曰：「蟊蝥也。从虫秋聲」[171]；而蟊，《說文·蟲部·蟊》曰：「蟲食艸根者。从蟲，象其形。吏抵冒取民財則生。𧒒，或从秋。」段玉裁注曰「此則與虫部蟊蝥同字」[172]，故蝥與蟊同。而「蝥」，《說文》曰：「蟊蝥也。」段玉裁注曰「此字與蟲部食艸根者絕異」[173]，徐鉉於「蝥」字下亦注曰「今俗作蟊，非是。蟊即𧒒。蟊，蜘蛛之別名也。」[174]由是可知應作「蝥」為是。

29、卷十九·虫豸部第三十一·虫豸類第二百四十·大蟻蚍蜉附

《爾雅集注》云：「蚍蜉毘浮二音，一名馬蠶宜倚反，今案即蟻字也，見《玉篇》。和名於保阿里，大蟻也。」

案：蟻，《爾雅·釋蟲》作「螘」，《爾雅·釋蟲》「蚍蜉，大螘。小者螘」郭

---

168 見〔漢〕毛亨傳，鄭玄箋；〔唐〕孔穎達等正義：《毛詩正義》（台北市：藝文印書館，1997年），卷14，〈小雅·大田〉，頁473。

169 見〔宋〕丁度等編：《集韻》（台北市：學海出版社，1986年，據上海圖書館述古堂影宋抄本影印），頁763。

170 《古今韻會舉要》〈卷二十九〉〈蟘〉曰「蝗，食禾節者，通作賊，李巡曰言貪狠故曰賊。」見〔元〕熊忠撰：《古今韻會舉要》，收錄於王雲五主持：《四庫全書珍本十集》（臺北市：臺灣商務印書館，1979年），經部，卷29，頁20。

171 見〔漢〕許慎編，〔清〕段玉裁注：《說文解字注》（臺北市：黎明文化事業股份有限公司，1996年），卷13，〈虫部·蝥〉，頁674。

172 見〔漢〕許慎編，〔清〕段玉裁注：《說文解字注》（臺北市：黎明文化事業股份有限公司，1996年），卷13，〈蟲部·蟊〉，頁682。

173 見〔漢〕許慎編，〔清〕段玉裁注：《說文解字注》（臺北市：黎明文化事業股份有限公司，1996年），卷13，〈蚰部·蟊〉，頁681。

174 見〔漢〕許慎撰，〔宋〕徐鉉校訂：《說文解字》，卷13，〈虫部·蝥〉，頁281

璞注曰「俗呼為馬，蚍蜉；齊人呼蟻，蟻蛘。」[175]故「馬」、「螘」本為大、小螘之名，而《爾雅集注》將其混言之，故此「螘」應刪或作「大螘」為是。

30、卷十九・虫豸部第三十一・虫豸類第二百四十・赤蟻

《爾雅集注》云：「赤駁蚍蜉，一名蠪虰龍偵二音，和名伊比阿里，赤蟻也。」

案：「虰」，《廣韻・下平・清韻》曰「虰，螘也」[176]，《爾雅》又作「虰」，《廣韻》以為虰與虰同[177]，而《集韻》亦曰：「（虰）或作虰」[178]，故「虰」、「虰」同。然《爾雅・釋蟲》「蠪虰螘」一句，歷來有「蠪，虰螘」，「蠪虰，螘」不同之見解，前者如《爾雅・釋蟲》邢昺疏曰「一名虰螘。」[179]，《說文》〈蠪〉亦曰「丁螘也」。而後者如《集韻・平聲・耕韻・虰》言：「蠪虰，螘屬。」[180]《玉篇》曰「虰，丑經切，蠪虰也；螏，同上；蠪，力公切，蠪虰，蟲，亦獸名。」[181]等，段玉裁注

---

175 見〔晉〕郭璞注，〔宋〕邢昺疏：《爾雅注疏》（臺北市：藝文印書館，1997年），卷9，〈釋蟲〉，頁163。

176 《廣韻》〈下平〉〈清韻〉〈虰〉：「虰，螘也」，見〔宋〕陳彭年等重修，林尹校訂：《新校正切宋本廣韻》（台北市：黎明文化事業公司，1976年，1993年14刷），頁191。

177 見《廣韻・下平・耕韻・橙》：「虰，《爾雅》云：蠪，虰螘，郭璞云：『赤駁蚍蜉。』虰，上同」，見〔宋〕陳彭年等重修，林尹校訂：《新校正切宋本廣韻》（台北市：黎明文化事業公司，1976年，1993年14刷），頁189。

178 見〔宋〕丁度等編：《集韻》（台北市：學海出版社，1986年，據上海圖書館述古堂影宋抄本影印），〈平聲・青韻・虰虰〉曰：「蟲名，赤蚍蜉也，或作虰」，頁243。

179 見〔晉〕郭璞注，〔宋〕邢昺疏：《爾雅注疏》（臺北市：藝文印書館，1997年），卷9，〈釋蟲〉「蠪，虰螘」邢昺疏，頁163。

180 見〔宋〕丁度等編：《集韻》（台北市：學海出版社，1986年，據上海圖書館述古堂影宋抄本影印），〈平聲・耕韻・虰〉，頁236。

181 見〔梁〕顧野王撰；〔宋〕陳彭年等重修：《宋本玉篇》，收錄於文懷沙主編；《四部文明》（西安市：陝西人民，2007年，清康熙四十三年吳郡張氏刊澤存堂五種本），3，魏晉南北朝文明三十，卷25，〈虫部〉，頁126。

《說文》〈蠯〉則以為「按此當於蠯丁為逗。……讀《爾雅》者以丁螘為句,亦非;蠯丁、螘之一名耳。」[182]故《集注》之說可供輔佐段玉裁說解之證。

31、卷十九・虫豸部第三十一・虫豸類第二百四十・飛蟻

《爾雅集注》云:「螱音尉,一名飛蟻和名波阿里,蟻有翼而能飛也。」
案:《爾雅・釋蟲》「螱,飛螘」邢昺疏云「有翅而飛者名螱,即飛螘也。」[183]

32、卷十九・虫豸部第三十一・虫豸類第二百四十・蛄䗐

《爾雅集注》云:「蛄䗐姑翅二音,和名羽奈無之,今穀米中蠹,小黑虫也。」
案:《爾雅・釋蟲》「蛄䗐,強蛘。」郭璞注:「今米穀中蠹,小黑蟲是也。」邢昺疏:「《方言》云:『蛄䗐謂之強蛘。』今米穀中小黑蟲蠹也。」[184]由是可知,此「穀米」應作「米穀」。

33、卷十九・虫豸部第三十一・虫豸類第二百四十・蟻蠓

《爾雅集注》云:「蟻蠓上亡結反,下亡孔反。《漢語抄》云:「加豆乎無之」《日本紀私記》云:「蟻末久奈木」,小虫亂飛也。礎則天風春則天雨。」
案:《爾雅・釋蟲》「蠓,蟻蠓。」郭璞注:「小蟲,似蜹,喜亂飛。」[185]然

---

182 見《說文解字注》〈蠯〉「丁螘也。从虫龍聲」段玉裁注曰:「按此當於蠯丁為逗。各本刪蠯字者,非也。讀《爾雅》者以丁螘為句,亦非;蠯丁、螘之一名耳。」見〔漢〕許慎編,〔清〕段玉裁注:《說文解字注》(臺北市:黎明文化事業股份有限公司,1996年),卷13,〈虫部〉〈蠯〉,頁672。

183 見〔晉〕郭璞注,〔宋〕邢昺疏:《爾雅注疏》(臺北市:藝文印書館,1997年),卷9,〈釋蟲〉,頁163。

184 見〔晉〕郭璞注,〔宋〕邢昺疏:《爾雅注疏》(臺北市:藝文印書館,1997年),卷9,〈釋蟲〉,頁162。

185 見〔晉〕郭璞注,〔宋〕邢昺疏:《爾雅注疏》(臺北市:藝文印書館,1997年),卷9,〈釋蟲〉,頁164。

宋陸佃《埤雅》「蠓」曰：「蠓飛磑則天風，舂則天雨。」清邵晉涵《爾雅正義》注「蠓，蠛蠓」中引《眾經音義》所引郭注云：「小蟲似蚋，風舂雨磑者也。」及清郝懿行《爾雅義疏》曰：「蓋蠓飛而上下如舂主風，回旋如磑主雨，今俗語猶然也。」由諸文獻可知《倭名類聚抄》所言應可補今《爾雅》注不足之處。

34、卷二十・草木部第三十二・草類第二百四十二・鹿鳴草

《爾雅集注》云：「萩，一名蕭。萩音秋，一音焦；蕭音宵。和名波木。今案：牧名用萩字，萩，倉是也。《辨色立成》《新撰萬葉集》等用芋字。《唐韻》芋，音胡誤反，草名也。《國史》用芳宜草三字，《楊氏漢語抄》又用鹿鳴草三字並，本文未詳。」

案：此說可見於《爾雅・釋草》「蕭，萩」邢昺引李巡注云：「萩，一名蕭。」[186]

35、卷二十・草木部第三十二・木類第二百四十八・槐

《爾雅集注》云：「葉小而青曰槐音迴，和名惠爾須，葉大而黑曰櫰音懷，一音瓔，葉晝合夜開謂之守宮槐。」

案：《爾雅・釋木》「櫰，槐大葉而黑。」郭璞注：「槐樹葉大色黑者名為櫰」邢昺疏「櫰、槐一也。大葉而黑名櫰，不爾者即名槐。郭云：『槐樹葉大色黑者名為懷。』」[187] 此外《爾雅・釋木》「守宮槐，葉晝聶宵炕。」郭璞注：「槐葉晝日聶合而夜炕布者名為守宮槐。」邢昺疏曰：「此亦槐也。聶，合也。炕，張也。言其葉晝合夜開者，別名守宮槐。」[188] 故此合二條同訓。

---

186 見〔晉〕郭璞注，〔宋〕邢昺疏：《爾雅注疏》（臺北市：藝文印書館，1997年），卷8，〈釋草〉，頁143。

187 見〔晉〕郭璞注，〔宋〕邢昺疏：《爾雅注疏》（臺北市：藝文印書館，1997年），卷9，〈釋木〉，頁159。

188 見〔晉〕郭璞注，〔宋〕邢昺疏：《爾雅注疏》（臺北市：藝文印書館，1997年），卷9，〈釋木〉，頁159。

36、卷二十・草木部第三十二・木類第二百四十八・橿

《爾雅集注》云:「一名杻,一名檍杻音紐,今案:又杻械之杻。見刑爵具。」

案:《爾雅・釋木》「杻,檍。」郭璞注:「似棣,細葉。葉新生可飼牛,材中車輞,關西呼杻子,一名土橿。」[189]

(九)張揖《廣雅》

張揖,三國魏清河人,《魏書》言「張揖著《埤倉》、《廣雅》、《古今字詁》,究諸《埤》、《廣》,綴拾遺漏,增長事類,抑亦於文為益者。然其《字詁》,方之許慎篇,古今體用,或得或失矣。」[190]而《廣雅》一書之卷數《隋書・經籍志》言「《廣雅》三卷,魏博士張揖撰。梁有四卷。」[191]《新唐書》、《舊唐書》[192]則言四卷,今本《廣雅》則為十卷。《倭名類聚鈔》引《廣雅》者共二十二條,而內容方面,有同今本《廣雅》者,亦有異者,茲臚列於下。

1 異於今本《廣雅》者:

異於今本者,約可分依原本刪改、脫、互倒、誤以它書為《廣雅》、轉

---

189 見〔晉〕郭璞注,〔宋〕邢昺疏:《爾雅注疏》(臺北市:藝文印書館,1997年),卷9,〈釋木〉,頁157。

190 見〔北齊〕魏收:《魏書》(臺北市:新文豐出版公司,1975年),卷91,〈列傳術藝第七十九〉,頁952。

191 見〔唐〕魏徵撰:《隋書》(臺北市:新文豐出版公司,1975年),卷32,〈志第二十七・經籍一〉,頁482。

192 《新唐書》言「張揖《廣雅》四卷,又《埤蒼》三卷,《三蒼訓詁》三卷,《雜字》一卷,《古文字訓》二卷」,見〔宋〕歐陽修:《新唐書》(臺北市:新文豐出版公司,1975年),卷57,〈志第四十七・藝文一〉;《舊唐書》言:「《廣雅》四卷,張揖撰」,見〔後晉〕劉昫等撰:《舊唐書》(臺北市:新文豐出版公司,1975年),卷46,〈志第二十六・經籍上〉,頁951。

引他書所引及一條分二條釋等情形

（1）刪改

（1）卷一‧水部第三‧河海類第十‧湖

《廣雅》云：「湖，音胡，大池也。和名三都宇美」

案：此據《廣雅‧釋地》「湖、藪、陂、塘、都阬、斥澤、埏衍、皋沼，池也。」刪節[193]，另衍「大」字。另「音湖」二字應為注語誤入正文。

（2）卷三‧形體部第八‧耳目類第三十一‧眼眼皮附

《廣雅》云：「眼五簡反，和名萬奈古，目子也。」

案：此據《廣雅‧釋親》「目謂之眼」改寫。

（3）卷三‧形體部第八‧耳目類第三十一‧眸

《廣雅》云：「眸莫侯反，和名比止美。一云訓與眼同，目珠子也。」

案：此據《廣雅‧釋親》「珠子謂之眸。」改作。

（4）卷三‧形體部第八‧耳目類第三十一‧眦

《廣雅》云：「眦在詣反，又才賜反，和名萬奈之利，目裂也」

案：此據《廣雅‧釋詁》「睚眦、陳、裁、剞、摑、扣、劈、撏、劗、臡、劙，裂也」[194]刪改，衍「目」字。

（5）卷三‧形體部第八‧藏府類第三十七‧膀胱

《廣雅》云：「膀胱旁光二反，和名由波利不久呂，脬也。」

案：此據《廣雅‧釋親》「膀胱謂之脬。」[195]改作。

（6）卷十四‧調度部中第二十二‧葬送具第百九十‧墳墓

《廣雅》云：「塚塋寵營二音，葬地也。」

193 見〔魏〕張揖撰，〔隋〕曹憲音釋：《廣雅》（臺北市：新文豐出版公司，1985年，《叢書集成新編》），卷9，〈釋地〉，頁116。

194 見〔魏〕張揖撰，〔隋〕曹憲音釋：《廣雅》（臺北市：新文豐出版公司，1985年，《叢書集成新編》），卷2，〈釋詁〉，頁19。

195 見〔魏〕張揖撰，〔隋〕曹憲音釋：《廣雅》（臺北市：新文豐出版公司，1985年，《叢書集成新編》），卷6，〈釋親〉，頁78。

案：此見於《廣雅・釋丘》，作「墳墲、埰、墦、埌、壟培、壘、丘陵、墓封，冢也；宅兆、塋域，葬地也。」[196]此有二處異於原文者。一為用字部分：「冢」，《廣雅》作「冢」，《倭名類聚鈔》引《廣雅》則作「塚」，據《正字通》所言「冢，俗作塚。」則「冢」、「塚」同，源順於轉錄時以俗字代本字。

二為塚之說，有山頂及高墳二說[197]，《廣雅・釋丘》取高墳之義以釋塚。[198]塋，《說文》曰「墓也。」故塚、塋即指塚、墓，塚、墓二者解釋歷來有二：將其析言為有異者，如《周禮・春官・宗伯》賈公彥疏「《禮記》云『庶人不封不樹』，故不言冢而云墓。墓即葬地」[199]、段玉裁於「冢」字下注言「丘自其高言，墓自其平言」等。而亦有將塚、墓二者渾言無別者，如許慎《說文》言「墓，丘也」。《廣雅・釋丘》將高墳及墓以「冢」及「葬地」以辨之，然《倭名類聚鈔》所引之《廣雅》則將其混言之言「葬地」。此疑為源順據己意而加以刪併而成。

（7）卷十五・調度部下第二十二・漁釣具第九十四・網罟

---

196 見〔魏〕張揖撰，〔隋〕曹憲音釋：《廣雅》（臺北市：新文豐出版公司，1985年，《叢書集成新編》），卷9，〈釋丘〉，頁116。

197 （1）主山頂之說者，如《爾雅・釋山》曰：「山頂，冢」郭璞注曰「山顛」；見《爾雅注疏》〈卷七・釋山〉，頁117。（2）主高墳之說者，如《周禮》鄭玄注、《說文》等，《周禮》〈春官〉〈宗伯〉：「冢人，下大夫二人，中士四人。」鄭玄注曰：「冢，封土为丘壟，像冢而為之。」見《周禮注疏》（臺北市：藝文印書館，1993年，據清嘉慶二十年江西南昌府學版影印），收錄於《十三經注疏》第3冊，卷17，頁262。《說文》曰「高墳也」段玉裁注曰：「土部曰：『墳者，墓也。墓之高者曰冢。《周禮》冢人掌公墓之地是也。……〈釋山〉及〈十月之交〉傳『山頂曰冢』乃借冢偁耳。」見〔漢〕許慎撰，〔清〕段玉裁注：《說文解字注》（臺北市：黎明文化事業股份有限公司，1996年），卷9，〈勹部・冢〉，頁438。

198 《廣雅》〈釋丘〉原文「墳墲、埰、墦、埌、壟培、壘、丘陵、墓封，冢也；宅兆、塋域，葬地也。」見〔魏〕張揖撰，〔隋〕曹憲音釋：《廣雅》（臺北市：新文豐出版公司，1985年，《叢書集成新編》），卷9，〈釋丘〉，頁116。

199 見〔漢〕鄭玄注，〔唐〕賈公彥疏：《周禮注疏》（臺北市：藝文印書館，1993年，據清嘉慶二十年江西南昌府學版影印），卷17，〈春官・宗伯〉「墓大夫」賈公彥疏，頁262。

　　　《廣雅》云：「罟音古，阿美，魚網也。」
案：此應據《廣雅・釋器》「罔謂之罟」[200]刪改。

（2）脫衍

（1）卷三・形體部第八・身體類第三十四・髑骺
　　　《廣雅》云：「髑骺二音曷亐，《針灸經》云：『缺盆骨、肩骨也。』和名加太乃保
　　補」
案：《廣雅・釋親》作「髑骺，缺盆歲也。」[201]此脫「缺盆歲也」諸字。

（2）卷十三・調度部上第二十二・征戰具第百七十五・屬鏤
　　　《廣雅》云：「屬鏤力朱反，《文選》讀豆流岐」
案：「屬鏤」，《廣雅・釋器》作「屬鹿」，並曰：「龍淵、太阿、……、辟
　　閭，劍也。」[202]鹿與鏤音近，二字應音近而誤[203]，若此，則《倭名類
　　聚抄》僅列條目，未有解釋，應補「劍也」二字；另「文選讀」為注文
　　誤入正文。

（3）文句迻序

（1）卷三・形體部第八・手足類第三十八・臂
　　　《廣雅》云：「臂音秘謂之肱古弘反」
案：《廣雅・釋親》作「肱謂之臂」[204]，此據《廣雅》文句前後互倒迻序而
　　作。

---

200 見〔魏〕張揖撰，〔隋〕曹憲音釋：《廣雅》（臺北市：新文豐出版公司，1985年，《叢
　　書集成新編》），卷7，〈釋器〉，頁84。

201 見〔魏〕張揖撰，〔隋〕曹憲音釋：《廣雅》（臺北市：新文豐出版公司，1985年，《叢
　　書集成新編》），卷6，〈釋親〉，頁78。

202 見〔魏〕張揖撰，〔隋〕曹憲音釋：《廣雅》（臺北市：新文豐出版公司，1985年，《叢
　　書集成新編》），卷9，〈釋器〉，頁101。

203 鹿，《廣韻》作「盧谷切」；鏤，《廣韻》作「盧候切」。

204 見〔魏〕張揖撰，〔隋〕曹憲音釋：《廣雅》（臺北市：新文豐出版公司，1985年，《叢
　　書集成新編》），卷6，〈釋親〉，頁78。

（2）卷十八・羽族部第二十八・羽族名第二百三十一・雉

　　《廣雅》云：「雉，音智，上聲之重。和名木々須，一云木之野鷄也。」

案：《廣雅・釋鳥》作「野雞，鶡也」²⁰⁵，此據《廣雅》文句前後互倒迻序
　　而作。另雉，《說文解字・佳部》作「雉」，並言「古文雉從弟」²⁰⁶而
　　《龍龕手鑑・鳥部》則云「鶡，正作雉」故「鶡」為「雉」異體。

（4）誤以他書為《廣雅》

（1）卷十二・香藥部第十八・香名類第百五十四・艾納香

　　《廣雅》云：「艾納出尉國。」

案：今本《廣雅》未見，據宋・吳曾《能改齋漫錄》²⁰⁷、《太平御覽》²⁰⁸釋
　　「艾納香」所言「《廣志》：艾納香出西國」，及明・周嘉冑《香乘》言
　　「艾納香，出西國」²⁰⁹諸例可明，此「廣雅」應作「廣志」，「尉國」
　　應作「西國」。

（2）卷十八・羽族部第二十八・羽族名第二百三十一・鷹

　　《廣雅》云：「一歲名之黃鷹俗云和賀太加，二歲名之撫鷹俗云加太加閇利，

205　見〔魏〕張揖撰，〔隋〕曹憲音釋：《廣雅》（臺北市：新文豐出版公司，1985年，《叢
　　書集成新編》），卷10，〈釋鳥〉，頁137。

206　《說文》〈雉〉曰：「有十四種。盧諸雉、……古文雉從弟。」見〔漢〕許慎撰，〔清〕
　　段玉裁注：《說文解字注》（臺北市：黎明文化事業股份有限公司，1996年），卷4，
　　〈佳部〉〈雉〉，頁143。

207　〔宋〕吳曾：《能改齋漫錄》卷15〈方物〉〈艾納香〉所載「東坡和陽公濟〈梅花詩〉
　　『憑仗幽人收艾納，……又《廣志》『艾納香出西國』」。見〔宋〕吳曾：《能改齋漫
　　錄》，收錄於《叢書集成新編》（臺北市：新文豐出版公司，1985年），第11冊，頁
　　384。

208　見〔宋〕李昉等撰：《太平御覽》收錄於《景印文淵閣四庫全書》（臺北市：臺灣商務
　　印書館，1983年，據國立故宮博物院藏本影印），卷982，〈香品二・艾納〉，言「《廣
　　志》曰：『艾納出西國』」，頁647。

209　〔明〕周嘉冑《香乘》言「艾納香，出西國似細艾，又有松樹皮上綠衣」，見〔明〕
　　周嘉冑：《香乘》（臺北市：臺灣商務印書館，1976年），卷4，〈香品・艾納香〉，頁
　　384。

三歲名之青鷹、白鷹今案：青白隨色名之，俗說鷹白者不論雌雄皆名之良太賀；不論青、白大者，皆名於保太加；小者皆名勢宇。《漢語抄》用兄鷹二字為名，所出未詳。俗說雄鷹謂之兄鷹，雌鷹謂之大鷹也。」

案：《廣雅》中未見此語，然《藝文類聚》[210]、宋・祝穆《古今事文類聚後集》[211]、《格致鏡原》[212]中皆可見其轉引自《廣志》而作「一歲為黃鷹，二歲為撫鷹，三歲為青鷹」諸語，由是可推，此條中《廣雅》應為《廣志》之誤。

（5）轉引他書引文

（1）卷十七・菓蓏部第二十六・蓏類第二百二十三・熟瓜

《廣雅》云：「虎掌、羊骹、小青、大斑和名保曾知，俗用熟瓜二字，或說極熟蔕落之義也。皆熟瓜名也。」

案：此條原文見於《廣雅》〈釋草〉，原文作「龍蹏、虎掌、羊骹、兔頭、桂支、蜜筩、膕䵷、貍頭、白瓝、無餘、綝，瓜屬也」[213]，又可見於《廣韻》〈瓜〉下轉引《廣雅》之說解，作「《廣雅》云：『龍蹄、獸掌、羊骹、兔頭、挂牗、蜜筩、小青、大班，皆瓜名。』」[214]然此二處

---

210 《藝文類聚》引《廣志》曰：「有雄鷹，有菟鷹，一歲為黃鷹，二歲撫鷹，三歲青鷹，胡鷹獲獐。」見〔唐〕歐陽詢撰，汪紹楹校：《藝文類聚》（上海市：上海古籍出版社，1999年），卷91，〈鳥部中・鷹〉，頁1588。

211 〔宋〕祝穆：《古今事文類聚後集》，卷43，〈羽蟲部・鷹〉曰「一歲為黃鷹，二歲為撫鷹，三歲為青鷹，《廣志》」」

212 〔清〕陳元龍：《格致鏡原》，卷79，〈鳥類三・鷹〉曰：「《廣志》有雄鷹，有菟鷹，一歲為黃鷹，二歲撫鷹，三歲青鷹，胡鷹獲獐。」見〔清〕陳元龍：《格致鏡原》，收錄於《景印文淵閣四庫全書》（臺北市：臺灣商務印書館，1983年，據國立故宮博物院藏本影印），第1032冊，頁484。

213 見〔魏〕張揖撰，〔隋〕曹憲音釋：《廣雅》（臺北市：新文豐出版公司，1985年，《叢書集成新編》），卷10，〈釋草〉，頁131。

214 見《廣韻・下平・麻韻・瓜》云：「《說文》：『蓏也』，《廣雅》云：『龍蹄、獸掌、羊骹、兔頭、挂牗、蜜筩、小青、大班，皆瓜名。』」見〔宋〕陳彭年等重修，林尹校訂：《新校正切宋本廣韻》（台北市：黎明文化事業公司，1976年，1993年14刷），頁166。

說法皆與《倭名類聚鈔》所載不同，細查可知，本條引文應轉引自《廣韻》之說，且「獸掌」前脫「龍蹄」二字，「羊骹」後脫「兔頭、挂髐、蜜筩」諸字。此外此處所言瓜果類之名稱，亦多可見於後世書籍，如元‧王禎《農書》卷八〈百穀譜三‧蓏屬‧甜瓜黃瓜附〉云「果瓜品類甚多，不可枚舉。以狀得名者則有龍肝、虎掌、兔頭、狸首、蜜筩之稱；以色得名者，則有烏瓜、黃瓝、白瓝、小青、大斑之別。」若此，則當可據《廣雅》原文及《倭名類聚鈔》及《農書》所言，以證《廣韻》中「大班」二字當為「大斑」之誤，「獸掌」當為「虎掌」之誤。

（6）一條分為二條釋

《倭名類聚鈔》中將《廣雅》同條分為二條，分別見於卷十一〈寶貨部第十七‧玉類第百五十三‧硨磲〉及卷十一〈寶貨部第十七‧玉類第百五十三‧馬腦〉、卷十八〈羽族部第二十八‧羽族名第二百三十一‧鶌鳩〉及卷十八〈羽族部第二十八‧羽族名第二百三十一‧鷂子〉等四條。

（1）卷十一〈寶貨部第十七‧玉類第百五十三‧硨磲〉載有「《廣雅》云：
『車渠陸詞並從石作硨磲也，俗音謝古，石之次玉也。』」；卷十一〈寶貨部第十七‧玉類第百五十三‧馬腦〉則載「《廣雅》云：『馬腦俗音女奈宇，石之次玉也。』」，然此二說同出於《廣雅‧釋地》，作「蜀石碔、玟、硨、磲、碼、磁、武夫琨、珸、瑤石璖、玏、珂，石之次玉」[215]故此源順將《廣雅》中同條分為二條以釋，且此處「車渠」應作「硨磲」；「馬腦」應作「碼磁」。

（2）卷十八〈羽族部第二十八‧羽族名第二百三十一‧鶌鳩〉載「《廣雅》云：『鶌帝肩二音，《漢語抄》云乃世，鷂屬也。』」；卷十八羽族部二十八‧羽族名第二百三十一‧鷂子〉載「《廣雅》云：『鷂子鷂音聿，《漢語抄》云：都布利，鷂屬也。』」此二條同出於《廣雅‧釋鳥》，作「鶌鳩、鷂

---

215 見〔魏〕張揖撰，〔隋〕曹憲音釋：《廣雅》（臺北市：新文豐出版公司，1985年，《叢書集成新編》），卷9，〈釋地〉，頁116。

子、籠脫，鷃也」²¹⁶，鷃鶡、鶡子、籠脫，本屬同類，然源順將其分「鶡子」與「鷃鶡」二條而釋，且「鶡」前脫「鷃」字。「鷃」後衍「屬」字。

（7）合二條為一條

合二條為一條者，僅有一例，見於卷三〈形體部第八・瘡類第四十一・瘡〉，作：

《廣雅》云：「痂音家，和名加佐布太，瘡上甲也。」

案：《廣雅・釋詁》作「痂、瘃、疥瘙、癬、瘍、癣、瘶、瘤、傷瘢、胗、痦、瘟、創也」²¹⁷，「瘡」、「創」，《龍龕手鑑》即云「瘡又作創」，故二者為異體。《廣雅・釋言》云：「疕，痂也。」《字彙補》云「疕，又痂也，瘡上甲。」《龍龕手鑑》及《廣韻〈上聲・紙・諀〉》亦載「疕，瘡上甲，亦頭瘍。」故此將《廣雅・釋言》及《廣雅・釋詁》二條說解合一而釋。

2 與今本《廣雅》同

（1）卷三・形體部第八・鼻口類第三十二・牙

《廣雅》云：「機謂之牙魚加反，和名岐波」

案：與《廣雅・釋器》同。²¹⁸

（2）卷十四・調度部中第二十二・稱量具第百七十九・權衡

《廣雅》云：「錘音垂謂之權和名波加利乃於毛之」

216 見〔魏〕張揖撰，〔隋〕曹憲音釋：《廣雅》（臺北市：新文豐出版公司，1985年，《叢書集成新編》），卷10，〈釋鳥〉，頁137。

217 見〔魏〕張揖撰，〔隋〕曹憲音釋：《廣雅》（臺北市：新文豐出版公司，1985年，《叢書集成新編》），卷1，〈釋詁〉，頁4。

218 見〔魏〕張揖撰，〔隋〕曹憲音釋：《廣雅》（臺北市：新文豐出版公司，1985年，《叢書集成新編》），卷8，〈釋器〉，頁101。

案：此條同《廣雅・釋器》之說。

（3）卷十五・調度部下第二十二・工匠具第百九十七・鐵槌

《廣雅》云：「鋡於劫反，和名加奈都知，鐵槌也。」

（十）《方言》

《輶軒使者絕代語釋別國方言》，《舊唐書・經籍志》謂之《別國方言》，因其名冗長，後人省稱為《方言》。舊傳為揚雄所著，該書因漢應劭注《漢書》時，曾徵引《方言》一條，並稱為揚雄所作，自是，世人多稱揚雄作《方言》，皆無異詞。然至宋，因洪邁《容齋隨筆》時，從《漢書・藝文志》不載揚雄著《方言》及《方言》文中不避漢顯帝諱等方面，進而提出異議，自爾，後人便有質疑，如《四庫全書總目》即言「反覆推求，其真偽皆無顯據。姑從舊本，仍題雄名，亦疑以傳疑之義也。」[219]今傳世之《方言》共十三卷。

《倭名類聚鈔》中引用《方言》者，共計二十三條，細查則發現其中有同今本《方言》、異於今本《方言》、誤置他書為《方言》及未見於今本《方言》等情形，茲說明如下：

1 與今本《方言》同者

與今本《方言》相同者，共計有二例：

（1）卷十九・虫豸部第三十一・虫豸類第二百四十・蚰蜒

《方言》云：「北燕謂之蚭蚭上女陸反，下音尼。」
案：此同《方言》卷十一。[220]

---

219 詳見《四庫全書總目提要》，卷40，〈經部四十・方言〉條及竇秀艷：《中國雅學史》（濟南市：齊魯書社，2004年），頁68-72。

220 見〔漢〕揚雄撰，〔晉〕郭璞注：《方言》，收錄於齊佩瑢：《訓詁學概論》（臺北市：華正書局，1999年），卷11，頁36。

（2）卷十五・調度部下第廿二・農耕具第百九十五・鎌

《方言》云：「刈刉艾鉤二音。」

案：此見於《方言》第五，作「刈鉤」[221]另「刉」，《說文解字》〈刀部〉曰
「刉，鎌也。」清・段玉裁則注云：「亦作『鉤』」[222]故「刉」、「鉤」
異體。

2 異於今本《方言》者

經查與今本《方言》有異，不外有脫落、衍訛、刪改、改迻語序及誤置
他書為《方言》等情況，今整理如下：

（1）脫、衍、訛

（1）卷三・形體部第八・頭面類第三十・額

揚雄《方言》云：「額五陌反，和名比太比，東齊謂之顙蘇朗反，幽州謂之
顎五各反。」

案：此詞條中「額，東齊謂之顙」部分見於《方言》 卷十，作「顙、額、
顔，顙也。湘江之間謂之顙，中夏之謂額，東齊謂之顙，汝潁淮泗之間
謂之顔。」[223]源順據此刪節，且將「額」改作「額」。額，大徐本《說
文》〈頁部〉云：「顙也，從頁各聲。臣鉉等曰：今俗作額」，故「額」
為「額」之異體。另「幽州謂之顎」諸語則未見於《方言》。

（2）卷三・形體部第八・頭面類第三十・頷頜骨附

《方言》云：「頤怡反謂之頷胡感反，上聲之重字亦作頤，和名於止加比。」

案：此見《方言》卷十，作「頤、頜也。南楚謂之頷，秦晉謂之頜。頤其通

---

221 〔漢〕揚雄撰，〔晉〕郭璞注：《方言》，收錄於齊佩瑢：《訓詁學概論》（臺北市：華
正書局，1999年），卷5，頁19。

222 見〔漢〕許慎撰，〔清〕段玉裁注：《說文解字注》（臺北市：黎明文化事業股份有限
公司，1996年），刀部「刉」，頁180。

223 見〔漢〕揚雄撰，〔晉〕郭璞注：《方言》，收錄於齊佩瑢：《訓詁學概論》（臺北市：
華正書局，1999年），卷10，頁33。

語也。」[224]此「謂之」上脫「南楚」二字。

（3）卷十一・船部第十四・船類第百四十四・舟船艘附

　　《方言》云：「關東謂之舟音周，關西謂之船音旋，和名布禰。」

案：此見於《方言》卷九，云「舟，自關而西謂之船，自關而東或謂之舟，或謂之航。」[225]此源順改迻語序，且有所脫漏，「關東」應作「自關而東或」；「關西」應作「自關而西」。

（4）卷十二・裝束部第二十一・冠帽類第百六十一・帕額

　　《方言》云：「額巾或謂之帕額帕音陌；或謂之絡頭絡音落。」

案：此據《方言》第四「絡頭，帕頭也。……。自關以西秦晉之郊曰絡頭，南楚江湘之間曰帕頭。」[226]刪改，而「帕額」為「帕頭」之誤，然未見「額巾」二字。

（5）卷十三・調度部上第廿二・征戰具第百七十五・戟

　　揚雄《方言》云：「戟九劇反，和名保古，或謂之干，或謂之戈古禾反。」

案：此據《方言》卷九「戟，楚謂之釨。凡戟而無刃秦晉之間謂之釨，或謂之鏔，吳揚之間謂之戈。」[227]刪節，作「或謂之干，或謂之戈」。此外《廣雅・釋器》曰「鏔、子、鏝、胡釨、戛、戈，戟也」[228]，因「戟」，亦有「子」之稱，是以此「干」應為「子」之誤。

（6）卷十六・器皿部第二十三・瓦器類第二百四・甕

　　揚雄《方言》云：「自關而東罌謂之甕烏貢反，字亦作瓮，罌音烏莖反，字亦作甖，和名毛太非。」

---

224 見〔漢〕揚雄撰，〔晉〕郭璞注：《方言》，收錄於齊佩瑢：《訓詁學概論》（臺北市：華正書局，1999年），卷10，頁33。

225 見〔漢〕揚雄撰，〔晉〕郭璞注：《方言》，收錄於齊佩瑢：《訓詁學概論》（臺北市：華正書局，1999年），頁30。

226 見〔漢〕揚雄撰，〔晉〕郭璞注：《方言》，收錄於齊佩瑢：《訓詁學概論》（臺北市：華正書局，1999年），卷4，頁16。

227 見〔漢〕揚雄撰，〔晉〕郭璞注：《方言》，收錄於齊佩瑢：《訓詁學概論》（臺北市：華正書局，1999年），卷9，頁29。

228 見〔魏〕張揖撰，〔隋〕曹憲音釋：《廣雅》（臺北市：新文豐出版公司，1985年，《叢書集成新編》），卷8，〈釋器〉，頁101。

案：《方言》第五作「自關而東趙魏之郊謂之瓮，或謂之甖。」[229]故此「東」後衍「甖」字而脫「趙魏之郊」諸字。

（2）刪改、迻序

（1）卷十一・船部第十四・舟具第百四十五・檣

《方言》云：「刺船竹也。」

案：此見於《方言》第九，作「所以刺船謂之檣」[230]，源順據以改作「刺船竹也」。

（2）卷十三・調度部上第廿二・征戰具第百七十五・平題箭

揚雄《方言》云：「鏃不銳者謂之平題和名以太都岐。」

案：《方言》卷九作「箭其小而長中穿二孔者謂之鉀鑢，其三鐮長尺六者謂之飛宝，內者謂之平題」[231]故此「鏃不銳」當作「內」。

（3）卷十四・調度部中第廿二・葬送具第百九十・墳墓

《方言》云：「墳扶云反、壠力腫反，並塚名也。」

案：《方言》卷十三言：「冢，秦晉之間謂之墳，或謂之培，或謂之堬，或謂之采，或謂之埌，或謂之壠。」[232]源順據以刪改作「「墳、壠，並塚名也。」另《玉篇・土部》云：「壟，亦作壠。」故「壠」為「壟」之異體。

（4）卷十七・菜蔬部第二十七・園菜類第二百二十八・辛芥

《方言》云：「趙魏之間謂蕪菁為大芥，小者謂之辛芥音介，和名多加奈。」

---

229 見〔漢〕揚雄撰，〔晉〕郭璞注：《方言》，收錄於齊佩瑢：《訓詁學概論》（臺北市：華正書局，1999年），卷5，頁18。

230 見〔漢〕揚雄撰，〔晉〕郭璞注：《方言》，收錄於齊佩瑢：《訓詁學概論》（臺北市：華正書局，1999年），卷9，頁31。

231 見〔漢〕揚雄撰，〔晉〕郭璞注：《方言》，收錄於齊佩瑢：《訓詁學概論》（臺北市：華正書局，1999年），卷9，頁30。

232 見〔漢〕揚雄撰，〔晉〕郭璞注：《方言》，收錄於齊佩瑢：《訓詁學概論》（臺北市：華正書局，1999年），卷13，頁46。

案：此條與卷十七〈菜蔬部第二十七・園菜類第二百二十八・蔓菁〉，同見
　　於《方言》卷三，言「蘴、蕘，蕪菁也。……趙魏之郊謂之大芥，其小
　　者謂之辛芥。」[233]《方言》中本置於同條而釋，源順將其一分為二，
　　且加以刪節改寫，且「之間」當作「之郊」，「小」前脫「其」。

（5）卷十九・虫豸部第三十一・虫豸類第二百四十・蝙蝠天鼠矢附

　　《方言》云：「蟙䘍織墨二音。」

案：《方言》卷八曰：「自關而西秦隴之閒謂之蝙蝠，北燕謂之蟙䘍」[234]，
　　源順應據此加以刪節，僅存「蟙䘍」二字。

（6）卷十九・虫豸部第三十一・虫豸類第二百四十・蠅胆附

　　《方言》云：「陳楚之間謂之蠅，音膚，和名波閇，東齊之間謂之羊郭璞
　　曰：蠅羊此轉語耳。」

案：此見於《方言》卷十一，作「蠅，東齊謂之羊，陳楚之間謂之蠅，自關
　　而西秦晉之間謂之蠅」[235]，此處源順顛倒語序。

（7）卷十九・虫豸部第三十一・虫豸類第二百四十・螻蛄

　　《方言》云：「螻蛭音室」

案：《方言》卷十一作「螻蛭謂之螻蛄，或謂之蟓蛉。」[236]此源順刪節僅錄
　　出「螻蛭」二字。「蛭」，《正字通》以為「蛭，蛭之訛字」；《重定直音
　　篇》則言「蛭，通作蛭」，故「蛭」為「蛭」之異體。

（3）誤以他書為《方言》

（1）卷十五・調度部下第廿二・農耕具第百九十五・欋

---

233 見〔漢〕揚雄撰，〔晉〕郭璞注：《方言》，收錄於齊佩瑢：《訓詁學概論》（臺北市：
　　華正書局，1999年），卷3，頁11。

234 見〔漢〕揚雄撰，〔晉〕郭璞注：《方言》，收錄於齊佩瑢：《訓詁學概論》（臺北市：
　　華正書局，1999年），卷8，頁28。

235 見〔漢〕揚雄撰，〔晉〕郭璞注：《方言》，收錄於齊佩瑢：《訓詁學概論》（臺北市：
　　華正書局，1999年），卷11，頁36。

236 見〔漢〕揚雄撰，〔晉〕郭璞注：《方言》，收錄於齊佩瑢：《訓詁學概論》（臺北市：
　　華正書局，1999年），卷11，頁35。

揚雄《方言》云:「齊魯謂四齒杷為櫂音衢,《漢語抄》云:「佐良比」。」

案:《釋名》卷一〈釋道〉云:「四達曰衢,齊、魯謂四齒杷為櫂;櫂杷地,
則有四處,此道似之也。」[237]故此《方言》當作《釋名》。

（2）卷十七・菜蔬部第二十七・園菜類第二百二十八・蔓菁

揚雄《方言》:「陳宋之間蔓菁曰葑音封。」

案:葑,《方言》作「薹」,唐・陸德明《經典釋文》言「葑,字書作薹。
《草木疏》云:『蔓菁也。』」[238]故「葑」、「薹」為異體。而此處源順
所言「陳宋之間蔓菁曰葑音封」則未見於《方言》。然《方言》卷三有
作「薹、蕘,蕪菁也。陳楚之郊謂之薹,魯齊之郊謂之蕘,關之東西謂
之蕪菁,趙魏之郊謂之大芥,其小者謂之辛芥,或謂之幽芥;其紫華者
謂之蘆菔。東魯謂之菈蘧」[239]之語,另《禮記・坊記》「采葑采菲」
下,鄭玄注亦可見曰:「葑,蔓菁也,陳、朱之間謂之葑。」[240]故此有
二種可能:一為源順疑誤置,將鄭玄注《禮記》誤書為《方言》,若此
則應將「揚雄《方言》」改作「鄭玄《禮記注》」。清・杭世駿即將《禮
記》〈坊記〉鄭玄注收錄,補於其所作之《續方言》[241],作「葑,蔓菁
也。陳宋之間謂之葑,《禮記・坊記注》。」一為源順據《方言》「陳楚
之郊謂之薹」之說誤作為「陳宋之間蔓菁曰葑」,且以異體「葑」作
「薹」。

（3）卷二十・草木部第三十二・木具草具附出第二百四十九・杈椏

---

237 見〔東漢〕劉熙:《釋名》,收錄於齊佩瑢:《訓詁學概論》(臺北市:華正書局,1999
年),頁7。

238 見〔唐〕陸德明見:《經典釋文》,收錄於《叢書集成新編》(臺北市:新文豐出版公
司,1985年),卷5,〈毛詩音義上〉〈采葑〉,頁224。

239 見〔漢〕揚雄撰,〔晉〕郭璞注:《方言》,收錄於齊佩瑢:《訓詁學概論》(臺北市:
華正書局,1999年),卷3,頁11。

240 見〔漢〕鄭玄注、〔唐〕孔穎達疏:《禮記正義》(臺北市:藝文印書館,1993年),卷
51,〈坊記第三十〉,頁871。

241 〔清〕杭世駿所編《續方言》卷下作「葑,蔓菁也。陳宋之間謂之葑,《禮記》〈坊記
注〉。幽州人或謂之芥,〈陸璣詩疏〉」

《方言》云:「河東謂樹岐曰杈椏砂鵶二音,和名末多布里。」

案:今本《方言》未見此說,屬佚文。然卻見錄於《廣韻》、《集韻》。《廣韻・九麻・椏》注引云:「《方言》云『江東言樹枝為椏杈』」[242];《集韻》〈九麻〉〈椏〉注引云:「《方言》云『江東謂樹岐為椏杈』」[243],若此,源順應轉引自《集韻》所引之語。

3 未見於今本《方言》者

(1) 卷三・形體部第八・肌肉類第三十六・脂膏

《方言》云:「在腰之脂肪也。」

(2) 卷十・居處部第十三・居宅類第百卅六・殿名附出・

《方言》:「腰云與止乃,寢室也。」

(3) 卷十・居處部第十三・居宅類第百卅六・庵室

《方言》:「腰云草庵和名伊保,草舍也。」

(4) 卷十四・調度部中第廿二・屏障具第百八十七・籧篨

《方言》曰:「江東謂之籧篨渠除二音,和名阿無師路。」

案:《方言》第五作「簟,宋魏之間謂之笙,或謂之籧苗。自關而西謂之簟,或謂之蒢。其粗者謂之籧篨。」[244]與源順之說有異,疑誤書或佚文。

---

242 《廣韻・下平・九麻・鴉・椏》,見〔宋〕陳彭年等重修,林尹校訂:《新校正切宋本廣韻》(台北市:黎明文化事業公司,1976年,1993年14刷),頁167。

243 見〔宋〕丁度等編:《集韻》(台北市:學海出版社,1986年,據上海圖書館述古堂影宋抄本影印),卷3,〈平聲・九麻・鴉・椏〉,頁209。

244 見〔漢〕揚雄撰,〔晉〕郭璞注:《方言》,收錄於齊佩瑢:《訓詁學概論》(臺北市:華正書局,1999年),卷5,頁20。

（5）卷十六・飲食部第二十四・魚鳥類第二百十二・腊

　　　《方言》云：「鳥腊曰臕音無，又音武。」

（十一）郭璞《方言注》

1 同於今本《方言注》者

　　　與今本《方言注》者僅見一例，即卷十二〈香藥部第十八・香名類第百五十四・薰籠〉，言：

　　　《方言注》云：「火籠多岐毛乃々古，今薰籠也。」
案：此見於《方言》卷五「篝」郭璞注，云「今薰籠也。」[245]

2 異於今本《方言注》者

　　　異於今本《方言注》者，可見其有脫、衍、刪節及合併等情形，其例如下：

（1）脫

（1）卷四・術芸部第九・射芸類第四十二・戲射
　　　郭璞《方言注》云：「平題者，今之戲射箭也今案：戲射世間云，佐以多天是乎平題，見征戰具。」
案：《方言》卷九「內者謂之平題」郭璞注「今戲射箭，頭題，猶羊頭也。」[246]「今」後脫「之」字。
（2）卷十二・裝束部第二十一・衣服具第百六十四・被

---

245 見〔漢〕揚雄撰，〔晉〕郭璞注：《方言》，收錄於齊佩瑢：《訓詁學概論》（臺北市：華正書局，1999年），卷5，頁19。
246 見〔漢〕揚雄撰，〔晉〕郭璞注：《方言》，收錄於齊佩瑢：《訓詁學概論》（臺北市：華正書局，1999年），卷9，頁30。

《方言注》云：「被音與掖同，和名古呂毛乃和岐，衣掖也。」

案：此見於《方言》卷四「襜謂之被」郭璞注，云：「衣掖下也」[247]，故此「掖」字後脫「下」字。

（3）卷十八・羽族部第二十八・羽族名第二百三十一・鸏鶂

郭璞《方言注》云：「鸏鶂辟低二音，和名邇保，野鳧小而好沒水中也。」

案：此見《方言》卷八「野鳧其小而好沒水中者，南楚之外謂之鸔鷜」郭璞注，云：「《後漢書・馬融傳》『鷺雁鸔鷜』注云：『揚雄《方言》曰：『野鳧也，甚小好沒水中，膏可以瑩刀劍。』」[248]此刪郭璞注，且「小」前脫「甚」字。

（2）刪改

（1）卷十二・裝束部第二十一・衣服類第百六十三・褌

《方言注》云：「袴而無跨謂之褌音昆，和名須萬之毛能，一云知比佐岐毛乃。」

案：《方言》卷四「褌，陳楚江淮之閒謂之惥」郭璞注曰：「顏師古注《急就篇》云：『袴合襠謂之褌』最親身者也。」此據「袴合襠謂之褌」之說而刪改。

（2）卷十三・調度部上第二十二・弓劍具第百七十六・劍鞘

郭璞《方言注》云：「鞞音倂，劍鞘也。」

案：此說見於《方言》卷九「劍削，……自關而西謂之鞞」郭璞注云：「《廣雅》郭，劍削也。郭、廓古通用。鞞，又作鞞削、室鞞，亦刀劍通稱。《說文》云『削，鞞也。鞞，刀室也』，《廣雅》『鞞，刀削也』」此疑據郭璞《方言》注中所引之「『鞞，刀削也』」而作。《正字通》曰「削，……通作鞘。」故「削」、「鞘」異體。

---

247 見〔漢〕揚雄撰，〔晉〕郭璞注：《方言》，收錄於齊佩瑢：《訓詁學概論》（臺北市：華正書局，1999年），卷4，頁16。

248 見〔漢〕揚雄撰，〔晉〕郭璞注：《方言》，收錄於齊佩瑢：《訓詁學概論》（臺北市：華正書局，1999年），卷8，頁28。

（3）卷十六・器皿部第二十三・瓦器類第二百四・杯盞

《方言注》云：「盞音與產同，和名同上，杯之最小者也。」

案：《方言》卷五「自關而東趙魏之間曰椷，或曰盞」郭璞注云「最小椷也」[249]，源順此據郭注以改寫。杯，《玉篇》、《廣韻》皆言「椢、杯同」[250]，故「杯」、「椢」為異體。

（4）卷十六・器皿部第二十三・竹器類第二百五・籯

《方言注》云：「籮形小而高者，江東呼為籯呼擊反，《漢語抄》云：「阿自賀」。」

案：此說見於《方言》卷五「自關而西謂之注，箕陳魏宋楚之間謂之籮」郭璞注云「籯亦籮屬也，形小而高無耳」[251]，故源順據而改寫。

（5）毛群部第二十九・毛群名第二百三十四・豬豚附

《方言注》云：「豚徒昆反，字亦作豘，豕子也。」

案：《方言》卷八言「豬，北燕朝鮮之間謂之豭，關東西或謂之彘，或謂之豕。南楚謂之豨。其子或謂之豚，或謂之貕，吳揚之間謂之豬子」郭璞注曰：「案《春秋》定公十四年，《左傳》野人歌之曰：『既定爾婁豬，盍歸吾艾豭。』《說文》云：『豬，豕而三毛叢居者；豭，牡豕也；豚，小豕也。』」故此源順將據郭璞之說而改寫。

（6）卷十九・虫豸部第三十一・虫豸類第二百四十・蜜蜂蛵螉附

《方言注》云：「蜜蜂和名美知波知蜜，見飲食部，黑蜂在竹木為孔，又有室者也。」

案：此說見於《方言》卷十一「其大而蜜謂之壺蠭」郭璞注，曰：「今黑蠭

---

249 見〔漢〕揚雄撰，〔晉〕郭璞注：《方言》，收錄於齊佩瑢：《訓詁學概論》（臺北市：華正書局，1999年），卷5，頁17。

250 《玉篇》：「椢，博回切，說文『𦉥也』。杯，同上。」《廣韻》〈平聲〉〈咍韻〉：「《說文》曰：『𦉥也』。杯，上同。」見〔梁〕顧野王撰；〔宋〕陳彭年等重修：《宋本玉篇》，收錄於文懷沙主編；《四部文明》（西安市：陝西人民，2007年，清康熙四十三年吳郡張氏刊澤存堂五種本），卷12，〈木部〉，頁69。

251 見〔漢〕揚雄撰，〔晉〕郭璞注：《方言》，收錄於齊佩瑢：《訓詁學概論》（臺北市：華正書局，1999年），卷5，頁18。

穿竹木作孔亦有蜜者，或呼笛師」[252]故此源順將「作」改作「為」，「亦」改作「也」，將「蜜」作「室」。

(3) 將《廣雅》二條合一條，此見於卷十五〈調度部下第二十二·農耕具第百九十五·杁〉作：

郭璞《方言注》云：「江東杷之無齒者為杁音拜，《漢語抄》云：江布利」
案：《方言》卷五「杷」郭璞注「無齒為杁」[253]；「宋魏之間謂之渠挐」郭璞則注云「今江東名亦然」[254]，故此源順將兩者合併為一條而釋。

三 結論

綜合上文所輯《倭名類聚鈔》所引之雅學相關著作觀之，約略可歸納有優點及缺失兩方面，茲說明如下：

（一）《倭名類聚鈔》引文之價值

1 補今本小學類相關作品內容之不足

現存之小學類相關著作中，有些字義詮釋未足之處，可藉由《倭名類聚鈔》中所收錄之說法來補充，如：《爾雅·釋蟲》「蠓，蠛蠓。」今本郭璞注僅見：「小蟲，似蚋，喜亂飛。」[255]然卷十九〈虫豸部第三十一·虫豸類第

---

252 見〔漢〕揚雄撰，〔晉〕郭璞注：《方言》，收錄於齊佩瑢：《訓詁學概論》（臺北市：華正書局，1999年），卷11，頁35。

253 見〔漢〕揚雄撰，〔晉〕郭璞注：《方言》，收錄於齊佩瑢：《訓詁學概論》（臺北市：華正書局，1999年），卷5，頁19。

254 見〔漢〕揚雄撰，〔晉〕郭璞注：《方言》，收錄於齊佩瑢：《訓詁學概論》（臺北市：華正書局，1999年），卷5，頁19。

255 見〔晉〕郭璞注，〔宋〕邢昺疏：《爾雅注疏》（臺北市：藝文印書館，1997年），卷9，〈釋蟲〉，頁164。

二百四十・螱蠓〉中所引之《爾雅集注》云：「螱蠓，小虫亂飛也。礙則天風春則天雨。」宋陸佃《埤雅・釋蟲》「蠓」條曰：「蠓飛礙則天風，春則天雨」、清郝懿行《爾雅義疏》則曰：「蓋蠓飛而上下如舂主風，回旋如礙主雨，今俗語猶然也。」、清邵晉涵《爾雅正義》注「蠓，螱蠓」引《眾經音義》中引郭注亦云：「小蟲似蚋，風舂雨礙者也」，諸書所載皆與《倭名類聚鈔》所引說法相似，然今本《爾雅》卻未見，或可補今本《爾雅》注之不足。

又如瓜名「大班」或作「大斑」，《廣韻・瓜》下轉引《廣雅》作「大班」然《倭名類聚鈔》卷十七〈菓蓏部第二十六・蓏類第二百二十三・熟瓜〉引《廣雅》則作「大斑」，若再對比王禎《農書》卷八〈百穀譜三・蓏屬・甜瓜黃瓜附〉所作「大斑」，若此則當可據《廣雅》原文及《倭名類聚鈔》及《農書》所言，以證《廣韻》中「大班」二字當為「大斑」之誤，「獸掌」當為「虎掌」之誤

再如《爾雅・釋蟲》「螱杜螱」一句，歷來有「螱，虹螱」、「螱虹，螱」不同之見解，前者如《爾雅・釋蟲》邢昺疏曰「一名杜螱。」[256]，《說文》〈螱〉亦曰「丁螱也。」而後者如《集韻・平聲・耕韻・虹》言：「螱虹，螱屬。」[257]、《玉篇》曰「虹，丑經切，螱虹也；蛵，同上；螱，力公切，螱虹，蟲，亦獸名。」[258]等，段玉裁注《說文・螱》則以為「按此當於螱丁為逗。……讀《爾雅》者以丁螱為句，亦非；螱丁、螱之一名耳。」[259]故卷十九〈虫豸部第三十一・虫豸類第二百四十・赤蟻〉「《爾雅集注》云：

---

256 見〔晉〕郭璞注，〔宋〕邢昺疏：《爾雅注疏》（臺北市：藝文印書館，1997年），卷9，〈釋蟲〉「螱，杜螱」邢昺疏，頁163。

257 見〔宋〕丁度等編：（台北市：學海出版社，1986年，據上海圖書館述古堂影宋抄本影印），〈平聲〉〈耕韻〉〈虹〉，頁236

258 見〔梁〕顧野王撰；〔宋〕陳彭年等重修：《宋本玉篇》，收錄於文懷沙主編；《四部文明》（西安市：陝西人民，2007年，清康熙四十三年吳郡張氏刊澤存堂五種本），卷25，〈虫部〉，頁126。

259 見《說文解字注》（臺北市：黎明文化事業股份有限公司，1996年）「丁螱也。從虫龍聲。」注曰：「按此當於螱丁為逗。各本刪螱字者，非也。讀《爾雅》者以丁螱為句，亦非；螱丁、螱之一名耳」，卷13，〈虫部〉〈螱〉，頁672。

『赤駁蚍蜉,一名蠠蚸,赤蟻也。』」之說可供輔佐段玉裁說解之證。

2 保存佚文

綜觀《倭名類聚鈔》中所引之作品,如舍人《爾雅注》、李巡《爾雅注》、孫炎《爾雅注》、沈旋《爾雅集注》等今皆亡佚,然如《爾雅集注》今僅見於清‧黃奭所輯五十三條及馬國翰所輯五十七條。而《倭名類聚鈔》中共引有三十六例,可見《倭名類聚鈔》之引文,不論保存之數量或內容,皆為研究《爾雅集注》者保留重要資料,可供參考之用。

即使今存之書籍,然於《倭名類聚鈔》所引用作品中,亦有若干為今本所未見,如卷二十〈草木部第三十二‧蓮類第二百四十四‧蕸〉引郭璞注云「蕸亦荷字也。」即今本郭璞《爾雅注》未見,此便可供後人研究郭璞注時的參考資料。

3 文字學方面之功能

因《倭名類聚鈔》所使用之文字,多以俗字、異體字書寫,例如「羡」,《爾雅》本作「美」;「錫」,《爾雅》本作「錫」;「槑」,《爾雅》本作「椮」;「鐊」,《爾雅》本作「鍀」;「圬」《爾雅》本作「圬」等,故可藉由《倭名類聚鈔》引文用字與後世原典用字之比對,供後世於研究異體字方面參考。

(二)《倭名類聚鈔》引文之疏忽

1 不注出處

《倭名類聚鈔》雖保存若干散佚之資料,然因書寫時不詳注作者,使後人無從判斷出處為何,例如歷來注疏《爾雅》且以《爾雅注》命其書者甚多,如犍為文學、劉歆、鄭樵、樊光、李巡等皆然,然《倭名類聚抄》引用時不注明作者,因諸書同名,且多有亡佚,使人不明其出處為何。如卷十

〈居處部第十三・居宅具第百廿七・栭〉曰：「《爾雅注》云：『梁上謂之栭』」然此說未見於郭璞注，後人則無從知悉注疏者。

又如卷十八〈羽族部第二十八・羽族名第二百三十一・恠鵙〉僅言「《爾雅注》云：『恠鵙，伏夜行鳴，以為恠者也。』」然因唐・玄應《一切經音義》引文可見「《爾雅》「恠鵙」舍人曰：『一名恠鳥，一名鵙鵙，南陽名鉤鵅。』」諸語，因此可知此引自舍人《爾雅注》，然若無唐玄應《一切經音義》之紀錄，後人則無從知其真相。

2 文中用語易使人混淆：

卷十七「柚」條言：「《音義》柚或作櫾」此乃出於陸德明《經典釋文》〈爾雅音義〉然僅言「音義」，而唐釋玄應所撰《一切經音義》也稱為玄應《音義》，則易導致後人混淆。

3 文多有誤、衍、脫、刪節、分合，不符原文內容

歷來著書者引用他人著作時，或因手民之誤，或因恣意刪改，常造成與原文不符之現象。《倭名類聚鈔》引文中亦有相同之情況，有引文訛誤、脫、增、竄改、刪節等現象。

引文脫漏者，如卷十五「罧」條載「《爾雅》云：『罧，謂之涔』郭璞曰：『積柴於水中，魚得寒入其裏，因以簿圍捕取之。』」比對今本《爾雅・釋器》及《爾雅》注，可知郭璞注作「積聚柴於水中，魚得寒入其裏隱藏，因以簿圍捕取之」，由是可知，「積」前脫「聚」字，「裏」後脫「藏隱」二字。

引文訛誤者，如卷二十「椋」條載「《爾雅注》云：『椋，一名即棶』」，此語出於郭璞疏[260]而誤作為《爾雅注》。

引文衍字者，如卷二「妹」條載「《爾雅》云：『女子後生為妹』」而此

---

260 《爾雅》〈釋木〉「椋，即來」郭璞注「今椋，材中車輞」邢昺疏「椋，一名即來。」見《爾雅注疏》（臺北市：藝文印書館，1997年），卷9，〈釋木〉，頁157。

出於《爾雅・釋親》，作「謂女子先生為姊，後生為妹」，故可知此引文「後」字前衍「女子」二字。

　　引文竄刪者，如卷二「私」條言「孫炎注云：『謂無正親也。』」然「謂無正親也」諸語，見於《詩經・碩人》孔穎達疏引孫炎注作「私，無正親之言。」，故此條中源順有所刪改。

理學的考據進路

——論元代「旁通體」經疏的發展

孫　廣

華東師範大學中文系博士生

提要

元代理學發展過程中，出現過一派以考究典故為主的學者，其研究的代表就是「旁通體」經疏。「旁通體」經疏以「考究典故」為主要內容；其體例大體取法陸德明《經典釋文》，截取經、注文字再加以考辨；取材範圍以原始文獻為主；在表現形式上也體現出較強的「撰」的色彩，而不是「編」；內容上也沒有「纂疏體」經疏常見的意見衝突。這一經疏範式創始於杜瑛《語孟旁通》，明確其為「疏」體則始於金履祥《論孟集注考證》，集成於張存中《四書通證》，最後逐漸為「纂疏體」經疏所吸納，才失去其獨立性，消隱在歷史之中。這一經疏範式，是宋元新疏的重要組成部分，也是理學發展過程中的一個重要方面。

關鍵詞：元代　經疏　旁通體　理學　四書

一 緒論：宋元新疏的兩個範式

隨著朱子的《四書章句集注》逐漸確立了其權威性，從宋末開始，出現了一大批新的疏解朱子《四書章句集注》的著作。對此，四庫館臣云：

> 朱子以後解《四書》者，如真德秀、蔡節諸家，主於發明義理而已。金履祥始作《論語孟子集注考證》，後有杜瑛《語孟旁通》、薛引年[1]《四書引證》、張存中《四書通證》、詹道傳《四書纂箋》，始考究典故以發明經義。[2]

與宋代之前的經疏特重「考究典故」不同，這一時期的新疏，一部分「主於發明義理」，一部分則主於「考究典故以發明經義」。這兩種不同的側重，正代表了理學發展中齊頭並進的兩條進路。

「主於發明義理」的這條進路，顧炎武有非常清晰的梳理，其《日知錄》云：

> 自朱子作《大學、中庸章句》、《或問》，《論語、孟子集注》之後，黃氏有《論語通釋》。而采語錄附於朱子《章句》之下，則始自真氏，名曰《集義》，止《大學》一書。祝氏乃仿而足之，為《四書附錄》。後有蔡氏《四書集疏》，趙氏《四書纂疏》，吳氏《四書集成》。昔之論者，病其氾濫。於是陳氏作《四書發明》，胡氏作《四書通》，而定宇之門人倪氏合二書為一，頗有刪正，名曰《四書輯釋》。自永樂中，命儒臣纂修《四書大全》，頒之學官，而諸書皆廢。[3]

這一進路，自黃幹《論語通釋》、真德秀《大學集義》始，至蔡模《四書集

1　按，薛延年，字壽之，此處有誤。

2　《欽定四庫全書總目》，《景印文淵閣四庫全書》（臺北市：臺灣商務印書館，1986年），第1冊，卷36，〈論語類考二十卷〉，頁734下欄。

3　〔清〕顧炎武著，陳垣校注：《日知錄校注》（合肥市：安徽大學出版社，2007年），卷18，〈四書五經大全〉，頁1007。

疏》、趙順孫《四書纂疏》而明確其為「疏」體，最終至《四書大全》而總其大成，同時亦宣告衰落。這一進路的發展過程大體如此，學界對此早已有非常清晰的認識。以谷繼明先生為代表的學者們，將這一類新疏概括為「纂疏之學」[4]或「附錄纂疏體」[5]、「纂疏體」[6]等，其成果已經非常豐碩了。

而主於「考究典故以發明經義」的這一進路，從館臣的敘述來看，顯然對其與「纂疏體」經疏的區別有非常清晰的認識。然而，以筆者所見，後世學者雖然注意到了其中的個別著作並有針對個別著作的研究[7]，但對於「考究典故」這一進路，尚缺乏比較全面的認識，因而也一直無法對此作出整體性的評估。受此所限，我們對理學發展的認識，也存在一定的不足。

職此之故，本文擬對這一經疏範式的發展過程作一番簡單的爬梳，希望能展示出這一理學發展進路的局部面貌，為方家的研究提供一點參考。此類經疏，由杜瑛《語孟旁通》發其端（館臣指為金履祥《論孟集注考證》，誤，詳見下文），後來如趙惪《四書箋義》、張存中《四書通證》均參考其書，又有陳師凱《書蔡氏傳旁通》、梁益《詩傳旁通》等亦以「旁通」為名。因此，相比於已有的「纂疏體」，本文以「旁通體」概稱這一新疏範式。

二　「旁通體」經疏的特點

「旁通體」與「纂疏體」著作一樣，都自命為「疏」，而一個偏重考據，一個偏重義理。朱子論《孟子疏》云：「其書全不似疏樣，不曾解出名物制度，只繞纏趙岐之說耳。」[8]倘以此衡量，以「考究典故」、注解名物制

4　谷繼明：〈試論宋元經疏的發展及其與理學的關聯〉，《中國哲學史》2014年第1期，頁104。

5　劉成群：〈「附錄纂疏」體經學著作與「四書五經大全」的纂修──以元代新安經學為敘述中心〉，《中國典籍與文化》2013年第3期，頁62。

6　廖穎：〈元人諸經纂疏研究〉（上海市：華東師範大學碩士論文，2006年），頁2。

7　如清代吳昌宗《四書經注集證》就取法自詹道傳《四書纂箋》，現代的一些學者也對金履祥《論孟集注考證》等著作有深入的研究。

8　〔宋〕黎靖德編，王星賢點校：《朱子語類》（北京市：中華書局，1988年），卷19，〈論語一：語孟綱領〉，頁443。

度為主的「旁通體」經疏,似較以「發明義理」為主的「纂疏體」經疏,更具有「疏樣」了。而除了這一側重點上的差別之外,相比於「纂疏體」經疏,「旁通體」經疏還有其他幾個突出的特點,使得「旁通體」經疏得以成為一種獨特的經疏範式。

首先,從體例上來說,「旁通體」經疏均取法《經典釋文》,不全錄經、注,而是截取其中部分文辭,再於其下附相應的考辨。

金履祥《論孟集注考證》提要引金履祥〈後跋〉云:「但用《經典釋文》之例。」[9] 詹道傳《四書纂箋》書前提要云:「此書略仿陸德明《經典釋文》之例。」[10] 其昉自《經典釋文》,早有定論。按核諸書,金履祥《論孟集注考證》、趙悳《四書箋義》、張存中《四書通證》、梁益《詩傳旁通》、陳師凱《書蔡傳旁通》等,均係如此體例。杜、薛之書雖不傳,然張存中《四書通證》係對二書的刪合,梁益《詩傳旁通》「因杜文瑛先有《語孟旁通》,體例相似,故亦以『旁通』為名」[11],據此推測,杜、薛之書或亦如此。

而之所以選用這樣的體例,主要是因為《四書》向以「詞旨顯明」著稱,館臣云:「蓋《易》、《書》文皆最古,非通其訓詁則不明;《詩》、《禮》語皆徵實,非明其名物亦不解;《論語》、《孟子》詞旨顯明,惟闡其義理而止。所謂言各有當也。」[12] 其中需要考究的典故,原本就不多。如果經、注全錄,往往連續數章乃至十數章都不需要任何說解,作者考辨的內容,也就因比重較小而顯得淡化了。如四庫本《四書纂箋》,正坐此弊。職此之故,雖然有《經典釋文》導夫先路,但其實也是不得不爾。

其次,從取材範圍上說,「旁通體」經疏多採納原始文獻,極少採納後

9　《欽定四庫全書總目》,《景印文淵閣四庫全書》(臺北市:臺灣商務印書館,1986年),第1冊,卷35,〈論語集注考證十卷孟子集注考證七卷〉,頁725下欄。

10　〔清〕紀昀等:〈四書纂箋提要〉,見〔元〕詹道傳:《四書纂箋》,《景印文淵閣四庫全書》(臺北市:臺灣商務印書館,1986年),第204冊,頁1下欄。

11　《欽定四庫全書總目》,《景印文淵閣四庫全書》(臺北市:臺灣商務印書館,1986年),第1冊,卷16,〈詩傳旁通十五卷〉,頁339下欄。

12　《欽定四庫全書總目》,《景印文淵閣四庫全書》(臺北市:臺灣商務印書館,1986年),第1冊,卷35,〈孟子正義十四卷〉,頁706上欄。

人的論說。

「纂疏體」經疏排列的文獻，多為宋儒語錄、文集，這從「纂疏體」諸書書前所列諸家姓氏便可概見。而「旁通體」經疏則多徵引原始文獻。趙悳《四書箋義》、張存中《四書通證》、陳師凱《書蔡傳旁通》三著，書前均列有引用書目，所列以《史記》、《漢書》、《左傳》、《禮記》等原始文獻及後世注解為主。其他諸書雖未單列引用書目，但從其內容來看，大體上也是如此。這種取材的區別，主要是因為「考據」和「義理」的不同側重引起的。闡發義理，自當以宋儒為精微；考究典故，自當以原始文獻為徵實。

再次，在著述方式上，相比於「纂疏體」經疏鮮明的「編」的特點，「旁通體」經疏更接近「撰」。

「纂疏體」經疏在使用文獻時，其表述方式均為逐家排列，而己見則表現為其中一家。如《四書大全》〈大學章句大全〉開篇「子程子……則庶乎其不差矣」下，即為：「龜山楊氏曰……○朱子曰……○……○陳氏曰……○新安邵氏曰……」[13]這種形式，表現出極強的「編」的特色。而「旁通體」經疏，有的是直接徵引原始文獻就可以達到疏解的目的，則徑列原始文獻而止；有的對原始文獻進行了一定程度的剪裁化用，如《論語集注考證》卷一前「適周」下注：「南宮敬叔與孔子俱適周，歷郊社之所，考明堂之則，察朝廟之度。」[14]這是對材料化用比較明顯的；有的則在徵引文獻的基礎上，再針對所徵引的文獻予以相應的考辨。但不論如何，至少在表現形式上，不論是不同來源的文獻材料之間，還是文獻材料與作者意見之間，是合為一體的，並沒有作明顯的區分（張存中《四書通證》是特例，詳見下文）。因此，相比於「纂疏體」經疏逐家排列的編纂方式，「旁通體」經疏雖然對文獻材料的使用非常依賴，但也不失為一種「撰」的著述。

最後，因為「撰」的著述方式，「旁通體」經疏避免了「纂疏體」經疏

13　〔明〕胡廣等：《四書大全》〈大學章句大全〉，《景印文淵閣四庫全書》（臺北市：臺灣商務印書館，1986年），第205冊，頁8下欄。
14　〔元〕金履祥：《論孟集注考證》〈論語集注考證〉，《景印文淵閣四庫全書》（臺北市：臺灣商務印書館，1986年），第202冊，卷1前，頁38下欄。

常見的意見衝突情況。

因為作者的學識不同，「纂疏體」經疏在編選的時候，一旦失於揀擇，往往導致所收錄的對同一句注文的說解相互衝突，「昔之論者，病其氾濫」。[15]與此同時，因為作者的己見也呈現為其中的一家，在這種情況下也難以對相應的矛盾作出評價。而「旁通體」經疏，雖然也偶有原始文獻之間的衝突，但大多數情況下，作者都對其作了相應的考辨。即使有個別地方限於條件，無法折衷歸一，作者也都說明了不同，作出了評價，或者「疑以傳疑」。

綜上所述，「旁通體」經疏以「考究典故」為主要內容；其體例大體取法陸德明《經典釋文》，截取經、注文字再加以考辨；取材範圍以原始文獻為主；在表現形式上也體現出較強的「撰」的色彩，而不是「編」；在內容上也避免了意見衝突的情況出現。

二 「旁通體」經疏的發展

根據館臣的論述，「旁通體」經疏發源於金履祥的《論語孟子集注考證》，隨後是杜瑛、薛延年、張存中、詹道傳等人。但事實上，杜瑛生於西元一二○四年，金履祥生於西元一二三二年，杜瑛年長於金履祥近三十歲，其著作不大可能出於其後。又張存中《四書通證凡例》云：「薛氏所集（《四書引證》），與《（語孟）旁通》……同時。如《語》、《孟》所引者則一。」[16]則薛延年的《四書引證》，很可能參考過杜瑛的《語孟旁通》，其時代可能同時而稍晚。因此，「旁通體」經疏的創始者，應該是杜瑛。

杜、薛之書皆不傳，無從得見原書。杜瑛之書題為《語孟旁通》，旁者，廣也，蓋取諸廣采博通之義。[17]薛延年之書題為《四書引證》，其義蓋

---

15 〔清〕顧炎武著，陳垣校注：《日知錄校注》（合肥市：安徽大學出版社，2007年），卷18，〈四書五經大全〉，頁1007。

16 〔元〕張存中：《四書通證》〈四書通證凡例〉，《景印文淵閣四庫全書》（臺北市：臺灣商務印書館，1986年），第203冊，頁639上欄。

17 〔元〕翟思忠〈詩傳旁通序〉云：「旁通者，引用群經，兼輯諸說，不泥不僻。如《易》之六爻，發揮旁通，周流該貫也。」所謂「引用群經，兼輯諸說」雖頗得「旁

謂徵引典籍以證明四書。張存中〈四書通證凡例〉稱:「杜氏以朱、張《語》、《孟》為之。」[18]則杜瑛《語孟旁通》,乃是以朱熹、張栻二人對《論語》、《孟子》的說解為綱。而薛氏《四書引證》之《語》、《孟》與之相同,則薛氏亦然。又云:「薛氏訓詁太繁,又引《四書》互證《四書》。」[19]則「訓詁太繁」、「引《四書》互證《四書》」,是薛延年《四書引證》的獨特之處。

杜瑛《語孟旁通》、薛延年《四書引證》都沒有選定某一個注本,而是參用了朱熹、張栻二人的注。因此,他們的著作尚未有明確的疏解對象,這體現出他們對於「疏」體尚缺乏自覺的意識。至金履祥《論孟集注考證》,則已經有明確的「疏」體的自覺了。《論孟集注考證》總目提要云:

> 後有自跋[20],謂古書之有注者必有疏,《論孟考證》即《集注》之疏。以有《纂疏》,故不名「疏」。而文義之詳明者,亦不敢贅。但用《經典釋文》之例,表其疑難者疏之。[21]

「《論孟考證》即《集注》之疏」,金履祥對自己著作的定位非常清晰,只是因為有趙順孫《四書纂疏》等以義理為主的著作名「疏」在前,才不以「疏」為名而已。此書體例,正如金履祥自稱,「用《經典釋文》之例」,截取經、注「疑難者」而疏之。其疏解的內容,館臣云:「其書於朱子未定之

通體」經疏之義,然與《周易》之「旁通」相比附,有失妥當。《周易》之「旁通」指六爻之間互通,其關係乃內部關聯,如薛延年《四書引證》「引《四書》互證《四書》」一點尚可如此說,但引及《四書》之外的文獻,則絕非《周易》之「旁通」所能概括比擬。翟〈序〉見〔元〕梁益:《詩傳旁通》,《景印文淵閣四庫全書》(臺北市:臺灣商務印書館,1986年),第76冊,頁791上欄。

18 〔元〕張存中:《四書通證》〈四書通證凡例〉,《景印文淵閣四庫全書》(臺北市:臺灣商務印書館,1986年),第203冊,頁639上欄。

19 〔元〕張存中:《四書通證》〈四書通證凡例〉,《景印文淵閣四庫全書》(臺北市:臺灣商務印書館,1986年),第203冊,頁639上欄。

20 按,《四庫全書》本、《叢書集成初編》本均無是跋,未見原文。《叢書集成初編》本前有〔元〕許謙退補齋〈論孟集注考證序〉,也稱其自跋如此。

21 《欽定四庫全書總目》,《景印文淵閣四庫全書》(臺北市:臺灣商務印書館,1986年),第1冊,卷35,〈論語集注考證十卷孟子集注考證七卷〉,頁725。

說，但折衷歸一，於事跡典故辨訂尤多。蓋《集注》以發明理道為主，於此類率沿襲舊文，未遑詳核，故履祥拾遺補缺，以彌縫其隙。」[22]此書在處理原始文獻的過程中，剪裁化用比較突出，體現出極強的個人色彩，因而多能辯證是非，「旁引曲證，不苟異，亦不苟同。視胡炳文輩拘墟迴護，知有注而不知有經者，則相去遠矣」。[23]

在金履祥之後，「旁通體」經疏迅速發展起來，出現了趙惪《四書箋義》等著作。除此之外，還和「纂疏體」一樣，由「四書」領域擴展到了「五經」領域，出現了陳師凱《書蔡氏傳旁通》、梁益《詩傳旁通》等著作。

阮元〈四書箋義纂要十二卷紀遺一卷提要〉云：

> 趙氏此書，一遵朱子，凡《章句集注》所載，一事一言，必詳考其本源，而各箋義於其下。箋義之後，繼以附錄。附錄之後，繼以注疏纂要。宋淳熙己酉以前，學者確遵舊注。自是以後，幾不知注疏為何物矣。此冊載朱子〈論孟序〉云：「漢、魏諸儒，正音讀，通訓詁，考制度，辨名物，其功博矣。惪亦以《四書》之學，必先觀注疏而後知朱子發明之精，因作《纂要》。」其所論說，本末兼晐，使《章句集注》之義豁然無遺，較之杜氏之《旁通》、熊氏之《標題》，有過之無不及也。[24]

趙惪之作此書，雖未明言其對前人的繼承，其實頗有參考杜瑛《語孟旁通》。劉有慶〈四書箋義敘〉云：「頃者辱教冑子諸生，持一編書曰《語孟旁通》。……今君所箋甚似，而理趣過之甚遠。」[25]按，此書之〈箋義〉部

22 《欽定四庫全書總目》，《景印文淵閣四庫全書》（臺北市：臺灣商務印書館，1986年），第1冊，卷35，〈論語集注考證十卷孟子集注考證七卷〉，頁725。

23 《欽定四庫全書總目》，《景印文淵閣四庫全書》（臺北市：臺灣商務印書館，1986年），第1冊，卷35，〈論語集注考證十卷孟子集注考證七卷〉，頁725。

24 〔清〕阮元：〈揅經室外集〉，《揅經室集》（北京市：中華書局，1993年），卷1，頁1186。

25 〔元〕劉有慶：《四書箋義敘》，見〔元〕趙惪：《四書箋義纂要》，《續修四庫全書》（上海市：上海古籍出版社，2002年），第159冊，據《守山閣叢書》本影印，頁503下欄。

分，皆截取朱子《章句集注》注文，而自為箋義於其下；〈附錄〉則截取經
文，而後自為箋義；〈注疏纂要〉則截取經文，下則節略古注疏以附。《大
學》、《中庸》部分均無〈附錄〉，僅《論語》、《孟子》有之。〈注疏纂要〉所
取古注疏，《大學》、《中庸》為鄭玄注、孔穎達疏、陸德明《釋文》；《論
語》為何晏《集解》、邢昺疏；《孟子》為趙岐注、孫奭疏。此外，收錄《大
學或問》、《中庸或問》，不及《論語或問》、《孟子或問》，蓋以《論孟或問》
「與《集注》及《語類》之說往往多所牴牾」[26]之故。其所箋義，不僅限於
《章句集注》，還「參以《纂疏》及《集成》之所有者」。[27]

通過上段對其內容的簡介可以看到，此書在許多方面都作出了突破：一
是單列〈注疏纂要〉，體現了他對古注疏的認可。阮元是清代漢學的代表人
物之一，因而他之所論，特重此點。二是特意將對經文的疏解單列為〈附
錄〉，置於〈箋義〉之後，相比於金履祥《論孟集注考證》混合經、注的做
法，更為明晰，也更為尊朱。三是疏解的範圍有了極大的擴充，不僅僅增入
了《大學或問》、《中庸或問》，還參考了趙順孫《四書纂疏》、吳真子《四書
集成》等著作。

與此同時，此書也存在兩個缺陷：一是對一些不必要疏解的文辭也一概
予以疏解，疏解的內容有時也過於繁瑣。如對「禮樂射御書數之文」八字的
疏解，長達兩千餘字，實在有勞觀覽。因此，張存中〈四書通證凡例〉云：
「今《箋義》出而事益繁矣。」又云：「《四書箋義》，趙氏所輯，與《旁
通》、《標題》相類，而過於繁冗。」[28]二是所作箋義，原始文獻的原貌大體
得到了體現，個人色彩則較《論孟集注考證》為淡薄，較為缺乏剪裁化用。

陳師凱《書蔡氏傳旁通》，同樣有明確的「疏」體意識，其自序稱：

---

26 《欽定四庫全書總目》，《景印文淵閣四庫全書》（臺北市：臺灣商務印書館，1986
年），第1冊，卷35，〈四書或問三十九卷〉，頁716。

27 〔元〕趙惪：〈自序〉，《四書箋義纂要》，《續修四庫全書》（上海市：上海古籍出版
社，2002年），第159冊，據《守山閣叢書》本影印，頁505上欄。

28 〔元〕張存中：《四書通證》〈四書通證凡例〉，《景印文淵閣四庫全書》（臺北市：臺灣
商務印書館，1986年），第203冊，頁639上欄。

《傳》既成矣，後之讀者，將不能究朱子之所傳，不能領蔡氏之所
受，又不能如其行輦之所講明，故雖有《傳》，猶未能備[知]也。此都
陽董〔氏〕之所以有《輯錄纂注》也。然……初學於此，苟本《傳》
尚未曉析，而乃遊目廣覽，則茫無畔崖，吾誰適從？是董氏所纂，乃
通本《傳》以後之事，殆未可由此以通本《傳》也。此《旁通》之所
以贅出也。[29]

由此可知，蔡沈作《書集傳》之後，董鼎即作有《書蔡氏傳輯錄纂注》以為
之補充。然而其書「乃通本《傳》以後之事，殆未可由此以通本《傳》」，故
陳師凱又作《書蔡傳旁通》。其〈序〉又云：「不厭瑣碎，專務釋傳。固不能
效《正義》之具舉，但值片言隻字之所當尋繹、所當考訓者，必旁搜而備錄
之，期至於通而後止。」[30]其「釋傳」的本意與效法《正義》的追求畢見於
此。該書之前專列〈蔡傳旁通隱字審音〉，以《尚書》篇目分類，就書中生
僻字、多音字的音讀予以標注。其正文部分體例，也取《經典釋文》之例，
截取蔡沈注文而為之疏解，主於「天文、地理、律曆、禮樂、兵刑、龜策、
河圖、洛書、道德、性命、官職、封建之屬」[31]的考究。與《四書籤義》一
樣，此書對文獻資料的化用較少，個人色彩比較淡化。

梁益《詩傳旁通》，以朱子《詩集傳》為本，如《經典釋文》例，截取
注文為之疏解。其以「旁通」為名，館臣云：「因杜文瑛[32]先有《語孟旁
通》，體例相似，故亦以旁通為名。」[33]是可見其確為「旁通體」經疏。書

---

29 〔元〕陳師凱：〈書蔡傳旁通序〉，《書蔡傳旁通》（日本內閣文庫藏元至正五年余氏勤
有堂刊本），頁1a-1b。

30 〔元〕陳師凱：〈書蔡傳旁通序〉，《書蔡傳旁通》（日本內閣文庫藏元至正五年余氏勤
有堂刊本），頁1b。

31 〔元〕陳師凱：〈書蔡傳旁通序〉，《書蔡傳旁通》（日本內閣文庫藏元至正五年余氏勤
有堂刊本），頁1b。

32 按，杜瑛，字文玉，此處有誤。

33 《欽定四庫全書總目》，《景印文淵閣四庫全書》（臺北市：臺灣商務印書館，1986
年），第1冊，卷16，〈詩傳旁通十五卷〉，頁339下欄。

前有翟思忠至正四年（1344）〈序〉，則成書較晚。相比於《四書籤義》、《書蔡氏傳旁通》，此書對文獻材料的剪裁化用較多，個人色彩稍濃。

三　與「旁通體」經疏密切相關的三部著作

如上所述，「旁通體」經疏基本上都是用《經典釋文》之例，截取經、注中的部分文辭予以疏解。不過，許謙《詩集傳名物鈔》、熊禾《四書標題》、詹道傳《四書纂箋》三著，並未遵循這一體例，但我們在談論「旁通體」經疏之時，卻不能拋開他們不談。因此，本文將這三部著作單獨列出，略作介紹。

許謙是金履祥門人，其所撰《詩集傳名物鈔》，單從書名來看，已可見其重名物考證了。館臣云：「是書所考名物音訓頗有根據，足以補《集傳》之闕遺。……然書中實多採用陸德明《經典釋文》及孔穎達《正義》，亦未嘗株守一家，名之曰『鈔』，蓋以此云。」[34] 吳師道〈詩集傳名物鈔序〉云：「公念朱《傳》猶有未備者，旁搜博采，而多引王、金氏，附以己見。要皆精義微旨，前所未發。又以《小序》及鄭氏、歐陽氏《譜》世次多舛，一從朱子補定。正音釋，考名物度數，粲然畢具。」[35]《宋元學案》云：「（許謙）於《詩》則正其音釋，考其名物度數，以補先儒之所未備，仍存在逸義，旁采遠引，而以己意終之。」[36]

此書的編纂體例，雍鵬先生〈許謙及《詩集傳名物鈔》研究〉有很好的總結：

> 《名物鈔》編書體例嚴謹，以朱熹《詩集傳》原文為主，卷首為〈詩

34　《欽定四庫全書總目》，《景印文淵閣四庫全書》（臺北市：臺灣商務印書館，1986年），第1冊，卷16，〈詩集傳名物鈔八卷〉，頁338下欄。

35　〔元〕吳師道：〈詩集傳名物鈔序〉，見〔元〕許謙：《詩集傳名物鈔》，《景印文淵閣四庫全書》（臺北市：臺灣商務印書館，1986年），第76冊，頁3上欄。

36　〔清〕黃宗羲原撰，全祖望補修：《宋元學案》（北京市：中華書局，1986年），卷82，〈北山四先生學案〉，頁2757。

傳綱領〉，著作中不列《詩經》原文，僅列出篇名，篇題下根據《詩集傳》概括此篇大意，與小序不同的，則綴以「異」字標注。《名物鈔》主要分為兩個部分：一是對《詩經》「經」的解說。「經」下主要是旁徵博引諸家對《詩經》經本文的注釋，有的加以己斷，或者有不同意見的地方加以自己解說和注釋；一是對朱熹《詩集傳》的解釋、糾正或補充。個別地方有對《詩集傳》「序」的解說，但在全文中較少。許謙在《名物鈔》的〈風〉、〈雅〉、〈頌〉每篇文後，都有根據朱熹《詩集傳》而做的詩譜。全書最後是〈詩總圖〉，由此我們也可以說《名物鈔》是對《詩集傳》的注解與擴充。《名物鈔》多次列出《朱子語錄》關於部分《詩》篇或相關具體的歷史背景的介紹，盡其力將相關歷史、文獻補齊，以求用史實解釋《詩經》。[37]

此書旁徵博引，在考證名物制度、音讀訓釋這方面，與「旁通體」經疏是一致的。其書中多闡發己見，「撰」的色彩非常濃厚，可謂能紹金履祥之學矣。但是，在體例安排上，此書「僅列篇名，篇題下根據《詩集傳》概括此篇大意」以為綱，而並非如陸德明《經典釋文》一般截取其中的文辭，這是其與「旁通體」經疏不同之處。

熊禾《四書標題》，胡玉縉先生云：

標題皆列上方，《學》、《庸》則分節以釋之，《論》、《孟》則每章標出「學」與「身」、「心」、「家」、「國」、「天下」諸目，諸目中更分細目，又分「事」與「義」以釋之。「事」則略舉典故，「義」則發搊己意，或引舊說。[38]

此書現存三本：一為鐵琴銅劍樓十九卷本，題為《四書標題》，胡先生所見

---

37 雍鵬：《許謙及《詩集傳名物鈔》研究》（呼和浩特市：內蒙古師範大學碩士論文，2012年），頁9。

38 胡玉縉撰，吳格整理：《續四庫提要三種・四庫未收書目提要續編》（上海市：上海書店出版社，2002年），頁29。

即此本[39]；一為元刻三十卷本，題為《四書章句集注標題》，乃善本；一為《北京圖書館藏甲庫善本叢書》所收元刻本，題為《四書標題》，注「二十一卷，存五卷」。前兩本均藏於國家圖書館，筆者未見。以甲庫本觀之，此書體式，頗類後世「高頭講章」，分為上下兩欄，下欄主體部分為《四書章句集注》全文，上欄則為熊氏所撰「標題」，是即胡先生所謂「標題皆列上方」。

從體例上來看，此書幾不同於任何一種常見的經疏。從內容上來看，「『事』則略舉典故，『義』則發攄己意，或引舊說」，是典型的考據、義理兼重。且從其「學」、「身」、「心」、「家」、「國」、「天下」的分目上來看，此書其實更重義理。胡炳文《四書通》、倪士毅《四書輯釋》、《四書大全》等「纂疏體」經疏，就多引其闡釋義理之說。不過，張存中《四書通證凡例》說：「《標題四書》，熊氏以《旁通》增益而已。凡《旁通》未有者，今皆參考增附於此。」[40]阮元也將此書與《語孟旁通》、《四書箋義》並列（說見前）。因此，此書與「旁通體」經疏的關係是很密切的。

詹道傳的《四書纂箋》，館臣在《論語類考》總目提要中論「旁通體」經疏時，便將其序列於張存中《四書通證》之後。其總目提要云：「是書略仿古經箋疏之體。」[41]而書前提要則謂：「此書略仿陸德明《經典釋文》之

---

39 按，熊氏《勿軒集》總目提要謂其中有《四書標題》一卷，但《四庫全書》所收《勿軒集》中盡為詩文，並無《四書標題》，其書前提要也與總目提要不同。館臣所見，或有兩本，然不可考，今亦不見所謂一卷本《四書標題》。胡玉縉先生承《四庫總目》之誤，推斷一卷本非完本，尚情有可原。民國時期編纂的《續修四庫全書總目提要》（中國科學院圖書館整理：《續修四庫全書總目提要：經部》〔北京市：中華書局，1993年〕）有「四書標題十九卷」提要，而《續修四庫全書》中實際並未收入此書。且此篇提要，大抵抄纂胡先生之說，其結論乃變而謂「合十九卷為一卷」。一卷本既不可見，則此說實屬謬妄。

40 〔元〕張存中：《四書通證》〈四書通證凡例〉，《景印文淵閣四庫全書》（臺北市：臺灣商務印書館，1986年），第203冊，頁639上欄。

41 《欽定四庫全書總目》，《景印文淵閣四庫全書》（臺北市：臺灣商務印書館，1986年），第1冊，卷36，〈四書纂箋二十八卷〉，頁730上欄。

例。」⁴²《四庫全書薈要總目提要》與書前提要同。⁴³今觀其《四庫》本，全列《四書章句集注》（《學》、《庸》後附《或問》），與《經典釋文》之例不同；然其箋解文字極為零散，往往數章乃至十數章無一字箋解之文，又與「古經箋疏」逐章逐句箋解之體不同。私意揣度，館臣所見或有兩本，一本全列經、注，即今所見之本；一本則刪去無箋解文字之經、注，取《經典釋文》之例。否則，這樣顯著的體例差異，館臣不至於混淆不分。然其詳已不可考，因列之於特殊一類。

四 「旁通體」經疏的集成與消隱

因趙惪《四書箋義》等著作過於繁冗，為便學者觀覽，張存中於是作《四書通證》。〈四書通證凡例〉云：

> 《四書集注》明理用事，簡明為尚。至《集成》而理愈晦矣，雲峰胡先生去其晦而取其明，則理通矣。今《箋義》出而事益繁矣，存中不揆僭越，去其繁而從其簡，則事亦通矣。此二書之所以作也。⁴⁴

又云：「《四書箋義》，趙氏所輯，與《旁通》、《標題》相類，而過於繁冗。」⁴⁵是可見其著述初衷。

若其內容來源，則胡炳文〈四書通證序〉稱：

> 北方杜緱山有《語孟旁通》，平水薛壽之有《四書引證》，皆失之太

---

42 〔清〕紀昀等：〈四書箋義提要〉，見〔元〕詹道傳：《四書纂箋》，《景印文淵閣四庫全書》（臺北市：臺灣商務印書館，1986年），第204冊，頁1下欄。

43 江慶柏等整理：《四庫全書薈要總目提要》（北京市：人民文學出版社，2009年），頁199。

44 〔元〕張存中：《四書通證》〈四書通證凡例〉，《景印文淵閣四庫全書》（臺北市：臺灣商務印書館，1986年），第203冊，頁639上欄。

45 〔元〕張存中：《四書通證》〈四書通證凡例〉，《景印文淵閣四庫全書》（臺北市：臺灣商務印書館，1986年），第203冊，頁639上欄。

繁，且其中各有未完處，觀者病焉。今友人張德庸精加讎校，刪冗而
從簡，去非而從是，又能完其所未完者，合而名之曰《四書通證》，
以附余《通》之後。[46]

由是可知，張存中的《四書通證》，乃是就杜瑛《語孟旁通》、薛延年《四書
引證》二著「刪取而完正之」[47]而來。此外，從其〈凡例〉來看，《四書通
證》還主要參考了趙惪《四書箋義》。前文所論述的幾部《四書》類「旁通
體」著作，除金履祥《論孟集注考證》之外[48]，都在張存中的取材範圍之
內。由此可見，張存中《四書通證》，乃是「旁通體」經疏的一個集成之
作。

此書對前人成果作了全面的吸收，其考辨的內容，包括「考據」與「義
理」兩部分的內容，其對「義理」的闡發頗采及「纂疏體」經疏的內容，但
均有所整合，而非如「纂疏體」經疏一般逐家排列。此書原本的定位，即是
作為「纂疏體」經疏的輔助工具。館臣云：「胡炳文作《四書通》，詳義理而
略名物。存中因排纂舊說，以附其後，故名曰《四書通證》。」[49]胡炳文
《四書通》，正是元代「纂疏體」經疏的代表作。張存中作為其弟子，其作
此書，本為「證」胡炳文《四書通》，故名《四書通證》，「凡《四書通》內
已注釋者，此不復出」[50]即是明證。按核原書，仍取《經典釋文》之例，截
取朱注文字，其下以大字摘錄經史子集原文以明朱注之典故。至其申說之
辭，皆以雙行小字夾於經典原文之中。可見張存中之用心，本以所引經史子
集為重，而個人的考辨則僅為附錄。但如此一來，原始文獻與個人考辨分為

---

46 〔元〕胡炳文：〈四書通證序〉，見〔元〕張存中：《四書通證》，《景印文淵閣四庫全
   書》（臺北市：臺灣商務印書館，1986年），第203冊，頁638下欄。

47 〔元〕倪士毅：〈四書輯釋大成凡例〉，《四書輯釋大成》（日本文化九年覆刊元至正間
   日新書堂本），頁2a。

48 按，詹道傳時代稍晚於張存中，故不計算在內。

49 《欽定四庫全書總目》，《景印文淵閣四庫全書》（臺北市：臺灣商務印書館，1986
   年），第1冊，卷36，〈四書通證六卷〉，頁728下欄。

50 〔元〕張存中：《四書通證》〈四書通證凡例〉，《景印文淵閣四庫全書》（臺北市：臺灣
   商務印書館，1986年），第203冊，頁639下欄。

兩部分，雖然文獻本身的重要性得到了凸顯，但個人的創作卻受到了極大的遮蔽，為《四書大全》吸納《四書通證》埋下了伏筆。

張存中《四書通證》本為「證」胡炳文的《四書通》而作，其定位乃是《四書通》的輔助用書。職此之故，倪士毅以陳櫟《四書發明》、胡炳文《四書通》為底本編輯的《四書輯釋》，便順理成章地將《四書通證》吸收進來了。這是「纂疏體」經疏首次吸收、整合「旁通體」經疏的成果。從日本文化九年覆刊元至正間日新書堂本《四書輯釋大成》來看，諸家說解均在每條之前加「○」以示分別（如前所舉《四書大全》之例），僅有引自張存中《四書通證》的內容，以畫圈的「通證」二字（參見附圖3）作為標識。[51]顯然，在倪士毅的認知中，《四書通證》是具有很大的特殊性的。這也正可以看作是倪士毅對「旁通」與「纂疏」兩種經疏範式的區別對待。

到了明初纂修《四書大全》，以《四書輯釋》為底本，也同樣將張存中的《四書通證》吸收在內。不過，《四書大全》對《四書通證》的處理方式又不同於《四書輯釋》。《四書大全》中出自《四書通證》的內容基本都是單純徵引典籍的，涉及議論者僅有五條（也就是《四書通證》中的雙行小字）。胡廣等人在處理的時候，凡是單純徵引典籍的內容，一律不標出處；凡是有所議論的，一律標為「張存中曰」。這種區別對待，是非常嚴格的。「晉國天下莫強焉」章，朱注「與楚將昭陽戰敗亡其七邑」下，《四書輯釋》標為「通證」，其文曰：

> 通證 《史記》〈楚世家〉：「懷王六年，楚使柱國昭陽將兵而攻魏，破之於襄陵，得邑八。」按《史記》，魏襄王十二年，楚敗我襄陵。不言邑數。懷王六年得邑八，與《集注》七邑不合，未知孰是。

---

51 參見〔元〕倪士毅：《四書輯釋大成》（日本文化九年覆刊元至正間日新書堂本）。另如《四庫存目叢書》、《續修四庫全書》所收明初刻本「《四書輯釋》四十三卷」（二者或係同一本，然《四庫存目叢書》本少兩卷，且順序不同），也將《四書通證》和《通攷》與其他諸家說解區別開，以畫圈的「通證」、「通攷」標示。

「按《史記》」以後，在張存中《四書通證》中，本是雙行小字。[52]由此，《四書大全》則將此條分作兩條，作：

> （無任何標示）《史記》〈楚世家〉：「懷王六年，楚使柱國昭陽將兵而攻魏，破之於襄陵，得邑八。」○張存中曰：「按《史記》，魏襄王十二年，楚敗我襄陵。不言邑數。懷王六年得邑八，與《集注》七邑不合，未知孰是。」[53]

《四書輯釋》原本只作一條，而《四書大全》特意將其分為兩條：前者單純徵引《史記》〈楚世家〉原文，後者則發表個人意見，其區分嚴格，可見一斑。如此劃分，當是在胡廣等人看來，單純的文獻徵引並沒有獨特的「著作權」，而僅僅將涉及議論的、影響到義理闡發的內容視作個人的「發明」。但是如此一來，《四書通證》代表的「旁通體」經疏的獨立性，便徹底被消解掉了。自此，「旁通體」經疏消隱在歷史之中，再未引起後世學者的注意。

五 「旁通體」經疏出現與消隱的原因

「旁通體」經疏的出現，是義疏學傳統、「格物」工夫論要求和理學推廣需要三方面合力的結果。

首先，六朝義疏學注重考究典故的傳統，是「旁通體」經疏出現的學術淵源。六朝義疏學雖然至唐代「五經正義」已告衰歇，但經過數百年的發展，它已經確立了一個非常穩固的「疏」的範式。如前所引朱子論《孟子疏》之言，這種「疏」的範式或者說「疏樣」，終究是以「解出名物制度」為依歸的。這種觀念為人們廣泛接受，元代理學家為朱注作「疏」，仍然要

---

52 見〔元〕張存中：〈孟子集注通證〉，《四書通證》，《景印文淵閣四庫全書》（臺北市：臺灣商務印書館，1986年），第1冊，卷上，頁705上欄。

53 〔明〕胡廣等：《四書集注大全·孟子集注大全》，卷1，〈梁惠王章句上〉，頁543上欄至下欄。

遵循這一基本要求。這是促成以「考究典故」為主體內容的「旁通體」經疏出現的重要因素。

其次，朱子「格物」的工夫論，對考究經典及其注釋內的典故提出了要求。雖然朱子認為「讀書已是第二義」[54]，而且「名數制度之類，略知之便得，不必大段深泥，以妨學問」。[55]但他同樣也認為「讀書是格物一事」[56]，而「學者觀書，先須讀得正文，記得注解，成誦精熟。注中訓釋文意、事物、名義，發明經指，相穿紐處，一一認得，如自己做出來底一般，方能玩味反覆，向上有透處」。[57]這二者看似矛盾，實則針對的是不同階段的學者而言。就已有相當學養的學者來說，自然要以體悟理道為追求。而若是初學者，還是應當從基本的文獻考究開始，這也是「格物」的一個重要方面。

再次，理學發展前期的普及推廣需求，是「旁通體」經疏產生的現實誘因。宋末元初，理學雖然不再被視為「偽學」，但尚未獲得「正統」的地位，也並未得到絕大多數士子的認可。「《集注》以發明理道為主」，相應的名物故實、典章制度卻「未遑詳核」，對於初學者的閱讀與接受頗為不便，不利於理學的推廣和普及。由此，以「考究典故」為主要內容的「旁通體」經疏，也就應運而生了。

從學術史來看，「旁通體」的消隱也有其必然性。

首先，以「考究典故」為側重點是其先天的局限。《四書》向以「詞旨顯明」著稱，所需考究的典故本就不多，即便加上朱注，這個範圍還是很小的。因此，一直到張存中《四書通證》，還是以最早的《語孟旁通》、《四書引證》為底本，在內容上並無太多的突破。

54　〔宋〕黎靖德編，王星賢點校：《朱子語類》（北京市：中華書局，1988年），卷10，〈讀書法上〉，頁161。

55　〔宋〕黎靖德編，王星賢點校：《朱子語類》（北京市：中華書局，1988年），卷11，〈讀書法下〉，頁190。

56　〔宋〕黎靖德編，王星賢點校：《朱子語類》（北京市：中華書局，1988年），卷10，〈讀書法上〉，頁167。

57　〔宋〕黎靖德編，王星賢點校：《朱子語類》（北京市：中華書局，1988年），卷11，〈讀書法下〉，頁191。

其次，程朱理學重義理的傾向，決定了「旁通體」經疏始終處於「初學」、「入門」的定位。這一點，幾乎是每位「旁通體」經疏的作者都提及過的。特別是程子「玩物喪志」之說，更是將這一經疏範式貶到了極低的地位。隨著理學成為學術主流，義理的研討日漸精微，這種「初級」的學術研究也就不再那麼重要了。

再次，「旁通體」經疏在發展過程中，對文獻資料的剪裁化用日益淡薄，使得文獻的地位日益凸顯，而個人的創作因此受到遮蔽，其獨立存在的價值並未得到凸顯，最終喪失了其獨立性，為「纂疏體」經疏所吸收。

六 結語

通過上文的論述可以看到，「旁通體」經疏是完全不同於「纂疏體」的一個新疏範式，相比「纂疏體」經疏而言，「旁通體」的範式特點，一是以「考究典故」為主要內容，雖也涉及義理闡發，但比重較小；二是取法陸德明《經典釋文》的體例，不全錄經、注，而是僅僅截取其中需要疏解的文字予以疏解；三是其取材範圍以原始文獻為主；四是在表現形式上也體現出較強的「撰」的色彩，而不是「編」；五是它避免了「纂疏體」經疏常見的意見衝突的情況。

「旁通體」經疏創始於杜瑛、薛延年，至金履祥而明確其為疏體。其後進一步發展，出現了趙悳的《四書箋義》，並由「四書」領域擴展到了「五經」領域，出現了陳師凱《書蔡傳旁通》、梁益《詩傳旁通》等著作。至張存中《四書通證》而集其大成，隨後為《四書輯釋》、《四書大全》等「纂疏體」著作所吸納，終於消隱在歷史長河之中。這類經疏著作，上承六朝義疏學傳統，遵從朱子尊重文獻的治學方法，為理學在元代的廣泛接受作出了重要的貢獻，是元代理學發展的一個重要組成部分。不過，受限於「四書」文本的簡明特點，此類著作缺乏廣闊的拓展空間，理學重義理的傾向也決定了「考究典故」不會成為學者研究的重點，越靠後的「旁通體」著作也更缺乏個人創作的特色，其消隱也是學術發展的必然結果。

　　「旁通體」經疏的存在，體現了理學在元代的發展過程中，出現過一派而不僅僅是一家重「實學」的學者。清儒批評宋儒不講文獻考據時，尊朱如方東樹，也只能說朱子不廢文獻考據，而不能為其後學贊一詞。揭出此點，似可為方氏添一助力。又如楊樹達先生的《論語疏證》，即是於經文之下排列經典文獻，再加以按語，其體例實有「旁通體」經疏導夫先路。而陳寅恪先生為之作序，稱其「與天竺詁經之法形似」[58]，又反復辯其與「天竺詁經之法」不同，實不知「旁通體」經疏之故，良可歎也。

附圖1：元代「旁通體」著作關係示意圖

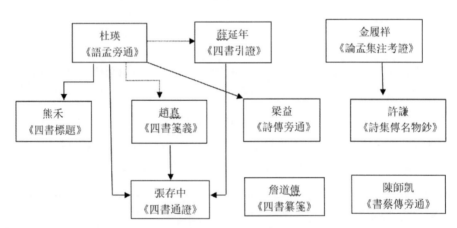

注：

① 張存中〈四書通證凡例〉云：「《語》、《孟》所引則一。」疑薛延年《四書引證》有參考杜瑛《語孟旁通》，然不能確指，故作虛綫。

② 張存中《四書通證凡例》云：「《標題四書》，熊氏以《旁通》增益而已。」

③ 劉有慶〈四書箋義敘〉云：「頃者辱教胄子諸生，持一編書曰《語孟旁通》。……今君所箋甚似，而理趣過之甚遠。」則趙悳之作《四書箋義》，確嘗見《語孟旁通》，當有所參考，然不能確指，故作虛綫。

④ 館臣謂梁益《詩傳旁通》云：「因杜文瑛先有《語孟旁通》，體例相似，故亦以旁通為名。」

---

58 陳寅恪：〈論語疏證陳序〉，見楊樹達：《論語疏證》，收入《楊樹達文集》（上海市：上海古籍出版社，1985年），第16冊，頁1。

⑤張存中〈四書通證凡例〉所列主要參考書目，包括《語孟旁通》、《四書引證》、《四書標題》、《四書箋義》。

⑥許謙係金履祥門人。

附圖2：「旁通體」與「纂疏體」發展線索圖

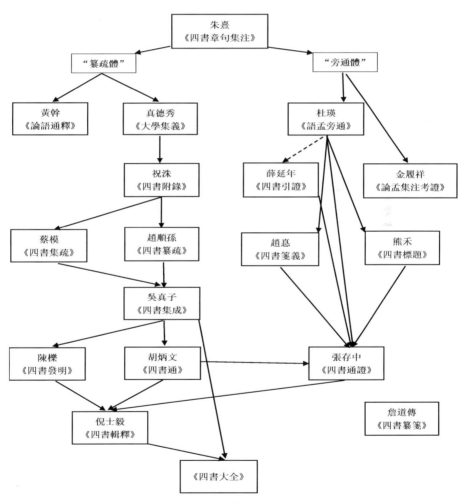

注：此圖亦附於拙稿〈《四書大全》編纂考詳——以《孟子集注大全》為中心〉，命曰「《四書大全》編纂源流」。該文已為《經學文獻研究集刊》錄用，待刊。

附圖3：日本文化九年覆刊元至正間日新書堂本《四書輯釋大成》書影

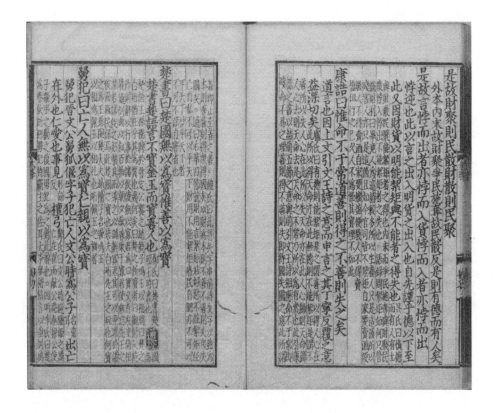

附圖 4：《四庫存目叢書》所收明初刻本《四書輯釋》書影

（《續修四庫全書》所收明初刻本《四書輯釋》與此全同）

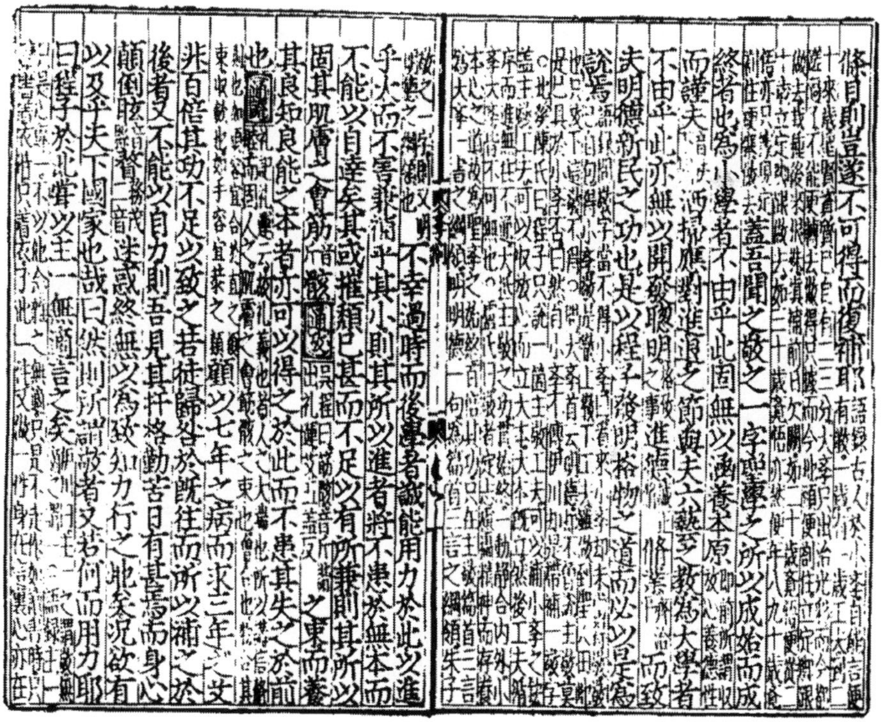

條目則豈遂不可得而復補耶
蓋吾聞之敬之一字聖學之所以成始而成
終者也為小學者不由乎此固無以涵養本原
而謹夫洒掃應對進退之節與夫六藝之教為大學者
不由乎此亦無以開發聰明進德修業而致
夫明德新民之功也是以程子發明格物之道而必以是為
說焉
不幸過時而後學者誠能用力於此以進
乎大而不害兼補乎其小則其所以進者將不患於無本而
不能以自達矣其或摧頹已甚而不足以有所兼則其所以
固其肌膚之會筋骸之束而養
其良知良能之本者亦可以得之於此而不患其失之於前
也
非百倍其功不足以致之若徒歸咎於既往而所以補之於
後者又不能以自力則吾見其扞格勤苦日有甚焉而身心
顛倒眩瞀迷惑終無以為致知力行之地矣況欲有
以及乎天下國家也哉曰然則所謂敬者又若何而用力耶
曰程子於此嘗以主一無適言之矣

詩經、羔羊、蒹葭、蜉蝣、
七月當代互文書寫

許端容

中國文化大學中文系教授

提要

　　詩經是中國最早的詩歌總集，歷代騷人墨客無不受其浸染與影響，以承襲，或引用，或興發方式融入詩經的詩性語言，展現與詩經篇章重複和轉換的互文現象。時至今日，雖有三千年間距，當代詩人已以白話形式創作詩歌，仍多見詩經互文書寫文本。今試以互文書寫角度，論述當代詩經、詩經演、詩經流域及羔羊、蒹葭、蜉蝣、七月文本，探討其對詩經語言吸收、借用、置換、移位、拆解、反仿等互文對話關係與策略。

關鍵詞：詩經　羔羊　蒹葭　蜉蝣　七月　互文書寫

一 前言

　　詩經是中國最早詩歌總集，包括士大夫潤色各國風土歌謠的國風、流行中原一帶周王朝崇尚士大夫的正聲——大、小雅，及周朝祭神、頌神，魯、宋讚美時君的周頌、魯頌、商頌。周大師以之教國子「六詩：曰風、曰賦、曰比、曰興、曰雅、曰頌」。[1] 孔子亦以詩教學，其云「詩三百，一言以蔽之，曰：思無邪」[2]、「興於詩，立於禮，成於樂」[3]、「誦詩三百，授之以政，不達，使於四方，不能專對，雖多，亦奚以為」[4]、「不學詩，無以言」[5]、「詩，可以興、可以觀、可以群、可以怨。邇之事父，遠之事君，多識於鳥獸草木之名」[6]，以為詩三百有其政治教化作用。而孟、荀說義論理亦承其說，孟子言詩亡然後春秋作[7]，荀子則以詩為中聲之所止[8]，所言乃聖道之志。[9] 驗諸左傳引詩一百三、四十處，多處卿大夫賦詩，或使節聘問宴享，或交涉專對，可見先秦學詩、用詩之風教。

1　〔漢〕鄭玄注，〔唐〕賈公彥疏：《周禮》〈春官大師〉，《十三經注疏》（臺北市：藝文印書館，1976年），卷23，頁354-356。

2　〔魏〕何晏注，〔宋〕邢昺疏：《論語》〈為政〉，《十三經注疏》（臺北市：藝文印書館，1976年），卷2，頁16。

3　〔魏〕何晏注，〔宋〕邢昺疏：《論語》〈泰伯〉，《十三經注疏》（臺北市：藝文印書館，1976年），卷8，頁71。

4　〔魏〕何晏注，〔宋〕邢昺疏：《論語》〈子路〉，《十三經注疏》（臺北市：藝文印書館，1976年），卷13，頁116。

5　〔魏〕何晏注，〔宋〕邢昺疏：《論語》〈季氏〉，《十三經注疏》（臺北市：藝文印書館，1976年），卷16，頁150。

6　〔魏〕何晏注，〔宋〕邢昺疏：《論語》〈陽貨〉，《十三經注疏》（臺北市：藝文印書館，1976年），卷17，頁156。

7　〔漢〕趙岐注，〔宋〕孫奭疏：《孟子》〈離婁下〉，《十三經注疏》（臺北市：藝文印書館，1976年），卷8，頁146。

8　〔唐〕楊倞注，〔清〕王先謙集解：〈勸學〉，《荀子集解》（臺北市：世界書局，1969年），卷1，頁7。

9　〔唐〕楊倞注，〔清〕王先謙集解：〈儒效〉，《荀子集解》（臺北市：世界書局，1969年），卷4，頁84。

　　漢代罷黜百家，獨尊儒術。詩有今文齊、魯、韓三家官學及古文毛詩；三家學大抵以詩為諫書，而毛詩則承孔學以為政教諷諭美刺文本。鄭玄箋詩，兼用四家，仍以毛傳、詩序為宗。魏晉南北朝詩學式微，至唐明經科舉，詩以孔穎達所撰毛詩正義經義為標準，其以毛傳鄭箋為依據。宋疑古風盛，朱熹廢序，自成新說，以為當以詩說詩。[10]元、明、清三代，科舉獨用朱傳。其後至今，用序廢序二說並存分歧解詩現象。此由各代學詩、解詩、用詩者所織錦而成的詩教解義歷時性互文網絡，最見中華文化詩經學的蔚然大觀。

　　歷代騷人墨客汲取詩經養分，以讀者、創作者雙重身份，讀詩、引詩、化用詩而反饋者不計其數。諸如鍾嶸《詩品》上品所指曹植詩源於國風、阮籍詩源於小雅[11]，而曹操直以子衿、鹿鳴詩句入詩。至於陶淵明、李白、杜甫等諸大家亦多見化用，或直取詩經文本為詩者，如：李白「大雅久不作，吾衰竟誰陳。」[12]、「王風何怨怒」[13]、「大雅思文王，頌聲久崩淪」[14]、「月出致譏、交亂四國」[15]、「大雅歌盍斯」。[16]又如讀破萬卷書，下筆如有神的

10　〔宋〕朱鑑：《詩傳遺說》，卷2，《通志堂經解》（十七）（臺北市：臺灣大通書局，1972年）「熹自二十歲時讀詩便覺小序無意義，及去了小序，只去玩味詩辭，卻又覺得道理貫徹」（頁9989，上）、「看正文久之，其義自見」（頁9991，上）、「今人不以詩說詩，卻以序解詩」（頁9992，上）、「看詩要人只將詩正文讀，自見其意」（頁9993，上）。然驗諸《詩集傳》朱熹說詩仍未脫詩序說法，參楊世明：〈朱熹《詩集傳》於《詩序》有廢有從考說〉，《《詩經》的接受與影響》（上海市：上海古籍出版社，2006年），頁140-153。

11　〔梁〕鍾嶸著，曹旭集注：《詩品集注》（上海市：上海古籍出版社，1994年），頁97、頁123。

12　〔唐〕李白著，〔清〕瞿蛻園等校著：〈古風十九首〉之一，《李白集校注》（一）（臺北市：里仁書局，1982年），卷2，頁91。

13　〔唐〕李白著，〔清〕瞿蛻園等校著：〈古風十九首〉之二十九，《李白集校注》（一）（臺北市：里仁書局，1982年），卷2，頁145。

14　〔唐〕李白著，〔清〕瞿蛻園等校著：〈古風十九首〉之三十五，《李白集校注》（一）（臺北市：里仁書局，1982年），卷2，頁156。

15　〔唐〕李白著，〔清〕瞿蛻園等校著：〈雪讒詩贈友人〉，《李白集校注》（一）（臺北市：里仁書局，1982年），卷9，頁632。

杜甫，亦言「常懷湛露詩」[17]、「湛露即歌詩」[18]，乃取天子燕諸侯之義喻己身勤王意願，均是一種既受詩經文化孕育、滲透，同時又推陳、出新的動態互文關係。

互文性是二十世紀中葉西方文學理論界在後現代語境下所提出的一種文本理論。克里斯蒂娃受巴赫金從語言、涵義、文化三個層面顯露文本的對話關係及小說組織雜語的「鑲嵌體裁」複調理論影響[19]，進一步提出互文性理論，其云：

> 橫向軸（主體─讀者）和縱向軸（文本─語境）匯聚一處共同揭示一個重要的事實：即每一個詞語（文本）都是詞語與詞語（文本與文本）的交匯；在那裏，至少有一個他語詞（他文本）在交匯處被讀出。另外在巴赫金那裏，被他分別稱為對話性（dialogue）和雙值性（ambivalence）的兩個軸線之間並沒有明顯的區分。……任何文本的建構都是引言的鑲嵌組合；任何文本都是對其他文本的吸收與轉化。從而，**互文性**（intertextualité）概念取代主體間性概念而確立，詩性語言至少能夠被雙重（double）解讀。[20]

又言文本是一種生產力（productivité），文本與語言之間是眾多文本的排列和置換，具有一種互文性。[21]

16　〔唐〕李白著，〔清〕瞿蛻園等校著：〈感時留別從兄徐王延年從弟延陵〉，《李白集校注》（二）（臺北市：里仁書局，1982年），卷15，頁920。

17　〔唐〕杜甫著，〔清〕仇兆鰲注：〈夔府書懷四十韻〉，《杜詩詳註》（二）（臺北市：里仁書局，1980年），卷16，頁1420。

18　〔唐〕杜甫著，〔清〕仇兆鰲注：〈暮春江陵送馬大卿公恩命追赴闕下〉，《杜詩詳註》（三）（臺北市：里仁書局，1980年），卷21，頁1881。

19　焦亞東：《中國古典詩歌的互文性研究》（上海市：上海三聯書店，2018年），頁18-19。

20　茱莉婭・克里斯蒂娃（Julia Kristeva）著，祝克懿、宋姝錦譯：〈詞語、對話和小說〉，《符義學：符義分析探索集》（上海市：復旦大學出版社，2015年），頁87。

21　茱莉婭・克里斯蒂娃（Julia Kristeva）著，車琳譯：〈封閉的文本〉，《符義學：符義分析探索集》（上海市：復旦大學出版社，2015年），頁51。

　　羅蘭巴特《文之悅》說文本是一個不斷編織的過程[22]，文本的構成不僅有作者的體驗，而且必須有讀者的參與。不同的讀者便有不同的解讀，文本則成為讀者在活動和創造中所體驗和不斷編織的開放的、多元的系統，是一種可寫文本，以無限方式，進行表意開放性的文本。[23]因此一切文本都是過去引文的新織品[24]，一切文本都是互文本，每一文本都聯繫著若干文本，並且對這些文本起著複讀、強調、濃縮、轉移和深化作用。[25]巴特聲言作者已死。德希達的「播散」（dissemination）[26]則說意義會不斷閃爍、溢散、拆解。可見任何文本都非獨立存在，而是無限拓展的文本網絡存在。

　　當代白話詩人以詩經篇章為題，或引詩入詩創作詩歌者亦不少見，雖有三千年時空間距，然對比涵義相通，仍見其對話互文關係。再說一般而言，都是後文本受前文本影響，然在某些時刻，後文本被前文本所模仿，前文本受惠於文本的成就與光彩[27]，則後文本的反饋，與前文本相融為一互涉文本關係，建立龐大的互文網絡。所謂詩經當代互文書寫，指的是當代詩人既是讀者解讀詩經文本，又是作者與此世界互動，再行創作的活動記錄。故本論文試以探討所見當代詩歌創作，對詩經、羔羊、蒹葭、蜉蝣、七月語言的吸收、借用、置換、移位、推衍、拆解、反仿等互文對話關係與策略。

---

22 羅蘭巴特（Roland Barthes）著，屠友祥譯：《文之悅》（上海市：人民出版社，2017年），頁79、頁94-95。

23 范司永：《穿越時空的對話・英漢文學文本翻譯的互文性研究》（武漢市：武漢大學出版社，2016年），頁18。

24 羅蘭巴特（Roland Barthes）著，屠友祥譯：《文之悅》（上海市：人民出版社，2017年），頁94。

25 菲力普・索萊爾斯：《理論全覽》，轉引自蒂費納・薩莫瓦約著，邵煒譯：《互文性研究》（天津市：天津人民出版社，2003年），頁5。

26 Terry Eagleton 著，吳新發譯：《文學理論導讀》（增訂二版）（臺北市：書林出版社，1993年第一版），頁169。

27 布魯姆的影響理論，轉引自王瑾：《互文性》（桂林市：廣西師範大學出版社，2005年），頁87-88。

二 顧城〈詩經〉、木心《詩經演》、陳義芝〈詩經流域〉[28]

　　以詩教學的孔子概括詩三百之義為思無邪，蓋斷〈魯頌〉〈駉〉「思無邪，思馬斯徂」[29]章義而取己意，後人或連上文「以車祛祛」，祛祛是彊健義，以為乃駕車的態度。[30]但一般而言，仍主「歸於正」[31]、「詩之為體，論功頌德，止僻防邪」之義。[32]而孔門弟子或再傳弟子所作《孔子詩論》，其成書年代和性質大抵與《論語》相近，對詩經看法，亦一本「思無邪」精神。如第十簡：「〈關雎〉之婐、〈樛木〉之時、〈漢廣〉之智、〈鵲巢〉之歸、〈甘棠〉之報、〈綠衣〉之思、〈燕燕〉之情，……〈關雎〉以色喻於禮」。第十一簡：「〈關雎〉之婐，則其思益矣」、第十四簡：「琴瑟之悅，擬好色之願；以鐘鼓之樂」，則〈關雎〉旨在樂而不淫其色。第十一簡：「〈樛木〉之時，則以其祿也」、第十二簡：「〈樛木〉，福斯在君子」，是〈樛木〉旨福祿在其中。第十一簡：「〈鵲巢〉之歸，則儷者」、第十三簡：「〈鵲巢〉出以百兩，不亦有儷乎」，則〈鵲巢〉旨在百兩迎親，以成伉儷。第十五簡「及其人，敬愛其樹，其報厚矣！〈甘棠〉之愛」，則〈甘棠〉旨在愛屋及烏。第十一簡：「〈漢廣〉之智，則知不可得也」。第十六簡「〈綠衣〉之憂，思古人也。〈燕燕〉之情，以其獨也」[33]，均與毛詩序旨相通，呈現德義王

---

28 本論文所論文本限詩經篇章，僅以某詩句入詩者，不在此列。

29 〔漢〕毛亨傳，鄭玄箋，〔唐〕孔穎達正義：《詩經》〈魯頌〉〈駉〉，《十三經注疏》（臺北市：藝文印書館，1976年），卷20，頁765。

30 張豐乾：《《詩經》與先秦哲學》（北京市：北京大學出版社，2009年），頁68。

31 〔宋〕邢昺：《論語注疏》，《十三經注疏》（臺北市：藝文印書館，1976年），卷2，頁16。

32 〔魏〕何晏：《論語集解》引〔東漢〕包咸語，《十三經注疏》（臺北市：藝文印書館，1976年），卷2，頁16。

33 周鳳五：〈《孔子詩論》新釋及注釋〉，上海大學古代文明研究中心、清華大學思想及文化研究所編：《上博館藏戰國楚竹書研究》（上海市：上海書店，2002年），頁153-154。

道《詩》教與性情《詩》觀兩種態勢。[34]朱熹也以為詩之言，善者可感發人之善心，惡者可懲創人之逸志，其功用在使人得性情之正。[35]然以上各種說法均以讀者讀詩立場言說。

今見顧城〈詩經〉之作，蓋以讀者心態說其讀詩如上館子，樣態生動鮮活，一吃再吃，瞅個不完，參與詩三百既讀且作的互文饗宴：

> 小韭菜館裏
> 放好坐位
> 人來了沒有
> 看好了沒有
> 丟東西沒有
>
> 回去看看
> 人都沒了
>
> 　　　沒有沒有
> 　　沒有沒有
> 我還要瞅[36]

小韭菜館裏的日常，是國風的日常，座位放好，人來，看好菜單，吃罷離去，雅、頌也是生命的日常。回首再看是否丟失什麼，似乎饗宴已休，人及其他都沒有沒有了，但仍有未止的詩性存在，世世代代，一吃再吃，一看再看，讀詩欲罷不能，終而復始的日常生活，總有如此樣態生動鮮活的日常，承續三千年來的日常。再漫衍與播撒至無限時空，還要瞅，是詩的經常。

木心對詩三百則真心專意要會文中，其仿詩經書寫《會吾中》詩三百

---

34 周萌：〈從上博竹書《孔子詩論》解「思無邪」〉，《滄州師範專科學校學報》第1期（2009年3月），頁9。

35 〔宋〕朱熹：《四書章句集註·論語集註》（臺北市：鵝湖出版社，1998年，第4版），頁53。

36 顧城：《顧城詩全編》（上海市：上海三聯書店，1995年），頁812-813。

首,每首十四行,以四言為主,偶有五言。或以詩經詩題為題,如〈七月〉、〈子衿〉;或以詩經詩句為題,如〈關關〉、〈玭兮〉;或僅用詩經詩題二字,如〈其罶〉、〈叔于〉;或另命新題,如〈終識〉、〈躡景〉,文本雜以詩經詩句及創新書寫[37]。其後益以當頁註明詩題出處,注音釋義,更名《詩經演》[38]出版。所謂「演」,當指演化、推演,是其對詩經情意之演化書寫,其於「三百篇中的男和女,我個個都愛,該我回去」[39],《會吾中》:「詩三百／一言蔽／會吾中」:

> 會——合也見也適也悟也
>   蓋也預期也總計也
> 中——和也心也身也傷也
>   正也矢的也二間也

木心應仍本孔門詩教讀詩「思無不正」觀點,而說一言蔽之,會於心中,或說中心會於正,故言合也,相合於心;見也,互見於詩,眼相通,故言見也。既聲氣相通,故言適,宜也;心相通,故言悟,也說醒悟如斯,故言悟也。再轉則要總括說蓋,預期如何?不可預期,果如預期。總計如何?則共詩三百。至於中,乃二者之間,是你和詩之相和,但心、身既與詩相和必也相傷,因為你正是矢,也是矢的。書寫既是模仿亦是創新。不斷於作詩者及讀詩者之間擺盪,既是重讀又是重寫。

相對於顧城〈詩經〉滑稽的好奇,木心一本正經的相遇,陳義芝的〈詩經流域〉[40]則承續國風風情,是柔軟深情的詩經時空,它直引〈王風〉〈采葛〉「一日不見,如三月兮／一日不見,如三秋兮／一日不見,如三歲

---

37 木心:《會吾中》(臺北市:元尊文化,1998年)。其中仿詩經兩百六十三首,另有外篇三十七首則用《孟子》、《論語》、《莊子》、《老子》義為題。

38 木心:《詩經演》(臺北市:INK印刻文學生活雜誌,2012年)。

39 木心:《詩經演》(臺北市:INK印刻文學生活雜誌,2012年),頁637。

40 陳義芝:〈詩經流域〉《采采詩經:詩精選讀本》(臺北市:趨勢基金會,2017年),頁14-17。

兮」⁴¹，雖也說戰爭的絕望，春天的迷惘，但有愛與被愛、肌膚與相思。

三　羔羊、蒹葭、蜉蝣、七月

〈召南〉〈羔羊〉：

羔羊之皮，素絲五紽。退食自公，委蛇委蛇。
羔羊之革，素絲五緎。委蛇委蛇，自公退食。
羔羊之縫，素絲五總。委蛇委蛇，退食自公。⁴²

毛詩序以為美詩：「鵲巢之功致也。召南之國，化文王之政，在位皆節儉正直，德如羔羊也。」⁴³朱熹承其說，又言「詩人美其衣服有常而從容自得」⁴⁴，後人大抵採用此說，惟益言美大夫⁴⁵，或官吏安適⁴⁶之詩。

今所見林泠所作〈給林羚〉⁴⁷一詩，首引羔羊二、三章詩句，然不承原詩之意，反仿羔羊退食自公，悠然自在，供養豐厚，精神愉悅之狀，而述年老夫婦流離失所之悲狀，應合夫妻本是同林鳥，大難來時各自紛飛之情境。他們門前道別，為兒女揚棄，各自東西。男人上了船，不知所終；女子太老了，淪落都不易，穿著母親改過的舊皮襖，如羊一般埋於瑞士山上。想來此

41　〔漢〕毛亨傳，鄭玄箋，〔唐〕孔穎達正義：《詩經》〈王風〉〈采葛〉，《十三經注疏》（臺北市：藝文印書館，1976年），卷4，頁153。

42　〔漢〕毛亨傳，鄭玄箋，〔唐〕孔穎達正義：《詩經》〈召南〉〈羔羊〉，《十三經注疏》（臺北市：藝文印書館，1976年），卷1，頁57-58。

43　〔漢〕毛亨傳，鄭玄箋，〔唐〕孔穎達正義：《詩經》〈召南〉〈羔羊〉，《十三經注疏》（臺北市：藝文印書館，1976年），卷1，頁57。

44　〔宋〕朱熹：《詩集傳》（一）（臺北市：臺灣學生書局，1970年），卷1，頁42。

45　〔清〕姚際恆：《詩經通論》（臺北市：廣文書局，1979年），卷2，頁40、〔清〕方玉潤：《詩經原始》（上）（臺北市：藝文印書館，1981年），卷2，頁237-240、王靜芝：《詩經通釋》（臺北市：輔仁大學文學院，1977年），頁66、余培林：《詩經正詁》（臺北市：三民書局），頁54。

46　屈萬里：《詩經詮釋》（臺北市：聯經出版事業公司，1986年），頁31。

47　林泠：《在植物與幽靈之間》（臺北市：洪範書店，2003年），頁14-15。

對男女原先也是過著優渥生活的，最後卻墮入深淵，一上山、一入海，相隔萬里而終。此文本不分段落，共七行，每行十七字，排列成一長方塊狀，似隱含人世父母、夫妻、子女關係既同在框中，互相牽繫，然終究又要分崩離析，各自飄零，一反〈羔羊〉委蛇安適狀態，是詩人對生命斷然悲催的認知，在法蘭克福客棧〈給林羚〉的詩。

〈秦風〉〈蒹葭〉：

蒹葭蒼蒼，白露為霜。所謂伊人，在水一方。遡洄從之，道阻且長。遡游從之，宛在水中央。
蒹葭萋萋，白露未晞。所謂伊人，在水之湄。遡洄從之，道阻且躋。遡游從之，宛在水中坻。
蒹葭采采，白露未已。所謂伊人，在水之涘。遡洄從之，道阻且右。遡游從之，宛在水中沚。[48]

今日已不可得知原詩作者書寫對象及目的為何？毛詩序以為刺詩：「刺襄公也。未能用周禮，將無以固其國焉」。[49]後人或以為訪賢[50]，或以此乃有所愛慕而不得近之之詩[51]，此三種說法儘管對象有君王、賢人、愛人之異，但均見上下求索不得之苦。

今所見以〈蒹葭〉命題書寫者計六首，其中羅智成兩首[52]，第一首分四

---

48 〔漢〕毛亨傳，鄭玄箋，〔唐〕孔穎達正義：《詩經》〈秦風〉〈蒹葭〉，《十三經注疏》（臺北市：藝文印書館，1976年），卷6，頁241-242。

49 〔漢〕毛亨傳，鄭玄箋，〔唐〕孔穎達正義：《詩經》〈秦風〉〈蒹葭〉，《十三經注疏》（臺北市：藝文印書館，1976年），卷6，頁241。

50 〔清〕姚際恆：《詩經通論》（臺北市：廣文書局，1979年）：「此自是賢人隱居水濱，而慕而思見之詩」，卷7，頁141。〔清〕方玉潤：《詩經原始》（臺北市：藝文印書館，1981年）：「周之賢臣遺老隱處水濱，不肯出仕，詩人惜之，託為招隱，作此見志，一為賢惜，一為世望」，卷7，頁601-602。

51 屈萬里：《詩經詮釋》（臺北市：聯經出版事業公司，1986年），頁221。

52 羅智成：《傾斜之書》（臺北市：時報文化出版事業有限公司，1982年），頁122-125。其中第三段，題為〈蒹葭之3〉，另見於羅智成：《羅智成詩集》（臺北市：聯合文學出版社，2012年），頁192。

段，首段說你我在黑暗中弛緊的坎坷內心。第二段描寫河床兩岸物象，蘆葦、礦脈、蜘蛛網上的殘骸、鹿角及緊張的心，如風翻來又覆去。第三段言華麗的愛情如風中燭火的明滅。最後一段石墜星落，如雨滴，是我們的淚水。詩人以男女情愛曲折求索為主題，仍循詩經所言河邊不可企及、上下求索，不可得之心理曲折，但已漫衍至河邊物象，在蘆葦之外，有了外露的河床、被水侵蝕的脈礦、鹿的茸角及蜘蛛蠶食的殘骸，訴說殘酷又堅硬的現實。第二首分六段，詩意更形衍展，已是枕髮間深深睡夢的情愛，首段，除了妳我，多了一個他，在山壁裡，以泉聲出沒。除了泉水湍流涓涓，已有他，那山，坐著。第二段，我在畫舫中，睡意左傾右倒，也有燭光，在蓮花叢裏、蛙鳴櫓聲中，然而一朵蓮花也沒有。第三段，不是蓮池，而是大海，燭光已遠，我們在大海裏，流浪落水，我的視線種出純潔的蓮，卻又被風吹拂，波光瀲灩，只剩安穩睡意。第四段，如月光俯視，澄澈的只剩棄絕的信仰生疏，是遠離的妳。第五段，誰撩撥我的睡意，下船登山高原，是他，山。在城市底輕輕呼吸。最後一段，這山，在我舷邊撫慰如鵝絨，妳是不見了。場景擴展至山、海、高原，有泉聲、燭光、城市、蓮池、畫舫，但都是婆娑睡夢的情愛。仍是求不得的詩意，淺淺拂動的憂鬱。

陳義芝〈蒹葭〉共三段[53]，訴說秋水已讓玉臂清寒，詩人偶見〈蒹葭〉詩句，想及溱、洧水流向南分歧流淌，感嘆古典多情，〈鄭風〉、〈秦風〉，至唐宋五代伊人七世情緣仍未了，白露未已，夢裏蓮花。這蒹葭水域，孤鶩斜飛，似有冷冷弦聲從千古漂來，詩人截撈一掬萬種風華，滿滿的中華詩情語境，自周及今，仍悠然於蒹葭水域，承續詩經的時空情懷。

而洛夫〈蒹葭蒼蒼〉已移位[54]，追尋的是如雲的鄉愁，雁字歸去的是你是我的企求，但恐怕只能交付流水。蕭瑟悲涼秋風吹成的白髮，如蹲在江邊的蘆荻。

---

53 陳義芝：《青衫》（臺北市：爾雅出版社，1985年，再版），頁3-6。

54 洛夫：《釀酒的石頭》（臺北市：九歌出版社，1986年，第3版），頁65-66、《洛夫詩歌〈全集〉》（臺北市：普普文化，2008年），第2冊，頁374。

　　木心〈蒹葭〉[55]共十四行，前八行除「遡游」改為「遡洄」外，與詩經第一章無異。第九行直錄詩經第二章最後一句，「宛在水中央」。第十行將詩經第三章最後一句「宛在水中沚」，易為「終在水中止」。第十一、十二行「水之湄」、「水之涘」亦用詩經第二章、第三章「在水之湄」、「在水之涘」，而少「在」字。最後兩行「白露未已」、「蒹葭采采」則用第三章前兩句，而倒置其文。是見木心無意改動詩經上下求索不得之原意，唯其易「宛在」為「終在」，前者是好像，是彷彿，有朦朧無法確定之意，而後者恐怕是必在此處停息；又將「沚」改為「止」，前者是名詞，指的是小渚，乃水中可以止息之處，而「止」字為動詞，已非可以止息之處，而是正為止息之處。最後兩句倒置，則寫白露未止，滋潤采采蒹葭，詩人於「蒹葭蒼蒼」注釋中言「茂盛的蒼青色」，則采采亦當可解為茂盛的采采鮮明色澤，是指雖難以求索，但仍充滿希望的幸福色彩，是詩經文本的變形。

　　陳牧宏〈蒹葭〉[56]則直白進入情慾求索的狀態，網絡世界的大叔們慾望紛紛，霸佔平臺，午夜騷擾盛綻的少女，隱瞞身世。仍是上下求所不得，語境有異，換了立場，被騷動的小花，「問起你，也問起他」，訴說起這些「慢跑，喘氣，仆街，白襪與球鞋／汗漬吊嘎，尿騷內褲」大叔們的蠢態。這現代版〈蒹葭〉的搔弄，置換版圖，拓展無窮的日常，如此直白。然而情慾過後，所謂伊人仍是不可求索的疼痛，要說失去，千篇一律的荒涼，葭蒹，蘆竹，菅芒，狗尾草，秋色夜色男色剔透，回歸摩訶般若波羅蜜多的無邊寂寞啊。

　　〈曹風〉〈蜉蝣〉：

> 蜉蝣之羽，衣裳楚楚，心之憂矣，於我歸處。
> 蜉蝣之翼，采采衣服，心之憂矣，於我歸息。
> 蜉蝣掘閱，麻衣如雪，心之憂矣，於我歸說。[57]

55 木心：《詩經演》（臺北市：INK 印刻文學生活雜誌，2012年），頁462-463、《會吾中》（臺北市：元尊文化，1998年），頁215。內容無異。
56 陳牧宏：〈蒹葭〉，《中國時報》第C4版（人間副刊），2018年10月4日。
57 〔漢〕毛亨傳，鄭玄箋，〔唐〕孔穎達正義：《詩經》〈曹風〉〈蜉蝣〉，《十三經注疏》（臺北市：藝文印書館，1976年），卷7，頁268-269。

毛詩序以為「刺奢也。昭公國小而迫，無法以自守，好奢而任小人，將無所依焉」[58]，朱熹亦以此說是「時人有玩細娛而忘遠慮者」之刺詩，雖衣裳楚楚可愛，然如蜉蝣朝生暮死，故心憂之[59]，後人大抵採朝生暮死之憂說法，但對象有異，或以為刺曹君之詩[60]、或以為嘆人生短暫而競浮華，不務實際[61]，或以為在官位者傷時之作。[62]

今所見以〈蜉蝣〉命題書寫者二。夏宇的〈蜉蝣〉[63]先說：

> 蜉蝣之羽
> 衣裳楚楚
> 詩經蜉蝣

再以十二段文本書寫劇場與日常虛實鏡像生活，切換楚楚衣裳，蜉蝣的憂愁與歸依叩問。首段，午夜劇場散後，演員在逼真的佈景前，訴說這個「逼真」如此虛擬，如同團體照的「笑」，一切都是導演說。第二段，我在鏡像中逃回自己，斷尾求生。其他的武士、叛徒、假髮、刺客，則是寫實的擬真。第三段，回到裸體的自己，剪貼完美、空白的夜，男人過來：有著房間與天黑、渡河、往東走、改變衣飾，訴說男人與情人間脆弱的忠貞。第四段，在非常頹喪的日子，睡午覺，夢著童年。第五段，說著囈語：你在對岸等這男子，不允許回頭；放生情人與魚、蝙蝠、狗，文明重新開始，老是犯錯。第六段，天氣既晴且雨，藍布裙、說話戲謔、親吻、紫藍色的光，仍是惆悵。

第七段，穿靴子的貓有了人的腳印。他人的生活細節，辯論倫理愛情、

---

58 〔漢〕毛亨傳，鄭玄箋，〔唐〕孔穎達正義：《詩經》〈曹風〉〈蜉蝣〉，《十三經注疏》（臺北市：藝文印書館，1976年），卷7，頁268。

59 〔宋〕朱熹：《詩集傳》（臺北市：臺灣學生書局，1970年），卷7，頁339。

60 〔清〕姚際恆：《詩經通論》（臺北市：廣文書局，1979年），卷7，頁155。

61 王靜芝：《詩經通釋》（臺北市：輔仁大學文學院，1977年），頁301。

62 屈萬里：《詩經詮釋》（臺北市：聯經出版事業公司，1986年），頁254。

63 夏宇：《備忘錄》（臺北市：作者自印，1984年），頁145-159。

犧牲與凌亂的做愛肉體，如井吞噬意志。第八段，劇場是一齣完美的通俗劇，比例嚴格。第九段，無法挽回的愛情與婚禮，各色樂音齊鳴的爵士樂隊，因為驟雨而散場？第十段，如同古老典籍，我給他人魚、餅，還有心。場景到了港口，往非洲的處女地。第十一段，又回到團體照。落幕後我回到日常，有麵包、水、虛無與寂寥，樂音十二種。再往東走，不能回頭又回頭。森林出現，盆地、高臺，祈神與娛樂，記起兒時聽到的寓言：狼來了、打破水缸、櫻桃樹被砍，卻用憂愁磨鐵杵成針。第十二段，仍是無可挽回的斷尾求生。只能是懶散的草原、陰冷的盆地。他人可以在此生火，演說和娛樂。做一件好看的衣服試穿與遠方友人抗衡，那人說電影外景廣大天地，曲折的路和即興剪接的自由，而我仍是蜉蝣，楚楚衣裳，筆直哀傷。夏宇十二段串綴互涉的文本，慾望、寂寥隱隱，已然拆解，游離於詩經蜉蝣之外。

楊澤〈蜉蝣〉[64]則說：

> 蜉蝣掘閱，麻衣如雪

詩人承續詩經原意，自訴即便千隻蜉蝣穿穴而出，在如夢境中的雪落城市，發光飛翔，仍要死亡。麻衣如雪啊！雨雪霏霏，因詩沈痛的允諾，這是可能的追索，千手佛的垂憐，這是可能的，盆地底部遙遠的吶喊，仍要遙引心憂的歸處。

豳風〈七月〉[65]共八段，開頭兩句：「七月流火，九月授衣」、「七月流火，九月授衣」、「七月流火，八月萑葦」、「四月秀葽，五月鳴蜩」、「五月斯螽動股，六月莎雞振羽」、「六月食鬱及薁」、「九月築場圃，十月納禾稼」、「二之日鑿冰沖沖，三之日納于凌陰」，如意識流動年年月月的參差變異生活，說及豳地日常歲月，先衣後食，女子蠶桑、染績治裳，男子稼穡狩獵、治室卒歲、蓄聚果蔬、築作、歲終進獻「萬壽無疆」祝福。毛詩序以為「陳

---

64 楊澤：《彷彿在君父的城邦》（臺北市：INK印刻文學生活雜誌，2017年），頁4-5。
65 〔漢〕毛亨傳，鄭玄箋，〔唐〕孔穎達正義：《詩經》〈豳風〉〈七月〉，《十三經注疏》（臺北市：藝文印書館，1976年），卷8，頁279-286。

王業也。周公遭變，故陳后稷先公風化之所由，致王業之艱難也」。[66]朱熹亦同詩序之說[67]，後人或以為豳人自咏其生活之詩[68]、豳國農人生活及上下協和之詩[69]、或以為詠豳地風土之詩，疑隨周公東征之豳人懷念鄉土而作者。[70]

今所見以〈七月〉命題書寫者四首，木心〈七月〉[71]仍承詩經四言句式，仿作十四行，一至七行及九、十行均同詩經文本，自創八行「圍爐侑觴」、十一至十四行「煦我良孺」、「良孺偓嘻」、「沁沁有寄，萬事臻至」，可見詩人自視良孺，圍爐侑觴而嘻笑，萬事沁透有所寄寓，達至圓滿，是展衍詩經本義。

也斯〈七月〉[72]文本三段，題為〈古籍・詩經練習〉，大抵如詩經〈七月〉以月份起興，亦依其夏曆秋季七月至十二月天寒次序。有了主角高羅岱，首段騎摩托車從巴黎出發，到沙可慈，依月份幹不同的活：修地板、換水管、築室，天寒入冬。第二段，耕地播種，有一位姑娘執筐行走田間，春日漸長，葉綠、鳥鳴、蟋蟀也於十月入了床底。第三段，下雪，修補屋頂，高羅岱從摩洛哥帶回掛氈、彩燈，造了燈罩，弄好浴室。菜長出小花，蚱蜢跳躍，蟬兒鳴叫。高羅岱修好結他，彈起彼德西嘉和活地居菲，參加村中節慶，彈好聽的老歌。文本最後附上也斯攝影〈高羅岱和老結他〉的彩色照片，已是歐洲人在巴黎、沙可慈、摩洛哥的七月世界，種的是西紅柿與馬鈴薯，諧趣地移位了。

---

66 〔漢〕毛亨傳，鄭玄箋，〔唐〕孔穎達正義：《詩經》〈豳風〉〈七月〉，《十三經注疏》（臺北市：藝文印書館，1976年），卷8，頁279。

67 〔宋〕朱熹：《詩集傳》（臺北市：臺灣學生書局，1970年），卷8，頁351-352。

68 王靜芝：《詩經通釋》（臺北市：輔仁大學文學院，1977年），頁311。

69 余培林：《詩經正話》（臺北市：三民書局，1993年），頁433。

70 屈萬里：《詩經詮釋》（臺北市：聯經出版事業公司，1986年），頁264。

71 木心：《會吾中》（臺北市：元尊文化，1998年），頁54-55、《詩經演》（臺北市：INK印刻文學生活雜誌，2012年），頁132-133。

72 也斯：《梁秉鈞五十年詩選》（臺北市：國立臺灣大學出版中心，2014年），下冊，頁706-709。

　　唯色的〈七月流火〉[73]，共分四段。詩經趨涼的七月已換置成今日「趨炎的七月」。唯色的七月世界，換了場域，進入存在的議題。首段，說全國各地塵土飛揚，同病相惜者漸少，經書流落民間，袈裟輕薄，人要堅持清潔，又要與群眾一起，置於鬧市，淨土已不入目，金幣謀殺敏感的人兒。第二段，革命隊伍最極端的一個，在什麼也沒有的紙上肯定飛鳥的痕跡。絕不彎腰寫字，鬥爭中，又活了一個生日。第三段，天上罕見美的裸體女子，為我折損的驕傲灑淚，何以她被放逐到如此炎涼國度。第四段，如何懷著他的骨肉在戰爭中互相照顧，須得小心看護轉世的跡象，敵人不讓人在熱情洋溢的盛夏，沈浸於清澈水中。詩人要說人世悲涼重擊，卻如是輕敲詩性地敘述：「病得太久，就開始漂亮」、「何處享有一個純潔的配偶」、「趕在才華將盡之間沐浴，更衣」、「暗藏從前稀有的清涼的珍寶」、「怎樣學會不當他們的敵人」，如此死亡暗黑籠罩的趨炎七月流火，已然走得很遠，又貼近詩經豳人子弟隨周公東征的戰事？是藏人的悲歌？

　　張寶云〈七月流火〉[74]兩段，共四句：

　　　鬼在祂的地獄裡活得挺好
　　　不要揭露祂應當知道的真相

　　　自己騙自己
　　　是最好的超渡

詩人已將夏曆七月流火日常生活，置換成生猛鬼月，說鬼在地獄安好，不揭露應當知道的真相，溢出時空，進入酆城幻境，只超渡自己，甩開所有的人世，這鬼有「祂」的神格。

---

[73] 唯色：《雪域的白》（臺北市：唐山出版社，2009年），頁124-125。

[74] 張寶云：《意識生活》（新北市：斑馬線文庫有限公司，2018年），頁84。

四 結論

詩經的互文書寫，自周以來，或用詩，或註詩，或解詩，或引詩，自成
紛陳變形的互文網絡。當代詩人既是讀者，又是再創作者，對詩經更以承
續、反仿、拆解、借用、置換、移位、漫衍各種手法進行創作。顧城〈詩
經〉描寫日常又抽離日常，瞅著詩經，一看再看。木心《詩經演》則一往情
深，既死心塌地地「會吾中」，又偷換自己的想望入詩。陳義芝的〈詩經流
域〉以溫柔詩教姿態抒情，徜徉其中。

林泠反仿詩經〈羔羊〉要說年老夫婦的流離，一山一海，不知所終的聽
說與入土如羊的死亡，不再是美服的有常與德如羔羊的從容安逸。羅智成
〈蒹葭〉兩首是少年情懷求索情愛的失落，承續詩經河流的上溯與下流，編
織更多的物象與想像，疊加穩固的山、流浪的大海、盆地與夜城，及深深的
睡意，以為是唯一的路了。陳義芝〈蒹葭〉懷千古詩情，自周朝到今世，詩
人延續溱洧水域白露情緣，仍是上下求索不得的心思。洛夫〈蒹葭蒼蒼〉要
說的是鄉愁，雁字歸去的不可得，僅存如江邊蘆荻般白髮蕭瑟悲涼，已然移
位。陳牧宏〈蒹葭〉走的更遠，挨近現代男女騷動的情慾版圖，直白地挑動
喘氣與騷味，網路虛擬、隱藏的呼吸，伺機而動，但最終仍是摩訶般若波羅
蜜多彼岸的不可得。

夏宇的〈蜉蝣〉雖說反轉詩經對蜉蝣朝生暮死的憂愁與一無所歸，搬演
出混然後現代的貼片。劇場與生活兩者切換自如，荒謬又苦痛的愛戀，只能
斷尾求生，仍是楚楚衣裳，筆直的哀傷。直如蜉蝣朝生暮死的情愛，不堪一
擊。楊澤〈蜉蝣〉承詩經蜉蝣掘穴而出，羽翼發光，但雨雪霏霏，靈風死
寂，仍是艱難遙遠千手佛的呼喊，死亡不可免。木心〈七月〉也一本正經，
承續詩經七月的日常歲月，要圍爐侑觴而嬉笑，萬壽無疆。也斯的〈七月〉
如頌歌，轉換時空場景，遠至歐洲友人高羅岱在路上的浪遊生涯，也有夏曆
秋季七月至十二月天寒的日常，但充滿愛情與喧嘩，詼諧地附上一幀真人與
吉他的彩色照片，看圖說故事，是既真實又虛幻的移位漫衍。唯色〈七月流
火〉不知有意抑或誤讀，已將趨涼季候轉成趨炎的七月，切進現代藏人病得

太久，變成革命隊伍中最極端的一個，鬥爭中的我，又一個生日活著。只有
轉世才有清澈天地，得小心翼翼。張寶云的〈七月流火〉也走得遙遠，已入
地獄，鬼氣森然，咬牙切齒。

　　大抵而言，歷代以詩經起興的互文書寫者，大都直引或化用詩經詩句，
不另謀篇，而所論當代詩人的互文書寫，雖已大步離開詩經文本謀篇，然因
以讀者之姿，興發於詩經，難免有命題作詩之礙，故即便是成名詩人興詩的
文本，亦較少異趣，如木心、也斯、陳義芝、洛夫、林泠、羅智成、楊澤的
文本，仍然緊黏著詩經本義。唯顧城是個異數，他化經典為日常生活，全面
撒網，永恆的日常，瞅個不停，莊諧互見，趣味橫生。而因順當代解構思
潮，夏宇、唯色，陳牧宏、鄭寶云的文本則貼近後現代語境，已然漫撒走
遠，自成碎片。顯見當代詩人詩經的互文書寫，興發於詩經，直面現代，既
是當代開放、趣味、豐富、多元思維語境的推衍、擴編，又是反饋三千年前
詩經的瑰麗互文錦繡，是沒有邊界，不斷拓展、複寫的無限踪跡。

自然平淡與懲戒教化：

朱子論詩要義及其對《詩經》的承接與轉化

林淑貞

中興大學中文系教授

提要

　　本文旨在闡發朱子論詩要義及其與《詩經》之關涉。朱子曾評註各種典籍[1]，且賡續心性之學，功勞厥偉。論者多將其列入經學家或理學家之林[2]，對於朱子身處中國詩歌高峰期之一的宋代，雖論其詩義，顯少與詩經合鉤而論。然而，朱子曾有《詩集傳》一書，對《詩經》頗有新解與發明，究竟其論詩要義與《詩經》之關涉如何？其論詩立場如何？關懷重點為何？能否超越時代的局限抑或被時代所籠罩？是否能指引新的創作方向抑是以政教傳統論詩？以上諸問皆為本論文嘗試探賾者，冀能管窺朱子論詩要義，以捫發其與《詩經》互相發明的旨趣。全文先鉤稽朱子論詩要義，再論其詩論與《詩經》之關涉，進而論其存在處境與局限。論述理序：先從形式結構論其形構類型，再從內容義蘊釐析詩歌本質之論見，進而揭示其詮評視域及文學觀念，昭揭審美觀點及其所推導的功能效用，是對詩經學的承接與轉化、契會與詮解所開展出來的論見，昭揭其處江西後學流衍之當下，有其存在的關懷及局限。

關鍵詞：朱熹　朱子語類　清邃閣論詩　晦庵說詩　詩論

1　例如有《四書章句集注》、《太極圖說解》、《通書解說》、《詩集傳》、《周易讀本》、《楚辭集注》等書。

2　或稱紫陽學派、考亭學派，與程氏兄弟並稱程朱之學。

一　緒論

　　諾思普羅・弗萊（Northrop Frye, 1912-1991）曾指出批評也是一種創造藝術，它研究藝術，其作用卻是藝術自身所無法取代的，藝術是「沈默的」，而批評卻是「講話的」，是一種特殊的概念框架來論述文學。[3]職是，凡是批評，我們皆應當作是一種再創造的藝術作品，而鉤稽朱子詩義亦應視為再創造的一種歷程。

　　在中國的詩學理論當中，我們可以約簡擘分為二個進路，第一個進路是針對詩歌本身作研究，包括：研究主題意蘊、形構技巧、藝術風格等，而在這些範疇當中，可分析某位詩家，或以流派為研究範疇，研究焦點以討論詩歌文本為主。第二個進路是針對詩論作闡發、演繹者，包括勾稽詩學理論、分析專用術語或是考辨本事、追索詩家源流體派，或是捻出創作理論等皆屬之。統合之，皆為詩學研究之一。其中，第一進路當然以詩歌文本為主，來源有總集、選集、專著等。第二進路則來源多端，包括詩話、論詩詩、論詩書札、詩集序跋、論詩專著等。當前研究詩學的文獻以「詩話」為大宗，可管窺中國人對詩學理論的建構方式。

　　在中國詩歌史上，宋詩風格勁峭迴異唐詩，而在詩學論述上也開啟後世「詩話」論詩的新紀元。自梁代鍾嶸《詩品》派分三源，銓品高下，與唐代司空圖《二十四詩品》逐分二十四種風格，揭示了一條論詩谿徑，迄宋代歐陽修《六一詩話》才有以「詩話」為名者，自斯以往，詩話體例創發，遂成為中國詩話之始。

　　朱熹（1130-1200）字元晦，號晦庵，別號紫陽，祖籍徽州婺源（今江西），寓居建陽（今福建）。目前研究朱熹多肯定其在經籍校注的成就，或是側重其理學心性論的闡發，偶有論及詩歌創作者[4]，卻鮮少提及其詩學理論

3　請參見（加）諾思洛普・弗萊撰，陳慧、袁憲軍、吳偉仁譯：《批評的剖析》（天津市：百花文藝出版社，2000年，三刷）。

4　例如有蕭雅丹：《朱熹詩歌之研究》（臺北縣：輔仁大學中文研究所碩論，1995年碩論。論朱熹詩歌主要在第三章論詩歌內容，將之擘分為四大主題：感事抒懷、暢意山

與《詩經》之關涉。[5]目前研究朱熹詩學理論或詩觀者，大抵可分作二系：其一是論朱熹的理氣心性與詩文之關涉者，例如有錢穆論朱熹文學從「文道並重」[6]、張靜二從理氣論朱熹的詩文觀[7]、蔡芳鹿論朱子理學經學與文學不可分[8]、鄒永賢從朱熹思想論其文學思想[9]、周瑾從生存論揭示朱熹詩論是「詩見得人」[10]、楊雅妃從主靜主敬論理論與詩學互涉[11]等。其二是分析朱子詩論者，有張健的朱熹詩論[12]、田恩銘論朱熹的唐詩批評[13]、金五德的詩

林、交遊贈答、明道為學。第四章論形式技巧，分從體裁、用韻、技巧三視域入手，第五章論朱熹詩歌風格，分：平易、自然、清曠、雄渾四類型。

5 郭紹虞有〈朱子之詩論及其影響〉一文，輯入黃永武、張高評：《宋詩論文選輯》（高雄市：復文圖書出版社，1988年），第2輯，頁320-332。該文分從「詩論」及「詩論之影響」兩部份著手，其中詩論的部份切入「風格」論，指出朱子側重「志」，且拈出兩個觀點：俊健及平淡，影響部份以真德秀、魏了翁、王柏三人為代表，指出諸氏能發揮朱子之義，詩出於天地清明之氣。

6 錢穆揭示朱子論詩從「文以載道」入手，並能自為載道之文，力主平淡之風，論學詩則謂不變可學，而變則不可學。見《朱子學提綱》（臺北市：素書樓基金會、蘭台出版社，2001年），第29則，頁184-188。

7 張靜二揭示理氣雖為二物，卻是渾然一體，從理氣關係看「文如其人」，二者應不二。見張靜二：〈朱熹的理氣論與詩文觀〉，《中外文學》第22卷第4期。頁88-121。

8 蔡芳鹿揭示「文皆是從道中流出」、「詩理結合」等為論，並以「詩情與道不相悖、以內在之理為詩學精神」拈出朱子論詩主張，見蔡芳鹿：《朱熹與中國文化》（貴陽市：貴州人民出版社，2000年），頁267-275。

9 鄒永賢其中有〈晦庵評唐詩辨〉亦置於理學觀點論其詩論，揭示朱子調和俊健和平淡詩風，是源於朱子「理」範疇內「氣」與「心虛」的統一。見鄒永賢主編：《朱熹思想研究》（廈門市：廈門大學出版社，1993年），頁229-244。

10 周瑾昭揭朱熹以道德標準主導審美判斷的傾向，見〈「詩見得人」：朱熹詩論的生存論詮釋〉，《浙江社會科學》2004年第2期，頁179-187。

11 楊雅妃揭示朱熹義理工夫主靜，虛靜而明，則能辨識詩歌好壞。見〈試論朱熹文本書寫中理學與詩學的互涉：以主靜、主敬工夫為切入點〉，《國立虎尾科技大學學報》（2009年12月），頁113-122。

12 張健揭示朱熹詩論有自得、平易、渾成、法李杜、論句法等項，見《朱熹的文學批評研究》（臺北市：台灣商務印書館，1973年，2版），頁29-50。

13 田恩銘揭示朱子唐詩批評是以《文選》詩歌風格為標準，對江西詩人學詩態度堅持道學立場。見〈論朱熹的唐詩批評〉，《陝西師範大學繼續教育學報》第22卷第2期（2005年6月），頁63-65。

論初探[14]等，以上諸論或能抉發理學與文學之關涉，或能深探朱子論詩的面向，卻未能鉤稽與詩經之關涉。宋代詩學是唯一可以與唐詩並駕齊驅者，是中國詩歌史上一個高峰期，詩家輩出，江西詩派成為宋代第一大流派，宋代以後的詩學流變，終究是以分唐界宋為主要論爭，此一唐宋詩之爭，一直流衍到清代而未休[15]，甚至到了清末猶有同光體為江西詩派助響，可知江西詩派流衍數百年而不輟，而被視為偉大的經學家或理學家的朱熹，身處江西詩派流衍的南宋的朱熹，有無論詩之著？若有，則其論詩之意見如何？其著作繁富，所涉各種典籍眾多，對於文學中的詩歌有何見解？其關懷重點何在？是否與《詩經》論詩旨趣相發明呢？

在朱熹的論著當中，有一部最為人稱頌的巨著：《朱子語類》是朱子與門人弟子論學意見的輯錄，後由黎靖德編纂而成，其中在第一百四十卷有殘叢小語式的論述詩學意見，可供我們契入朱子論詩要義，以是，本文論述的文本以《朱子語類》卷第一百四十〈論文下〉〈詩〉為主[16]，另參照吳文治主編之《宋詩話全編》之〈朱熹詩話〉的部份，該編內含三部份：《清邃閣論詩》三十九則、《晦庵詩說》四十一則及輯錄詩話六十二則。其中有需說明者，查考《朱子語類》中的論詩部份，其實與吳文治所輯之《清邃閣論詩》三十九則、《晦庵詩說》四十一則多有重出，但是順序紊亂，內容互相摻雜，不見統貫性，吳氏輯編的《清邃閣論詩》是採用《朱子文集大全類編》采芝山房藏版本，《晦庵詩說》則是以《朱子語類》為本，至於輯錄詩話六十二則，是採自四部叢刊影印明嘉靖本之《朱文公全集》。因為前後各有出入，且吳氏所編為輯錄之作，職是，本文乃以黎靖德所編之《朱子語類》為主，參校吳文治主編之詩話，冀能管窺朱子論詩進路。

往下，我們分從二個面向論述朱子詩學要義，其一先從形式結構，分析朱子論詩採用的類型為何？其下再分述形構內容。其二，針對論詩內容義蘊

---

14 金五德揭示朱熹詩論有言志抒情、虛靜而明、變不失正、平淡自然、詩見得人等五種論點，見〈朱熹詩論初探〉，《吉安師專學報》（哲學社會）（1994年第2期），頁28-35。
15 唐宋詩之爭，可參酌戴文和《唐詩宋詩之爭研究》（臺北市：文史哲，1998年）。
16 本文《朱子語類》採用臺北市：文津出版社版本，1986年。

作一釐析，討論其對詩歌本質的論見，以及銓評朱子的視域及其文學觀念，揭示朱子指引創作的谿徑及指出什麼是詩歌之美？如何欣賞美？朱子的審美觀點如何？文化素養及對詩歌的全幅理解如何？最後再從功能論，揭示朱子論詩所欲推導的效能與價值所在。

二　「語類式」論述：隨機點撥

　　中國攸關詩學理論之建構，以見存於「詩話」為主，然而，詩話的表述形式有兩大類型，其一是系統式結構體，以縝密的體式呈現完整的論述，可以展現評論者有架構的思考模式，例如鍾嶸《詩品》是結構式的論述，派分三品，依源溯流，體製統一。其二是殘叢小語式的表述、條例式的呈現，非整體的結構，又稱散式結構，完全是條列式的展示，並無條理化。但是，此種形式並非代表評論無統整式的思維，亦即評論者對於所要論述的內容可能早先有定見，只是隨機捻出，以隨機點撥、無統貫性的方式呈現，例如歐陽修的《六一詩話》就是屬於殘叢小語式的論述，一條條臚列，並未呈現有機樣貌。[17]

　　此種抒寫方式，並非代表無統整性的觀念，有時，反而能看出作者前後不一的意見或層層遞進的思維。

　　所謂殘叢小語式批評，即是指論者在討論詩家之詩歌時無順序，隨意標舉，論詩亦無章法，隨意捻出。沒有時代先後之別，沒有詩歌先後之別，論時代風格，亦隨意出之，無大格局以宏觀，僅就詩家所及，偶一提及。且前後條論詩意見無章法結構，隨意寫之。完全以條例式的方法寫出自己對詩人、詩歌或時代、風格之看法，並無統整性的、有機式的論述。如前所言，

17　「系統式結構之詩話，是指表述方法呈現關連性、統整性或體系性質者，可分為人物結構形、體裁結構型態、題材型態結構、時代結構型態、體源結構數型，例如鍾嶸《詩品》即是體源結構，人物結構有張為《詩人主客圖》、顏起綸《國雅品》等，至若散式結構，則所在多有，例如歐陽修《六一詩話》、劉邠《中山詩話》等等。可參看林淑貞：《詩話論風格》（臺北市：文津）第四章表述方法論，頁115-146。

中國的詩話論述方式，以形式而言，有結構化與散式二大體系，朱子論詩正是散式結構。

目前知見詩話仍以叢殘小語式的表述方式為主，隨機點撥，不見完整的理論建構，然而吾人斷不可以非完整式而否定其論詩意見，這僅是一種形式表述，我們必須以筌得魚，得魚之後才能遺筌。再從詩話討論的內容而言，可概分為：「論詩及辭」，及「論詩及人」兩大體類。[18]「論詩及辭」就是以討論詩學為主，而「論詩及人」是以討論本事或考証、辨偽為主。朱子所論，鮮少提及本事或考証辨偽等項，而純以詩論詩，是歸屬於「論詩及辭」的部份。

我們檢視朱熹所論，從形式內容來探勘，可以得知，朱熹論詩，亦是採用最機動的條例式，主要是因應學生問答之作，所以體例一如《朱子語類》的表述手法，以問答式、點撥式的方式呈現，其表述特色如下所述。

（一）從形構觀其摘句式批評

從形式結構觀之，有散式及有機式結構的論述方式，散式中又有諸多類型，其中依據表述形式觀察，有所謂的「摘句式批評」，即指以摘錄詩歌作為批評的方式，朱子亦多以摘句批評為式，例如：

> 蘇子由愛選詩：「亭皋木葉下，隴首秋雲飛」，此正是子由慢底句法。某卻愛「寒城一以眺，平楚正蒼然」，十字卻有力！
>
> 選中劉琨詩高。東晉詩已不逮前人，齊梁益浮薄。鮑明遠才健，其詩乃選之變體，李太白專學之。如「腰鎌刈葵藿，倚杖牧雞豚」，分明說出簡倨強不肯甘心之意。如「疾風衝塞起，砂礫自飄揚；馬尾縮如

---

18 此二大分類乃章學誠在《文史通義》中的〈詩話〉中所捻出，頗能畫分體類，其後學者論詩話亦大抵操此二端論述，例如蔡鎮楚：《中國詩話史》（長沙市：湖南文藝出版社，1988年）、《詩話學》（長沙市：湖南教育出版社，1990年）；劉德重、張寅彭：《詩話概說》（北京市：中華書局，1990）等。

> 蝟，角弓不可張」，分明說出邊塞之狀，語又俊健。
>
> 「正爾雪峰千百眾，澹然雲水一孤僧。」曾文清詩。

從上列可知，雖然同是摘句式批評，有一類是有實際批評，如第一條所言蘇
轍之「慢底句法」，第二條之「語又俊健」等語屬之；另有一類是不加批評
之語者，如第三條所引，僅說「曾文清詩」而已，其餘皆未發一語作詮評，
端賴讀者自行體會。

　　此種摘句式批評，是中國特有的一種批評方式之一，所示現的詩歌，用
以證明論者立場，但是，曲意在此，往往易令讀者不知所云，也就是說，透
過詩歌之批評，可同體契會詩歌之質感與意趣，但是，如若未能興會，便會
產生「隔」的情形。證諸朱子亦多採用此法。

（二）從內容取象觀其印象式批評

　　所謂「印象式批評」是指以抽象或具象語詞對詩歌作描述，例如朱子
云：

> 淵明詩平淡出於自然。後人學他平淡，便相去遠矣。
>
> 齊梁間之詩，讀之使人四肢皆懶慢不收拾。
>
> 唐明皇資稟英邁，只看他做詩出來，是什麼氣魄！今唐百家詩首載明
> 皇一篇〈早渡蒲津關〉，多少飄逸氣概！便有帝王底氣燄。

如上所列，以「平淡」論陶詩、以「四肢懶慢不可收拾」論齊梁詩、以「飄
逸氣概」論唐明皇之詩，皆是以批評者之印象論之，何謂「平淡」？何謂
「四肢懶慢不可收拾」？何謂「飄逸氣概」？若覽閱者不能契會，則自然不
會領略朱子所言諸家詩歌風格，所以印象式批評有一種潛在的不明確感，須
覽閱者自行體會才能理解。[19]

---

19 黃維樑曾指出中國傳統詩話、詞話在論述作家和作品時，常採籠統概括、好用比喻、
　評語簡約的方式來批評，此即「印象式批評」，可分為：一、「初步印象」，即是見初見

　　盱衡言之，從形式內容觀之，朱子論詩與傳統「詩話」表述方式相合，事實上，朱子不刻意論詩，經學生弟子輯錄成條，所以多呈現條例式，無一定的體系與架構。但是，在零星不整中，我們仍可管窺朱子品評詩歌的視域及其審美傾向。復次，朱子的論詩觀點又當如何？也就是他持論的基準點是什麼？

三　詩歌本質論：言志以抒情

　　詩學論述本質論，主要是討論詩是什麼？詩的本質是什麼？一般而言，「詩言志」與「詩緣情」是中國兩大詩歌本質論述，從藝術創作而言，志與情原是一系不可分的，吾人認為情與志的關係是：

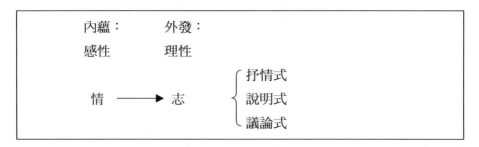

如上圖所示，「情」指內在的情感；「志」指外發的思想，「志」的內容包括情，「情」是內蘊的感性的情緒波動，未經過理性制約，而「志」正是「情」的理性制約，用以收束情識之朦朧，而「志」的表達方式有三：抒情式、說明式、議論式三種。[20] 此中，情中有思，思想中有情，只是成分多少而已。

　　朱子曾在〈詩集傳序〉中揭示詩歌之創發，出於咨嗟詠嘆：

詩歌即見其要妙，而採用簡潔的語詞形容之，例如高妙、本色、清快、佳句、工警、三昧等等；二、繼起印象，又可分為抽象、具象兩種。請詳參黃維樑：《中國詩學縱橫論‧詩話詞話和印象式批評》（臺北市：洪範書店，1983年）。

20 請參看林淑貞：《中國詠物詩「託物言志」析論》（臺北市：萬卷樓，2002年）第二章「託物言志」釋名與釋義，頁38-39。

> 或有問於余曰：詩何謂而作也？應之曰：「人生而靜，天之性也；感
> 於物而動，性之欲也。夫既有欲矣，則不能無思；既有思，則不能無
> 言；既有言矣，則言之所不能盡，而發於咨嗟詠嘆之餘者，必有自然
> 之音響節奏，而不能已焉；此詩之所以作也。

指出詩歌之作出於自然性情之感發，是自然的感嘆吟詠，是故，朱子在詩歌
之中亦有相同的看法：「聊成五字句，吟罷山花落。浩然與誰期？放情遺所
托。(《朱文公文集卷一》〈杜門〉)或如：「裁詩一問訊，重使心思傳。」(卷
一〈寄黃子衡〉)皆說明詩歌之發，在於放情遺托、裁詩傳訊等。又云：

> 詩之作，本非有不善也；而善人之所以深懲而痛絕之者，懼其流而生
> 患耳。……詩本言志，則宜其宣暢湮鬱、優柔平中，而其流乃幾至於
> 喪志；……。(卷七十六〈南嶽遊山後記〉)

指出學詩可宣導人情，宣暢湮鬱，但懼末流生患。復言：「凡言風者，皆民
間歌謠，採詩者得之，而聖人因以為樂，以見風化流行，淪肌浹髓，而發於
聲氣者如此，其謂之風，正以其自然而然如風之動物而成聲耳。」(卷五十
〈答潘恭叔〉「關雎疑周公所作」條)又言：「急呼我輩穿花去，未覺詩情與
道妨。」(卷三〈次秀野韻五首〉之三)皆是力主詩歌在於抒發情性。既以言
志抒情為本質，那麼其論詩即以此為圭臬，往下開發出詩學要義。

四　批評論：以風格論詩

大抵而言，朱子論詩亦涉詩人、詩派、時代之批評，卻以論詩人為多，
次為時代，再次為流派，我們從批評論可知其審美取向。

（一）論詩人以自然渾成為佳

詩歌以抒情為主，如此推導，可知朱子以自然感發、自然渾成之作為佳，

棄雕琢少故實為上,持此尺度衡量前世代詩家,便可知其銓品標準何在。

朱子論詩人,以唐代、宋詩家為多,尤以李杜為多,因李杜優劣論,是中國一直存在的一個詩歌評價問題,朱子對於李杜,有何評騭?請參見下列引文:

▲ 李太白詩不專是豪放,亦有雍容和緩底,如首篇「大雅久不作」,多少和緩!陶淵明詩人皆說是平淡。據某看,他自豪放,但豪放得來不覺耳。其露出本相者詠荊軻一篇,平淡底人如何說得這樣言語出來!

▲ 杜詩初年甚精細,晚年橫逆不可當,只意到處便押一個韻。如自秦州入蜀詩,分明如畫,乃其少作也。李太白詩非無法度,乃從容於法度之中,蓋聖於詩者也。

▲ 李太白終始學選詩,所以好。杜子美詩好者亦多是效選詩,漸放手,夔州諸詩則不然也。

▲ 張以道問:「太白五十篇古風不似他詩,如何?」曰:「太白五十篇古風是學陳子昂感遇詩,其間多有全用他句處。」

▲「人多說杜子美夔州詩好,此不可曉。夔州詩卻說得鄭重煩絮,不如他中前有一節詩好。魯直一詩固自有所見。今人只見魯直說好,便卻說好,如矮人看戲耳!」問:「韓退之潮州詩,東坡海外詩如何?」曰:「卻好。東坡晚年詩固好。只文字也多是信筆胡說,全不看道理。」

▲ 杜子美晚年詩都不可曉。呂居仁嘗言,詩字字要響。其晚年詩都啞了,不知是如何,以為好否?

▲ ……陶卻是有力,但語健而意閑。隱者多是帶氣負性之人為之。陶欲有為而不能者也,又好名。韋則自在,其詩真有做不著處便倒塌了底。晉宋間詩多閑淡。杜工部等詩常忙了。

綜上所列,可知朱子論詩以李白為高,杜甫為次,朱子稱李白各體皆備,能為豪放,亦能有雍容和緩之作,而杜詩晚年「多拘謹」、「鄭重煩絮」,故朱

子不喜。由是可知朱子欣賞的類型是以自然為主，故而對李白稱譽有加。事實上葉嘉瑩曾指出杜甫晚年夔州詩為其生平成就最高之詩，尤以〈秋興八首〉為然，不僅內容意義或形式技巧皆臻至爐火純青的圓融藝術境界[21]，而朱子論李杜反不喜杜甫晚年作品，何以如此？蓋朱子論詩多主自然渾成，對於技巧妙用反而不欣賞。

唐代除李杜之外，尚論及數家：

▲韋蘇州詩高於王維孟浩然諸人，以其無聲色臭味也。

韓詩平易。孟郊喫了飽飯，思量到人不到處。聯句中被他牽得，亦著如此做。

▲李賀較怪得些字，不如太白自在。又曰：「賀詩巧。」

向來詩論者以王、孟為高，而韋應物同屬自然詩派，聲名並不如王、孟，然而朱子以「無聲色臭味」來評騭，並以之推舉韋應物為高，可知朱子論詩主平淡自然，不喜穠麗繁複之美。論李賀則以「怪」、「巧」兩種風格評之，不如太白自在。事實上，李賀之詩果真奇詭怪奇，穿梭時空，製造出忽人忽仙忽鬼氛圍，向來即被列為奇詭怪澀派，朱子所論洵為確論。至於宋代則以論黃庭堅為多：

▲蜚卿問山谷詩，曰：「精絕！知他是用多少工夫。今人卒乍如何及得！可謂巧好無餘，自成一家矣。但只是古詩較自在，山谷則刻意為之。」又曰：「山谷詩忒好了。」

▲方伯謨詩不及其父錢監公豪壯。黃子厚詩卻老硬，只是太枯淡。徐思遠與汝談，比諸人較好。思遠乃程克俊之甥，亦是有源流。

▲後山雅健強似山谷，然氣力不似山谷較大，但卻無山谷許多較浮底意思。然若論敘事，又卻不及山谷。山谷善敘事情，敘得盡，後山敘得較有疏處。

---

21 請參看葉氏《杜甫秋興八首集說》（臺北市：國立編譯館，1978年）前有〈論杜甫七律之演進及其承先啟後之成就〉梳理七律流變，並確立杜詩七律之承傳地位。

朱子對於黃山谷正反兩面意見皆有，欣賞其雅健風格，又善敘事，至於缺點則是太浮、老硬。其他諸如陸游之詩，亦為朱子愛賞者，例如：「放翁之詩，讀之爽然。近世唯見此人為有詩人風致。如此篇者，初不見其意用力處，而語意超然，自是不凡，令人三嘆不能自已。」（卷五六〈答徐載叔賡〉）事實上，朱子以「初不見其意用力處」正是銓評的標準所在。

由上所評，可知朱子深喜平淡自然之風，至若刻苦為之，則不在愛賞之列。黃山谷在詩學上的成就正在刻苦為詩之處，《後村詩話》曾云：「豫章稍後出，會粹百家句律之長，究極歷代體製之變，蒐討古書，穿穴異聞，作為古律，自成一家，雖隻字半句不輕出，遂為本朝詩家宗祖。」正指出所長，又如《苕溪漁隱叢話》所云：「王介甫以工，蘇子瞻以新，黃魯直以奇。」，特別拈出黃山谷「以奇」正是特色之處。黃庭堅創發「換骨法」及「奪胎法」，也就是一種造奇之法，其云：「詩意無窮，人才有限。以有限之才，追無窮之意，雖淵明、少陵不能盡也。然不易其意而造其語，謂之換骨法；規模其意而形容之，謂之奪胎法。」（〈冷齋夜話〉卷一）[22]直接指出人的創意有限，遂可襲前人之意，重鑄新詞亦是一種新的創作法則。因朱子審美標準傾向渾然天成，故而對黃山谷自有不喜之處，而朱子平淡詩風並非自己捻出，在北宋時期，梅聖俞、蘇舜欽、歐陽修皆以平淡為高，迨江西流衍才刻意造奇，所以朱子是往上承接梅、蘇、歐諸人之說而逆反於江西。

由上臚列朱子評論各家詩歌之批評論可知，朱子喜平淡詩風，不喜拘束造作之作，對於杜甫、黃庭堅之作不甚欣賞，而陶淵明的平淡與李白的自然豪放則大加讚賞。朱子既然對刻苦之作不甚欣賞，則對江西詩派又有何論見？

（二）論流派以修正江西、矯正時弊為要

朱子論詩主張古風，所以對於詩社、詩派亦多存此意以論其高下，例

---

22 參見張伯偉編校：《稀見本宋人詩話四種》（南京市：江蘇古籍出版社，2002年）之《日本五山版冷齋夜話‧換骨奪胎法》，頁17。

如：「詩社中人言，詩皆原於賡歌。今觀其詩，如何有此意？」則是指出詩社之作皆非出於賡歌，所以不喜之。至於論流派，以宋代最大詩派：江西詩派所論為多，朱子論江西詩派，到底捻出什麼獨到的見解呢？其云：

> 今江西學者有兩種：有臨川來者，則漸染得陸子靜之學；又一種自楊謝來者，又不好。子靜門猶有所謂「學」。不知窮年窮月做得那詩，要作何用？江西之詩，自山谷一變至楊廷秀，又再變，遂至於此。本朝楊大年雖巧，然巧之中猶有混成底意思，便巧得來不覺。及至歐公早漸漸要說出來。然歐公詩自好，所以他喜梅聖俞詩，蓋枯淡中有意思。

直接指出宋朝江西詩派有兩條源流，一條是從王安石而來，後來逐漸學自陸九淵，一條是學自楊萬里、謝逸者。若是學王、陸猶可學，若是學楊、謝者，則無可學。事實上，朱子如此拈出江西詩派，是否為確說呢？江西詩派創始人黃山谷曾云：「老杜作詩，退之作文，無一字無來處；蓋後人讀書少，故謂韓、杜自作此語耳。古之為文章者，真得陶冶萬物，雖取古人之陳言入于翰墨，為靈丹一粒，點鐵成金也。」（〈答洪駒父書〉）盛稱杜甫、韓愈之詩文，並以「點鐵成金」為說。再據呂本中所云，有一祖三宗之說，以杜甫為祖，以黃庭堅、陳師道、陳與義為三宗[23]。由是可知，整個江西的源流並未如朱子所言的脈流開展，蓋宋代心性之學，陸九淵為心學，與江西詩學不掛鉤，而楊萬里與謝逸則顯然是江西後學，而朱子之說遽以王安石梯接，未知其說所自。但是，我們從朱子所喜歡的風格來看：「巧之中猶有混成底意思」、「巧得不覺」、「枯淡中有意思」等，即可知疏淡自然才是朱子所稱譽者。

（三）論時代以指正詩風日淪之風尚

朱子將詩歌畫分為三期，其云：

---

23 南宋呂中曾有《江西詩社宗派圖》，以宗派為團體的組構方式，將其宗派分為一宗二十五派，二十五派皆同出一宗。

> 亦嘗間考詩之原委，因知古今之詩，凡有三變。蓋自書傳所記，虞、
> 夏以來，下及魏晉，自為一等。自晉宋間顏、謝以後，下及唐初，自
> 為一等。自沈宋以後，定著律詩，下及今日，又為一等。然自唐初以
> 前，其為詩者，固有高下，而法猶未變；至律詩出，而後詩之與法始
> 皆大變，以至今日，益巧益密，而無復古人之風矣。……近世詩人，
> 正緣不曾透得此關，而規規於近局，故其所就，皆不滿人意，無足深
> 論。（卷六四〈答鞏仲至〉）

第一期是虞夏以迄魏晉，第二期是晉宋到唐初，第三期是初唐沈、宋創發律
句之後，據此可知朱子推崇自然吟詠之詩，對於律體發明之後，多存負面批
評，主要在於技巧益高，離古人之風益遠，然而我們不禁要問，古人之風又
如何？為何不能隨著時代日進而能有更多的創發技巧，自然的法則告訴我
們，技法當是前修未密，後出轉精，然而朱子非常蔑視人為的技法，反而推
崇淳樸的寫作技巧，風格則求平淡自然，以能抒寫性靈即可。是故在論各代
風格時，亦持此標準丈量之，例如：「古詩須看西晉以前，如樂府諸作皆
佳。」或如：「東晉詩已不逮前人，齊梁益浮薄」，或如：「齊梁間之詩，讀之
使人四肢皆懶慢不收拾」凡此等等，只在技巧求進，不在內容求意，遂云：
「益巧益密，而無復古人之風矣」之慨嘆，此皆可知朱子欣賞西晉之前的詩
歌，對齊梁之詩多存鄙薄之意，主要是因為齊梁創為宮體詩，窮形寫物，爭
價一字之奇，此等刻意在形式上求變，而不在內容上求深度與達意，遂不為
朱子所喜，故而負面語辭特多。

北宋詩風誠如嚴滄浪所云：

> 國初之詩尚沿襲唐人；王黃州學白樂天，楊文公、劉中山學李商隱，
> 盛文肅學韋蘇州，歐陽公學韓退之古詩，梅聖俞學唐人平淡處。至東
> 坡、山谷，始自出己意以為詩，唐人之風變矣。山谷用工尤為深刻，
> 其後法席盛行，海內稱為江西詩派。（《滄浪詩話》·〈詩辨〉）

據嚴羽所言，宋初詩風以模擬唐風為主，王禹偁學白居易，楊億、劉邠學李

商隱，盛唐學韋應物，歐陽修學韓愈等等，自蘇軾、黃庭堅出，始變唐人之風，而能自出己意，尤以黃庭堅力主「以文字為詩，以議論為詩，以才學為詩」（《滄浪詩話》），才開發出宋詩規模，有別於唐詩之風華，在詩歌史上佔有一席之地，而能與唐詩分庭抗禮迄清代而不輟。大抵而言，唐詩重情韻，情辭皆豐；宋詩重風骨，骨勁秀拔，對於這兩種截然不同的風格，在詩歌史上各有不同的追企者。朱熹對於宋代詩歌之銓評，不著於字句中，但是其隱意從上列三期考索及反對江西詩風觀之，其曲隱之意，俱在其中矣！

五　創作論：力主平淡去華辭

朱子對於創作論，先求學習對象之可學，猶如士人讀經必須先讀本經，本立方可求源，其云：「作詩先用看李杜，如士人治本經。本既立，次第方可看蘇黃以次諸家詩。」揭示先以李、杜之詩為規模，再求蘇黃以下諸家之詩，為何如此呢？因為李杜所作本乎性情，而蘇黃則刻意為詩，多在窮苦處下功夫，朱子立學，先求本源再求變化。甚至對於著題之作亦不甚欣賞，又云：「古人做詩，不十分著題，卻好，今人做詩，愈著題，愈不好。」正是朱子力求平易而去雕飾的主張，其具體論述如下。

（一）力主自然天成

揭示創作與人的心性相結合，要自然不費功力自能有成，猶如庖丁解牛，渾然天成，不著一力一氣，便能神妙。揭示學詩路徑云：

> 然余嘗以為天下萬事皆有一定之法，學之者須循序而漸進。如學詩，則且當以此等為法（案：指學《文選》樂府諸篇），庶幾不失古人本分、體製。向後若能成就，變化固未易量。然變亦大是難事。果然變而不失其正，則縱橫妙用，何所不可？不幸一失其正，卻似反不若守古本舊法以終其身之為穩也。李、杜、韓、柳，初亦皆學《選》詩

者。然杜、韓變多，而柳、李變少。變古詩詩中有句，今人詩更無句，只是一直說將去。這般詩，一日作百首也得。如陳簡齋詩：「亂雲交翠壁，細雨濕青松」；「暖日薰楊柳，濃陰醉海棠」，他是什麼句法！因林擇之論趙昌父詩，曰：「今人不去講義理，只去學詩文，已落第二義。況又不去學好底，卻只學去做那不好底。作詩不學六朝，又不學李杜，只學那嶢崎底。今便學得十分好後，把作甚麼用？莫道更不好。如今時人學山谷詩，然又不學山谷好底，只學得那山谷不好處。」（卷八十四〈跋病翁先生詩〉）

這段議論是朱子的典型之論，要講道理再去學詩，若專務學詩必落第二義。學詩有一定的規矩，主張學《昭明文選》中之詩歌，如果只在詩句中求變化，縱使有一百首詩亦不足為觀了，更甚有之的是，朱子指出江西詩派只知學山谷崎嶢之處，更有何可觀呢？所以，我們透過這段文字可以清晰朱子論詩取向：一、循序漸進學習，須以「選」詩為本，二、不講義理只講詩文，便落於第二義。復言：

> 熹聞詩者，志之所之，在心為志，發言為詩。然則詩者，豈復有工拙哉？亦視其志之所向者高下如何耳。是以古之君子，德足以求其志，必出於高明純一之地，其於詩固不學而能之。至于格律之精粗，用韻、屬對、比事、遣辭之善否，今以魏晉以前諸賢之作考之，蓋未有用意於其間者，而況於古詩之流乎？近世作者，乃始留情於此，故詩有工拙之論，而葩藻之詞勝，言志之功隱矣。熹不能詩，而聞其說如此，無以報足下意，姑道一二」。（卷三九〈答楊宋卿〉）

朱子力倡以意為主，不求工拙，魏晉以前諸作，不求格律之精粗、用韻、屬對、比事、遣辭等等，事實上乃意有所指，用以反駁江西詩派重形式追求。

復次，朱子認為詩樂應合為一，指出：「古樂府只是詩，中間卻添許多泛聲。後來人怕失了那泛聲，逐一聲添箇實字，遂成長短句，今曲子便是。」揭示曲子詞之來源，是因泛聲衍為實字，而成今日的長短句，亦即是

詞。除此而外，我們從朱子論各代詩歌，亦可知對於民歌、賡歌、樂府之喜愛，而對於刻意造作律句之詩，夙持反面意見，主要在於朱子認為詩歌本質在於抒發情性，如以追新務奇，反易斲喪天然之質，故而不喜。又云：「自然觸目成佳句，雲錦無勞更剪裁。」（卷五、〈新喻西境〉）、「覓句休教長閉戶，出門聊得試扶筇。」（卷三〈又和秀野二首〉之一）[24]皆是以自然天成，不事雕飾為主。

（二）不重華藻及聲色格律

朱子力主平淡之風，直欲擺落形式追求，云：「余素不能作唐律，和韻尤非所長。年來追逐，殊覺牽強。」（卷九〈和劉叔通懷游子蒙之韻〉詩下自注）亦自標未能作唐律，此固是謙詞，但是，也可窺視朱子對於作詩和律，及賡和之作多有不能亦不賞愛。所以直接揭示記誦華辭，不能探求詩歌本源，有捨本逐末之虞，其云：「蓋記誦華藻，非所以探淵源而出治道；虛無寂滅，非所以貫本末而立大中。（卷十一〈壬午應詔封事〉），又云：「儒者以詞章記誦為功，而事日淪於卑近。」（卷一三〈癸未垂拱奏劄一〉）正說明徒以記誦詞章為功者，則事功必淪於卑近之列，是朱子素不喜見者，以此告誡諸生，正欲去華辭而求本源。以下更有諸條證成此說：

> ▲先生偶誦寒山數詩，其一云：「城中娥眉女，珠佩何珊珊！鸚鵡花間弄，琵琶月下彈。長歌三日響，短舞萬人看。未必長如此，芙蓉不奈寒！」云：「如此類，煞有好處，詩人未易到此。公曾看

---

24 朱子〈新喻西境〉云：「北嶺蒼茫雨欲來，南山騰躑翠成堆。釋衫繞麓千旗卷，野水涵空一鑑開。客路情懷元倥傯，今晨遊眺却徘徊。自然觸目成佳句，雲錦無勞更剪裁。」（《晦菴集》卷五）。〈又和秀野二首〉：「愁陰一夜轉和風，曉看花枝露彩濃。覓句休教長閉戶，出門聊得試扶筇。物華始信如詩好，春色方知似酒濃。多謝鄰翁笑相迓，為言暖更過從。」、「江皐晴日麗芳華，翠竹踈踈映白沙。路轉忽逢沽酒客，眼明惟見滿園花。望中景助詩人趣，物外春歸釋子家。向晚却尋芳草逕，夕陽流水遠村斜。」〈泛舟〉：「昨夜江邊春水生，艨艟巨艦一毛輕。向來枉費推移力，此日中流自在行。」

否？」壽昌對：「亦嘗看來。近日送浩來此洒掃時，亦嘗書寒山一詩送行云：「養子未經師，不及都亭鼠。何曾見好人？豈聞長者語？為染在薰蕕，應須擇朋侶。五月敗鮮魚，勿令他笑汝！」

▲「閉門覓句陳無己，對客揮毫秦少游。」無己平時出行，覺有詩思，便急歸，擁被臥而思之，呻吟如病者，或累日而後成，真是「閉門覓句」。如秦少游詩甚巧，亦謂之「對客揮毫」者，想他合下得句便巧。張文潛詩只一筆寫去，重意重字皆不問，然好處亦是絕好。

▲潘邠老有一詩，一句說一事，更成甚詩！

▲作詩間以數句適懷亦不妨。但不用多作，蓋便是陷溺爾。當其不應事時，平淡自攝，豈不勝如思量詩句？至如真味發溢，又卻與尋常好吟者不同。

揭示作詩各有才分巧拙，不可強求，力求發出真味，若一事做一句，素為朱子不喜，如何成詩乎？

（三）重義理內容，否則易淪為第二義

朱子反對當代人說詩，空有道理，卻一點意味皆無，而且不曉意思何在？其云：「今人說詩，空有無限道理而無一點意味，只為不曉此意耳。」（卷五十〈答潘恭叔〉「詩備六藝之旨」條），又指出：「近世諸公作詩費工夫，要何用？元祐時有無限事合理會，諸公卻盡日唱和而已。今言詩不必作，且道恐分了為學工夫。然到極處，當自知作詩果無益。餘事作詩人。」以上所言，揭示餘事做詩人，做詩恐分了為學功夫，故而反對費工夫作詩。

總歸而言，朱子論詩不強調雕飾之美，力求平和自然創作，無須強求或是刻苦為之，有云：「十年聞說信無言，草草相逢又黯然。借得新詩連夜讀，要從苦淡識清妍。」（卷五、〈過高台攜信老詩集夜讀上封方丈次敬夫韻〉）其中「要從苦淡識清妍」正是統貫性的主張。

（四）須能戒慎恐懼、虛靜其心

　　為詩如為學，亦須有虛靜的工夫，必須虛靜其心方能做得精細，其云：「今人所以事事做得不好者，緣不識之故。只如箇詩，舉世之人盡命去奔做，只是無一箇人做得成詩。他是不識，好底將做不好底，不好底將做好底。這箇只是心裡鬧，不虛靜之故。不虛不靜故不明，不明故不識。若虛靜而明，便識好物事。雖百工技藝做得精者，也是他心虛理明，所以做得來精。心裡鬧，如何見得！」心裡不虛靜如何可成？但是，此中並未指出如何虛靜，必須與朱子論「持敬」工夫相互照應，方能有得。復云：

> ▲「樓台側畔楊花過，簾幕中間燕子飛。」只是富貴者事，做沂水舞雩意思不得，亦不是躬耕隴畝、抱膝長嘯底氣象。……二公詩皆甚高，而正則摹寫尤工，卒章致意尤篤，令人歎息。所惜不曾向頂門上下一針，猶落第二義也。（卷三六〈陳同甫〉）
> ▲人不可無戒慎恐懼底心。莊子說，庖丁解牛神妙，然才到那族，必心怵然為之一動，然後解去。心動便是懼處。

以上二條皆有論見。首先，應分辨為學工夫與做詩之間的分際，應以為學為主，做詩以宣暢己情而已，至於做詩門徑，亦須虛靜自己，使自己能心虛理明，如此做詩方能虛靜明識，若不存戒慎恐懼之情，則必怵懼無成。至若詩歌技法之要求，誠如上言，但求平淡，不可故作險怪之語。而學詩的對象，朱子一直看重《昭明文選》選詩的部份，以此為本，再求李杜之作，再看蘇黃，才有漸進的功夫，如若無病呻吟，有何可觀？統論之，創作之論，其實與前論之本質論、批評論是環環相扣的。

　　綜上所論，可知朱子皆直指詩歌之作：一、以意為主，方能達情。二、詩以宣情、寄情為主，非以務奇為主。三、必須稍略形式技巧，否則只落第二義。

六　鑑賞論：以文德相符開展

朱子的審美標準為何？如何開展鑑賞論？

（一）以人品論詩品

以人品論詩品不始自朱子，這是中國詩歌特殊評價詩家的方式之一[25]，朱子即承此，慣常以「人品論詩品」，其云：

> ▲詩見得人。如曹操雖作酒令，亦說從周公上去，可見是賊。若曹丕詩，但說飲酒。
>
> ▲樂天，人多說其清高，其實愛官職。詩中凡及富貴處，皆說得口津津地涎出。杜子美以稷契自許，未知做得與否？然子美卻高，其救房琯，亦正。或言今人作詩，多要有出處。曰「關關雎鳩」，出在何處？

以「人品」論詩非始於朱子，這是中國一個大的傳統，朱子所論，是沿承傳統以人品論詩品的路線，其實，文學之真不等同於事實之真，但是中國人一向強調道德美，文藝創作須能展現全幅的人格美方能稱為真美，是故以人品論詩品雖是中國傳統論詩的局限之一，但是也唯有如此，才能標示道德美與詩歌美相合相融相契的境域。身為理學家的朱子，以持敬涵養為修身根柢，自以充盈德性之美為佳，至於趙翼的「高情千古閒居賦，爭信安仁拜路塵」揭示潘岳的文德不一，在朱子觀之，乃不足為法。

（二）力主平淡詩風，反對用典

力主平淡詩風的朱子力反用典，所以云：「文字好用經語，亦一病。老

---

25 德性之美，全幅朗現在氣性，不僅是用在修身養性，也用在文德相符，取以論文學，則有詩、文與人品之相發用。

杜詩：『致思遠恐泥』東坡寫此詩到此句云：『此詩不足為法。』」，用典可以凝鍊作者之意，豐富文本之美，而且也可觸發讀者聯類想像。但是，過度用典，使用僻典或掉書袋，皆是負面效應，使人如墮五里雲霧，不知所以，故朱子既然主張歌詩以平易平淡為主，自然對用典持反對意見，而且主張詩歌以抒發性靈為要，自然不要太多雕飾文采的工夫，此皆可以推導得知。

（三）摘句評詩

朱子論鍊字，並無具實之論，僅是標舉佳句以為法，其云：

▲高宗最愛簡齋：「客子光陰詩卷裡，杏花消息雨聲中。」又問坐間云：「簡齋墨梅詩，何者最勝？」或以「皐」字韻一首對。先生曰：「不如『相逢京洛渾依舊，惟恨緇塵染素衣！』」

▲劉叔通屢舉簡齋：「六經在天如日月，萬事隨時更故新。江南丞相浮雲壞，洛下先生宰木春！」先生曰：「此時固好，然也須與他分一箇是非始得。天下之理，那有兩箇都是？必有一箇非。」

▲舉南軒詩云：「臥聽急雨打芭蕉。」先生曰：「此句不響。」曰：「不若作『臥聽急雨到芭蕉』。又言：「南軒文字極易成。嘗見其就腿上起草，頃刻便就。」

第一條未明示所指之鍊字法，第二條指出詩歌固佳，但是道理扞格不通，第三條要求詩歌音聲響亮，故以「到」比「打」更響亮。事實上，朱子論鍊字法，常常未詳實指出可用之法，僅是以摘句式來臚列佳句，覽閱者須自行體契其妙。這對初學者來說，可能頗難，但是，存在的事實就是，中國論詩常以摘句式表述，卻不發一言一語導引，徒令讀者自己體會，悟性高者自可體會，若參悟能力不高則不可領會矣。這就是契會式論詩的缺點。

七　功能論：勸懲教化

　　詩歌若以抒情言志為主，則是否有其功能作用？朱子身為理學家，以講述心性之學為主，在論述詩歌要義時，前述本質論、批評論、創作論、鑑賞論等等，其所欲揭示的詩歌目的性或功能性何在？其云：

> 曰：然則其所以教者，何也？曰：「詩者，人心之感物而形於言之餘也。心之所感有邪正，故言之所形有是非。惟聖人在上，則其所感者無不正，而其言皆足以為教；其或感之之雜，而所發不能無可擇者，則上之人必思所以自反，而因有以勸懲之，是亦所以為教也。(〈詩集傳序〉)

揭示詩歌之創作有是有非，唯聖人所感皆正，以其言為教，必能達勸懲之效。至於學詩之宗旨何在？其云：

> 然則其學之也當奈何？曰：「本之《二南》以求其端，參之列國以盡其變，正之於《雅》以大其規，和之於《頌》以要其止，此學詩之大旨也。於是乎章句以綱之，訓詁以記之，諷詠以昌之，涵濡以體之，察之情性隱微之間，審之言行樞機之始，則修身及家，平均天下之道，其亦不待他求而得之於此矣。(卷七十六〈詩集傳序〉)

揭示學詩的進路在於以《詩經》為津筏，以〈周南〉、〈召南〉求本端，其餘各國風謠以求其變，續以《雅》宏大規模，以《頌》作為行止之標準，如是，則可宣暢湮鬱。並且指出：「詩之言，有善有惡，而讀者足以為勸戒，非謂詩人為勸戒而作也。但其言或顯或晦或偏或全，不若此句之直截而該括無遺耳。」(〈答汪長孺別紙〉) 可知讀書善讀才是讀詩的目的，但是，讀者如何可契會？恐不易得之，又揭示詩歌可抒發性情：「聊成五字句，吟罷山花落。浩然與誰期？放情遺所托。」(朱文公文集、卷一〈杜門〉)。職是，朱子論詩，非常重視功能性，此與中國儒家傳統論詩意見相合，在〈詩集傳〉〈序〉中可窺其意。

八　朱子對《詩經》要義的承接與轉化

　　朱子論詩是否超越時代的局限，抑或被時代所籠罩？是否順著傳統說詩，抑或能指引新的方向？我們從本質論、批評論、創作論、鑑賞論、功能論等一路觀察下來，歸納統整其論詩要義如下：一、從形式觀察，《朱子語類》是朱熹與弟子隨機論學的語類體，示現在詩學理論亦是屬於語類體的隨機點撥，表述方式之形構技巧採摘句批評，內容取象則採印象式批評。二、從詩歌本質論觀之，詩以言志抒情，可宣導人情，民間採風歌謠，以見風化流行，符應詩經採風之說。三、從批評論觀之，以風格論詩，論詩人之作以自然渾成為佳；論流派則以修正江西流弊為說；論時代則指正詩風日益淪喪之風尚；整體而言，技巧創發益多，離古人之風益遠，朱熹所推崇者為淳樸平淡自然，不尚窮形寫物。四、從創作論而言，創作須與心性相結合，為詩如為學，須有虛靜工夫才能心虛理明。至於創作則不求工拙，不重華藻、聲色格律。五、從鑑賞論觀之，以人品論詩品，「詩見得人」揭示文學作品須能全幅朗現道德美，以持敬涵養為修身根柢才能文德合一。六、從功能論觀之，學詩須以《詩經》為津筏，參諸風謠以求其變，詩雖有善有惡，讀者足以為勸戒。

　　此一論詩要義與《詩經》之關涉如何？朱熹《詩集傳》打破〈毛詩序〉依附政教觀點解詩，從經典拉到文學的視域，特重風謠，而歷代又如何以文學視角解讀《詩經》呢？大抵可以鉤稽出幾個重要觀點，作為後世論述之源：一、本質論：揭示詩言志、溫柔敦厚之詩教及思無邪等項。情志說，首先由《尚書》〈虞書〉〈舜典〉拈出：「詩言志，歌永言，聲依永，律和聲」，其後〈毛詩序〉亦承其說揭示詩以言志。復次，《禮記》〈經解〉云：「孔子曰：『入其國，其教可知也。』其為人也，溫柔敦厚，詩教也。」揭示詩可改變氣質。二、應用論：情信辭巧、言文行遠、辭達而已諸說，皆有取用而論述者。三、世變說，承自孟子：「王者之跡熄而詩亡，詩亡然後春秋作……」（《孟子》〈離婁篇下〉）之說。詩與史畢竟不同，然而詩可反映人民與社會現況，遂有以詩觀世變之說。四、讀者論：知人論世、以意逆志說等。知人

論世之說，由孟子拈出：「頌其詩，讀其書，不知其人可乎？是以論其世也，是尚友也。」（《孟子》〈萬章篇下〉）。五、教化論：有主文譎諫之教化說，以毛詩序：「上以風化下，下以風刺上，主文而譎諫，言之者無罪，聞之者足以戒。」為主，揭示風人之旨意在勸戒。

朱子《詩集傳》雖然反對〈毛詩序〉而另有新解，夷考其論詩要義，與上述詩經論述有著照應之關涉：一、深受《詩經》影響，主張詩教，重詩歌之功能性與勸戒性。論詩分期以西晉之前的樂府為可觀，此一路線是重視民歌採風，正是《詩經》十五風之遺。二、朱子力主詩歌在宣暢抒鬱，不在形式上爭價求新，對於形式技巧之演進，多不能欣賞。就詩六義而言，已有賦、比、興三種技巧，何必再創發刻鏤精工，講求平仄、對仗之律句呢？故而對近體詩求工整律法，多不同意。三、審美特色力主平淡。朱子論詩主平淡詩風，而且對於前代之詩歌指出《選詩》之重要性，是學詩的門徑；對於當代流衍風行的江西詩派，多有反語，其意在反對江西詩派形式追求，對沈宋以降之律句，亦多不欣賞。四、論詩史演變，西晉以下，不足為觀，主要是因為形式之規模大於內容之旨趣；而論詩家則以李白優於杜甫，而學詩的對象，以選詩為本，先學李杜再求蘇黃之變化，如是，反映出朱子的詩觀，反對律句造成孜矻求奇求變之風，故而對於追求形式技巧之江西詩風素所不喜，但是，並不因此而一昧否認黃庭堅的成就，黃氏亦有可觀者，朱子勸諸生學其佳處，棄其雕劖文飾的部份。至於論歷代詩，以西晉之前為佳，其後每況愈下，主要在於務變求奇，悖離平淡詩風太遠，致遠恐泥，所以不為也，這也是朱子自己在創作詩歌時一直引以為戒者。據此可知，詩歌史上以形式技巧求勝者，皆非朱子所喜，所重者在於抒導人情，以達勸戒之效能。五、就創作態度而言，須持虛靜之心以明之，作詩是自然而然之事，不為作詩而作詩。

站在歷史的後設基點上來觀察，朱子論詩有其局限性：一、詩歌技巧，自是前修未精，後出轉密，朱子以內容旨趣求戒勸之效能，反映出儒家傳統思想在他的詩論中具有滲透與體現的作用。二、朱子身處南宋，正是江西後學流衍之際，反對黃氏「無一字無來歷」之說，提出「不貴用典」逆反其

說，未審形構技巧之必然與必須。三、詩歌美學不能拘限於平淡風格，仍應有多元審美風格，以平淡論詩，正反映出其反江西奪胎換骨之說。

整體而言，朱熹論詩要義，或援引《詩經》之義，或據《詩經》之義與詩論相互立論與應證，是為了糾正江西詩派後學之流弊，此乃其存在的處境，可歸整為二個向度，其一是力主平淡自然，此乃從創作及風格而言；其二是懲戒教化，此乃從功能而言。我們透過其論詩要義，可理解其對《詩經》學之闡發，意在為詩學正本清源，其苦心孤詣當為後人所理解。

茲將本文論述結構臚列如下，以總綱領：

詩義
- 形式結構:隨機點撥
  - 摘句式批評
  - 印象式批評
  - 殘叢小語式批評
- 論詩義蘊:
  - 本質論:言志抒情
  - 批評論:風格論詩
    - 論詩人:自然渾成為佳
    - 論流派:修正江西
    - 論時代:詩風日淪
  - 創作論:平淡去華辭
    - 力主自然天成
    - 不重華藻及聲色格律
    - 重義理內容否則淪為第二義
    - 須能虛靜其心,戒慎恐懼
  - 鑑賞論:文德相符
    - 內義:以人品論詩品
    - 形義
      - 力主平淡詩風,反對用典
      - 摘句評詩
  - 功能論:勸懲教化

對詩經的承接與轉化
- 主張詩教:重功能性與勸戒性
- 宣暢抒鬱:反對形式爭價求新
- 審美特色:力主平淡反對江西
- 詩史演變:西晉以下不足觀,以《選》詩為本

論詩局限
- 不重形式
- 重勸戒效能
- 反對江西用典
- 詩風力主平淡

⇒

- 忽視文學演進乃後出轉精
- 忽視審美感受之純粹與精純
- 忽視形構技巧之必要與重要
- 忽視審美風格乃豐富多元

附錄一：〈朱子評時代風格一覽表〉

古詩須看西晉以前，如樂府諸作皆佳。
東晉詩已不逮前人，齊梁益浮薄。
齊梁間之詩，讀之使人四肢皆懶慢不收拾。

附錄二：〈朱子評詩家風格一覽表〉

曹魏	曹操	詩見得人。如曹操雖作酒令，亦說從周公上去，可見是賊。若曹丕詩，但說飲酒。
晉	劉琨	選中劉琨詩高。
	鮑照	鮑明遠才健，其詩乃選之變體，李太白專學之。
	陶淵明	▲淵明詩平淡出於自然。 ▲陶淵明詩人皆說是平淡。據某看，他自豪放，但豪放得來不覺耳。其露出本相者是〈詠荊軻〉一篇，平淡底人如何說得這樣言語出來。
唐	李白	▲李太白詩不專是豪放，亦有雍容和緩底，如首篇「大雅久不作」，多少和緩！ ▲李太白詩非無法度，乃從容於法度之中，蓋聖於詩者也。古風兩卷多效陳子昂，亦有全用其句處，太白去子昂不遠，其尊慕之如此。然多為人所亂，有一篇分為三篇者，有三篇合為一篇者。 ▲李太白終始學選詩，所以好。
	杜甫	▲夔州以前詩佳，夔州以後自出規模，不可學。 ▲杜詩初年甚精細，晚年橫逆不可當，只意到處便押一個韻。如自秦州入蜀諸詩，分明如畫，乃其少作也。 ▲杜子美詩好者亦多是效選詩，漸放手，夔州諸詩則不然也。 ▲人多說杜子美夔州詩好，此不可曉。夔州詩卻說得鄭重煩絮，不如他中前有一節詩好。

		▲杜子美晚年詩都不可曉。呂居仁嘗言，詩字字要響。其晚年詩都啞了，不知是如何，以為好否？ ▲杜子美以稷契自許，未知做得與否？然子美卻高，其救房琯，亦正。
	李隆基	唐明皇資稟英邁，只看他做詩出來，是甚麼氣魄！今唐百家詩首載明皇一篇〈早渡蒲津關〉多少飄逸氣概！便有帝王底氣緣。
	韋應物	韋蘇州詩高於王維孟浩然諸人，以其無聲色臭味也。
	白居易	樂天，人多說其清高，其實愛官職。詩中凡及富貴處，皆說得口津津地涎出。
	韓愈	韓詩平易。
	孟郊	喫了飽飯，思量到了人不到處，〈聯句〉中被他牽得，亦著如此做。
	李賀	李賀較怪得些，不如太白自在。又曰：賀詩巧。
	盧仝	玉川子輩句語雖險怪，意思亦自有混成氣象。
宋	歐陽修	歐公詩自好，所以他喜歡梅聖俞詩，蓋枯淡中有意思。
	蘇黃	蘇黃只是今人詩，蘇才豪，然一滾說盡，無餘意；黃費安排。
	蘇軾	東坡晚年詩固好。只文字也多是信筆胡說，全不看道理。
	黃庭堅	▲魯直一時固自有所見。今人只見魯直說好，便卻說好，如矮人看戲耳！ ▲黃子厚詩卻老硬，只是太枯淡。 ▲山谷善敘事情，敘得盡，後山敘得較有疏處。
	陳後山	▲陳後山初見東坡時，詩不甚好。到得為正字時，筆力高妙。 ▲後山雅健強似山谷，然氣力不似山谷較大，但卻無山谷許多輕浮底意思。然若敘事，又卻不及山谷。
	張文潛	詩有好底多，但頗率爾，多重用字。
	石曼卿	▲曼卿詩極雄豪，而縝密方嚴，極好。 ▲其為人豪放，而詩詞乃方嚴縝密，此便是他好處，可惜

		不曾得用！
	楊大年	▲本朝楊大年雖巧，然巧之中猶有混成底意思，便巧得來不覺。

《春秋公羊傳注疏》卷二校勘記

馮曉庭

嘉義大學中國文學系副教授

提要

本「校勘記」以今存善本《春秋公羊經傳》、《春秋公羊經傳解詁》、《春秋公羊疏》、《經典釋文・春秋公羊音義》為底本,參酌斠讎唐代以來各式板本暨相關文獻三十四種,撰成「校記」一百一十九則。除訂正各本文字以外,並初步釐清各本《春秋公羊疏》形制。綜理歸納「校記」,則於下列數事或可得識一二:

其一,春秋公羊「經」、「傳」、「注」、「疏」混編結構的歷史進程。

其二,「春秋公羊經傳解詁」、「春秋公羊疏」各自單行時期文獻的實質面貌與其關連性。

其三,文獻的時代面貌與特色。

其四,文獻之間的可能因襲關係與淵源。

其五,文獻的優劣與可信程度。

關鍵詞: 春秋公羊傳　春秋公羊解詁　春秋公羊疏　公羊音義　校勘記

勘校采徵文獻

壹·經傳

一·唐石經春秋公羊傳〔唐石經〕——《經》、《傳》文底本一

　　唐文宗大和七年（833）至開成二年（837）刻石，民國十五年（1926）

　　掖縣張氏皕忍堂摹刻本

　　北京市：中華書局，1997年10月（《景刊唐開成石經》）

二·公羊春秋〔宋刊本〕

　　宋刊本

　　　北京市：北京圖書館出版社，2003年2月（《中華再造善本》·唐宋·

　　　經部）

貳·經傳解詁

一·春秋公羊經傳解詁·公羊音義一卷坿書後〔重修本〕——《經》、《傳》

　　文底本一

　　　　　　　　　　　　　　　　　　　《解詁》文底本一

　　宋孝宗淳熙年間（1174-1189）撫州公使庫刻，宋光宗紹熙癸丑（四

　　年，1193）重修本

　　　北京市：北京圖書館出版社，2003年5月（《中華再造善本》·唐宋·

　　　經部）

二·春秋公羊經傳解詁·公羊音義配入

　1·宋光宗紹熙辛亥（二年，1191）建安余氏萬卷堂刊本〔余刊本〕

　　　北京市：北京圖書館出版社，2003年7月（《中華再造善本》·唐宋·

　　　經部）

　2·宋光宗紹熙癸丑（四年，1193）建安余氏萬卷堂重校本〔余校本〕——

　　　《解詁》文底本二

上海涵芬樓借常熟瞿氏鐵琴銅劍樓藏宋刊本景印

臺北市：臺灣商務印書館，1965年5月（《四部叢刊》‧初編‧經部）

參‧經典釋文‧公羊音義

一‧春秋公羊經傳解詁‧公羊音義一卷坿書後〔重修本〕──《音義》文底本

二‧春秋公羊音義卷二十一〔宋元本〕

宋刻宋元遞修本

上海市：上海古籍出版社，2016年5月

三‧春秋公羊音義卷二十一〔通志堂本〕

清聖祖康熙十二年（1673）至康熙三十一年（1692）徐乾學、納蘭性德

輯刊《通志堂經解》本

上海涵芬樓以《通志堂》本景印別據葉石君校宋本撰劄記

臺北市：臺灣商務印書館，1965年5月（《四部叢刊》‧初編‧經部）

四‧春秋公羊音義卷二十一〔抱經堂本〕

清高宗乾隆年間（1736-1795）餘姚盧氏抱經堂刊本

上海市：商務印書館，1936年5月（《叢書集成》‧初編）

五‧〔清〕盧文弨經典釋文考證〔盧考證〕

清高宗乾隆年間（1736-1795）餘姚盧氏抱經堂刊本

上海市：商務印書館，1935年12月（《叢書集成》‧初編）

六‧黃焯經典釋文彙校〔彙校本〕

北京市：中華書局，2011年3月

肆‧經傳解詁注疏

一‧單疏本

1‧春秋公羊疏〔鈔本〕──《疏》文底本一

日本名古屋市蓬左文庫藏室町時期（1338-1573）鈔本

2・春秋公羊疏〔殘本〕——《疏》文底本二

上海涵芬樓景印南海潘氏藏宋刊本（殘存卷一至七）

臺北市：鼎文書局，1972年8月

二・注疏合刊本

1・監本附音春秋公羊註疏〔明修本〕——《疏》文底本三

○宋建刊明代修補十行本

○元刊明修本

○金刊明修本

※修補至明武宗正德年間（1506-1521）

2・春秋公羊傳註疏〔閩本〕

明世宗嘉靖年間（1522-1566）福建李元陽刊本

3・春秋公羊傳註疏〔監本〕

明神宗萬曆十四年（1586）至二十一年（1593）北京國子監刊本

※中書門下牒板心作「萬曆二十年刊」，其餘皆作「萬曆二十一年刊」

4・春秋公羊傳註疏〔毛本〕

明思宗崇禎七年（1634）海虞毛氏汲古閣刊本

5・春秋公羊傳注疏・坿考證〔武英殿本、殿本〕

清高宗乾隆四年（1739）校刊、清穆宗同治十年（1871）重刊，武

英殿刊本

6・春秋公羊傳注疏・坿考證〔薈要本〕

清高宗乾隆三十八年（1773）至四十三年（1778）寫《欽定四庫全

書薈要》本（《摛藻堂四庫全書》，武英殿本系統）

7・春秋公羊傳注疏・坿考證〔文淵閣本〕

清高宗乾隆三十八年（1773）至四十七年（1782）寫《欽定四庫全

書》本（《文淵閣四庫全書》，武英殿本系統）

8・監本附音春秋公羊傳注疏・坿阮元校勘記〔阮本〕

清仁宗嘉慶二十年（1815）至二十一年（1816）江西南昌府學刊本

（重栞宋本《十三經注疏》）

伍・歷代校勘

一・十三經注疏

　1・〔清〕浦鏜十三經注疏正誤（清沈廷芳十三經注疏正字）〔正誤〕

　　　《文淵閣》本

　2・〔清〕阮元十三經注疏併經典釋文校勘記〔校勘記〕

　　　○阮本

○《皇清經解》本（卷991-1001）

　　　清文宗咸豐十年（1861）兩廣總督勞崇光等補刊本（庚申補刊本）

　3・〔清〕汪文臺十三經注疏校勘記識語〔識語〕

　　　清德宗光緒三年（1877）丁丑春月江西書局刊本

　4・〔清〕何若瑤春秋公羊注疏質疑〔質疑〕

　　　清德宗光緒二十年（1894）廣州廣雅書局刊《廣雅書局叢書》本，民國

　　　九年（1920）番禺徐紹棨彙編重印

　5・〔清〕孫詒讓十三經注疏校記〔校記〕

　　　北京市：中華書局，2009年1月（《孫詒讓全集》，雪克輯校）

二・相關文獻

　1・〔唐〕張參五經文字〔五經文字〕

　　　唐文宗大和七年（833）至開成二年（837）刻石，民國十五年

　　　（1926）掖縣張氏皕忍堂摹刻本

　　　北京市：中華書局，1997年10月（《景刊唐開成石經》）

　2・〔唐〕唐玄度九經字樣〔九經字樣〕

　　　唐文宗大和七年（833）至開成二年（837）刻石，民國十五年（1926）

　　　掖縣張氏皕忍堂摹刻本

　　　北京市：中華書局，1997年10月（《景刊唐開成石經》）

　3・〔清〕陳立公羊義疏〔義疏〕

○清德宗光緒十一年（1885）-十二年（1886）江蘇江陰縣南菁書院刊《續

　　皇清經解》本（卷1189-1264）

臺北市：鼎文書局，1973年5月

○劉尚慈點校本

北京市：中華書局，2017年11月

4・〔清〕王引之經義述聞・弟二十四春秋公羊傳五十四條〔述聞〕

清仁宗嘉慶二年（1797）三月二日王引之敘，嘉慶二十二年（1817）

春阮元序，清宣宗道光七年（1827）十二月京師西江米巷壽藤書屋刊

本（《高郵王氏四種》）

5・〔日本〕杉浦豐治公羊疏校記〔日校記〕

日本愛知縣安城市：作者自刊本，昭和29年（1954）9月

6・〔日本〕杉浦豐治公羊疏論考・攷文篇〔日攷文〕

○公羊疏校記

○春秋公羊經傳解詁校定本・隱公一莊公

日本愛知縣安城市：愛知縣立安城高等學校內校友會，昭和36年（1961）

11月

7・題〔宋〕岳珂相臺書塾刊正九經三傳沿革例〔沿革例〕

清浙江金德輿桐華館訂正本

校勘記

春秋公羊疏卷第二　　　　　　　　　　隱公二

起（元年）三月　盡二年

三月，公及邾婁儀父盟于眛[1]。及者何？與也。若曰公與邾婁盟也。▲邾音

1　「于眛」，宋刊本誤作「于眜」，閩本誤作「于眛」。

《正誤》：「眛」旁誤從「未」，下同。

《挍勘記》：唐石經、監、毛本同，閩本「眛」作「眜」。《釋文》：「邾婁，邾人語聲後

曰婁，故曰邾婁，《禮記》同，《左氏》、《穀梁》無婁字。儀父，本亦作甫。于眛，《穀

梁》同，《左氏》作蔑。」《石經考文提要》云：「宋景德本、宋鄂泮官書本皆作眛。」○

按：《說文》：「眛，從目，末聲。」與從目（【校案】：阮本「目」誤作「眛」。）、未聲之

字別。「眛」與「蔑」古音同。

誅²。婁，力俱反，邾人語聲後曰婁，故曰邾婁，《禮記》同，《左氏》、《穀梁》無婁字。儀父音甫，本亦作甫，人名字放此。于眛³，亡結反⁴，《穀梁》同，《左氏》作蔑。▼

〔疏〕

●及者何

【解云】欲言汲汲，公仍在喪，欲言非汲汲，及是欲文，故執不知問。云曷為或言會者，即下〈六年〉「公會齊侯，盟于艾」之徒⁵是也。云或言暨者，即〈昭七年〉⁶「春，暨齊平」、〈定十年〉「宋公之弟辰暨仲佗⁷、石彄出奔陳」是也。

會及暨皆與也。都解《經》上會及暨也。▲及暨，其器反，下皆同。▼曷為或言會？或言及？或言暨？會猶最也⁸，最，聚也，直自若平時聚會，無他深淺意也。最之為言聚，若今聚民為投最。▲曷為如字，或于偽反，後皆同此。▼及猶汲汲也，暨猶暨暨也。及，我欲之；暨，不得已也。我者，謂魯也，內魯，故言我。舉及、暨者，明當隨意善惡而原之。欲之者，善重惡深，不得已者，善輕惡淺，所以原心定罪。

〔疏〕

●注我者謂魯也

2　「邾音誅」，阮本誤作「誅音朱」。
3　「于眛」，抱經堂本誤作「于眛」。
　　《黃彙校》：盧本「眛」作「眛」，段云：「《說文》：『眛，从目，末聲。』」與从目，未聲之字有別。「眛」與「蔑」古音同。
4　「亡結反」，宋元本誤作「士結反」。
　　《黃彙校》：焯云：「『亡』字，宋本作『士』、葉鈔作『土』，並誤。」
5　「之徒」，監本、毛本、殿本、薈要本、文淵閣本皆誤作「之役」。
　　《挍勘記》：閩本同，監、毛本「徒」作「役」。
6　「即〈昭七年〉」，明修本、閩本、監本、毛本、殿本、薈要本、文淵閣本、阮本皆敓「即」字，皆誤作「〈昭七年〉」。
7　「仲佗」，鈔本衍「齊」字，誤作「齊仲佗」。
8　會猶最也。《挍勘記》：唐石經「最」作「𠬝」。

【解云】此通內外皆然，但《傳》據內言之，故言我謂魯也。

●注欲之至惡深

【解云】善重者，即此文「公及邾婁儀父盟于眛[9]」是也，以其汲汲於善事，故曰善重也。惡深者，即〈哀十三年〉「公會晉侯及吳子于黃池」是也，以其汲汲於[10]惡事，故曰惡深也。

●注不得至惡淺

【解云】善輕，則「暨齊平」是也；惡淺者，「宋公之弟辰暨仲佗、石彄」是也。

儀父者何？邾婁之君也。以言公及不諱，知為君也。

〔疏〕

●儀父者何

【解云】欲言其君，《經》不書爵，欲言其臣，而不沒公，故執不知問。

●注以言公及不至君也

【解云】凡《春秋》上下，公與外大夫盟，皆諱不言公，故〈莊二十二年〉「秋，七月，丙申，及齊高傒盟于防」，《傳》云：「公則曷為不言公，諱與大夫盟也。」之屬是也[11]。今此不沒公，故知是君矣。其〈莊九年〉「公及齊大夫盟于暨」之屬，不沒公者，皆《傳》、《注》分明，不煩逆說。

何以不名[12]？据齊侯以祿父為名。

9　「于眛」，明修本誤作「于眜」。

10　「汲汲於」，阮本誤作「汲汲于」。

11　「之屬是也」，明修本、閩本、監本、毛本、殿本、薈要本、文淵閣本、阮本皆敚「是」字，皆誤作「之屬也」。

12　「何以不名」，重修本、余刊本、余校本、明修本、閩本、監本、毛本、殿本、薈要本、文淵閣本、阮本皆敚「不」字，皆誤作「何以名」。
《按勘記》：鄂本以下同。唐石經作「何以不名」。按：此設為問答之辭，此問何以名，故下答之曰：「非名也，字也。」若作何以不名，則與下曷為稱字意複，此下字也一句為贅矣。《注》云：「据齊侯以祿父為名，故疑儀父亦名。」則何《注》本無不字，唐石經當衍。

〔疏〕

● 注据齊至為名

【解云】即〈桓十四年〉「冬，齊侯祿父卒」，是言齊侯以祿父為名，故疑邾
婁君亦以儀父為名，是以難也。字也。以當襄知為字。

〔疏〕

● 注以當襄知為字

【解云】《春秋》以隱新受命而王，儀父慕之，故知當襄。是以《春秋說》
云：「襄儀父善趣聖者。」是也。
曷為稱字？据諸侯當稱爵。

〔疏〕

● 注据諸侯當稱爵

【解云】〈六年〉「夏，公會齊侯，盟于艾」之屬是也。
襄之也。以宿與微者盟書卒，知與公盟當襄之。有土[13]嘉之曰襄，無土建國
曰封。稱字，所以為襄之者，儀父本在春秋前失爵，在名例爾。▲襄之，保
刀反。▼

〔疏〕

● 注以宿至書卒

【解云】所傳聞之世，微國之卒，本不合書，而此年「九月，及宋人盟于
宿」，宿為地主[14]，與在可知，以其與內微者盟，故至八年得變例書卒，
見恩矣。云有土嘉之曰襄者，謂加爵與字，即儀父、滕侯之屬是也。云無
土建國曰封者，即封邢、衛之屬是也。
曷為襄之？据功不見。▲不見，賢徧反，下皆同。▼為其與公盟也。為其始
與公盟，盟者，殺生歃血，詛命相誓，以盟約束也。《傳》不足言託始者[15]，

---

13 「有土」，明修本誤作「有上」。
14 「宿為地主」，鈔本敓「宿」字，誤作「為地主」。
15 《傳》不足言託始者。《挍勘記》：按：「言」字當誤衍，下《注》云：「《傳》不足記
始。」可證。

儀父比宿、滕、薛最在前，嫌獨為儀父發始，下三國[16]意不見，故顧之。▲為其，于偽反，《注》為其、獨為皆同。歃血，所洽反，又所甲反[17]。詛命，莊慮反。約束並如字，一音上於妙反、下音戌[18]。▼

〔疏〕

●注《傳》不至顧之

【解云】此《傳》應言為其始與公盟，今不具其文句言始者，若言始與公盟，即恐下三國[19]不是始，是以顧之，不得具其文。

與公盟者眾矣，曷為獨褒乎此？据戎、齊侯、莒人皆與公盟，《傳》不足託始，故復据眾也。▲故復，扶又反，下復為同。▼

〔疏〕

●注据戎至公盟

【解云】〈二年〉「秋，八月，公及戎盟于唐」、〈六年[20]〉「夏，公會齊侯盟于艾」、〈八年〉「秋，公及莒人盟于包來」是也。

●注《傳》不足至眾也

【解云】《傳》若鄉者足其文句，云道為其始與公盟之時，義勢即盡矣，道理不得復言。與公盟者眾矣，曷為獨褒乎此？但上《傳》既無始與之文，而得褒賞，猶自可怪，故更據眾難之。云託始者，言隱公實非受命之王，

---

16 「下三國」，毛本誤作「于三國」。
　　《正誤》：「下」，毛本誤「于」。
　　《挍勘記》：毛本「下」作「于」。
17 「又所甲反」，明修本、閩本、監本、毛本、殿本、薈要本、文淵閣本、阮本皆衍「音」字，皆誤作「又音所甲反」。
18 「下音戌」，毛本誤作「下音戌」。
　　《正誤》：「戌」，毛本誤戌亥之「戌」。
19 「三國」，明修本、閩本、監本、毛本、殿本、薈要本、文淵閣本、阮本皆誤作「二國」。
　　《正誤》：「三」誤「二」。
　　《挍勘記》：浦鏜云：「『三』誤『二』」。○按：惠棟挍本不誤。
20 「六年」，薈要本誤作「六月」。

　　但欲託之以為始也。

因其可襃而襃之。《春秋》王魯，託隱公[21]以為始受命王，因儀父先與隱公盟，可假以見襃賞之法，故云爾。▲王魯，于況[22]反，下而王同，一音如字，後王魯皆放此。▼此其為可襃奈何[23]？漸進也。漸者，物事之端，先見之辭。去惡就善曰進。譬若隱公受命而王，諸侯有倡始先歸之者，當進而封之，以率其後。不言先者，亦為所襃者法，明當積漸，深知聖德灼然之後乃往，不可造次，陷於不義。▲倡始，尺亮反。造次，七報反。▼

〔疏〕

●注漸者至之辭

【解云】言物事之端者，猶言物事之首也；言先見之辭者，見讀如「見其二子焉」之見也；若公子陽生、闖然之類也。云去惡就善曰進者，言能去惡就善，即是行之進也。

●注不可至不義

【解云】〈桓十五年〉「夏，邾婁人、牟人、葛人來朝」，朝桓惡人，而貶稱人，夷狄之也者，是其造次，陷於不義矣。

昧者何？地期也。會、盟、戰，皆錄地其所期處，重期也。凡書盟者，惡之也，為其約誓大甚，朋黨深，背之，生患禍重，胥命於蒲，善近正是也。君大夫盟例日，惡不信也，此月者，隱推讓以立，邾婁慕義而來相親信，故為小信辭也。大信者時，柯之盟是也。魯稱公者，臣子心所欲尊號其君父。公者，五等之爵最尊，王者探臣子心欲尊其君父，使得稱公，故《春秋》以臣子書葬者，皆稱公。于者，於也；凡以事定地者，加于例；以地定事者，不

21　「託隱公」，明修本、閩本、監本、毛本、殿本、薈要本、文淵閣本、阮本皆誤作「記隱公」。

　　《正誤》：「託」誤「記」。

　　《挍勘記》：閩、監、毛本同，誤也。鄂本「記」作「託」，當據正。

22　「況」，監本、毛本、殿本、薈要本、文淵閣本皆作「況」。「況」，「況」異體字。監本、毛本、文淵閣本「況」皆作「況」，殿本、薈要本「況」皆或作「況」、或作「況」。

23　「奈何」，重修本誤作「柰何」。

加于例[24]。▲其處[25]，昌慮反。惡之，烏路反，下惡不、惡其皆同。大甚音泰，或勅賀反。近正，附近之近。柯之音歌。▼

〔疏〕

●昧者何

【解云】《春秋》之始，弟子未解地期之義，故執不知問。

●注凡書盟者惡之

【解云】此言與公盟而得褒，何言惡者？直善其慕新王之義而得褒，豈善其盟乎？

●注胥命至是也

【解云】即〈桓三年〉「夏，齊侯、衛侯[26]胥命于蒲」，《傳》云：「胥命者何？相命也。何言乎相命？近正也。此其為近正奈何？古者不盟，結言而退。」是也。

●注君大至信也

【解云】言內君與大夫共佗外盟[27]之時，其書日[28]，皆是惡其不信也，即下〈二年〉「秋，八月庚辰，公及戎盟于唐」、〈文八年〉「冬，十月壬午，公子遂會晉趙盾，盟于衡雍」之屬是也。

---

24 「于者，於也；凡以事定地者，加于例；以地定事者，不加于例」。
《挍勘記》：按：解云：「謂先約其事，乃期于某處作盟會者，加于。先在其地，乃定盟會之事者，不加于。」此《注》亦當作「加于」、「不加于」，二「例」當為衍文。
【挍案】：據文理，則作「加于例」、「不加于例」，義不可通。《疏》文：「謂先約其事，乃期于某處作盟會者，加于。」「言先在其地，乃定盟會之事者，不加于。」或可證《解詁》文原作「凡以事定地者，加于；以地定事者，不加于」。

25 「其處」。
《盧考證》：「其處」○案：《注》云：「會、盟、戰，皆錄地其所期處，重期也。」「其」字似誤。

26 「齊侯、衛侯」，敓「衛侯」二字，誤作「齊侯」。

27 「共佗外盟」，明修本、閩本、監本、毛本、殿本、薈要本、文淵閣本、阮本皆作「共他外盟」。「他」，「佗」異體字。

28 「其書日」，閩本、監本、毛本、殿本、薈要本、文淵閣本皆誤作「其言日」。
《挍勘記》：閩、監、毛本「書」作「言」，非。（【挍案】：阮本不錄此則。）

●注故為小信辭也

【解云】邾婁儀父歸于新王而見襃賞，不為大信者，以下〈七年〉「秋，公伐邾婁」是其背信也，功不足錄，但假託以為善，故為小信辭也。

●注大信至是也

【解云】即〈莊十三年〉「冬，公會齊侯盟于柯」，《傳》曰：「桓公之信，著乎天下，自柯之盟始焉。」是也。

●注故春至稱公

【解云】謂以其臣子[29]之辭書其葬者，悉皆稱公，即〈桓十年〉「夏，五月，葬曹桓公」、〈僖四年〉「秋，葬許繆公」之屬是也。若然，〈桓十七年〉「秋，八月，癸巳，葬蔡桓侯」，不稱公者，彼《注》云：「稱侯者，亦奪臣子辭也。有賢弟而不能任用，反疾害之，而立獻舞，國幾并於蠻荊。故賢季抑桓[30]，稱侯，所以起其事。」是也。

●注凡以至于例

【解云】謂先約其事，乃期于某處作盟會者，加于[31]，即〈僖二十八年〉「夏，五月，盟于踐土」之屬是也。

●注以地至于例

【解云】言先在其地，乃定盟會之事者，不加于[32]。即〈莊十九年〉「公子結媵陳人之婦于鄄，遂及齊侯、宋公盟」、〈襄三年〉「夏，六月，公會單子、晉侯」以下「同盟于雞澤，陳侯使袁僑如會」，「叔孫豹及諸侯之大夫及陳袁僑盟」之屬是也。

夏，五月，鄭伯克段[33]于鄢。克之者何？加之者問訓詁，并問施于之為。▲

---

29 「臣子」，殘本誤作「臣于」。

30 「抑桓」，明修本誤作「柳桓」。

31 「加于」，監本、毛本、殿本、薈要本、文淵閣本皆衍「例」字，皆誤作「加于例」。

32 「不加于」，監本、毛本、殿本、薈要本、文淵閣本皆衍「例」字，皆誤作「不加于例」。

《校勘記》：案：十行本（【校案】：阮本作「此本」。）及閩本二「于」字下無「例」字，監本、毛本有「例」字，非古也。

33 「段」，宋刊本作「叚」，全本皆然。

克段，徒亂反。于鄢[34]音偃。▼

〔疏〕

●克之者何

【解云】欲言其殺，而《經》書克，欲言非殺[35]，克者，大惡之文，故執不知問。

〔疏〕

●注加之至之為

【解云】訓詁者，即不言殺而言克是也。所以不直言克者何而并言之者，非直問其變殺為克，并欲問其施于鄢之所為矣。而不荅于鄢之意者，欲下乃解為當國，故此處未勞解之。弟子以其不荅于鄢之意，是以下文復云其地何以難之。

殺之也。殺之則曷為謂之克？大鄭伯之惡也。以弗克納大郤缺之善，知加克大鄭伯之惡也。▲郤缺[36]，去逆反，下起悅反。▼

〔疏〕

●注以弗至之善

【解云】〈文十四年〉「秋，晉人納接菑于邾婁，弗克納」，《傳》云：「其言弗克納何？大其弗克納也。」是也。

曷為大鄭伯之惡？据晉侯殺其世子申生，不加克以大之。

〔疏〕

●注据晉至大之

【解云】在〈僖五年〉「春」。

---

34 「于鄢」，宋元本誤作「干鄢」。
35 「非殺」，殘本誤作「非於」。
36 「郤缺」，彙校本作「郤缺」。
　　《盧考證》：「郤缺」○舊「郤」作「郤」，譌，今改正。
　　《黃彙校》：「郤缺」○盧本「郤」改「郤」，是也。

母欲立之，己殺之，如勿與而已矣。如即不如，齊人語也。加克者，有嫌也。段無弟，文稱君[37]，甚之不明。又段當國，嫌鄭伯殺之無惡，故變殺言克，明鄭伯為人君，當如《傳》辭，不當自己行誅殺，使執政大夫當誅之。克者詁為殺，亦為能，惡其能忍戾母而親殺之。禮，公族有罪，有司讞于公，公曰：「宥之。」及三宥，不對，走出；公又使人赦之，以不及反命；公素服不舉，而為之變，如其倫之喪，無服，親哭之。▲忍戾，力計反。讞，于魚列反。宥之，音又，赦也。▼

〔疏〕

●注明鄭至誅之

【解云】鄭伯為人君之法，當如《傳》辭，不與其國而已，不宜忍戾其母而親殺之，其誅之者，自是執政大夫之事。

●注禮公至哭之

【解云】皆出〈文王世子〉也。其文云：「公族有罪，獄成，有司讞于公。其死罪，則曰：『某之罪在大辟。』其刑罪，則曰：『某之罪在小辟。』」彼《注》云：「讞之言白也。」「公曰：『宥之。』有司又曰：『在辟。』公又曰：『宥之。』有司又曰：『在辟。』及三宥，不對，走出，致刑于甸人。」《注》云：「對，荅也。先者君每言宥，則荅之，以將更宥之[38]，至于[39]三罪定，不復荅，走往刑之，為君之恩無已。」「公又使人追之曰：『雖然，必赦之。』有司對曰：『無及也。』」《注》云：「罪既正，不可宥，乃欲赦之，重刑殺其類也。」「反命于公。」《注》云：「白已[40]刑

---

37 「段無弟，文稱君」，明修本、閩本、監本、毛本、殿本、薈要本、文淵閣本、阮本皆誤作「段無弟，又稱君」。
《按勘記》：閩、監、毛本同（【校案】：阮本敓「同」字。），誤也。鄂本「又」作「文」，當據正。
38 「以將更宥之」。
《正誤》：「寬」誤「宥」。
《按勘記》：浦鏜云：「寬」誤「宥」。按：〈文王世子〉《注》作「寬」。
39 「至于」，毛本、文淵閣本皆作「至於」。
40 「白已」，文淵閣本誤作「自已」。

殺。」「公素服不舉,為之變,如其倫之喪,無服。」《注》云:「素服於凶事為吉,於吉事為凶,非喪服也。君雖不服臣,卿大夫死,則皮弁錫衰以居,往弔當事,則弁絰。於士[41]蓋疑衰、同姓則緦衰以弔之。今無服者,不往弔也。倫謂親疏之比也,素服亦皮弁矣。」「親哭之。」《注》云:「不往弔,為位哭之而已。君於臣,使有司哭之。」是也。

段者何?鄭伯之弟也。殺母弟,故直稱君。

〔疏〕

●段者何

【解云】欲言世子母弟,無世子母弟之文,欲言大夫,復目鄭伯以殺,故執不知問。

何以不稱弟?据天王殺其弟年夫稱弟。

〔疏〕

●注据天至稱弟

【解云】在〈襄三十年〉「夏」。

當國也。欲當國[42]為之君,故如其意,使如國君,氏上鄭[43],所以見段之逆[44]。

其地何?据齊人殺無知不地。

〔疏〕

●注据齊至不地

---

41 「於士」,閩本、監本、毛本、殿本、薈要本、文淵閣本、阮本皆誤作「於上」。

《正誤》:「士」誤「上」。

《挍勘記》:閩、監、毛本「士」誤「上」。(【挍案】:阮本不錄此則。)

42 「欲當國」,毛本誤作「弟當國」。

《正誤》:「欲」,毛本誤「弟」。

《挍勘記》:毛本「欲」作「弟」。○按:下《注》云:「俱欲當國。」〈四年〉《疏》文、〈十四年〉《疏》引此《注》亦作「欲當國」,然則作「欲」是也。

43 「氏上鄭」,薈要本、文淵閣本皆誤作「氏士鄭」。

44 「所以見段之逆」。

《挍勘記》:鄂本以下同,〈四年〉《疏》引作「所以見段之凶逆」。

【解云】即〈莊九年〉「春，齊人殺無知」是也。

當國也。齊人殺無知，何以不地？据俱欲當國也。在內也，在內，雖當國，不地也。其不當國而見殺者，當以殺大夫書，無取於地也。其當國者，殺於國內，禍已絕，故亦不地。不當國，雖在外，亦不地也。明當國者，在外乃地爾，為其將交連鄰國，復為內難，故錄其地，明當急誅之。不當國，雖在外，禍輕，故不地也。月者，責臣子不以時討，與殺州吁同例。不從討賊辭者，主惡以失親親[45]，故書之。▲內難，乃旦反，下此難同。州吁，況[46]于反。▼

〔疏〕

●注明當至地爾

【解云】下〈四年〉「九月，衛人殺州吁于濮」及此皆是也。

●注不當至地也

【解云】〈昭四年〉「秋，七月，楚子」云云[47]「伐吳，執齊慶封，殺之」、〈昭八年〉「夏，楚人執陳行人于徵師，殺之」皆是也。

●注月者至同例

【解云】下〈四年〉「九月，衛人殺州吁」之下《注》云：「討賊例時，此月者，久之也。」

●注不從至書之

【解云】若作討賊辭，當稱人以討，如齊人殺無知，然今不如此者，《經》本主為惡鄭伯失親親而書，故目鄭伯而不稱人也。

秋，七月，天王使宰咺來歸惠公、仲子之賵。宰者何？官也。以周公加宰，知為官也。▲宰咺，況阮反，一音況元反。之賵，芳仲反。▼

---

45 「親親」，明修本誤作「親覲」。
46 「況」，明修本、閩本作「況」，全本「況」皆或作「況」，或作「況」。
　　【校案】：本卷明修本作「況」者，閩本亦作「況」；明修本作「況」者，閩本亦作「況」；則明修本、閩本之間，板本因襲，或可據考。
47 「云云」，鈔本敚「云」字，誤作「云」。

〔疏〕

● 宰者何

【解云】以其言宰與周公同，疑宰為官，以其言名又與宰周公異，復疑非
　　官，故執不知問。

● 注以周至官也

【解云】〈僖九年〉「夏，公會宰周公」已下「于葵丘」是也。

咺者何？名也。別何之者，以有宰周公，本嫌宰為官。

〔疏〕

● 咺者何

【解云】繫宰是官，言名又卑稱，故執不知問。

● 注別何至為官

【解云】所以不言宰咺者何，而別何之者，正以周公加宰，為周公身上官，
　　故別何之，令相遠。若然，上《注》云「以周公加宰，知為官」，而此
　　《注》又云「本嫌宰為官」者，言宰周公，宰為周公身上官，今此言宰
　　咺，亦嫌宰為咺之身上官也，不謂二《注》異。宰即非咺之身上官[48]，而
　　繫宰言之者，次士以官錄，言其是宰下之士故也。

曷為以官氏？据石尚。

〔疏〕

● 注据石尚

【解云】〈定十四年〉「秋，天王使石尚來歸脤」，石尚亦是士，而不以官錄
　　之，故以為難也。

宰士也。天子上士以名氏通，中士以官錄，下士略稱人。

---

48 「宰即非咺之身上官」。
　　《正誤》：「即」當「既」字誤。
　　《校勘記》：浦鏜云：「即」當「既」字誤。

〔疏〕

●注天子至稱人

【解云】天子上士以名氏通者，即石尚來歸脤是也。云中士以官錄者，言以
　　所繫之官錄之，即此是也。云下士⁴⁹略⁵⁰稱人者，即〈僖八年〉「春，公會
　　王人⁵¹」以下「盟于洮」是也。

惠公者何？隱之考也。生稱父，死稱考，入廟稱禰。▲稱禰，乃禮反。▼

〔疏〕

●惠公者何

【解云】《春秋》從隱至哀，魯無惠公，歸賵言來，故執不知問。

●注生稱父

【解云】即〈下曲禮〉云：「生曰父。」是也。《廣雅》云：「父者，矩
　　也。」以法度威嚴於子，言能與子作規矩，故謂之父。

●注死稱考

【解云】即〈下曲禮〉曰：「死曰考。」是也。《周書・諡法》：「大慮行節曰
　　考。」《爾雅》云：「考，成也。」言有大慮行節之度量，堪成以下之法，
　　故謂之考。鄭注〈曲禮〉云：「考，成也，言其德之成也。」義亦通於
　　此。

●注入廟稱禰

【解云】即〈襄十二年〉《左傳》曰：「同族於禰廟。」是也。舊說云：「禰
　　字示傍爾，言雖可入廟是神示，猶自最近于己，故曰禰。」

仲子者何？桓之母也。以無諡也。仲，字；子，姓。婦人以姓配字，不忘本
也，因示不適同姓。生稱母，死稱妣。▲稱妣，必履反。▼

---

49 「下士」，阮本誤作「下言」。

50 「略」，阮本作「畧」。「畧」，「略」異體字。

51 「王人」，明修本誤作「天人」。

〔疏〕

●仲子者何

【解云】正以上不見仲子卒文，而得歸賵，故執不知問。

●注以無謚也

【解云】凡《春秋》之義，妾子為君者，其母得稱謚，即〈文公九年〉「冬，秦人來歸僖公、成風之襚[52]」是也。今桓未為君，故其母不得稱謚也，是以見其不稱謚，即知桓之母也。

●注仲字至同姓

【解云】字者，本國所加，故稱字，見其不忘本國也。所以稱姓者，示不適同姓矣。

●注生稱至稱妣

【解云】即〈下曲禮〉云：「生曰父曰母，死曰考曰妣。」是也。

◎問曰：考與妣是死稱，父與母是生稱。惠公、仲子之卒，俱在《春秋》前，何故此《傳》惠公言隱之考，舉死名，仲子言桓之母，舉生名乎？

○荅曰：仲子已葬訖之後，實合舉死稱，但禮家本意，母死曰妣者，比於父之義也，故鄭彼云[53]：「妣之言媲，媲于考也。」但仲子是妾[54]，桓未為君，其母不得為夫人，卑不得比于父，故還以母言之。

何以不稱夫人？此難生時之稱也。据秦人來歸僖公、成風之襚[55]，成風稱謚，今仲子無謚，知生時不稱夫人。

---

52 「之襚」，鈔本、殘本皆誤作「之襚」，監本、毛本、殿本皆誤作「之隧」。《校勘記》：閩本同，監、毛本「襚」誤「隧」。(【校案】：阮本不錄此則。)

53 「鄭彼云」。
【校案】：「鄭彼云」，各本皆作如是，据《疏》文鋪陳經文暨注釋常例，疑原或作「鄭彼《注》云」。

54 「但仲子是妾」，殿本、薈要本、文淵閣本皆敓「但」字，皆誤作「仲子是妾」。

55 「襚」，明修本、阮本皆誤作「襚」；明修本全本皆然，阮本「襚」或作「襚」、或誤作「襚」。

〔疏〕

●注此難至稱也

【解云】〈文九年〉「冬，秦人來歸僖公、成風之襚[56]」，舉風之謚。案
　　《經》成風生時，《傳》稱夫人，何者？禮，妾賤不得有謚故也。今仲子
　　不舉謚，不與成風同，明生時不得稱夫人可知，故傳家遙難之。

桓[57]未君也，賵者何？喪事有賵，賵者，蓋以馬，以乘馬、束帛。此道，周
制也。以馬者，謂士不備四也，《禮·既夕》曰：「公賵玄纁束帛[58]、兩馬。」
是也。乘馬者，謂大夫以上備四也。禮，大夫以上至天子，皆乘四馬，所以
通四方也。天子馬曰龍，高七尺以上；諸侯曰馬，高六尺以上；卿大夫、士
曰駒，高五尺以上。束帛，謂玄三纁二，玄三法天，纁二法地，因取足以共
事。▲乘馬，繩證反，《注》乘馬同。玄纁，許云反。以共音恭。▼

〔疏〕

●賵者何

【解云】初入《春秋》，弟子未曉賵義，故執不知問。

●注此道周制也

【解云】知者正以上云以馬，與〈士既夕禮〉同；下言乘馬，與士異。明知
　　周之禮，大夫以上皆有四馬矣。

●注以馬至四也

【解云】以下言乘馬，明上文直言以馬者，士禮兩馬可知，故即引《禮》為
　　證矣。

●注禮大夫至方也[59]

---

56 「襚」，鈔本、殘本皆誤作「襚」。鈔本「襚」或作「襚」，或誤作「襚」。殘本「襚」
　　皆誤作「襚」。

57 「桓」，宋刊本誤作「相」。

58 「公賵玄纁束帛」。
　　《正誤》：案：《經》文無「帛」字。
　　《校勘記》：浦鏜云：按：《經》無「帛」字。

59 「注禮大夫至方也」。

【解云】案：《異義·古毛詩說》云：「天子至大夫同駕四，皆有四方之事；士駕二也。《詩》云：『四騵彭彭[60]。』武王所乘；『龍旂承祀，六轡耳耳。』魯僖所乘；『四牡騑騑，周道倭遲』，大夫所乘。《書傳》云：『士乘飾車，兩馬；庶人單馬，木車。』」是也。

◎問曰：若然，《異義·公羊說》引《易經》云：「『時乘六龍，以馭天下也。』[61]知天子駕六。」與此異何？

○答曰：彼謹案亦從《公羊說》，即引〈王度記〉云：「天子駕六龍，諸侯與卿駕四，大夫駕三。」以合之。鄭《駁》云：「《易經》『時乘六龍』者，謂陰陽六爻上下耳，豈故為禮制。〈王度記〉云[62]『今天子駕六』者，自是漢法，與古異；『大夫駕三』者，於《經》無以言之。」者是也。然則彼《公羊說》者，自是章句家意，不與何氏合，何氏此處不依漢禮者，蓋時有損益也。

●注天子至以上

【解云】〈月令〉「天子」「駕倉龍」，是其高七尺者，漢制也，其六尺、五尺[63]亦然。

●注諸侯曰至以上

【解云】〈魯頌〉曰：「魯侯戾止，其馬蹻蹻。」是也。

●注卿大夫至以上

【解云】《詩》云：「皎皎白駒，食我場苗。」是也。

●注束帛至纁二

【解云】〈雜記·上〉云：「魯人之贈，三玄[64]二纁。」是也。

《按勘記》：惠棟校本「方」上有「四」字。(【校案】：阮本不錄此則。)

60　「四騵彭彭」，鈔本敚「彭」字，誤作「四騵彭」。
　　《正誤》：「四」，《經》作「駉」。

61　「時乘六龍，以馭天下也」。
　　《正誤》：「馭」，《經》作「御」；「下」字衍。
　　《按勘記》：浦鏜云：「馭」，《經》作「御」；「下」，衍字。

62　「〈王度記〉云」，鈔本敚「記」字，誤作「〈王度記〉」。

63　「六尺、五尺」，鈔本敚「五尺」二字，誤作「六尺」。

64　「三玄」，監本、毛本、殿本皆誤作「二玄」。

●注玄三至共事

【解云】天數不但三，地數不但二，而取三、二者，因取足以共事故也。車馬曰賵，貨財曰賻，衣被曰襚[65]。此者，春秋制也[66]。賵猶覆也，賻猶助也，皆助生送死之禮。襚猶遺也，遺是助死之禮。知生者賵賻，知死者贈襚[67]。▲曰賻音附。曰襚[68]音遂。猶遺，唯季反。▼

〔疏〕

●注此者春秋制也

【解云】上陳周制訖，下乃言賵、賻、襚，此三者是春秋之內事，故云此者春秋制也。

〔疏〕

●注知生至贈襚

【解云】

◎問曰：案：〈既夕禮〉云：「知死者贈，知生者賻[69]。」鄭《注》云：「各主於所知。」以此言之，賻專施于生者何？

《正誤》：「三」誤「二」。

《校勘記》：閩本同，監、毛本「三」誤「二」。（【校案】：阮本不錄此則。）

[65] 「曰襚」，宋刊本、余刊本、余校本皆誤作「曰襚」，全本皆然。

[66] 「此者，春秋制也」。

《校勘記》：盧文弨曰：《荀子·大略篇》《注》引作「此皆春秋之制也」。按：《疏》本作「此者」。

[67] 「知生者賵賻，知死者贈襚」。

《正誤》：案：《疏》問云：「賵專施於生者何？」則《註》：「知死者為贈襚。」不疑也。答云：「故何氏《註》知生知死，皆言賵矣。」則又似《註》：「知死者贈襚。」為賵、襚之誤。至云：「〈既夕禮〉言知生者，對贈言之故也。」則又似《註》言賻、襚矣。解義若此，未見通曉。

《校勘記》：諸本同誤也。《穀梁》《疏》引此作「知死者賵襚」，當據以訂正。《疏》云：「何氏《注》知生知死，皆言賵矣。」可證。

[68] 「曰襚」，宋元本、通志堂本、余刊本、余校本皆誤作「曰襚」。

[69] 「知生者賻」。

《校勘記》：今《儀禮》同。據此《疏》下文，似《禮經》本作「知生者賵」，未詳。

○荅曰：賵專施于生，襚專施于死，贈實生死兩施[70]。故何氏《注》知生知死，皆言贈矣。而〈既夕禮〉專言知生者，對贈言之故也。

◎問曰：何知贈生死兩施乎？

○荅曰：案：〈既夕禮〉云：「兄弟，贈、奠可也。」《注》云：「兄弟有服親者，可且贈且奠[71]，許其厚也。贈、奠於死生兩施[72]。」又云：「所知，則贈而不奠。」鄭《注》云：「所知，通問相知也，降於兄弟。奠施於死者為多，故不奠。」以此言之，明贈與奠皆生死兩施也。言奠於死者為多，故知贈生死等矣。

桓未君，則諸侯曷為來贈之？据非禮。

〔疏〕

●注据非禮

【解云】桓公未為君，則其母猶妾，故諸侯贈之[73]為非禮。

隱為桓立，故以桓母之喪告于諸侯[74]。《經》言王者贈，赴告王者可知，故《傳》但言諸侯。▲隱為，于偽反，下《注》為并年末[75]《注》同[76]。告于，古毒反，一音古報反。▼

---

[70] 「兩施」，監本、毛本皆誤作「而施」。
《正誤》：「兩」誤「而」。
《按勘記》：閩本同，監、毛本「兩」誤「而」。（【校案】：阮本不錄此則。）

[71] 「且贈且奠」，明修本誤作「目贈目奠」。

[72] 「死生兩施」，閩本、監本、毛本、殿本、薈要本、文淵閣本皆誤倒作「生死兩施」。
《按勘記》：閩、監、毛本誤倒作「生死」。（【校案】：阮本不錄此則。）

[73] 「贈之」，殘本誤作「服之」。

[74] 「告于諸侯」。
《按勘記》：唐石經亦作「于」。

[75] 「年末」，毛本誤作「年未」。

[76] 「下《注》為并年末《注》同」，抱經堂本衍「內」字，作「下《注》為內并年末《注》同」。
《盧考證》：「隱為下《注》為內并年末《注》同」○舊脫「內」字，今案後文補。
《黃彙校》：「隱為下《注》為內并年末《注》同」○盧本於「《注》為」下增「內」字，宋本及余仁仲萬卷堂所刻經本、何煌所見宋板癸丑補刊本并與此本同。
【校案】：

〔疏〕

●注故《傳》但言諸侯

【解云】諸侯之賵，及事，則在《春秋》之前，故不書矣。然則，諸侯有相
　　賵之道，隱以桓母成為夫人，告天子、諸侯，天子猶來，何況諸侯乎？故
　　《傳》舉以言焉。

然則何言爾？成公意也。尊貴桓[77]母，以赴告天子、諸侯，彰桓當立，得事
之宜，故善而書仲子，所以起其意、成其賢。其言來何？据歸唅，且賵不言
來。▲歸唅[78]，本又作含[79]，戶暗反，下同。▼

〔疏〕

●注据歸至言來

【解云】〈文五年〉「春，王使榮叔歸含，且賵」是。

不及事也。比於去來，為不及事，時以葬事畢，無所復施，故云爾。去來所
以為及事者，若已在於內者。

〔疏〕

●注比於至云爾

【解云】《公羊》之例，若其奔喪、會葬，不問來之早晚、及事不及事，皆
　　言來矣。故〈文元年〉「春，天王使叔服來會葬。夏，四月，葬我君僖
　　公」者，是其及事言來也；〈文五年〉「三月，葬我小君成風」，下乃言
　　「王使召伯來會葬」，《注》云：「去天者，不及事。」是不及事亦言來
　　矣。故〈元年〉《傳》云：「其言來會葬何？會葬，禮也。」《注》云：「但
　　解會葬者，明言來者常文，不為早晚施也。」〈定十五年〉「夏，邾婁子來

77　「桓」，監本誤作「相」。
78　「歸唅」，閩本、監本、毛本、殿本、薈要本、文淵閣本皆作「歸含」。
　　《盧考證》：「歸唅」○注疏本作「含」。
　　《按勘記》：《釋文》作「歸唅」，云：「本又作含，下同。」○按：「唅」
　　非也，依《說文》應作「琀」。
79　「作含」，閩本、監本、毛本、殿本、薈要本、文淵閣本皆作「唅」。

奔喪」，《傳》云：「其言來奔喪何？奔喪，非禮也。」彼《注》云：「但解奔喪者，明言來者常文，不為早晚施也。」以此言之，則知奔喪、會葬之例，不問早晚，悉言來矣。若其含、賵、襚，及事則不言來，不及事則言來，是以惠公、仲子之葬，悉在《春秋》前，至此乃來歸賵，《傳》曰：「其言來何？不及事也。」又《注》云：「比於去來，為不及事，時以葬事畢，無所復施，故云爾。去來所以為及事者，若已在於內者。」是也。若含不及事，亦須言來也，故〈文四年〉「冬，十有一月壬寅，夫人風氏薨」、〈五年〉「春，王使榮叔歸含，且賵」，彼《注》云：「不從含晚言來者，本不當含也。」以此言之，明諸侯含晚，須言來矣。何者？諸侯鄰國，禮容有含故也。若其襚也，〈文九年〉「秦人來歸僖公、成風之襚」，亦是不及事言來也，何氏不注者，以其可知，省文故也。所以如此作例者，以奔喪、會葬，所以通哀序志，必有所費，容其事故稽留，不必苟責其及時也。其含、賵、襚之等，皆是死者所須，若其來晚，則無及於事，故須作文見其早晚矣。

其言惠公、仲子何？据歸含、且賵不言主名。兼之。兼之，非禮也。禮不賵妾，既善而賵之，當各使一使，所以異尊卑也。言之賵者，起兩賵也。▲一使，所吏反。▼

〔疏〕

●注言之至賵也

【解云】以此言之，則〈文九年〉「秦人來歸僖公、成風之襚」，言之襚者，亦起兩襚矣。

何以不言及仲子？据及者，別公、夫人尊卑文也，仲子即卑稱也。▲別公，彼列反。▼

〔疏〕

●注据及至文也

【解云】即〈僖十一年〉「夏，公及夫人姜氏會齊侯于陽穀」是也。

仲子微[80]也。比夫人微，故不得並及公也。月者，為內恩錄之也，諸侯不月，比於王者輕，會葬皆同例。言天王者，時吳、楚上僭稱王，王者不能正，而上自繫於天也，《春秋》不正者，因以廣是非。稱使者，王尊敬諸侯之意也。王者据土[81]，與諸侯分職，俱南面而治，有不純臣之義，故異姓謂之伯舅、叔舅，同姓謂之伯父、叔父。言歸者，與使有之辭也，天地所生，非一家之有，有無當相通。所傳聞之世，外小惡不書，書者，來接內也。《春秋》王魯，以魯為天下化首，明親來被王化，漸漬禮[82]義者，在可備責之域，故從內小惡舉也。主書者，從不及事也[83]。▲上僭，子念反。而治，直吏反，下皆同。所傳，直專反，下文所傳并《注》同。來被，皮寄反。▼

〔疏〕

●注月者為內恩錄

【解云】此文及〈文五年〉「春，王正月，王使榮叔歸含且賵」，皆是內恩錄之也。

●注諸侯至者輕

【解云】即〈文九年〉「冬，秦人來歸僖公、成風之襚」是也。

●注會葬皆同例

【解云】若王使人來，則書月，為內恩錄之；若諸侯使人來，即不月，以為比王者[84]為輕。故〈文五年〉「春，三月，王使召伯來會葬」、〈文元年〉「二月，天王使叔服來會葬」皆是也。其諸侯使人來會葬，不月者，《春秋》之內，偶爾無之。其〈襄三十一年〉「冬，十月，滕子來會葬」、〈定

---

80 「微」，宋刊本作「微」。「微」，「微」異體字。宋刊本「微」或作「微」，或作「微」。

81 「据土」，余校本誤作「据上」，疑板本漫漶致誤。

82 「禮」，明修本作「礼」。「礼」，「禮」異體字。

83 「從不及事也」，閩本、監本、毛本、殿本、薈要本、文淵閣本皆敓「從」字，皆誤作「不及事也」。
   《校勘記》：宋監本同，閩、監、毛本脫「從」字。

84 「王者」，阮本誤作「玉者」。

十五年〉⁸⁵「九月,滕子來會葬」,皆書月者,彼是諸侯,身來會葬,非使人,仍自非妨也。以此義勢言之,則鄉解王與諸侯者,皆是使人,非身自來也。而舊云〈襄三十一年〉月者,為下「癸酉,葬襄公」出之,會葬不蒙月;〈定十五年〉月者,為下「葬定公」出之,會葬亦不蒙上月者;非也。

●注春秋至是非

【解云】若正之,當直言王,今不正之,而亦言天者,所以廣見是非故也。何者?若單言王,是其正稱,今兼亦言天,見其非正矣。

●注稱使至意也

【解云】〈成二年〉《傳》云:「君不行使乎大夫⁸⁶。」由尊卑不敵故也。今天子與諸侯,亦尊卑不敵,所以言使者,天子見諸侯與已分職,俱南面而治,有不純臣之義,故尊敬之而使歸賵,故曰尊敬諸侯之意也。

●注有不至之義

【解云】〈喪服·斬衰章〉云:「臣為君,諸侯為天子。」既言臣為君,而別言諸侯為天子,明其與純臣者異,其異者,即不居殯宮是。

●注故異至叔父

【解云】〈下曲禮〉及〈覲禮記〉文。

●注言歸者至之辭也

【解云】《春秋》大例,先是已物,乃言歸,即歸讙及闡之屬是也。今此賵之車馬,先非魯物,而言歸者,與魯有之辭。

●注所傳至內也

【解云】《春秋》之義,所傳聞之世,外小惡皆不書,今此緩賵,是外之小惡,當所傳聞之世,未合書見,而書之者,由接內故也。

九月,及宋人盟于宿。孰及之?內之微者也。內者,謂魯也。微者,謂士

---

85 「〈定十五年〉」,毛本誤作「〈定主五年〉」。

　　《正誤》:「十」,毛本誤「主」。

　　《按勘記》:毛本「十」誤「主」。(【校案】:阮本不錄此則。)

86 「大夫」,殘本誤作「大大」。

也。不名者,略微也。大者正,小者治,近者說,遠者來,是以《春秋》上刺王公,下譏卿大夫[87],而逮士、庶人。宋稱人者[88],亦微者也。魯不稱人者,自內之辭也。宿不出主名者,主國主名,與可知,故省文,明宿當自首其榮辱也。微者盟例時,不能專正,故責略之。此月者,隱公賢君,雖使微者,有可采取,故錄也。▲于宿音夙,國名。者說音悅。而逮音代,又大計反。故省,所景反,後省文皆同。▼

〔疏〕

●注微者謂士也

【解云】正以《公羊》之例,大夫悉見名氏,與卿同,今此不見名氏,故知士也。

●注明宿至辱也

【解云】理是則主人先榮,理非則主人先辱,故曰首其榮辱也。

●注微者至故錄也

【解云】《春秋》之例,若尊者之盟,則大信時,小信月,不信日,見其責也。若其微者,不問信與不信,皆書時,悉作信文以略之,即〈僖十九年〉「冬,會陳人、蔡人、楚人、鄭人,盟于齊」之屬是。今此書月者,義如《注》釋。

冬,十有二月,祭伯來。祭伯者何?天子之大夫也。以無所繫言來也。▲祭伯,側界反,〈五年〉《注》放此。▼

〔疏〕

●祭伯者何

【解云】欲言王臣,不言王使,欲言諸侯,復不言朝,欲言失地之君,復不言奔,故執不知問。

---

87 「大夫」,明修本誤作「大天」。

88 「宋稱人者」,閩本、監本、毛本、殿本、薈要本、文淵閣本皆敓「者」字,皆誤作「宋稱人」。
《挍勘記》:宋本同,閩、監、毛本脫「者」。(【挍案】:阮本不錄此則。)

〔疏〕

●注以無至來也

【解云】外諸侯臣來聘，宜繫國稱使，即〈文四年〉「秋，衛侯使甯俞來聘」之屬是也。若直來，亦有所繫，如〈閔元年〉「冬，齊仲孫來」之屬是[89]。若外諸侯[90]之臣來奔，當繫國言來奔，即〈文十四年〉「秋，宋子哀來奔」、〈襄二十八年〉「冬，齊慶封來奔」之屬是也。今無所繫，直言來，故知宜是天子之大夫也。

何以不稱使？据凡伯稱使。

〔疏〕

●注据凡伯稱使

【解云[91]】即下〈七年〉「天王使凡伯來聘」是也。

奔也。奔者，走也。以不稱使而無事，知其奔。

〔疏〕

●注以不至其奔

【解云】下〈三年〉「武氏子來求賻」、〈文九年〉「毛伯來求金」，是無使文而有事也。上文「秋，七月，天王使宰咺」、〈文元年〉「天王使叔服」之徒，皆是有使有事也。今此無使復無事，故知其正是奔也。

奔，則曷為不言奔？据齊慶封來言奔。

〔疏〕

●注据齊至言奔

---

89 「之屬是」，鈔本敓「是」字，誤作「之屬」。監本、毛本、殿本、薈要本、文淵閣本皆衍「也」字，皆作「之屬是也」。

90 「若外諸侯」，監本、毛本、殿本、薈要本、文淵閣本皆敓「若」字，誤作「外諸侯」。
　　《挍勘記》：閩本（【挍案】：阮本誤作「監」。）同，監、毛本「若」作「也」。按：「也」、「若」當並有。

91 「解云」，明修本誤作「解天」。

【解云】在〈襄二十八年〉「冬」。

王者無外，言奔，則有外之辭也。言奔，則與外大夫來奔同文，故去奔，明王者以天下為家，無絕義。主書者以罪舉，內外皆書者，重乖離之禍也。當春秋時，廢選舉之務，置不肖於位，輒退絕之，以生過失，至於君臣忿爭出奔，國[92]家之所以昏亂，社稷之所以危亡，故皆錄之。錄所奔者，為受義者，明當受賢者，不當受惡人也。祭者，采邑也；伯者，字也。天子上大夫字，尊尊之義也。月者，為下卒也，當案下例[93]，當蒙上月，日不也。奔例時，一月二事，月當在上。十言有二者，起十復有二[94]，非十中之二。▲選舉，息變[95]反。不肖音笑。采邑，七代反。▼

〔疏〕

●注故去至絕義

【解云】

◎問曰：若王者以天下為家，無絕義，故不言奔，何故〈襄三十年〉「夏，王子瑕奔晉」、〈昭二十六年〉「冬，尹氏、召伯、毛伯以王子朝奔楚」、〈成十二年〉「春，周公出奔晉」皆言奔乎？

○答曰：《春秋》進退無義，若來奔魯者，見王者以天下為家，無絕義，故不言奔矣。若奔別國[96]，即見《春秋》黜周，與外諸侯同例，故言奔矣[97]。

---

92 「國」，明修本作「国」。「国」，「國」異體字。

93 「當案下例」。
　《按勘記》：閩、監、毛本同，鄂本「當」作「堂」，誤。○按：〈二年〉《注》作：「常案下例，當蒙上月。」解云：祭伯來之下，已有此《注》，然則此亦應作「常」。

94 「十復有二」，明修本、閩本、監本、毛本、殿本、薈要本、文淵閣本、阮本皆誤作「下復有二」。
　《正誤》：「十」誤「下」。
　《按勘記》：閩、監、毛本同，誤也。鄂本「下」作「十」，當據正。

95 「變」，明修本作「变」。「变」，「變」異體字。

96 「故不言奔矣。若奔別國」，鈔本敚「矣若奔」三字，誤作「故不言奔別國」。

97 「故言奔矣」，鈔本敚「矣」字，誤作「故言奔」。

既以魯為王,而不專黜周者,若專黜周[98],則非遜順之義故也。

●注主書者以罪舉

【解云】一則罪祭伯之去王[99],一則罪魯受叛人,故曰以罪舉。

●注內外皆書者重乖離之禍也

【解云】[100]內書者,〈閔二年〉「秋,公子慶父出奔莒」是也。又,在外奔書者,〈昭二十年〉「冬,十月,宋華亥、向甯、華定出奔陳」之屬是也。

●注當春至於位

【解云】〈王制〉云:「凡官民材,必先論之,論辨[101]然後使之,任事然後爵之,位定然後祿之,爵人於朝,與士共之[102]。」是擇人之法也。當《春秋》之時,不問賢與不肖,悉皆世位,故言此。

●注輒退至過失

【解云】君若退絕其臣,不聽世祿,以生過失矣。

●注至於至出奔

【解云】由不肖者在位,故有忿爭出奔之事矣。

●注伯者字也

【解云】知伯非爵者,正見〈桓八年〉《經》云:「冬,祭公來,遂逆王后于紀。」公是其爵,明伯是其字矣。

●注當案至不也

【解云】一月有數事,重者皆蒙月也;若上事輕、下事重,輕者不蒙月,重

---

98 「若專黜周」,毛本誤作「欲專黜周」。
   《正誤》:「若」,毛本誤「欲」。
   《挍勘記》:毛本「若」誤「欲」。
99 「去王」,明修本、閩本、監本、毛本、殿本、薈要本、文淵閣本皆誤作「去主」。
100 「解云」,殘本衍「一」字,誤作「一解云」。
101 「論辨」,閩本、監本、毛本、殿本、薈要本、文淵閣本皆誤作「論辯」。
   《挍勘記》:閩、監、毛本「辨」改「辯」。
102 「與士共之」,毛本誤作「與事共之」。
   《正誤》:「士」,毛本誤「事」。
   《挍勘記》:毛本「士」誤「事」。(【挍案】:阮本不錄此則。)

者自蒙月；若上事重、下事輕，則亦重者蒙月，輕者不蒙月；故言當案下例，當蒙上月矣。日不者，謂一日有數事，即不得上下相蒙，故〈桓十二年〉「冬，十一月，丙戌，公會鄭伯盟于武父；丙戌，衛侯晉卒。」彼下《注》云：「不蒙上日者，《春秋》獨晉書立記卒耳，當蒙上日與？不！嫌異於纂例，故復出日，明同。」是也。

●注奔例時

【解云】

◎問曰：〈襄三十年〉[103]「夏，五月，王子瑕奔晉」、〈昭二十六年〉「冬，十月，尹氏、召伯、毛伯以王子朝奔楚」，悉書月，何言例時乎？

○荅曰：案：〈襄三十年〉[104]「五月，甲午，宋災[105]，伯姬卒，天王殺其弟年夫[106]，王子瑕奔晉」、〈昭二十六年〉「冬，十月，天王入于成周，尹氏、召伯、毛伯以王子朝奔楚」，以此言之，則似月為上事，其二處出奔，仍不蒙月，是以〈襄三十年〉「五月，甲午」之下《注》云：「外災例時，此日者，為伯姬卒日。」〈昭二十六年〉「冬，十月」之下《注》云：「月者，為天下喜錄王者反正位。」是其月為上事之明文，不妨出奔，仍自時[107]也。故此乃注云[108]：「月者，為下卒。」「奔例時。」也。舊云：《春秋》王魯，是以王臣來奔魯者，悉與外諸侯之臣來奔同書時，故與〈襄二十八年〉「冬，齊慶封來奔」同書時矣。若王臣奔佗國者，悉皆書月，見別于諸侯之臣矣，是以王子瑕、毛、召之徒，悉皆書月。

---

103 「〈襄三十年〉」，阮本誤作「〈襄二十年〉」。

104 「〈襄三十年〉」，阮本誤作「〈襄公十年〉」。

105 「災」，殘本、明修本、阮本皆作「灾」，「灾」、「災」異體字。殘本「災」或作「灾」，或作「灾」；明修本、阮本「災」皆作「灾」，全本皆然。

106 「年夫」，監本、毛本皆誤作「年天」。
   《正誤》：「夫」誤「天」。
   《挍勘記》：毛本「夫」誤「天」。（【校案】：阮本不錄此則。）

107 「自時」，毛本誤作「自是」。
   《正誤》：「時」，毛本誤「是」。
   《挍勘記》：毛本「時」誤「是」。（【校案】：阮本不錄此則。）

108 「仍自時也。故此乃注云」，鈔本敓「自時也故此乃」六字，誤作「仍注云」。

◎問曰：若然，〈成十二年〉「春，周公出奔晉」，亦是出奔，何故不月？

〇答曰：王臣之例，實不言出，亦不書時，但周公白其[109]私出奔，故自從小國例言出書時矣。凡諸侯出奔，大國例月，小國時。

公子益師卒。何以不日？据臧孫辰書日。▲不日，人實反。此《傳》皆以日月為例，後放此。▼

〔疏〕

●注据臧孫辰書日

【解云】即〈文十年〉「春，王三月，辛卯，臧孫辰卒。」者也[110]。

◎問曰：下〈五年〉「冬，十二月，辛巳，公子彄卒」亦書日，所以不據之，而遠據〈文十年〉之篇何？

〇答曰：下〈五年〉何氏云：「日者，隱公賢君，宜有恩禮於大夫。益師始見法，無駭有罪，俠又未命也，故獨得於此日。」以義言之，正由同在所傳聞之世，非常書日之限，故不據之。所聞之世，大夫日卒者非一，正據辰者，以其是所聞之始故也。

遠也。孔子所不見。所見異辭，所聞異辭，所傳聞異辭。所見者，謂昭、定、哀，己與父時事也。所聞者，謂文、宣、成、襄[111]，王父時事也。所傳聞者，謂隱、桓、莊、閔、僖，高祖、曾祖時事也。異辭者，見恩有厚薄，義有深淺[112]。時恩衰義缺，將以理人倫[113]、序人類，因制治亂之法。故於所見之世，恩己與父之臣尤深，大夫卒，有罪無罪，皆日錄之，「丙

---

109 「白其」，明修本、閩本、監本、毛本皆誤作「自期」。

110 「者也」，文淵閣本作「是也」。

　　《正誤》：「是」誤「者」。

111 「襄」，明修本作「襃」。「襃」，「襄」異體字。

112 「義有深淺」。

　　《按勘記》：鄂本作「淺深」，當乙正，諸本皆誤倒。

　　【校案】：《解詁》先言「所見之世，恩己與父之臣尤深」，次言「於所聞之世，王父之臣，恩少殺」，三言「所傳聞之世，高祖、曾祖之臣，恩淺」，據文理，則作「深淺」於義可先後照應，《按勘記》雖或有據，而所言未必得實。

113 「將以理人倫」，明修本、阮本皆衍「將」字，皆誤作「將將以理人倫」。

申，季孫隱如卒」是也。於所聞之世，王父之臣，恩少殺，大夫卒，無罪者日錄，有罪者不日、略之，「叔孫得臣卒」是也。於所傳聞之世，高祖、曾祖之臣，恩淺，大夫卒，有罪、無罪皆不日，略[114]之也，「公子益師、無駭卒」是也。於所傳聞之世，見治起於衰亂之中，用心尚麤[115]觕[116]，故內其國而外諸夏，先詳內而後治外，錄大略小，內小惡書，外小惡不書，大國有大夫，小國略稱人，內離會書，外離會不書是也。於所聞之世，見治升平，內諸夏而外夷狄，書外離會，小國有大夫，〈宣十一年〉「秋，晉侯會狄於攢函」、〈襄二十三年〉「邾婁鼻我來奔」是也。至所見之世，著治大平，夷狄進至於爵，天下遠近小大若一，用心尤深而詳，故崇仁義、譏二名，晉魏萬多[117]、仲孫何忌是也。所以三世者，禮，為父母三年，為祖父母期，為曾祖父母齊[118]衰三月。立愛自親始，故《春秋》据哀錄隱，上治祖禰[119]，所以二百四十二年者，取法十二公，天數[120]備足，著治法式[121]。又因周道始壞絕於

114　「略」(【校案】：阮本作「畧」。)。
　　《挍勘記》：鄂本「畧」作「略」，是也。段玉裁曰：古人多作「略」，「田」在旁。
115　「麤」，明修本、阮本作「麄」，全本皆然。「麄」，「麤」異體字。
116　「麤觕」(【校案】：阮本「麤」作「麄」。)
　　《考證》：又《注》「用心尚麤觕」，《音義》：「麤，才古反，又七奴反，《說文》：『大也。』」○臣宗萬按：麤、觕二字，音義皆略同粗字。觕兼平、上二聲；麤則但有平聲，從無上聲讀者；若麤觕二字連用，則上字讀平聲、下字讀上聲。《漢書‧藝文志》：「庶得麤觕。」師古曰：「觕音才戶反。」是也。今《音義》於麤字音平、上二聲，而觕字闕如，疑有脫誤。又《說文》：「麤，行超遠也。」《玉篇》乃作大字解，此引《說文》，亦誤。
117　「魏萬多」，余刊本、余校本、明修本、閩本、監本、毛本、殿本、薈要本、文淵閣本、阮本皆作「魏曼多」，全本皆然。
　　《挍勘記》：鄂本「曼」作「萬」，此本《疏》中標《注》亦作「萬」。○按：作「曼」是也，「萬」者，聲之誤。
118　「齊」，明修本作「斉」。「斉」，「齊」異體字。
119　「禰」，明修本作「祢」。「祢」，「禰」異體字。
120　「數」，明修本作「数」。「数」，「數」異體字。
121　「著治法式」。
　　《挍勘記》：解云：舊本皆作「式」，一作「戒」。

惠、隱之際，主所以卒大夫者，明君當隱痛之也。君敬臣，則臣自重；君愛臣，則臣自盡。公子者，氏也；益師者，名也。諸侯之子稱公子，公子之子稱公孫。▲見恩，賢徧反[122]，下見治皆同。少殺，所介反。龐牭[123]，才古反，又七奴反，《說文》：「大也[124]。」諸夏，戶雅反，凡諸夏皆放此。攢函，才官反，下音咸。大平[125]音泰。母期音基[126]。齊衰音咨，本亦作齋，下七雷反。自盡，津忍反。▼

〔疏〕

●注於所至事也

【解云】孔子親仕之定、哀[127]，故以定、哀為己時；定、哀既當於己，明知昭公為父時事；知昭、定、哀為所見，文、宣、成、襄為所聞，隱、桓、莊、閔、僖為所傳聞者；《春秋緯》文也

●注時恩衰義缺

【解云】當時子弒父、父殺子，為恩衰也[128]；臣弒君、君殺臣，為義缺。故〈喪服四制〉云：「為父斬衰三年，以恩制；為君斬衰三年，以義制。」是也

●注將以至之法

【解云】孔子見時如此，遂制《春秋》。理人倫者，斷[129]理君臣之倫次，令

---

122 「賢徧反」，余刊本、余校本、明修本、閩本、監本、毛本、殿本、薈要本、文淵閣本、阮本皆誤作「賢遍反」，全卷皆然。

123 「牭」，阮本誤作「捔」。

124 「大也」，余刊本誤作「式也」。

125 「大平」，明修本誤作「太平」。

126 「基」，通志堂本、彙校本皆作「朞」。「朞」，「期」異體字。
　　《黃彙校》：「母期音朞」○宋本、余本「朞」作「基」。

127 「孔子親仕之定、哀」。
　　《正誤》：「之」，疑。

128 「恩衰也」，閩本、監本、毛本、殿本、薈要本、文淵閣本皆敓「也」字，皆誤作「恩衰」。
　　《校勘記》：閩、監、毛本無「也」，此衍，否則「為義缺」下亦當有「也」。

129 「斷」，明修本作「斷」，「斷」，「斷」異體字。

得所也；序人類者，類謂父子[130]，序父子之恩，使之厚也；因以制治亂
之軌式矣。

●注故於至卒是也

【解云】隱如逐君[131]而書日，即〈定五年〉「丙申，季孫隱如卒」是也。若
　　非罪書日，即〈昭二十五年〉「冬，十月戊辰，叔孫舍[132]卒」、〈二十九
　　年〉「四月庚子，叔倪卒」是也。而此《注》不言之者，從省文也。

●注於所至日錄

【解云】無罪書日者，即〈襄五年〉「冬，十有二月，辛未，季孫行父卒」、
　　〈襄十九年〉「八月，丙辰，仲孫蔑卒」，是無罪而書日者[133]，錄之故
　　也。若然，〈文十四年〉「九月，甲申，公孫敖卒于齊」，敖實有罪，而書
　　日者，彼《注》云：「已絕，卒之者，為後齊脅魯歸其喪，有恥，故為內
　　諱，使若[134]尚為大夫。」是也。

●注有罪至是也

【解云】〈宣五年〉「九月，叔孫得臣卒」，何氏云：「不日者，知公子遂欲弒
　　君，為人臣，知賊而不言明當誅，是有罪而不日者，略之故也。」

●注於所[135]至卒是也[136]

【解云】公子益師無罪而不日，即此是也。無駭有罪而不日，即下〈八年〉
　　「冬，十有二月，無駭卒」是也。若然，〈莊三十二年〉「秋，七月，癸
　　巳，公子牙卒」、〈僖十六年〉「三月，壬申，公子季友卒」「秋，七月，甲

130　「序人類者，類謂父子」，鈔本敓「者類」二字，誤作「序人類謂父子」。

131　「逐君」，殘本誤作「遂君」。

132　「叔孫舍」，阮本誤作「仲孫舍」。

133　「書日者」，監本、毛本皆誤作「書日也」。
　　　《挍勘記》：閩本同，監、毛本「者」誤「也」。（【校案】：阮本不錄此則。）

134　「使若」，鈔本衍「者」字，誤作「使者若」。

135　「注於所」，明修本、閩本、監本、毛本、殿本、薈要本、文淵閣本、阮本《疏》文
　　　標列皆衍「見」字，皆作「於所見」。

136　「於所見至卒是也」。
　　　《挍勘記》：何挍本「見」作「傳」，是也。

子，公孫慈卒」，並是所傳聞之世而得書日。牙卒之下，何氏云：「莊不卒大夫，而卒牙者，本以當國將弒君，書日者，錄季子之遏惡[137]也。」其季友之下，何氏云：「日者，僖公賢君，宜有恩禮於大夫，故皆日也。」其公孫慈之下，何氏云：「一年喪骨肉三人，故日，痛之。」是也。

●注錄大略小

【解云】謂錄大國[138]卒葬，小國卒葬不錄是也。

●注內離至是也

【解云】內離會者，即下〈二年〉「春，公會戎于潛[139]」、〈桓元年〉「春，公會鄭伯于垂」是也。外離會不書者，〈桓五年〉「齊侯、鄭伯如紀」，《傳》云：「外相如不書，此何以書？離不言會也。」何氏云：「時紀不與會，故略言如也。」

●注於所至升平

【解云】升，進也，稍稍上進[140]，而至於大平矣。

●注宣十[141]至攢函[142]

【解云】即此一經而當是二義也。

●注襄二至是也

【解云】若然，〈莊二十四年〉「冬，曹羈出奔陳」、〈莊二十七年〉「冬，莒慶來逆叔姬」，皆非所聞之世，而小國得有大夫書名者。曹羈之下，《傳》云：「曹無大夫，此何以書，賢也。」莒慶之下，《傳》云[143]：「莒無大

---

137 「遏惡」，明修本、阮本皆誤作「過惡」。
　　《校勘記》：閩、監、毛本「過」作「過」，與〈襄三十二年〉《注》合，此本「過」字係改刻。
138 「大國」，明修本誤作「不國」。
139 「于潛」，殘本誤作「子潛」。
140 「稍稍上進」，鈔本敚「稍」字，誤作「稍上進」。
141 「注宣十」，監本、毛本皆誤作「注宣七」。
　　《校勘記》：閩本同，監、毛本「十」改「七」。
142 「攢函」，鈔本、殘本《疏》文標列皆誤作「橫函」。
143 「《傳》云」，監本、毛本皆誤作「《傳》曰」。
　　《校勘記》：閩本同，監、毛本「云」改「曰」。（【校案】：阮本不錄此則。）

夫，此何以書？譏爾[144]。大夫越境逆女，非禮也。」然則一譏一賢，故變[145]例書之爾。

●注至所至大平

【解云】當爾之時，實非大平，但《春秋》之義，若治之大平，於昭、定、哀也，猶如文、宣、成、襄之世，實非升平，但《春秋》之義，而見治之升平然。

●注夷狄至於爵

【解云】即〈哀四年〉「夏，晉人執戎曼子赤[146]歸于楚」、〈十三年〉「夏，公會晉侯[147]及吳子于黃池」是也。

●注晉魏萬多仲孫何忌是也

【解云】〈哀十三年〉「晉魏多帥師侵衛」，《傳》云：「此晉魏曼多也，曷為謂之晉魏多？譏二名。二名，非禮也。」〈定六年〉「仲孫忌圍運」，《傳》云：「此仲孫何忌也，曷為謂之仲孫忌？譏二名。二名，非禮也。」何氏云：「《春秋》定、哀之間，文致大平[148]，欲見王者治定，無所復為譏，唯有二名[149]，故譏之，此《春秋》之制也。」

---

144 「譏爾」，殿本、薈要本、文淵閣本皆增「何譏」（或作「譏何」）二字，皆作「譏。何譏爾」。

《考證》：各本「譏」字下俱脫「何譏」二字，今以《傳》文添補。

《按勘記》：何校本「譏」下有「何譏」二字，與〈莊廿七年〉《傳》合。

【校案】：殿本所增，蓋以〈莊二十七年〉《傳》文「莒無大夫，此何以書？譏。何譏爾？大夫越竟逆女，非禮也。」為據。

145 「變」，明修本作「变」，「变」、「變」異體字。

146 「戎曼子赤」，監本、毛本、殿本、薈要本、文淵閣本皆作「戎蠻子赤」。

《按勘記》：閩本同，監、毛本「曼」作「蠻」。○按：〈哀四年〉《疏》云：「《左氏》作『戎蠻子』。」可證徐氏所據公羊《經》作「曼」不作「蠻」。

147 「晉侯」，阮本誤作「齊侯」。

148 「文致大平」，阮本誤作「又致大平」。

149 「有二名」，明修本、閩本、監本、毛本、殿本、薈要本、文淵閣本、阮本皆敚「二」字，皆誤作「有名」。

《正誤》：脫「二」字。

《按勘記》：浦鏜云：「名」上脫「二」。按：浦云是也，〈定六年〉《注》有「二」字。

●注所以至三年

【解云】母雖不斬衰，哀痛與斬同，故連言之。

●注為曾¹⁵⁰至三月

【解云】不言高祖父母者，文不備。

●注立愛自親始

【解云】即〈祭義〉云：「子曰：『立愛自親始，教人睦也；立敬自長始，教人順也。』」鄭《注》云：「親長，父兄也。睦，厚也。」是。

●注故春至祖禰

【解云】即〈大傳〉云：「上治祖禰，尊尊也；下治子孫，親親也；旁治昆弟，合族以食，序之昭穆¹⁵¹，別之以仁義¹⁵²，人道竭矣。」鄭《注》云：「治猶正也。竭，盡也。」

●注取法至法式

【解云】考諸舊本，皆作「式」字，言取十二公者，法象天數，欲著治民之法式也。若作「戒」字，言著治亂之法，著治國之戒矣。

●注諸侯至公孫

【解云】出〈喪服傳〉¹⁵³也。

二年，春，公會戎于潛。凡書會者，惡其虛內務、恃外好也。古者，諸侯非朝時，不得踰竟¹⁵⁴。所傳聞之世，外離會不書，書內離會者，《春秋》王

---

150 「注為曾」，閩本、監本、毛本、殿本、薈要本、文淵閣本皆衍「祖」字，皆作「為曾祖」。

　　《按勘記》：閩、監、毛本「曾」下有「祖」字。(【校案】：阮本不錄此則。)

151 「序之昭穆」。

　　《正誤》：「以」誤「之」。

　　《按勘記》：〈大傳〉云：「序以昭穆。」

152 「仁義」，殿本、薈要本、文淵閣本皆作「禮義」。

153 「出〈喪服傳〉」，閩本、監本、毛本、殿本、薈要本、文淵閣本皆誤作「世〈喪服傳〉」。

　　《正誤》：「世」當「出」字誤。

　　《按勘記》：閩、監、毛本「出」誤「世」。

154 「踰竟」。

　　《按勘記》：《釋文》：「竟」，今本多作「境」字。(【校案】：阮本不錄此則。)

魯，明當先自詳正[155]，躬自厚而薄責於人，故略外也。王者不治夷狄，錄戎者，來者勿拒，去者勿追。東方曰夷，南方曰蠻，西方曰戎，北方曰狄。朝、聘、會、盟，例皆時。▲二年。惡其，烏路反。外好，呼報反。非朝，直遙反，凡此字不音者，皆同。踰竟音境[156]，今本多即作境字，更不音。所傳，直專反，年末相傳同。▼

〔疏〕

●注凡書會者至外好也

【解云】以其非自求多福之義故也。

●注古者諸侯至踰竟[157]

【解云】案：〈曲禮下〉云：「諸侯相見於隙地，曰會。」故〈定十四年〉《注》云：「古者諸侯將朝天子，必先會閑隙之地[158]。」以此言之，則會合於禮，言會為惡之，非朝時不得踰竟[159]者，正以《春秋》之會，非為天子而作之，故得然解。

●注王者不治[160]至勿追

---

155 「詳正」，殿本、薈要本、文淵閣本皆誤作「持正」。
　　《正誤》：脫「詳」字，從〈成十四年〉《疏》挍。
　　【校案】：監本原文不誤，未審《正誤》孰據。
　　《挍勘記》：諸本同。浦鏜云：〈成十四年〉《疏》引此《注》作「先自詳正」，與上「公會戎于潛」《注》同，當據以補正。○按：〈四年〉《疏》內引此亦無「詳」字。

156 「踰竟音境」，監本誤作「踰竟因境」，毛本誤作「踰竟同境」。
　　《正誤》：「音」，監本誤「因」，毛本誤「同」。

157 「踰竟」，閩本、監本、毛本、殿本、薈要本、文淵閣本《疏》文標列皆誤作「踰境」。
　　《挍勘記》：何挍本「境」作「竟」，此加「土（【校案】：「土」阮本誤作「王」。）」旁，非。

158 「閑」，毛本作「閒」。「閑」，「閒」異體字。
　　《挍勘記》：閩、監、本同，毛本「閑」改「閒」。○按：「閒」正字也，古書多用「閑」。

159 「踰竟」，毛本誤作「踰境」。
　　《挍勘記》：閩、監本同，毛本「竟」改「境」。

160 「注王者不治」，明修本、閩本、監本、毛本、阮本皆誤作「注古者不治」。

【解云】言當是所傳聞之世，王者草創，夷狄有罪，不暇治之，即先書晉滅下陽，未書[161]楚滅穀、鄧是也，而此《經》錄戎者來者勿拒故也。

●注東方曰夷至曰狄

【解云】〈下曲禮〉及〈王制〉皆有此文。

●注朝聘至皆時

【解云】朝書時者，即〈文十五年〉「夏，曹伯來朝」、〈昭十七年〉「春，小邾子來朝[162]」之類是也。其聘書時者，即〈文四年〉「秋，衛侯使甯俞來聘」、〈文六年〉「夏，季孫行父如陳」之屬是也。其會書時者，即〈莊十三年〉「春，齊侯、宋人」以下「會于北杏」、〈十四年〉「冬，單伯會齊侯、宋公」以下「于鄄」之屬是也。盟書時[163]者，即〈莊十三年〉「冬，公會齊侯，盟于柯」之屬是也。其有書日月者，皆別著義，即不信者日，小信者月之屬是也。

夏，五月，莒人入向。入者何？得而不居也。入者，以兵入也，已得其國而不居，故云爾。凡書兵者，正不得也。外內深淺皆舉之者，因重兵害眾[164]，兵動則怨結禍構[165]，更相報償，伏尸流血，無已時。諸侯擅興兵，不為大

《按勘記》：《注》作「王者」。按：解云：「王者草創，夷狄有罪，不暇治之。」不作「古」。

【校案】：諸本刊錄《解詁》文皆作「王者不治夷狄」，則明修本以下《疏》文標列《解詁》文，舛誤明確。又據此或可見明修本以下各本沿襲因循。

161 「未書」，閩本、監本、毛本、殿本、薈要本、文淵閣本、阮本皆誤作「末書」。
　　【校案】：《經》文未載「楚滅穀、鄧」事，據此則作「未書」為是。

162 「小邾子來朝」。
　　《正誤》：「邾」下公羊《經》有「婁」字。
　　《按勘記》：浦鏜云：「邾」下公羊《經》有「婁」字。是也。

163 「書時」，殘本誤作「盡時」。

164 「因重兵害眾」。
　　《正誤》：「因重」，監本誤「用里」。
　　【校案】：監本原文不誤，未審《正誤》執據。
　　《按勘記》：監本「因重」誤「用里」。（【校案】：阮本不錄此則。）

165 「怨結禍構」，明修本、閩本、監本、毛本、阮本皆敚「構」字，皆誤作「怨結禍」。殿本、薈要本、文淵閣本「構」皆誤作「搆」，並皆誤倒作「搆怨結禍」。
　　《按勘記》：宋本，閩、監本同；鄂本「禍」上有「構」，此脫。

惡¹⁶⁶者，保、伍、連、帥，本有用兵征伐之道，魯入杞¹⁶⁷不諱是也。入例時，傷害多則月。▲莒人音舉。入向，舒亮反¹⁶⁸，國名。更相音庚。報償¹⁶⁹，時亮反。擅興，市戰反¹⁷⁰。▼

〔疏〕

●入者何

【解云】侵、伐、戰、圍、入¹⁷¹，皆是用兵¹⁷²之文，而不言帥師¹⁷³，故執不知問。

●注凡書兵至得也

【解云】言〈春秋〉之內，凡書兵事者，皆欲言正之，道其理不合然。

●注諸侯至是也

【解云】保、伍、連、帥者，即《禮記・王制》云：「五國為屬，屬有長；二屬為連，連有帥。」是也。言本有用兵征伐之道者，謂禮：五國¹⁷⁴為屬，屬有長；二屬¹⁷⁵為連¹⁷⁶，連有帥；三連為卒，卒有正；七卒¹⁷⁷為

---

166 「大惡」，阮本誤作「之惡」。

167 「入杞」，明修本誤作「入祀」。

168 「舒亮反」，殿本、薈要本皆誤作「虛亮反」。

169 「報償」。

　　《正誤》：「償」，監本誤「情」。

　　【校案】：監本原文不誤，未審《正誤》孰據。

170 「市戰反」，明修本誤作「巾戰反」。

171 「侵、伐、戰、圍、入」。

　　《正誤》：「入」，監本誤「人」，下「於越入吳」同。

　　《按勘記》：監本「入」誤「人」。（【校案】：阮本不錄此則。）

172 「用兵」，阮本衍「用」字，誤作「用用兵」。

173 「帥師」，明修本、阮本誤作「帥帥」。

174 「國」，殘本作「国」，「国」，「國」異體字。

175 「二屬」，明修本誤作「二以」。

176 「二屬為連」。

　　《正誤》：約〈王制〉文，下「三連為卒，七卒為州」同。

177 「七卒」，殘本誤作「士卒」。

州，州有伯；若州內有無道者，則長、帥、正、伯當征之；若其不征，則
與同惡；故曰有征伐[178]之道。知非大惡者，正以《春秋》之義，內大惡
皆諱不書，而魯入杞者，即〈僖二十七年〉「秋，公子遂帥師入杞」者是
也。若然，禮法[179]：諸侯賜弓矢，然後專征伐[180]，而保、伍、連、帥，
得有征伐之道，謂隨[181]州伯故也。

● 注入例至則月

【解云】入例時者，即〈成七年〉「秋，吳入州來[182]」、〈定五年〉「夏，於
越入吳[183]」之屬是也。傷害多則月者，此文及〈僖三十三年〉「春，王二
月，秦人入滑[184]」是也。若然，〈僖二十七年〉「秋，八月，乙巳，公子
遂帥師入杞」，而書日者，彼《注》云：「日者，杞屬脩禮朝魯，雖無禮，
君子躬自厚，而薄責於人，不當乃入之，故錄責之。」者，是其不引者，
以此求之。

無駭帥師入極。無駭者何？展無駭也。何以不氏？据[185]公子遂帥師入杞，
氏公子也。▲無駭，戶楷反。▼

〔疏〕

● 無駭者何

【解云】欲言其君[186]，《經》不書爵，欲言大夫，又復無氏，故執不知問。

---

178 「征伐」，鈔本誤作「征代」。
179 「禮法」，殿本、薈要本、文淵閣本皆誤作「禮云」。
180 「征伐」，鈔本誤作「征代」。
181 「隨」，明修本作「隨」，「隨」，「隨」異體字。
182 「吳入州來」，監本誤作「吳人州來」。
183 「於越入吳」，監本誤作「於越人吳」。
 《正誤》：「入」，監本誤「人」，下「於越入吳」同。
184 「秦人入滑」。
 《正誤》：「秦」，監本誤「奉」。
 【校案】：監本原文不誤，未審《正誤》執據。
 《校勘記》：監本「秦」誤「奉」。(【校案】：阮本不錄此則。)
185 「据」，明修本誤作「据」。
186 「其君」，殿本、薈要本、文淵閣本皆誤作「是君」。

●注据公子遂帥師至子也

【解云】在〈僖二十七年〉「秋」。

貶。貶猶損也。▲貶，彼檢反¹⁸⁷，損也。▼曷為貶？据公子遂俱用兵入杞
不貶也。疾始滅也。以下終其身不氏，知貶。疾始滅，非但起入為滅。

〔疏〕

●注据公子遂俱用至貶也

【解云】欲決¹⁸⁸〈隱八年〉「庚寅，我入邴」，非用兵故也。

●注以下終至為滅

【解云】即下〈八年〉「無駭卒」，《傳》曰：「何以不氏？疾始滅也。」故終
　其身不氏。然則若直欲起此入為滅，止應此《經》¹⁸⁹貶之而已，不應終
　身貶之，故知并欲起其疾始滅也。

始滅昉於此乎¹⁹⁰？昉，適也，齊人語。据《傳》言撥亂世。▲昉於，甫往
反，適也。▼

〔疏〕

●注昉適也齊人語

【解云】胡毋生齊人，故知之。若《鄭譜》云¹⁹¹：「然則《詩》之道放于此

---

187 「彼檢反」，毛本、殿本、薈要本、文淵閣本皆誤作「彼撿反」。
　　【校案】：毛本、殿本「檢」皆誤為「撿」，則毛本、殿本之間，板本因襲，或可據考。
188 「決」，鈔本、殘本作「决」。
189 「此《經》」，監本、毛本皆誤作「此終」。
　　《按勘記》：閩本同，監、毛本「《經》」誤「終」。（【校案】：阮本不錄此則。）
190 「始滅昉於此乎」。
　　《按勘記》：唐石經、諸本同。《隸釋》載漢熹平石經《公羊》殘碑「昉」作「放」，
　　又鄭氏〈詩譜序〉、《考工記·注》皆言「放於此乎」，本《公羊傳》文。是蔡、鄭所
　　據，本皆作「放」，當以「放」為正，「昉」俗字，下同。○：按：古多作「放」，後
　　人作「倣」、作「仿」、作「昉」，皆俗字也。《公羊傳》寫作「昉」，俗字也（【校
　　案】：「也」阮本作「耳」。）。惠棟乃疑嚴氏《春秋》作「放」、顏氏《春秋》作
　　「昉」，何用顏，其說誤也。
191 「若《鄭譜》云」。

乎？」之類。

●注据傳言撥亂世

【解云】〈哀十四年〉《傳》云：「君子曷為為《春秋》？撥亂世，反諸正，莫近諸[192]《春秋》。」是也。既言作《春秋》治亂世，明知往[193]前相滅非一矣，而此《經》為疾始滅[194]，是以據而難之。

前此矣。前此者，在春秋前，謂宋滅郜是也。▲滅郜，古報反。▼前此則曷為始乎此？託始焉爾。焉爾猶於是也。

〔疏〕

●注謂宋滅郜是也

【解云】〈桓二年〉「夏，四月，取郜大鼎于宋[195]」，《傳》云：「此取之宋，其謂之郜鼎何？器從名。」彼《注》云：「從本主名名之，宋始以不義取之，故謂之郜鼎。」是也。然則宋滅郜在春秋前，故如此解。

曷為託始焉爾？据戰伐不言託始。

〔疏〕

●注据戰至託始

【解云】〈隱二年〉「鄭人伐衛」、〈桓十年〉「齊侯、衛侯、鄭伯來戰于郎」，《傳》皆不言託始焉爾，故難之。而《注》先言戰者，直漫據《春秋》上下戰伐之事而已，故意及則言，不為次第矣。

《春秋》之始也。《春秋》託王者始，起所當誅也。言疾始滅者，諸滅復見，不復貶，皆從此取法，所以省文也。▲復見，扶又反，下不復同。見音賢徧反。▼

《正誤》：《鄭譜》當作鄭〈詩譜序〉。

【校案】：據常理，稱書連序，無需絕對區別。

192 「莫近諸」，殿本、薈要本、文淵閣本皆誤作「莫近于」。

193 「往」，明修本作「徃」，「徃」，「往」異體字。

194 「疾始滅」，明修本、閩本、監本、毛本、阮本皆誤倒作「始疾滅」。

195 「于宋」，殘本誤作「于家」。

〔疏〕

●注言疾始滅[196]至省文也[197]

【解云】諸滅復見，不復貶，即〈定四年〉「蔡公孫歸姓帥師滅沈」、〈定六年〉「鄭游遬帥師[198]滅許」之屬是也。

此滅也，其言入何？据齊師滅譚不言入。內大惡，諱也，明魯臣子當為君父諱。滅例月，不復出月者，與上同月。當案[199]下例，當蒙上月，日不[200]。▲當為，于偽反[201]，下為後背隱[202]同。▼

〔疏〕

●注据齊師滅譚不言入

【解云】在〈莊十年〉「冬」[203]。

●注滅例月至同月

【解云】〈莊十年〉「冬，十月，齊師滅譚」、〈莊十三年〉「夏，六月，齊人滅遂」之屬是也。

●注當案[204]下至日不

---

196 「注言疾始滅」，明修本、閩本、監本、毛本、阮本標列《疏》文皆敚「始」字，皆誤作「注言疾滅」。

《挍勘記》：按：「疾」下脫「始」，否則「滅」字當衍。

197 「注言疾始滅至省文也」，殿本、薈要本、文淵閣本標列《疏》文皆作「注言疾始至省文也」。

198 「帥師」，明修本誤作「帥帥」。

199 「當案」，余刊本、余校本、明修本、閩本、監本、毛本、阮本皆誤作「常案」。

《正誤》：「當案」誤「常案」。

200 「日不」，閩本、監本、毛本皆誤作「日下」。

《正誤》：「不」誤「下」。

《挍勘記》：鄂本同，閩、監、毛本「不」誤「下」，《疏》中標起訖亦誤作「日下」。

201 「于偽反」，阮本誤作「于為反」。

202 「背隱」，明修本誤作「皆隱」。

203 「〈莊十年〉「冬」」，明修本、閩本、監本、毛本、殿本、薈要本、文淵閣本、阮本皆敚「冬」字，皆誤作「〈莊十年〉」。

204 「注當案」，鈔本、殘本、明修本、閩本、監本、毛本、阮本《疏》文標列皆誤作「注常案」。

【解云】〈元年〉「祭伯來」之下已有此《注》，而復言之者，正以彼月為下公子益師卒，其祭伯來奔不蒙月，今此「夏五月[205]」二事皆蒙之，嫌其異，故重發之。

秋，八月，庚辰，公及戎盟于唐。後不相犯。日者，為後背隱。而善桓能自復為唐之盟。▲背隱音佩。▼

〔疏〕

●注後不相至之盟

【解云】《春秋》之例，不信者日，故云：「後不相犯。日者，言為後背隱。」[206]而善桓能自復為唐之盟者，即〈桓二年〉「秋，九月，公及戎盟于唐」是也。言背隱者，桓是弒君之賊，而與桓盟，是背隱之義矣。言善桓能自復者，戎與桓[207]同好相隨，繼其所能，故善其得國矣。若《左氏》之義，以極是戎國都，案此，《經》、《傳》及《注》，似非一物。而舊解曰：「以為戎能自復。」者，非也。

九月，紀履緰來逆女[208]。紀履緰者何？紀大夫也。以逆女不稱使[209]，知為大夫。▲履緰音須，《左氏》作裂繻[210]。▼

---

205 「夏五月」，阮本誤作「下五月」。
206 「故云：『後不相犯。日者，言為後背隱。』」，明修本、閩本、監本、毛本、殿本、薈要本、文淵閣本、阮本皆敚「云」字，皆誤作「故：『後不相犯。日者，言為後背隱。』」。
　　《正誤》：「故」疑「彼」字誤。
　　《挍勘記》：浦鏜：「故」疑「役」字誤。
　　【校案】：
207 「與桓」，明修本誤作「與相」。
　　【校案】：本頁「桓」字或闕筆或不闕筆，據此或可見元板因襲痕跡。
208 「紀履緰來逆女」。
　　《挍勘記》：唐石經、諸本同。《釋文》：履緰音須，《左氏》作裂繻。惠棟云：「緰」讀為「投」。《說文》：「緰，䌷布也。」古「緰」與「繻」同音。
209 「以逆女不稱使」。
　　《挍勘記》：解云：或者，「使」為「爵」字誤也。
210 「作裂繻」，余刊本、余校本、明修本、閩本、監本、毛本、殿本、薈要本、文淵閣本、阮本皆誤作「為裂繻」。

〔疏〕

●紀履緰者何

【解云】不書爵，又不言使，君臣不明，故執不知問。

〔疏〕

●注以逆至大夫

【解云】正以〈桓三年〉「秋，公子翬如齊逆女」之屬，皆是大夫為君逆女，而文皆不言使，今此履緰逆女不言使，故知是大夫也[211]。或者，使為爵字誤也。

何以不稱使？据宋公使公孫壽來納幣稱使。婚[212]禮不稱主人。為養廉遠恥也。

〔疏〕

●注据宋公至稱使

【解云】在〈成八年〉「夏」。

●注為養廉遠恥也者

【解云】謂養成其廉，遠其憨恥也。

然則曷稱？稱諸父兄師友。宋公使公孫壽來納幣，則其稱主人何？辭窮也。辭窮者何？無母也[213]。禮，有母，母當[214][215]命諸父兄師友，稱諸父兄師友以行，宋公無母，莫使命之，辭窮，故自命之，自命之，則不得不稱使。

---

211 「大夫也」，殿本、薈要本、文淵閣本皆敓「也」字，誤作「大夫」。

212 「婚」，重修本、余刊本、余校本、明修本皆作「婚」，全本皆然。「婚」，「婚」異體字。

213 「無母也」。
《正誤》：「母」，監本誤「毋」，下同。
【校案】：監本原文不誤，未審《正誤》孰據。

214 「禮，有母，母當」，監本誤作「禮，有母，毋當」。

215 「禮，有母，母當」，鈔本《疏》文標列敓「母」字，誤作「禮，有母，當」。

〔疏〕

●辭窮者何

【解云】弟子未解辭窮之義，故執不知問。

●注禮有母至師友

【解云】即〈昏禮記〉云：「宗子[216]無父母命之。」是也[217]。

●注稱諸父至以行

【解云】謂使者稱之，而文不言使者，以其非君故也。

●注宋公至稱使

【解云】即〈昏禮記〉云：「親皆沒，己躬命之。」是也。

然則紀有母乎？曰有。以不稱使，知有母。有則何以不稱母？据非主人，何不稱母通使文。母不通也。禮，婦人無外事，但得命諸父兄師友，稱諸父兄師友以行耳。母命不得達，故不得稱母通使文，所以遠別也。▲遠別，彼列反。▼外逆女不書？此何以書。据伯姬歸于宋不書逆人。

〔疏〕

●注据伯至逆人

【解云】在〈成九年〉「春」。

譏。譏猶譴也。▲猶譴，遣戰反。▼何譏爾？譏始不親迎也。禮，所以必親迎者，所以示男先女也。於廟者，告本也。夏后氏逆於庭，殷人逆於堂，周人逆於戶。▲親迎，魚敬反，《注》及下同。先女，悉薦反。▼

〔疏〕

●注禮所至先女也

---

216 「宗子」，明修本、閩本、監本、毛本、殿本、薈要本、文淵閣本、阮本皆誤作「言子」。
　　《正誤》：「宗」誤「言」。
　　《按勘記》：浦鏜云：「宗」誤「言」。按：浦說是也，《儀禮·士昏禮》作「宗」。
217 「『宗子無父母命之。』是也」，鈔本、殘本皆敚「也」字，皆誤作「『宗子無父母命之。』是」。

【解云】出〈昏義〉文²¹⁸。

●注於廟者至於戶

【解云】即《書傳》云：「夏后氏逆於廟庭，殷人逆於堂，周人逆於戶。」者是也。

始不親迎昉於此乎？前此矣。以惠公妃匹不正，不嫌無前也。▲妃匹音配，又芳非反。▼

〔疏〕

●注以惠至前也

【解云】不以正妃匹者，是不重昏姻之禮，故知往前宜有不親迎之事矣。

前此則曷為始乎此？託始焉爾。焉爾²¹⁹猶於是也。曷為託始焉爾？据納幣不託始。《春秋》之始也。《春秋》正夫婦之始也，夫婦正則父子親，父子親則君臣和，君臣和則天下治，故夫婦者，人道之始、王教之端。內逆女常書，外逆女但疾始、不常書者，明當先自正，躬自厚而薄責於人，故略外也。▲下治，直吏反。▼

〔疏〕

●注夫婦正至之端

【解云】出〈昏義〉²²⁰，鄭《注》云：「言子受氣性純則孝，孝則忠。」是也。

〔疏〕

●注內逆女常書者

【解云】即〈桓三年〉「公子翬」、〈宣元年〉「公子遂」、〈成十四年〉「叔孫僑如」之屬是也。

---

218 「出〈昏義〉文」，毛本誤作「出〈昏義〉交」。
　　《挍勘記》：毛本「文」誤「交」。（【校案】：阮本不錄此則。）
219 「爾」，明修本作「尒」。「尒」，「爾」異體字。
220 「出〈昏義〉」，明修本、閩本、監本、毛本、殿本、薈要本、文淵閣本、阮本皆敓「出」字，皆誤作「〈昏義〉」。
　　《挍勘記》：此本「云」字剜擠。

女曷為或稱女？或稱婦？或稱夫人？女在其國稱女。未離父母之辭，紀履緰來逆女是也。▲未離，力智反，下同[221]。▼在塗稱婦，在塗見夫服從之辭，公子結媵陳人之婦是也。

〔疏〕

●女曷為或稱女者[222]

【解云】即此《經》是也。

●或稱婦者

【解云】〈莊十九年〉「陳人之婦」是也。

●注在塗見至之辭

【解云】案：〈僖二十五年〉、〈宣元年〉《傳》皆云：「其稱婦者何？有姑之辭也。」者，兼二義故也。何者？在塗稱婦者，服從夫辭[223]；其至國猶稱婦者，對姑生稱也[224]。

入國稱夫人。入國則尊尊，有臣子之辭，夫人姜氏入是也[225]。紀無大夫，書紀履緰者，重婚禮也。月者，不親迎例月，重錄之，親迎例時。

---

[221] 「下同」，閩本、監本、毛本、殿本、薈要本、文淵閣本皆衍「注」字，皆誤作「下注同」。

[222] 「女曷為或稱女者」、「或稱婦者」，鈔本、殘本《疏》文皆鋪陳作「女曷為或稱女者，即此《經》是也」、「或稱婦者，〈莊十九年〉「陳人之婦」是也」。明修本、閩本、監本皆不能區分，皆混同於「〔疏〕」之下，作「女曷為或稱女者，即此《經》是也。或稱婦者，〈莊十九年〉「陳人之婦」是也」。據《疏》文詮釋《傳》文體例，應標列疏釋作「女曷為或稱女者。〔解〕云：即此《經》是也。○或稱婦者。〔解〕云：〈莊十九年〉「陳人之婦」是也」。

【校案】：鈔本、殘本標列疏釋形式，時代為早，明本以後各本形式，時代為晚，據此可見。明修本以後各本格式乖舛，蓋或源於格式轉換書錄之誤。

[223] 「服從夫辭」，殿本、薈要本、文淵閣本皆誤作「服從之辭」。

[224] 「對姑生稱也」。

《正誤》：「姑」，監本誤「始」。

【校案】：監本原文不誤，未審《正誤》執據。

《校勘記》：監本「姑」誤「始」。（【校案】：阮本不錄此則。）

[225] 「入是也」，明修本誤作「入國也」。

〔**疏**〕

●注入國至入是也

【解云】在〈莊二十四年〉「秋」是也²²⁶。

●注月者至例時

【解云】不親迎例月者，即此文及〈桓三年〉「秋，七月，公子翬」、〈宣元年〉「正月，公子遂」之屬是也。其親迎時者，即〈莊二十四年〉「夏，公如齊逆女」、〈莊二十七年〉「冬，莒慶來逆叔姬」之屬是也。有不如此者，別見義，即〈文四年〉「夏，逆婦姜」、〈成十四年〉「秋，叔孫僑如」之屬是也。當文自有解，不能逆說也。

冬，十月，伯姬歸于紀。伯姬者何？內女也。以無所繫也。不稱公子者，婦人外成，不得獨繫父母。

〔**疏**〕

●伯姬者何

【解云】欲言內女，於紀言歸，欲言外女，文無所繫，故執不知問。

●注不稱公至父母

【解云】正以〈莊元年〉《傳》云：「群公子之舍，則已卑矣²²⁷。」明有得稱公子之道，故《注》者決之。

其言歸何？据去父母國也。婦人謂嫁²²⁸曰歸。婦人生以父母為家，嫁以夫

---

226 「〈莊二十四年〉「秋」是也」，鈔本、殘本敓「是」字，誤作「〈莊二十四年〉「秋」也」。

227 「則已卑矣」。

《正誤》：「以」誤「已」。《註》云：「以為太卑。」

《挍勘記》：今《傳》「已」作「以」。

228 「謂嫁」，毛本誤作「為嫁」。

《正誤》：「謂」，毛本誤「為」。

《挍勘記》：毛本「謂」誤「為」。按：《毛詩傳》本作「婦人謂嫁歸」，無「曰」字。陸德明本有「曰」字，謂依《公羊傳》文。唐石經《公羊》「婦人」以下損缺，以每行十字（【校案】：「十字」庚申補刊本誤作「十一字」。）計之，不當有「曰」字，若有「曰」字，則此行十一字矣。考何《注》云：「故謂嫁曰歸。」「曰」字恐因《注》

為家，故謂嫁曰歸，明有二歸之道也[229]。書者，父母恩錄之也。禮，男之將取，三日不舉樂，思嗣親也；女之將嫁，三夜不息燭，思相離也。內女歸例月，恩錄之。▲將取[230]，七住反。▼

〔疏〕

●注婦人生至為家

【解云】謂始生時。

●注明有二歸之道也者

【解云】即此伯姬歸于紀，〈宣十六年〉「秋，郯伯姬來歸」之屬是也。

●注禮男之至女將嫁

【解云】皆出《禮記‧曾子問》。

●注內女歸至錄之

【解云】即此文「冬，十月」、〈隱七年〉「三月，叔姬歸于紀」、〈成九年〉「二月，伯姬歸于宋」之屬是也。

紀子伯、莒子盟于密。紀子伯者何？無聞焉爾。言無聞者，《春秋》有改周受命之制，孔子畏時遠害，又知[231]秦[232]將燔《詩》、《書》，其說口授相傳，

衍也。○按：陸德明時已有有「曰」之本矣，後人或依無「曰」者，或依有「曰」者，故不同耳。

229 「之道也」，重修本、余刊本、余校本、明修本、閩本、監本、毛本、殿本、薈要本、文淵閣本、阮本皆敓「也」字，皆誤作「之道」。

　　【校案】：鈔本、殘本、明修本、閩本、監本、毛本、殿本《疏》文標列《解詁》文皆作「注明有二歸之道也者」，而重修本、余刊本、余校本、明修本、閩本、監本、毛本、殿本刊錄《解詁》文皆作「明有二歸之道」，據此或可見《解詁》文字於此闕佚。

230 「將取」，宋元本誤作「牸取」。

　　《黃彙校》：「二年　將取」○宋本「將」誤「牸」，下「將燔」同。

231 「又知」，明修本誤作「人知」。

232 「秦」。

　　《正誤》：「秦」，監本誤「奏」。

　　【校案】：監本原文不誤，未審《正誤》執據。

　　《校勘記》：監本「秦」誤「奏」。(【校案】：阮本不錄此則。)

至漢公羊氏及弟子胡毋[233]生等，乃始記於[234]竹帛，故有所失也。▲紀子伯，《左氏》作子帛。遠害，于萬反。將[235]燔，扶元反。胡毋音無。▼

〔疏〕

●紀子伯者何

【解云】欲言紀君，《經》不稱侯，欲言大夫，復敘人君之上，故執不知問。十有二月，乙卯，夫人子氏薨。夫人子氏者何？隱公之母也。以不書葬。

〔疏〕

●夫人子氏者何

【解云】欲言魯之夫人，終無葬處，弟子未識，故執不知問。

●注以不書葬

【解云】今隱公欲表己讓，故宜屈卑其母，不成夫人之禮，是以見其不書葬，知其是隱公母也。

何以不書葬？据姒氏書葬。▲姒氏音似。▼

〔疏〕

●注据姒氏書葬

【解云】即〈定十五年〉「九月，辛巳，葬定姒」是也。彼定姒之子哀公者，未踰年之君也，其母亦得書葬，今隱公雖欲讓桓，不作成君，應比未踰年之君，今其母不書葬，故據而難之。

成公意也。何成乎公之意？据已去即位。▲已去，起呂反。▼子將不終為君，故母亦不終為夫人也。時隱公屈卑[236]其母，不以夫人禮葬之，以妾禮葬之，以卑下桓母，無終為君之心，得事之宜，故善而不書葬，所以起其意而成其賢。子者，姓也，夫人以姓配號，義與仲子同。書薨者，為隱公恩錄

---

233 「胡毋」，阮本誤作「胡母」，阮本「毋」或作「毋」、或誤作「母」。

234 「記於」，殿本、薈要本、文淵閣本皆誤作「記于」。

235 「將」，宋元本誤作「將」。

236 「卑屈」。

　　《校勘記》：鄂本作屈卑。

痛之也。日者，恩錄之，公、夫人皆同例也。▲卑下[237]，遐嫁反。▼

〔疏〕

●注子者至子同

【解云】上文仲子之下，而《注》云：「仲，字；子，姓。婦人以姓配字，不忘本國，示不適同姓[238]。」今此稱姓者，亦是示不適同姓之義，故云義與仲子同。其不稱字之義乃自異，故《注》云：「以姓配號，號即夫人。」是也。

鄭人伐衛[239]。書者，與入向同。侵、伐、圍、入，例皆時。

〔疏〕

●注書者與入向同

【解云】即上《注》云：「凡書兵者，正不得也。外內深淺皆舉之者，因重兵害眾。」是也。

●注侵伐圍入例皆書時[240]

【解云】侵、伐[241]書時者，即〈僖二十八年〉「春，晉侯侵曹」、「晉侯伐衛」之屬是也。入例時者，已說於上。而《注》言此者，正以文承日月之下，故須解之。

春秋公羊疏卷第二

---

237 「卑下」，明修本誤作「卑丁」。

238 「不忘本國，示不適同姓」。
　　《正誤》：脫「也」字，「因」誤「國」。
　　《校勘記》：浦鏜云：「因」誤「國」。○按：與〈元年〉《注》合。

239 「衛」，唐石經、重修本皆作「衞」；「衞」，「衛」異體字。

240 「注侵伐圍入例皆書時」。
　　《校勘記》：何校本無「書」字，是也。
　　【校案】：《解詁》作「侵、伐、圍、入，例皆時」，則《疏》文標列不宜有「書」字。

241 「侵、伐」，明修本衍「其」字，誤作「其侵、伐」。

東亞儒家親情倫理觀
——以「親親相隱」論所作之考察[*]

金培懿

臺灣師範大學國文學系教授

提要

我們今天之所以要重新討論辯證「親親相隱」的倫理規範價值，目的無非試圖思考儒家倫理規範與倫理價值觀是否仍適用於今日社會。而時至今日，日韓兩國的刑法仍舊允許「親親相隱」的倫理價值。正因東亞社會之法律攝納進儒家「親親相隱」的倫理規範，故證明「親親相隱」的倫理價值觀有其合理性，甚至若從今日西方社會之法律亦認同「親親相隱」的倫理規範價值，我們可以說「親親相隱」這一儒家親情倫理觀或許更具有普世價值。本文有鑒於此，並考量歷來有關儒家「親親相隱」的先行研究中，並未涉及傳統日韓儒者的看法與立場，故擬就江戶日本儒者以及朝鮮韓國儒者對「親親相隱」倫理規範的理解與說明，闡明中國以外的古代東亞儒者，究竟是基於何種立場而來思考「親親相隱」這一儒家親情倫理規範的正當性。

透過考察與爬梳傳統日韓儒者之「親親相隱」論，我們可以發現儒家「親親相隱」倫理道德，也可以視為是一種對漠視人性、濫用道德規範、國家權力以維持某種假道德、不正義制度的「道德良心」。面對僵化單一的道

---

[*] 本文係筆者執行科技部計畫「以『大和』代『漢土』・以『近世』代『遠古』・以『哲學』代『經學』——近代日本漢文教科書之舊『型』轉化、消失研究（III）」（105-2410-H-003-130-MY3）之部分研究成果，初稿刊載於《經學》創刊號（韓國首爾：韓國經學學會，2020年2月），頁235-272。

德教條或是國家機器所掌握的懲罰權力,「親親相隱」何嘗不是根據自己的「道德信念」而來執行「道德義務」。因此,基於某種個人道德觀、價值信仰、宗教立場等等而反對單一道德價值抉擇,或是反對某種法律設計,或許反而可以更有效地涵攝多元倫理價值,也可以更有效的連結道德與法律。畢竟社會的法治不只是在維持社會秩序,它同時也在維繫一套具有實體價值的倫理道德規範。筆者以為此乃儒家「親親相隱」論給今日吾人之啟示。希望藉由本文之考察,不僅可以闡明東亞儒家親情倫理觀之一側面,亦希望可收借古鑒今、他山之石可以攻玉之效。

關鍵詞:江戶儒學　朝鮮儒學　親親相隱　親情倫理觀　直躬證父

一 前言

　　一般所謂的倫理，指的是為人行所當行之道，遵守為人應守之道德或規範。倫理學簡言之，堪稱是追問思索探求「道德」的學問，而追問思索探求道德也有各式各樣的方法。如果我們想從事一種歷史性的道德追問思索，則可以探求道德的起源與開展；而設若我們想進行一種哲學性的追問思索，則可以探求道德的意義與本質，或是探求道德的規範與原理，前者稱為「後設倫理學（或稱元倫理學）」，後者稱為「規範倫理學」；又假若我們是想進行教育性的追問思索，則可以探求道德的習得與實踐的方法，而此乃所謂「修養論」。

　　而「規範倫理學」所謂的對道德之規範、原理的探求，意指道德性正確的行為究竟為何？人應該如何行動才對？然而，即使我們一般認為所謂的宗教（戒律）、法律（規則）、風俗習慣、教育教養、美感意識乃至意識形態，應該會具有一種普遍性，但事實是否真的如此？又為何其可以稱之為「正確」／「是」呢？其所依據之理由根據究竟為何？對此等問題的追問思索，正是對「道德原理」的探求。所以我們不得不思考：「道德原理」是否具有普遍性？還是終究是一種相對性的說法、原理？抑或只不過是一種便宜行事的約束？

　　針對道德規範、道德原理而展開的思考或想法，從真實的狀況來看，隨著時間的推移與時代的發展，以及地域上的東西兩方社會，乃至個人立場不同等等各種實際具體因素，其實皆存在不同的歧見。換言之，對道德規範、道德原理的追求、遵守或是捨棄、違背，在實際的生活實踐中，常常無法從純粹的道德價值考量而來進行判斷，真實的情況往往是當我們在面對道德或不道德的判斷選擇時，道德規範與道德原理的判準並非那麼絕對且黑白分明。在依循道德規範、道德原理所理性思考判斷並認同的道德價值，與進一步付諸實踐的道德踐行之間，最終仍然不免必須經歷一些「衡量」，而後方能做下判斷進而選擇。

　　而此種在實踐道德規範過程中，理性「衡量」判斷其中之合理性一事，

正凸顯出道德規範、道德原理落實到生活具體實踐時的複雜性。當然，此種道德實踐的複雜性，通常不至於在對道德或不道德的判斷上產生迷惘，也不至於分辨不出何者為非道德行為；人們面臨的難題，常在其被迫在兩種以上的道德行為中擇一踐行，又或者是在突發緊急的情況下，當其不得不採取某個緊急措施時，這個緊急措施卻同時涵蓋著道德行為與非道德行為。此種道德實踐選擇的兩難，彰顯出道德規範、道德原理在實際付諸道德價值實踐上，恐怕未必圓滿，人們在面對某種相互拉扯、相互衝突的道德選擇時，其最終的選擇卻極有可能是衡量當下諸多主客觀條件後的不得不、不得已的抉擇。然而在此我們不得忽略的是，恰恰是此種經過思考衡量後的不得不、不得已心境，證明了深植人們心中的道德價值、道德情感何等根深蒂固、何等重要，此種被迫的不得不心境，或許可以稱為是道德規範、道德原理之道德情感根基。

由此可知，最終決定人們認同何種道德價值，進而付諸道德規範實踐的因素，其實原因非常複雜，而且絕非是平板單一不變的道德規範與原理。近年明白揭露此種道德規範在踐行過程中的兩難處境，引發人們熱議並進行深思的推手，最具代表性的人物當推哈佛大學教授邁可‧桑德爾（Michael J.Sandel）。其熱銷各國的專著《正義：一場思辨之旅》（JUSTICE: WHATS THE RIGHT THING TO DO?），揭舉諸多道德抉擇的兩難處境例證，逼問人們何者才是道德性的正當行為？而該書第九章就舉出「兄弟情義一：巴爾傑兄弟」例子[1]，質問讀者：面對其兄犯罪，則為人弟者究竟應該要為兄隱罪；還是應該要告發其兄之罪行？而此兩種行為之間究竟何者才是「正義」？

關於面臨至親犯罪，究竟應不應該舉發？道德正確究竟該如何抉擇？道德踐行與其賴以成立的道德規範、道德原則之理論基礎，在此種情況下如果與人們相信的另一種道德原則基礎相互矛盾，顯然不相容，而且無法在人們

---

[1] 邁可‧桑德爾：〈第9章有歸屬就有責任／社群主義〉，《正義：一場思辨之旅》（臺北：雅言文化，2011年），頁265-266。

所相信的原有道德原則理論系統中獲得調節解決時，這不僅是人們在實踐道德規範時的真正難題，其同時也考驗著這一套道德價值規範理論本身。這種面臨至親犯罪，究竟應該舉發其罪抑或是隱其罪的道德抉擇兩難情境，兩千多年前的儒家即對此種倫理道德抉擇的兩難議題，進行過討論，此即眾所週知的「直躬證父」故事。

二 葉公與孔子之辯：直躬證父為直？親親相隱為直？

《論語》〈子路篇〉「直躬證父」的故事，揭舉出針對何種行為才可稱之為「直」？亦即如何才可說是正直、率直、直爽、誠實、真實之「直道」？[2] 這一問題顯然是有待商榷且需要進一步辯證確認的。《論語》原文如下記載：

> 葉公語孔子曰：「吾黨有直躬者，其父攘羊，而子證之。」孔子曰：「吾黨之直者異於是。父為子隱，子為父隱，直在其中矣。」[3]

如引文所示，孔子主張的此種父為子隱，子為父隱，即所謂「親親相隱」的儒家倫理觀，乃是由於先秦儒家肯定周朝依據「親親」、「尊尊」原則而建立的政治社會禮法精神，故其所主張的倫理規範也是奠基於「親親而愛私」的情感基礎。而「親親相隱」之辯，凸顯了一個社會的法治不只是在維

---

2 本文在此所以以「正直」、「率直」、「直爽」、「誠實」、「真實」等今人對「直」字的理解而來指「直道」，主要考量截至目前為止，針對《論語》〈葉公語孔子〉章中「直」字意涵之研究，多不外將「直」定義為此等語彙。例如劉偉：〈正直的界限——《論語》中政治和習俗的分野〉，《中山大學學報》社會科學版（2013年第2期），頁127-135。何善蒙、貢哲：〈率直與正直——《論語》中「直」及其內涵再探〉，《中原文化研究》（2014年第3期），頁33-38。馬永康：〈直爽：《論語》中的「直」〉，《現代哲學》（2007年第5期），頁62-69。李笑然：〈淺議「父為子隱」與孔子之真〉，《中共濟南市委黨校學報》（2015年第4期），頁98-100。

3 朱熹：《論語集注》，《四書章句集注》（北京：中華書局，1983年，2003重印本），卷7，〈子路第十三〉，頁146。

持社會秩序，它同時在維繫一套具有實體價值的倫理道德規範，故當道德抉
擇兩難情境出現時，法律規範與道德規範是否就一定處在矛盾對立狀態，還
是說道德規範原理其實應該保有道德倫理因應道德踐行過程中所面臨的複雜
性，而可以進一步闡述發用，謀求法治與倫理相互包攝作用的空間呢？

　　關於葉公與孔子之間的「親親相隱」爭辯，自《韓非子》指出應直于君
而屈于父；《莊子》明言直躬與尾生皆以其所「信」招致憂患以來，歷經
《呂氏春秋》、《淮南子》等，中國歷來討論者不少，除了考證「直躬」是否
為人名之外，法家者流質疑儒家「親親相隱」倫理觀的焦點，不外在於忠義
與仁孝究竟孰輕孰重？為君抑或為父的倫理道德立場究竟如何選邊站？[4]然
歷代儒家學者不外立足於血緣親情，誠所謂「孝弟也者其為仁之本與」[5]、
「仁者人也，親親為大」[6]，「親親相隱」在儒家而言不是道德兩難問題，而
是它不得不、必然要如此，否則道德原理將失其立足根據。

　　因為孔子以來的儒家思想道德立場是：五倫作為人們應該遵守的五種根
本道德，父子之親、父慈子孝的「父子」血緣親屬關係，本就先於忠義規範
的「君臣」社會隸屬關係。所以，「隱」其父之罪是植基於天生的親情立場
（自然、根源）；而證告父罪則是立足於社會規範的義理原則（人為、後
天）。而韓非子等法家則相信「法無徇私」[7]、「刑罰公平」[8]，故人子若堅持
做一個「父之孝子」，為其父隱罪，則此孝子就淪為「君之暴臣」。在法家思

4　有關中國歷來對「直躬證父」故事的討論，詳參程樹德撰；程俊英、蔣見元點校：〈子
　　路下・葉公語孔子〉，《論語集釋》（北京：中華書局，1990年），卷27，頁922-926。

5　朱熹：《論語集注》，卷1，〈學而第一〉，頁48。

6　朱熹：《中庸章句》，《四書章句集注》（北京：中華書局，1983年，2003重印本），第二
　　十章，頁28。

7　《韓非子・有度》言：「能去私曲就公法者，民安而治國；能去私行行公法者，則兵強
　　而敵弱。」見王先慎撰、鍾哲點校：《韓非子集解》（北京：中華書局，1998年），卷8，
　　頁32。

8　《韓非子・守道》言：「古之善守者，以其所重禁其所輕，以其所難止其所易。故君子
　　與小人俱正，盜跖與曾、史俱廉。……大勇愿，巨盜貞，則天下公平，而齊民之情正
　　矣。」見王先慎撰、鍾哲點校：《韓非子集解》，卷8，頁202。

想的價值判斷中,「公義」的國家權益當然大於「私情」的親族權益,故為了君國之「義」,理所當然必須犧牲其「親」。

　　蓋孔子主張「隱」其父罪,是為「直」,亦即「直」在「隱」中。而中國大陸學界在過去十五年來,環繞「親親相隱」展開一系列當代辯證,[9]在這些眾多研究成果中,不同於中國歷代注家的是,關於字義訓詁問題,相較於古代儒者對「直躬」或「直」的考證,今日之研究則多聚焦在「隱」字之意涵。這些研究討論相當精彩,目的無非是試圖證明為何親親相「隱」,不主動告發才是倫理道德正確的行為,進而說明此種「隱諱」、「隱匿」的道德行為,不是只有消極的隱藏,其應該還是一種積極的「檃栝」,是具有矯正意圖、導正功效的行為。[10]乃至將「隱」解釋為「隱任」[11],乃至有學者主張孔子所謂的「隱」乃是惻隱之心的「隱痛」、「痛惜」情感。[12]而香港中文大學哲學系教授王慶節爬梳釐清此等諸說,詳細論證「隱痛」、「隱惜」說才是孔子所以說「直在其中矣」的真正緣由。王教授說:

　　　在孔子的眼中,「隱」的道德本質或者「直」,首先並不在於那外在的

9　這一系列論爭中主要的專書有郭齊勇主編:《儒家倫理爭鳴集——以「親親互隱」為中心》(武漢:湖北教育出版社,2004年)、鄧曉芒:《儒家倫理新批判》(重慶:重慶大學出版社,2010年)、郭齊勇主編:《《儒家倫理新批判》之批判》(武漢:武漢大學出版社,2011年)、郭齊勇主編:《正本清源論中西:對某種中國文化觀的病理學剖析》(上海:華東師範大學出版社,2014年)。其他相關單篇論文,據筆者查核有八十餘篇,而二〇〇九年以來更有十餘本碩士論文加入論爭行列。

10　關於親親相隱之「隱」,應解為「檃栝」,詳參王弘治:〈《論語》「親親相隱」章重讀——兼論劉清平、郭齊勇諸先生之失〉,《浙江學刊》(2007年第1期),頁93-98。廖名春:〈從《論語》研究看古文獻學的重要〉,《清華學報》(2009年第1期),頁22-26。

11　主張此說的代表性學者為梁濤,詳參梁濤一系列專文與專書,梁濤:〈「親親相隱」與「隱而任之」〉,《哲學研究》(2012年第10期),頁35-42、梁濤、顧家寧:〈超越立場,回歸學理——再談「親親相隱」及相關問題〉,《學術月刊》(2013年第8期),頁60-70、梁濤:〈《論語》「親親相隱」章新釋〉,《中原文化研究》(2015年第6期),頁34-42、梁濤:《「親親相隱」與二重證據法》,北京:中國人民大學出版社,2017年。

12　詳參莊耀郎:〈《論語》論直〉,《教學與研究》第17期(1995年6月)、頁1-15、黃玉順:〈惻隱之「隱」考論〉,《北京青年政治學院學報》(2007年第3期),頁54-57。

行為之「隱」，即「隱藏」或「隱匿」，而更在於伴隨這種隱匿行為而出現的「內心之深痛」，即「隱痛」之情感，因為正是在這種真實的情感顯現中，儒家道德形上學的本質和全部秘密得到彰顯。[13]

而除了對「隱」字的考證研究之外，今日學界有關「親親相隱」問題之研究，還延續了歷來經注對「孔子吾黨之直者」與「葉公吾黨有直躬者」之間，魯國之「直」與楚國之「直」的區別這一問題，關注如何才是「直」這一研究議題，因此相對於前述所謂正直、率直、直爽、誠實、真實之「直道」；直躬之愚直、絞直、詐直、訐直，則是一種處心積慮、刻意追求「直」這一道德的「偽直」／「偽道德」，已然失去道德良知之質樸本心。因為其不僅在道德踐行上動機不單純，更違背了至高、至大之天理──「父子之親」這一真誠天性情感，故淪為以「曲直」為直，是為「非直」！

上述研究成果很大程度釐清了「隱」、「直」二字的道德倫理意涵，說明了儒家所以主張「親親相隱」，正是因為這在道德倫理上是正確的，是必須堅持的道德價值選擇。但是，這樣的道德上正確主張，在反對儒家的人士看來，卻極有可能帶來危害社會多數人之幸福與權益的惡果！故而對「親親相隱」的道德倫理正確性根據提出質疑。另外，反儒家學者所抱持的現代法律制度的公正合理性，乃奠基在維護個體性仍須保有自由人權，也就是說他們認為「親親相隱」背棄了現代法律的公平正義理念。反對儒家重視血親倫理的人士，更強調人的整體性必須兼顧個體性、團體性、社會性，只有三者均衡調和，人的整體性存在才能完善實現其作為一個有機統一體。而儒家此種視血親情感倫理為最高價值的道德標準，將導致人的整體發展受到扭曲。[14]更有人憂慮「親親相隱」流於「泛孝主義」，此種行為的價值指導原則就是犧牲是非判斷也要維護名分，而堅持行孝、行慈的結果，是非正義將在維護

---

13 王慶節：〈親親相隱，正義與儒家倫理中的道德〉，《中國文哲研究集刊》第51期（2017年9月），頁51。

14 詳參劉清平：〈論孔孟儒學的血親團體性特徵〉，收入郭齊勇主編：《儒家倫理爭鳴集──以「親親互隱」為中心》，頁861-862。

成全孝慈倫理道德的目的下，喪失是非正義的獨立價值意義。[15]

　　但弔詭的是，在思考家族親情羈絆與社會規範之間孰重孰輕這一「親親相隱」問題時，當今世界無論中西，各國的法律卻皆允許「親親相隱」[16]，無論是就藏匿犯人或是煙滅證據方面，中西法律皆認可人們在面對親族犯罪時能循特例。也就是說，以孔子為代表的儒家親情倫理道德規範、倫理道德價值觀，不僅仍舊適用於東亞世界，更適用於講究人的個體性、維護法治社會之公正合理性的西方世界。這個現象讓我們不得不進一步思考，我們應該如何正確看待傳統儒家之倫理規範、倫理價值，而且儒家的倫理規範與價值又該如何自我定位。

　　我們今天要重新討論辯證「親親相隱」的倫理規範價值，無非試圖思考儒家倫理規範與倫理價值觀是否仍適用於今日社會，而一個經歷悠久歷史發展而來的民族或文化體，其今日所實行採用的法律規範，與其背後支撐此種法律規範的倫理道德價值觀，理論上應該也是相續發展演進，不斷淘洗淬煉而成。本文在此先不論今日西方世界之法律規範，既然日韓兩國的刑法仍舊允許「親親相隱」的倫理價值，則其無非意味著儒家此種父子倫理仍然適用於今日，也就是說儒家「親親相隱」的倫理規範，不僅涵融隱入今日東亞社會之法律系統，正因東亞社會之法律攝納進儒家「親親相隱」的倫理規範，故證明「親親相隱」的倫理價值觀有其合理性，甚至從西方社會之法律亦認同「親親相隱」的倫理規範價值看來，我們可以說「親親相隱」這一儒家親情倫理觀恐怕更具有普世價值。

---

15 尹文漢：《儒家倫理的創造性轉化——韋政通倫理思想研究》（臺北：水牛出版社，2008年），頁41。

16 日本刑法第105條規定針對刑法第103條藏匿犯人罪與刑法第104條湮滅證據罪，設若犯人或逃亡之人係親族，則可免除刑責。韓國刑事訴訟法第148條亦規定人民可以拒絕近親者的刑事責任與證言。臺灣刑事訴訟法第180條也規定證人有配偶、直系血親、三親等之旁系血親、二親等內之姻親或家長、家屬者，乃至與被告或自訴人訂有婚約者，可以拒絕證言。而西方國家之中，德國民事訴訟法（ZPO）第383條第1項、奧地利民事訴訟法第321條第1項、瑞士聯邦民事訴訟法第42條、法國民事訴訟法第206條，亦皆賦予親族拒絕證言之權利。

　　本文有鑒於此，並考量歷來有關儒家「親親相隱」的先行研究中，並未涉及傳統日韓儒者的看法與立場[17]，故擬就江戶日本儒者以及朝鮮韓國儒者對「親親相隱」倫理規範的理解與說明，闡明中國以外的古代東亞儒者，究竟是基於何種立場而來思考「親親相隱」這一儒家親情倫理規範的正當性，亦即何以親親必須「相隱」？東亞儒者所持「親親相隱」在倫理道德上的根據為何？希望藉由本文之考察，可以闡明東亞儒家親情倫理觀之一側面，亦希望可收借古鑒今、他山之石可以攻玉之效。

---

17 據據筆者管見所及，目前漢語學界有關「親親相隱」的先行研究成果，並無以日韓儒者的「親親相隱」論為比較研究對象；而目前韓國學者有關「親親相隱」問題的研究，主要如下所列有一本碩士論文和四篇期刊論文：

김선희：〈양을 훔친 아버지를 숨겨 주어야 하는가？：《논어》에서 정의와 책임〉《인간연구》（가톨릭대학교인간학연구소，2016/여름）第32號。姜楠：《유가「親親相隱」윤리 논쟁에 관한재고찰》，成均館大學一般大學院，東亞細亞學科碩士論文，2015年4月。李圓珍：〈동、서양 고전에서 본 부모의 범죄에 대한 자녀의 자세—《논어》、《맹자》와《에우튀프론》의 비교〉，『韓國思想과文化』，2014年。Myeong-seok Kim. Is There No Distinction between Reason and Emotion in Mengzi? Philosophy East and West, Volume 64, Number 1, January 2014, pp.49-81. Published by University of Hawaii Press. 이종우，〈아버지의 절도・살인에 대한 자식의 대응—《논어》와 《에우티프론》의 비교 및현대적 조명—〉，한국법철학회 법철학연구 제12권 제2호，2009年。

但是這些研究或直接探討儒家的正義觀，或從儒家的「親親相隱」檢討為人子之責任與義務，或是比較孔子的「親親相隱」與柏拉圖早期的一篇對話〈尤西弗羅〉（Euthyphro）中蘇格拉底追問尤西弗羅關於他控告其父一案，故也未涉及朝鮮儒者的「親親相隱」論點。至於日本學界的研究成果中，論及「親親相隱」問題的主要有橋本昭典：〈儒教道德の源泉としての情感主義：道德的正しさと中國古典〉，《社會と倫理》（名古屋：南山大學社會倫理研究所，2012年），第26號，頁1-17。本文主要從現代視角而來論述儒家道德情感問題，論文並未涉及江戶儒者之「親親相隱」論。另有田畑真美：〈『簡約齊家論』における「正直」について〉，本文主要在探討石田梅岩的「正直」觀與簡約之關聯，文中論及石田梅岩《簡約論下》中就《論語》〈子路〉篇「直躬證父」故事，而來論述「簡約」與「正直」、「神道」之關聯。而因為石田梅岩論「正直」涉及神道問題，本文此次就不列入討論，以免焦點模糊。

三　江戶儒者論「親親相隱」

　　誠如眾所皆知的，日本於十七世紀三〇年代左右京都開始出現商業出版活動，五〇年代後此種商業出版也在大阪普及開來，到了十七世紀末，商業出版活動已經拓展到江戶，七十年之間商業出版活動儼然已經紮根進入江戶日本社會。又隨著知識、訊息傳播從先前的「舶載書」形式，亦即由船隻從中國運送至通商港口長崎，進而傳入日本各地；當商業出版活動促進了日本本地印刷的「和刻本」得以大量流通後，知識的流動不僅更加快速普及，知識學習者也更為眾多且多元。蓋江戶初期的儒學傳衍與發展，基本上就是朱子學的傳播發展研究，而此時期日人的朱子學學習，隨著「和刻本」《四書大全》於一七三〇年代出版，《朱子語類》於一六六八年出版，朱子學也更為普及開來。[18] 因此我們可以說，此時期日人的朱子學學習，特別是對四書的學習，其實是透過明儒對朱子《四書章句集注》的再詮釋，也就是說江戶時代初期的日本學者乃是透過《四書大全》而來學習、認知朱子學的。

　　藉由上述情形我們也可以推知，江戶時代前期儒者對四書的學習理解，無非就是在容受涵化朱子與明儒的四書詮釋。職是之故，我們也可以說此時期江戶儒者的「親親相隱」理解，基本上就是在理解認知容受朱子如下之解釋：

> 直躬，直身而行者。有因而盜曰攘。
>
> 父子相隱，天理人情之至也。故不求為直，而直在其中。
>
> 謝氏曰：「順理為直。父不為子隱，子不為父隱，於理順邪？瞽瞍殺人，舜竊負而逃，遵海濱而處。當是時，愛親之心勝，其於直不直，

---

18 關於近世日本之出版文化與古典、學問、教育、學習之間的關聯性，詳參辻本雅史：〈第六章文字社會的成立與出版媒體〉，《日本德川時代的教育思想與媒體》（臺北：臺大出版中心，2005年），頁127-148。而有關江戶庶民教育的開展詳參山下武：《江戶時代庶民教化政策の研究》（東京：校倉書房，1969年）、笠井助治：《近世藩校に於ける出版書の研究》（東京：吉川弘文館，1962年）。

何暇計哉？」[19]

　　朱子之注解有延續漢唐古注之問題意識者，例如「直躬」究竟是人名抑或別有意義？又「攘」羊是一般的竊盜抑或有其他原因或情況？除此之外，上述注解亦有朱子自身對父子相隱這一倫理觀的見解，其中關涉幾個問題：1、父子相隱為何是天理人情之至？2、人們應不應該有意、刻意求取「直」這一道德價值？3、在人子為其攘羊之父隱藏、隱匿、檃栝乃至隱痛的倫理規範與踐行中，「直」何以在其中？4、最後朱子援引了謝良佐「順理為直」的說法，不僅拋出了：如何是「直」？這一提問，同時也指出當一個人愛親之心勝於一切時，又豈有衡量算計自己的行為「直」或「不直」的情感算計餘裕。

　　而傳統日韓儒者的「子為父隱」詮釋，大體而言，主要也就是以上述朱注所涉及的問題為思考的出發點。以下本文主要就《日本名家四書註釋全書》[20]，以及《國際儒藏‧韓國編‧四書部論語卷》[21]兩套叢書中，所收日本江戶時代與韓國朝鮮時代之代表性《論語》註解書為考察對象，探討日韓儒者之所以主張贊同「父子相隱」這一倫理價值，則彼等所抱持的倫理道德根據究竟為何。首先，讓我們來看江戶時代揭舉反朱子學之大旗，主張應該直接回歸孔孟，直探《論語》、《孟子》經文義理，且推崇《論語》為「最上至極宇宙第一書」的伊藤仁齋（1627-1705），其在《論語古義》中究竟如何理解「父子相隱」。伊藤仁齋說：

> 隱非直也。然父子相隱，人情之至也。人情之至，即道也。故謂之直。苟於道有合，則無往而不得。故曰：直在其中矣。入大廟每事問。曰：是禮也。亦此類也。

19　朱熹：《論語集注》，《四書章句集注》（北京：中華書局，1983年，2003重印本），卷7，頁146。

20　關儀一郎編：《日本名家四書註釋全書》，東京：鳳出版，1973年。

21　林慶澤、姜日天主編：《國際儒藏‧韓國編‧四書部》，北京：華夏出版社、中國人民大學出版社，2010年。

論曰：舊註謂：父子相隱，天理人情之至也。非也。此以人情天理，岐而為二。夫人情者，天下古今之所同然。五常百行，皆由是而出。豈外人情，而別有所謂天理者哉。苟於人情不合，則藉令能為天下之所難為，實豺狼之心，不可行也。但在禮以節之，義以裁之耳。後世儒者，喜說公字。其弊至於賊道。何者，是是而非非，不別親疏貴賤，謂之公。今夫父為子隱，子為父隱，非直也。不可謂之公也。然夫子取之者，父子相隱，人之至情，禮之所存，而義之所在也。故聖人說禮，而不說理，說義而不說公。若夫外人情離恩愛而求道者，實異端之所尚，而非天下之達道也。[22]

上引仁齋的注解中有幾個值得注意的觀點：1、父子相隱就是人情，也就是人倫道德的至高表現。2、天理、人情不可二分，除了人情之外沒有所謂的天理，也就是說，沒有排除「人情」的人倫道德。設若離開人情恩愛以求人倫道德，此種道德規範絕不可能是具有普遍價值，而且此種不具人情恩愛的人倫道德，也不會是符合儒家禮義的道德，而是「異端」之說。3、設若有不合人情之事或情況，則可以「禮」來調節，以「義」來修正。4、父子相隱這一人倫規範中，「情」、「禮」、「義」俱備。5、後人喜歡以所謂的「公」理，而來批判「父子相隱」是「私」情表現，這無非是歪曲殘害人倫道德之作法。

眾所周知的，主張人情即天理，天理不外人情的說法，正是反朱子學之古學者伊藤仁齋的學問本色，但此說作為「親親相隱」這一倫理道德規範的條件，其強調的是正當道德的根據不可能脫離「人性」與生俱來的「真實情感」。因此，一個合乎「禮義」的道德規範，或是一個合乎「法理」的道德正義，都不應該是離開自然人性情感的。至於那些以所謂的「公」（義）／（理）這一德目而來批判親親相隱之「私」情的後儒，仁齋認為彼等是以後

---

22 伊藤仁齋：《論語古義》，收入關儀一郎編：《日本名家四書註釋全書》第3卷（東京：鳳出版，1973年），卷7，頁197。

出之政治德目而來傷害孔子所說的情、義、禮三面俱全的「直道」。[23]

　　對於仁齋的此番見解，後出的江戶時代另一古學派學者荻生徂徠（1666-1728），則批判仁齋強調人情、天理不可二分，正是仁齋仍執拗地侷限在「理學」思考範疇而有的偏執言論。徂徠如下注解「父子相隱」這一問題：

> 葉公曰「吾黨有直躬者」，孔子唯曰「吾黨之直者」，而無躬字。可見直躬者欲暴己之直者已。朱子曰：「父子相隱，天理人情之至也。」仁齋先生非之而曰：「人情者天下古今之所同然。五常百行由是而出。豈外人情而別有所謂天理者哉。」是執拗之說耳。天理誠宋儒家言。然欲富，欲貴，欲安佚，欲聲色，皆人情之所同，豈道乎。要之，道自道，人情自人情，豈容混乎。至道固不悖人情。人情豈皆合道乎。理學家率推一以廢萬。其言如何聽也。其實皆一偏之說耳。予嘗以仁齋先生為理學者流，為是故。夫孔子曰：學則不固。（學而）惡執一而廢萬也。故曰：父為子隱，子為父隱，直在其中矣。可見非命之為直也。如樂在其中。（述而）本非可樂之事也。餒在其中。（衛靈公）本非致餒之道也。祿在其中。（同上）本非得祿之道也。父子主孝不主直。君子求道不求祿。安命不求樂。然不可謂直者非君子所尚也。不可謂君子欲貧也。不可謂君子求憂也。故孔子云爾。直躬，呂氏春秋（當務篇）以為人姓名，非也。[24]

---

23 仁齋這一指控未必不能成立，因為若透過「中國哲學書電子計劃」（https//ctext.org/zh）來搜尋統計，西漢時期的議論性說理著作中，例如《新書》、《春秋穀梁傳》、《春秋公羊傳》、《春秋繁露》、《禮記》、《大戴禮記》、《鹽鐵論》、《說苑》、《韓詩外傳》、《新序》、《孔子家語》、《孔叢子》等書，其道德德目出現的次數多寡，前一、二名都是「禮」或「義」，第三名則是「仁」；只有《新語》和《淮南子》書中出現最多次數的德目，第一名是「義」，第二名是「仁」，第三名才是「禮」。至於「忠」（等同「公」）這一德目，則與「孝」分居第四名或第五名。無怪乎其後日本九州地區之古學者龜井昭陽評斷道：「伊注聖人說禮而不說理，說義而不說公，可謂古學矣。」見龜井昭陽：《語由述志》（橫田藏本，抄本），卷3，頁45。

24 荻生徂徠：《論語徵》，收入關儀一郎編：《日本名家四書註釋全書》第7卷（東京：鳳出版，1973年），庚，頁259-260。

徂徠在批判仁齋之後,其於注說中提出三個重點:1、孔子並非說父子相隱的這一「隱」的行為是「直」;而是說在父子相隱的過程中,我們可以看到直率、真誠、正直這一人倫道德的彰顯。2、在父子這一親情關係中,最重要的人倫道德是「孝」;而不是「直」。3、但不可因為父子親情倫理首重「孝」,就說「直」並不重要。

也就是說,徂徠認為父子相隱這一行為的核心道德是「孝」道,而非以此種行為來彰顯「直」道,因為父子倫理關係中的倫理要求主要在「孝」而不在「直」。但正因此種意圖為父隱罪的孝心真誠坦率,故而稱此一「親親相隱」的行為,「直」存乎其中。徂徠強調「孝」正是「父子」關係中首要當為之道德行為,而「親親相隱」的自然真誠孝心正是「直」德的體現。徂徠試圖廓清歷來以為「親親相隱」這一行為乃是「直」德之行為表現的誤解,指出「直」乃是人子欲為其父隱罪這一「孝」心的直率表現。

那麼,古學派之外的江戶儒者又是如何理解親親相隱這一倫理道德呢?大阪「懷德堂」儒者中井履軒(1732-1817),其學問雖是朱子學立場,但對孔子所謂父子相隱而直在其中的說法,其見解與古學派並不衝突。中井履軒說:

> 是章,猶文章之翻案矣。不當拘解。然亦與禪家機鋒不同。
>
> 好直者之為直也,往往自枉其性。故其所為似直,而不直在其中矣。仁人之相隱也,有率其性者。故其所為非直,而直在其中矣。夫直躬者,豈無愛親之心哉。愛親,必願救親矣。今沽直而不顧其親,是戾其情。故言無詐欺,而不直存焉。為父隱者,言有詐欺,而不失其情。故直存焉。謝氏順理,未圓。又引舜事,失倫。且無落著。[25]

中井履軒對父子相隱,<u>何以「直」道存於其中的說明,著眼於人若「好直」</u>終致於「枉性」,則其所行雖然貌似誠實正直、率直無欺,但其違背父

---

25 中井履軒:《論語逢源》,關儀一郎編:《日本名家四書註釋全書》第6卷(東京:鳳出版,1973年),〈子路第十三〉,頁260。

子相親相愛之天性，父子親情已遭扭曲，故在倫理道德本質上不可能獲得一顆純粹良善的道德良心。與之相反的，基於愛親之天性而「率性」隱藏、隱匿其父之罪行的「隱」這一行為，雖然行為表面看似不誠實、不正直、有所隱瞞，但此一人子在隱藏父罪的行為底下，所蘊藏著的真實無欺的愛親、護親情感，卻是真實無妄的。朱子學者中井履軒強調「戾情」，亦即違逆父子人倫天性的正直，並非真道德，而是一種道德欺瞞。此種立場堪稱與古學派學者一致。

至於朱注中所引謝良佐所謂：「順理為直，父不為子隱，子不為父隱，於理順邪？」的說法，中井履軒評斷說「未圓」，亦即說法不夠周延、完備。依據上引中井履軒之注解看來，筆者以為中井履軒所說的「未圓」之意，應該是指人子面對其父之罪，就是一派父子親愛天性自然流露，故一意只顧隱蔽父罪、急於救親，此乃不得不之衷情／「誠」，又何暇顧及是否「順理」。正因「親親相隱」是種本於天性真情，由衷忠於父子天性親情的不得不的表現，故才得其「直」，且此種「率性」隱匿父罪的行為，就是「仁人」之表現。

然而，率性隱匿父罪之「直」，為何可以說是「仁」的行為呢？關於此點，江戶時代九州地區的祖徠學者龜井南冥（1743-1814）則有進一步說明。龜井南冥如下注解說：

> 因問，解其惑，且諷喻孝弟立教之意也。
> 孟子曰；父子不責善，責善則離。君子之務本也，善尚不責，矧惡是訐乎。今父攘羊而子證之，是子殘父也。子殘父而直之，是率其民，教殘父之道也。率其民，教殘父之道，欲以理其政，雖荊蠻之暴，亦孔甚矣。聖人之以孝弟立教，百行之美，由是而出。六順之俗，於是乎成。是為仁政。故有子曰：君子務本，本立而道生。孝弟也者，其為仁之本與。由是言之。夫子以父子相隱之言，解葉公之惑，亦以教務本之道也。葉公為人之上，不學無術，不知五教為何用。一言之不知，亦見其不仁矣。雖然世之從政而不務本者，能免葉公惑幾希。

噫，可不戒乎。直躬，太宰純引莊子、呂覽、淮南子，以為人名，
曰：直者名躬，猶狂接輿，得矣。古人名稱，若奕秋、盜蹠、嬰五
等，政爾。直在其中，茂卿析義明白，不可尚也。[26]

　　龜井南冥強調孔子的儒家人倫教化中，「孝悌」，亦即父子、兄弟之家庭
親情關係是其根基，而且南冥還標舉孟子之言，強調父子親情倫理不應「責
善」。[27]換言之，家庭內的父子關係，不在力圖勸勉從善，何況子證父罪，
根本就是殘害親父。葉公將殘害親父的行為視為是直率、誠實的「正道」，
根本就是帶頭教導百姓殘害自己的父親，則親子關係蕩然無存、家庭倫理崩
壞，孝悌之親情倫理無從成立，社會根基將隨之動搖，國家治理更無從收其
成效。也就是說，父子、兄弟關係乃五倫道德之根基，所以有子才說：「君
子務本，本立而道生。孝弟也者，其為仁之本與。」[28]南冥的此番解釋無疑
意味著：一個不顧父子親情倫理的人子，不僅會對「五教」／「五倫」的政
治社會倫理道德帶來毀滅性的破壞，任何一種美好道德（百行之美）得以成
立，其根基也就在此親情倫理道德。

　　南冥此種所謂：去除父子親情倫理，則任何美好道德倫理，終將失去其
賴以存立的道德基礎這一說法，日本江戶時代京都地區號稱「開物學者」的
皆川淇園（1734-1807），也抱持同樣看法。皆川淇園如下說道：

此為前章見小利則大事不成。特出此為證也。凡為政者，以下不隱
情，則正邪直見，而方術易施，是以或有縣賞以購之告訴。然長斯風
不已，則惇睦和厚必廢，而輕澆刻薄必竸。乃所謂大事之不成者。而
至如父子證惡者，抑又輕澆刻薄之尤甚者矣。此夫子所以舉父子相隱

26　龜井南冥：《論語語由》，關儀一郎編：《日本名家四書註釋全書》第4卷（東京：鳳出
　　版，1973年），卷13，頁233。

27　「夫章子，子父責善而不相遇也。責善，朋友之道也；父子責善，賊恩之大者。」朱
　　熹：《孟子集注》，《四書章句集注》（北京：中華書局，1983年，2003重印本），卷8，
　　〈離婁下〉，頁299。

28　朱熹：《論語集注》，卷1，〈學而第一〉，頁48。

之為直以答之也。直躬者，直身所抱之道也。攘者，過諸其所率從，而以著之其他之謂。證者，引於彼而斥之。於其所與此相承之謂。夫道莫大於君臣禮敬，父子慈孝。而去此則無人道矣。雖以直己躬，又奚足貴乎。故曰：父為子隱，子為父隱，直在其中矣。[29]

皆川淇園強調，道德倫理中沒有勝過君臣「禮敬」、父子「慈孝」的其他道德，即使統治者試圖透過「下不隱情」而來達到政治有效治理，但絕對不可用懸賞方式鼓勵人子自證父罪，否則敦睦和善純厚的風俗不再，人與人之間即使親如父子竟也彼此競相舉發其罪，則人心刻薄無情，也將影響風俗流於澆薄。如此一來，社會和諧狀態一旦破壞，則任何治術恐怕都對此種社會風俗民情回天乏術。

而這就是皆川淇園弟子東條一堂（1778-1857）所說的，一個父子親情倫理都不存在的人間社會，再怎麼誠實、直率又有何益處？東條一堂說：

子卿曰：直，不曲之名。父子相隱，亦不可謂直。而孔子曰：直在其中者，父子之道廢，則直亦無益。如直躬者，賊民也。非所取也。凡言在其中者，皆為此而得彼之辭。故知在父子相隱之上，而後可言直也。非以父子相隱為直也。謝氏曰：順理為直。父不為子隱，子不為父隱，於理順耶。是其意以父子相隱為直，雖如可通，非本文義。[30]

在東條一堂而言，誠實正直、真誠直率的美德，只有在父子相隱，愛親、護親的親情倫理確保成立的基礎上，接著才會被考慮衡量，也才有可能成立。而既然「直」或「不直」都不是優先須要考量的問題，對反朱子學的東條一堂而言，「順理」或「不順理」，根本不是「親親相隱」這一正確道德成立的根據。所以東條一堂批判謝良佐的「順理為直」說並非《論語》本文

---

29 皆川淇園：《論語繹解》，收入關儀一郎編：《日本名家四書註釋全書》第5卷（東京：鳳出版，1973年），卷7，頁222。

30 東條一堂：《論語知言》，關儀一郎編：《日本名家四書註釋全書》第8卷（東京：鳳出版，1973年），卷8，頁384。

義理。

歷來一般多認為大和民族是一個重視「忠君」甚於「孝道」的民族，也是一個可以為了「公義」而克制甚至犧牲「私情」的社會。但是誠如上述，江戶時代的日本儒者在解釋「親親相隱」這一父子倫理道德規範時，卻不認為「親親相隱」行為將會斲傷妨礙其他大多數社會成員的權益或福祉；也不認為父子相隱將會牴觸國法，阻礙政治運作，造成國家治理失效，更未提及父子相隱的倫理道德踐行，將會牴觸忠君這一倫理道德。

而且從江戶儒者以「人情」為絕對必備之倫理道德根基這一主張看來，我們可以說「親親相隱」這一倫理道德規範，一定程度維護保全了道德情感，也避免人在政治權力體制或是法律規定前，喪失其為人之人性尊嚴。畢竟一個抹滅人性情感的「法治」社會，姑且不論其治理能夠達成何種程度的有效性，又能維持多長時間，筆者相信人們並不會期待一個藉由違背人性，乃至殘害人性而有效維持秩序的社會；人們期待的恐怕更接近伊藤仁齋所主張的，是一個認同「情」、「禮」、「義」等可以並存於倫理道德規範之中的社會。當一個社會的倫理道德規範系統可以涵融多元道德價值，而且允許這些道德價值彼此可以激盪折衝，保留其間容許人性情感合理舒展的可能彈性空間時，不僅道德價值不會單一僵固化，而且法理可以有效維持其尊嚴，社會可以維持一定之秩序，人性尊嚴也不致於扭曲，群體、社會才能避免分裂瓦解。

而且江戶儒者此種以「人性」、「人情」為倫理道德之最高追求價值的觀點，確定了「人」才是倫理道德或是法治社會的主體。因此，像「父子相隱」這種奠基於父子相親相愛之道德良知，雖然表面看似違法，但因人子清楚認知到「隱」這一行為「違背」另一種倫理道德與法律，也仍舊堅持有權或者說執意反抗之。復加在父子相隱的過程中，人子對其父所犯之罪，帶著積極性的「櫱桔」或深刻性的「隱痛」的這種道德反省意識，於是使得此種「隱」父罪的行為，反而具備恢復道德良知與健全法律標準的能動性。因此才說違反自然父子相親相愛天性，以單一道德標準，一味地追求絕對的道德——「直」，這恐怕才是對道德最大的殘害與斲傷。

從這個角度而言，儒家「親親相隱」倫理道德，也可以視為是一種對漠視人性、濫用道德規範、國家權力以維持某種假道德、不正義制度的「道德良心」。換言之，相對於僵化單一的道德教條或是國家機器所掌握的懲罰權力，「親親相隱」何嘗不是根據自己的「道德信念」而來執行「道德義務」。所以當某種道德良知與另一種道德規範，乃至與法理、法律規範產生衝突時，被質疑的或許不是此方之道德良知；而是彼一道德規範或法律。因此，基於某種道德立場而反對單一道德價值抉擇，或是反對某種法律設計，或許反而可以更有效地涵攝多元倫理價值，也可以更有效的連結道德與法律。畢竟社會的法治不只是在維持社會秩序，它同時在維繫一套具有實體價值的倫理道德規範。如果是這樣，則法治社會未必就要排擠某種傳統道德，事實上，長久發展下來的傳統道德觀，不僅可能仍指導著我們，當然也會影響了當今法律的設計制定與判決。

四 朝鮮儒者論「親親相隱」

相較於日本江戶儒者的「親親相隱」論主要在強調不悖人情，以父子親情為人間倫理道德之至大，主張人外無道，側重生活日常性之實踐道德倫理闡述；朝鮮儒者的「親親相隱」論顯得更具思辨性，涉獵的問題點也更為複雜多元。《國際儒藏・韓國編・四書部論語卷》收錄進一百一十六種代表性朝鮮時代《論語》注解書，其中有十六種對「親親相隱」問題進行注解或解說。但是，其中有的就只是下一處眉批者[31]；也有只是以葉公舉直躬證父為直的這一例子作為反面教材，只是提及而不論者[32]，更有只是重複朱子《論

---

31 宋時烈《論語或問精義通考》在考釋〈葉公問孔子〉章時，僅先後援引了朱子《論語或問》、《論語精義》。僅有一處眉批，指出呂氏曰「屈小信而申大恩，乃所以為宜」的「宜」字，恐「直」字之誤。參見宋時烈：《論語或問精義通考》，收入《國際儒藏・韓國編・四書部論語卷》第1冊，頁625。

32 徐俊輔《魯論夏箋》，不同於以往王問臣答的經筵講義形式，是徐俊輔發問而正祖回答的《論語》講義，而在解「葉公問政」章，僅略微涉直躬證父，然未見特別論說。參見徐俊輔：《魯論夏箋》，收入《國際儒藏・韓國編・四書部論語卷》第4冊，頁632。

語或問》之說者[33]，或只是重複朱子《集注》中所引謝良佐之說法者。[34]蓋相較於「管仲不死公子糾」一事在《國際儒藏・韓國編・四書部論語卷》所收錄的一百一十六種《論語》注解書中，就有三十三種對此事展開辯證，鮮儒對「親親相隱」的關注度相對沒那麼高，或者說鮮儒對此一問題較無疑義。但是扣除上述四種有解卻近於無解的《論語》注解書，剩餘的其他十二種涉及「親親相隱」議題的《論語》注解書，不管其說解或簡或繁，卻顯得朝鮮儒者的「親親相隱」觀非常具有獨自特色。

（一）經筵不講、師弟時人不疑有之的「親親相隱」

首先，朝鮮儒者無論是在與正祖或哲宗等朝鮮國王的經筵條對中，或是對於成均館館長的條問，乃至師弟、時人之間就《論語》中有所疑問或緊要處相與問答時，「父子相隱」問題幾乎皆未被提及。例如任百禧（1765-？）《論語講義》一書是為期六天對哲宗的經筵講義，內容只涉及「先進」篇到「憲問」篇等四篇內容，而「子路」篇亦在其中，但問答內容並未涉及「父子相隱」問題。此種現象在抄啟文臣們與正祖的《論語》經筵講義中也是如此。例如金憙（1729-1800）《經筵論語講義》是金憙於一七七八年二月四日入侍熙政堂，到隔年正月入侍宣政殿，於八次經筵講義中回答正祖提問的內容，其中有關「性與天道」之問對篇幅較長，但未見「父子相隱」之問答。奇學敬（1741-1809）《論語經義條對》是奇學敬與正祖就《論語》八個重要條目進行的條問對答，其中並無「父子相隱」問題。李元培（1745-1802）《論語經義條對》是李元培於一七九八年因學行舉薦，進宮答覆正祖九經六

---

33 李惟泰《論語答問》對於「葉公問政」章，僅援引朱子《論語或問》中說法，參見李惟泰：《論語答問》，收入《國際儒藏・韓國編・四書部論語卷》第1冊，頁223。

34 鄭灝鎔《論語雜著》中設問何以「父子相隱」為直？而其回答則非常簡單，就一句「順理為直」，故子證父為不直。父子相隱，「直在其中矣」。鄭灝鎔此番解說，也就只是重複《集注》中所引謝良佐的說法。參見鄭灝鎔：《論語雜著》，收入《國際儒藏・韓國編・四書部論語卷》第5冊，頁562。

十二條疑義之問的《經義條對》書中,有關《論語》的部分,然其內容並未涉及「父子相隱」問題。姜彝天(1768-1801)《論語講義》是正祖就《論語》內容詢問姜彝天,而在正祖詢問的三十九個條目中,也同樣並未包含「親親相隱」章。同樣地在徐瀅修(1749-1824)《論語講義》以及丁茶山(1762-1836)《論語對策》中亦未見到有關「親親相隱」問題的條對內容。此種情況即使在前述由徐俊輔(1770-1856)發問後,再由正祖回答的徐俊輔《魯論夏箋》中,直躬證父攘羊一事,也只是徐俊輔以「葉公問政」章問正祖時,作為葉公不能曉解孔子所答之為政次第的反面教材。而且針對徐俊輔此問,正祖的對答亦完全未觸及「親親相隱」問題。

由上述情形看來,值得玩味的是:正祖貴為君王,其為何完全不著意於「親親相隱」是否會以「私情」危害「公義」呢?假設朝鮮君臣因為篤信朱子學,故認同朱子以「天理人情」賦予「親親相隱」道德正確的根據,接受這是具有先天自然形上根源的人性自然的流露的話,此種行為確實存在著下不告上實情的「非道德」、「違法」性質,則朝鮮國王作為執政當局,對於孔子所說的父子相隱為何不疑有他?為何不認為這是一個危及政權的嚴重問題?難道是因為誠如後文所述的尹衡老(?-?)、金龜柱(1740-1786)所說的一樣,君王、邦國係情理之至高,人倫之至大,昭然若揭,無庸置疑!此乃大多數君王認為理所當然之事?果真如此,君王們為何又對親親相隱可能帶來的對國家統治管理上的危害,以及可能妨礙君臣倫理不以為意呢?此一問題有待日後進一步深入考察研究。

不僅在朝鮮國王與抄啟文臣之間的條問幾乎完全不涉獵「親親相隱」問題,徐基德《論語經義問對》是一九〇三年五月,徐基德(1832-?)針對成均館館長徐相勛所提十二個《論語》內容相關條目所做出的回答,但在成均館館長的十二個條目中,「父子相隱」問題也是未列其中。另外,許多朝鮮儒者有疑於《論語》經文或是朱子《論語集注》、《四書大全》之小注,乃至師弟、時人之間就《論語》中有所疑問或緊要處相與問答時,同樣地也多不涉獵「親親相隱」問題。例如崔象龍《論語辨疑》,主要針對《四書大全》中之《論語》經文、大注、小注有疑問處,援引程子等先儒諸說進行解

釋分析，再輔以李退溪（1501-1570）、李栗谷（1536-1584）、金長生（1548-1631）等鮮儒注說，其中尤遵韓元震（1682-1751），對四書之經文字句考證、句讀乃至義理，皆有思索判斷。[35]但是，《論語辨疑》中對「葉公語孔子」章亦無任何著墨。再如張錫英（1851-1929）《論語記疑》是張錫英二十八歲時的讀書備忘錄，後歷經十二年補充修訂，於一九〇九年張錫英五十七歲時整理成書，主要參照朱子《論語集注》，引用參考《朱子大全》與諸家學說，對《論語》具有爭論性的本文進行分析解釋，提出其自身之論據以證朱說之可疑。而在此書中，即使時入二十世紀的一九〇九年，張錫英亦不疑朱子對「親親相隱」的注說。又如奇正鎮（1798-1879）《論語答問》是其回答門人柳漢新（1816-1854）、崔琡民（1837-1905）、曹錫晉（1837-1903）、金錫龜（1835-1885）、鄭時林（1839-1912）等十八人，師弟之間就《論語》內容進行的問答，但本書也未曾涉及「父子相隱」問題。

（二）事、理、心分判的直道與親親相隱的常道

據上所述，我們可以推測朱子以「天理人情」為親親相隱作註腳，鮮儒基本上對此沒有疑義，但對朱子所引謝良佐之說，或是《四書大全》小注中胡氏之說，則多所辯駁。例如朴文鎬（1846-1918）於《論語集注詳說》中引集注、大全、中國歷來諸家學說、東賢各家之說，如沙溪金長生、南塘韓元震、尤庵宋時烈（1607-1689）、農巖金昌協（1651-1708）、栗谷李珥、退溪李滉、華西李恆老（1792-1868）等學說，最後再補充自身見解，總體而言其注解《論語》立場仍是墨守朱注。故而本書在解「葉公問孔子」此章時，主要在羅列諸說，但是針對胡氏在解釋朱子的注解「父子相隱，天理人情之至也。故不求為直，而直在其中」時說：「非指隱以為直也，雖不得正謂之直，然亦理所當然，不失其為直也」的這一解說，朴文鎬則加注解釋說：

---

35 詳參金培懿：〈融通一貫之經學／敬學──鮮儒崔象龍《論語辨疑》研究〉，《臺灣東亞文明研究期刊》第14卷第2期，臺北：臺灣師範大學東亞學系，頁121-169。

以事則非直，而以理則是直。[36]

朴文鎬並批評胡氏此解「有釋無訓」。對於親親是否應該相隱這一問題，朴文鎬主張宜釐清「事」與「理」之間的差異，才能明辨何為「直」，以及該如何做才是「直道」。主張明辨事、理之別的這一觀點，突顯出道德行為表面與道德核心價值之間的距離。朴文鎬此種關注不為事件表相所困惑而做出錯誤道德行為判斷的提醒，鄭齊斗（1649-1736）《論語說》更早就直指核心地說道：

直不在於事，而在於心。事雖不直，心則直矣。此與「觀過知仁」意同，而語尤切實。[37]

鄭齊斗將「親親相隱」的道德判準，從「事」／「理」分判，移向「事」／「心」分判。此種主張不僅符合其陽明學者立場，也與其批判朱熹「析心理為二」，極力闡明陽明心外無理、心即理、致良知的學術主張具有一致性。而若從任何倫理道德規範的訂立本來就不可能百分之百完善，倫理道德價值也會因時制宜，道德秩序也可能重整等角度來思索的話，問於「心」的道德良知或許會與當下的禮法、法理、法律有所衝突，但此種道德良知也有機會反過來檢測此種禮法、法理、法律規定下的倫理道德標準是否具有合情、合理之正當性，甚至可以反過來肩負起積極的道德指導功效。

另外，關於「親親相隱」究竟是「權變」還是「常行之道」這一問題？李縡（1680-1746）《論語講說》中在回答時人就《四書大全》小注中胡氏曰：「父為子隱，子為父隱，權也。故曰：直在其中；非指隱以為直也」這一說法，而向其問到親親相隱究竟是「經」還是「權」這一問題時，李縡的回答是：「相隱」是「權」；然父子大倫是天理人情，此乃不變之「經」。人再問：直躬與吾黨之直，二「直」字同否？李縡回答直躬是「必欲直其躬而

---

36 朴文鎬：《論語集注詳說》，收入《國際儒藏‧韓國編‧四書部論語卷》第5冊，頁467。

37 鄭齊斗：《論語說》，收入《國際儒藏‧韓國編‧四書部論語卷》第2冊，頁34。

已者」；吾黨之直則是「順其理者也」，故孔子不說「吾黨之直躬者，而只下一「直」字，語勢差異。[38] 李縡在此辨析了以成全己身直率之個性而舉發父罪的人子；與隨順親情天性之理而隱匿父罪的人子，此兩者之間即使從行為表現看來都可稱之為「直」，但此間天差地別。

（三）由「父子」相隱推及「諸親」相隱

關於父子相隱究竟是「權」抑或是「經」的問題，前述李元培在《論語經義條對》中回答正祖的條對中，雖未涉及「父子相隱」問題，但其卻在辨析《四書大全》小注有疑處時，指出胡氏所謂「父子相隱」係為權宜措施之說法。李元培主張父子相隱乃「平常常行」之道，不必待不得已而後行之，是故朱子《論語集注》才以之為天理人情之至也。李元培進而指出：

> 經權之說，於他人則可，而於父子則恐用不得。[39]

亦即，李元培以為父子相隱是源於天理且本於人情的常道，不須因為處於「不得已」之情境而後才行之。換言之，父子之至情，有異於其他人際關係。李元培此說不僅區隔了父子之情與其他人情，並視「親親相隱」為絕對恆常之人倫道德價值。此種絕對恆常的父子倫理價值，應該在君王、邦國之前也不應有所折損。

但是，王法之前，「親親相隱」這種絕對恆常的人倫價值，是否只能局限於父子關係呢？尹行恁（1762-1801）《論語隨筆》特別著眼「父為子隱」，稱之為「理之常也。」並主張：

> 隱其所當隱，是天理中人情，人情中天理，奚但父子相隱而止哉？兄弟夫婦亦莫不然。[40]

---

38 詳參李縡：《論語講說》，收入《國際儒藏‧韓國編‧四書部論語卷》第2冊，頁213。

39 李元培：《論語小注記疑》，收入《國際儒藏‧韓國編‧四書部論語卷》第3冊，頁677。

40 尹行恁《論語隨筆》，收入《國際儒藏‧韓國編‧四書部論語卷》第4冊，頁44。

尹行恁此說，形同將「親親相隱」的倫理道德規範效用推及五倫中的所有親屬關係，亦即父子、夫婦、兄弟皆可本於相親相愛之血親、姻親關係，堅持「親親相隱」之倫理道德規範，不違背其自身基於自然天性的道德良心。尹行恁這一主張，之前崔左海（1738-1799）《論語古今注疏講義合纂》也抱持相同看法。

> 而攘羊之惡何如直名為己？直名忍於父惡，是可忍耶？彝倫之倒喪如此，而尚可論直乎？必如吾黨之直者，初不以自好為心，則不但以直得一身之行而已。故在父則為子，而過必為隱者，不忍吾親之有此惡也，其況自我證成乎？其向人之隱如此，則又在子而所以諫，在父而所以教，應所不已而不待言，知矣。推之外君臣，內兄弟，以至凡百親交際，皆必有曲成各當之道，舉可旁照。[41]

（四）父子、君國孰為「大倫」？禮法豈能外於人情道理

另外，尹衡老《論語劄錄》主張「直」為「無隱」之稱，並言此「直」乃「人生也直」之直，以此呼應謝良佐所謂「順理為直」的說法。並大讚《論語集注》所引謝良佐注說「極是」！進而說：

> 細行欲直，而有傷於大倫，則必伸大倫，然後為直、為是矣。至親當愛，而許身於國，則先公後私，然後為直為是矣。證父攘羊，雖似直矣，而有乖大倫，則其果為直、為是乎？權其大小輕重而處之，不失個是字，此即順理之直也。愛親之心勝，而直不直不暇計之者，此出於天理之自然，而即乎人心之所安，政（筆者按：正）所謂直也。[42]

---

41 崔左海《論語古今注疏講義合纂》，收入《國際儒藏・韓國編・四書部論語卷》第6冊，頁517。

42 尹衡老：《論語劄錄》，收入《國際儒藏・韓國編・四書部論語卷》第2冊，頁477-478。

尹衡老之所以針對謝良佐之說進一步辯證、估計也是因《論語集注》引謝氏之說以解此章。但尹衡老主張不應以攘羊之小事壞父子大倫，然若較之於許身於國時，則至親之愛仍須考慮先公後私，然後才可衡量何為直？何為是？

針對公私之分，或者是不應以攘羊之「細行」而殘害父子至大之人倫道德一事，魏伯珪（1727-1798）《論語讀書劄義》如下說道：

> 無意於直而自直，有意於直則私意起。父子相隱，理之當然也。理之所在，何往而非直？不愧不怍，是直也；父子相隱，非私也，天理之大公在其中。世人以父子為私，故有偽孝者，有證羊者，偽孝與證羊，其心一也。[43]

從上引尹衡老與魏伯珪的解說看來，他們都認為親親相隱是先天自然的道德法則，是倫理道德最根源的形上原理，至於像「直」這一類道德，則是後天人為、形下現象的社會秩序。故而說親親相隱是人間倫理道德中的「大倫」，是天理之「大公」（「正義」）。而柳長源（1724-1796）《論語纂注增補》中引明人蔡清《四書蒙引》強調：

> 凡言人情，有分天理內之人情，有天理外之人情，天理內之人情可為；天理外之人情不可為也。蓋天理內之人情即亦天理也，如「父為子隱，子為父隱」之類即是。故今之律，親屬得相容，隱而不坐罪，孰謂法律有外於道理哉？其與道理背者，非先王之法也。[44]

柳長源特別援引蔡清此番法律不外於道理、違背人情道理的法律並非先王之法的宣言，這無非意味著：社會的法治不只是在維持社會秩序，它同時在維繫一套具有實體價值的倫理道德規範。亦即，法理、法律不能置外於道

---

43 魏伯珪：《論語讀書劄義》，收入《國際儒藏‧韓國編‧四書部論語卷》第2冊，頁655。

44 柳長源：《論語纂注增補》，收入《國際儒藏‧韓國編‧四書部論語卷》第3冊，頁356。所引蔡清之說法詳見蔡清：《四書蒙引》，收入莊煦編：《景印文淵閣四庫全書》（影印國立故宮博物院藏本，臺北：臺灣商務印書館，1983年），卷7，頁94下-95上。

<u>德良心／人性之外</u>。關於此點，金龜柱《論語劄錄》亦主張：

> 父子相隱，必兼天理、人情言之始通。然亦當以天理為主，而包人情
> 在其中。蓋順於理者必順於情，舜之竊負而逃是也；順於情者未必順
> 於理，霍光之夫婦相隱是也。至於周公之兄弟、石之父子，似只是順
> 於理而不順於情。然蓋亦以君臣為重，而不見其他，則所謂情者卻移
> 在君臣上，而不在於父子、兄弟矣。[45]

金龜柱顧及歷史現實，指出周公之兄弟、石之父子，似是只順理而不順於
情。但是，<u>金龜柱與尹衡老一樣，以「君臣」、「邦國」為重、為情理之至
高</u>。金龜柱強調：

> 故必兼理與情言，而又必以理包情，然後方不失其正義。若只說理而
> 不說情，則不免疏汎；只說情而不說理，則無以準則。[46]

　　整體而言，受到《四書大全》小注中胡氏注說影響，<u>上述鮮儒在理解詮
釋「親親相隱」問題時，論述焦點置於父子相隱究竟是「經」抑或「權」？
父子相隱究竟是小「私」抑或大「公」？若以父子相隱為「私」，則其孝是
為「偽孝」</u>。正因「親親相隱」是朱子說的「天理人情」，天理人情相互涵容
包攝，故沒有外此情理之法律，外此情理之法，即非先王之法。而且此種
「親親相隱」作為親親相愛、相護、相救的自然天性情感流露之道德良心基
礎，不僅適用於父子，亦當適用於夫婦、兄弟等血親、姻親關係。
　　但是為了折衝親親相隱所帶來的王法與私情之間的矛盾衝突，尹衡老、
金龜柱不免強調當公私矛盾衝突時，當然要以「君臣」、「邦國」為重、為情
理之至高，主張移「私情」於國家君王，亦即「移孝作忠」。由此看來，誠
如前文所述，一般多認為日本的政治倫理乃是「忠」大於「孝」；但<u>相較於
朝鮮儒者對「親親相隱」之解釋，江戶儒者則幾乎都不主張以「忠」於君</u>

---

45 金龜柱：《論語劄錄》，收入《國際儒藏・韓國編・四書部論語卷》第3冊，頁619。
46 金龜柱：《論語劄錄》，收入《國際儒藏・韓國編・四書部論語卷》第3冊，頁619。

國、公義、公理而害一己之私「孝」、私「情」，不以理法／禮法而抑制父子之天倫人情。

（五）從楚、魯二直到華夷之辨

朝鮮儒者的「親親相隱」論，除了上述提及的觀點之外，筆者以為其中最具異彩的當屬丁茶山。丁茶山《論語古今注》中特別指出：

> 葉公本是賢者，毀訾儒教非其情。[47]

丁茶山以葉公為賢者的這一理由，而來作為其為楚國葉縣縣尹葉公「毀訾儒教」辯解開罪的說詞。蓋茶山所以以葉公為賢者，應是有鑒於在〈葉公語孔子〉章之前，〈子路篇〉還收錄了〈葉公問政〉於孔子一章。而根據《漢書地理志》的記載，南陽郡葉縣，乃是楚國葉公邑。葉公當時以邊國楚國地方首長身分向孔子請教該如何施政，本為可取，故此事《韓非子・難篇》、《墨子・耕柱篇》、《孔子家語・辯政篇》皆有記載，清人錢坫《論語後錄》考證此事應該是在孔子自蔡遷葉之時，即哀公六年（BC489）之際。[48]丁茶山說葉公是「賢人」，應該就是肯定葉公能以邊國之人向孔子請益為政之道。

但丁茶山又說葉公「毀訾儒教」，此語應是根據皇侃《論語義疏》中援引了江熙如下之說法而來：

> 葉公見聖人之訓，動有隱諱，故舉直躬欲以訾毀儒教，抗衡中國。夫子答之，辭正而義切，荊蠻之豪，喪其誇矣。[49]

此處值得玩味的是，江熙在「訾毀儒教」之後，更指出葉公欲以直躬證父之

---

47 丁茶山：《論語古今注》，收入《國際儒藏・韓國編・四書部論語卷》第4冊，頁297。
48 錢坫：《論語後錄》，卷4，頁13。
49 皇侃：《論語義疏》，收入《知不足齋叢書》第七集（上海：上海古書流通處，1921年），卷7，頁12。

「直」，以「抗衡中國」。而在〈葉公問政〉於孔子章中，江熙還說葉公：「邊國之人，豪氣不除。」江熙所以如此說的歷史脈絡背景，應該就是立足於昔時楚國嘗疲其民以蠶食中國，欲與中國爭霸。但耐人尋味的是，<u>丁茶山認同江熙批判葉公「訾毀儒教」，但卻避談葉公是否意圖「抗衡中國」？反而轉而為葉公開罪，認為其初衷本非欲以直躬證父一事挑戰、質疑孔子乃至於儒家。</u>

<u>丁茶山異於歷來中、日、韓之東亞儒者，獨排眾議而為葉公開罪，筆者以為此中不僅可以看出茶山對葉公的諒解，更可嗅出茶山不以邊國南蠻視葉公，筆者以為其中隱微地透露出朝鮮儒者的華夷意識。</u>丁茶山《論語手劄》「夷狄之有君」章中，茶山反駁邢昺所謂：夷狄雖有君長，而無禮義；中國雖偶無君，若周召共和之年，而禮義不廢的說法，主張：

> 孔子欲居九夷，夷狄非其所賤，況罪累不明，而無故斥之曰「汝之有君，不如我之亡君」，豈有味之言乎？周召共和，此是千百年僅一有之事，孔子據此以自多，有是理乎？[50]

接著茶山更舉出程子所謂：「夷狄且有君長，不如諸夏之僭亂，反無上下之分的說法，」首先駁正若程子意指「夷狄之美勝於諸夏之醜」，則不應該以「不如」為言，而<u>茶山舉出程子此解的目的，就在以程子之言反駁邢昺之「輕賤夷狄」，而其言外之意就是：夷狄之美勝於諸夏之醜。筆者以為茶山此一用心讀者不可不察。</u>

另外，韓國學界為反駁高橋亨所謂朝鮮儒學只是述朱的殖民者朝鮮儒學論調，多以實學者丁茶山為例，反證高橋亨所言並不屬實，甚至主張丁茶山於朝鮮儒學之功，堪比美江戶古學派。然而茶山對於「親親相隱」章，卻不同於江戶時代之古學者仁齋、徂徠，或是南冥、昭陽父子力辯「親親相隱」之意涵。茶山只是援引中國先儒與太宰春臺（1680-1747）之字義解說，便輕看過。而且從茶山此種詮解方式，似乎也可看出茶山之學仍帶有強烈的朱

---

50 丁茶山：《論語手劄》，收入《國際儒藏・韓國編・四書部論語卷》第4冊，頁481。

子學色彩，故在解釋此章時，採取宗朱而不以為有疑。同時附帶一提的是：
茶山雖援引太宰春臺《論語古訓》之解說，卻並未涉及徂徠、仁齋之說，足
見其對江戶古學派經說的受容，主要是在太宰春臺，而春臺言及仁齋、徂徠
者，則茶山或有涉獵，至於春臺未言及者，茶山亦未觸及。由此看來，關於
茶山經說如何透過太宰春台以取捨、折衷、批駁仁齋、徂徠之學，日後仍待
進一步深入考察研究。[51]

五　結論

　　如上節所作的考察，朝鮮儒者未必覺得「親親相隱」是一個有待商榷或
是急需辨析的嚴重問題，但從彼等論「親親相隱」的觀點看來，整體而言較
之於江戶時代日本儒者的「親親相隱」論，毋寧說朝鮮儒者的論述更具思辨
性。例如相較於日本古學派儒者主張捨「理」就「情」以論親親相隱之
「直」；朝鮮儒者則立足於朱子天理人情說，強調明辨「事」、「理」層次有
異，道德行為表現與倫理道德本質不容含混，如此才可明辨何為「直」道。
又若以父子相隱為「私」情對應君國之「公」義，朝鮮儒者魏伯珪進而提出
父子相隱乃天理之「大公」，以此區隔君國之「公」，使得公／私分判的論理
結構更有層次，此種道德倫理辯證也更為細緻，使得倫理道德規範更有討論
空間。申晟圭（1905-1971）更直接明言：

> 當曲而曲，乃所以盡直之道。[52]

　　此乃行「曲」得「直」！沒錯，道德倫理原本就不是一成不變僵化的規

---

51 有關丁茶山與江戶古學派之間學問異同的比較研究，詳參蔡振豐：〈第六章丁若鏞《中
　　庸》詮釋之特色：與日本古學派的對比〉、〈第八章結論・第二節丁若鏞四書學在東亞
　　儒學中的意義〉、〈第八章結論・第一節從東亞儒學的發展論丁若鏞四書學的發生意
　　義〉，《朝鮮儒者丁若鏞的四書學：以東亞為視野的討論》（臺北：臺灣大學出版中心，
　　2012年），頁193-251；頁307-312；頁297-307

52 申晟圭：《論語講義》，收入《國際儒藏・韓國編・四書部論語卷》第5冊，頁616。

範，踐行道德倫理需要有一更形上超越性的原理，或是根據自己所信仰的理念與道德信念來拒斥服從某一道德規範或禮法、法理、法律。而且在此種有意識、主動拒絕某一道德或法律規範，在自覺「非道德」、「違法」的狀態下，其卻是立足於另一種道德觀或正義感的真實情感。從這個角度而言，行「曲」得「直」闡發的是一種透過「抵抗」而踐行自身所信仰的道德或遂行正義的權力。

申晟圭所謂行「曲」得「直」的論點，可以與江戶古學派強調以「人性」、「人情」為倫理道德之最高追求價值的觀點相呼應。蓋「父子相隱」這種奠基於父子相親相愛之道德良知，雖然表面看似違法，但因人子清楚認知到「隱」這一行為「違背」另一種倫理道德與法律，也仍舊堅持有權或者說執意反抗之。復加在父子相隱的過程中，人子對其父所犯之罪，帶著積極性的「櫽括」或深刻性的「隱痛」的這種道德反省意識，於是使得此種「隱」父罪的行為，反而具備恢復道德良知與健全法律標準的能動性。因此才說違反自然父子相親相愛天性人情，以單一道德標準，一味地追求絕對的道德──「直」，這恐怕才是對道德最大的殘害與斲傷。

如上所述，朝鮮儒者的「親親相隱」論，確實比日本儒者更具思辨性，但其彼此的「親親相隱」論也多有相合之處。除此之外，綜言之，彼等之「親親相隱」論，無論是在經筵講義上國王條問文臣，或是成均館館長條問儒生，乃至朝鮮儒者與門生或時人之間的問學中，「親親相隱」論並不是一個受到關切注意的問題。而從《國際儒藏・韓國編・四書部論語卷》所收十六種《論語》注解書中針對「親親相隱」所論的內容看來，或許因為朱子以「天理人情之至」為父子相隱做注解，除了陽明學者鄭齊斗主張以「心」代「理」，而來分判於「事」或是於「心」之「直」以外，大多數鮮儒對此並無異議。但是對於《論語集注》中朱子所引謝良佐的「順理則直」之說，或是《四書大全》中小注所引胡氏以「權」、「經」而來分判父子相隱這一行為，朝鮮儒者則展開進一步的辨析。

而雖然大多數的朝鮮儒者認同親親相隱乃是常道、人間至高無上之倫理道德，但在此父子相隱與國家、國君有所衝突時，則朝鮮儒者又各有立場。

因而衍生出父子相隱究竟是「小私」抑或「大公」的辯證，魏伯珪直言若以父子相隱為「私」，則有「偽孝」、「證羊」之子出。換言之，證父攘羊之子並非「直」者，因為其以為父隱罪為「私情」，而一味求「直」，則其有意求直之「私心」，同樣也是一種「偽直」。又正因親親相隱乃是「天理人情之至」，天理人情相互涵容包攝，故沒有外此情此理之法律，設若有外此先天自然形上根源之情理的禮法、法理、法律，即非先王之禮法／理法。

而如果父子親親互為相隱乃是至高之人倫道德規範，是一種恆常不變的正道，則家庭中同屬一脈血緣的兄弟，締結姻親而成為親族的夫婦，其如果在人倫關係上一樣必須親親相愛，則其彼此難道不應該相隱嗎？較之於日本儒者從肯定人情的角度而認同親親相隱，朝鮮儒者則更往前跨出一步，主張「親親」關係應該擴及父子之外的夫婦關係與兄弟關係。這一主張，如果從本文前述今日東亞或是西方的法律規範而言，其無疑是超前先進的觀點。

而一般多認為大和民族是一個重視「忠君」甚於「孝道」的民族，也是一個可以為了「公義」而克制甚至犧牲「私情」的社會。但是，江戶時代的日本儒者在解釋「親親相隱」這一父子倫理道德規範時，卻不認為「親親相隱」行為將會踐傷妨礙其他大多數社會成員的權益或福祉；也不認為父子相隱將會牴觸國法，阻礙政治運作，造成國家治理失效，更未提及父子相隱的倫理道德踐行，將會牴觸忠君這一倫理道德。相對於此，朝鮮儒者為了折衝親親相隱所帶來的王法與私情之間的矛盾衝突，尹衡老、金龜柱不免強調當公私矛盾衝突時，當然要以「君臣」、「邦國」為重、為情理之至高，主張移「私情」於國家君王，亦即「移孝作忠」。

又從江戶儒者以「人情」為絕對必備之倫理道德根基這一主張看來，我們可以說江戶儒者的「親親相隱」論，一定程度維護保全了道德情感，也避免人在政治權力體制或是法律規定前，喪失其為人之人性尊嚴。因為人們並不會期待一個藉由違背人性，乃至殘害人性而有效維持秩序的社會；人們期待的恐怕更接近伊藤仁齋所主張的，是一個認同「情」、「禮」、「義」等可以並存於倫理道德規範之中的社會，當一個社會的倫理道德規範系統可以涵融多元道德價值，而且允許這些道德價值彼此可以激盪折衝，保留其間容許人

性情感合理舒展的可能彈性空間時，不僅道德價值不會單一僵固化，而且法理可以有效維持其尊嚴，社會可以維持一定之秩序，人性尊嚴也不致於扭曲，群體、社會才能避免分裂瓦解。江戶儒者此種以「人性」、「人情」為倫理道德之最高追求價值的觀點，無疑確定了「人」才是倫理道德或是法治社會的主體。

　　本文透過考察與爬梳日韓儒者的「親親相隱」論，我們可以發現儒家「親親相隱」倫理道德，也可以視為是一種對漠視人性、濫用道德規範、國家權力以維持某種假道德、不正義制度的「道德良心」。面對僵化單一的道德教條或是國家機器所掌握的懲罰權力，「親親相隱」何嘗不是根據自己的「道德信念」而來執行「道德義務」。因此，基於某種個人道德觀，價值信仰、宗教立場等等而反對單一道德價值抉擇，或是反對某種法律設計，或許反而可以更有效地涵攝多元倫理價值，也可以更有效的連結道德與法律。畢竟社會的法治不只是在維持社會秩序，它同時也在維繫一套具有實體價值的倫理道德規範。筆者以為這也正是儒家「親親相隱」論給今日吾人之啟示。

三禮射侯形制考

吳瑞荻

廈門大學人文學院哲學系博士研究生

提要

　　周代射禮名物，射侯形制為其中一難點，兩千年爭訟不斷，懸而未決。論其整體形制，宜有規範。漢代鄭眾考射侯之制僅本於《周禮・天官》及《考工記》，由此提出「三層說」；而鄭玄則會通三禮，兼采漢時度制，主張「五層說」。其後宋、元、明經學家繪製射禮圖大多沿襲鄭玄，直至清代學者方有所創見，但對經文文本仍存誤讀。本文整理了歷代侯圖並探討各家考據之損益，基於經文與出土青銅器紋樣兩重證據，認為清代俞樾的侯圖最可能符合三禮射侯的原貌。

關鍵詞： 三禮　射侯圖　鄭玄　黃以周　俞樾

一　前言

　　射侯是射禮當中重要的器具之一。對於周代射禮的考察，射侯形制是其中的一個難點，自清代乾嘉之學大盛以來，學者關於射侯問題便爭訟不斷。相關文獻與研究材料，較早的是先秦之原典《儀禮》、《周禮》與《考工記》，較晚的是清人黃以周的《禮書通故》，時代最近的是汪中文教授的〈鄉射禮儀節研究〉、揚之水先生的《詩經名物新證》等。對于周禮射侯形制的研究，直接體現在歷代典籍的射侯圖上，而射侯圖一般都是根據《儀禮》《周禮》以及漢代鄭眾、鄭玄的注釋進行還原。然而，《儀禮》、《周禮》的經文與注文都比較簡要，這種先秦語詞的多義性與模糊性，為後世人們考察侯圖形制造成了一定的麻煩。另一個考察射侯形制的必要路徑是藉助出土文物，這也是王國維以來的二重證據法傳統。不過，就筆者收集的材料來看，目前似乎尚未出土過先秦射侯可以作為直接證據，或許由於保存不易，早已湮滅在茫茫歷史當中。不過目前出土的先秦青銅器，如上博戰國燕樂射侯銅橢杯、採桑宴樂射獵攻戰銅紋壺，輝縣戰國銅鑒等等，都保留了關於先秦射禮場景的紋飾，儘管這些圖像經過了簡化處理，仍然間接提供了射侯的圖像依據。然而，兩千年內的禮學家絕大多數未能看到這些圖像，他們對於射侯的考察，都是基於文本解讀、遺留傳統與現實操作的想象復原。因此，本文將完成以下兩項工作：一是梳理歷代學者關於射侯形制的說法，探討各家解釋經文之得失；二是通過對經文與出土青銅器圖紋的考察，推論符合現有證據的射侯形制。

一　先鄭、後鄭之分歧

　　汪中文教授在〈鄉射禮儀節研究〉說：「古籍之言侯制者，其資料見於《儀禮》〈鄉射記〉《周禮》〈春官〉〈司裘〉及《考工記》〈梓人〉。自鄭司農

以下，凡言侯制者，雖持論不一，但皆本諸三文，顧釋之何如耳。」[1]可見現存年代最早的侯制文獻資料，惟《儀禮》〈鄉射記〉《周禮》〈天官〉〈司裘〉及《考工記》〈梓人〉，三篇在後世均作為「經」而通行。《周禮》原缺〈冬官〉部分，直到西漢時河間獻王劉德才以《考工記》補入，汪文將《考工記》單獨提出而不稱《周禮》〈冬官〉，確實是謹慎的做法。三篇經文之後，就是東漢鄭眾所作《周官解詁》對侯制的討論[2]，而這些討論大部分保存在鄭玄對三禮的注釋當中。鄭玄以三禮互注，總是先引鄭眾的意見，之後才論述自己的新解。關於侯制的明確分歧，正是從先鄭、後鄭這裡開始。汪中文教授認為後世持論不一的根源，在於對〈鄉射禮〉、〈司裘〉、〈梓人〉三處經文解釋的不同。然而，略考後世相關疏解與考證，除了對經文的解釋存在差異，對先鄭、後鄭的注解也未嘗沒有分歧。因此，後世學者的爭論，其實肇端于經文，各本於先鄭、後鄭之說。

《儀禮》、《周禮》與《考工記》關於侯制的三處經文如下：

「鄉侯，上個五尋，中十尺。侯道五十弓[3]，弓二寸以為侯中。倍中以為躬，倍躬以為左右舌，下舌半上舌。」（《儀禮》〈鄉射記〉）

「王大射，則共虎侯、熊侯、豹侯，設其鵠。諸侯則共熊侯、豹侯，卿大夫則共麋侯，皆設其鵠。」（《周禮》〈天官〉〈司裘〉）

「梓人為侯，廣與崇方，參分其廣而鵠居一焉。上兩個與其身三，下兩個半之。上綱與下綱出舌尋，緇寸焉。」（《考工記》〈梓人〉）

這三處經文正是鄭玄論述射侯形制的依據，同時也是後世考證周禮射侯的依據。〈鄉射記〉中記錄鄉射禮中所用射侯的四個部分，並有註尺寸比

1 　汪中文：〈鄉射禮儀節研究〉，《台灣師大國文研究所集刊》（第26期），頁30。《司裘》職屬《周禮》〈天官〉，汪文有誤。

2 　《周官解詁》全書已散佚，清代馬國翰《玉函山房輯佚書》曾從鄭玄《周禮注》、陸德明《經典釋文》及李善《文選注》中輯出《周禮鄭司農解詁》六卷。

3 　一尋為八尺，一弓為六尺，鄭玄以為射禮以射器為量器，故以弓為單位。

例[4]，分別為：「个」「中」「躬」「舌」。〈司裘〉記錄大射禮中所用射侯，沒有詳說形制，但提到不論是虎侯、熊侯或豹侯，均有「鵠」這一部件。〈梓人〉中則有六部分，注明相對比例而沒有尺寸，分別為：「鵠」「个」「身」「綱」「舌」「緆」。對這些部件名實對應（是否存在同物異名的情況）的看法不同，所還原侯圖亦不相同。

鄭玄注〈鄉射記〉云：

> 「上个謂最上幅也，八尺曰尋，上幅用布四丈。今官布幅廣二尺二寸，旁削一寸。」又云：「躬，身也，謂中之上下幅也，用布各二丈。」又注「倍躬以為左右舌」：「謂上个也，居兩旁謂之个，左右出謂之舌。半者，半其出於躬者也，用布三丈。」[5]

其注〈司裘〉云：

> 「玄謂侯之大小，取數於侯道。……九十弓者，侯中廣丈八尺；七十弓者，侯中廣丈四尺；五十弓者，侯中廣一丈……侯中丈八尺者，鵠方六尺；侯中丈四尺者，鵠方四尺六寸大半寸；侯中一丈者，鵠方三尺三寸少半寸。」[6]

其注〈梓人〉云：

> 「崇，高也。方，猶等也。高廣等者謂侯中也。天子射禮，以九為節，侯道九十弓，弓二寸以為侯中，高廣等，則天子侯中丈八尺。諸侯於其國亦然。鵠，所射也，以皮為之，各如其侯也。居侯中三分之一，則此鵠方六尺。」又云：「上个下个皆舌也。身，躬也。」又云：

4　侯道長度，根據不同射禮與不同身份亦有所不同，可分為五十弓、七十弓、九十弓，射侯尺寸也因此各不相同，總體而言分五十弓之侯、七十弓之侯、九十弓之侯。

5　〔漢〕鄭玄注，〔唐〕賈公彥疏：《儀禮注疏》（北京市：北京大學出版社，2000年），頁280-282。

6　〔漢〕鄭玄注，〔唐〕賈公彥疏：《周禮注疏》（北京市：北京大學出版社，2000年），頁204。

「九節之侯，身三丈六尺，上个七丈二尺，下个五丈四尺。其制，身
夾中，个夾身，在上下各一幅。此侯凡用布三十六丈。言『上个與其
身三』者，明身居一分，上个倍之耳，亦為下个半上个出也。个，或
謂之舌者，取其出而左右也。……綱，所以繫侯於植者也……鄭司農
云：『綱，連侯繩也。繽，籠綱者，繽讀為竹中皮之繽。舌，維持侯
者。』」[7]

鄭玄在會通三禮的基礎上，認為〈鄉射記〉中的「躬」與〈梓人〉中的
「身」、兩部經中出現的「个」與「舌」均是同物異名，因此鄭玄所認為的
射侯有六個部分，主體是侯中、躬（身）、个（舌），另外還有鵠、綱、繽。
射侯的主體部分均由布組成，布的寬度是確定的，鄭玄以漢代官布二尺二寸
為准，而長度則可根據需要任意裁決。侯制共有五層，中間為「侯中」，侯
中上下兩幅布是「躬（身）」，最上、最下二層為「个（舌）」，這便是他在
〈梓人〉注中所說的「其制，身夾中，个夾身。」形狀與相互間的比例關
係，鄭玄認為〈梓人〉中的「廣與崇方」是指「侯中」而言，因此「侯中」
是正方形，其大小取決於侯道的長度，「弓二寸以為侯中」，每一弓（6尺）
的長度取二寸（0.2尺），即侯道與「侯中」比例為30：1，那麼以鄉侯為
例，侯道五十弓，侯中便是一丈（10尺）；根據「倍中以为躬」，「侯中」與
「躬（身）」的比例為1：2；鄭玄認為「倍躬以为左右舌」是講「上个」，那
麼「躬（身）」與「上个（舌）」的比例為1：2；鄭玄又以「下舌半上舌」為
「半其出於躬者」，因此截取「上个」超出「躬（身）」部分的一半作為「下
舌」[8]，以侯道五十弓的鄉侯为例，「躬（身）」是二丈（20尺），「上个」就
是四丈（40尺），「上舌」就是二丈（20尺），「下舌」就是一丈（10尺），「下

7　〔漢〕鄭玄注，〔唐〕賈公彥疏：《周禮注疏》（北京市：北京大學出版社，2000年），
　　頁1335-1337。

8　鄭玄认為「下舌半上舌」是「半其出於躬者」，可見最上、最下的兩幅布，通稱為「上
　　个」與「下个」，而超出「躬（身）」的部分稱為「舌」，在上則稱「上舌」，在下稱為
　　「下舌」，在左稱為「左舌」，在右稱為「右舌」。

个」就是三丈（「下舌」加「躬」之長度，30尺）。鄭玄認為這些尺寸是象征人身之數，所以說：「侯，人之形類也，上个象臂，下个象足，中人張臂八尺，張足六尺，五八四十，五六三十，以此為衰也。」又「鵠」在「侯中」正中，「參分其廣而鵠居一」，鄉侯之「鵠」為三尺三寸小半寸，即三尺三寸三；「繢」即穿綱繩的小孔，位於「个」之上下，「綱」即綱繩，「上綱與下綱出舌尋」，一尋八尺，所以「綱」比「个」長四尺，鄉侯的「上綱」就是四丈四尺（44尺），「下綱」就是三丈四尺（34尺），鄭玄認為「綱」繫於「植」上。

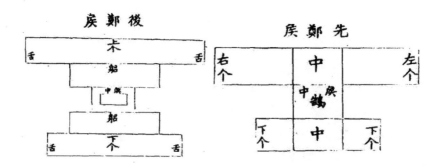

圖一：清黃以周《禮書通故》後鄭　圖二：清黃以周《禮書通故》先鄭
　　　侯圖　　　　　　　　　　　　　　侯圖

　　鄭眾對於侯制的討論，其實僅以《周禮・天官》與《考工記》為主。鄭玄注〈司裘〉引鄭眾之說：「鄭司農云：『兩个，謂布可以維持侯者也，上方兩枚，與身三，設身廣一丈，兩个各一丈，凡為三丈，下兩个半之，傅地，故短也。』」[9] 由此看來，鄭眾的射侯形制比鄭玄簡約，主體不過「个」與「身」。因為他不採用《儀禮・鄉射記》，因而不區分「侯中」與「躬」，其所謂「身」，即指「侯中」本身。鄭眾不採用〈鄉射記〉，有鄭玄的〈司裘〉

9　〔漢〕鄭玄注，〔唐〕賈公彥疏：《周禮注疏》（北京市：北京大學出版社，2000年），
　　頁204。

注可以證明。[10]鄭玄兼採〈鄉射記〉的說法，因此知道「侯中」與「鵠」之尺寸的計算方法。鄭眾說「方十尺曰侯」「四尺曰鵠」等等，以固定尺寸作為命名的標準，正是沒有參考〈鄉射記〉的緣故。所以鄭眾的侯制只有三層，即「上个」「下个」與「侯中」，二鄭之間的分歧就在於是否採用〈鄉射記〉。

二　宋人射侯圖

皮錫瑞在《經學歷史》〈經學變故時代〉中說：「三禮本是實學，非可空言，故南北學分，而三禮皆從鄭注。皇、熊說異，而皆在鄭注範圍之中。宋初三禮之學，講習亦盛。」[11]三禮屬於實學，名物考據更是實中之實者，因而受宋代疑經改經風氣之影響較小，即使處於經學變古的時代，也沒辦法在鄭玄注解之外另闢蹊徑。另一方面，宋代興起的金石學與古代器物圖譜，無疑大有功於三禮名物研究，許多文本上的禮器因此而得見形貌。

宋代建隆二三年間（961-962），聶崇義作《三禮圖集注》（或名《新定三禮圖》）認為侯制有五層。他在書中描述了「大侯」[12]形制：

> 「侯道九十弓者，用布三丈六尺。大侯上个、下个各三丈六尺，中丈八尺。侯中用布九幅，幅有丈八尺。倍中以為躬。躬，身也，上躬上接上个，下接中，下躬上接中，下接下个，皆三丈六尺。倍躬以為左

---

10 注文較長，暫附於此：「鄭司農云『鵠，鵠毛也。方十尺曰侯，四尺曰鵠，二尺曰正，四丈曰質。』玄謂侯中之大小，取數於侯道。〈鄉射記〉曰『弓二寸以為侯中』，則九十弓者侯中廣丈八尺，七十弓者侯中廣丈四尺，五十弓者侯中廣一丈，尊卑異等此數明矣。《考工記》曰：『梓人為侯，廣與崇方，參分其廣而鵠居一焉。』然則侯中丈八尺者，鵠方六尺；侯中丈四尺者，鵠方四尺六寸大半寸；侯中一丈者，鵠方三尺三寸少半寸。」

11 〔清〕皮錫瑞：《經學歷史》（臺北市：藝文印書館，1974年），頁279。

12 《周禮》〈天官〉〈司裘〉云：「惟畿外諸侯大射，亦張三侯：一曰大侯，二曰糝侯，三曰豻侯。」鄭注云：「糝，雜也，豹鵠而麋飾。」根據聶氏之意，以王畿外諸侯大射禮時所用射侯為例，大侯為九十弓之侯，糝侯為七十弓之侯，豻侯為五十弓之侯。

右舌。此謂最上幅。通數七丈二尺者也。左右舌，即上兩个也。在躬兩傍謂
之个，左右出謂之舌。躬外兩廂各出丈八尺。下舌半上舌。左右各出九尺，
上舌則半者于躬下舌。上下舌共五丈四尺五寸三。總共用布三十六丈也。」[13]

聶氏其實只是沿襲唐代賈公彥的做法，利用鄭玄侯制計算出「大侯」尺
寸而已。《三禮圖集注》雖然不是最早的禮圖之書，但它對宋代以前之禮圖
加以搜羅考訂，集當時禮圖之大成，同時也是目前留存於世的時代最早的禮
圖之書。然而，此書侯圖的側重點不在於考證形制，因而並未嚴格遵照射侯
長短大小之比例作圖，只是辨別天子、諸侯、卿大夫等不同爵位在大射、燕
射、賓射等不同禮儀場合所用射侯圖紋的差異。

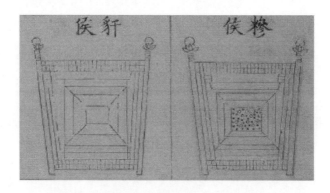

圖三：聶氏《三禮圖集注》射侯圖

宋英宗時期的禮學家陳祥道曾作《禮書》，也考辨了射侯形制並畫出侯
圖。皮錫瑞評價《禮書》云：「陳祥道之《禮書》一百五十卷，貫通群經，
晁公武、陳振孫服其精博。竊謂祥道之書，博則有之，精則未也。」[14]皮氏
的評價有一定道理。但就侯圖而言，陳氏其實已精於聶氏。陳氏畫虎侯之
圖，仍然是根據鄭玄〈梓人〉之注而分為五層，不過他另外標注出侯中、
躬、舌、鵠等部分的用布尺寸，這是陳氏侯圖相較於前者的創新之處。虎侯

---

13 〔宋〕聶崇義：《新定三禮圖》（〔清〕納蘭性德《通志堂叢書》刻本），卷6至卷7。

14 〔清〕皮錫瑞：《經學歷史》（臺北市：藝文印書館，1974年），頁279。

是天子大射禮時所用的九十弓之侯，陳氏在侯圖中說：「幅丈八尺，中九幅。」〈鄉射記〉、〈司裘〉、〈梓人〉三處經文均不及「幅」，惟獨鄭玄解釋五十弓之侯的侯中大小時說：「方者也，用布五丈，今官布幅廣二尺二寸，旁削一寸。」[15]唐代賈公彥《儀禮疏》解釋鄭注「道九十弓之侯用布三十六丈」云：「侯中用布九幅，幅別丈八尺，中用布十六丈二尺。」[16]可見陳氏侯圖直接依據鄭玄、賈公彥之說而作。漢時官布寬二尺二寸（2.2尺），長度不限，九十弓之侯須用布十六丈二尺，分為九幅，每幅長度一丈八尺（18尺），還要「旁削一寸」，即兩旁各削去一寸，實際寬度取二尺，如此拼接九幅布以後，寬度剛好也是一丈八尺，符合經文對侯中的描述（「廣與崇方」）。圖中的「左綱出舌尋」，疑「左」字是「上」字之誤。

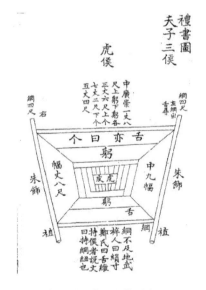 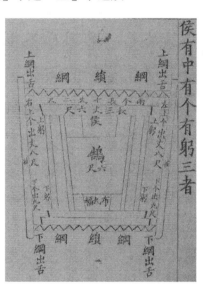

圖四：陳祥道《禮書》射侯圖　圖五：林希逸《鬳齋考工記解》射侯圖

---

15 〔宋〕陳祥道：《禮書》，收入《景印文淵閣四庫全書》（臺北市：台灣商務印書館，1986年），第130冊，頁646。

16 〔漢〕鄭玄注，〔唐〕賈公彥疏：《儀禮注疏》（北京市：北京大學出版社，2000年），頁282。

　　與陳氏侯圖類似者，還有南宋理學家林希逸的《鬳齋考工記解》。林氏侯圖旁注「侯有中、有个、有躬三者」[17]，標出「个」「躬」長度等，又明確分「侯中」為九條布，注出「布九幅」，可以說與鄭玄、賈公彥、陳祥道一脈相承。此圖補入「緎」制，匡正陳氏侯圖上下綱未「出舌尋」的失誤，但在長短大小比例上仍不是很嚴謹。

　　宋人還有另一種侯圖，側重標明射侯在禮儀場所中的方位，因而作圖極為精簡。朱熹門下高弟楊復《儀禮圖》一書中的射侯，正是此種侯圖之代表。楊氏遵照鄭玄注文畫出射侯大體外形，相較於前述幾種侯圖，雖然更加精簡，但比例也更加精確，射侯各個部分之小大長短一目了然，明清侯圖多沿用此法。

圖六：楊復《儀禮圖》射侯圖

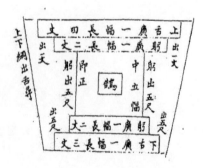

圖七：劉績《三禮圖》射侯圖

17　〔宋〕林希逸：《鬳齋考工記解》（〔清〕納蘭性德《通志堂叢書》刻本），下冊，頁32下。

宋人以圖證經、證注,從秦漢至隋唐的繁瑣文獻中抽取出直觀的圖像,這種方法值得稱道。趙宋以後,經元、明二代,學者大多因循舊說舊圖,比如明代劉績《三禮圖》的侯圖就承襲了楊復《儀禮圖》,只是補畫出了「上下綱出舌尋」。[18] 至於程明哲《考工記纂注》之流,《四庫提要》也批評其「名為纂注,實儘剿襲林希逸《考工記圖解》之文,其誤亦沿林本」,林兆珂《考工記述注》等相繼沿用,更是無所發明。

三 清人之新論

清代考據學興盛,對於文字訓詁、名物制度等無不深究。乾嘉巨子戴震的《考工記圖》嚴格依照鄭玄注文,結合宋人兩類侯圖,所繪製出的射侯最為精詳。戴震以後的學者,逐漸由注返經,討論經注異同,反而能提出新說。徐養原《頑石廬經說》詳考經文,首次懷疑鄭玄注文。其後,禮學名家黃以周直陳先後鄭之失,提倡回歸本經,重新繪製「鄉侯圖」。而俞樾則另闢蹊徑,認為鄭玄有未得經義處,於是根據己意改舊為新。以上諸家考證各有得失,茲述於下。

戴震以九十弓之侯為例,綜合了林希逸、楊復、劉績等人的侯圖特點,但比前人更加精審。戴氏侯圖在「侯中」處標注說:「用布九幅,幅廣二尺二寸,兩畔各削一寸為縫。」[19] 因此,他以二尺寬的布條為基本間距進行繪圖,「侯中」用九幅一丈八尺(18尺)的布條縫製而成,「身(躬)」「个(舌)」均用一幅,「身」長三丈六尺(36尺),「个」長七丈二尺(72尺),「上个(上舌)」左右各比「身」長一丈八尺(18尺)。另外,根據〈鄉射記〉所謂「乃張侯,下綱不及地武」,鄭玄注云「武,跡也,中人之跡尺二

---

18 〔明〕劉績:《三禮圖》,收入《景印文淵閣四庫全書》(臺北市:台灣商務印書館,1986年),第129冊,頁420。

19 〔清〕戴震:《考工記圖》,收入《續修四庫全書》(上海市:上海古籍出版社,1995年),第85冊,頁101。

寸」²⁰，因此戴氏圖於右下方標注「下綱不及地尺二寸」，又將上下「縜」、上下「个」、兩「身」「侯中」以及「下綱」的高度相加，算得上綱「高二丈七尺四寸（27.4尺）」。至於〈梓人〉所說的「上綱與下綱出舌尋」，前代惟有陳祥道論及，但是陳氏認為「綱」之左右各比「舌」長四尺，合為一尋（8尺），而戴氏則認為「綱」之左右各比舌長一尋，二尋為一丈六尺（16尺），上个為七丈二尺（72尺），所以算得上綱長為八丈八尺（88尺），這也是兩「植」上端的距離，所以戴氏在「上綱」處注「兩植相去八丈八尺」。「下綱」長七丈，所以「下綱」處注曰「兩植相去七丈」。

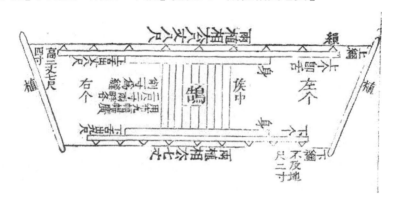

圖八：戴震《考工記圖》射侯圖

戴震以後，關於侯制的爭論已經不在於宋人侯圖，而直接上溯到二鄭解釋經文的差異。徐養原《頑石廬經說》云：

> 「〈鄉射記〉『鄉侯，上个五尋，中十尺』，鄭注引《考工記》『廣與崇方』釋之，以『中』為侯中，不知侯中至下節始見，此句不得豫說侯中也。此『中』即下文所謂『躬』，《考工記》所謂『身』也。中十尺，與侯中之廣相值，侯之上下各有躬，并兩躬得二十尺，故曰倍中以為躬。上兩个各二十尺，併上下躬二十尺，凡得二丈者三，故曰

20　〔漢〕鄭玄注，〔唐〕賈公彥疏：《儀禮注疏》（北京市：北京大學出版社，2000年），頁203。

『上兩个與其身三』。故中止據一嵩，躬則合上下而得名。躬與舌通為一幅，更無識別，但以直侯中為躬，出於侯中者為舌。」[21]

徐氏指出鄭玄有兩處錯誤，一是將「中」與「侯中」混為一談，二是將「躬」與「个」分別作兩層看。按照徐氏的意思，侯制只有「上个」「下个」與「侯中」三層，鄭玄之所以分為五層，是因為誤將〈鄉射記〉的「中十尺」當作「侯中」，其實應為「中間」之義，即「上个」與「侯中」等長的部分，超出侯中的部分則稱為「舌（个）」。所謂「倍中以為躬」，「躬」其實是上下「个」之「中」的通稱，不是說「侯中」上下另外各有一層「躬（身）」。徐氏明確認為將「躬（身）」作為劃分「兩个」（或左右舌）的中間部分，而鄭玄之「个」則指整幅布而言，未能區分出「兩个」，明顯是徐氏更符合〈梓人〉之經文（「上兩个與其身三」）。

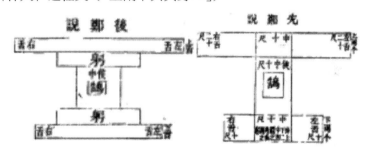

圖九：徐養原《頑石廬經說》射侯後鄭說與先鄭說

黃以周《禮書通故》第二十五〈射禮通故〉云：「疏申後鄭，侯之上下分五層，徐申先鄭，上下三層，躬中不分。」[22]千年來首論先后鄭之分歧，於是依據鄭玄注文、賈公彥《儀禮疏》作後鄭侯圖，依據鄭眾注文、徐養原

---

21 〔清〕徐養原：《頑石廬經說》，收入《清經解續編》（上海市：上海書店出版社，2013年），第2冊，頁1260。

22 〔清〕黃以周：〈射禮通故〉，《禮書通故》，收入《續修四庫全書》（上海市：上海古籍出版社，1995年），第111冊，頁601。

《頑石廬經說》作先鄭侯圖[23]（請見首節圖一、圖二）。

　　黃氏在〈射禮通故〉中考辨了鄭眾、鄭玄之說，並糾正了徐養原的部分看法，最後繪製成「新定鄉侯」一圖（請見圖十）。他說：

> 「竊謂躬、中宜分，而侯實衹上下個及躬三層，中屬個，侯中屬躬。〈鄉射記〉曰：『鄉侯上個五尋，中十尺。』中謂上幅兩個之中，徐氏說是。侯中下文別記之，後鄭以侯中釋中，斯其失也。〈記〉又曰：『倍中以為躬。』是躬與中明為兩物，先鄭不分，斯其失也。中十尺，倍中以為躬，躬二十尺，又于其中十尺以為侯中。十尺之中，兩個之中也。侯中者，全侯之中也，侯中定而正、鵠可得而施焉。正、鵠取數于侯中，侯中取數于躬，其上兩個之長亦取數于躬。故〈梓人〉曰：『上兩個與身三。』侯中相次也。舌有左右，個有上下，明著于經。躬一而已，不別左右，更無上下之文。先後鄭說侯有上下二躬[24]，皆與經違。」[25]

　　黃氏認為：先鄭之失在於沒有辨別經文中的「躬」與「中」，後鄭之失在於沒有辨別經文中的「中」與「侯中」；徐氏雖然辨別了「中」與「侯中」，但卻錯誤地認為「躬」與「中」是同物異名。如此就顯示了對〈鄉射記〉經文「倍中以為躬」的不同理解，究竟孰是，尚待討論。按照黃氏之意，射侯應該只有三層，但分「个（舌）」「躬（身）」「中」「侯中」四者。鄉侯是侯道五十弓之侯，上層「兩个」長四丈，「中」長一丈，合五丈（50尺）；「躬」在中層，長二丈，取中間與上下層之「中」等長的部分作為「侯

---

23 〔清〕黃以周：〈名物圖〉，《禮書通故》，收入《續修四庫全書》（上海市：上海古籍出版社，1995年），第112冊，頁621。

24 鄭眾注無上下二躬之意，黃以周在〈名物圖〉中說：「先後鄭異義，攷舌有左右，个有上下，明著於經，躬一而已，不別左右，更無上下之文，宜依先鄭說定之。」此處卻說「先鄭與經違」，似是黃氏筆誤。

25 〔清〕黃以周：〈射禮通故〉，《禮書通故》，收入《續修四庫全書》（上海市：上海古籍出版社，1995年），第111冊，頁601至602。

中」，長一丈，所以「侯中」與「躬」通為一幅；下層「兩个」長二丈，「中」一丈，合三丈。

《禮書通故》考論翔實，後世學者大多信服，因此汪中文先生〈鄉射禮儀節研究〉採信黃氏的結論，錢玄先生編《三禮辭典》也採用了黃氏侯圖。其實黃氏認為徐養原申先鄭之說，恐怕是誤解了鄭眾，他所繪製的先鄭侯圖，其實是徐氏侯圖；所繪製的後鄭侯圖，也有不合鄭玄注文之處；他依據經文所畫的「新定鄉侯圖」，也未必都符合經文本義。這些問題將在第四節中討論。

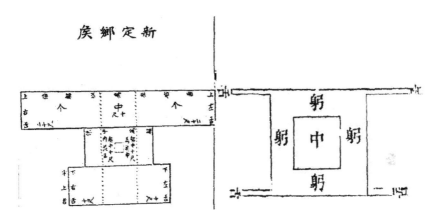

圖十：《禮書通故》新定侯圖　　圖十一：俞樾《群經平議》射侯圖

關於「躬」與「中」的問題，俞樾與黃以周一樣，認為「躬」「中」非一物；關於「中」與「侯中」的問題，他仍讚同鄭玄，以兩者為一物。不過，俞氏對「倍中以為躬」的理解鄭玄不同，因而反對「五層說」與「三層說」。他在《群經平議》中論道：

「侯以中為主，故〈記〉文先言中，後言躬，其實有躬而後有中也。中者，躬之中也。中方十尺，則其躬方二十尺，所謂『倍中以為躬』也。於是其上有左右舌，舌出於躬，各十尺，并其屬於躬者而計之，則四十尺，所謂『倍躬以為左右舌也』。其下亦有左右舌，舌出於躬

各五尺，所謂『下舌半上舌』也。鄭君未得『倍中為躬』之義，故所說侯制非是。若依鄭說，幅廣二尺二寸，兩畔各削一寸為縫，則每幅止二尺，而其長至二丈，無乃大狹而長乎？中方十尺，而其身狹長如此，不相稱矣。且如此則躬之廣出中外者，即可以為左右舌，何必更倍躬以為舌乎？今訂定侯制，為圖明之如左。」[26]

俞氏質疑鄭玄「五層說」，有三方面的依據：第一，經文不說「躬」有上下左右，黃以周也注意到了這一點；第二，依照鄭玄的說法，射侯的總體形貌「大狹而長」，非常奇怪；第三，從現實功用上講，若「躬」單獨為一層，就足以替代「个（舌）」的功能了，上下再加一層「个（舌）」，未免有疊床架屋的嫌疑。所以，他認為「中」應是侯之正中，亦即「侯中」，「躬」也應該是正方形，在平面視圖中呈現為環繞「侯中」四周，「舌（个）」在「躬」之左右，下兩「舌」長度為上兩「舌」的一半。以侯道五十弓的鄉侯為例，那麼「侯中」是一丈見方，「躬」是二丈見方，上兩「舌」各一丈，下兩「舌」各五尺；「躬」的邊長是「中」的兩倍（「倍中以為躬」），「左右舌」的合長是「躬」的兩倍（「倍躬以為左右舌」「上兩个與其身三」）。俞氏侯圖如人的身體與四肢，這樣的說法在經文上解釋得通，唯一的問題是徐養原所提出的「中」與「侯中」異名異物的質疑。我們將在下節中反駁徐養原的說法，證明俞氏侯圖並不違背經文。

四　《禮書通故》侯圖考辨

前文已經提到，對三禮射侯形制的考證主要根據《儀禮》、《周禮》與《考工記》三處經文，鄭眾的注解還較為簡潔，等到鄭玄以三禮互注，兼用漢代度量衡，後世學者又在鄭注的基礎上討論，於是治絲益棼，令人難以理解。宋人雖能以圖證經，仍是沿襲舊說，無所創獲。清人注意到鄭玄未必正

---

26 〔清〕俞樾：《群經平議》，收入《續修四庫全書》（上海市：上海古籍出版社，1995年），第178冊，頁253。

確，於是返經考注，原本可以趁機澄清許多問題。然而孔穎達在《禮記正
義》說「禮是鄭學」，已經奠定了鄭玄禮學宗主的地位，清人浸潤日久，即
使有所創獲，也不能不兼顧鄭玄意見。黃以周考先鄭、後鄭侯圖，本於經
文，詳辨得失，自成一家之說，實屬不易。俞樾沒有寫出詳細的考證，而只
是從「倍中以為躬」這一句經文的不同理解出發，就能另成一圖。汪中文先
生認為俞氏侯圖出於臆揣，不夠精審，因而沒有更多討論。其實俞氏侯圖頗
有可觀之處。在這一節里，我們將討論《禮書通故》侯圖的創見與錯誤，旨
在澄清對經文的理解。

　　先看黃氏的「先鄭侯圖」（見圖二）。前已論及，鄭眾侯制依據〈梓人〉
而沒有採用〈鄉射記〉。〈梓人〉經文之內並沒有提到「中」，對鄭眾而言不
存在「躬」「中」之別的問題。鄭眾注〈梓人〉經文云：「兩个，謂布可以維
持侯者也。上方兩枚，與身三，設身廣一丈，兩个各一丈，凡為三丈，下兩
个半之，傅地，故短。」賈公彥《周禮疏》云：「先鄭意，身即與中為一，
謂方丈者，其上又加布一幅，長三丈，為兩个。後鄭不從者，侯有中，有
躬，有个三者。」[27]鄭眾對「身」的理解，賈疏解釋得很清楚，就是「與中
為一」「謂方丈者」。鄭眾又認為「兩个」是可以維持射侯主體的布，「下兩
个」的長度是「上兩个」的一半。因此，先鄭侯圖只有「侯中（身）」與
「个」，「个」分上下左右，與「侯中」相接。黃以周說「先鄭之失，在於不
辨經之『躬』與『中』」，所繪製的先鄭侯圖上下都有「中」，均是默認鄭眾
採納〈鄉射記〉的經文，這是有問題的。最接近先鄭本意的侯圖，應該是汪
中文教授在〈儀禮鄉射禮儀節研究〉中所引用的日本川合氏的先鄭侯圖[28]
（見圖十二），這一侯圖在外形上雖然也可分為三層，但並不是黃氏所認為
「三層說」。

27　〔漢〕鄭玄注，〔唐〕賈公彥疏：《周禮注疏》（北京市：北京大學出版社，2000年），
　　頁1137。

28　汪中文：〈鄉射禮儀節研究〉，《台灣師大國文研究所集刊》（第26期），頁34。汪中文教
　　授認為「川合氏圖與俞圖頗類，疑彼襲俞圖而來」，其實並非如此。俞氏圖「躬」為二
　　丈，川合氏圖謂「身廣一丈」，是川合氏不襲俞氏的明證。

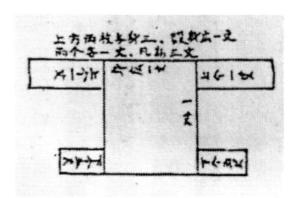

圖十二：川合氏先鄭侯圖

後鄭侯圖，宋代楊復的《儀禮圖》已經具備大體，到清代戴震《考工記圖》更是詳盡。黃以周「後鄭侯圖」（見圖一）並沒有創新，反而有不符合鄭注的地方，比如「侯中」非正方，「个」「躬」均與侯中等高，違背鄭玄所說的「幅長二尺二寸」「在上下各一幅」，其實遠不如楊氏、戴氏和徐氏圖來得嚴謹。

至於黃氏的「新定鄉侯圖」（見圖十），主要有兩處創新：一是指明經文沒有說明「躬（身）」在上下還是左右，他認為「躬」為中層，「侯中」是「躬」的中間部分，這樣理解「倍中以為躬」也講得通；二是不採用鄭玄「上下个」廣一幅的說法，其圖三層寬度均相近，經文只說「个」的長度而不提寬度，因而只能闕疑。不過黃氏在〈名物圖〉中談論鄉侯時，引用了鄭玄「侯中」用布五丈的說法，鄭玄計算「侯中」用布是基於二尺二寸寬的漢代官布，用不同寬度的布匹拼縫，用布長度也不相同（在此是將長五丈的布匹分為五段，每段寬度二尺二寸，兩旁削去一寸後才能拼成正方形），黃氏這裡似乎就自相矛盾了。因此，第一處創新發明經義，是深思熟慮的結果；第二處創新捨棄前人墨守的鄭注，很可能是無心為之。相比之下，俞樾明顯也意識到第一點，但採取與黃氏不同的理解，認為「躬」與「侯中」均為正方形，這是經文所沒有明確提及的。

黃氏「新定鄉侯圖」也有偏頗之處，比如認同徐養原以「中」與「侯

中」為兩物的說法。〈鄉射記〉說：「鄉侯，上个五尋，中十尺。侯道五十弓，弓二寸以為侯中。倍中以為躬，倍躬以為左右舌，下舌半上舌。」徐氏認為：「『侯中』至下節始見，此句不得豫說『侯中』也。」[29]黃氏云：「『中』謂上幅兩個之中，徐氏說是。『侯中』下文別記之，後鄭以『侯中』釋『中』，斯其失也。」[30]這樣的區分太過勉強。第一，經文「中」之前已經明說「鄉侯」二字，意即鄉侯之上个五尋，鄉侯之中十尺，自然不需要再強調「中」是鄉侯之「中」；經文「侯道五十弓，弓二寸以為侯中」，則是就侯道言，因此需要強調「中」是「侯中」，完全可以給徐氏的質疑提供一個合理的解釋。第二，如果「中」與「侯中」是兩物，在經文的語序上會造成一種情況，即上文說「中十尺」，下文說「倍中以為躬」，中間卻插入與「中」不相關「侯中」的描述，殊為異常。第三，「侯中」取數於侯道，而「躬（身）」「个（舌）」等取數於「中」，如果「中」與「侯中」是兩物，那麼經文只說了侯道五十弓的鄉侯「中十尺」，侯道七十弓、九十弓射侯之「中」長度就不可推知，更不可能推出它們的整體尺寸。第四，黃氏為了解決上一條問題，提出「侯中取數于躬」，這已經直接與經文相違背了。由此可知，汪中文先生〈鄉射禮儀節研究〉與錢玄先生《三禮辭典》採信黃氏侯圖實在不妥。

事實上，如果把經文描述射侯特點分別單列來看，徐氏與黃氏侯圖似乎都能符合經文，一旦放回原來的文本中，就會發現難以讀通。因此，我們在下節仍須對經文做一番梳理。

五 二重證據與射侯的可能形制

自王國維提出「二重證據法」以後，「地下之新材料」日漸被人們所關

---

29 〔清〕徐養原：《頑石廬經說》，收入《清經解續編》（上海市：上海书店出版社，2013年），第2冊，頁1260。

30 〔清〕黃以周：〈射禮通故〉，《禮書通故》，收入《續修四庫全書》（上海市：上海古籍出版社，1995年），第111冊，頁601。

注，有時候甚至能夠作為決定性證據。燕樂漁獵攻戰銅紋是春秋戰國之交最常見的青銅器紋樣，為我們提供了三禮射侯的第一手圖像。然而，這些青銅器紋樣均屬於藝術化形象，其可信度並不能與實物等值，因而重視「地下之新材料」之同時，仍不能忽視對「紙上之材料」的理解。經學家們考據的功績，正是在於探索了經文文本各種理解的可能性。

前四節中我們已經梳理了各家觀點：鄭眾據〈梓人〉得出「三層說」，先鄭「三層說」忽略了「躬」與「侯中」的關係，已經可以排除；鄭玄據〈鄉射記〉和〈梓人〉得出「五層說」，後鄭「五層說」與經文較為符合；徐養原與黃以周辨別先鄭、後鄭侯圖，但不能合理解釋經文的邏輯與相關問題，多有混亂矛盾之處，也不能使人信服；俞樾的考辨並不詳細，甚至有臆測的成分，其侯圖卻也符合經文。造成後鄭侯圖（見圖一）與俞氏侯圖（見圖十一）形制不同，卻同時符合經文意思的原因，徐氏與黃氏已經點破，即經文不說「躬」在上下還是左右，形狀是正方還是長方，因此對經文「倍中以為躬」理解的不同，就能衍生出不同侯圖。其實，我們可以試著考察經文的邏輯解決這一問題。

直接涉及射侯形制的經文是〈鄉射記〉與〈梓人〉。

〈梓人〉云：「梓人為侯，廣與崇方，參分其廣而鵠居一焉。」可知「鵠」的大小取決於「廣與崇方」者，但經文未明說「廣與崇方」者是什麼，從〈鄉射記〉來看有兩種可能的理解，一是指「侯中」，二是指「躬」。下文提到「上兩个與其身三，下兩个半之，上綱與下綱出舌尋」，〈鄉射記〉說「倍躬以為左右舌，下舌半上舌」，鄭玄推斷「躬」與「身」為一物應該沒問題。既然〈梓人〉只說了「躬」而未說「侯中」，「廣與崇方」者也應是指「躬（身）」才能解釋得通，這與賈公彥的判斷相合。如此，梓人製侯程序就很清楚了：(1)「身」→鵠；(2)「身」→上个→下个。

〈鄉射記〉云：「侯道五十弓，弓二寸以為侯中。倍中以為躬，倍躬以為左右舌，下舌半上舌。」製侯流程也很清楚：確定侯道長度→製「侯中」→製「躬」→製「上舌」→製「下舌」。結合兩處經文信息，我們可以梳理出一個完整的製侯流程，每一部分的尺寸都是取决于前一部分：

　　我們理清了經文的邏輯順序，就能避免清人考據所陷入的混亂，同時也推知了「躬」的形制信息，很可能真像俞氏侯圖所示。這是在文本上的證據。

　　第二重證據青銅器上的嵌錯刻紋。出現射侯圖樣的青銅器有故宮博物院的戰國燕樂漁獵攻戰銅紋壺（圖十三）、成都百花潭中學十號墓出土的戰國採桑燕飲樂舞射獵攻戰銅紋壺（圖十四）、上博藏採桑燕樂射獵攻戰銅紋壺（圖十五）等等。除了上博銅橢桮圖案以外，其餘射侯「上个」與「下个」的長度基本相同，說明青銅器紋樣並沒有體現嚴格的比例關係，不過仍能提供射侯的外形信息。從四種青銅器的射侯紋樣來看，三禮射侯應不是鄭玄所認為的「五層說」，倒是鄭眾侯圖、黃氏「新定鄉侯圖」與俞氏侯圖與之類似。鄭眾侯圖、黃氏侯圖在上文中已被排除，僅剩俞氏侯圖最接近射侯紋樣。

圖十三：故宮博物館藏採桑燕樂射獵攻戰銅紋壺圖案（局部）

圖十四：成都百花潭中學十號墓採桑燕飲樂舞射獵攻戰銅紋壺圖案（局部）

圖十五：上博藏採桑燕樂射獵攻戰銅紋壺圖案（局部）[31]

圖十六：上博藏戰國燕樂射侯銅楕桮圖案（局部）[32]

　　由此可見，俞氏侯圖同時滿足了對經文的合理解釋以及與出土青銅器紋樣的大體契合，最可能接近三禮的射侯形制。不過，俞氏侯圖並未畫出「鵠」「綱」「縜」「植」等射侯部件，我們還需基於上述的考證來將它補全。如上文流程圖所示，以鄉侯為例，確定了鄉侯侯道是五十弓（300尺），根據「弓二寸」（30:1）的比例，就能確定「侯中」為一丈（10尺）；「躬」是「廣與崇方」，「倍中以為躬」，那麼「躬」的邊長就是二丈（20尺）。「躬」尺寸定下來，就可以同時確定「鵠」的尺寸與「上个（舌）」的長度。「倍躬以為左右舌」、「上兩个與其身三」，所以「个」的長度是四丈，分左右「舌」，各二丈（20尺）；「下舌」是「上舌」的一半，長為二丈，左右各一丈（10尺）。「參分其廣而鵠居一焉」，則「鵠」邊長為「躬」之三分一，為六尺六寸（6.6尺）。如此，我們可以根據經文推測一種符合現有證據的鄉侯草圖（見圖十七）。

31　圖十三至十五參見徐淵：〈射禮禮典與嵌錯刻紋銅器圖案辨誤〉，《歷史文獻研究》2019年第1期，頁27-35。

32　圖十六參見馬承源：《中國青銅器研究》（上海市：上海古籍出版社，2002年），頁436。

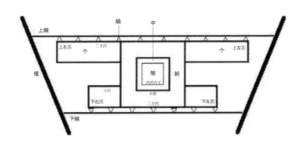

圖十七：鄉侯圖示

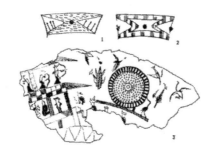

圖十八：亞腰形及圓形射侯圖案

　　此外，還有其他一些出土銅器記錄了不同的射侯紋樣，譬如揚之水先生在《詩經名物新證》一書中所提到的上博藏銅桮、河南陝縣銅盤、山東長島王溝銅鑒等器物上的亞腰形射侯，以及故宮博物館藏刻紋銅器上的圓形射侯（參見圖十八）[33]，在此應加以說明。亞腰形射侯有三種可能性，仍待進一步考證：一，此為三禮射侯的真實樣貌，經文只是對其整體外形與大小的粗略描述；二，此為射侯拉伸開時的效果，故呈亞腰形而非工字形；三，此屬另外的射侯形製。圓形射侯，則明顯不符合經文的描述。因此，經文所指向的只是禮儀場合的特定射侯樣式，或是三禮的撰著群體所共同認可的標準，我們可以確定它在戰國時期確實存在，但並非當時的唯一形製。

---

33 揚之水：《詩經名物新證》（北京市：北京古籍出版社，2000年），頁231-232。

六 餘論

　　射禮原本就屬於士以上階層的活動，並非庶人所常習的禮儀，南宋時朱熹撰寫《朱子家禮》便不涉及射禮。《家禮》於元、明、清三代盛行，民間對射禮的關注不如其他禮儀，明代鄒守益曾作《喻俗禮要》一書寄給王守仁，王守仁回信說：「至於射禮，似宜別為一書，以教學者，而非所以求諭於俗。今以附於其間，卻恐民間以非所常行，視為不切，又見其說之難曉，遂並其冠、婚、喪、祭之易曉者而棄之也。《文公家禮》所以不及於射，或亦此意也歟？幸更裁之！」[34]可見射禮問題便僅限於學者考經注經的著作當中，即使有想要恢復古禮的士人，也擔心不能實行於民間。

　　射侯形制作為射禮的名物問題，更是冷門中之冷門。因此，本文考證有助於博物學上的知識了解，但未必能夠產生更多的現實意義。不過，對於射侯形制這一小問題的考證並非沒有意義，一方面，它反映了歷代經學家如何在沒有出土文獻證據的條件下，通過經典文獻、生活經驗與想象力還原時隔上千年的名物形制，另一方面，也能讓我們看到中國注疏考據之學的特點與缺點。以徐養原與黃以周為例：首先，他們雖然可以區分鄭眾、鄭玄的不同意見，卻未能看到不同意見產生的原因，即錯誤地認為鄭眾採用了〈鄉射記〉的材料，因此沒辦法真正還原先鄭侯圖，這說明考據中不僅會有將後世材料混入原始材料的錯誤，同時也存在將原始材料混入後世意見的情況；其次，當徐氏與黃氏對經文的某一句、某一詞的研究越是精細，越是追求創新性的理解時，就越有忽視上下文間邏輯聯繫的危險。這些是我們今天在解讀傳世典籍時都應注意到的問題。

---

34 王守仁：〈寄鄒謙之・二〉，《王陽明全集・書信》（武漢市：華中科技大學出版社，2015年），頁199-200。

清朝前期經解中的陳澔《禮記集說》
—— 以《四庫全書總目》著錄書籍為範圍的探究

楊晉龍[*]

中研院中國文哲研究所研究員、臺北大學中國文學系合聘教授

提要

本文從「回到歷史現場」出發,旨在探索陳澔《禮記集說》在清朝前期,擴散而融入其他專著的實情,用以了解陳澔《集說》受關注的情況及其學術的地位。考得「經部」漢文專著有七百一十四部,徵引陳澔《集說》者六十三部,「《禮》類」佔三十四部。有意識徵引者二十部,表現了對陳澔《集說》的重視;隨心徵引者四十三部,呈現陳澔《集說》影響的深刻。非「《禮》類」的徵引,呈現陳澔《集說》擴散溢出的實際;學者的批判提醒,降低讀者出現訛誤的機率,可能因此反而強化陳澔《集說》的地位,使其屹立學宮幾百年。研究所得結果,對清初經學、陳澔學術等的了解,有莫大的幫助,對於經學、官學的研究者,具備提供有效資訊的功能。此即本文研究價值之所在。

關鍵詞:陳澔 四庫全書總目 禮記集說 清朝前期

---

* 本文為科技部專題研究計畫「清代《禮記》學視域下的陳澔《禮記集說》研究」(MOST 107-2410-H-001-087-)的研究成果,本文寫作渥蒙科技部經費與人力的協助,謹此申謝。

一　前言

　　直到二十一世紀的今天，依然不時的聽到有人自稱中國為「禮義之邦」，此種自我的認知當然不是憑空而起，實際上根據可見的文獻資料，即使不相信周公（西元前？-1032）制禮作樂，但周康王十二年（西元前996）寫成的〈畢命〉內，就徵引有前人之言曰「世祿之家，鮮克由禮，以蕩陵德，實悖天道。」（《尚書》〈畢命〉）[1]以為世祿之家不守禮，很明顯是有悖於天道，意思很明白，就是將不守禮視為違反「天道」的重大事件，且會因此而導致家國淪亡，可知中國人至少在西元前十世紀以前，就非常的重視「禮」。另外像《詩經》就有「人而無禮，胡不遄死」（〈鄘風〉〈相鼠〉）的謾罵之言。管子（西元前719-645）則有「國有四維……四維絕則滅……何謂四維？一曰禮、二曰義、三曰廉、四曰恥」之論。[2]陳鍼子（西元前715前後）論婚姻也有「非禮也，何以能育」（《左傳》〈隱公8年〉）之疑。內史過（西元前650前後）認為「禮，國之幹也……禮不行，則上下昏，何以長世？」（《左傳》〈僖公十一年〉）鄭子皮（西元前？-529）也說「禮，國之幹也」（《左傳》〈襄公30年〉）孟獻子（約西元前624-554）則認為「禮，身之幹也。」（《左傳》〈成公13年〉）孟僖子（西元前？-518）也認為「禮，人之幹也；無禮，無以立。」（《左傳》〈昭公12年〉）晏子（西元前578-500）說得更徹底，甚至帶著歧視性的眼光而認為「庶人無禮是禽獸也。」[3]孔子（西元前551-479）認為「名以出信，信以守器，器以藏禮，禮以行義，義以生利，利以平民，政之大節也。」（《左傳》〈成公2年〉）所以有「上好禮，則民莫敢不敬。」（《論語》〈子路〉）以及「上好禮，則民易使也」（《論語》〈憲

1　《十三經》為一般研究傳統中國學術者的常用文本資料，出處容易查詢，本文因此不繁列出處，以省篇幅。本文使用的《十三經》文本，透過陳郁夫設計提供給臺灣師範大學圖書館的《〔寒泉〕古典文獻全文檢索資料庫》搜尋而得，不敢掠美，謹此申謝。

2　〔唐〕房玄齡注：《管子》〈牧民〉（文淵閣《四庫全書》），卷1，頁2。「文淵閣《四庫全書》」以下簡稱「《四庫》本」。

3　題〔齊〕晏嬰：《晏子春秋》〈諫下第二〉（《四庫》本），卷2，頁18。

問〉）的主張，同也認為個人若「不知禮，無以立也。」（《論語》〈堯曰〉）叔向（西元前528前後）也說「禮，政之輿也。」（《左傳》〈襄公21年〉）以為禮是撐起政治的載臺。這應該就是子貢（西元前520-456）會說「禮，死生存亡之體也」（《左傳》〈定公十五年〉）的緣故。「禮」顯然和人的生存、發展與國家的存亡息息相關，叔孫昭子（西元前？-517）對此有相當的認識，因此除徵引子產（西元前？-522）「禮，天之經也，地之義也，民之行也」之言說明之外，同時還更進一步說明「禮，上下之紀、天地之經緯也，民之所以生也」的內涵，最終的結論則是「無禮，必亡」（《左傳》〈昭公25年〉）。此外，像荀子（約西元前316-237）有〈禮論〉，司馬遷（約西元前145-86）《史記》因此加以參考而有〈禮書〉。從這些明顯的文獻例證，當可相信傳統中國社會，無論貴族或庶民，至少在西元前十世紀之前，就已經非常重視「禮」了。

傳統中國社會不僅重視「禮」，同時也了解「禮不可以空言解」[4]，必須以實際操作為重的本質。於是為了讓「禮」可以理所當然「行禮如儀」的有效執行，自然而然的也就特別注重「禮」的教育，傳統中國社會涉及「禮」的教育學習的經點，主要就是《周禮》、《儀禮》和《禮記》，不過從唐朝開始，「禮」的教育與學習的重心，就「從三歸一」的以《禮記》為主，其他二「禮」為輔。且由於三部「禮」的經典源自周代，其中有不少需要重新加以解說者，是以每個朝代為了有效達成「禮」的學習，因此都會提供官方編輯或認定的解說標準本，以做為全國學習者的統一教本，這部具有官方規範性質的詮解標準本，同時還是科舉考試選考「經義」做答時必須依循的標準解說。「禮」方面的解說標準本在唐代是孔穎達（574-648）等編的《禮記正義》，在宋代有王安石（1021-1086）主持的《周官新義》，後來又回到《禮記正義》；進入明代則是陳澔（1260-1341）《禮記集說》（下稱「陳澔《集說》」）和胡廣（1370-1418）等編的《禮記集說大全》，進入清代則由於有「漢儒長於數，其學得聖人之博；宋儒邃於理，其學得聖人之精，二者得

兼，乃見聖人之全經」的基本確認[5]，因而繼續承認陳澔《集說》官方標準解說本的地位，同時還加上乾隆帝（1711-1799，1735-1796在位）下令吸收兼顧鄭玄（127-200）、孔穎達等「漢學」成分的衛湜（約1165-1250）《禮記集說》，由鄂爾泰（1677-1745）、張廷玉（1672-1755）等負責編輯完成的《三禮義疏》內之《禮記義疏》。清朝這種「以通經致用為本，根柢程朱，而益之以許、鄭、賈、孔之學，俾學者精研義理，以為躬行實踐之資」的學習要求情況[6]，於是就一直延續到清朝滅亡。

傳統中國當然沒有現代的各種傳媒，更沒有現代系統性有效率的商品通路，在此先天條件不足的限制下，私人著作的一般性傳播流傳自然相當不易，再加上缺乏閱讀利益的誘惑，因此即使是某些專業研究學者認定的優良私人著作，也很難大範圍的流傳擴散。相對於私人著作資訊與流通上的限制，官方編輯或認定的解說標準本，在傳播流傳與接受的程度上，自然就能較不受限制的普遍性流傳，實際的學術影響自然要大於私人著作，這應該是相當明白的事實。但由於官方認定或編輯的解說讀本，主要是提供給一般學習者閱讀，重點只是要讀者能知而行之而已，至於培養學術專業的研究專家，自然不會是這類官方解說書籍的目的。由於這類官方書籍關注的是普通讀者，不僅缺乏學術創發的內容，同時還可能有某些不符合專業學者認知的解讀，因此除了完成時間較早或編著者具有某種地位的《禮記正義》和《周官新義》，較受研究者關注之外，至於明代和清代官方編輯或承認的官書，包括陳澔《集說》、胡廣等編《禮記集說大全》、乾隆帝下令編纂的《禮記義疏》，則幾乎被研究者自很自然的藐視而幾乎不予理會。

考察自皮錫瑞（1850-1908）《經學歷史》以來坊間所有涉及經學史的專著，就可以很明顯得發現明清兩朝官方認可或編輯的《禮記》解說文本，幾乎都被經學史的研究者忽略或藐視，並沒有給予應有的關注。實則這裡存在

5　〔清〕鄂爾泰等：〈中庸〉，《欽定禮記義疏》（《四庫》本），卷67，頁73。

6　〔清〕王懿榮：〈請將已故祭酒宣付史館立傳疏〉，《王文敏公遺集》（〔民國〕劉氏刻《求恕齋叢書》本），《中國基本古籍庫》，卷3，總頁29。「中國基本古籍庫」以下簡稱「《古籍庫》」。

一個可以認真思考的學術問題,那就是經學史的研究是要「回到歷史現場」研究歷史上具有較多讀者和較大影響力的著作,還是要「今人自我作古」研究符合現代學術品味,但在當代歷史卻影響不大,甚至毫無影響力的著作?考察坊間的涉及經學史的專著,就可以發現這些經學史的內容,顯然比較傾向於「自我作古」的研究。整體來說,經學史研究的學者群似乎並沒有在意而導致無法認知「回到歷史現場」研究的學術價值,於是長期以來一直以「自我作古」的研究為主軸,使得經學史的研究僅有「歷史詮釋」的意義,卻失去「歷史實際」的意義,這樣的研究顯然太過偏向,因此大有必要脫離「自我作古」的研究模式,轉而從「回到歷史現場」的模式進行研究,以便能夠更確實的了解每個時代較具歷史事實意義的經學研究實況。

本文即是在前述基本認知下規畫設計的研究議題,主要是想實際了解生存在一般人印象中,號稱排斥「宋學」,且幾乎「家家許鄭,個個漢學」的「考據學」或「漢學」復興的清朝學者[7],如何面對或看待屬於「程朱宋學」卻又是官方承認其學習價值的陳澔《集說》,進而了解陳澔《集說》在清代《禮記》學、經學、整體學術等發展過程中扮演的角色,用以彌補前人因為過度重視「歷史詮釋」的研究,因而遺漏的「歷史事實」的縫隙,於是可以更好的了解清朝《禮記》學與經學發展的實際表現。至於前人的研究實況,經由考察既有的《禮記》學或經學史的研究成果,至今並未發現有與本研究相近者,是以缺乏能提供研究參照的研究成果。再者由於研究設定的時間是整個清朝兩百六十七年(1644-1911),時間跨度既大,是以著作數量頗多,非一篇論文篇幅所能承擔,同時以實際能掌握的文獻而言,自也不可能獲得清朝所有的著作,基於研究效能的考慮,是以本文選擇以探討具有代表性的部分著作為主,選擇的文獻是《欽定四庫全書總目》、《欽定四庫全書》、《皇清經解》、《皇清經解續編》及《中國基本古籍庫》等著錄的專著為對

7　唐仲冕(1753-1927)說:「鉅人碩儒出,以許鄭為宗,實事求是,海內老師宿彥,大雅博聞之士,同聲發明,翕然推獎,庠塾之講貫,孝秀之選舉,皆出乎是,天下靡然向風矣。」〔清〕唐仲冕:〈芳茂山人詩錄序〉,《陶山文錄》(〔清〕道光二年刻本),《古籍庫》,卷5,總頁79。

象，[8]這些叢書的學術代表性，應該有值得信任之處，同時為了更好的處理與探究，因此分成前期與後期兩期進行。「前期」以《四庫全書總目》〈經部〉著錄的書籍為對象，「後期」以《全清經解》著錄的書籍為對象。本文研究使用的文本，除《四庫全書》收錄的書籍外，同時還將《全清經解》內屬於《四庫全書總目》〈經部〉的〈存目〉書籍和《中國基本古籍庫》收錄的〈存目〉書籍等依然存世的專著，一併納入研究討論。本文研究的方式，主要是先設定有可能獲得陳澔學術資訊的「關鍵詞」進行搜尋判讀，然後再根據獲得的資訊，進行意義的分析與價值的判定。研究進行的程序：除說明研究緣起的「前言」外，接著統計實際徵引的實況，然後分析徵引的種種意義，最終再根據研究所得結果，更進一步的統整，以觀察研究可能存在的學術意義與價值後結束本文。

二 《四庫》相關書籍徵引實錄

西元十四世紀的明朝洪武（1368-1398）年間，就已經成為《禮記》教學標準課本的陳澔《集說》[9]，由於該書地位特殊的關係，大約自十五世紀的賴瀷《禮記合解》以來，即有不少學者從自身的認知立場，對此書的解讀內容提出補正糾謬的意見，進入十七世紀的清朝之後，此種態勢更加激進，甚而出現某些學術之外的人身攻擊。但比較有趣的是這些學者們的批評攻擊，固然也受到乾隆朝官方的支持，但卻也從未動搖官方以此書為《禮記》學基本教科書的立場。[10]這種一面批評卻一面繼續支持的現象，確實顯得相

8　本文搜尋使用的文獻，均來自香港迪志文化出版公司製作的武英殿版《四庫全書總目》、文淵閣《四庫全書》，以及北京愛如生數字化技術研究中心製作的《全清經解》及《中國基本古籍庫》等收錄的書籍。

9　此見劉柏宏：〈永樂朝之前陳澔《禮記集說》的傳播及其相關問題探論〉，《中國文哲研究集刊》第53期（2018年9月），頁73-111之研究。

10　此可參考楊晉龍：〈惡評與實際：陳澔《禮記集說》與清代《欽定禮記義疏》關係研究〉之討論。臺北東吳大學中文系、香港浸會大學主辦「第十屆『中國經學國際學術研討會』」論文，2017年10月20-21日。

當怪異,但這也同時顯示了陳澔《集說》,必然在教學上存在有其他《禮記》學著作無法取代的優點,否則豈能如此受到重視教化的官方學術之支持。但無論如何,學者對陳澔《集說》的意見,確實存在相當多元的觀點,尤其進入清朝以後更加明顯,然則評價兩極的陳澔《集說》,在清朝官方與私人著作中又如何被對待呢?此在經學史上自有一探之價值,是以設計此文以考察收錄於《四庫全書總目》〈經部〉內,具有清朝前期學術代表性的經學類著作,如何對待陳澔《集說》,透過這些書籍徵引與評論的實際情況,用以了解清朝前期官私兩方著作的實際態度,並藉此以了解陳澔《集說》在清朝前期《禮記》學的學術地位。

學者私人研究寫作討論之際,徵引前賢論著的方式,一般都依著自身的認知陳述,並沒有像官方著作那樣先訂〈凡例〉,然後嚴謹要求形式統一,例如《禮記集說》即有「禮記註」、「禮記集注」的不同稱呼。因此想確知學者的實際徵引情況,自有必要先了解設定搜尋的「關鍵詞」,然後再進行實質的確認,以免有太多的遺漏。本文設定的「關鍵詞」為:「陳澔、陳灝、陳浩、陳氏澔、陳氏集說、禮記集說、陳氏註、陳氏灝、陳可久、陳可大、陳東匯、陳雲住、陳雲柱、陳雲莊、陳經歸、陳先生澔、東匯陳氏、東匯澤陳、陳氏可大、番陽陳氏、雲莊陳氏、經歸陳氏、鄱陽陳氏、禮記集注、禮經集說、雲莊禮記集說、雲莊集說、東匯集說、陳氏集注、陳澔集注、澔禮記、陳註、陳說、陳氏說等三十四個[11],以此三十四個關鍵詞進入文淵閣《四庫全書》、《中國基本古籍庫》和《全清經解》等三個大型文獻資料庫搜尋,然後挑選出屬於《四庫全書總目》〈經部〉收錄的書籍。經由前述實際的搜尋作業後,獲得的成果總結為「附錄」的〈《四庫全書總目》〈經部〉收錄書籍徵引陳澔《集說》實況表〉,在「徵引表現」部分,本文將之分成兩

---

11 「關鍵詞」最早的設定,僅有:陳澔、陳氏澔、禮記集說等少數幾個詞彙而已,經由實際搜尋作業的過程,陸續發現而增補。其中有些是學者行文方便的簡稱,例如「陳說」、「陳註」、「集說」等等,以及未列入搜尋的「陳本」、「陳氏本」、「集註本」之類。另外也有可能是作者不求精確的書寫,如:「陳浩」、「陳灝」、「陳皓」、「陳氏輯說」之類。此外也有些手民之誤的案例,如:「陳久(大)」之類。

大類:一是「正引」類,收錄三種徵引情況:(1)不發言的「純粹」徵引者,指的是僅引錄而沒有任何發言的情況。(2)針對徵引發言純粹「討論」者,雖然出言討論,但僅是說明異同或選擇,既沒有讚美也沒有批評。(3)對徵引資料發言正面「稱美」者。這三種徵引都歸入「正引」類。二是「批評」類,收錄針對徵引的陳澔《集說》內容直接給予「負面」評論者。以下即根據此表,區分為「官書」和「私著」分別討論與說明。

(一)官書徵引情況考實

考察《四庫全書總目》〈經部〉收錄的官方編輯出版的書籍內,確實引述陳澔《集說》入其書中者,總計有以下九部。

首先,成書於康熙五十五年(1716)的《御定康熙字典》,總共徵引陳澔《集說》八筆。「批評類」徵引有兩筆,謂陳澔之解「失考」與「非」。

其次,成書於雍正五年(1727)的《欽定詩經傳說彙纂》,總共徵引陳澔《集說》六筆,都是屬於「正引類」,並沒有出現「批評類」。

其三,成書於雍正八年(1730)的《欽定書經傳說彙纂》,僅有一筆「正引類」的徵引。

其四,成書於乾隆元年(1736)的《日講禮記解義》,徵引陳澔《集說》三十四筆,其中八筆為「批評類」徵引。「批評類」批評陳澔解說為「非」者六筆,另一筆則批評陳澔改訂經文,實「非後學慎重之意」(33/26)[12],以及廟制「旁支入繼,自立四廟」之論,「其說尤繆」(36/7)。

其五,成書於乾隆十一年(1746)的《御製律呂正義後編》,徵引陳澔《集說》五筆,均為「正引類」的徵引。

其六,成書於乾隆十五年(1750)的《欽定叶韻彙輯》有兩筆「正引類」的徵引。

---

12 這「33/26」的樣式,乃是本文用來呈現《四庫全書》著錄書籍資料的形式:「/」前之「33」表示「卷數」,後之「26」表示「頁碼」,此例即表示此資料來自該書:卷三十三,頁二十六。以下皆仿此,附〈表〉亦如此。

其七，開始於乾隆十五年（1750）編輯的《三禮義疏》中的《欽定周官義疏》，僅在〈凡例〉中同意陳澔《集說》「自始出即不慊眾心」（凡例/2）的批評，以及正文內批評陳澔「不知馬性」（32/46），未見「正引類」的徵引。

其八，《三禮義疏》內的《欽定儀禮義疏》，有一則批評陳澔解說「反哭時」，需「先祖後禰」之誤。（30/47）

其九，《三禮義疏》的《欽定禮記義疏》，此是清朝官方提供士子繼陳澔《集說》之後，更進一步探討學習的另一部《禮記》學標準課讀本。由於此書乃是提供士子延續陳澔《集說》後更高一級的閱讀課本，可能因此而徵引有五百四十二筆陳澔《集說》的意見，同時也有十四筆指出陳澔《集說》的訛誤。謂其「非」者四筆、「誤」者兩筆，「迂鑿」（22/36）、「尤謬」（41/42）、「臆為」（42/32）、「殊舛」（70/43）等各一筆，不以為然者四筆。然也有承認讚美陳澔解說「是也」（8/9）、「為確」（12/7、28/12、65/24）、「自然」（13/8）、「勝孔氏」（30/24）、「更為周匝」（33/6）、「分明」（38/40）、「可據」（49/8）、「為正」（49/29）、「兼乃備」（60/33）等等。

以上是九部官方編輯書籍徵引陳澔《集說》的實際表現，這九部書內的《欽定周官義疏》、《欽定儀禮義疏》兩書都僅有「批評類」的徵引。其他七部則多有「讚美式」的發言。若觀察每部書徵引數量的表現，可明顯看出《日講禮記解義》和《欽定禮記義疏》的徵引最多，當應該是因為這兩部書與陳澔《集說》同為《禮記》解說本，且在學習層次上又有先後之關係，討論的議題相涉度自然較高故也。

（二）私著徵引情況考實

以《四庫全書總目》〈經部〉收錄的書籍為對象，透過關鍵詞搜尋文淵閣《四庫全書》、《中國基本古籍庫》和《全清經解》等三個大型網路資料庫，考得包括日本山井鼎（1690-1728）和物觀（1673-1754）《七經孟子考文補遺》在內，總共在五十四部的私人專著，發現有徵引陳澔《集說》為說

的情況。同時根據徵引實際情況的分析，大致可以區分為兩種不同類型的徵引表現：一類是「順及型徵引類」，這類徵引書籍並非刻意要徵引陳澔《集說》的內容，僅是因為討論的議題或文本與「禮」相關，因而選擇性的提及，亦即討論的內容並不必然要與陳澔《集說》的內容相關不可，實際上除陳澔《集說》外，還有其他更多可選擇的對象，因此這類徵引的數量一般不會太多。前述的官書，如《康熙字典》、《詩經傳說彙纂》、《書經傳說彙纂》、《律呂正義後編》、《叶韻彙輯》、《周官義疏》、《儀禮義疏》等七部書，即是此種徵引類型。一類是「刻意型徵引類」，這類徵引書籍除著作性質相關性高（《三禮》學、論禮制、論禮俗）、學術立場的同與不同（漢學、宋學、程朱學、經學），以及著作基本意圖（教學、研究、義理、考辨）和預設讀者（一般士子、科舉教師、經學研究者、禮學專業研究者）等的影響之外，主要還是陳澔《集說》乃是官方承認的《禮記》解說標準本，除身處當時學術環境下的作者，本身可能不自覺「先入為主」的記憶性影響因素之外，更由於閱讀者多且流傳面廣，為了更容易吸引讀者，以及學術現實性針對性的考慮，對於和陳澔《集說》相同意見者，自然有優先參考的必要，對於不同意見者，自然也有不得不辯解或駁斥的學術現實需要，因此即使像《日講禮記解義》、《禮記義疏》等官書，都無法擺脫此種必然存在的制約，一般私人論著也就可想而知了。以下即根據此兩種類型的分類，分別討論說明之。

1 「順及型徵引類」的徵引實況

《四庫全書總目》〈經部〉收錄而有徵引陳澔《集說》的五十四部私人論著內，可歸屬於「順及型徵引類」者，有：朱鶴齡（1606-1683）《讀左日鈔》、張爾岐（1612-1678）《儀禮鄭註句讀》、顧炎武（1613-1682）《左傳杜解補正》、應撝謙（1615-1683）的《春秋集解》和《古樂書》、毛奇齡（1623-1716）《經問‧經問補》和《曾子問講錄》、李集鳳（1655貢生）《春秋輯傳辨疑》、陸隴其（1630-1692）《松陽講義》、萬斯大（1633-1683）《禮記偶箋》及《學禮質疑》、閻若璩（1636-1704）《四書釋地》與《尚書古文

疏證》及《潛邱札記》、冉覲祖（1637-1718）《詩經詳說》、應是（1638-1727）《讀孝經》、王復禮（1650-1718前後）《家禮辨定》、嚴虞惇（1650-1713）《讀詩質疑》、陳大章（1659-1727）《詩傳名物集覽》、姜兆錫（1690舉人）《周禮輯義》、孫濩孫（約1663-1739）《檀弓論文》、陸奎勳（1663-1738）《陸堂詩學》、朱軾（1665-1736）《儀禮節略》（《總目》作《儀禮節要》）、吳隆元（1694進士）《孝經三本管窺》、沈元滄（1666-1733）《禮記類編》、馬駉（1670-1760前後）《儀禮易讀》、汪基（1700前後）《三禮約編》、顧棟高（1679-1759）《春秋大事表》、沈彤（1688-1752）《儀禮小疏》、鄭方坤（1693-？）《經稗》、丁愷曾（1723貢生）《說書偶筆》、蔡德晉（1726舉人）《禮經本義》、曹庭棟（1700-1785）《孝經通釋》、胡彥昇（1730進士）《樂律表微》、盛世佐（1748進士）《儀禮集編》、顧鎮（1720-1792）《虞東學詩》、山井鼎（1690-1728）與物觀（荻生北溪：1673-1754）《七經孟子考文補遺》、吳浩（生卒年不詳）《十三經義疑》等三十八部書籍。依據上述各書之徵引表現製成下表，以便方便觀察。

「順及型徵引類」的《禮學》專著徵引陳澔《集說》實況表

作者	書名	徵引總數	正引筆數	批評筆數
朱鶴齡	讀左日鈔	1	1	0
張爾岐	儀禮鄭註句讀	4	4	0
顧炎武	左傳杜解補正	1	1	0
應撝謙	春秋集解	2	2	0
	古樂書	1	1	0
毛奇齡	曾子問講錄	1	1	0
	經問‧經問補	2	2	0
李集鳳	春秋輯傳辨疑	3	3	0
陸隴其	松陽講義	1	0	1
萬斯大	禮記偶箋	1	1	0
	學禮質疑	2	2	0

作者	書名	徵引總數	正引筆數	批評筆數
閻若璩	尚書古文疏證	2	2	0
	四書釋地	1	1	0
	潛邱札記	5	4	1
冉覲祖	詩經詳說	1	1	0
應是	讀孝經	7	7	0
王復禮	家禮辨定	1	1	0
嚴虞惇	讀詩質疑	1	1	0
陳大章	詩傳名物集覽	1	1	0
姜兆錫	周禮輯義	1	0	1
孫濩孫	檀弓論文	1	1	0
陸奎勳	陸堂詩學	1	0	1
朱軾	儀禮節略	8	7	1
吳隆元	孝經三本管窺	1	1	0
沈元滄	禮記類編	3	3	0
馬駉	儀禮易讀	1	1	0
汪基	三禮約編	6	5	1
顧棟高	春秋大事表	1	1	0
沈彤	儀禮小疏	1	1	0
鄭方坤	經稗	1	1	0
丁愷曾	說書偶筆	1	0	1
蔡德晉	禮經本義	2	2	0
曹庭棟	孝經通釋	1	0	1
胡彥昇	樂律表微	1	0	1
盛世佐	儀禮集編	11	10	1
顧鎮	虞東學詩	1	1	0
山井鼎 物觀	七經孟子考文補遺	18	17	1

作者	書名	徵引總數	正引筆數	批評筆數
吳浩	十三經義疑	31	28	3

考察這類歸屬於「順及型徵引類」的三十八部專著,總共來自三十四位作者,再統整歸納「順及型徵引類」諸書的徵引表現,少者一筆,多者三十一筆(吳浩),同時還可以發現,除陸隴其《松陽講義》、閻若璩《潛邱札記》、姜兆錫《周禮輯義》、陸奎勳《陸堂詩學》、朱軾《儀禮節略》、汪基《三禮約編》、丁愷曾《說書偶筆》、曹庭棟《孝經通釋》、胡彥昇《樂律表微》、盛世佐《儀禮集編》、山井鼎等《七經孟子考文補遺》、吳浩《十三經義疑》等十二書,總共有十四筆的「批評類」徵引外,其他二十六部書均屬「正引類」徵引,可見這種類型的徵引,主要還是用來證明或當作可信的資料使用,用以討論比較而批駁者較少。

觀察「順及型徵引類」中,如:毛奇齡《曾子問講錄》、萬斯大《禮記偶箋》、孫濩孫《檀弓論文》、沈元滄《禮記類編》等四書,本屬於「《禮記》類」書籍,卻很少徵引陳澔《集說》為言,推測此四部書少引陳澔《集說》之故。首先,毛奇齡與孫濩孫可能僅是針對《禮記》單篇作注,故而少引。其次,萬斯大是自著書,可能因此而少引,萬斯大自言「學禮有疑,求之《註疏》而不得,求之唐宋以來諸儒而又不得」,「於是首取《戴記》諸篇相對,次取《儀禮》與《戴記》對,次取《易》、《書》、《詩》、《春秋》及《左》、《國》、《公》、《穀》與二禮對,見其血脈貫通,帝王制度,約署可考,用因所得,竊著於篇。」[13]同時解說《儀禮》時也有「經文詮釋,專取《註疏》」的宣示[14],在此種學術與著作立場主張的影響下,少引陳澔《集說》當可理解。其三,沈元滄明白表示《禮記類編》「《注》仍漢之鄭氏,音義仍唐之陸氏。」同時還特別說明「此非誦習之書,而考索之書也。」[15]書內

---

13 〔清〕萬斯大:〈自序〉,《學禮質疑》,《全清經解》,自序,頁1。「《全清經解》」下稱「《經解》本」。

14 〔清〕萬斯大:《儀禮商》〈附錄〉〈與陳令升書〉(《經解》本),附錄,頁94。

15 〔清〕沈元滄:〈自序〉,《禮記類編》(《經解》本),自序,頁7。

也徵引有衛氏《集說》（8/頁454、12/頁653、29/頁1551）[16]，學術和著書立場的「漢學」傾向很清楚，是以甚少徵引陳澔《集說》，實屬當然。

2 「刻意型徵引類」徵引實況

《四庫全書總目》〈經部〉收錄的諸書內，作者有意識的徵引陳澔《集說》，或當作不言自明的可信資料，或作為與自己認知或強調的主張比較而批駁其非的對象等，用以協助自己陳述發言或討論發表的「刻意型徵引類」書籍，有：應撝謙《禮學彙編》、陸隴其《讀禮志疑》、徐乾學（1631-1694）《讀禮通考》、張沐（1658進士）《禮記疏略》、冉覲祖《禮記詳說》、李光坡（1651-1723）《禮記述註》、納喇性德（1655-1685）《陳氏禮記集說補正》、姜兆錫《禮記章義》、陸奎勳《戴禮緒言》、梁萬方（？-1725）《重刊朱子儀禮經傳通解》、方苞（1668-1749）《禮記析疑》、任啟運（1670-1744）《禮記章句》、劉青蓮（1670？-1739）《學禮闕疑》、江永（1681-1762）《禮記訓義擇言》、汪紱（1692-1759）《參讀禮志疑》、秦蕙田（1702-1764）《五禮通考》等十六部。以下即依序論之。

應撝謙《禮學彙編》在該書卷一〈通論篇上〉謂「用陳澔《禮記註》類編」（總頁25）、卷十〈投壺禮〉謂「仍《禮記》陳澔《註》」（總頁171）、卷十六〈士婚禮篇〉稱「用《儀禮》鄭《註》、《禮記》陳《註》、《家語註》編」（總頁282）、卷十七〈士喪篇〉說「用鄭氏原《註》及《禮記》陳澔《註》」（總頁336）、卷二十〈大事篇上〉說「刪陳浩《禮註》編入」（總頁442）、卷二十七〈喪服篇〉說「用《禮記》陳澔《註》編入」（總頁712）。這應該與該書名為「彙編」相關，是以公然大量的抄錄陳澔《集說》入其書中。此書雖然有懷疑陳澔《集說》某些「有誤」（15/頁275），質疑陳澔部分之解「不知何據」（31/頁912）的兩筆「批評類」徵引，但另外也有七十六

---

16 此係來自《全清經解》或《中國基本古籍庫》文獻資料的呈現方式。在「/」前方的數字，指「卷數」，「/」後方數字指「頁碼」，另加「頁」字，除與《四庫全書》諸書區分外，另外則是這兩個資料庫蒐獲的答案，在該頁面下方會出現數字，此數字即該書的總頁碼。如此例「8/頁454」，表示來自該書的卷八，總頁四百五十四。

筆的「正引類」徵引。

陸隴其《讀禮志疑》總共徵引二十二筆陳澔《集說》之論，有高達六十八筆的「批評類」徵引，批評陳澔《集說》的這些被點出的說解，有：「武斷」（1/21）、「不分曉」（1/13）、「非」（1/14）、「謬」（1/18）、「誤」（1/24）、「無據」（1/20）、「支離」（1/29）、「淺」（1/27）、「疏」（1/29）、「混」（2/34）、「不明」（1/28）……等等的瑕疵。但另外則有一百三十八筆的「正引類」徵引，肯定陳澔《集說》之解「為長」（1/16）、「最好」（1/24）、「最是」（2/12）、「最明」（2/21）、「無弊」（4/17）、「義較長」（5/20）、「解自好」（6/13）……等等的優點。

徐乾學《讀禮通考》徵引陳澔《集說》有一百〇六筆，其中七筆為「批評類」徵引，批評陳澔《集說》內某些解說之「非」（13/13）與「謬」（103/2）及「未必然」（10/22）等誤說，甚至批評陳澔《集說》關於壻拖延婚期，女可別嫁之解為「害理傷教」（103/2）。不過卻也同樣有九十九筆「正引類」徵引，稱說陳澔之解「為正」（5/4）之類。

張沐《禮記疏略》除〈內則篇〉全抄陳澔《集說》之外，另有一百三十六筆的徵引，其中「正引類」徵引有一百三十四筆，且讚美稱陳澔之書有「折衷去取」（序/頁4）之優。另有兩筆或以陳澔部分解說為「非」（39/頁1251）、為「可疑」（40/頁1262）的「批評類」徵引。

冉覲祖《禮記詳說》徵引陳澔《集說》三千一百七十八筆，這和其在《詩經詳說》僅有一筆「正引類」的徵引相差甚遠。冉覲祖此書主要在抄錄而非評論，是以直接將陳澔〈禮記集說序〉錄入，並比較衛湜與陳澔等兩部《禮記集說》云：「衛氏但有采輯而無折衷，閱者苦其渙漫而無所歸，此其所短也。陳氏《集說》晚出，多取材於舊，以視衛氏，簡約勝之。其學本雙峯，亦朱門之支流餘裔也，淵源有自，故學者信從之歟。」（序/頁4）此可見其肯定陳澔之處，是以《禮記詳說》僅有「正引類」徵引，並無「批評類」徵引。

李光坡《禮記述註》徵引陳澔《集說》共一千六百九十筆。李光坡在〈禮記述註序〉內批評陳澔之解「未盡」又「未誠」（序/1），並指責陳澔之

解「逐節不往復其文義，通章不鈎貫其脈絡」，因此要「不量其力，本述註疏」（序/2），可知書名之「註」即指「註疏」，同時也可見作者之推崇《註疏》。雖然李光坡在〈序〉內大肆批評陳澔《集說》，但正文內實僅有四筆「批評類」的徵引，批評陳澔的部分解說有「臆說無攷」（2/19）、「欲深反淺，欲切反泛」（22/13）等之問題，另外一千六百八十六筆則是純粹借來為協助作者發言解說的「正引類」徵引。

納喇性德《陳氏禮記集說補正》的著作本意，就是為了要「補正」陳澔《集說》之疏漏，是以並無「正引類」徵引。此書挑出陳澔《集說》內需要補正的段落討論，書中有「竊案」六百五十五筆，此即本書挑選「補正」討論的段落總數，唯其中還包括二十筆「《集說》無解」者，亦即此書實際挑選「補正」討論陳澔《集說》段落的總數為六百三十五個。同時在「竊案」之下，有時還會再出現補充「竊案」未盡的「又案」（五十一筆）及「愚案」（二十八筆），是以全書作者的「案語」總共有七百三十四筆，這也就是此書作者「補正」陳澔《集說》的發言總數。

姜兆錫《禮記章義》徵引陳澔《集說》九十六筆。書前錄有張大受（1660-1723）作於康熙五十二年（1713）的〈序〉，說到「惟崑山衛正叔《集說》，萃聚而決擇之，至詳且精，乃前明《大全》僅主元東滙陳氏之《集說》，牽綴簡畧，特以為學者科舉之具。（《章義》）采入衛氏《集說》，以補某未備。」（總頁2）姜兆錫在其自寫的〈附論八則〉內也說「今考東滙《集說》雖備，而宋崑山衛湜《集說》之百十六卷及國朝成德《集說補正》之三十六卷，其遺蘊之當補者不乏矣。……此編頗討論精蘊，以補東滙之陋畧。」（總頁14）可見姜兆錫因不滿陳澔《集說》的「陋畧」，自以為透過此書「討論精蘊」而能「補正」之。徵引的陳澔解說內有十筆為「批評類」徵引，批評陳澔《集說》的某些說解有自相矛盾「似是實非」（1/頁35）、解說「全背禮制與古註」（2/頁91）、「以不悖為悖」（2/頁173）、「章句與義理皆失」（5/頁455）、「牽合之失」（6/頁478）、「背經傳而失其義」（9/頁873）……等等的重大缺失，因此要「學者詳之」（1/頁35、1/頁44、6/頁478、9/頁873），至其他八十六筆則屬「正引類」徵引。

　　陸奎勳《戴禮緒言》徵引陳澔《集說》六十四筆。雖然書前所錄金鎮
（1676-1740）的〈序〉曾提及「衛湜」（總頁2），但書中並無徵引。考書中
陸奎勳嘗有「今之習禮者，專守陳氏《集說》固失之陋，若其參考異同，必
欲尊漢抑宋，亦不免於矯枉失中也已」（1/頁6）之論，顯然學術立場較傾向
中道。此書徵引陳澔《集說》，屬於「批評類」徵引者有三十四筆，「正引
類」徵引者有三十筆，顯示陸奎勳很可能把陳澔《集說》，當作比較批駁的
對象徵引，對其解說內容的認同度並不高。雖然也有說陳澔某些解說「卓有
見地」（2/頁69）、所說「為優」（3/頁102）、「訓釋當」（4/頁158）等的讚
美，但更批評陳澔的一些解說：「非」（1/頁8）、「訛」（1/頁8）、「惧」（1/頁
10）、「未細密」（1/頁37）、「妄肆譏評」（2/頁58）、「晦」（2/頁68）、「失」
（3/頁117）、「舛」（3/頁119）、「紆曲」（3/頁120）、「疏」（4/頁153）……
等等者更多。

　　梁萬方《重刊朱子儀禮經傳通解》，總共徵引三百八十筆陳澔《集說》，
根據相關資料，實際參與編纂此書者，除發凡起例的梁萬方之外，還包括：
方苞、翁荃（1670-1740前後）、和風翔（1703-1736）、雷鋐（1697-1760）等
人[17]，同時編纂過程還受到方苞的重視，方苞還致贈《禮記析疑》、《喪服或
問》兩書「以備參考」（序/頁24），陳世倌（1680-1758）因此纔會有「梁君
可無負於望溪」（序/頁19）之感慨。從〈凡例〉「附入諸家說及補注附按
者，皆體會朱子平時所言之意旨，以發明經傳之義理耳，不敢有更張也」
（總頁31）之言，可知其學術之蘄向。此書主要以「東匯陳氏」之名徵引陳
澔《集說》之文，其中五筆為「批評類」徵引，謂陳澔某些解說為「非」
（9/頁700）、為「未合」（29/頁1975）、為「意不貫」（32/頁2284）、為「未
明析」（55/頁4168）等。其他三百七十五筆則為「正引類」徵引。

　　方苞《禮記析疑》徵引陳澔《集說》三十六筆，數量不多，但從其所稱
「自明以來，傳註列於學官者，於禮則陳氏《集說》，學者弗心饜也。壬

17　〔清〕方苞：〈和風翔哀辭〉，《望溪集》（〔清〕咸豐元年戴鈞衡刻本），《古籍庫》，卷
　　16，總頁244。

辰、癸巳間，余始悉心焉。視之若皆可通，及切究其義，則多未審者，因就所疑而辨析焉」（原序/1）之言，可知此書與納喇性德寫作《陳氏禮記集說補正》之意相近，蓋經閱讀而認定陳澔《集說》內存在有訛誤或不夠完美的解說，因此需要更進一步的糾謬補正。方苞又說此書「義得於《記》之本文者十五、六，因辨陳說而審詳焉者十三、四，是固陳氏之有以發余也。既而復校以衛正叔《集解》，去其同於舊說者，而他書則未暇徧檢。」（原序/1-2）可知此書除《禮記》正文外，解說則係統合衛湜和陳澔等兩部《禮記集解》而成。徵引的資料內有六筆「批評類」的徵引，認為陳澔這些解說存在有「臆說」（3/13）、「失」（6/7）、「意義不貫」（20/15）、「誤」（23/10）等的問題；剩餘三十筆則屬「正引類」徵引。

任啟運《禮記章句》徵引陳澔《集說》一百七十五筆。此書將朱熹（1130-1200）《大學章句》和《中庸章句》列於最前，自稱「因朱子《學庸章句》，悉取《戴記》，條其次、補其闕、正其違、通其異，而尤慎于喪。凡有關倫紀之大，而為秦漢唐宋元明輕變者，著其說，俟定禮者酌取焉。」（自序/頁10）同時還說道：「古註鄭、王二家爭勝，孔為鄭左祖……他如皇、熊諸家見于《註疏》；方、陳、應、劉見於《集說》；葉時《禮經會元》、姚舜牧《疑問》、湯道衡《新義》、郝敬《通解》、徐師曾《集註》、徐乾學《讀禮通》、陸隴其《讀禮志疑》、萬斯大《學禮質疑》、毛奇齡《經問》等，……總求揆之天理而當，質之人情而安，考之古而有據，推之後而可行，非敢求異前人，庶幾可俟來喆云爾。其餘……凡可採証皆掇取焉。」（類例/38-39）可見此書博採諸家的徵引原則。此書「批評類」徵引者有二十三筆，指出陳澔的這些解說，有：「謬」（2-1/頁180）、「誤」（2-2/頁223）、「非」（2-2/頁223）、「未得」（8-4/頁1311）、「牽配俱未當」（9-2/頁1400）、「旨趣并昧昧」（9-3/頁1411）、「不然」（10-1/頁1505）等等的問題。至其餘一百五十二筆，則屬「正引類」徵引。

劉青蓮《學禮闕疑》徵引陳澔《集說》兩百六十六筆。此書有劉青蓮之弟劉青芝（1674-？）乾隆五年（1740）的〈後跋〉，云：「先兄華嶽……以陳氏澔《禮記集說》膚淺疏漏者多。於雍正戊己間纂緝是編，正誤晰疑，而

於儒先論議，有關風教，有裨典禮者，錄之不厭其詳焉。積數年之勤，至〈奔喪篇〉僅成七卷，不幸於乾隆己未冬棄代。……庚申秋搜檢遺書付梓，力疾忍痛，聊自〈問喪篇〉而下，終於〈喪服〉，本華嶽纂緝之大指，粗成一卷，附於編末。」（8/頁445）可見第八卷〈喪服〉為劉青芝所作。除劉青芝「膚淺疏漏者多」的整體性批評之外，另有八筆「批評類」徵引，指出陳澔的這些解說，出現有「誤引」（1/頁2）、「說不去」（1/頁33）、「語不明而意不貫」（1/頁38）、「牽強」（1/頁41）、「未安」（1/頁45）、「迂闊」（2/頁56）、「難通」（2/頁57）等的問題，其餘兩百五十七筆則屬於「正引類」的徵引。雖然劉青芝對陳澔《集說》有「膚淺疏漏者多」的評價，但從書中出現十筆特別標識「《集說》無解」的情況來看，此書與陳澔《集說》的關係，顯然相當密切。

江永《禮記訓義擇言》徵引陳澔《集說》一百〇二筆。〈提要〉謂此書「於註家異同之說，擇其一是，為之折衷，與陳澔《注》頗有出入。」（提要/1）考此書確實有二十七筆的「批評類」徵引，指稱陳澔這些解說有：「未當」（1/2）、「未安」（1/2）、「誤」（1/6）、「俗」（1/8）、「非」（1/11）、「失」（2/11）、「不詳」（2/23）、「穿鑿且謬誤」（4/24）、「未該」（7/13）等的問題。不過江永在七十五筆的「正引類」徵引內，同樣不吝於對陳澔《集說》的某些注解給予「簡而當」（1/4）、「善」（1/4）、「最是」（1/23）、「說是」（2/25）、「說為長」（2/30）、「最優」（3/10）、「得之」（4/17）、「當從」（5/21）等等一類的讚美性評價。

汪紱《參讀禮志疑》徵引陳澔《集說》九十八筆。汪紱觀察當時的經學界云：「大抵言事理而見古人之心，漢儒所短；考器數而得古人之制，漢儒所長。……今人於漢儒所短則欲收之，於漢儒所長則怠倦真之。」以為陸隴其《讀禮志疑》「凡有疑義必考悉於《注疏》而不敢遺，非不憚煩，蓋不如是不敢安，讀經求實得也。」因「喜讀其書，而時或旁參一說」（卷上/2），久而乃成此書。此書固然也有二十九筆的「批評類」徵引，指出陳澔《集說》內某些注解「疏畧」（卷上/10）、「謬」（卷上/18）、「無根據」（卷上/21）、「過」（卷上/37）、「誤」（卷上/39）、「欠分曉」（卷上/57）、「欠分明」

（卷下/3）、「未是」（卷下/4）、「難據」（卷下/17）、「混」（卷下/32）、「非」
（卷下/40）、「迂滯」（卷下/53）等的問題，然並未完全承襲陸隴其《讀禮
志疑》對陳澔《集說》的批評意見。且在「正引類」徵引的六十九筆內，更
出現有幫陳澔《集說》緩頰的「雲莊集說固稍欠明白，然未失也」（卷下
/2）、「陳雲莊有武斷處，然尚不似吳草廬自用之甚」（卷上/11）的言論；雖
然認為陳澔解說「亦有所未達」（卷上/48），然亦有讚美陳澔某些解說「是」
（卷上/23）、「為長」（卷下/34）等的肯定之論。

　　秦蕙田《五禮通考》徵引陳澔《集說》九十一筆。秦蕙田此書乃因
「《三禮》自秦漢諸儒抱殘守闕，《註疏》雜入讖緯，繆輵紛紜，……《三
禮》疑義，至今猶齷」（自序/1）之故，思有以補闕，後見徐乾學《讀禮通
考》，其書「古禮則倣《經傳通解》，兼採眾說，詳加折衷。歷代則一本正
史，參以《通典》、《通考》，廣為搜集。」（凡例/2）以為該書「規模義例，
具得朱子本意。惟吉、嘉、賓、軍四禮尚屬闕如。」因而「發凡起例，一依
徐氏之本，並取向所考定者，分類排輯，補所未及」（自序/2）而成是書。
可知此書與徐乾學《讀禮通考》意圖相同，旨在總論吉、凶、嘉、賓、軍等
「五禮」，非專門討論《禮記》者，此書〈禮經作述源流〉亦列入「陳澔
《禮記集說》」（卷首2/29），唯僅簡錄陳澔〈自序〉而已，並未特別說明，
可知秦蕙田並未特別關注陳澔《集說》的官學地位。考此書「批評類」徵引
陳澔《集說》者有四筆，批評陳澔這幾處的解說「誤」（89/45）、「非」
（169/25）、「訛」（220/42）等的問題，至於「正引類」徵引則八十七筆。

　　這十六部「刻意型徵引類」《禮學》專著徵引陳澔《集說》的情形，可
以製成下列表格進行觀察。

「刻意型徵引類」的《禮學》專著徵引陳澔《集說》實況表

作者	書名	徵引總數	正引筆數	批評筆數
應撝謙	禮學彙編	6卷+78	76	2
陸隴其	讀禮志疑	202	138	68
徐乾學	讀禮通考	106	99	7
張沐	禮記疏略	1篇+136	134	2
冉覲祖	禮記詳說	3178	3178	0
李光坡	禮記述註	1690	1686	4
納喇性德	陳氏禮記集說補正	635	0	635
姜兆錫	禮記章義	96	86	10
陸奎勳	戴禮緒言	64	30	34
梁萬方	重刊朱子儀禮經傳通解	380	375	5
方苞	禮記析疑	36	30	6
任啟運	禮記章句	175	152	23
劉青蓮	學禮闕疑	266	257	9
江永	禮記訓義擇言	102	75	27
汪紱	參讀禮志疑	98	69	29
秦蕙田	五禮通考	91	87	4

觀察這類「刻意型徵引類」《禮學》專著徵引陳澔《集說》的表現，屬於《禮記》學的專著九部，「通禮類」有七部，兩者相差不大。徵引數量最多的是應撝謙《禮學彙編》，有六卷幾乎全抄陳澔《集說》；其次張沐《禮記疏略》也有整篇抄錄陳澔《集說》者，這應該是比較特殊的情況。至於其他單文徵引者，自以冉覲祖《禮記詳說》和李光坡《禮記述註》最多，方苞《禮記析疑》最少。就「批評類」徵引而論，自以原本就針對陳澔《集說》「補正」的納喇性德《陳氏禮記集說補正》最多，其次是陸隴其《讀禮志疑》、陸奎勳《戴禮緒言》、汪紱《參讀禮志疑》、江永《禮記訓義擇言》等，除納

喇性德外，最特殊的是陸奎勳《戴禮緒言》的「批評類」徵引還超過「正引類」的徵引。至於兩類徵引數量較為接近的有：汪紱《參讀禮志疑》與江永《禮記訓義擇言》。一般而言，「正引類」徵引相較於「批評類」徵引還是佔多數，主要是無人像納喇性德般「特別看重」陳澔《集說》故也。

乾隆帝下令學術官僚等編輯的《四庫全書總目》的〈經部〉，除收錄官書之外，還收錄有大致具備清初學術代表性者的專著，這些專著徵引陳澔《集說》的實際情況，經由前述的統計、表格等的展示與說明，應該可以比較清晰的了解：《四庫全書總目》〈經部〉收錄的書籍有六十三部徵引陳澔《集說》。再進一步觀察官私書的整體表現：首先，就徵引的意圖而論，屬於「刻意型徵引類」者十八部；屬於「順及型徵引類」者四十五部。其次，就徵引的數量而論，徵引最多者當屬六卷直接抄錄的應撝謙《禮學彙編》，最少者則是二十三部僅徵引一筆者。其三，就徵引的接受情況而論，屬於純粹「正引類」徵引者二十六部；屬於純粹「批評類」徵引者七部；其餘三十部則「正引類」與「批評類」等兩類均有徵引。此即《四庫全書總目》〈經部〉收錄書籍徵引陳澔《集說》的整體表現實況，下文則更進一步的對此表現，進行分析說明。

三　徵引意義之分析

陳澔《集說》如何進入官學系統，由於書闕有間，今日已無法了解，但此書自十四世紀的洪武年間進入學宮，成為學習《禮記》者的必讀書目後，即使明朝滅亡改朝換代、即使官方與民間都同意此書瑕疵不少、即使在「漢學興盛」乾嘉年代的乾隆五十八年（1793），洪亮吉（1746-1809）上疏建議以鄭玄《禮記注》取代陳澔《集說》，以為「用鄭《注》則《集說》之精華已備，用《集說》則昔賢之訓詁半淪。」[18] 但其在官學中的地位，卻依然屹

18　〔清〕洪亮吉：〈請禮記改用鄭康成注摺子〉，《卷施閣集》（〔清〕光緒三年〔1877〕洪氏授經堂刻《洪北江全集》增修本），《古籍庫》，卷9，總頁116。

立不搖，直到清末二十世紀初廢除科舉而止，五百多年來一直高踞學宮，成為所有參與科舉選考《禮記》者的必讀課本。正所謂「貴賤攸位，榮辱相換」[19]，陳澔《集說》既然處於這種特殊的地位，必然要成為學者們矚目的焦點，正反面的評論也因之而起。雖然這些紀錄下來的正反面意見，相對於「沉沒」在歷史洪流中的「沉默」大眾，數量不多、比例微小，但卻也可以透過這些殘存的「眾聲喧嘩」文獻的對比，部分了解陳澔《集說》在歷史時光中受到發言者關注的情形，進而探知其在學界的地位。

　　本文以清代前期具有代表現的「經部」專著為對象，探討收錄於《四庫全書總目》的「經部」類書籍，徵引陳澔《集說》的情況。經由實際的閱讀統計與篩選，確認《四庫全書總目》〈經部〉包括著錄與存目的清朝書籍為七十八部，其中官修三十部、私著六百八十八部。官修書籍有四部滿文書：《欽定繙譯五經四書》、《御定清文鑑》、《御定滿州蒙古漢字三合切音清文鑑》、《欽定西域同文志》，是以官書降為二十六部，《四庫全書總目》〈經部〉收錄的漢文書籍總數為七百一十四部。六百八十八部私著來自五百〇六位學者，這些專著呈現的自然是該書作者的觀點。但二十六部官書則非某位作者的觀點，因為官書是由帝王下令組成「編輯群」共同編纂完成，帝王有時還會先提出修纂的標準，但即使帝王未先訂定標準，負主要責任的主管官員，自然也要揣測帝王的意思，絕不可能自由自在的依照己意修纂，因此官書實際上僅有帝王和「編輯群」的共同觀點，是以官書呈現的觀點，正常情況來看，應該是符合當朝帝王與官員的共識性意見，且由於帝王和朝廷在傳統中國社會的至高地位，因此主要還是屬於當朝帝王或朝廷積極上「同意」或消極上「不反對」的觀點，當然重心還是得歸給帝王。若就全數七十八部書籍的學術分類觀之，歸屬於「《禮》類」的書籍共一百部，著錄三十八部、存目六十二部，其中官書四部，私著九十部。「經部」共有十類，其他六百一十四部書籍的分類情況是：（1）「《易》類」：著錄四十六部；存目一

─────────────

19　〔晉〕庾凱：〈幽人箴〉，〔唐〕歐陽詢等：《藝文類聚》〈人部〉〈隱逸上〉（《四庫》本），卷36，頁30。

百五十一部。（2）「《書》類」：著錄十四部；存目三十六部。（3）「《詩》類」：著錄二十二部；存目三十五部。（4）「《春秋》類」：著錄二十九部；存目五十九部。（5）「《孝經》類」：著錄三部；存目十三部。（6）「《五經》總義類」：著錄十三部；存目二十三部。（7）「《四書》類」：著錄十五部；存目五十三部。（8）「《樂》類」：著錄十三部；存目十五部。（9）「小學類」：著錄二十三部；存目五十五部。「《禮》類」內與陳澔《集說》同屬「《禮記》學類」的書籍有二十六部，著錄九部，其中官修兩部，另有存目一十七部。這是《四庫全書總目》〈經部〉收錄清朝學者與官修諸書籍分類的實情。

　　《四庫全書總目》〈經部〉收錄書籍徵引評論陳澔《集說》的官書有九部，「《禮》類」四部，四部中屬於「《禮記》學類」者兩部，即《日講禮記解義》、《欽定禮記義疏》。私著有五十四部，「《禮》類」三十部，三十部內屬「《禮記》學類」者十三部。統合全數徵引陳澔《集說》的官私著作總共六十三部，著錄三十八部；存目二十五部；屬於「《禮》類」者三十四部，著錄十七部；存目十七部。三十四部內屬於「《禮記》學類」者十五部，著錄六部；存目九部。諸書徵引陳澔《集說》佔有的比例，可以觀察陳澔《集說》在清朝前期經部著作內受到關注的情況，因而可以了解其在「經學」、「《三禮》學」和「《禮記》學」等範圍內的學術地位，因此製為下表以明之。對比之際將排除滿文等四部非漢文著作，是以《四庫全書總目》〈經部〉收錄書籍的總數為七百一十四部，未徵引陳澔《集說》者六百五十一部。

徵引諸書佔比表

內容	書籍數量比	百分比
徵引者總數比例	63部/714部	8.82%
徵引與未徵引的比例	63部/651部	1：10.33
官修總數比例	9部/26部	34.62%
官修《禮》類比例	4部/4部	100%
官修《禮記》學類比例	2部/2部	100%
私著總數比例	54部/688部	7.85%

內容	書籍數量比	百分比
私著《禮》類比例	30部/96部	31.25%
私著《禮記》學類比例	13部/30部	43.33%
《禮》類比例	34部/100部	34%
《禮記》學類比例	15部/26部	57.69%
《禮》類著錄比例	17部/38部	44.74%
《禮》類存目比例	17部/62部	27.42%
《禮記》學類著錄比例	6部/9部	66.67%
《禮記》學類存目比例	9部/17部	52.94%

觀察前表的實際比例，可知無論就整體或就私著而言，徵引陳澔《集說》的佔比都不到一成，未徵引者為徵引者的十倍以上。在「《禮》類」方面有三成四的佔比，若縮小到「《禮記》學類」則有近五成八的佔比。再就「著錄」之書來看，「《禮》類」有近四成五的佔比，「《禮記》學類」有六成七的佔比。若僅就私著來看，「《禮》類」有三成一的佔比；「《禮記》學類」有四成三的佔比。就官修書籍來看，徵引者佔「經部」全數官修書的三成五左右，「《禮》類」與「《禮記》學類」都是百分百的佔比。從這些實際呈現的情形來看，可見徵引陳澔《集說》者以「《禮》類」書為大宗，尤其以「《禮記》學類」書籍的徵引最多，相當符合一般常態性的分佈，這是第一個觀察到的情況。

　　從前表中可以明顯發現官書的徵引情況，顯然比私著更為積極，《日講禮記解義》、《三禮義疏》等四部「《禮》類」書都徵引了陳澔《集說》，兩部與「《禮記》學類」直接相關的《日講禮記解義》和《禮記義疏》有數量較多的徵引，尤其《禮記義疏》更有多達五百多筆的徵引，此種現象呈現的意義，較之私著具有更大學術價值。這主要是由於官書地位的特殊性，以及傳播上的方便性，遠非一般私人著作所能比擬，是以官方書籍徵引的學術意義與影響力，顯然非一般私著所能比擬。理由是朝廷編修得官書，在傳統社會理所當然就具有「權威性」與「公共性」地位，私著即使像等黃宗羲、顧炎

武、閻若璩等一類著名的大學者，在學術權威性方面，或者還可以有和官書相比之處，但在「公共性」方面，依然還是無法與官書相比較，因為當權威學者的觀點與官書的觀點有所衝突時，除非官方承認或接受，否則首先被放棄的解說，必然是私著的觀點。這是第二個觀察到的情形。

「經部」書籍徵引陳澔《集說》者六十三部，屬於「《禮》類」者三十四部，另有二十九部不屬於「《禮》類」的徵引書籍，這些「非《禮》類」的徵引，大致上都是屬於「順及型徵引類」的徵引者，這些作者顯然不可能為了一筆資料，因而刻意花費功夫翻閱陳澔《集說》，比較可能的是因為非常熟悉陳澔《集說》的內容，於是在一種「無意識」的狀況下，順著記憶不知不覺的「隨意」徵引。除那類有「《禮》類」著作的學者外，其他作者這種類似無意識的徵引，無論徵引數量的多寡，無論是「正引類」徵引或「批評類」徵引，都表現出一個非常值得注意的學術現象，那就是顯示陳澔《集說》的學術影響，已不再侷限於「《禮記》學類」著作或「《禮》類」著作，而是已經擴散並外溢到「《禮》類」書籍之外，因而其他經學類書籍的作者，方有可能如此的「隨意」徵引。這是第三個觀察到的情況。

徵引陳澔《集說》者中，除像納喇性德般「刻意」而「批評」的徵引之外，另有三十一部書曾針對陳澔《集說》提出批評，但批評與接受或默認的比例相較，其實相當微小，根據筆者不是絕對精確的統計，陳澔《集說》除去〈中庸〉和〈大學〉沒有加以注解外，全書總共分成兩千七百六十一個段落進行說解，即使像納喇性德有六百多筆的批評補正，相對於陳澔《集說》整部書的解說數量，不過二成多的佔比而已，更何況這些批評的意見，並不見得就絕對的正確，即使這些批評全數正確，但經由這些批評意見的提醒，更使得陳澔《集說》的讀者，跟著陳澔犯錯的機率大大降低，從而大大減少閱讀陳澔《集說》之際，出現誤解的可能，相反的卻可因此而更正確有效的閱讀陳澔《集說》。以上兩個原因，或者正是陳澔《集說》能夠屹立學宮五百多年的可能原因。這是此文第四個可以觀察到的情況。

透過前述的統觀與細部的觀察，以及四個現象意義的說明，則清代初期具學術代表現「經學」著作徵引陳澔《集說》的表現及其意義與學術價值，

就可以大致的了解，因而對於陳澔《集說》在清初「《禮記》學」、「《禮》學」和「經學」等學術範圍的功能與地位，應該也就可以獲得一個較為清晰的了解了。

四　結論

陳澔《集說》在清初「經部」類著作受關注與徵引的實際情況，關係到「經學史」與《禮記》學史」等「回到歷史現場」的了解認知，甚至關係到官學滲透擴散到私著情況的了解，因而具有探討研究的學術價值。本文透過電腦搜尋技術的協助，再經由實際的閱讀篩選判斷，以及必要性的分析，最終獲得的結果，大致可以歸納為下述幾點：

首先，陳澔《集說》自明朝洪武年間成為學宮的《禮記》學的官方標準讀本及科舉解答的定本以後，幾百年來正反面的批評不斷，時序進入清朝以後，依然高踞學宮。陳澔《集說》經過明朝二百多年來官方的推廣，在學界落實的情況如何？這個關係到經學與官學發展與影響實情了解的訊息，長期以來並未受到應有的重視，多數學者憑著印象發言，代代承襲而眾口鑠金，歷史實情於是被掩埋在虛構的混沌中，限制了學者對實際存在的了解，本文因此盡可能的「回到歷史現場」，重新探索陳澔《集說》在清初學界傳播擴散的實情，以提供相關學者參考。

其次，本文以《四庫全書總目》〈經部〉收錄而現存的專著為研究對象，並借助電腦搜尋系統的技術，再經由實際的閱讀篩選，考得《四庫全書總目》〈經部〉收錄的清朝學者著作，總共有七百一十八部，官修三十部、私著六百八十八部，官書有四部非漢文著作，故漢文著作實際為七百一十四部。徵引陳澔《集說》者六十三部，「《禮》類」佔三十四部，屬於「《禮記》學類」者十五部。

其三，本文依據徵引數量多寡背後可能隱藏的「不在場訊息」，將徵引書籍區分為「順及型徵引類」與「刻意型徵引類」等兩類。「順及型徵引類」屬於無意識、非刻意性的徵引，這類書籍的徵引數量較少，總共有四十

三部;「刻意型徵引類」是有意識、有意願的徵引,這類書籍總共二十部。

其四,考察六十三部徵引陳澔《集說》的「經部」書籍,發現屬於「《禮》類」者最多,共有三十四部,屬於「《禮記》學類」十五部,至於非「《禮》類」者則有二十九部。九部官書「《禮》類」佔四部,均徵引了陳澔《集說》。官書具有權威與傳播上的優勢,官書的徵引對陳澔《集說》地位的確立與傳播擴散具有正向的意義。「《禮》類」之外,另二十九部徵引陳澔《集說》的「經部」專著,呈現陳澔《集說》不受限於「《禮》類」,且外溢到其他「經部」學科的實際表現。至於三十一部出現「批評類」徵引的現象,相對於陳澔《集說》至少兩千七百六十一個解說段落的對比,即使像納喇性德六百多筆,也不過佔百分之二十三點七二,可見學者批評的「殺傷力」並不大。同時還可以反向思考,或者正由於學者不斷的批判以求完美,於是改善的機率大大升高,陳澔《集說》可能因此而更容易被接受,陳澔《集說》能在甚多負面批評的氛圍中,繼續在學宮立足,或者跟這些批評者不斷提供修正的答案相關。

其五,本文立足於「回到歷史現場」的實證性研究立場,以《四庫全書總目》〈經部〉收錄的清初學者之著作為對象,考察陳澔《集說》受到這些著作關注與徵引的實情,提供學者具體可信的成果,對於經學史、《禮》學史、《禮記》學史、官學的影響,以及陳澔學術擴散及其學術地位的了解,應該都有部分的協助功能,這對於經學史、官學和陳澔學術及及經學地位的了解,應該有值得著意的正面功能,這也就是寫作此文的意義與價值所在。

附錄

《四庫全書總目》〈經部〉收錄書籍徵引陳澔《禮記集說》實況表

作者	生存年代	著作名稱	徵引表現
官書	康熙55年（1716）	御定康熙字典	正引：21/21、21/42、21/47、21/54、28/98、28/124。（6筆） 批評：6/22、30/101。（2筆）
官書	雍正5年（1727）	欽定詩經傳說彙纂	正引：卷首上/14、5/75、10/5、19/41、21/38、21/38。（6筆） 批評：0
官書	雍正8年（1730）	欽定書經傳說彙纂	正引：13/2。（1筆） 批評：0
官書	乾隆元年（1736）	日講禮記解義	正引：1/8、5/12、6/10、16/11、16/12、16/17、19/10、20/2、24/13、24/18-19、26/2、28/21、30/5、40/3、41/17、42/3、42/21、44/16、46/1、46/2、48/25、50/1、56/6、57/15、59/15、61/23。（26筆） 批評：8/10、15/2、17/27、20/8、33/26、34/21、36/7、49/13。（8筆）
官書	乾隆11年（1746）	御製律呂正義後編	正引：27/9、27/10、27/10、62/57、65/41。（5筆） 批評：0
官書	乾隆15年（1750）	欽定叶韻彙輯	正引：職名/1、19/12。（2筆） 批評：0
官書	乾隆15年（1750）	欽定禮記義疏	正引：陳氏澔：500筆。陳澔：11筆。陳氏集說：5筆。東匯陳氏：1筆。雲莊陳氏：1筆。陳氏說2筆。

作者	生存年代	著作名稱	徵引表現
			陳說：8筆。[20]（總528筆） 批評：5/6、10/55、13/22、13/22、22/36、23/32、25/19、33/32、41/42、42/32、44/40、50/35、67/73、70/43。（14筆）
官書	乾隆15年 （1750）	欽定周官義疏	正引：0 批評：凡例/2、32/46。（2筆）
官書	乾隆15年 （1750）	欽定儀禮義疏	正引：0 批評：30/47。（1筆）
朱鶴齡	1606-1683	讀左日鈔	正引：1/28。（1筆） 批評：0
張爾岐	1612-1678	儀禮鄭註句讀	正引：8/13、8/45、8/45、11/10。（4筆） 批評：0
顧炎武	1613-1682	左傳杜解補正	正引：卷下/5。（1筆） 批評：0
應撝謙	1615-1683	★春秋集解[21]	正引：2/頁124、10/頁1009。（2筆） 批評：0
應撝謙		古樂書	正引：卷下/89。（1筆） 批評：0
應撝謙		★禮學彙編	正引：卷1、卷10、卷16、卷17、卷20、卷27等6卷抄用。另：陳澔：27/頁751、53/頁1449。（2筆）陳氏：20筆。陳註：51筆。陳曰：27/頁724、27/頁724、60/頁

---

20 本文由於設有搜尋的「關鍵詞」，很容易就能複查，因此不詳列細目，以免徒佔篇幅，以下皆仿此。

21 書名帶有「★」者為「存目」書，其他則是《四庫全書》「著錄」之書。

作者	生存年代	著作名稱	徵引表現
			1647。（3筆）（總6卷又76筆） 批評：15/頁275、31/頁912。（2筆）
毛奇齡	1623-1716	經問・經問補	正引：陳灝：1/13、2/12。（2筆） 批評：0
毛奇齡		★曾子問講錄	正引：4/頁139。（1筆） 批評：0
李集鳳	1655貢生	★春秋輯傳辨疑	正引：21/頁1974、33/頁2878、41/頁3512。（3筆） 批評：0
陸隴其	1630-1692	讀禮志疑	正引：集說：134筆。 批評：集說：68筆。
陸隴其		松陽講義	正引：0 批評：5/37。（1筆）
徐乾學	1631-1694	讀禮通考	正引：陳澔：94筆。陳注：12/41。陳氏集說：14/21。陳氏可大：5/4。陳可大：5/4、33/23。（總99筆） 批評：9/9、13/13、13/13、29/15、54/19、103/2、104/22。（7筆）
萬斯大	1633-1683	學禮質疑	正引：2/19、2/20。（2筆） 批評：0
萬斯大		★禮記偶箋	正引：2/頁87。（1筆） 批評：0
張沐	1658進士	★禮記疏略	正引：〈內則〉全用。又陳澔：120筆。陳氏：7筆。陳註：6筆。陳久（大）：8/頁437。（總134筆） 批評：39/頁1251、40/頁1262。（2筆）

作者	生存年代	著作名稱	徵引表現
閻若璩	1636-1704	尚書古文疏證	正引：4/45、8/58。（2筆） 批評：0
閻若璩		四書釋地	正引：又續卷上/50。（1筆） 批評：0
閻若璩		潛邱札記	正引：1/36-38、1/38、5/3、6/99。（4筆） 批評：4/3。（1筆）
冉覲祖	1637-1718	★禮記詳說	正引：陳氏：59筆。陳注：3119筆。（總3178筆） 批評：0
冉覲祖		★詩經詳說	正引：18/頁1636。（1筆） 批評：0
應是	1638-1727	★讀孝經	正引：2/頁107、2/頁116、3/頁208、3/頁208、3/頁210、3/頁212、4/297。（7筆） 批評：0
王復禮	1650-1718 前後	★家禮辨定	正引：3/頁172。（1筆） 批評：0
嚴虞惇	1650-1713	讀詩質疑	正引：24下/34。（1筆） 批評：0
李光坡	1651-1723	禮記述註	正引：集說曰：1675筆。集說：序/1、序/2。陳氏曰：9/40、12/26、13/3、13/23、15/22、15/25、15/59、19/8、21/7。（總1686筆） 批評：2/19、5/29、9/28、22/13。（4筆）
納喇性德	1655-1685	陳氏禮記集說補正	正引：0 批評：竊案：655筆。又案：51筆。愚案：28筆。

作者	生存年代	著作名稱	徵引表現
陳大章	1659-1727	詩傳名物集覽	正引：1/32。（1筆） 批評：0
姜兆錫	1690舉人	★禮記章義	正引：陳註：84筆。序1/頁2、目錄/頁13。（總86筆） 批評：1/頁35、1/頁44、1/頁68、2/頁91、2/頁144、2/頁173、2/頁187、5/頁455、6/頁478、9/頁873。（10筆）
姜兆錫		★周禮輯義	正引：0 批評：後序/頁14。（1筆）
孫濩孫	約　1663-1739	★檀弓論文	正引：凡例/頁15。（1筆） 批評：
陸奎勳	1663-1738	★戴禮緒言	正引：序/頁2、1/頁6、1/頁6、1/頁7、1/頁9、1/頁9、1/頁20、1/頁20、1/頁23、1/頁37、2/頁59、2/頁65、2/頁66、2/頁69、2/頁86、2/頁86、3/頁91、3/頁97、3/頁101、3/頁102、3/頁103、3/頁114、3/頁122、3/頁125、3/頁128、3/頁134、4/頁137、4/頁143、4/頁158、4/頁174。（30筆） 批評：1/頁8、1/頁8、1/頁10、1/頁10、1/頁20、1/頁22、1/頁37、2/頁58、2/頁68、2/頁69、2/頁72、2/頁83、3/頁91、3/頁94、3/頁111、3/頁114、3/頁115、3/頁117、3/頁119、3/頁120、3/頁121、3/頁128、3/頁134、4/頁140、4/頁142、4/頁146、4/頁150、4/頁153、4/頁154、4/頁157、4/頁163、4/頁168、4/頁

作者	生存年代	著作名稱	徵引表現
			174、4/頁174。（34筆）
陸奎勳		★陸堂詩學	正引：0 批評：10/頁458。（1筆）
朱軾	1665-1736	★儀禮節略	正引：陳澔：9/頁883、9/頁886、9/頁919、13/頁1456、17/頁1965。陳可大：14/頁1558。陳東匯：9/頁909。（總7筆） 批評：13/頁1353。（1筆）
吳隆元	1694進士	★孝經三本管窺	正引：0/頁31。（1筆） 批評：0
梁萬方	？-1725	★重刊朱子儀禮經傳通解	正引：東匯陳氏：363筆。陳氏：12筆。（總375筆） 批評：9/頁700、29/頁1975、32/頁2284、45/頁3658、55/頁4168。（5筆）
沈元滄	1666-1733	★禮記類編	正引：3/頁141、9/頁491、10/頁550。（3筆） 批評：0
方苞	1668-1749	禮記析疑	正引：陳氏：3/6、4/11、6/1、14/8、34/1。陳氏澔：10/9、10/9。陳氏集說：原序/1、原序/2、2/1、4/1、4/11、4/15、5/12、5/25、6/2、6/13、6/21、7/7、7/23、12/5、13/14、14/17、14/18、14/19、19/2、21/7、26/9、34/1、35/3。（總30筆） 批評：3/13、6/7、16/6、20/15、23/10、25/2。（6筆）
馬駉	1670-1760前後	★儀禮易讀	正引：序/頁3。 批評：0

作者	生存年代	著作名稱	徵引表現
任啟運	1670-1744	★禮記章句	正引：陳澔：66筆。陳謂：38筆。陳曰：11筆。陳云：8筆。陳如字：7筆。陳讀：7筆。陳氏：6筆。陳作：4筆。陳本：4筆。陳並讀：1筆。（總152筆） 批評：2-1/頁180、2-2/頁223、2-2/頁223、3-1/頁348、3-2/頁360、4-1/頁482、4-1/頁538、4-1/頁541、6-2/頁884、6-2/頁964、7-2/頁1050、7-2/頁1051、8-4/頁1311、9-1/頁1327、9-1/頁1331、9-1/頁1338、9-1/頁1343、9-1/頁1348、9-2/頁1400、9-3/頁1411、9-3/頁1479、10-1/頁1505、10-1/頁1577。（23筆）
劉青蓮	1670 ？-1739	★學禮闕疑	正引：集說：212筆。陳氏集說：40筆。陳氏澔：4筆。澔解：1/頁4。（總257筆） 批評：1/頁2、1/頁5、1/頁33、1/頁38、1/頁41、1/頁45、2/頁56、2/頁57、8/頁445。（9筆）
汪基	1700前後	★三禮約編	正引：序/頁8、例言/頁348、例言/頁349、引言/頁352、9/頁882。（5筆） 批評：4/頁563。（1筆）
顧棟高	1679-1759	春秋大事表	正引：19下/8。（1筆） 批評：0
江永	1681-1762	禮記訓義擇言	正引：陳氏集說：1/13、2/30、3/10。陳注：1/8。陳氏：49筆。東匯陳氏：22筆。（總75筆） 批評：1/2、1/2、1/6、1/8、1/11、

作者	生存年代	著作名稱	徵引表現
			1/17、1/18、1/21、2/11、2/14、2/17、2/23、3/10、4/8、4/13、4/18、4/19、4/24、4/25、5/2、6/12、7/1、7/2、7/11、7/11、7/12、7/13。（27筆）
沈彤	1688-1752	儀禮小疏	正引：5/25。（1筆） 批評：0
汪紱	1692-1759	參讀禮志疑	正引：陳氏禮記集說：卷上/36。雲莊集說：卷上/1、卷下/2。雲莊：卷上/11、卷上/23、卷上/48、卷下/34。陳氏集說：5筆。集說：57筆。（總69筆） 批評：卷上/10、卷上/11、卷上/18、卷上/21、卷上/31、卷上/37、卷上/39、卷上/41、卷上/41、卷上/57。卷下/3、卷下/4、卷下/10、卷下/11、卷下/17、卷下/18、卷下/24、卷下/26、卷下/32、卷下/40、卷下/41、卷下/42、卷下/45、卷下/45、卷下/46、卷下/48、卷下/48、卷下/53、卷下/53。（29筆）
鄭方坤	1693-?	經稗	正引：9/37。（1筆） 批評：0
丁愷曾	1723貢生	★說書偶筆	正引：0 批評：4/頁171。（1筆）
蔡德晉	1726舉人	禮經本義	正引：陳可大：12/25、17/24。（2筆） 批評：0
曹庭棟	1700-1785	★孝經通釋	正引：0 批評：總論/頁386。（1筆）

作者	生存年代	著作名稱	徵引表現
秦蕙田	1702-1764	五禮通考	正引：陳氏澔：77筆。陳澔：3筆。陳氏澔集說：2筆。陳澔集說：5筆。陳澔集注：2筆。陳氏澔集注：2筆。禮記集說：2筆。（總93筆） 批評：89/45、169/25、220/42、220/46。（4筆）
胡彥昇	1730進士	樂律表微	正引：0 批評：7/28。（1筆）
盛世佐	1748進士	儀禮集編	正引：卷首上/15、卷首下/23、16/17、18/63、18/63、18/63、21/20、22/100、27/6、31/36。（10筆） 批評：凡例/3。（1筆）
顧鎮	1720-1792	虞東學詩	正引：12/33。（1筆） 批評：0
山井鼎、物觀	1690-1728；1673-1754	七經孟子考文補遺	正引：凡例/6、114/13、116/4、119/4、122/17、125/10、126/6、129/9、130/6、131/2、135/4、145/11、149/2、157/9、159/4、166/3、174/6。（17筆） 批評：128/17。（1筆）
吳浩	？-？	十三經義疑	正引：5/5、5/7、5/8、5/10、5/10、5/13、5/14、5/19、5/21、5/23、5/26、5/26、5/26、5/31、5/32、5/33、5/36、5/38、5/38、5/39、5/41、5/44、5/44、5/45、5/49、6/18、7/3、9/2。（總28筆） 批評：5/6、5/15、5/46。（3筆）

《禮記》〈樂記〉「人生而靜，天之性也；感於物而動，性之欲也」

——由氣論視角檢視此語的發展的分化

王俊彥

中國文化大學中國文學系教授

提要

　　《禮記》〈樂記〉「人生而靜，天之性也；感於物而動，性之欲也」在漢、唐、宋、明、清各代皆有討論，依時代的不同，與學脈的辯證發展，藉性、性之欲的論題，建構出對性屬本體，性之欲為性之用的不同意義與發展。本文即由氣論角度，檢視此句在中國思想史中的發展及回歸。首先討論唐孔穎達承繼漢代的發展，再論宋代理氣論，以張載、司馬光、程明道、朱子等學脈各殊者為析辯對象。次論明清氣本論，以羅欽順、王廷相、吳廷翰、戴震主張氣本論為主。再次論明清心氣是一論，舉王陽明、劉蕺山、王夫之等由心本漸走向氣本者的論述。最後論歸漢代，舉焦循為例，提出此語通過理本論、心本論、氣本論辯證發展後，對漢代氣論的回歸。

關鍵詞：性　性之欲　人生而靜　氣

一　前言

　　《禮記》〈樂記〉「人生而靜,天之性也;感於物而動,性之欲也」在漢唐時期主由陰陽五行之氣化論,詮釋性與靜,欲與動之關係。至宋明清在張載、程子重振儒學,抗衡佛老,除以天道論提高儒學高度,又特別重視由氣來說儒學,蓋以氣來對顯佛道之虛也。而程子於「人生而靜」一句,又加上「不容說」之義,開啟漢唐以形氣為性,尚須建構天與性關聯之討論。本文即由理本論之朱子,氣本論之羅欽順、王廷相、吳廷翰至戴震,及心與氣為一的陽明、蕺山、船山等諸家,分別檢視諸家的性、欲之說法,以試圖看出對此論題之發展與分化。

二　唐‧孔穎達之《禮記》、《中庸》疏解

　　　「人生而靜,天之性也」,正義曰:言人初生未有情欲,是其靜稟於自然,是天性也。「感於物而動,性之欲也者」,其心本雖靜,感於外物,而心遂動,是性之所貪欲也。自然謂之性,貪欲謂之情,是情別矣。物至知知,然後好惡形焉者。至猶來也,言外物既來。知謂每一物來,則心知之。為每一物皆知是物至知知也。物至既眾,會意者則愛好之,不會意者則嫌惡之,是好惡形焉。「好惡無節於內,知誘於外者」,所好惡恣己之情,是無節於內。知謂欲也。所欲之事道誘於外,外見所欲,心則從之,是知誘於外也。[1]

《正義》由人初生未有情欲為靜,此靜稟於自然,所以是天性。天性無情欲之用故為靜,知孔穎達仍傳承漢代陰陽五行氣化宇宙論的脈絡,此靜指陰陽五行做為宇宙本然,尚未開始氣化流行之狀態。人承此本然以為人之性。性靜發用之心亦靜,及感於外物而心隨物而動,非性發用之心自為之動,所以謂性之貪欲。順天稟之自然為性,性感外物而動,乃貪欲,乃所謂情。孔氏

---

[1]　孔穎達:《禮記正義》(臺北市:藝文印書館,1989年),頁666。

將「性之欲」釋為貪欲及情，屬形氣層，與天、性、心屬本然層相對。「好惡形焉」言心知外物之來，且每一物皆知，知心有普遍的認知能力，亦為天稟自然之性的發用。唯物至既眾，若心會意則好之，心不會意則嫌惡。發動好、惡者為心，所以為好、惡之判準為自然之性。此未言性為善或為惡之問題，但已蘊有宋明以未發為性之善，已發為情為惡之各種可能之方向。「知誘於外」之「知」孔氏指為欲。心能向外認知，此能知之心，若從外物而知，心已非心，已為外物所化，而為「欲」矣。孔氏以「欲」釋「知」與宋明諸儒以「知」為自然靈明知覺不同。

> 案《左傳》云：天有六氣，降而生五行，至於含生之類，皆感五行生矣。惟人獨稟秀氣，故〈禮運〉云：人者五行之秀氣，被色而生，既有五常，仁、義、禮、智、信，因五常而有六情，則性之與情，似金與鐶印，鐶印之用非金，亦因金而有鐶印，情之所用非性，亦因性而有情，則性者靜，情者動，故〈樂記〉云：「人生而靜，天之性也，感於物而動，性之欲也。」[2]

孔氏由左傳的天有六氣，降生五行，含生之類皆感五行而生，人獨稟秀氣，展現孔氏以六氣為天，五行為命，五形亦凝為含生者，其中人為天、命、含生三層次中最靈者。孔氏又引《禮運》云：「故人者，其天地之德，陰陽之交，鬼神之會，五行之秀氣也。」以人為氣化陰陽所交會，及氣化生生不測之神用，總匯五行秀氣而有天地之德者。陰陽為天、鬼神為用，人為五行秀氣之思路，乃沿襲漢代以降，由天而神而人的氣化三層架構，以人為總成天地之德者。所以人被五色而生，便有仁義禮智信五常，五常即天稟之性，由性發為喜怒哀樂愛敬之六情。情由性生，性由天有。天本自然無所不在，降於人為性，天已受氣稟而有所限制，此由上而下的說。及性發為六情，情用更受氣質限制，此由無形而有形的說。由天、性、情之差別，知無形之性為情用之本，而情用非性。孔氏即以「性者靜」說性為情用之本，本身非用，

---

2 孔穎達：《禮記正義》（臺北市：藝文印書館，1989年），頁879。

故是靜。「情者動」說情為性之發用,故是動。實則氣化不已,故由氣說之性亦是既動既靜者,孔氏所言「性靜情動」專由性為本,情為用的角度來說的,亦由此說〈樂記〉天之性是靜,性感物而動為情,故以「性之欲」之「欲」為情。以上兩段為孔氏由陰陽五行之氣化說性為本,情為動為欲之思路。

三　宋代理氣論

> 程子曰:「凡人說性,只是說繼之者善也,孟子言人性善是也。夫所謂繼之者善也者,猶水流而就下也。」横渠先生曰:「此繼之者善也,指發處而言之也。性之在人,猶水之在山,其清不可得而見也,流出而見其清,然後知其本清也。所以孟子專就見孺子入井皆有怵惕、惻隱之心處指以示人,使知性之本善者也。易所謂繼之者善也,在性之先。此所以引繼之者善也,在性之後。蓋易以天道之流行者言,此以人性之發見者言。唯天道流行如此,所以人性發見亦如此。[3]

横渠說性,猶水流而就下,水是本然,就下是水之性。所謂繼之者善,繼之指水有就下之性,且此就下之作用,即是善端之發處。而水之本然如在山之水,未出山前其清不可見,如程子「人生而靜以上不容說」。及流出見其清,知其本清。指發而為善,乃知人性之本善。如由人之怵惕之心之發用,知人性本善。易由天道流行說繼之者善,此繼之者乃天道之流行,天道流於人而有性。横渠「此繼之者善也,指發處而言之」由人性之發見處說,則繼之者善乃指有性之後,性發之善。若如此說,則樂記「人生而靜,天之性」横渠釋為性之本然,如在山之水,其清濁內容尚不可說。「感物而動,性之欲」横渠釋為性之發而為善,由發為善反推此善乃性之本然。横渠為氣本論者,又吸收佛、道天道論,將氣提高到本體位階,而氣之流行秩序仍以道德之善為準則。横渠由善端之發說「性之欲」,已與孔穎達由性動為情說

3　張載:《張載文集》(臺北市:漢京文化,1983年),頁341。

「性之欲」不同。蓋由孔氏之性內情外，轉為性與性之欲，而為體用一貫，
且強化了性之道德義。

> 《樂記》曰：「人生而靜，天之性也。」人之性稟於天，曷嘗有不善
> 哉？荀子曰性惡，揚子曰善惡混，韓子曰性有三品，皆非知性者也。
> 性一也，人與鳥獸草木，所受之初皆均，而人為最靈爾。由氣習之
> 異，而有善惡之分。上古聖人固有稟天地剛健純粹之性，生而神靈
> 者，後世之人或善或惡，或聖或狂，各隨氣習而成，其所由來也遠
> 矣。堯、舜之聖，性也；朱、均之惡，豈性也哉？夫子不云乎：「惟
> 上智與下愚不移。」非謂不可移也；氣習漸染之久，而欲移下愚為上
> 智，未見其遽能也。詎可以此便謂人之性有不善乎！[4]

司馬光由人與草木鳥獸所受之初皆均說性，則此性有普遍性，然又說
「人為最靈」則指人與物所受於天原則上皆一，「最靈」則指受之者的氣稟
各有不同。如〈禮運〉所云「人者五行之秀氣」故人最靈。知司馬光仍承漢
代氣化論說性，又主「人性稟於天，曷嘗有不善」而主氣性是善。故反對亦
由氣說性惡的荀子，由氣說性善惡混的揚子，由氣說性分三品的韓子。司馬
光由聖人稟天地剛健純粹之性說性善，但聖人純粹神靈，凡人之性則未必皆
善，有或善或惡各種可能，但如此推下去，司馬光也會走上他所反對的荀、
揚、韓之性有善有惡之路。司馬光為堅持人生而靜稟天之性善的主張，便繞
過性可能有善有惡的問題，而將為惡推給習染所成。由氣說性，性當有或善
或惡之可能，而司馬光則由「人生而靜，天之性」主張氣性由天來自然為
善，反對孟子由人來說性善。

> 「生之謂性」性即氣，氣即性，生之謂也。人生氣稟，理有善惡，然
> 不是性中元有此兩物相對而生。有自幼而善，有自幼而惡，是氣稟有
> 然也。善固性也，然惡亦不可不謂之性也。蓋「生之謂性」，「人生而
> 靜」以上不容說，才說性時，便已不是性也。凡人說性，只是說「繼

4　黃宗羲撰：《宋元學案·涑水學案》（臺北市：文津出版社，1987年），頁288。

之者善」也，孟子言人性善是也。夫所謂「繼之者善」也者，猶水流而就下也，皆水也。有流而至海，終無所污，此何煩人力為之也？有流而未遠，固已漸濁，有出而甚遠，方有所濁。有濁之多者，有濁之少者，清濁雖不同，然不可以濁者不為水也。如此，則人不可以不加澄治之功，及其清也，則卻只是元初水也，亦不是將清來換卻濁，亦不是取出濁來置在一偶。水之清，則性善之謂也。故不是善與惡在性中為兩物相對，各自出來。[5]

程子此句「然不是性中元有此兩物相對而生也」、「性即氣，氣即性」、「人生而靜以上不容說」等論題，引發宋明理本論，氣本論各自引為理據的討論。現試析如下：「性即氣，氣即性，生之謂也」因性由天賦，而「性即氣」之「即」是性、氣上下相貫的「即」，則性為由氣說的性。若「性即氣」之「即」是性屬形上，氣屬形下兩者不離不雜的「即」，則性與氣為上下二分者。程子續云：「人生氣稟，理有善惡」若是由氣稟說性，而氣稟有清有濁，則理若為形上而受限於氣稟，理自偏而有善惡。理若為上下相貫之氣之理，則善為氣稟之清者，惡則氣稟之濁者。續云「然不是性中元有此兩物相對而生」若由天性善說，不須說性中無兩物相對。說性中無兩物相對，應是性中本只為善，不會讓人懷疑惡亦在性中。程子與前述橫渠、司馬光皆主氣性是善。然氣稟有清濁之異，故惡在性中固有？或性受制於氣濁後才為惡？程子續云「有自幼善有自幼惡，是氣稟有然」知氣稟為決定善惡的條件之一。續云「善固性，惡亦不可不謂之性」，理本論者無法接受惡亦為性，氣本論者則多引此句為氣性有善惡之根據。究竟何說為是？程子又云「人生而靜」以上不容說，才說性時，便已不是性」人生而靜以上不容說指天為形上，非文字能把握，故不可說天為性。「凡人說性只是說繼之者善」凡人所說之性乃天道流行於人的「繼之者善」，如孟子之人性善。又云「繼之者善猶水之就下」水本清，有流近即濁，有流遠始濁，水因流而有濁，然水本清則不變，故謂人之性本善。可知人生而靜不容說，有人方可說有性，性本為

5　程顥、程頤：《二程集》（臺北市：漢京文化，1983年），頁10-11。

善，性發過程受氣稟濁之影響而有惡。將性發過程或有濁之可能，亦視為「猶水流就下」會有清濁之異可能的性之發用範圍內，則可說「惡亦不可不謂之性」且仍可主張「不是善與惡在性中為兩物相對」的性善說。知程子將人生而靜視為不容說的天，天命於人為性，程子之性又不止只由天而說性善，亦將性發受濁而為惡之可能亦視為性之內容，所以有「惡亦不可不謂之性」之說。程子若主張理本氣末則不致如此說，主張理氣圓融一體則會如此說。

> 朱子曰：人生而靜，天之性也，感於物而動，性之欲也，何也？曰此言性情之妙，人之所生而有者也。蓋人受天地之中以生，其未感也，純粹至善，萬理具焉，所謂性也。然人有是性即有是形，有是形即有是心，而不能無感於物。感於物而動，則性之欲者出焉，而善惡於是乎分矣。性之欲，即所謂情也。物至知知，然後好惡形焉，何也？曰：上言性、情之別，此指情之動處為言，而性在其中也。物至而知知之者，心之感。好之惡之者，情也。形焉者，其動也。所以好惡而有自然之節者，性也。入生而靜以上，即是人物未生時，只可謂之理，說性不得，此程子所謂「在天曰命」也。才說性時，便已不是性。才謂之性，便是人生以後，此理已墮在形氣中，不全是性之本體矣。此程子所謂「在人曰性」也。然性之本體，原未嘗離，亦未嘗雜，要人就上面見得其本體耳。性不可形容，善言性者，不過即其發見之端言之，而性之理固可默識矣。如孟子言「性善」與「四端」。[6]

孔穎達以欲為情，橫渠由善端之發為性之欲。程子則另以性發有受濁而惡之過程，這一段亦可視為性的發用。其中程子提人生而靜不容說一語，開啟朱子由理氣二分角度詮釋的脈絡。天之性屬不容說的形上之理，性之欲屬形氣層的性所用的情。以性之欲為情，同孔穎達性為本、性動為情之模式。唯孔穎達以陰陽五行之氣化流行為理據，而朱子則主張理形上氣形下，理以不離不雜形式做為氣之指導原則。

---

6 孫希旦：《禮記集解》（臺北市：文史哲出版社，1990年），頁984。

　　朱子以受天地之中以生，未感時純然至善，萬理具焉，此謂之性。天地之中屬天理，及賦予人為性，仍保持純粹天理之無限性。及性受物感而心為之發用，發用受氣質限制而有偏全不異。在朱子性屬形上之理，心、情屬形下之氣用，而形氣心統攝形上性理於心中，再由心依性理發為形氣之情的架構下，知「人生而靜，天之性」屬形上不容說之理，雖在人為性，此性仍是不容說之理。「感物而動，性之欲」此欲指性指導形氣層之發用而為所謂之情。心所發之性受氣稟限制而有偏全不同，而情即因此而有善惡之分。又孔穎達以「知誘於外」之「知」為欲，因心為外物所感而心非欲。朱子「物至而知之者，心之感」心為氣之靈，以性理為準繩，所以能感外物而合性者好之，不合性者惡之。朱子固與孔穎達以知為欲不同，亦順程子以「人生而靜以上不容說」上推為天理，又將程子「性即氣，氣即性」氣性圓融一體觀，轉氣為形下，則「性之欲」乃性於氣之動而為情。

四　明清氣本論

> 《樂記》「人生而靜，天之性也；感於物而動，性之欲也」一段，義理精粹，要非聖人不能言。象山從而疑之，過矣，彼蓋專以欲為惡也。夫人之有欲，固出於天，蓋有必然而不容已，且有當然而不可易者。於其所不容已者，而皆合乎當然之則，夫安往而非善乎？惟其恣情縱欲而不知反，斯為惡矣。夫欲與喜怒哀樂，皆性之所有者，喜怒哀樂，又可去乎？蓋天性之真，乃其本體，明覺自然，乃其妙用。天性正於受生之初，明覺發於既生之後，有體必有用，而用不可以為體也。《樂記》所謂「人生而靜，天之性」，即天性之真；「感物而動，性之欲」，即明覺之自然也。[7]

羅欽順主張以氣為本，理為氣中條理，氣為第一義，理為第二義。反對朱子理在氣先，氣依理而行之說。學脈上合於樂記由陰陽氣化說天性、性之欲之

---

[7]　黃宗羲撰：《明儒學案・諸儒學案中一》（臺北市：里仁書局，1987年），頁1116。

說，故對以性為本體善，欲為限制性不得全然展現的情欲視為惡的象山深置質疑。欽順以氣化不已為天，天命於人之性，所發之欲自然出於天。主張一氣貫通於有形無形兩間，一氣流行不已，則欲自有必然而不容已者。一氣流行為宇宙生化之秩序，欲自有當然而不可易者。欲之不容已，又皆合乎當然之則，欲之地位已從朱子視為形下第二義之情動，提升為與性同為第一義的位階。欽順認為「人生而靜，天之性」義理精粹，此「天性之真，乃其本體」指天性本體為善，而與性同位階而為性發用之欲自然亦為善。此點已與唐孔穎達以欲為情，情易為惡不同。與橫渠以善端之發為性之欲，有相承處。與程子性發為欲之過程有為善為惡之不同之說，取程子性發向善為欲之說，去掉程子性發之欲或為惡之可能。故反對朱子順程子性之欲為惡之延伸。欽順「感物而動，性之欲」以欲為性之明覺自然，欲非如朱子無天性貞定的莽然情欲，必受教化而始正者。天有必然不容已之作用，當然不可易之秩序。而欲由天來，則欲之發用，自是明覺自然之發用。欽順以氣為本，氣發用之欲，自亦提高為第一義，此如天性善，欲亦善矣。

> 「人生而靜，天之性也，感於物而動，性之欲也。」此非聖人語。靜屬天性，動亦天性，但常人之性，動以物者多，不能盡皆天耳。性者合內外而一之道也。動以天理者，靜必有理以主之，動以人欲者，靜必有欲以基之。靜為天理，而動即逐於人欲，是內外心迹不相合一矣。[8]

欽順由「理一分殊」理論說「亙天地古今一氣」並以理為氣之條理，而說氣為理之本。因其對理與氣關係論述甚多，或有論者謂其理氣並重而以氣為首出。故欽順認為「人生而靜天之性」一段，義理精粹非聖人不能言。其後王廷相則主張「天地之間，一氣生生，而常而變，萬有不齊，氣一則理一，氣萬則理萬。世儒專言理一而遺萬理偏矣。」廷相主張氣一理一，氣萬理萬，氣為本理為末，所以對「人生而靜天之性」朱子解釋為天性為人生本靜之理，深致不滿。此與欽順有異，蓋欽順由氣說天性，廷相則反對朱子以靜說

---

8 〔明〕王廷相撰，王孝魚點校：《王廷相集》（臺北市：中華書局），頁852。

理說性。廷相以氣為本，氣於人為性，氣本體永恆不易是性之靜，氣流行不已、不測是性之動。故氣是體亦是用，性亦合動靜內外為一者。性合內外動靜，故性之動合天理，此天理亦必為此動之內在主宰，才有合天理之動，此時性之動靜皆為天理之自然如此。若動以人欲，則必有靜之天理為人欲之動的基礎，此時欲為兼動靜之天理之發用，此欲實非朱子形下第二義之欲，而為與性同層次之欲。所以反對視靜為形上天理，動為形下人欲如朱子之說。廷相主張性為合內外之道，則天之性為氣性之本，性之欲為氣性之用。人生而靜與感物而動，乃一性之內外爾。

> 《樂記》：「人生而靜，天之性也。感於物而動，性之欲也。」此語未精，非孔子之言，夫性不可以動靜言，而動靜皆性也，豈可以靜為天性而動為物欲乎？若靜為天性，是性無動也。動為物欲，是性無感也。無動無感，亦空寂之物耳，豈得為性乎？[9]

吳廷翰繼廷相之後，亦主張「氣為萬物之本」，認為理在氣中，反對朱子理先氣後。故對漢唐以來，由陰陽氣化說人生而靜天之性一語，是以氣為本的理路有所承接，但已較漢唐把氣明白提高到本體位階，則是較漢唐有進一步的發展。對漢唐將「性之欲」視為情，而性是本，情為發展，性情有別之說，亦不贊同。亦反對朱子將性視為無感無動之虛空之理，欲為無道德貞定之情。廷翰云「性不可以動靜言，而動靜皆性。」指性不可單言只是靜的理，或只是動的欲。性是將氣化秩序不變的靜之理，與氣化不已之作用的動之欲合為一體者，以動靜合一而為氣性之內容。故反對以靜為天性，動為人欲脈絡下，以靜為第一義，動為第二義的二分法，如朱子。廷翰又在動靜皆性之立場，進一步質疑性為靜，如此則性無動，將不合於氣化不已命而為性之本然。同樣，視動為第二義之物欲，則順氣化不已而有的性之欲，將不能不已地發用矣。知廷翰以氣化不已為天之性，以性生用不已為性之欲。不以欲為情，更非如朱子的莽然形下之情。

9　吳廷翰：《吳廷翰集》（北京市：中華書局，1984年），頁40。

據《樂記》「人生而靜」與「感於物而動」對言之，謂方其未感，非謂人物未生也。〈中庸〉曰：「天命之謂性」謂氣稟之不齊，各限於生初，非以理為在天在人異其名也。況如其說，是孟子乃追溯人物未生，未可名性之時而曰性善。若就名性之時，已是人生之後，已墜在形氣中，安得斷之曰善？由是言之，將天下古今惟上聖之性不失其性之本體，自上聖而下，語人之性，皆失其性之本體，人之為人，含氣稟氣質，將以何者謂之人哉？性者，飛潛動植之通名，性善者，論人之性也。如飛潛動植，舉凡品物之性，皆就其氣類別之，人物分於陰陽五行以成性，舍氣類，更無性之名。[10]

戴震繼羅欽順、王廷相、吳廷翰之後，亦主氣論，主張天之性與性之欲是順氣化流行有體而有用的脈絡而來。並強烈反對朱子理本氣末、理先氣後，主張以氣為本，而理在氣中。云「人物分於陰陽五行以成性，舍氣類，更無性之名」，指陰陽五行分化萬殊，人物稟陰陽五行萬殊之可能，而各為飛潛動植各物之性。性稟於由氣說之天，則天為氣性之本源，氣類有萬殊，則做為本源之天，自有無限性、普遍性，此乃「人生而靜以上不容說」之地步。此時未有形氣，氣中之理亦未存於形氣中，不可名曰性，只可名為天。天命為性，性以氣言，所以氣性成於已生之後。又云：「人生而靜與感於物而動，對言之。謂方其未感，非謂人物未生也。」樂記云：「人生而靜」既生而靜，此靜非天而為天命人之性，等到程子擴張為「人生而靜以上不容說」此「以上不容說」處乃是天而非性矣。戴震承樂記以「人生而靜為性」，且性為分於陰陽五行之氣性。同時亦接受程子「人生而靜以上不容說」為天之主張。繼而又云「未感」非指天，而是人性成後，氣性本會流行發動，但在專論性之本質，不是說性之發用時，此時可說性靜、性未感。論及性之發用，才可說「感於物而動」。所以反對朱子以「孟子乃追溯人物未生，未可名性之時曰性善」，認為朱子以人物未生前說性善，及此性落於清濁各異之氣稟中，其性或偏於清或偏於濁，很難再說性是善的。戴震則由萬物皆有氣類各殊之

10 戴震：《戴震集》（臺北市：里仁書局，1980年），頁301-302。

性，人則由「人生而靜以上不容說」規定人性，人性自是善。「感物而動，性之欲」，「欲」即善性之發用。

五　明清心氣是一論

> 「生之謂性」，生字即是氣字，猶言「氣即是性」也。氣即是性，「人生而靜，以上不容說」，才說「氣即是性」，即已落在一邊，不是性之本原矣。孟子性善，是從本原上說。然性善之端，須在氣上始見得，若無氣亦無可見矣。惻隱、羞惡、辭讓、是非即是氣。程子謂「論性不論氣，不備；論氣不論性，不明。」亦是為學者各認一邊，只得如此說。若見得自性明白時，氣即是性，性即是氣，原無性、氣之可分也。[11]

宋明論性及欲，除由理本，如朱子。氣本如王廷相等外。心本論者亦有以心為本體，賦予形氣有道德義的思路討論。如陽明主張「心外無物」認心為本體，又同時也將形物涵攝本心之中，形物以心而成為存在，所以對形氣少加討論。而天道流行永恆遍在，此模式在理本論、氣本論及心本論皆為共用之模式。陽明以良知即天理，所以良知學說也仍須面對如樂記天之性、性之欲必然觸及形氣層的論題，如何做解釋的問題。陽明以為「生之謂性」提生字即是已生才有形，有形才有性，性因形氣而有，可說「氣即是性」。但此氣即性，雖順程子所云而來，但陽明認為性之本為天為良知，此良知在氣中受氣質清濁影響，及至發用或偏或正，而有善惡之別，與朱子天理不容說相同，皆推尊理、良知為本體。而朱子又以形氣為第二義，須依理而行，良知則涵攝形氣於內，形氣即良知之發用與對象；朱子之氣依理行，陽明之氣則為良知之發用，此朱、王其不同處。氣本論如王廷相，則主氣一理一，理為氣之理，而氣之性與性之欲乃氣化不已的體及用。陽明以良知涵攝萬物，良知貞定萬物為其體，萬物即為良知之發用，陽明與廷相理論形式似同。但廷

---

11 王陽明：《傳習錄》（臺北市：大申書局，1983年），頁47。

相性、欲是以氣相貫。陽明則以良知為本體，性之欲則為良知在形氣上之發用流行，是以心攝物與廷相仍有別。如云「孟子性善，是從本原上說」可知陽明以性善為天為本，因心涵萬物，所以天、命、人等階段，皆消融為善性。唯善性之發端，仍須在氣上見得，若無氣為善端之發見，善性亦蹈空淪虛。陽明在「心外無物」的架構，自不能如朱子只視氣為形下，反要涵攝氣於善性及善端中，不能只論氣不論性，亦不能只論性不論氣，而主「性、氣原無可分」，此性氣不分非氣本論之理論，而是在「心外無物」架構中說的。

> 程子以水喻性，其初皆清也，而其後漸流而至於濁，則受水之地異也。如此分義理與氣質，似甚明。但《易》稱「各正性命，乃利貞。」又稱「成之者性也。」亦以誠復言，則古人言性，皆主後天，而至於人生而靜以上，所謂不容說者也。及繼之者善，已落一班，畢竟離氣質，無所謂性者。生而濁則濁，生而清則清，非水本濁，而受制於質，故濁也。如此則水與受水者，終是兩事，性與心可分兩事乎？余謂水心也，而清者其性也，有時而濁，未離乎清也，相近者也。其終錮於濁，則習之罪也。[12]

陽明固為心本論者自無疑，而其上段藉在「人生而靜以上不容說」指性善為不容說之本原。藉善端由氣見，表示氣亦涵攝於良知中。是藉氣性與氣性之發的階段，說明良知之體及用，已有藉氣化流行模式，說明良知流行的方便。及至蕺山既師承陽明心學云「天地只一心」，亦吸納氣本論云「天地只一氣」。為將心與氣同視為一體者。蕺山承程子以水喻性，其初皆清，所以主性善，此受陽明良知為天理而說。由水本清，後出而漸有濁，則接受氣本論，天命於人有氣質而後為性，性由氣質說，不由不容說的天理來說。蕺山以水清喻性而本清，及漸濁則是受水之地異。如此說則水是清，外物感而有濁，則水與外物為二。由心本論言，心外無物，故心物為一非二。由氣本論言，一氣貫內外兩間，所以水與物亦非為二者，又云「生而濁則濁，生而清

---

12 黃宗羲撰：《明儒學案·蕺山學案》（臺北市：里仁書局，1987年），頁1538。

則清」乃因氣性本身自有清有濁之可能，所以有生而清有生而濁，但不論清濁皆氣性所本具。並非如理氣二分模式，本清之水因受水之地異，而便與清為二物，及濁混入水清中，而使清變濁。如此則為心物二分，蕺山同時消化心本、氣本之說，自然主張心物為一。此為一，非泯滅心、物異層的為一，而是水本清乃性，進入氣質中為清或為濁，仍不礙與氣之性為同在氣質中的為一。蕺山以「人生而靜以上不容說」指性有本體高度，但此性又非超越氣質之上的天，而是就氣質有「靜」而不變之本體來說性。

> 「人生而靜，天之性也；感於物而動，性之欲也。物至知知，然後好惡形焉」章句：「欲」，為情也。「知知」謂靈明之覺因而知之也。人具生理，則天所命人之性固在其中，特其無所感觸，則性用不形而靜。及性必發而為情，因物至而知覺之體分別遂彰，則同其情者好之，異其情者惡之，而於物有所攻取，亦自然之勢也。[13]

明末清初的王夫之與蕺山直接關聯不明顯，但仍屬視心本與氣本同為一體之思路。夫之由「人生而靜以上不容說」的天來說性，所以天道生生之理命於人乃為人之性，而性必有自發其天命不已之作用，非如朱子性只是無作用的虛無之理，所以夫之所言較近於心本與氣本皆視性為有生生不已之作用者。而性為「人生而靜」非指性不能發用，而是指性本能生生不已地發用，此是性自身之動。而特別曰「生而靜」是暫時不言性之能動，而暫時定義性稟天命而為具生理為人的階段。此亦宋明儒所論「未發」之階段。此時無外感而性用不形而為靜，非性不動，是性尚未感外物而發為情耳。夫之云「欲，為情」視性之欲為情，則此性欲非形上的原則性的動，而是氣稟自身之生理的動，即氣質層的情。夫之之欲與情，似近漢唐之解釋，但夫之性之欲的情，是有天命生理於人而動之情，情已是第一義之情。「知知，謂靈明之覺因而知之」此知亦非第二義的心氣之知，是有心學本體位階的靈明知覺，如此則心知所好者必合天性，心所惡者自不合天性，好惡亦必由性之欲而有。

13　王夫之：《船山全書》（長沙市：嶽麓書社，1996年，第4冊），頁897-898。

六　復歸漢代

> 道既分而為命，命乃定而成性。白虎通云：性者，陽之施。情者，陰
> 之化也。論衡云：性生於陽，情生於陰，（雙行小註：說文：「性，人
> 之陽氣，性善者也。情，人之陰氣，有欲者也。」性即道之一陽，情
> 即道之一陰，一陰化為一陽，為命即為性也。所謂人生而靜，天之性
> 也。由其天性之善，擴而充之，使六爻皆正則成性，而盡其性。性為
> 人生而靜，其與人通者則情也，欲也。成己，在性之各正；成物在情
> 之旁通。非通乎情，無以正乎性。情屬利，性屬貞，故利貞兼言性情
> 而旁通則專言情，旁通以利言也。所謂感於物而動，性之欲也。孔子
> 嘆才難，孟子道性善本乎是。舍情而言善，舍欲而求仁，舍才以明
> 道，所以昧乎羲文孔孟之傳也。[14]

在宋程子加「以上不容說」一語於人生而靜之後，論性便往道體方向發
展，而「靜」指性本然未發時狀態，「性之欲」則為性發為情之狀態。漢唐
欲為情，屬喜怒哀樂愛敬之情欲。宋明理本論視性為天理為善，欲為形氣之
動，屬惡。心本論亦視性為道體為善，氣質之欲會限制善性不得全現，亦屬
於惡。氣本論主一氣貫通內外，性由氣命、氣化不已而有，所以性自發用不
已，即欲。而主心、氣是一者，將性視為道體，道之絕對價值性，氣化生生
不測之秩序與作用，亦皆在性中，性所發用之欲，為心、氣一體的發用，則
性善所發之情欲亦善。及清焦循面對宋明儒受佛道影響，著迷於「以上不容
說」之境，亦將「性之欲」脫離漢唐喜怒哀樂愛敬切於人身的六情，轉為欲
專為性惡之表現，深至不滿。故云「舍情而言善，昧乎羲文孔孟之傳」。故
主張回復漢代由陰陽論性情的老傳統。

焦循主張道分為命，命定為性，有分則命有分別，所以有分則萬物各有
其分化，有命而各成其為萬物之本然。性即統有分化，本分之內容。而本分

---

14 焦孝廉：《易通釋》（臺北市：成文書局，1976年）《無求備齋・易經集成》，冊120，頁
238-239。

為體，分化為用。故引白虎通「性，陽之施；情，陰之化」，論衡：「性生於陽，情生於陰」，說文：「性，人之陽氣，性善者。情，人之陰氣，有欲者。」共通點是性是陽為分化，情是陰是本分完成。所以又云「性即道之一陽，情即道之一陰，一陰化為一陽，為命即為性」，陰陽相生為道，陽生生不已，故為生生之性，陰為陽之完成成就，陰之施即為情。陰陽相生為道，故陽之性與陰之情亦自然為人生而同有的。又「性為人生而靜，而與人之通者則情也，欲也」，「靜」指性本然尚未發之狀態，「與人通」指性為陽之施，自會不已地主動地，旁通於外物，此時性旁通之發用，乃情、欲之謂。《樂記》云「感於物而動，性之欲」指欲是由性被動為物所感而發。焦循順此意，亦跟著說「與人通者則情也，欲」主張順性為陽之施會主動地旁通物，通物後而才能成物。亦即完成性發為情，情通而後性成的陰陽相生、性情相成的理論。

七　結論

　　唐孔穎達註《禮記》〈樂記〉：「人生而靜，天之性；感於物而動，性之欲。」一語，由人初生未有情慾是性，以性之動為貪慾。此說法仍承漢代陰陽五行的氣化宇宙論，由人之自然狀態說性與欲。及至北宋張橫渠，除承氣化自然之脈絡，說性如水之就下。又加上人性本善，而性之欲為性所發之善的說法。北宋司馬光亦由草木鳥獸自然狀態說性，此由氣說之性亦承漢代董仲舒性分三品說，有聖人純善之性，亦有凡人有善有惡二分之性。北宋程子在「人生而靜，天之性」論題上，加上「性即氣，氣即性」的說法，使天之性可由形上本體之天道論來說，亦可由氣化自然說善惡皆為性之內容。南宋朱子主張人受天地之中以生，所以性純粹至善。感物而動為性之欲，性之欲合理為善，性之欲發不合理為惡，欲乃有善惡之分。明代羅欽順主張理為氣之條理，反對朱子理在氣先之說。所以認為「欲與喜怒哀樂」皆為性之所有。但此由氣化說之性，已有本體之位階，所以又主「天性之真，乃其本性」而「明覺自然」乃性之欲。明代王廷相則明言氣為本體，主張「性者合

內外而一之道」，合動靜二者為一說性，順此則性有動有靜，欲也有動有靜。反對朱子以理為靜，以欲為動之說。明代吳廷翰亦主張「氣為萬物之本」以為「動靜皆性」。所以性以氣化不已為內容，而氣化不已便為性之欲。此時性、欲皆由一貫之氣說。清初戴震亦反對朱子理本氣末說法，主張「理在氣中」以天為理尚未存於形氣時，及理存於已生之後，才可言性。而性由天來，所以性仍是善。而性所發用之欲，自亦為善。以上為漢唐以降，主由氣化說性、欲一路，其中朱子將欲由形下說，是對漢唐的反思，及至明代王陽明主張心本論，故云「才說氣即是性，即已落在一邊，不是性之原」因陽明重知行合一，不可專偏形上，故又云「然性善之端，須在氣上見始得」，此亦包含著氣說良知本體。明清之際劉蕺山，統合心本論與氣本論之說，其性有本體之位階，但其性非純然超越之本體，而是就氣質中之不變之本體說性。及王夫之主由氣本論涵攝心本論，所以視性有天道生生不已之作用，而天理生生不已於人而動乃「性之欲」，此欲非只形下第二義之欲，此形氣欲中亦有生理不已為其主體。清代經學家焦循主張回復漢代由陰陽氣化論性情的老傳統，以為陽為性之本然，陰為性之完成。靜指性未發之時，動則為性已發之狀態，即所謂欲也。

　　本文藉由《禮記》：「人生而靜，天之性；感於物而動，性之欲」一語，由氣論視角檢視，由氣說性一脈。從漢唐陰陽五行為主，進到宋初司馬光仍承漢唐說法，張橫渠則已開始將自然層面之氣提高到本體的位階。程子說法可由天理本體說，亦可由氣化論說，既有漢代餘韻，亦為由氣論性一路，有開展的基礎。南宋朱子則又將往上提之氣，降為第二義形下之氣，是從另一方面重新給漢唐自然之氣一新的認識。明代中期，羅欽順、王廷相順張載、程子所展示氣之可能的發展，確立氣為本體之主張，使性、欲之定義，由氣說而不由理說，但氣內容已較漢唐具有本體義。陽明為心學大家，亦有藉氣化流行來說良知上下一體流行的方便。明清之際，蕺山並重心學、氣學二路，認為性非形上，亦非形下，而是統形上、形下合著說。明末清初王夫之，將氣提高至萬物之本的地位，再用氣本涵攝心本，確立此氣性有本體之內涵，如此漸擺脫宋明偏重天理本體路數。及至清代焦循進一步跨過明清重

視氣本體義的過程，回歸漢唐主張性是陽動，欲是陰靜的老傳統。此乃通過佛老天道論、理本論、心本論，辯證發展而後有的回歸。

婦人不二斬考

和　溪

廈門大學哲學系博士後研究

提要

「婦人不二斬」之說最早見於《儀禮》〈喪服〉，所謂「婦人不二斬」，即婦人不會在同一段婚姻存續期內服兩次「斬衰」。此說自《儀禮》提出，經漢唐沿用，至宋乾德三年改「二斬」，明洪武七年改「三斬」，後沿用至清末，其間曾兩次更改。這些改變，與社會禮儀觀念的轉變、民間風俗的影響等因素密不可分。

關鍵詞：不二斬　喪服　斬衰　齊衰

　　古人根據生者與死者親疏關係的不同，對喪服的穿戴及守喪時間的長短，進行了嚴格細緻的規定，稱為喪服制度。「婦人不二斬」之說最早見於《儀禮》〈喪服〉「期衰不杖期」章的《傳》文：「為父何以期也？婦人不二斬也。」[1]《傳》文中的「斬」指「斬衰」，即斬衰裳。《儀禮》〈喪服〉曰：「斬衰裳，苴絰、杖、絞帶，冠繩纓，菅屨者。」[2]服「斬衰」者所著服飾使用極粗麻布製成，邊緣不加縫紉保留裁割痕跡，喪期三年。唐賈公彥注曰：「言『斬衰裳』者，謂斬三升布以為衰裳。不言裁割而言『斬』者，取痛甚之意。」故「斬衰」為五服中最重一種。通常為至親或至尊之人服用，如子（女）為父，妻妾為父，臣為君，父為長子等。

　　按照《儀禮》規定，婦人通常須為父、為夫服「斬衰」，若婦人出嫁之後其父過世，則降其服，為父服「期」，此即「婦人不二斬」。然而若婦人嫁前已為父服「斬」，嫁後夫死則仍須為夫服「斬」；若婦人再嫁時已為前夫服斬，後夫亡故，則仍須為後夫服「斬」。此類情況頗多，若此則婦人在多數時候須服「二斬」。故所謂「婦人不二斬」，即婦人不會在同一段婚姻存續期內服兩次「斬衰」。此說自《儀禮》後，為後世諸多禮書所引用。然朝代更迭，禮法多變，婦人喪服制度，自唐時便討論頗多，至五代官方規定婦人喪服，已非「不二斬」，之後歷代屢有變更。故後世載記對此問題往往頗多混淆。清代《讀禮通考》、《五禮通考》等書於此皆有論及，然失之簡略。晚清學者顧廣譽在其《四禮榷疑》中曾有議論，認為：「婦為舅姑不杖期，其服齊衰三年，始自後唐明宗長興中劉嶽《書儀》，宋乾德三年定為制，明《孝慈錄》改斬衰。」[3]章太炎先生在〈喪服依《開元禮》議〉一文中認為令婦為舅服斬衰為宋人之失。[4]但兩文關於「婦人不二斬」的討論，或因流傳未廣，或因論述欠詳，均未引起學界關注。近年來有關喪服制度的研究如：王

1　《儀禮注疏》（上海市：，上海古籍出版社，2008年），卷30，頁920。

2　《儀禮注疏》（上海市：，上海古籍出版社，2008年），卷28，頁862。

3　章太炎：〈喪服依《開元禮》議〉，《四禮榷疑》（上海市：書店出版社，1994年，《叢書集成續編》），第11冊，卷6，頁1032。

4　《章太炎全集》（五）（上海市：上海人民出版社，2014年），頁35-39。

小健〈服制與禮俗──周代婦女「三從」的禮儀符號及制度展現〉[5]，錢杭
〈論喪服制度〉[6]，楊輝《中國喪服服敘制度研究》[7]，郭瀟博《唐宋五服制
度變革研究》[8]等，對「婦人不二斬」問題或未曾涉及，或寥寥數語，均未
加細考。丁淩華先生《中國喪服制度史》[9]一書對「婦人不二斬」雖有略有
論述，但亦未詳備。筆者擬按歷史時期對「婦人不二斬」的提出、沿用及變
革過程進行詳細梳理，以期對學界有所裨益。

一　「婦人不二斬」的提出

　　《儀禮》〈喪服〉「期衰不杖期」章規定，「子、女子子在室者」應當為
其父服「斬衰三年」，然「婦人有『三從』之義，無專用之道。故未嫁從
父，既嫁從夫，夫死從子。」[10]因此出嫁後的女子要為其夫服「斬衰三
年」。同時因「父者，子之天。夫者，妻之天。」[11]婦人不可貳天，不能二
尊，故出嫁後須為己父降等服喪，只服「齊衰期」，此即「婦人不二斬」。
《儀禮》〈喪服〉曰：「疏衰裳，齊，牡麻経，冠布纓，削杖，布帶，疏
屨，期者。」[12]「齊衰期」喪服較「斬衰」稍輕，服飾亦使用粗麻布製成，
邊緣略加縫紉，喪期一年。
　　封建時代，婦人因其社會地位的從屬性，在公眾視野中，始終為一個特
殊存在的群體。男性社會中諸多禮儀規定，並不完全適用於女子，喪服制度
亦如此。《儀禮》〈喪服〉「斬衰」章規定女子在四種情況下服「斬衰」：「妻

5　王小健：〈服制與禮俗──周代婦女「三從」的禮儀符號及制度展現〉，《婦女研究論
　　叢》第5期（2015年9月），頁64。

6　錢杭：〈論喪服制度〉，《史林》第1期（1989年），頁8。

7　楊輝：《中國喪服服敘制度研究》（上海市：華東政法大學博士學位論文，2009年）。

8　郭瀟博：《唐宋五服制度變革研究》（桂林市：廣西師範大學碩士學位論文，2014年）。

9　丁淩華：《中國喪服制度史》（上海市：上海人民出版社，2000年）。

10　《儀禮注疏》（上海市：，上海古籍出版社，2008年），卷29，頁893。

11　《儀禮注疏》（上海市：，上海古籍出版社，2008年），卷29，頁888。

12　《儀禮注疏》（上海市：，上海古籍出版社，2008年），卷30，頁904。

為夫」,「妾為君」,「女子子在室為父」,「子嫁,反在父之室,為父三年。」[13]

「女子子在室為父」,因婦人未出嫁之前在自己的家庭中,父為至尊。賈公彥疏曰:「『父至尊』者,天無二日,家無二尊,父是一家之尊,尊中至極,故為之斬也。」[14]故此時她從屬於父親,與家中兄弟一樣要為父親服「斬衰」。

「妻為夫」,「妾為君」,因婦人既嫁從夫,此時夫為妻天,由於從屬權發生改變,她不再為父親服「斬衰」,而改為丈夫服「斬衰」。

「子嫁,反在父之室,為父三年。」,如婦人為夫家休棄,返回母家,從屬權則再次發生改變,其仍需為父服「斬衰」。婦人為何人服「斬衰」實際上是由其身份的從屬決定的,根據從屬權的不同,婦人不會在同一段婚姻存續期間內服兩次「斬衰」。

「婦人不二斬」的提出,充分強調了婦人的社會從屬地位。彰顯了父權與夫權,為「三從」及「三綱」的提出奠定了基礎。此說自提出後至漢、唐時,為官方、民間諸多禮書所沿用。

二 「婦人不二斬」的沿用

漢代距今年代久遠,相關禮書、文獻亡逸較多,當時婦人服「斬衰」的實際情況,今已不得而知。

唐代杜佑《通典》載:「女子子適人者,為其父母、昆弟之為父後者,周。婦人不二斬也。」[15]並載馬融之解釋曰:「婦人以適人降,故服父母周,為昆弟之為父後者亦為之周也。」[16]此處「周」即「齊衰一年」。關於婦為舅姑之服《通典》亦言服周,並記載了當時禮官的一段討論:「婦為舅姑周,從服也。馬融曰:『從夫而為之服也。從服降一等,故夫服三年,妻

---

13 《儀禮注疏》(上海市:,上海古籍出版社,2008年),卷29,頁883-892。

14 《儀禮注疏》(上海市:,上海古籍出版社,2008年),卷29,頁883-892。

15 〔唐〕杜佑:《通典》(北京市:中華書局,2015年),卷90,頁2466。

16 〔唐〕杜佑:《通典》(北京市:中華書局,2015年),卷90,頁2466。

服周也。』劉系之問：『子婦為姑既周，彩衣邪？』苟訥答曰：『子婦為姑既周，除服。時人以夫家有喪，猶白衣。』」[17]馬融與苟訥皆晉人，可見晉代婦人喪服依舊尊《儀禮》「婦人不二斬」之原則，出嫁後降其本家之服。為舅姑亦只服「齊衰一年」，在除服後猶著白衣待夫除服。

唐代賈公彥在《儀禮疏》中詳細闡述：「懸絕，故問云：『為父何以期也』。『婦人不二斬也』，答辭。云『婦人不二斬者何』，更問不二斬之意也。云「婦人有三從之義」已下，答辭。前『斬』章云『為人後』，不云『丈夫不二斬』，至此『女子子』云『婦人不二斬』者，則丈夫容有二斬，故有為長子皆斬。又《喪服四制》云『門內之治恩揜義，門外之治義斷恩』至於君父別時而喪，仍得為父申斬，則丈夫有二斬。至於女子子在家為父，出嫁為夫，唯一無二，故特言婦人，是異於男子故也。」[18]此特言婦人身份特殊，其服喪規定有別於男子，在家為其父服斬，出嫁為其夫服斬。

賈疏又云：「與諸侯為兄弟者，服斬。是婦人為夫，並為君得二斬者。然則此婦人不二斬者，在家為父斬，出嫁為夫斬，為父期，此其常事。彼為君不可以輕服，服君非常之事，不得決此也。」[19]如婦人之兄弟為諸侯或君主則婦人可以「二斬」，因此非常事，為君不可輕服。

賈疏同時解釋「婦人有三從之義」則「婦人從人所從即為之斬」，然而婦人「為父斬」、「為夫斬」，卻因何「夫死從子，不為子斬」？是乃夫死婦人雖從其子，但子卑母尊，「子為母期衰，母為子不得過期衰，故亦不斬也。」[20]此為唐代學者對禮經之理解，唐代對於婦人服斬衰的具體規定可見《舊唐書》與《大唐開元禮》。

《舊唐書》載：「由此言之，母黨比於本族不可同貫明矣。且家無二尊，喪無二斬，人之所奉，不可貳也。特重于大宗者，降其小宗；為人後者，減其父母之服；女子出嫁，殺其本家之喪；蓋所存者遠，所抑者私

17　〔唐〕杜佑：《通典》（北京市：中華書局，2015年），卷90，頁2467-2468。
18　《儀禮注疏》（上海市：上海古籍出版社，2008年），卷30，頁920。
19　《儀禮注疏》（上海市：上海古籍出版社，2008年），卷30，頁920。
20　《儀禮注疏》卷（上海市：上海古籍出版社，2008年），卷30，頁921。

也。」[21]

　　《大唐開元禮》〈凶禮〉〈五服制度〉云:「斬衰三年,正服:子為父;女子子在室為父;女子子嫁反在父之室為父。義服:為人後者為所後父;妻為夫;妾為君;國官為國君。」[22]

　　上文所列文獻均為唐代,漢代文獻已不可考,但鄭玄作注並未對經文「婦人不二斬」之說提出異說,可見漢代學者觀點應與禮經相同。唐初禮儀制度多有變更,然終唐一代官方所定婦人斬服皆尊《儀禮》,即知遵循古禮依舊為當時官方之主流觀點。此後,官方對「婦人不二斬」制度的使用一直持續至五代時期。但唐貞元年間朝廷曾就這一制度有過一次爭論,此次爭論似是文獻對這一制度走向變革的最早記載。

三　「婦人不二斬」的變革

(一) 變革肇始

　　唐貞元十一年,朝廷曾就婦人是否可以「二斬」有過激烈爭論,貞元十一年,河中府倉曹參軍蕭據向朝廷上書稱:「堂兄侄女子適李氏,婿見居喪。今時俗婦為舅姑服三年,恐為非禮,請禮院詳定垂下。」[23]當時負責禮儀的詳定判官、前太常博士李岺言:「《大唐開元禮》〈五服制度〉,婦為舅姑,及女子適人為其父母,皆期衰不杖周。蓋以婦之道,以專一不得自達,必系於人。故女子適人,服夫以斬,而降其父母。」[24]並引《喪服傳》「婦

21　《舊唐書》(北京市:中華書局,1975年),卷27,頁1033。
22　《大唐開元禮》(成都市:四川大學出版社,2014年),卷123,《儒藏·史部》,第250冊,頁188。
23　《刊誤》(臺北市:臺灣商務印書館,1983年,《影印文淵閣四庫全書》),卷下,第850冊,頁182。
24　《刊誤》(臺北市:臺灣商務印書館,1983年,《影印文淵閣四庫全書》),卷下,第850冊,頁182。

人不二斬」之言稱「先聖格言,歷代不敢易。父母之喪尚止周歲,舅姑之服無容三年。今之學者,不本其義,輕重紊亂,寖以成俗。」[25]最終裁定依《開元禮》,再次頒行,以明典章。[26]此事唐李涪《刊誤》與《唐會要》皆有記載。李涪在《刊誤‧舅姑服》中認為婦人為舅姑服期衰,除服之後,此時家中門庭尚素,婦人須服青縑衣直至丈夫除服,而民間素以婦人服青縑為其尚在喪制,如此於禮並未違背,於情亦有兼顧。故云:「此李岂之論可謂正矣。凡居士列得不守之?」[27]

《唐會要》亦載此事,並論曰:「父母之喪,尚止周歲,舅姑之服,無容三年。且服者,報也,雖有加降,不甚相懸。故舅姑為婦,大功九月,以卑降也;婦為舅姑,齊衰周年,以尊加也。」[28]此論與李岂之論亦同。此次朝廷爭論皆圍繞婦人是否應為舅姑加服而起,最終以遵循《開元禮》舊規告終。由是可知至唐貞元年間,「婦人不二斬」制度仍為官方所遵循;亦可知,當時民間俗禮已有為舅姑服「斬衰」之例。

(二)婦人二斬

禮儀制度的產生不外乎「自上而下」與「自下而上」兩種情況。「自上而下」即由官方頒定禮儀程式,並督促各級機構及百姓施行,施行既久,便已成俗。「自下而上」則是民間自有一些行之頗久的習慣,雖未必與禮義相合,但久行成俗,難以更改,官方更訂禮書時最終將其吸納,使其合法。而「婦人不二斬」制度的變革亦是有民間「自下而上」產生的。

---

25 《刊誤》(臺北市:臺灣商務印書館,1983年,《影印文淵閣四庫全書》),卷下,第850冊,頁182。

26 《刊誤》(臺北市:臺灣商務印書館,1983年,《影印文淵閣四庫全書》),卷下,第850冊,頁182。

27 《刊誤》(臺北市:臺灣商務印書館,1983年,《影印文淵閣四庫全書》),卷下,第850冊,頁182。

28 《唐會要》(上海市:上海古籍出版社,2006年),頁804。

　　婦人斬服制度的更改，民間最早應可溯至晚唐，官方則應改自五代。如今可見與此事相關的最早記載來自于《續資治通鑑長編》。《續資治通鑑長編》宋太祖乾德三年條載：「秘書監判，大理寺汝陰、尹拙等言：『後唐劉嶽《書儀》稱婦為舅姑服三年，與禮律不同，然亦准敕行用，請別裁定之。』詔百官集議。尚書省左僕射魏仁溥等二十一人奏議曰：『謹按《禮》〈內則〉云：「婦事舅姑，如事父母。」即舅姑與父母一也。古禮有期年之說，雖於義可稽；《書儀》著三年之文，實在理為當。蓋五服制度，前代增益已多。即如嫂叔無服，唐太宗令服小功；曾祖父母舊服三月，增為五月；嫡子婦大功，增為期；眾子婦小功，增為大功；父在為母服周，高宗增為三年；婦人為夫之姨舅無服，明皇令從夫而服；又增姨舅同服緦麻，及堂姨舅服祖免。迄今遵行，遂為典制。伏況三年之內，幾筵尚存，豈可夫衣衰麤，婦襲紈綺。夫婦齊體，哀樂不同，求之人情，實傷至治。況婦人為夫有三年之服，于舅姑而止服周，是尊夫而卑舅姑也。且昭憲皇太后喪，孝明皇后親行三年之服，可以為萬代法矣。』十二月，丁酉朔，始令婦為舅姑三年齊斬，一從其夫。」[29]

　　上文所言之事《宋史》與《九朝編年備要》皆有記述。《宋史》更言此番改禮皆因「孝明皇后為昭憲太后服喪三年。」[30]按《宋史》，昭憲太后薨于宋建隆二年（961）[31]，孝明皇后與太祖婚于後周顯德五年（958），薨于宋乾德元年（963）。[32]時宋廷初立，禮法未備，孝明來自民間，從夫為太后服三年齊衰之服當是依民間舊例（即：為姑服「齊衰」，為舅父「斬衰」。）且大理寺明言此禮改自後唐，可知其時民間已行之頗久。婦人為舅姑服喪從夫這一俗禮，為官方禮書所吸納最早應上溯至五代後唐時。雖文中所言劉嶽編訂之《書儀》今已佚失無考，唯《五代會要》卷十六載：「後唐長興三年正月，太常卿劉嶽奏：『先奉勅刪定鄭余慶《書儀》者。臣與太子

29　《續資治通鑑長編》（北京市：中華書局，2012年），卷4，頁96。
30　《宋史》（北京市：中華書局，1977年），卷125，頁2930。
31　《宋史》（北京市：中華書局，1977年），卷242，頁8607。
32　《宋史》（北京市：中華書局，1977年），卷242，頁8608。

賓客馬縞、太常博士段顒、田敏、路航、季居浣、太常丞陳觀等，同共詳
定，其書送納中書門下。』」33可知後唐時劉岳等確曾奉詔刪定《書儀》。

宋乾德三年，太祖下令婦人為舅姑服喪「齊斬一從其夫」，當是既從民
間俗禮，亦因循五代舊制。自此《儀禮》中所定「婦人不二斬」正式變為
「二斬」，即：為夫服斬，並為舅服斬。此後，宋代民間禮書《司馬氏書
儀》34、《朱子家禮》35中的婦人喪服制度皆遵循這一規定。《元文類》〈服制
考詳序〉云：「古人制禮之意必有在，而未易以淺識窺也。夫實之無所不隆
者，仁之至；文之有所或殺者，義之精。古人制禮之意蓋如此。後世父在為
母以三年，婦為舅姑從夫斬期並三年，為嫂有服，為弟婦亦有服，意欲加厚
于古而不知古者。」36可知元代婦人服喪亦遵循此制度。

（三）婦人三斬

自宋乾德三年改令婦人為舅姑服喪三年，齊斬一從其夫後，此規定一直
為後世所沿用。然而自古無萬世不變之法，數百年後，這一制度在明代再次
發生了變化。明洪武七年，孫貴妃薨，明太祖著禮部制定喪儀，禮部尚書牛
諒等奏曰：「周《儀禮》，父在為母服期年，若庶母則無服。」37明太祖則認
為：「父母之恩一也，父服三年，父在為母則期年，豈非低昂太甚乎？其於
人情何如也。」38因為孫貴妃無子，太祖遂命「周王肅行慈母服斬衰三年，

---

33 《五代會要》（上海市：上海古籍出版社，2006年），卷16，頁268。
34 「斬衰三年，子為父，嫡孫為祖承重，父為嫡長子，婦為舅，為人後者為所後父，妻
   為夫，妾為君。」《司馬氏書儀》（上海市：上海商務印書館，1936年，《叢書集成初
   編》），頁70。
35 「其服之制，一曰斬衰三年……其義服，則婦為舅也。」〈家禮〉，《朱子全書》（上海
   市：上海古籍出版社，2002年），頁909。
36 《元文類》（臺北市：臺灣商務印書館，1983年，《影印文淵閣四庫全書》），卷34，第
   1367冊，頁425。
37 《明史》（北京市：中華書局，1974年），卷60，頁1493。
38 〈孝慈錄序〉，《明太祖集》（合肥市：安徽古籍出版社，1991年），頁302。

東宮諸王皆服期」。[39]並撰《孝慈錄》，對喪服制度進行了更改：「每聞漢唐有忌議喪事者，在朕則不然。禮樂制度出自天子，於是立為定制，子為父母，庶子為其母，皆斬衰三年；嫡子、眾子為庶母，皆期衰杖期，使內外有所遵守。」[40]

婦人斬服制度自宋乾德三年改定後，婦人為舅姑所服之喪始終與其夫相同。今明太祖改令男子為父母皆服斬衰，隨後婦人喪服亦隨之而改。明初頒《明集禮》喪服條尚且規定「為舅斬衰三年，為姑齊衰三年」[41]，而比《明集禮》晚些頒行的《明會典》中「斬衰三年」條下則規定「為舅」服亦「為姑」服。[42]《明史》〈刑法〉亦載：「舅姑之服皆斬衰三年。」且《明會典》喪服條前有言：「國初頒降《大明令》，凡喪服等差多因前代之舊，後更定服制著為《孝慈錄》，複圖列於大明律，今具載於後。」[43]由是可知，婦人斬服制度當是跟隨《孝慈錄》中男子斬服而更改。更改後婦人需服「三斬」，即：為夫服斬、為舅服斬、為姑服斬，與當初《儀禮》中所言的「婦人不二斬」已相去甚遠。

清代禮書在制定喪服制度時，沿用明代規定，《大清會典》載：「凡服制有五：曰斬衰三年；曰齊衰杖期、不杖期、五月、三月；曰大功九月；曰小功五月；曰緦麻三月。服之差等有八：曰斬衰三年者，子為父母，子之妻同；子為繼母、慈母、養母，子之妻同；庶子為嫡母，為所生母，庶子之妻同；為人後者為所後父母，為人後者之妻同。」[44]此後，直至封建王朝的消亡，婦人服喪皆是「三斬」。

---

39 《明史》（北京市：中華書局，1974年），卷113，頁3508。

40 〈孝慈錄序〉，《明太祖集》（合肥市：安徽古籍出版社，1991年），頁302。

41 《明集禮》（人民出版社，2012年，《域外漢籍珍本文庫》），卷38，第三輯，史部第28冊，頁191-192。

42 《明會典》（臺北市：新文豐出版有限公司，1976年），卷89，頁1568。

43 《明會典》（臺北市：新文豐出版有限公司，1976年），卷89，頁1568。

44 《欽定大清會典》（臺北市：臺灣商務印書館，1983年，《影印文淵閣四庫全書》），第619冊，卷54，頁488。

四　結論

　　綜上所述，可知「婦人不二斬」制度自《儀禮》〈喪服傳〉提出，至唐貞元年間民間始有變革。五代後唐劉嶽將民間「為舅服斬」之俗編入《書儀》，官方始行「婦人二斬」之制。宋初，太祖更令婦人「齊斬一從其夫」，此制一直沿用至明初。明洪武七年，太祖令子為父母皆斬衰三年，因婦人齊斬從夫，故此後婦人於一家之中須服「三斬」。婦人斬服制度自提出後，數千載中屢經變革，影響其變革之因素有二：

（一）禮儀觀念的轉變

　　婦人斬服制度的轉變首先表現為親親尊尊觀念的變遷。禮是人之為人之本質，親親、尊尊則是人道之根本。《禮記》〈喪服小記〉曰：「親親，尊尊，長長，男女之有別，人道之大者也。」[45]《禮記》〈大傳〉亦云：「服術有六：一曰親親，二曰尊尊，三曰名，四曰出入，五曰長幼，六曰從服。」[46]「六術」是喪服制度的核心原則，其中「親親」、「尊尊」更為此六原則之核心。「親親」主情，「尊尊」主義，聖人制禮，文質並用，情義並重，以求達天道而不失人情。《白虎通義》曰：「喪禮必制衰麻何？以副意也。服以飾情，情貌相配，中外相應。故吉凶不同服，歌哭不同聲，所以表中誠也。」[47]喪禮所著之服是為了內外相應，以表達服喪者的哀傷之情，因哀有深淺，故服有不同。又，《禮記》〈喪服四制〉曰：「門內之治恩掩義，門外之治義斷恩。」[48]因此喪服制度的規定在家庭內部而言更是情重於義的。賈公彥疏：「本是路人，與子判合，則為重服，服夫之父母。」[49]按照情義並重的原

45　《禮記正義》（北京市：北京大學出版社，1999年），頁966。

46　《禮記正義》（北京市：北京大學出版社，1999年），頁1006。

47　《白虎通疏證》（北京市：中華書局，2011年），頁510。

48　《禮記正義》（北京市：北京大學出版社，1999年），頁1673。

49　《儀禮注疏》（上海市：，上海古籍出版社，2008年），卷31，頁936。

則，婦人與舅姑並無血緣，按理當無服，然婦人嫁於夫家，與夫有三從之義，故從夫之服。從服則降一等，夫服三年，婦人為舅姑只服齊衰一年。

親親、尊尊的原則主要體現在家庭內部，而在家國同構的傳統社會，家是構成社會的基本單位，家庭秩序穩定與否與國家興衰密切相關。有效的規範家庭秩序，始終是維護家庭與社會穩定的重要因素。婦人既是構成家庭的主要元素，又以家為主要活動空間，自然被作為規範的主要物件。鄧小南先生說：「儒家學者們通過對家、人的闡發，組接出了一條理想形態下的鏈條：女正——家道正——天下正。而當付諸實踐時，這組鏈條的作用形式實際上是：正女——正家——正天下」。[50]因此「夫主婦從」逐步成為傳統夫妻關係的核心內容。正如朱子所言：「三綱既正，則人倫厚，教化美，而風俗移矣。」[51]只有強化社會性別秩序，堅持男尊女卑，夫主妻從的家庭模式，才能建立起穩定的家庭秩序及社會秩序。在這種背景下，後世將「婦事舅姑，如事父母」這一觀念擴大化，要求婦人不可「尊其夫」而「卑舅姑」，應當以夫之尊為尊，以夫之天為天。

婦人適人，降其本家之服，為其本生父母只服「齊衰期」。按「事舅姑，如事父母」之原則，為舅姑亦當服「齊衰期」。而宋明之後要求婦人為舅姑服「斬衰」，婦人個體親緣之情在此規定中已無絲毫體現，婦人此時實非從夫之服，而為同夫之服。此實為後世禮制由「情義並重」向「重義輕情」的一種轉變。崇「尊尊」之義，夫為婦之尊，舅姑為夫之尊，則舅姑更為婦之至尊，故婦人不得不屈其情而尊其尊，為己之父母服期，為舅姑服斬。如此規定，將「尊尊」之義無限擴大，則喪服之制愈加形式化，以至最終流為虛文。

（二）民間風俗的影響

儀式之禮是在人類宗教生活和日常生活的基礎上由簡單到繁複、由零散

50　鄧小南：《唐宋女性與社會》（上海市：上海辭書出版社，2003年），頁108。

51　《詩傳綱領》（上海市：上海古籍出版社，2002年，《朱子全書》），第1冊，頁344。

到系統逐漸演進的結果，隨著歷史的發展進程明顯地增添了許多社會習俗的因數。唐宋以降，隨著科舉制度的確立，世族門閥被打破，社會階層的流通性加強。「禮不下庶人」這一觀念亦發生改變，禮不再只出於天子，停留在社會上層的禮儀開始向世俗化轉變。隨著社會階層的流通，民間俗禮亦被帶入社會上層。官方制禮不僅本自禮經，對民間行之已久的俗禮逐漸有所吸納。

　　章太炎先生在其《喪服依〈開元禮〉議》中認為：「婦為舅姑有從其夫服三年者。此乃民俗之訛，于國制無與。」[52]似是不無道理。由《通典》中荀訥答言：「子婦為姑既周，除服。時人以夫家有喪，猶白衣。」可知，當時婦人為舅姑服喪，喪滿除服之後，依舊著白衣，待丈夫除服，方同換吉服。但此時白衣為縑衣，已與齊衰所服麻衣不同。民間或因不辨白衣材質之不同，以之為與夫同服三年之喪，亦未可知。

　　然訛久成俗，自唐貞元年間至五代，百餘年間真相早已不辨。後唐劉嶽從民俗將為舅姑服「三年之喪」納入《書儀》。宋廷初立，皇后與太祖婚時尚在民間，其時民間為舅姑服「三年之喪」以久，故孝明依俗禮為太后服喪。後大理寺在制定禮儀時亦只得將這一俗禮納入禮書。由此可見民間風俗浸潤之甚。

　　「婦人不二斬」之說自《儀禮》提出，經漢唐沿用，至宋乾德三年改「二斬」，明洪武七年改「三斬」，後沿用至清末。其間兩次改禮雖皆因特定的人與事，但禮儀的變化從來都不是偶然為之的。這些改變，與社會禮儀觀念的轉變、民間風俗對禮儀制度的影響等因素密不可分，充分體現了「禮，時為大」[53]的發展原則。可見，婦人喪服制度的更改，雖是微小的變革，亦是社會的投影。

52　《章太炎全集》（五）（上海市：上海人民出版社，2014年），頁35-39。

53　《禮記正義》（北京市：北京大學出版社，1999年），頁719。

第十一屆中國經學國際學術研討會議程表

<table>
<tr><td colspan="6" align="center">第一天議程</td></tr>
<tr><td colspan="3">日　　期：2019 年 10 月 26 日（星期六）</td><td colspan="3">地　　點：中國文化大學大新館 B1 會議室
臺北市中正區延平南路 127 號 B1</td></tr>
<tr><td colspan="6">報　　到：9：00 — 9：30</td></tr>
<tr><td colspan="2">開幕式</td><td colspan="4">9：30 — 10：00</td></tr>
<tr><td colspan="2">大合照</td><td>10：00 — 10：20</td><td colspan="3">與會學者大合照</td></tr>
<tr><td colspan="2">專題演講</td><td>10：20 — 12：00</td><td colspan="3">主持人：政治大學中文系特聘教授　董金裕教授
主講人：逢甲大學中文系榮譽教授　李威熊教授
題　目：《周易》〈賁〉卦與儒家禮容</td></tr>
<tr><td colspan="6" align="center">午　　餐</td></tr>
<tr><td>場次</td><td>時間</td><td>主持人</td><td>發表人</td><td>論文題目</td><td>特約討論人</td></tr>
<tr><td rowspan="5">一</td><td rowspan="5">1：00
3：00</td><td rowspan="5">賴明德
中原大學
應用華語文
學系
講座教授</td><td>方　勇
華東師範大學
先秦諸子研究
中心教授</td><td>四論「新子學」——
從《漢書・藝文志》經子觀談起</td><td>王俊彥
中國文化大學
中文系教授</td></tr>
<tr><td>盧鳴東
香港浸會大學
中文系教授</td><td>盧湘父《經訓讀本》論析 ——
二十世紀中期香港童蒙教育的經
學內容</td><td>賴明德
中原大學
應用華語文學系
講座教授</td></tr>
<tr><td>趙中偉
輔仁大學
中文系教授</td><td>《易傳》「創新」視域剖析——
〈晉〉、〈升〉、〈漸〉三卦為例</td><td>孫劍秋
臺北教育大學
語文與創作學系
教授</td></tr>
<tr><td>卓行健
政治大學
中文系教授</td><td>民國高教體制下的經學課程：
從大陸到臺灣</td><td>楊晉龍
中研院文哲所
研究員</td></tr>
<tr><td>（韓國）姜允玉
明知大學
東亞研究所
教授</td><td>中韓儒家簡牘文獻《論語》與「仁」
字涵義之史</td><td>許端容
中國文化大學
中文系教授</td></tr>
</table>

茶 敘					
二	3：30 5：10	蔡信發 中央大學 中文系 榮譽講座 教授	（日本）內山直樹 千葉大學 人文科學研究院 教授	從「記事」到「記言」—— 漢代《尚書》觀的一斑	陳恆嵩 東吳大學 中文系教授
			陳恆嵩 東吳大學 中文系教授	鍾庚陽及其《尚書主意傳心錄》	蔣秋華 中研院文哲所 副研究員
			陳亦伶 香港浸會大學中 國傳統文化研究 中心副研究員	香港地區出版《尚書》研究回顧 與展望(1949～2018)	許華峰 臺灣師大 國文系副教授
			宗靜航 香港浸會大學 中文系助理教授	《論語集解》所見「孔注」釋義 問題淺議	陳逢源 政治大學 中文系教授
晚 宴					

■ 說 明
1. 每場次主持人 5 分鐘，發表人各 12 分鐘，特約討論人各 10 分鐘，其餘為發表人回應及綜合討論時間。
2. 綜合討論時間於該場次發表人回應完後進行之，每人每次發言以 2 分鐘為限。

第二天議程					
日　　期：2019 年 10 月 27 日（星期日）			地　　點：中國文化大學大新館		
場次	時間	主持人	發表人	論文題目	特約討論人
三	8：30 10：10	陳麗桂 臺灣師大 國文系 教授	施順生 中國文化大學 中文系副教授	臺灣敬字惜紙文化中所展現的 尊孔崇儒現象	吳肇嘉 臺北市立大學 中文系副教授
			黃智明 元智大學中語系 助理教授	周中孚、關文瑛二家 《通志堂經解》提要述評—— 以「易類」著述為考察中心	馮曉庭 嘉義大學 中文系副教授
			林協成 中國文化大學 中文系助理教授	《倭名類聚鈔》引雅學文獻考	許媛婷 故宮博物院圖書 文獻處副研究員
			孫廣 華東師範大學 中文系博士生	理學的考據進路—— 論元代「旁通體」經疏的發展	史甄陶 臺灣大學 中文系副教授
茶　　敘					
四	10：30 12：10	莊雅州 中正大學 中文系 教授	許端容 中國文化大學 中文系教授	詩經、羔羊、蒹葭、蜉蝣、七月 當代互文書寫	陳溫菊 銘傳大學 應中系教授
			林淑貞 中興大學 中文系教授	自然平淡與懲戒教化：朱子論詩要義 及其對《詩經》的承接與轉化	莊雅州 中正大學 中文系教授
			張文朝 中研院文哲所 副研究員	諸橋轍次的詩經觀： 以《詩經研究》所見為中心	田世民 臺灣大學 日文系副教授
			陳戰峰 西北大學中國思 想文化研究所 副教授	《文心雕龍》的經學觀念與義理 價值	施順生 中國文化大學 中文系副教授
午　　餐					

			馮曉庭 嘉義大學 中文系副教授	《春秋公羊疏》卷二校勘記研究	劉德明 中央大學 中文系教授
五	1：00 2：40	李隆獻 臺灣大學 中文系 教授	金培懿 臺灣師大 國文系教授	東亞儒家親情倫理觀——以「親親相隱」論所作之考察	張崑將 臺灣師大 東亞系教授
			邱惠芬 長庚科大通識 中心副教授	朝鮮正祖選才教育研究—— 以賓興錄為考察中心	張曉生 臺北市立大學 中文系教授
			吳瑞荻 廈門大學 哲學系博士生	三禮射侯形制考	黃智信 東吳大學 中文系助理教授
茶　敘					
六	3：00 4：40	林啟屏 政治大學 中文系 教授	楊晉龍 中研院文哲所 研究員	清朝前期經解中的陳澔《禮記集說》——以《四庫全書總目》著錄書籍為範圍的探究	林素英 臺灣師大 國文系教授
			王俊彥 中國文化大學 中文系教授	《禮記・樂記》「人生而靜，以上不容說，感於物而動」——由氣論視角檢視此語的發展的分化	許朝陽 輔仁大學 中文系教授
			和　溪 廈門大學哲學 系博士後研究	婦人不二斬考	鄭雯馨 政治大學 中文系助理教授
			張曉生 臺北市立大學 中國語文學系 教授	陳詰《春秋胡氏傳集解》小考	趙飛鵬 臺灣大學 中文系教授
閉幕式		4：40－5：00			
經學會會員大會		5：00			
晚　宴					

經學研究叢書‧臺灣高等經學研討論集叢刊　0502010

第十、十一屆中國經學國際學術研討會論文選集

主　　編	林慶彰
編　　輯	陳逢源
責任編輯	呂玉姍
發 行 人	林慶彰
總 經 理	梁錦興
總 編 輯	張晏瑞
編 輯 所	萬卷樓圖書股份有限公司
排　　版	林曉敏
印　　刷	百通科技股份有限公司
封面設計	斐類設計工作室

發　　行　萬卷樓圖書股份有限公司
　　臺北市羅斯福路二段 41 號 6 樓之 3
　　電話 (02)23216565
　　傳真 (02)23218698
　　電郵 SERVICE@WANJUAN.COM.TW
香港經銷　香港聯合書刊物流有限公司
　　電話 (852)21502100
　　傳真 (852)23560735

ISBN 978-986-478-353-3
2020 年 5 月初版
定價：新臺幣 1200 元

如何購買本書：

1. 劃撥購書，請透過以下郵政劃撥帳號：
　　帳號：15624015
　　戶名：萬卷樓圖書股份有限公司

2. 轉帳購書，請透過以下帳戶
　　合作金庫銀行　古亭分行
　　戶名：萬卷樓圖書股份有限公司
　　帳號：0877717092596

3. 網路購書，請透過萬卷樓網站
　　網址 WWW.WANJUAN.COM.TW

大量購書，請直接聯繫我們，將有專人為
您服務。客服：(02)23216565 分機 610

如有缺頁、破損或裝訂錯誤，請寄回更換
版權所有‧翻印必究
Copyright©2020 by WanJuanLou Books CO., Ltd.
All Right Reserved　　　　Printed in Taiwan

國家圖書館出版品預行編目資料

中國經學國際學術研討會論文選集. 第十、十
一屆 ╱ 林慶彰主編.-- 初版.-- 臺北市：萬卷
樓, 2020.05
　　面；　公分. -- (經學研究叢書. 臺灣高等經
學研討論集叢刊)

ISBN 978-986-478-353-3(平裝)

1.經學　2.文集

090.7　　　　　　　　　　　109003796